# LE NUMÉRO 1 DEPUIS 50 ANS

# LE GUIDE DE L'AUTO 50ᵉ

MC

## 2016

LES ÉDITIONS DE L'HOMME

**Coordination éditoriale**
Alain Morin

**Direction éditoriale**
Denis Duquet
Gabriel Gélinas
Marc Lachapelle
Jean Lemieux
Alain Morin

**Fondateur et Rédacteur Émérite**
Jacques Duval

**Coordination de production**
Marie-France Rock

**Journalistes**
David Booth, Frédérick Boucher-Gaulin, Guy Desjardins, Denis Duquet,
Jacques Duval, Marc-André Gauthier, Gabriel Gélinas, Jean-François Guay,
Benjamin Hunting, Marc Lachapelle, Alain Morin, Costa Mouzouris,
Gilles Olivier, Sylvain Raymond

**Correction**
Hélène Paraire, Lucie René

**Révision**
Daniel Beaulieu, Michel Deslauriers, Denis Duquet

**Traduction**
Pierre René de Cotret

**Fiches techniques**
Jean-Charles Lajeunesse
Liste de prix
Guy Desjardins

**Graphiste en chef**
Marie-Odile Thellen

**Graphistes**
Sophie Leclerc
Steve Méthé

**Page Couverture**
Photographe: Bill Petro
Graphiste: François Daxhelet

**Adjointe de la production aux Éditions de l'Homme**
Diane Denoncourt, Roxane Vaillant

**Photographe Matchs Comparatifs**
Jeremy Alan Glover

**Président**
Jean Lemieux

**Représentation publicitaire**
Simon Fortin

**Coordination publicitaire**
Karine Phaneuf

Les marques de commerce Le *Guide de l'auto*, Le *Guide de l'auto*
Jacques Duval et les marques associés sont la propriété de

Copyright 2015 Tous droits réservés, LC Média inc.
Site internet: www.guideautoweb.com

**DISTRIBUTEUR EXCLUSIF:**

**Pour le Canada et les États-Unis:**
MESSAGERIES ADP*
2315, rue de la Province
Longueuil, Québec  J4G 1G4
Téléphone: 450-640-1237
Télécopieur: 450-674-6237
Internet: www.messageries-adp.com
* filiale du Groupe Sogides inc.,
  filiale de Québecor Média inc.

07-15

Imprimé au Canada

© 2015, Les Éditions de l'Homme,
division du Groupe Sogides inc.,
filiale de Québecor Média inc.
(Montréal, Québec)

Consultez nos sites Internet et inscrivez-vous à l'infolettre pour rester
informé en tout temps de nos publications et de nos concours en ligne.
Et croisez aussi vos auteurs préférés et notre équipe sur nos blogues!

EDITIONS-HOMME.COM
EDITIONS-JOUR.COM
EDITIONS-PETITHOMME.COM
EDITIONS-LAGRIFFE.COM

Tous droits réservés.

Dépôt légal: 2015
Bibliothèque et Archives nationales du Québec

ISBN 978-2-7619-4295-9

Gouvernement du Québec –
Programme de crédit d'impôt pour l'édition de livres –
Gestion SODEC - www.sodec.gouv.qc.ca

L'Éditeur bénéficie du soutien de la Société de développement des entreprises
culturelles du Québec pour son programme d'édition.

 Canada Council   Conseil des arts
for the Arts      du Canada

Nous remercions le Conseil des Arts du Canada de l'aide accordée à notre
programme de publication.

Nous reconnaissons l'aide financière du gouvernement du Canada par l'entremise
du Fonds du livre du Canada pour nos activités d'édition.

# LE GUIDE DE L'AUTO 50e
## 2016

### David **Booth**

Depuis deux décennies, David Booth, un ingénieur de formation, est la plume vitriolique de *Driving* (section automobile du *National Post*), ainsi que du magazine *Autovision*. Sa spécialité : les *supercars*.

### Frédérick **Boucher-Gaulin**

Ayant rejoint le *Guide de l'auto* pour alimenter la section Actualités du site web, il signe ses premiers essais en 2014. Mordu d'automobile depuis 24 ans, il vit maintenant de sa plus grande passion.

### Guy **Desjardins**

Ingénieur de formation, Guy joint l'équipe en 2005 après avoir remporté le concours « La Relève ». Il réalise plus de 60 essais par an, collabore à différents médias et alimente la section mécanique web.

### Denis **Duquet**

Chroniqueur automobile depuis 1977, il collabore au *Guide de l'auto* depuis l'édition de 1981. Membre du jury du North American Car and Truck of the Year, il est également membre de l'AJAC .

### Jacques **Duval**

Jacques Duval est le fondateur du *Guide de l'auto* qu'il a écrit seul pendant plus de 15 ans. Il a été intronisé au Temple de la renommée du sport automobile canadien pour ses exploits en course.

### Marc-André **Gauthier**

Diplômé en administration et journalisme, Marc-André a touché à plusieurs domaines avant de s'arrêter au journalisme automobile. Il aime particulièrement analyser et dégager les tendances de l'industrie.

### Gabriel **Gélinas**

Chroniqueur automobile depuis 1992, Gabriel Gélinas était instructeur-chef à l'école de pilotage Jim Russell. Il écrit également pour *The National Post* et est chroniqueur à *Salut Bonjour* au réseau TVA.

### Jean-François **Guay**

Avocat de formation, Jean-François Guay a démarré sa carrière de chroniqueur automobile en 1983. Reconnu pour sa vaste expertise, il réalise des essais routiers et commente l'actualité dans les médias.

### Benjamin **Hunting**

Benjamin Hunting a fait ses études entouré de voitures *Studebaker*. En 2008, après 10 ans de courses, de restaurations et de passion auto permanente, il est devenu journaliste automobile à temps plein.

### Marc **Lachapelle**

Après ses débuts au *Guide* en 1982, Marc fut collaborateur ou rédacteur en chef pour divers médias, au Québec et ailleurs. Il a gagné des prix, courses et rallyes et fait encore partie de quatre jurys.

### Alain **Morin**

C'est en 1997 que Alain Morin signe son premier texte portant sur l'automobile. Puis, la vie l'amène à signer la section des voitures d'occasion dans le *Guide de l'auto 2001*. Le reste appartient à l'Histoire...

### Sylvain **Raymond**

Sylvain Raymond a débuté son métier de journaliste automobile il y a plus de 13 ans. Il a été rédacteur en chef d'autonet.ca pendant 5 ans et est maintenant directeur du contenu au *Guide de l'auto*.

# LA RECONNAISSANCE D'UNE QUALITÉ INÉGALÉE.

 **SOUL**

« Au premier rang des véhicules utilitaires compacts pour la qualité initiale aux É.-U. »

 **SORENTO**

« Au premier rang des VUS intermédiaires pour la qualité initiale aux É.-U. »

Le pouvoir de surprendre

Les résultats de la plus récente étude de J.D. Power sur la qualité initiale sont maintenant disponibles et nous ne pourrions être plus fiers de partager de très bonnes nouvelles. Les Kia Soul et Sorento se sont hissés au sommet et ont emporté deux prix très convoités suite aux plus récentes études sur la qualité initiale. Chez Kia, nous nous engageons à concevoir et construire des véhicules de grande qualité et de tout faire pour maintenir un niveau d'excellence qui a continuellement le pouvoir de surprendre. Pour en savoir plus sur notre gamme primée, **visitez kia.ca.**

# 142 | ESSAIS

**C**ette année, *Le Guide de l'auto* fête sa cinquantième parution. C'est un exploit. Au Québec, un livre qui se vend à plus de 7 000 exemplaires est considéré comme un *best-seller*. Depuis déjà une quinzaine d'années, le *Guide* est imprimé à plus de 90 000 exemplaires. Dès son arrivée sur le marché en 1967, les 10 000 exemplaires s'étaient envolées le temps de le dire. Et jamais les ventes n'ont fléchi.

Le succès est euphorisant. Mais il amène aussi son lot de défis. Renouveler le contenu du *Guide* année après année demeure pour moi non seulement la clé du succès mais celle de sa survie. D'autant plus qu'il évolue dans un monde où l'Internet et les médias sociaux lui livrent une bataille sans répit.

Heureusement, le *Guide* peut compter sur l'industrie automobile pour lui amener de l'eau au moulin. C'était vrai il y a 50 ans, ce l'est encore aujourd'hui. Tournez les pages et admirez les Alfa Romeo, Aston Martin, Ferrari, Lamborghini, Porsche et autres Tesla qui n'attendent qu'une bourse bien remplie pour quitter le concessionnaire. Au moins, rêver ne coûte rien. Et il y a tous ces modèles qu'on peut s'offrir et qui, grâce à la plume des journalistes chevronnés, font quasiment rêver.

Une constante pour tous les essais, peu importe la valeur de la voiture, la crédibilité. Les journalistes du *Guide* sont des amoureux de l'automobile et de l'institution qu'il représente. Jacques Duval a montré la voie, nous la suivons avec autant de passion que lui. D'ailleurs, pour vous en donner toujours davantage, cette année nous avons revu les barèmes menant au choix des meilleurs achats. Depuis quelques années, chaque véhicule était évalué selon des critères précis et chiffrables, et cette année nous avons encore poussé d'un cran notre évaluation afin qu'elle soit encore plus objective. Cependant, comme nous sommes des maniaques de voitures, nous avons conservé une part d'émotion dans nos choix! Vous en saurez davantage à la page 140.

Merci aussi à l'équipe habituelle qui, à cause des festivités entourant la 50e parution du livre le plus célèbre au Québec, ont dû mettre les bouchées doubles (et quelquefois triples!) pour arriver à vous présenter un *Guide de l'auto* qui passera à l'Histoire.

## LA FORD GT

Si les revues américaines comme *Car & Driver* ou *Road & Track* ont droit à de nombreuses primeurs, c'est beaucoup plus rare pour un livre imprimé à « seulement » 90 000 exemplaires (près de 100 000 cette année), en français en plus! Il y avait eu la Chevrolet Corvette sur le couvert du *Guide* 1983 (il n'y a jamais eu de Corvette 1983), la Pléthore LC-750 du Guide 2011 et il y a maintenant la Ford GT. Les photos de cette supervoiture américaine qui ornent les deux couvertures de ce *Guide* sont inédites et ont été prises par Bill Petro, un photographe de renom spécialisé dans l'automobile, qui avait déjà photographié la Pléthore. Grâce à la complicité du département des communications de Ford Canada, les portes des studios de design de Ford, à Dearborn au Michigan, se sont ouvertes comme par magie, exclusivement pour *Le Guide de l'auto*. Gabriel Gélinas, qui a piloté à peu près tout ce qu'il y a d'exotique sur la planète, a participé à la séance de photos et est revenu très impressionné par la nouvelle GT. Cette voiture se veut un rappel du passé glorieux de Ford en course automobile mais elle est aussi un regard résolument tourné vers le futur. Comme *Le Guide de l'auto*.

Si le passé est garant de l'avenir, je ne peux que vous souhaiter, chers lecteurs, encore plusieurs beaux et bons *Guide de l'auto*. Et qui sait, dans ce monde de plus en plus dominé par l'Internet, si l'imprimé ne résistera pas encore un petit 50 ans?

*Jean Lemieux*

# REMERCIEMENTS

Jacquie Adams (Mitsubishi) - Tina Allison (Royal Automotive Agency) - John Arnone (Mitsubishi) - Amyot Bachand (Subaru) - Barbara Barrett (Jaguar / Land Rover) - Philippe-André Bisson (Kia) - Cheryl Blas (Décarie Motors) - Joanne Bon (BMW) - Umberto Bonfa (Ferrari Québec) - Chantel Bowen (Ford) - JoAnne Caza (Mercedes-Benz) - Valérie Charron (GM West Island) - Kyle Denton (Volvo) - Sophie Desmarais (Mitsubishi) - Jacques Parent (Mazda) - Guy Barbeau (Mazda) - Denis Dessureault (CCAM) - Luis Pereira (CCAM) - Rob Dexter (BMW) - Sandy DiFelice (Toyota / Lexus / Scion) - Sophie Dufour (Mitsubishi Brossard) - Bernard Durand (John Scotti Lotus / Lamborghini) - Stephen M. Dutile (Services Spenco) - Joe Felstein (Subaru) - Christophe Georges (Bentley Motors Inc) - Gemi Giaccari (BMW Laval) - Claudianne Godin (Nissan / Infiniti) - Lou-Ann Gosselin (Chrysler / Dodge / Jeep) - Terry Grant (BMW Laval) - Nathalie Gravel (Mercedes-Benz) - Jacques Guertin (Sanair) - Caroline Cyr - Carole Guindon (Mazda) - Rania Guirguis (Mazda) - Rose Hasham (Toyota / Lexus / Scion) - Chad Heard (Hyundai) - Norman jr Hébert (Groupe Park Avenue) - Shanna Hendricks (Tesla Motors) - John Hill (Bugatti) - Christine Hollander (Ford) - Flavie Lemieux - Brad Horn (Chrysler / Dodge / Jeep) - Maki Inoue (Honda / Acura) - Daniel Labre (Chrysler / Dodge / Jeep) - Alain Laforêt (BMW) - Chloé Lafrance (Campagna Motors) - Cathy Laroche (Albi) - Ghyslain Lavallée (Garage Roch Lavallée et Fils) - Denis Leclerc (Albi) - Sandra Lemaitre (Mazda) - Julie Lychak (Subaru) - Masha Marinkovic (General Motors) - Richard Marsan (Subaru) - Didier Marsaud (Nissan / Infiniti) - Jennifer McCarthy (Nissan / Infiniti) - Tony McCloud (Ford) - Karine McGown (Mercedes-Benz West Island) - Heather Meehan (Nissan / Infiniti) - Elie Arseneau (ICAR) - Mathieu Norman (ICAR) - Lauren More (Ford) - Christian Meunier (Nissan / Infiniti) - Leeja Murphy (Agence Pink) - Laurence Myre-Leroux (Hyundai) - Arden Nerling (Mercedes-Benz) - Cort Nielsen (Audi) - Robert Pagé (General Motors) - Rosemarie Pao (Ford) - Martin Paquet (Tesla Motors) - Nicolas Parent (ÉTS) - Barbara Pitblado (BMW) - Justine Plourde (Honda / Acura) - Daniel Ponzini (Subaru) - Faye Roberts (General Motors) - Don Romano (Hyundai) - Corey Royal (Royal Automotive Agency) - George Saratlic (General Motors) - Alex Schteinberg (Saint-Laurent Hyundai) - Pasquale Scotti (John Scotti Auto) - Frédéric Senay (ICAR) - Joel Siegal (Décarie Motors) - Steve Spence (Services Spenco) - Robert Staffieri (Kia) - Patrick St-Pierre (Porsche) - Jack Sulymka (Kia) - Maxime Surette (Kia) - Rob Takacs (Mercedes-Benz) - Mélanie Testani (Toyota / Lexus / Scion) - Thomas Tetzlaff (Volkswagen) - Éric Tremblay (Audi Park Avenue) - Laurence Yap (Pfaff Autos) - Fabio Zenobio (Services Spenco) - Karen Zlatin (Mercedes-Benz West Island)

# FAITES DE VOTRE VOITURE SPORT VOTRE SEULE VOITURE.

LA TOUTE NOUVELLE **NISSAN MAXIMA 2016**
LA VOITURE SPORT À 4 PORTES

À une certaine époque, avoir accès à un V6 de 300 chevaux, un habitacle luxueux en cuir et à 4 portes signifiait posséder deux véhicules. Maintenant, toute cette surconsommation est terminée.

| ERGONOMIE DE L'HABITACLE, CONSOLE CENTRALE ORIENTÉE VERS LE CONDUCTEUR
| BOÎTE XTRONIC CVT AVEC MODE MANUEL | VOLANT À MÉPLAT

Modèle SR illustré

À partir de 37 720 $*

EN PAGE
COUVERTURE

# LA *STAR* DE DETROIT EN PAGE COUVERTURE

Par : Gabriel Gélinas          Photos : Bill Petro

**C**haque année, le choix de la voiture qui ornera la page couverture du *Guide de l'auto* fait l'objet de nombreuses tractations entre les membres de l'équipe. Cette année n'a pas fait exception et le débat fut vif entre les tenants de l'Acura NSX et ceux de la Ford GT.

Nous avons choisi cette dernière comme la « *star* » de la couverture du *Guide de l'auto 2016*, célébrant le cinquantième anniversaire de notre publication, pour plusieurs raisons. D'abord parce que cette voiture spectaculaire a littéralement volé la vedette du Salon de l'auto de Detroit en janvier 2015, éclipsant au passage l'Acura NSX qui, elle, était attendue depuis longtemps. Deuxièmement, parce que Ford a réussi l'exploit de garder le secret le plus absolu sur son développement pendant plus d'un an avant son dévoilement à Detroit, une mission devenue presque impossible à l'heure d'Internet. Mais la raison principale qui motive notre choix, c'est que la Ford GT représente l'expression la plus pure de ce qui devient possible lorsque l'on donne carte blanche aux concepteurs.

Promise pour l'année-modèle 2016, la Ford GT commémore le cinquantième anniversaire de la victoire de la GT40 aux 24 Heures du Mans. Pour la petite histoire, rappelons qu'au début des années 60, la firme Ferrari était en mauvaise posture financière. Enzo Ferrari recherchait un acheteur et avait entrepris des pourparlers avec Henry Ford II. Sauf qu'à la dernière minute, Enzo s'était retiré des négociations. Dire que Henry II était furieux serait un euphémisme et un plan de vengeance commença à germer en lui. C'est ainsi qu'est née la première GT40, une machine de guerre visant à battre Ferrari sur ses propres terres. Ce qui arriva, faisant de cette américaine une légende mondiale.

2

3

1 L'aérodynamique, l'un des trois axes de développement de la Ford GT.

2 Un design achevé à 95 %.

3 L'éclairage sera revu avant la production en série.

4 Le choix de la fibre de carbone comme matériau a permis aux designers de dessiner des formes qui auraient été impossibles avec l'aluminium.

4

Exclusive, la Ford GT le sera assurément puisqu'elle ne sera produite qu'à 250 exemplaires par année...

**5**

**6**

**7**

## Parmi les grands

La mise au point de cette super-exotique, qui a comme mission d'en découdre avec les Ferrari, Lamborghini et autres McLaren de ce monde, s'est articulée autour de trois axes que sont la fibre de carbone, la motorisation turbocompressée EcoBoost et l'aérodynamique. Ceci a permis à Ford de profiter des acquis et de poursuivre le développement de son expertise dans chacun de ces domaines en vue de pouvoir adapter certaines de ces technologies et méthodes de fabrication pour les intégrer à de futurs modèles de la marque.

Frappante, la Ford GT 2016 affiche un style résolument moderne, qui marque un clivage évident avec le style néo-rétro de la Ford GT 2004, et son design est achevé à 95 % puisque de légères modifications seront apportées aux rétroviseurs extérieurs ainsi qu'à l'éclairage en vue de la production en série limitée. À part les sous-châssis avant et arrière, le berceau du moteur et la structure déformable à l'avant tous réalisés en aluminium, le reste de la voiture est fabriqué en fibre de carbone, et c'est le choix de ce matériau plus rigide, plus léger et auquel on peut donner des formes très complexes qui a rendu possible certains éléments comme les longerons profilés qui font le lien entre le toit et les ailes arrière.

5   Un style moderne qui marque un clivage avec le style néo-rétro de la Ford GT 2004.

6   Le moteur EcoBoost logé en position centrale devrait développer plus de 600 chevaux.

7   Paul Seredinsky explique à Gabriel Gélinas quel est le rôle des prises d'air localisées devant les roues arrière.

8   Freins en composite de céramique développés par l'équipementier Brembo. Des roues en fibre de carbone seront proposées en option.

9   C'est le choix de la fibre de carbone qui a rendu possible certains éléments comme les longerons profilés qui font le lien entre le toit et les ailes arrière.

10   L'aileron arrière mobile se déploie et s'incline et peut même servir d'aérofrein au freinage. Notez également l'étroitesse du compartiment moteur rendu possible par l'adoption d'un moteur V6 de 60 degrés.

11   Paul Seredynski, responsable des communications pour Ford Performance et Gabriel Gélinas.

### La victoire de l'équilibre

Logé en position centrale, le V6 biturbo de 3,5 litres devrait déballer plus de 600 chevaux, lesquels seront livrés aux roues arrière par l'entremise d'une boîte à double embrayage à sept rapports. Pas de technologie hybride lourde et complexe, Ford mise plutôt sur une certaine simplicité concernant la motorisation, histoire de favoriser le rapport poids-puissance qui devrait être parmi les meilleurs de la catégorie, selon les concepteurs. Ces derniers précisent que la mission première de la Ford GT n'est pas nécessairement d'être la plus rapide de 0 à 100 kilomètres/heure ou de réaliser le nouveau chrono de référence sur le Nordschleife mais bien d'offrir un superbe équilibre et une dynamique inspirée.

À l'instar de la McLaren P1 ou la Ferrari La Ferrari, la Ford GT est dotée d'éléments aérodynamiques actifs comme son aileron arrière mobile qui peut se déployer en hauteur et s'incliner pour augmenter la charge aérodynamique ou se relever presque à la verticale pour agir comme un aérofrein lors des décélérations intenses provoquées par l'entrée en action des freins en composite de céramique développés par l'équipementier Brembo. Toujours dans le domaine de l'aérodynamisme, les prises d'air localisées devant les roues arrière canalisent le flot d'air vers les turbocompresseurs et les échangeurs de chaleur pour ensuite l'extraire au centre des feux arrière, témoignant ainsi d'un souci du détail très avancé pour cette voiture dont le potentiel de performance ne fait aucun doute.

Exclusive, la Ford GT le sera assurément puisqu'elle ne sera produite qu'à 250 exemplaires par année pour plus de deux ans, le constructeur ne précisant toutefois pas la durée de sa production en petite série dans les ateliers de la firme canadienne Multimatic chargée de sa fabrication. Son prix, avoisinant 400 000 dollars américains, sera un autre facteur d'exclusivité. Somme toute, la Ford GT est un tour de force sur le plan technique et la suite des choses promet d'être passionnante.

# AUDI **A3 CLUBSPORT QUATTRO CONCEPT**

**A**près que Volkswagen ait dévoilé la R400 Concept au Salon de Beijing, plusieurs se demandaient comment Audi pourrait bien laisser sa marque plus populiste avoir le concept le plus puissant dans leurs ateliers; lors du Wörthersee Tour 2015, la marque d'Ingolstadt a lancé la A3 Clubsport quattro Concept, question de rappeler à tout le monde qui est au sommet de la hiérarchie dans l'empire Volkswagen... Sous le capot, on retrouve un 5 cylindres turbocompressé générant 525 chevaux et 442 livres-pied de couple. Par rapport à la A3 ordinaire, la Clubsport quattro reçoit une suspension sport, de gros freins en carbone-céramique et des roues de 21 pouces. Ce concept a d'ailleurs présagé la RS3, qui est actuellement la plus rapide des Audi A3... Mais elle n'est pas vendue ici.

# AUDI **PROLOGUE**

**AUDI PROLOGUE PILOTED DRIVING CONCEPT**

**D**epuis quelques mois, plusieurs itérations du concept Audi Prologue ont vu le jour : le premier, un coupé, est apparu au Salon de Los Angeles en novembre 2014. Il nous donne une idée de la direction que prendront les stylistes de la marque au cours des prochaines années. Plus tard, au CES (Consumer Electronic Show) en janvier 2015, une variante, l'Audi Prologue Piloted Driving Concept, est apparue, embarquant une suite d'équipements permettant au véhicule de se conduire par lui-même. On a ensuite pu admirer la version Avant, une familiale ressemblant au séduisant coupé sur lequel elle a été basée (Salon de Genève en février 2015). Finalement, un modèle allroad nous a été présenté au Salon de Shanghai : celui-ci emprunte les lignes de la familiale Avant, mais il est plus haut sur pattes et laisse entrevoir le futur style des VUS d'Audi. L'allroad reçoit un V8 de 4,0 litres ainsi qu'un moteur électrique, lui donnant droit à 734 chevaux, un 0-100 km/h accompli en 3,5 secondes et une consommation de 3,5 litres aux 100 km.

# AUDI **RS5 TDI TRITURBO**

**S**aviez-vous que le moteur TDI d'Audi vient de fêter son 25ᵉ anniversaire ? Pour célébrer l'occasion, le manufacturier d'Ingolstadt a présenté un concept qui, comme vous vous en doutez, met en valeur cette motorisation. La recette est simple : prenez une RS5, retirez son V8 à essence et remplacez-le par un V6 diesel. Pour plus de puissance, une paire de turbocompresseurs est ajoutée. Finalement, un troisième turbo (électrique, celui-là) complète l'ensemble. Cette RS5 TDi triturbo dispose de 380 chevaux et 553 livres-pied de couple, ce qui fait qu'elle peut atteindre 100 km/h en 4 secondes pile. Encore mieux, elle ne consomme que 5 litres aux 100 km. Même si Audi ne lancera vraisemblablement jamais une RS5 diesel, il est probable que certaines technologies de cette voiture se retrouvent dans un modèle de production.

# AUDI **TT CLUBSPORT TURBO**

L'empire Volkswagen a dévoilé quelques concepts intéressants au Wörthersee 2015 ; l'un d'eux est une Audi TT préparée spécialement pour être utilisée sur une piste, la Clubsport Turbo Concept. La voiture a droit à des bas de caisse élargis, un énorme aileron arrière, des roues de 20 pouces ainsi qu'une grille avant élargie. Pour qu'on la remarque facilement, la Clubsport Turbo Concept est peinte en blanc nacré, tandis que les bouts de son aileron et ses miroirs sont recouverts d'une couche d'orange. Pour propulser la TT, un 5 cylindres turbocompressé est utilisé ; avec l'aide d'un second turbocompresseur électrique, le concept génère 600 chevaux et 479 livres-pied de couple. Puisque le véhicule vient d'office avec le rouage quattro et une boîte manuelle à 6 rapports, il peut passer de 0 à 100 km/h en 3,6 secondes.

# BMW **3.0 CSL HOMMAGE**

Lors du Concorso d'Eleganza Villa d'Este, BMW a présenté un concept unique inspiré d'une de leurs plus célèbres voitures de course, la 3.0 CSL. La Hommage reprend les formes qui ont rendu la Batmobile si efficace et les applique au 21e siècle ; ses larges ailes et son aileron arrière sont faits de fibre de carbone, et un soin particulier a été apporté à son aérodynamisme. La BMW 3.0 CSL Hommage n'est pas destinée à rouler, et par conséquent on ne sait pas trop ce qui se trouve sous son capot ; en regardant de plus près les photos, on remarque qu'il y a un système hybride. Selon les stylistes responsables de sa création, ce concept représenterait non seulement un regard vers le passé, mais aussi un possible coup d'œil vers le futur ; en effet, certaines lignes de cette BMW risqueraient de se retrouver sur des modèles de production.

# BMW **LUXURY VISION**

La Série 7 de BMW a toujours représenté le fer de lance de la marque; son renouveau est d'autant un moment important pour le manufacturier bavarois, puisque les autres modèles de la gamme lui emboîteront ensuite le pas. Afin de récolter des opinions sur ses décisions stylistiques, BMW a présenté la Luxury Vision au Salon de Beijing; cette berline divulgue quelques idées explorées par les dessinateurs. Son style s'apparente au concept Gran Lusso, qui avait été dévoilé l'an dernier; cependant, la Luxury Vision est maintenant une berline, tandis que son habitacle semble plus près de la production que celui du très peu pratique concept. La voiture reçoit des phares et des feux arrière à DEL, des lignes sculpturales ainsi que d'immenses roues, ce qui lui confère une allure distinguée.

# CHAPARRAL **2X VISION GT**

Pour concevoir son offrande au programme Vision GT, Chevrolet s'est tournée vers un partenaire de longue date: Chaparral. En regardant ce qui se faisait actuellement dans les plus hautes sphères de la technologie, les concepteurs de la 2X Vision Gran Turismo ont créé l'un des bolides les plus futuristes à avoir jamais vu le jour. Le châssis est fait de composites avancés, et a été dessiné pour être le plus aérodynamique possible; la voiture est si basse que le pilote doit s'y allonger sur le ventre, les pieds vers l'arrière. Pour déplacer cet étrange véhicule, un réacteur alimenté au laser est placé à l'arrière, générant une onde de choc qui propulse la 2X vers l'avant. Selon les calculs officiels, la monoplace atteint 100 km/h en 1,5 seconde, en route vers une vitesse de pointe de 363 km/h.

**VOUS POURRIEZ GAGNER CETTE VOITURE!**

BEAUPORT NISSAN  STE-FOY NISSAN

Jusqu'à

# 360 $

## DE RÉDUCTION EN REGROUPANT VOS ASSURANCES[1]

JUSQU'À **360 $** DE RÉDUCTION

## 15 % DE RABAIS ADDITIONNEL
sur votre prime si vous assurez un véhicule électrique ou hybride.

## SOYEZ COUVERT
si vous conduisez un véhicule loué ou emprunté.

## NE PAYEZ AUCUNE SURPRIME
pour vos séjours au Canada et aux États-Unis.

## CONCOURS
courez la chance de gagner une Nissan Leaf éléctrique[2]! Participez entre le 7 septembre 2015 et le 30 juin 2016!

## La Capitale
Assurances générales

75 ANS

**Appelez maintenant!**
## 1 855 747-7707

lacapitale.com

# CHEVROLET **BOLT EV**

CarShow

Introduite au Salon de l'Auto de Détroit en 2015, la Chevrolet Bolt EV est une petite sous-compacte qui ne se déplace qu'en utilisant la puissance des électrons; à la différence de sa sœur la Volt (les noms sont similaires, il faut faire attention de ne pas les confondre!), elle n'a pas de génératrice fonctionnant à l'essence. Selon Chevrolet, la Bolt EV serait capable de parcourir 320 kilomètres sur une seule charge, et pourrait être rechargée à 80 % en moins de 45 minutes. De plus, la voiture serait commercialisée pour environ 30 000 $ US. Suite au succès du concept lors de son dévoilement, Chevrolet a décidé de le mettre en production dès 2018; s'il remplit ses promesses, le véhicule deviendra un joueur sérieux sur le marché de la voiture électrique.

# FREIGHTLINER **INSPIRATION**

Actuellement, les technologies servant à rendre un véhicule autonome font des bonds de géant; plusieurs modèles sont vendus avec des fonctionnalités leur permettant de rester dans leur voie ou même de se stationner seuls, et les chercheurs nous promettent que la voiture qui se conduira seule est à nos portes. Même le monde du camionnage sera affecté: Freightliner a lancé le concept Inspiration, un tracteur qui peut naviguer par lui-même sur l'autoroute. Basé sur un modèle existant, le Cascadia, le concept est équipé de radars et d'une paire de caméras (en plus du régulateur de vitesse adaptatif, déjà offert sur le Cascadia). Ce camion est en plus légal sur la route: dans l'état du Nevada, l'Inspiration Concept se promène sur l'autoroute, récoltant des données utiles pour perfectionner la conduite autonome.

# LA MÉLODIE
# DU MOTEUR.

Le plus beau son que vous entendrez dans une WRX STI ne vient pas du poste de radio. Il vient de son moteur BOXER® SUBARU turbocompressé à double entrée de 2.0L, 4 cylindres et injection directe. Il vient de la réponse à l'accélération, des échappements à 4 embouts. Et il se pourrait bien que ce son devienne votre mélodie préférée. Rendez-vous sur

# HONDA **CIVIC TYPE R**

**M**ême si Honda nous offre une version sportive de sa compacte Civic – le modèle Si – nous n'avons jamais eu droit à l'ultime représentante de la race, la légendaire Type-R. Pour nous rendre encore plus jaloux, un concept très près du modèle de production a fait son apparition au Salon de l'Auto de Paris; au programme, plus de 280 chevaux, une manuelle à 6 rapports et un style à faire rêver l'adolescent qui sommeille en chacun de nous. Honda mentionne qu'un système de mitigation de l'effet de couple ainsi qu'une suspension hyper agressive se chargeront de rendre cette traction avant prévisible. Elle deviendra la plus rapide des Type-R jamais produites, devant l'Integra, l'Accord et même la NSX.Regardez bien ce concept, puisque c'est tout ce que nous aurons; Honda n'offrira pas la Type-R sur notre continent.

# HONDA **FCV CONCEPT**

**M**ême si la majorité des constructeurs travaillent d'arrache-pied sur les véhicules à propulsion électrique, il ne s'agit pas de la seule alternative aux combustibles fossiles; Honda nous a ramené une version revue, corrigée et améliorée de son concept FCV, dévoilé à Los Angeles l'an dernier, qui fonctionne à l'hydrogène. Grâce à sa pile à combustible, la FCV Concept peut parcourir 700 km avec un seul plein; une fois vide, le remplissage se fait en moins de 3 minutes. Le concept présente aussi des éléments novateurs, comme la Honda Power Exporter, qui peut emmagasiner l'énergie du véhicule pour la redistribuer via des prises électriques, transformant la voiture en une génératrice pouvant fournir de l'électricité dans des situations d'urgence.

# INFINITI **Q80 INSPIRATION CONCEPT**

Infiniti n'a plus de berline de prestige depuis le retrait de la Q45 en 2006. Pour remédier à la situation, la marque est prête à employer les grands moyens, dévoilant un concept qui laisserait présager un nouveau modèle-phare au Salon de Paris. Les lignes de la voiture sont effilées, rappelant un «coupé 4 portes»; même si la voiture a l'air d'un coupé, elle cache une seconde paire de portes à l'arrière. Côté motorisation, la Q80 Inspiration a droit à un V6 d'une cylindrée de 3,0 litres assaisonné de 2 turbos; cette mécanique générerait 550 chevaux et serait accompagnée d'une motorisation hybride, puisque la berline peut supposément consommer aussi peu que 5,5 litres par 100 km. Si les lignes de ce concept sont précurseures d'une nouvelle berline-phare chez Infiniti, l'avenir est prometteur.

# INFINITI **SYNAPTIQ**

Présenté au Salon de l'Auto de Los Angeles, l'Infiniti SYNAPTIQ est le résultat d'un concours de design. Le bolide futuriste répond à la question suivante: comment les voitures de l'an 2029 interagiront-elles avec leurs conducteurs? Le pilote de la SYNAPTIQ est suspendu au centre de la voiture, et contrôle l'engin par sa seule pensée; pour des réactions à la vitesse de l'éclair, une sonde est insérée dans sa colonne vertébrale, fusionnant homme et machine pour des performances ahurissantes. Toutes les informations utiles sont transmises via réalité augmentée et hologrammes. Seule la partie centrale de la SYNAPTIQ est immuable; tout le reste peut être remplacé ou déplacé, puisque le véhicule peut aller sur une piste, dans des sentiers ou même voler. Bien entendu, ce n'est pas demain la veille qu'on pourra le conduire!

# UNE PERCÉE
## DANS LE MONDE DES ESSENCES SUPER

Shell V-Power NiTRO+ Essence super

La meilleure protection globale du moteur qui soit.

Shell V-Power NiTRO+ offre une protection inégalée contre l'encrassement et la corrosion et une protection supérieure contre l'usure.

www.shell.ca/vpowerf

# JEEP **CHIEF**

**C**'est maintenant devenu une tradition : lors du Easter Jeep Safari (l'un des plus gros rassemblements d'amateurs de Jeep), le manufacturier américain dévoile une poignée de concepts pour remercier ses fans de leur support ; si la réaction est positive, il arrive que certaines pièces soient éventuellement vendues par Mopar. Lors de l'édition 2015, le véhicule le plus frappant des 7 modèles présentés a été le Jeep Chief ; basé sur le châssis du Wrangler, ce baroudeur a droit à un tout nouvel avant lui donnant l'allure d'un Cherokee Chief des années 70, une peinture bleu pastel agrémentée d'accents blanc crème ainsi qu'à un toit amovible caractérisé par l'absence de piliers C. Sous son apparence se cache la mécanique d'un Wrangler, signifiant qu'il est motorisé par un V6 Pentastar de 3,5 litres et une boîte automatique à 5 rapports.

# JEEP **RED ROCK RESPONDE**

**P**endant que les autres concepts Jeep présentés au Easter Jeep Safari sont créés pour avoir du bon temps et s'amuser, le Red Rock Responder a été conçu pour aider tous les autres Jeep, si jamais il leur arrivait malheur sur les pistes. L'arrière du véhicule est complètement changé pour accommoder un imposant kit d'outils : du compresseur à air jusqu'à un ensemble de clés en passant par un cric, une trousse de premiers soins et un extincteur, ce Jeep est prêt à tout. Pour s'assurer qu'il ne s'embourbe pas lui-même, il vient avec d'énormes pneus de 37 pouces, une suspension relevée de 4 pouces par rapport à celle du Wrangler et un solide treuil. Finalement, tout l'arrière peut servir à transporter du matériel ; comme la boîte d'un camion, l'espace-cargo est recouvert d'une doublure de caisse.

POUR UN MOTEUR PLUS ENDURANT, CHOISISSEZ TOTAL

TOTAL Canada fabrique et commercialise des lubrifiants de haute performance pour l'ensemble du secteur automobile. TOTAL propose des produits innovants qui répondent aux exigences des plus grands constructeurs automobiles. Pour plus d'informations, consultez notre site web au **www.total-canada.ca**.

Pour un moteur plus jeune, plus longtemps

# JEEP **STAFF CAR**

L'un des concepts intéressants du Jeep Easter Safari (un énorme festival où se retrouvent chaque année les fans de la marque américaine) était le Jeep Staff Car, un véhicule qui rendait hommage au géniteur de tous les Jeep: le Willys, ce petit véhicule militaire créé pendant la Deuxième Guerre mondiale qui a été instrumental dans la victoire alliée de 1945. Tout comme son ancêtre, le Jeep Staff Car n'a pas de portières, un simple toit de toile retenu par des poteaux, des pare-chocs simplistes faits d'acier ainsi que des roues pleines. Adoptant le style « camouflage du désert », le véhicule est entièrement beige: de la carrosserie aux banquettes avant en passant par la planche de bord, tout y est passé. Sous son apparence rétro, il s'agit cependant d'un Wrangler; le Jeep Staff Car possède un V6 Pentastar moderne et une boîte manuelle à 6 rapports.

# KIA **NOVO CONCEPT**

Kia nous surprend beaucoup avec ses concepts; après avoir dévoilé la très séduisante SPORTSPACE Concept, la marque coréenne nous a amené la Novo Concept, une petite berline présentant les formes allongées d'un coupé et qui, selon toutes probabilités, pourrait présager l'apparence de la prochaine compacte Forte. Avec sa grille si caractéristique des produits Kia, le nez du véhicule est immédiatement reconnaissable (malgré les phares qui font un peu BMW...); son profil est très dynamique et évoque la récente mode des manufacturiers allemands d'allonger le toit de leurs berlines pour en faire des « coupés à 4 portières ». La Novo Concept reçoit des portes-suicide à l'arrière, la rendant facile d'accès. Pour la propulser, Kia fait confiance à son moteur 1,6 litre turbocompressé.

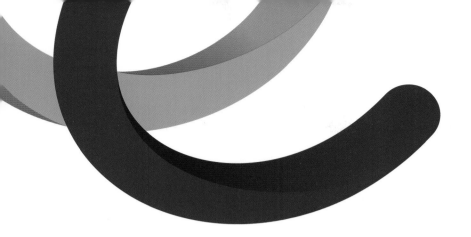

# ROULEZ L'ESPRIT TRANQUILLE GRÂCE AU CIRCUIT ÉLECTRIQUE.

| Plus de **450 BORNES** | Plus de **100 VILLES** |

## RECHARGEZ VOTRE VÉHICULE OÙ QUE VOUS SOYEZ.

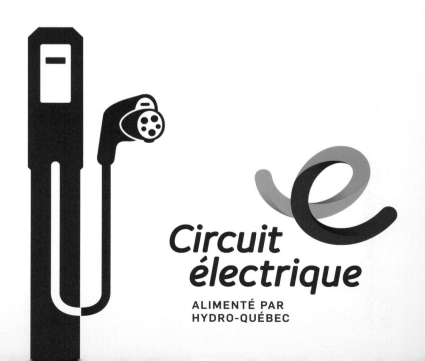

**VISITEZ NOTRE SITE WEB**
lecircuitelectrique.com

*Circuit électrique*

ALIMENTÉ PAR
HYDRO-QUÉBEC

# KIA **SPORTSPACE CONCEPT**

**P**rofitant du Salon de l'Auto de Genève, Kia nous a présenté la SPORTSPACE Concept, une séduisante familiale qui a relégué tous les autres concepts au rang de laiderons: ses lignes sculpturales et son apparence moderne en ont fait se retourner plus d'un lorsque le manufacturier coréen a lancé cette voiture sur la scène! La SPORTSPACE Concept représente le futur stylistique de l'Optima; cependant, si la maison-mère a caressé, l'espace d'un temps, l'idée d'offrir une variante familiale de sa berline (une telle voiture augmenterait le standing de la marque en Europe, où ce type de carrosserie est populaire), il semblerait que des études ont démontré que les acheteurs ne seraient pas au rendez-vous. La Kia SPORTSPACE Concept n'ira donc jamais plus loin que l'étape de l'étude de style, et c'est bien dommage.

Modèle Genesis Coupe 3.8 R-Spec montré.

Modèle Veloster Rally Edition montré.

# CONÇUES POUR LE CONTRE-LA-MONTRE ET LE RALLYE

Ce ne sont pas tous les fabricants d'automobiles qui implantent des installations de recherche et développement aux abords du fameux circuit de course de Nürburgring en Allemagne. Il est vrai que les fabricants d'automobiles ne partagent pas tous le même engagement à concevoir des merveilles de design et d'ingénierie. Le style agressif de la Genesis Coupe évoque la confiance, mais c'est sa mécanique qui la place dans une classe à part, notamment grâce à son moteur V6 de 348 chevaux à injection directe d'essence, au dynamisme de sa configuration à propulsion et à ses freins Brembo® livrables. Vous êtes plutôt du type rallye? Jetez un coup d'œil au Veloster « Rally Edition » à production limitée. Avec son moteur turbo, ses jantes de 18 pouces en alliage de marque RAYS®, sa suspension plus sportive avec amortisseurs, ressorts et barre stabilisatrice renforcés, il est conçu pour vous offrir des performances éblouissantes et surpasser toutes vos attentes.

## Le facteur H

hyundaicanada.com

# LEXUS LF-LC **GT VISION GRAN TURISMO**

**T**oyota a profité du programme Vision Gran Turismo pour faire un coup double; non seulement le manufacturier japonais a présenté son concept FT-1 Vision GT, mais il a aussi utilisé sa branche haut de gamme Lexus pour lancer un second prototype, la LF-LC GT Vision Gran Turismo. Ressemblant au coupé RC F de production, la LF-LC GT est cependant beaucoup plus agressive: comme elle n'est pas limitée par les contraintes du monde réel, elle peut se permettre des pare-chocs au ras du sol parfaitement intégrés à la carrosserie, une grosse trappe d'air sur le capot et des échappements latéraux situés juste derrière les portières. Il y a également un énorme aileron arrière, utile pour stabiliser le véhicule à haute vitesse. Sous le capot, une version améliorée du V8 de 5,0 litres produit plus de 450 chevaux virtuels.

# MERCEDES-BENZ **F 015 LUXURY IN MOTION**

**L**a F 015 Luxury in Motion est la prochaine étape dans l'évolution des véhicules autonomes: plutôt que d'appliquer une panoplie d'équipements dans une voiture ordinaire, Mercedes-Benz a construit l'équivalent d'un salon sur roues qui se conduit tout seul. De l'aspect étrange du concept découle un intérieur vaste qui offre 4 sièges qui se font face, permettant aux occupants de converser entre eux pendant que l'auto roule. Les parois intérieures sont en fait des écrans tactiles servant à contrôler les fonctions du véhicule. Vous n'avez pas besoin de les toucher pour entrer une commande: une caméra reconnaît le mouvement de vos doigts dans les airs... et détermine même où vos yeux regardent! Le concept est propulsé par un moteur électrique; dans les meilleures conditions, il peut parcourir 1 100 km sur une seule charge.

# TOYO TIRES®

# Luxe durable, Confort et... style!

## VERSADO® NOIR

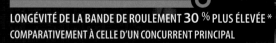

LONGÉVITÉ DE LA BANDE DE ROULEMENT **30** % PLUS ÉLEVÉE *

COMPARATIVEMENT À CELLE D'UN CONCURRENT PRINCIPAL

\* BASÉ SUR UNE ÉTUDE INDÉPENDANTE RÉALISÉE AUX ÉTATS-UNIS. VISITEZ TOYOTIRES. CA POUR PLUS DE DÉTAILS

## Longévité de la bande de roulement accrue, plus de confort et plus de performance

Le Versado® Noir, un pneu tourisme quatre saisons supérieur pour berlines et coupés est conçu pour se démarquer dans cet océan de pneus « ronds et noirs ». Doté d'une bande de roulement dont la durée de vie peut être supérieure de jusqu'à 30 % comparativement à celle de son principal concurrent\*, il offre en plus un meilleur rendement énergétique et un roulement silencieux et confortable tout au long de sa durée de vie. \* Demandez les détails

# TOYO TIRES

# MERCEDES-BENZ **FT2025**

Typiquement, ce sont les berlines de Mercedes-Benz qui héritent des technologies les plus novatrices de la marque, mais le véhicule autonome le plus avancé de la firme est actuellement... un camion! Le FT2025 représente, selon Mercedes-Benz, le futur du camion dans 10 ans (d'où son nom). Il est équipé d'une suite complète de radars et caméras 3D qui peuvent faire la différence entre une autoroute et une voie de desserte, éviter des piétons ou encore s'arrêter dans la circulation. À l'avant du camion, des DEL s'illuminent en fonction du mode dans lequel le camion est opéré: lorsqu'il est conduit par l'humain à bord, les diodes sont vertes. Si elles sont bleues, c'est que l'ordinateur est aux commandes. Mercedes-Benz effectue en ce moment même des tests avec le FT2025 sur l'autoroute A14, en Allemagne.

# MINI CLUBMAN **VISION GRAN TURISMO**

MINI est restée fidèle à ses origines lorsqu'est venu le temps de créer son concept pour le programme Vision Gran Turismo; plutôt que de présenter une fusée futuriste avec un millier de chevaux sous le capot, la marque anglaise a dévoilé la Clubman Vision Gran Turismo, une petite voiture à hayon. Sous sa carrosserie relativement sobre, on retrouve un moteur de 395 chevaux relié à une boîte séquentielle à 6 rapports et un rouage intégral; en combinaison avec le poids plume du véhicule, cette mécanique permet à la MINI d'atteindre 100 km/h en 3,5 secondes et d'éventuellement se rendre jusqu'à 290 km/h. Pour s'assurer que le petit bolide soit stable à cette vitesse, un ensemble complet de pièces de carrosserie aérodynamiques sont ajoutées, des bas de caisse jusqu'à l'aileron situé sur le toit.

# AVEC LA MUSIQUE QUI VOUS PASSIONNE, LA ROUTE EST TOUJOURS BONNE.

La plupart des véhicules neufs et d'occasion sont équipés de SiriusXM. Profitez d'une période d'essai gratuit et découvrez 70 stations musicales où vous attend votre musique préférée. Vous ne pourrez plus rouler sans elle.

**(((SiriusXM)))**

# PEUGEOT **VISION GRAN TURISMO**

**P**eugeot fait aussi partie du programme Vision GT – où les stylistes de plusieurs compagnies se sont vus offrir l'opportunité de concevoir un bolide représentant le futur de leur compagnie, qui serait ensuite introduit dans le jeu Gran Turismo 6 – et leurs concepts Vision Gran Turismo diffèrent des autres créations par leur simplicité; la voiture a été créée pour être simple, puissante et agile. Sous sa carrosserie fixe (pas d'aérodynamisme actif ici!), la Peugeot cache un V6 de 3,2 litres auquel les ingénieurs ont virtuellement greffé un gigantesque turbocompresseur. Cette motorisation génère 875 chevaux, qui sont ensuite envoyés aux 4 roues de 22 pouces à l'avant et 23 à l'arrière par l'entremise d'une boîte mécanique à 6 rapports. Comme elle ne pèse que 875 kilos, la Peugeot Vision Gran Turismo a un rapport poids-puissance de 1:1 (1 cheval par kilo)

# SRT **TOMAHAWK**

**L**a toute dernière création de SRT a beau être confinée au monde virtuel (elle fait partie du programme Vision Gran Turismo) elle n'en est pas moins démentielle; la SRT Tomahawk est une monoplace avec une carrosserie en graphène, utilisant des ressorts pneumatiques pour déployer différents panneaux afin de modifier l'aérodynamique en temps réel. Trois modèles sont proposés: La version de base a droit à un V10 de 7,0 litres produisant 792 chevaux qui sont envoyés aux roues arrière. Des moteurs pneumatiques ajoutent un total de 215 équidés. La GTS-R crache 1137 chevaux avec le même V10, tandis que son engin à air comprimé est poussé à 313 chevaux. Au sommet de la gamme, on trouve la Tomahawk X: avec une puissance combinée de 2 590 chevaux, elle peut atteindre 650 km/h.

# VOLKSWAGEN **GOLF R400**

**A**vec la Golf R400, les ingénieurs de Volkswagen voulaient répondre à une question importante: qu'arriverait-il s'ils prenaient leur voiture la plus rapide, la Golf R, et y ajoutaient une centaine de chevaux-vapeur? En utilisant comme base une Golf R, les créateurs de ce concept complètement sauté ont appliqué beaucoup de technologies qu'on retrouve déjà sous le capot de la Volkswagen Polo WRC, qui court actuellement en rallye. Avec maintenant un ratio de 200 chevaux par litre, une boîte automatique DSG et un rouage intégral, la R400 passe de 0 à 100 km/h en 3,9 secondes et atteint 280 km/h. Et le plus invraisemblable dans toute cette histoire, c'est que ce bolide a été approuvé pour une production en série... Reste à voir si Volkswagen daignera l'importer ici.

# Une voiture sur laquelle vous pouvez compter. Pour vous surprendre totalement.

## COROLLA
*Comme vous ne l'avez jamais vue.*

Style incroyable, technologie de pointe et conduite exaltante. C'est ce que vous trouverez dans la Corolla LE 2015. Avec des caractéristiques comme une caméra de recul, un système audio à écran tactile de 6,1 po et la capacité Bluetooth,ᴹᴰ c'est la même Corolla fiable, mais avec ce qui la rend encore meilleure. Découvrez la Corolla, voiture compacte la plus vendue en Amérique du Nord, dès aujourd'hui.*

toyota.ca

TOYOTA

DOSSIER
QUÉBEC

L'AXFF-15 avec ses trophées au retour de Formula North

# FORMULE ÉTS

**D**es étudiants, une voiture, un avenir. Quand on parle d'industrie automobile, on pense immédiatement à la production en grande série. Quand on parle d'industrie automobile au Québec, on pense immédiatement à la production en petite série et souvent marginale (Allard, Pléthore, Campagna avec son T-Rex, BRP et son Spyder, etc.). Si cette industrie réussit à se démarquer, à prospérer et, mieux, à s'internationaliser, c'est qu'elle peut s'appuyer sur des ingénieurs de talent. L'ÉTS (École de Technologie Supérieure, située à Montréal) est une véritable pépinière d'où sortent parmi les meilleurs ingénieurs au Québec, sinon au Canada. L'an dernier, nous avons eu le bonheur de rencontrer certains de ces futurs ingénieurs et nous avons été épatés par leur voiture de course, l'AXF-15. Cette année, l'AXFF en met plein la vue et s'est déjà démarquée en Formule SAE.

## LES FUTURS DIPLÔMÉS DE L'ÉTS NOUS EN PARLENT...

La Formule SAE est une compétition universitaire d'ingénierie internationale. En fait, c'est la plus importante en son genre au monde, regroupant plus de 500 universités provenant de tous les continents. Chaque année, les équipes doivent concevoir, fabriquer, tester et mettre en compétition une voiture de course de type « formule » à cockpit ouvert et roues ouvertes, puis de compétitionner à son volant. Depuis sa création en 1988, la Formule ÉTS est un chef de file en Formule SAE, et ce, à chaque année, étant l'équipe ayant remporté le plus de finales de Design d'ingénierie. C'est aussi la seule équipe canadienne à avoir remporté une compétition officielle de Formule SAE avec la victoire à Formula West, en Californie, en juin 2011.

Pour prendre part à ce projet d'envergure, les critères de sélection sont plutôt simples : être étudiants à l'université. Toute personne motivée par des défis d'ingénierie, dans tous les domaines, est la bienvenue dans ce projet ! L'école fournit tout le matériel néces-

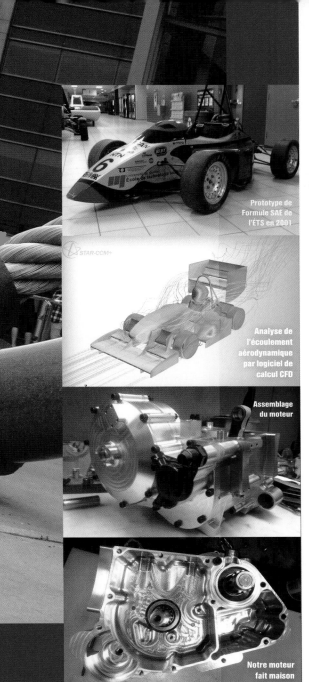

Prototype de Formule SAE de l'ÉTS en 2001

Analyse de l'écoulement aérodynamique par logiciel de calcul CFD

Assemblage du moteur

Notre moteur fait maison

saire à la réussite de l'équipe. Un bureau nous est alloué où tout l'équipement informatique et logiciel est mis à notre disposition afin de pouvoir concevoir chaque pièce du prototype de course. L'école possède aussi un atelier d'usinage où nous pouvons fabriquer toutes les pièces nous-mêmes grâce à nos membres machinistes.

## UN MOTEUR MAIS PAS DE TRANSMISSION

Ayant l'innovation et la légèreté comme lignes directrices, l'équipe cherche toujours à repousser les barrières de la performance. C'est dans cette optique que, depuis deux ans, l'équipe adopte son concept appelé AXFF (Autocross Formula Feather). Ce concept repose sur la réduction de la masse de la voiture, la suppression de la boîte de vitesses et l'augmentation de la vitesse en courbe grâce à une aérodynamique agressive. Pour permettre un niveau de performance élevé, sans boîte de vitesses, le couple et la puissance doivent couvrir la plus grande plage possible. La plus grande innovation en 2015 est notre moteur fait maison. Prenant comme base le WR450F de Yamaha, le nouveau moulin reçoit un boîtier personnalisé, éliminant la transmission, et une augmentation de la cylindrée à 480 cc. Ces améliorations permettent une réduction de masse de près de 25 % ainsi qu'une diminution de longueur de 50 % par rapport au moteur d'origine.

Pour limiter les performances des véhicules et garder des vitesses sécuritaires en piste, il est primordial d'avoir un cahier de réglementation étoffé, car il ne faut pas oublier que ce sont des étudiants qui conduisent et non des pilotes professionnels. C'est pourquoi le cahier de règlements compte plus de 150 pages. Le plus gros changement de règles en 2015 est venu affecter l'aérodynamique des voitures en limitant grandement la taille des appareils aérodynamiques utilisables. Afin d'augmenter les performances aérodynamiques de la voiture malgré la diminution de surface utilisable, l'équipe a dû faire des pieds et des mains et explorer toutes les options envisageables en CFD (logiciel d'aérodynamique). Le résultat est un ensemble aérodynamique balancé, aux limites de la réglementation et procurant assez d'appui pour atteindre 2.8 g d'accélération latérale en virage. Le département de dynamique du véhicule y est aussi pour beaucoup sur les performances de la voiture. Grâce à un design novateur de notre système d'amortissement, la voiture garde un contact optimal avec la route en tout temps !

## QUELQUES DÉCEPTIONS... ET BEAUCOUP DE SATISFACTION !

L'objectif ultime de toutes les heures passées sur ce prototype est évidemment d'aller compétitionner et prouver aux autres universités que nous sommes prêts à tout pour gagner. Il y a 10 compétitions officielles, ainsi que plusieurs qui sont purement amicales, réparties sur tous les continents, auxquelles les équipes peuvent participer. La Formule ÉTS participe à Formula SAE Michigan sur Michigan International Speedway, à Formula North en Ontario, à Formula Student Germany sur le prestigieux Hockenheimring en Allemagne et à Formula Student Austria sur le Red Bull Ring en Autriche. Les épreuves en compétition sont séparées en deux volets, statiques et dynamiques. Une présentation de marketing, une épreuve de coûts de production et le design d'ingénierie évaluent les performances de l'équipe. Le *skidpad* (accélération latérale), l'accélération (ligne droite), l'autocross, l'endurance et l'efficacité énergétique évaluent les performances de la voiture.

Au Michigan, notre équipe performait très bien et était en voie de terminer dans les dix premiers au classement général. Malheureusement, un démarreur défectueux a empêché la voiture de prendre part à l'épreuve d'endurance et a donc privé l'équipe de 400 points sur un total de 1000. L'équipe revient tout de même avec une deuxième place au *skidpad* et une victoire à l'épreuve de Design. La voiture a énormément de potentiel.

La Formule ÉTS arrivait ensuite à Barrie avec un gros défi, l'objectif étant de tout remporter pour prouver les performances de la voiture et de l'équipe. La préparation de l'équipe était à point et la compétition s'est déroulée parfaitement. L'équipe revient de l'Ontario avec une victoire au *skidpad*, à l'autocross, à la présentation de marketing, au design d'ingénierie, au total des événements statiques, au total des événements dynamiques, en plus d'une deuxième place à l'endurance. Au final, nous sommes vainqueurs de la Formula North 2015 !

La Formule ÉTS espère pouvoir performer aux en Europe en août ! L'objectif étant de tout gagner, l'équipe entamera la conception de la voiture 2016 dès cet été, en même temps que la préparation aux compétitions qui restent en 2015 !

L'équipe de la Formule ÉTS profite de l'occasion que nous donne le Guide de l'auto pour remercier tous nos partenaires sans qui nos exploits seraient impossibles.

# DU **CONCEPT 3** AU **TALISMAN** EN PASSANT PAR **LE T-REX**

De prime abord, il peut sembler que l'industrie automobile québécoise est à l'agonie. Or rien n'est plus faux. Cependant, pour survivre dans un monde dominé par des multinationales, il faut de l'imagination et du talent. Et ça, au Québec, on en a! En 1989, pour les besoins du *Guide de l'auto* 1990, Marc Lachapelle faisait l'essai d'une bien drôle de petite machine qui s'appelait simplement Concept 3. Au cours des 50 dernières années, le *Guide de l'auto* a dû s'adapter pour survivre. Le Concept 3 aussi a dû s'adapter et il est devenu le T-Rex. Bien loin d'être un dinosaure, il est intensément moderne. Place à l'histoire du T-Rex, à son présent et à son futur.

Photos : Marc Lachapelle
et Marc-André Gauthier

CONCEPT 3 (1989)

CONCEPT 3 (1989)

TALISMAN

# LE CONCEPT 3 DEVIENT LE T-REX
## UNE GRANDE AVENTURE, UN LONG CHEMIN

Par Marc Lachapelle

**O**n abuse vraiment des mots «passion» et «passionné» de nos jours. Ce sont pourtant ceux qui décrivent le mieux la fascination du jeune homme qu'était Daniel Campagna pour la mécanique et les machines qui en sont la plus pure expression. D'abord les motoneiges de course de Gilles Villeneuve qu'il a accompagné au fil de sa dernière saison dans cette discipline, à titre de chauffeur et mécano, alors qu'il n'avait que 17 ans. Ensuite les voitures de formule qu'il a lui-même pilotées. Même en Europe.

C'est cette précision inégalée et cette structure épurée et basse à l'extrême d'une voiture de formule qu'on reconnaissait dans la machine avec laquelle Campagna s'est présenté au circuit Sanair un beau jour de l'été 1989. Le prototype Concept 3, qu'il avait conçu et fabriqué avec l'aide de son ami d'enfance et complice Denis Martin, était propulsé par un quatre cylindres de supermoto qui entraînait un pneu arrière unique mais aussi large que celui d'une Corvette. Sa création s'est retrouvée dans les pages du Guide de l'auto 1990 et même sur la couverture arrière, pour un premier essai exclusif. Une primeur mondiale!

Alors qu'il poursuivait le perfectionnement de sa machine, Campagna rencontra ensuite l'entrepreneur et collectionneur Daniel Noiseux qui «pensait trois roues lui-même.» Après un court essai du prototype, il décide d'investir dans le projet et d'appuyer Campagna et ses complices, notamment le comptable et gestionnaire Jean Gosselin. Noiseux arrangea aussi une rencontre avec le designer et styliste Paul Deutschman, au Circuit Mont-Tremblant. Peu de temps après, Campagna fabriquait pour le prototype des éléments de carrosserie en fibre de verre qui lui allaient comme un gant. Tout comme le nom qu'on avait choisi pour lui: T-Rex.

Suivirent des années de travail acharné sur son perfectionnement, auquel s'ajoutèrent les démarches innombrables, épuisantes et coûteuses pour son homologation comme véhicule routier au Québec et aux États-Unis. Sans compter la difficulté extrême de trouver certaines des composantes principales. Surtout le moteur. La production débuta en 1995 dans ce qui était devenu une véritable usine, à Plessisville, avec des postes de travail multiples et même un banc d'essai. Entre-temps, Richard Pelletier s'était joint à l'entreprise pour développer la mise en marché du T-Rex partout sur le continent. L'aventure était lancée.

Après plus de douze années rocambolesques, les créateurs du T-Rex, les pionniers durent toutefois se résoudre à passer le relais à une autre équipe. Pour lui rendre justice, cette histoire-là devra être racontée dans un autre livre. Pour l'instant, Daniel Campagna souhaite la plus grande réussite à ceux qui produisent ces machines uniques qui portent toujours son nom et s'affaire plutôt à en imaginer de nouvelles, en perfectionnant déjà la prochaine.

T-REX

T-REX

T-REX

# CAMPAGNA MOTORS FÊTE SES 20 ANS

Par Sylvain Raymond

**C**ampagna Motors, c'est la création de Daniel Campagna, mais c'est aussi l'apport d'André Morissette et David Neault, les deux entrepreneurs qui ont racheté la compagnie en 2008. Ils ont su lui donner un nouveau souffle, notamment en déménageant l'usine dans la région de Boucherville et en développant de nouveaux marchés. Ils en ont également profité pour greffer un nouveau bolide à la gamme en 2011, le V13R, un concept sur lequel ils travaillaient depuis des années.

L'un des faits les plus marquants de Campagna Motors a été l'homologation en 2006 du T-Rex à titre de véhicule de promenade. Ce changement dans la législation évitait aux propriétaires de devoir posséder un permis de moto. Cela permettait à l'entreprise d'augmenter la diffusion de ses modèles, un obstacle important par le passé. L'entente stratégique conclue avec BMW en 2012 est un autre pas majeur puisque, pour la première fois, l'entreprise n'était plus obligée d'acheter des motos complètes pour en extraire les pièces nécessaires, principalement le moteur. Depuis ce temps, BMW est devenu le motoriste officiel du T-Rex.

### ET LES BOLIDES?

L'original, le T-Rex 16S, est rapidement reconnaissable grâce à sa configuration à trois roues, deux à l'avant et une à l'arrière, son museau en V, son petit toit qui intègre une large prise d'air alimentant le moteur en air frais et sa carrosserie qui s'élève à l'arrière au-dessus de l'imposante roue. Aucun autre bolide ne lui ressemble.

Pour souligner ses 20 ans, Campagne Motors le propose en modèle 20ᵉ anniversaire et à tirage limité, uniquement 20 exemplaires ont été construits. Ces modèles comprennent de série toutes les composantes de l'ensemble «P», (pour Performance), qui ajoute notamment une suspension ajustable Stage 5, des freins à disque ventilés et rainurés, des étriers peints en rouge et des jantes de 16 pouces au style distinct. Son coloris unique, noir et rouge, est sa principale carte de visite. Comme tous les T-Rex, sa conduite est emballante, il colle littéralement à la route et ses accélérations sont fulgurantes. Il y a belle lurette qu'un véhicule ne nous avait pas ravis à ce point.

### LE V13R, UN VÉRITABLE *HOT ROD*

Commercialisé depuis 2011, le V13 se présente sous les traits d'un roadster classique avec un devant plus carré et une configuration entièrement ouverte. C'est en fait le bad boy de la gamme qui nous fait revivre une époque issue du passé. Le style des jantes à l'avant rehausse son design, tout comme l'avant qui intègre des phares de type projecteur. Cette fois, le motoriste n'est pas BMW, mais plutôt Harley-Davidson qui fournit un bicylindre en V refroidi au liquide. La puissance est déployée via une boîte séquentielle à cinq rapports vers l'imposante roue arrière de dimensions peu communes, 295/35ZR18.

Certes les deux bolides sont intéressants, mais leur prix de base assez élevé – 53 999 $ pour V13R et 57 999 $ pour le T-Rex – peut refroidir les ardeurs de plusieurs acheteurs. La bonne nouvelle, c'est qu'ils conservent une excellente valeur de revente, ce qui aide à maximiser l'investissement.

# LE TALISMAN DE DC COMPÉTITION POUR LA SUITE DES CHOSES

Par Marc Lachapelle

**TALISMAN**

**SANAIR**

**TALISMAN**

**D**aniel Campagna a toujours plein de nouvelles machines en tête. Par logique et par nécessité, il met cependant tout son talent et toute son énergie sur une seule à la fois. C'est ce qu'il a fait pour le Concept 3 devenu T-Rex et produit depuis plus de vingt ans. C'est ce qu'il fait actuellement avec le Talisman, son nouveau bébé, qui a quatre roues cette fois. J'ai eu la chance de le découvrir et de faire quelques tours à ses commandes l'automne dernier au circuit Sanair, côté tri-ovale. L'endroit même où j'ai vu et conduit le Concept 3 pour la première fois, vingt-cinq ans plus tôt. Une autre primeur pour le *Guide*!

Ce Talisman est du pur Campagna. Une sportive remarquablement simple, légère et basse, fabriquée avec grand soin et minutie même s'il ne s'agit que d'un prototype. Une machine que son créateur destine au pilotage sur circuit à cause du coût et de la complexité de toute homologation pour la route. Même vocation que les Felino CB7 et Magnum MK5, donc, à un coût radicalement moindre.

Campagna a même doté son prototype d'un quatre cylindres en ligne de 1,8 litre et 140 chevaux emprunté à ce succès de vente qu'est la Honda Civic. Pour sa solidité, sa fiabilité, sa disponibilité et son faible coût. Il l'a monté en position centrale-arrière dans un châssis fait sur mesure avec du tube d'acier carré, plus facile à tailler et souder que le tube rond du T-Rex. Les pneus de taille 205/40R17 sont montés sur des jantes d'alliage noires et les freins à disque de 290 mm sont pincés par des étriers de course. La suspension à double triangle est faite maison, sauf les porte-moyeux arrière.

Bien sanglé par les larges ceintures de course à quatre ancrages, je découvre une machine agile et précise. Rien d'étonnant pour une sportive qui fait moins de 600 kilos. Sa vivacité mérite une direction à crémaillère plus rapide. Elle l'aura, foi de Campagna! L'élément le plus déroutant est un levier de vitesses ultracourt, placé à gauche, qui est toutefois d'une précision et d'une netteté dignes d'une voiture de formule 1600, malgré sa commande par câble. Parce que la tringlerie est taillée sur mesure, elle aussi. Du pur Daniel Campagna. On attend la suite. Il nous promet qu'elle viendra. On le croit.

# COUPE
# MICRA

# LE RETOUR DE LA SÉRIE
# MONOTYPE

Par Gabriel Gélinas

Photos : Nissan Canada
et Marc André Gauthier

**A**vec la Coupe Micra, Nissan reprend le flambeau de la série monotype à prix modique au Québec, où les amateurs gardent de très beaux souvenirs des défuntes séries Honda/Michelin ou Coupe Echo, qui ont marqué l'histoire du sport chez nous.

Le concept de base d'une série monotype est assez simple, puisque tous les pilotes disposent de la même voiture. Dans le cas de la Coupe Micra, les moteurs et les boîtes de vitesses sont scellés et ne peuvent être modifiés d'aucune manière, et la Micra de course est essentiellement une voiture de série dont l'habitacle a été dépouillé pour permettre l'installation d'équipements de sécurité, comme la cage de protection et le siège sport avec harnais à 5 courroies, entre autres.

La Micra de course roule sur des pneus de compétition Pirelli et son échappement a été modifié afin de le rendre plus sonore. Avec un prix inférieur à 20 000 dollars, la Micra de course est une aubaine et un pilote peut envisager faire la saison complète de 12 courses sur 6 week-ends avec un budget d'opération d'environ 20 000 dollars.

Le Championnat 2015 se déroulait sur le Circuit Mont-Tremblant (3 week-ends), sur le Circuit Gilles-Villeneuve en marge du Grand Prix de Formule Un, au Grand Prix de Trois-Rivières ainsi qu'à l'Autodrome St-Eustache.

Comme toutes les voitures sont identiques, c'est le talent du pilote qui représente la seule variable et qui fait foi du résultat dans ces courses qui deviennent parfois très «physiques» comme j'ai pu le constater au Circuit Mont-Tremblant.

J'ai été invité à prendre part aux 2 premières épreuves de la série au volant de la voiture numéro 23 préparée par l'équipe GT Racing d'Éric Côté, Nissan Canada ayant eu l'idée d'inscrire 2 voitures au Championnat et de les confier à des journalistes à tour de rôle.

Même si je connais bien le Circuit Mont-Tremblant, j'avais une certaine appréhension, car je n'avais jamais conduit une voiture de course à traction auparavant sur cette piste. Je me suis quand même bien défendu. Sur 22 pilotes inscrits, j'ai fait le 10e temps en qualification, j'ai terminé la course numéro 1 en 12e position, après un peu de brassecamarade, et la course numéro 2 en 7e position.

De ce week-end de courses, je retiens 3 choses. Premièrement, que la Micra s'est toujours montrée fiable et solide malgré les nombreux contacts entre les voitures en piste. Deuxièmement, que le plateau des inscrits regroupe à la fois des vétérans du sport automobile ainsi que d'enthousiastes recrues, ce qui donne une dimension très intéressante au Championnat. En dernier lieu, ce fut très sympathique de me retrouver dans le paddock et de recevoir les conseils des membres de l'équipe GT Racing et de certains pilotes très rapides de la série.

La Coupe Micra sera de retour en 2016 sur les circuits québécois. Si vous désirez vous initier au sport automobile, c'est l'occasion rêvée...

50 ANS DE
PASSION

# AUX ESCLAVES QUE NOUS SOMMES

« **N**ous sommes esclaves de l'automobile », pouvait-on lire dans l'introduction du tout premier *Guide de l'auto* « achevé d'imprimer le 28e jour d'avril de l'an mil neuf cent soixante-sept ». Un demi-siècle plus tard, cela n'a pas changé, loin de là, et cet engouement pour l'automobile s'est décuplé s'il faut en croire l'évolution de notre tirage. Il ne saurait en être autrement dans un monde où la technologie, sous toutes ses formes, ne cesse de nous courtiser.

Quelle voiture d'aujourd'hui n'a pas son écran d'ordinateur, sa caméra de marche arrière, ses avertisseurs de proximité et toute une série d'aides à la conduite ? Nous sommes donc plus que jamais sollicités de toutes parts par une industrie qui évolue à la vitesse grand V et qui a vu sa dépendance au pétrole diminuer de façon notable. Je suis particulièrement heureux d'avoir connu deux époques bien distinctes du virage automobile, celle du moteur thermique qui, lentement mais sûrement, cède le pas au moteur électrique.

J'aurai le bonheur d'emprunter le chemin de la retraite le sourire aux lèvres au volant d'une auto propre sans émission de $CO_2$.

## AUTONOME OU NON?
À l'aube de la voiture autonome, il faudrait être un devin pour savoir à quoi ressemblera ce livre dans 10, 20 ou 25 ans. Chose certaine, il différera considérablement de celui-ci et ses auteurs risquent d'avoir à s'appuyer sur de nouveaux critères. Bien installé à l'arrière en train de lire votre tablette électronique, il ne sera plus question d'évaluer la tenue de route, le freinage ou d'autres aspects du comportement routier d'un véhicule qui obéit à ses propres commandes. Le journaliste automobile des prochaines décennies devra modifier ses exigences ou changer de métier.

L'agrément de conduite deviendra-t-il un plaisir d'autrefois ? Les artisans de ce livre seront les premiers à regretter ce que l'on appelait la belle époque.

Vous dirai-je encore bonne route ou bon séjour dans votre bulle de verre autrefois dénommée une automobile ? Demeurerons-nous esclaves de cette antiquité ? Quoi qu'il en soit, le prochain demi-siècle sera palpitant. En attendant, ce 50e *Guide de l'auto* est pour moi le couronnement d'une carrière que je n'aurais pu savourer sans nos estimés lecteurs.

Mes remerciements sont de mise.

*Jacques Duval*

# Merci Jacques

**E**n 1967, Jacques Duval créait le *Guide de l'auto*, un livre qui allait devenir une institution au Québec. Durant les années 50, 60 et 70, Jacques était une immense vedette. Et pas juste dans le monde de l'automobile. Avec son franc-parler, il faisait trembler les dirigeants des constructeurs automobiles comme il avait fait trembler le monde de la chanson quelques années auparavant en tant que critique.

Le succès du *Guide de l'auto* n'est pas dû au hasard : les talents de communicateur, la ténacité et la qualité du français de Jacques ont été au cœur de ce succès.

En 2004, j'ai fait l'acquisition du *Guide de l'auto*. J'étais loin de me douter que mes premiers gros défis me seraient imposés par son créateur. Le tout jeune entrepreneur que j'étais face à un monument d'expérience et nous avons eu à collaborer malgré des points de vue parfois bien différents quant à la gestion et à la direction que devait prendre le best-seller québécois. Heureusement, nous avions le même objectif : faire du *Guide de l'auto* un produit toujours meilleur.

Après quelques années d'absence, Jacques fit son retour avec notre équipe en 2013. Malgré nos divergences, tous les deux nous trouvions insensé le fait de ne pas unir nos forces pour la 50e parution du *Guide*. Créer un livre marquant un demi-siècle de succès est un immense défi. En plus de commémorer le passé, il se veut aussi un regard vers le futur. Heureusement pour nous, Jacques Duval, malgré ses 81 ans, est résolument tourné vers l'avenir. À preuve, il croit dur comme fer en la voiture électrique. Et il prêche par l'exemple puisqu'il est propriétaire d'une fabuleuse Tesla P85D.

Depuis 1967, Jacques n'a pas été que la bougie d'allumage du *Guide de l'auto*. Il en a été le moteur, le carburant et, en même temps, le pilote.

Au nom de toute l'équipe, merci Jacques.

*Jean Lemieux*

# 50 ANS DE
# PASSION

**E**n avril 1967, les libraires du Québec mettaient un tout petit livre sur leurs tablettes. Il ne payait pas vraiment de mine ce petit livre de 160 pages à la couverture rouge, montrant quelques photos floues – noir et blanc il va sans dire – et vendu 2 $. Pourtant, ses 10 000 exemplaires allaient s'envoler le temps de le dire. À tel point, qu'il reviendra l'année suivante. Puis l'année d'après... Sans arrêt pendant 50 ans.

Ce petit livre, c'est *Le Guide de l'auto*. Oui, ce *Guide* de 672 pages couleur que vous tenez dans vos mains, ce *Guide* qui pèse presque 3 kilos, qui est imprimé cette année à près de 100 000 copies et qui se vend 17 fois plus cher que dans le temps, a toute une histoire à raconter...

Si *Le Guide de l'auto* a connu un tel succès, c'est grâce à plusieurs facteurs. Tout d'abord, en 1967, son auteur, Jacques Duval, était une immense vedette au Québec. L'homme s'était fait une belle réputation à la radio, sur la scène, à la télévision et en course automobile. Grâce à sa bouille sympathique, son sens de la répartie et son aisance devant la caméra, il ne fut pas long qu'on le retrouva à la barre d'une émission de télé «de chars», *Prenez le volant*. Pour ne pas trop hésiter devant la caméra, Jacques écrivait ses notes sur de petits bouts de papier. Un jour, Monique, sa conjointe, eut cette réflexion «Pourquoi ne regrouperais-tu pas tes notes pour en faire un livre?» *Le Guide de l'auto* venait de naître.

*Le Guide de l'auto* arrivait au bon moment. Pour en apprendre davantage sur l'automobile, les Québécois avaient le choix entre les magazines américains (en anglais) ou les magazines français qui ne traitaient que des voitures européennes. De plus, le marché de l'automobile était devenu un véritable capharnaüm dans lequel se faisaient les pratiques les moins éthiques. L'arrivée d'un livre comme *Le Guide de l'auto*, avec ses nombreuses pages de conseils fut donc accueilli avec bonheur.

Les premières années, le *Guide* ne faisait l'essai que de quelques voitures, la majeure partie de ses pages étant consacrées à des recommandations diverses. Le *Guide* allait vraiment prendre son envol avec la onzième parution (*Guide* 1977). À partir de ce moment, toutes les voitures vendues au Canada seront analysées dans le *Guide*.

Quand on feuillette les quelque 23 000 pages qui constituent les 50 *Guide*, une chose retient davantage l'attention que toute autre, la passion. Qu'il s'agisse de faire l'essai d'une Lamborghini Miura S (*Guide* 1972), de faire l'essai de voitures marquantes qui ne seront jamais en production (Mercedes-Benz C 111 – *Guide* 1974) ou d'une Formule 1 (*Guide* 2001), *Le Guide de l'auto* était toujours là.

Les collaborateurs du *Guide* étaient là aussi à ces innombrables lancements autour du globe pour faire l'essai des nouveautés, pour monter des matchs comparatifs qui déterminent le meilleur véhicule de sa catégorie, pour potasser des centaines de pages (des centaines de fenêtres maintenant) pour trouver la petite information manquante, pour rester éveillés jusqu'à des heures impossibles, histoire de rencontrer les fameuses dates de tombée... Les collaborateurs de la première heure (ou presque), ce sont les Denis Duquet et Marc Lachapelle. Puis se sont ajouté les Gabriel Gélinas, Sylvain Raymond, Bertrand Godin, Alain Morin, Louis Butcher, Nadine Filion, Guy Desjardins et combien d'autres qui ont fait du *Guide de l'auto* ce qu'il est devenu aujourd'hui.

Au fil des années, le *Guide de l'auto* a connu plusieurs améliorations. Le nombre de pages, de photos, de données techniques ainsi que les dimensions du livre ont tous fait un bond prodigieux depuis 50 ans. S'il a pu durer aussi longtemps c'est qu'il a su s'adapter. Après être passé à travers deux crises majeures du pétrole (1973 et 1979), un passage à l'ère métrique (1976), une crise économique sans précédent (2008-2009),

la montée d'Internet et on en passe, la popularité du *Guide de l'auto* ne se dément pas. *Le Guide* a toujours gardé le cap et fête sa cinquantième parution avec panache et un désir de continuer encore longtemps à vous informer et à vous divertir.

Enfin, il convient de souligner qu'un tel succès ne se crée pas tout seul. On aurait beau écrire le meilleur livre, si le public ne suivait pas, il resterait sur les tablettes des libraires.

50 fois merci, cher lecteur.

# MON HISTOIRE D'AMOUR AVEC PORSCHE... ET MON DIVORCE

### PAR JACQUES DUVAL
### PHOTOS : ARCHIVES PERSONNELLES DE JACQUES DUVAL

## UNE 914-6 À DEUX FACES

Un calcul rapide m'amène à l'achat de 9 Porsche destinées à la compétition (2 Super 90, 3 911, une 904, une 906, une Abarth Zagato et une 914-6 GT)... et d'une quantité identique pour la route !

C'est la 914-6 qui a entamé les procédures de divorce puisqu'après m'avoir permis de réaliser la plus belle victoire de ma carrière aux 24 Heures de Daytona, la belle s'est avérée impropre à la compétition en raison d'un châssis dont la robustesse était défaillante. Ainsi, après l'épreuve de Daytona, le pare-brise se brisait sous l'effet de la torsion en virage, le levier de vitesses jouait à cache-cache avec les divers rapports et, somme toute, la voiture avait perdu toute compétitivité. Ayant été achetée neuve et transportée à Montréal par Air Canada, je me suis adressé au département de compétition chez Porsche afin de savoir comment remédier au gros bobo de la 914-6. Pour 3 000 $, ce qui était l'équivalent de 30 000 $ aujourd'hui, on me vendait un *kit* de renforcement pour la voiture. Il était hors de question que je paye un tel montant pour remettre en forme la 914, d'autant plus que j'avais offert à Porsche, à mes frais, toute la publicité que représente une victoire internationale comme celle de Daytona. Et surtout que le constructeur avait drôlement besoin d'aide pour vendre les versions route de la 914 qui, entre vous et moi, n'était pas l'auto la plus séduisante sur le marché. Ce manque de gratitude fut la première claque au visage que m'envoya le Germanique. Après tout, j'avais laissé plusieurs dizaines de milliers de dollars dans ses coffres avec l'acquisition des voitures citées plus haut.

Que Porsche m'ait traité comme un rien du tout n'a jamais changé quoi que ce soit dans ma façon d'évaluer ses produits en pratiquant mon métier de journaliste automobile.

J'ai toujours vanté les divers modèles de route et je ne serais pas surpris que j'aie contribué au volume de ventes de la marque de Stuttgart. C'est du moins ce que j'entends chez de nombreux acheteurs.

Pour l'avoir écrit à maintes reprises, je vous épargnerai la longue liste des Porsche de course que j'ai cédées pour des sommes ridicules, lesquelles valent aujourd'hui des millions de dollars...

## 904

## 906: DE TROIS-RIVIÈRES À BRANDS HATCH

Revenons plutôt en arrière pour faire le tour des autres Porsche dont je suis tombé amoureux et de celles qui furent moins fréquentables. Mon plus beau souvenir de pilote est celui que m'a offert la 906, aussi appelée Carrera 6. Même de nos jours, tout le monde s'entend pour dire que l'agrément de conduite ne pouvait s'élever à un tel niveau qu'au volant de ce prototype qui, contrairement à la 904 l'ayant précédé, était un engin de course inadmissible sur nos routes. Elle a même fait l'objet d'un livre de style *coffee table book* que je vous recommande chaleureusement, d'autant plus qu'il est l'œuvre du montréalais Jerry Pantis. Pendant 7 ans, il a consacré la majeure partie de son temps à retracer l'histoire de chacune de la centaine de 906 produites depuis leur sortie de l'usine jusqu'à leur plus récent propriétaire. À cela s'ajoute le parcours de chaque voiture, ses résultats en course, une multitude de photos et, bien sûr, des anecdotes intéressantes sur le va-et-vient de ces prototypes qui ont tous acquis le stade d'autos de collection dont la valeur dépasse 2 millions de dollars chacune.

J'en sais quelque chose puisque mon ancienne 906 fait partie du lot. Elle m'avait permis notamment de gagner le premier Grand Prix de Trois-Rivières en 1967 et de glaner des résultats enviables çà et là, depuis le Canada jusqu'aux États-Unis en passant par l'Angleterre. J'avais été invité à y conduire une 906 en compagnie du grand champion qu'était Jim Clark jusqu'à ce que celui-ci décide de participer à une course de formule 2 en Allemagne, où tristement, il perdit la vie. Il avait été remplacé dans la Porsche par Mario Cabral, un Portugais qui revenait d'une longue convalescence à la suite d'un accident en Grand Prix. Notre voiture, je dois le dire, était une véritable ordure, mal préparée et mal en point, avec une conduite à droite et un levier de vitesses à gauche. Ceci expliquant cela, nous terminâmes ce BOAC 500 en 4e place dans la catégorie.

La devancière de ma 906 dans ma modeste écurie de course fut la 904 si expertement dessinée qu'elle passerait pour une création récente aux yeux de plusieurs.

## 906

# « MON MÉCANO AVAIT DÉMONTÉ LE MOTEUR POUR DÉCOUVRIR UN VILEBREQUIN EMPRUNTÉ À UN MINIBUS VOLKSWAGEN. »

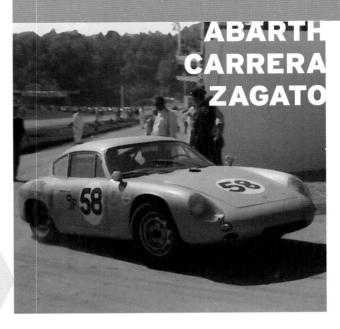

**ABARTH CARRERA ZAGATO**

## YVON DUHAMEL SUR 4 ROUES

Contrairement à mes autres voitures de course, celle-ci m'a accompagné pendant deux ans sur les circuits. Elle était plus douée pour l'endurance que les sprints, et c'est à son volant que j'ai gagné en 1965 ou 1966 les 6 Heures de Mont-Tremblant tout en décrochant une seconde place en catégorie aux 12 Heures de Sebring. J'ouvre ici une parenthèse pour remercier chacun des copilotes qui m'ont aidé à faire le tour d'honneur avec le drapeau à damiers.

Mon premier partenaire fut l'Allemand Horst Kroll de Toronto, suivi de George Nicholas, Bob Bailey, André Samson, le Dr Jean-Paul Ostiguy, sans oublier le champion des courses de moto Yvon Duhamel qui avait surpris tout le monde en se montrant aussi à l'aise sur 4 roues que sur 2. Je dois également un sérieux coup de chapeau à Werner Finkbeiner, mon fidèle mécano, un peu bourru, mais avec le talent nécessaire pour assembler le moteur hyper complexe de la 904.

## UNE POUBELLE DE 3 MILLIONS

Avant la 904, j'avais eu une courte et malheureuse relation avec ce qui est en ce moment la plus chère des voitures de collection de la marque, la Porsche Abarth Carrera Zagato que l'on estime à 3,3 millions au moment d'écrire ces lignes. Cet amalgame germano-italien paraissait farfelu dès le départ : des Italiens nonchalants travaillant de concert avec des Allemands d'une rigueur légendaire ! J'avais acquis ce supposé bolide d'un ingénieur de la NASA pour donner plus de sérieux et de professionnalisme à ma carrière de pilote.

Erreur, car faute de performances relevées, mon mécano avait démonté le moteur pour découvrir un vilebrequin emprunté à un minibus Volkswagen. En poussant plus loin notre investigation, on se rend compte que la précieuse Abarth cachait les vestiges d'un sérieux accident qui avait miné sa tenue de route. Je me suis débarrassé de cette satanée machine à la première occasion pour faire l'achat de la 904.

**904**

## DANS LE CHAMP À SAINT-EUGÈNE

Si je reviens en arrière, la voiture de mes débuts fut une Porsche 356B roadster avec sa mécanique la plus puissante, un 4 cylindres de 90 chevaux qui lui valait l'appellation Super 90. C'était à la fois ma voiture de tous les jours et ma voiture de course. On arrivait à la piste de Saint-Eugène, on collait du ruban gommé sur les phares pour prévenir les éclats de verre, on enlevait les enjoliveurs, on inscrivait son numéro sur les portières et on était prêt à défier le circuit près de Rigaud qui était un ancien aéroport militaire converti en circuit de vitesse.

Son statut de voiture de route empêchait cette Porsche de défendre ses couleurs avant que je décide de grimper d'un cran et de commander un coupé Super 90 bleu minuit avec des sièges Recaro et quelques accessoires de course permettant d'abaisser sensiblement le poids. C'est à partir de cette voiture que je commençai à gagner des courses aussi bien à Tremblant qu'à Mosport en Ontario. Je reçus même le trophée Stirling Moss remis au « most outstanding sports car driver of the year ».

**SUPER 90**

**MOST OUTSTANDING SPORTS CAR DRIVER OF THE YEAR »**

## PORSCHE SUR GLACE

J'ai déjà traité des années qui suivirent (64-65, 66, 67, 68), mais je me dois de souligner l'épisode final meublé par une série de 911 avec lesquelles j'orientai ma carrière vers les courses d'endurance, une discipline particulièrement profitable à la fiabilité des 911.

Ma première 911, obtenue en échange de ma 906 (quelle transaction stupide !) a fait du chemin, à commencer par sa première apparition en piste lors du Grand Prix Esso organisé dans le cadre du Carnaval de Québec. Je dois préciser que cela se déroulait au mois de février et qu'il s'agissait d'une course sur glace. Lors de la qualification, j'avais réussi à devancer Craig Fisher et à m'emparer de la position de tête. Le jour de la course, quelle ne fut pas ma surprise de voir l'ami Craig s'amener à mes côtés dans une grosse Pontiac station wagon. Il avait endommagé sa monture quelques heures avant la course et il décida de placarder des numéros sur les flancs de son auto de service et de s'en servir pour faire la course. Les spectateurs déliraient littéralement quand il se présenta à la seconde position de départ avec cette immensité aux côtés de ma 911 qui paraissait bien petite. Quelle ne fut pas la surprise des milliers de spectateurs quand on constata qu'il avait réussi à se tenir dans le sillage de la Porsche et qu'il y demeura pendant les 15 tours de la course, valsant d'une congère à l'autre dans de spectaculaires dérapages. Son exploit faillit éclipser mon propre exploit d'avoir aligné une 911 achetée 36 heures avant sans aucune forme de préparation !

**911**

# BIENVENUE DANS MON RÉTROVISEUR

Cette Porsche me tint compagnie pendant les saisons 1969 et 1970, jusqu'à ce que je décide de la vendre à un nouveau venu nommé Jacques Bienvenue.

Et pendant près de deux ans, j'eus droit d'admirer mon ancienne voiture qui remplissait la lunette arrière de ma nouvelle 911T! Bienvenue avait le mérite de réussir à me suivre alors que je possédais une voiture mieux préparée pour la course, plus légère et avec un moteur plus puissant.

Nous avons célébré ces deux saisons à nous «courailler» et en faisant équipe pour gagner une course d'endurance de 3 heures au circuit de Saint-Eustache.

C'est avec cette même 911T que je réussis à battre le record du tour à Sebring en préparation pour l'épreuve de 12 Heures. Je n'étais pas sorti de l'auto qu'un coureur renommé venait me proposer d'être mon copilote. Proposition refusée bien sûr puisque j'étais satisfait de mon équipe. C'est avec la même 911 que j'avais remporté 11 courses consécutives à Mont-Tremblant en route pour le championnat Alitalia du Québec. Je n'en avais perdu qu'une seule et c'est à la suite de cette contre-performance que mes équipiers (Gérald Labelle, George Nicholas et Werner Finkbeiner) avaient placé un tableau sur l'auto avec l'inscription «11 fois gagnante, 1 fois perdante, Porsche à vendre».

# DE PORSCHE À TESLA

Je pourrais disserter encore bien des pages, mais je garde cela pour le 75e anniversaire du *Guide de l'auto*. Toutefois, pour justifier le divorce évoqué plus haut, laissez-moi vous dire que malgré la qualité de ses voitures, Porsche ne possède pas une cote très élevée en relations humaines... Depuis près de 10 ans, mes relations avec Porsche se sont dégradées, sans que je sache trop pourquoi.

D'où mon divorce de la marque et mon coup de cœur pour la Tesla P85D, une voiture qui est un véritable plaisir à conduire et qui, bonheur suprême, ne consomme pas une goutte d'essence.

# «MON COUP DE CŒUR POUR LA TESLA P85D»

Photo: Marc-André Gauthier

# ALBI
## AUTO CRÉDIT
### .COM

**Financement auto 1re, 2e ou 3e chance**

- **FAILLITE • REPRISE DE FINANCE**
- **BON OU MAUVAIS CRÉDIT**
- **DIVORCE • TRAVAILLEUR AUTONOME**
- **REMISE VOLONTAIRE ET AUTRES**

# ON A TOUT VU !

## LE PLUS GRAND CHOIX !

**Financement à partir de 0 %**
et livraison partout au Québec.

# 50 *GUIDE,*
# 50 VOITURES
# DE L'ANNÉE

**C**haque année, les auteurs du *Guide de l'auto* essaient une impressionnante quantité de voitures, ce qui nous permet de nommer la meilleure nouvelle voiture de l'année sans trop risquer de se tromper.

Étonnamment, ça ne fait pas très longtemps que le *Guide de l'auto* décerne des prix aux meilleures nouvelles voitures. Les dix premières années du Guide (1967 à 1976), ce ne sont pas toutes les voitures vendues au pays qui faisaient l'objet d'un essai. À l'époque, le choix d'une voiture de l'année aurait été superflu. Pour cette décennie, nous avons donc demandé à Jacques Duval quel aurait été son choix annuel parmi les voitures essayées.

Les auteurs (Jacques Duval, Denis Duquet, Marc Lachapelle et Alain Morin) se sont prononcés sur ce qu'ils considéraient la meilleure nouvelle voiture de l'année, à partir de 1977. Entre 1985 et 1989, le *Guide* se prononçait sur la Voiture américaine de l'année et sur la Voiture Importée de l'année. Il faudra attendre 1997 avant que cette bonne idée refasse surface. Et encore, aucune voiture n'a été couronnée en 2000 et 2001.

Il nous fait plaisir de vous présenter la liste des 50 voitures de l'année des 50 premiers *Guide de l'auto*. En fait, pour les années où le *Guide* n'avait pas déterminé de gagnante, nous avons choisi la nouvelle voiture qui nous semble, avec le recul, la plus méritante de sa promotion. Et croyez-le ou non, il est beaucoup plus facile de se prononcer après plusieurs années ! Enfin, veuillez noter que nous nous sommes concentrés sur les voitures uniquement, faute d'espace.

Voici donc, sans prétention, nos 50 gagnantes...

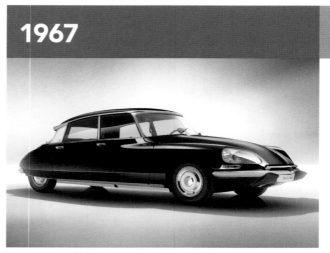

1967

CITROËN **DS21**

1968

PORSCHE
**CARRERA 6 DE COURSE**

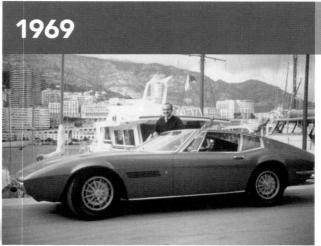

1969

MASERATI **GHIBLI**

## 1970

BMW **2002**

## 1971

DATSUN **240Z**

## 1972

LAMBORGHINI **MIURA S**

## 1973

FERRARI **DAYTONA GTB/4**

## 1974

HONDA **CIVIC**

**1975**

VOLKSWAGEN **RABBIT**

**1976**

LANCIA **STRATOS**

**1977**

HONDA **ACCORD**

**1978**

BMW **630 CSI**

**1979**

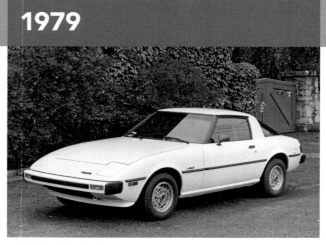

MAZDA **RX-7**

## 1980

HONDA **PRELUDE**

## 1981

ROVER **3 500**

## 1982

CHEVROLET **CAMARO Z28**

## 1983

CHEVROLET **CORVETTE**

## 1984

DODGE **CARAVAN /**
PLYMOUTH **VOYAGER**

## 1985

TOYOTA **COROLLA GTS**

**1986**

HONDA **ACCORD**

**1987**

NISSAN **PULSAR**

**1988**

VOLKSWAGEN **FOX**

**1989**

FORD **THUNDERBIRD**

**1990**

MAZDA **MIATA (MX-5)**

**1991**

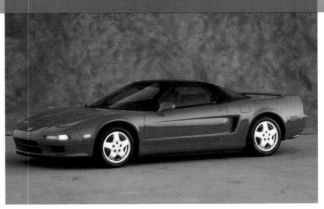

ACURA **NSX**

## 1992

CADILLAC
**ELDORADO/SEVILLE**

## 1993

FORD **PROBE**

## 1994

MERCEDES-BENZ **CLASSE C**

## 1995

LEXUS **LS 400**

## 1996

HONDA **ODYSSEY**

## 1997

BMW **SÉRIE 5**

## 1998

CHRYSLER
**CONCORDE/INTREPID**

## 1999

VOLKSWAGEN **NEW BEETLE**

## 2000

PORSCHE **BOXSTER**

## 2001

TOYOTA **PRIUS**

## 2002

MAZDA **PROTEGÉ5**

## 2003

INFINITI **G35**

## 2004

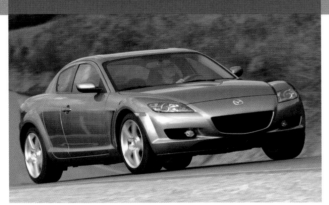

MAZDA **RX-8**

## 2005

CHRYSLER **300C**

## 2006

MAZDA **5**

**2007**

HONDA **FIT**

**2008**

VOLVO **C30**

**2009**

MAZDA **6**

**2010**

MAZDA **3**

**2011**

MERCEDES-BENZ **SLS AMG**

**2012**

CHEVROLET **VOLT**

**2013**

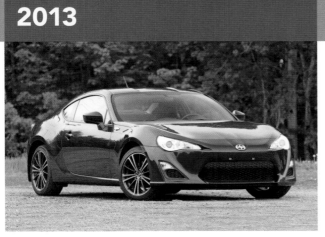

SCION **FR-S** / SUBARU **BRZ**

**2014**

MAZDA **6**

**2015**

VOLKSWAGEN **GOLF/GTI**

**2016**

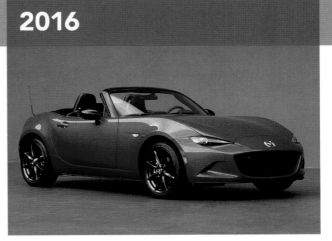

MAZDA **MX-5**

# MATCHS
# COMPARATIFS

# UN MATCH TOUTES
# CATÉGORIES

AUDI **RS 5**

DODGE **CHARGER SRT HELLCAT**

LEXUS **RC F**

# LES BELLES
# ET LA BÊTE

**C**omment donner suite à un match de sportives où la Corvette Stingray a donné la réplique à deux pur-sang européens de grande lignée ? Facile. En réunissant d'abord deux fois plus de sportives nettement plus pratiques, presque toutes moins chères et parfois même plus puissantes que les trois étalons de l'an dernier. En recrutant les versions les plus récentes, puissantes et affûtées des grandes références en matière de berlines, de coupés et même de familiales sport. En glissant finalement, dans cette demi-douzaine, une grande berline américaine férocement populaire et fabuleusement puissante qui allait certainement vouloir démontrer qu'elle sait faire beaucoup plus que simplement labourer le bitume en ligne droite. Place aux analyses minutieuses et aux mesures précises. Et place à l'action, en piste et sur la route.

PAR MARC LACHAPELLE
PHOTOS : JEREMY ALAN GLOVER

ICAR

BMW **M4**

VOLVO **V60 POLESTAR**

MERCEDES-AMG **C63 S**

**S**i la BMW 2002 est reconnue comme l'ancêtre des berlines et coupés sport modernes, c'est plutôt avec sa célèbre M3 que le constructeur bavarois a permis à ces voitures d'accéder aux échelons supérieurs chez les sportives. Il inventait, du même coup, une nouvelle catégorie de voitures qui offrent des performances et une tenue de route exceptionnelle, sans imposer le sacrifice de tout confort ou qualité pratique. Elles n'ont cessé de se multiplier depuis.

C'est la division Motorsport qui a créé la M3 en 1985 pour permettre l'inscription de la Série 3 en course. Cette première M3 y a connu un succès fulgurant, mais également comme modèle de série. BMW en produira finalement trois fois le nombre prévu. Une légende était née. Quatre générations de M3 ont suivi, toujours plus performantes. Des versions à quatre portières et décapotables sont venues rejoindre le premier coupé anguleux à deux portières.

La cinquième génération de la M3 est apparue l'an dernier, trente ans après la pionnière. Cette fois, l'écusson est porté uniquement par la berline, puisque coupé et décapotable portent désormais l'appellation M4. Toutes sont propulsées par le premier moteur turbo-compressé pour cette série, un groupe de 3,0 litres et 425 chevaux qui marque aussi le retour du six cylindres en ligne après le V8 de la génération précédente. C'est un coupé M4 qui s'est présenté au match avec la boîte à double embrayage optionnelle.

Tout aussi avide de succès en course avec ses voitures de tourisme, Mercedes-Benz a lancé la 190E 2.3-16, version ultra-sportive de sa berline de luxe compacte peu après la première M3. Les deux sont immédiatement devenues de grandes rivales en course, notamment dans la prestigieuse série allemande DTM. Le doyen des constructeurs lança par la suite une série de versions sportives de ses berlines et coupés de Classe C, toujours développées par AMG, sa division course et performance.

La plus récente est la nouvelle C 63 dérivée de la quatrième génération de la Classe C, apparue l'an dernier. Nous avions, pour ce match, la toute première C 63 S à poser ses pneus chez nous. Il s'agissait même de la version Edition 1 offerte à seulement 63 exemplaires pour tout le pays. La C 63 S est propulsée par le même V8 à double turbo de 4,0 litres et 503 chevaux que la nouvelle Mercedes-AMG GT, lubrification par carter sec en moins.

Pour donner la réplique à ces deux grandes rivales, nous avons choisi l'Audi RS 5 qui n'a rien perdu de sa beauté, même si elle en est déjà à sa quatrième année. Et bien que cet élégant coupé ait le profil idéal d'une « grand-tourisme », il n'est certainement pas en reste côté sportif avec son V8 atmosphérique de 4,2 litres et 444 chevaux. Surtout que notre voiture d'essai était dotée des freins avant à disques carbone-céramique optionnels.

Face à ce trio germanique de choc, le nouveau coupé Lexus RC F vient défier l'ordre établi avec son V8 atmosphérique de 5,0 litres et 467 chevaux, mais nous avons aussi… une familiale Volvo. Pas n'importe laquelle, bien sûr. La V60 Polestar propose un six cylindres biturbo de 3,0 litres et 345 chevaux, un rouage intégral et un comportement aiguisé par des spécialistes de la course. Elle rappelle les Volvo 850 qui ont surpris à l'époque en série BTCC.

Et pour secouer ce quintette de sportives raffinées: la Dodge Charger SRT Hellcat dont le capot bombé abrite un V8 surcompressé de 6,2 litres qui produit la bagatelle de 707 chevaux. C'est donc deux fois la puissance de la Volvo et 650 livres-pied de couple qui sont transmis à ses seules roues arrière. Cette berline américaine sans complexe était là pour prouver qu'un *muscle car* moderne sait négocier autre chose qu'une ligne droite.

Pour tout découvrir de ces six sportives, nous avons fait des mesures de performance complètes, passé une journée au circuit ICAR et roulé ensuite près de 400 kilomètres sur les meilleures routes des Cantons de l'Est. Découvrez maintenant le verdict des chiffres et de notre excellente équipe d'essayeurs.

# 1<sup>re</sup>

## MERCEDES-AMG **C 63 S**

| | |
|---|---|
| POINTAGE | **347,7 points** |
| PRIX DE LA VERSION ESSAYÉE | **92 940 $** |

## LA NOUVELLE REINE

**A**u lancement mondial de la nouvelle C 63 S, nous avons découvert une berline plus légère, agile et raffinée dont le nouveau V8 à double turbo est à la fois plus puissant, plus spectaculaire et plus frugal que le V8 atmosphérique, pourtant vénéré de sa devancière.

Il ne restait plus qu'à la confronter à ses rivales les plus sérieuses. C'est maintenant chose faite et nos essayeurs sont tombés, tous sans exception, sous le charme de cette berline à la fois svelte et trapue, en lui accordant les meilleures notes pour le style et le design de sa carrosserie et de son habitacle.

Théo De Guire-Lachapelle mentionne un « intérieur époustouflant (qui) combine très bien le sport et le bon goût » et « une attention au détail incroyable, à l'extérieur comme à l'intérieur. »

Fait amusant, Yves Demers applaudit l'audace dont Mercedes fait preuve en ajoutant de fines lignes rouges autour de la calandre et des jantes noires de la version Edition 1 du match alors que son frère et coéquipier Robin trouve qu'elles sont « de trop pour une voiture de cette catégorie. »

Tous ont noté que la C 63 S sait se faire douce ou féroce à volonté. Claude Carrière la qualifie de « bipolaire » parce qu'elle est « calme en mode confort et complètement déchaînée en mode course. »

Daniel St-Georges, un inconditionnel des versions M de BMW, s'est même rangé dans le camp de la C 63 S en ajoutant qu'« elle fait presque dans la démesure, mais avec grâce et élégance. » En habitué des circuits, avec son œil pour la technique, Olivier Corbeil souligne qu'elle est « probablement la mieux équipée pour faire de la piste avec : des plaques protectrices partout en dessous, un immense radiateur, un différentiel ventilé et de grands passages d'air pour refroidir les freins. » Et Claude Carrière de conclure : « Style, qualité, performance, tout y est. La nouvelle reine de la catégorie est arrivée. »

# BMW M4

## UN ÉTALON DIGNE DE SA RACE

| POINTAGE | 332,0 points |
| --- | --- |
| PRIX DE LA VERSION ESSAYÉE | 93 145 $ |

**L**a M4 se présentait au match comme la cible et la référence de cette catégorie. À ce titre, le svelte coupé n'a pas déçu et fait honneur à sa lignée en décrochant le meilleur chrono sur circuit, toujours la mesure ultime pour une sportive.

Comme nous l'avions soupçonné, la M4 aurait même devancé deux des grandes sportives du match précédent, sans toutefois rattraper la Corvette. Notre pilote a cependant dû y mettre l'effort. (Qui est ce mystérieux pilote ? Le Stig ?) Agile et plus léger que ses rivaux, le coupé M4 est également très rétif et exigeant quand on explore ses limites.

Comme un étalon fringant et nerveux, il est constamment à la limite du survirage à cause du couple toujours abondant de son nouveau moteur turbocompressé. Parce qu'il faut désactiver entièrement l'antidérapage pour tirer le maximum de sa puissance et de son adhérence. Et ce n'est pas de tout repos.

Certains des essayeurs ont aussi noté que ce système gêne en conduite sportive parce qu'il intervient trop fortement. Sur la route, en conduite plus posée, la personnalité de la M4 se transforme de manière étonnante. On peut alors apprécier en continu son aplomb, son confort et sa direction nette et précise que plusieurs ont par contre trouvée trop lourde en mode sport. Il suffit de la régler en mode normal et pour ça, on peut utiliser les boutons M1 et M2 montés sur un volant sport impeccable.

Ils permettent de rappeler à volonté deux jeux de ses réglages préférés pour la suspension, la boîte à double embrayage, l'échappement sport et les données qu'on souhaite consulter sur l'excellent affichage tête-haute multicolore, en plus de la servodirection électrique. Pour Claude Carrière, la M4 est «l'athlète du groupe, prête pour le triathlon ville-autoroute-circuit» et Jacques Duval de renchérir : «Un plaisir de conduite assuré et un confort appréciable malgré la férocité de la bête.»

# 3ᵉ

## LEXUS **RC F**

| | |
|---|---|
| POINTAGE | **329,9 points** |
| PRIX DE LA VERSION ESSAYÉE | **91 171 $** |

# PLEINE DE SURPRISES

**Q**uelle que soit la réputation de Lexus, la marque nipponne n'a certes pas la riche histoire de ses rivales allemandes en course ou pour ses sportives. C'est donc sans claironner que le coupé RC F s'est mesuré aux meilleures de sa catégorie.

Or, si certaines sportives impressionnent sur la route et perdent leurs moyens sur un circuit, ce fut tout le contraire pour le RC F qui nous a surpris, éblouis et conquis par sa tenue de route exceptionnelle sur le tracé de 1,3 km du circuit ICAR. Parce qu'il est étonnamment agile et inspire immédiatement confiance, encourageant son pilote à pousser davantage.

Il faut dire que notre voiture d'essai était dotée du groupe Performance, une option de 7 400 $ qui comprend un toit et un aileron arrière en fibre de carbone, un différentiel électronique à transfert de couple réglable et des roues d'alliage de 19 pouces. Il fait malgré tout osciller la balance à 1 795 kg, soit 140 kg de plus qu'une C 63 S plus puissante qu'il a pourtant talonnée sur le circuit avec un chrono supérieur de quelques centièmes seulement.

Son V8 atmosphérique est fantastique et sa boîte automatique à 8 rapports très efficace, bien qu'elle ne rétrograde toujours pas avec la même vivacité que les boîtes à double embrayage. Sur la route, par contre, le RC F est franchement trop sage et discret. En conduite, on s'entend, parce que sa silhouette et sa calandre ne laissent personne indifférent. En bien ou en mal. Surtout avec la couleur « éclat solaire » de notre aspirante.

Il faut choisir le mode Sport + pour lui donner du caractère. Les essayeurs n'ont guère apprécié les cadrans et le tableau de bord fades et un pavé tactile rébarbatif. Chose étonnante pour une Lexus, le RC F s'est également attiré des critiques pour des fautes d'assemblage et de finition. On peut néanmoins attendre de lui une fiabilité hors pair.

# AUDI RS 5

## SPORTIVE EXQUISE ET DÉPASSÉE

| | |
|---|---|
| **POINTAGE** | **317,1 points** |
| **PRIX DE LA VERSION ESSAYÉE** | **92 940 $** |

L a RS 5 s'est imposée dès son lancement comme l'un des coupés les plus beaux, performants et raffinés qu'on puisse trouver. C'était il y a quatre ans. Autant dire une éternité pour un coupé qui n'a pas changé d'un iota depuis.

Toujours aussi élégant, il a néanmoins perdu une partie de son charme aux yeux de nos essayeurs. Plusieurs ont noté que sa silhouette classique est trop conservatrice face à certaines rivales tout en lui accordant les meilleures notes pour la qualité d'assemblage, la finition et la peinture de sa carrosserie.

La RS 5 s'est attiré des compliments pour la grande qualité des matériaux, la finition de son habitacle et « le tableau de bord le plus réussi, comme toujours chez Audi » d'ajouter Jacques Duval. On a toutefois déploré l'absence de certains accessoires et systèmes qui sont maintenant monnaie courante chez la concurrence.

Des réglages électriques pour le volant, l'assise et les rétroviseurs qu'on peut mettre en mémoire, par exemple. Rien de vétuste côté mécanique, par contre, malgré le statu quo. Les deux essayeurs les plus expérimentés ont remarqué le « manque de couple » du V8 atmosphérique, sans doute choyés par le couple de certaines rivales.

Olivier Corbeil a plutôt trouvé ce moteur « puissant et très linéaire, peu importe le régime. » La RS 5 est d'ailleurs plus vive en reprise 80-120 km/h que la M4 et la C 63 S. Elle a également inscrit le meilleur 0-100 km/h grâce à son rouage intégral et à un mode « départ-canon » qui permet un démarrage à 6 000 tr/min.

Si son chrono sur circuit est en recul, malgré un équilibre et une efficacité indiscutables, c'est à cause d'une suspension un peu plus souple. Parce qu'elle est plus légère que le RC F. Elle se reprend sur la route et amène Olivier à conclure: « Je ferais le tour du monde dans cette voiture, peu importe les conditions routières. »

**5e**

DODGE **CHARGER SRT HELLCAT**

| POINTAGE | **309,4 points** |
|---|---|
| PRIX DE LA VERSION ESSAYÉE | **73 635 $** |

# PAR LA BOUCHE DE SES CANONS

**L**es puristes des circuits considèrent sûrement la Charger SRT Hellcat et son V8 suralimenté de 707 chevaux comme une blague et les inconditionnels des *muscle cars* n'ont rien à faire d'une route ou d'une piste qui ne soit pas rigoureusement droite.

Tant pis pour les deux camps, parce que nous étions curieux de voir comment cette berline américaine démesurément puissante saurait se débrouiller sur ces deux types de parcours, face à quatre sportives européennes racées et un samouraï japonais.

Loin de décevoir, la Hellcat a d'abord carrément surpris en inscrivant, de loin, la distance la plus courte pour nos six freinages d'urgence à 100 km/h. La puissance et l'endurance de ses freins Brembo ont été confirmées par la suite en piste, malgré les deux tonnes métriques et les vitesses atteintes par la bête. Une très bonne chose, avec la puissance et le couple ahurissants du V8 coiffé d'un énorme compresseur qui rugit sous le capot.

La Hellcat a inscrit un chrono 0-100 km/h honnête et le meilleur sur le 1/4 de mille, grâce à un mode « départ-canon » infaillible qui permet de régler le régime de démarrage sur l'écran de contrôle. Lancée à 1 500 tr/min, la Hellcat a exploité au maximum l'adhérence, aidée de ce système et d'un différentiel autobloquant très efficace.

Avec un rouage intégral, elle pulvériserait sans doute la plupart des sportives. La costaude américaine s'en est tirée honorablement sur le circuit avec un chrono qui la place entre les deux rivales à rouage intégral. Sur la route : elle ronronne.

Les critiques de certains à l'endroit de la qualité des matériaux et de la finition de l'habitacle étaient prévisibles. La Hellcat qu'ils comparent à des sportives de luxe est dérivée d'une modeste berline intermédiaire, après tout. À cet égard, elle est tout à fait réussie. Le constructeur peine d'ailleurs à combler la demande.

# VOLVO
# V60 POLESTAR

## DU SPORT AVEC OU SANS FAMILLE

| POINTAGE | **300,3 points** |
|---|---|
| PRIX DE LA VERSION ESSAYÉE | **66 895 $** |

**C**ette V60 est la première Volvo dont toutes les composantes de performance ont été optimisées par l'équipe de course Polestar. Produite en série limitée, elle a également été primée par l'AJAC chez les sportives l'automne dernier. Le constructeur suédois avait donc raison d'inscrire au match cette familiale qui allait être la moins puissante du lot et la plus lourde après la Hellcat. Parce qu'elle est un des signes tangibles de sa renaissance, comme l'a souligné Claude Carrière.

Chose certaine, la V60 Polestar s'est fort bien défendue face à des rivales redoutables, toutes nettement plus chères et plus puissantes. Elle a impressionné surtout par la puissance, la sonorité et la souplesse de son moteur turbo et son comportement précis, stable et efficace au circuit ICAR. C'est toutefois là aussi qu'on a remarqué sa faiblesse : l'endurance limitée de ses freins...

Si la V60 Polestar dispose de disques de bonne taille à l'avant (371 mm) pincés par des étriers Brembo à six pistons, elle se contente des plus petits disques du groupe à l'arrière (302 mm) malgré son poids substantiel.

Nos essayeurs furent également peu impressionnés par la présentation austère de l'habitacle et des commandes et interfaces plutôt limitées et désuètes. La V60 Polestar a évidemment récolté d'excellentes notes pour sa banquette arrière, sa grande soute cargo et son excellente visibilité.

Ce ne sont pas des éléments aussi payants dans tel match, mais ils n'en font pas moins une véritable sportive qui se révèle aussi exceptionnellement pratique et polyvalente pour des passionnés québécois sportifs avec enfants. À concurrence de trois.

Le fait qu'elle soit de loin la moins chère de ce groupe d'élite ne fait qu'ajouter à son attrait. Espérons que la V60 Polestar aura bientôt une héritière qui sera aussi équilibrée mais plus puissante, moderne et cossue.

Un grand merci à Olivier St-Onge, à Éliane Gilain et à toute l'équipe du Circuit ICAR pour leur accueil et leur aide toujours précieuse dans la réalisation de ce match. Et toutes nos excuses, encore une fois, pour les 100 mètres de traces parfaitement noires que nous avons laissées sur la ligne droite immaculée en faisant galoper librement les 707 chevaux de la Charger SRT Hellcat.

**Circuit ICAR**
12800, Henri-Fabre
Mirabel, Québec, J7N 0A6
Téléphone : 514-955-ICAR (4227)
Web : www.circuiticar.com
Courriel : info@circuiticar.com

# LE TONNERRE AU BOUT DES DOIGTS

**N**ul besoin de renoncer au confort, au raffinement et aux qualités pratiques pour conduire une vraie sportive de nos jours. Les six voitures de notre match en ont fait la preuve de manière éclatante. Quelques-unes auraient même fait la vie dure aux grandes sportives du match précédent par leurs chronos sur le même tracé au circuit ICAR. Les compromis d'hier ont cédé la place à une polyvalence remarquable, grâce aux progrès constants et fulgurants de l'électronique et de tous les accessoires, réglages et systèmes qu'elle permet. D'où l'importance cruciale de se maintenir à la fine pointe dans tous ces domaines.

Il n'y aurait donc rien d'étonnant à ce que la voiture la plus récente s'en tire avec les grands honneurs. À ce compte-là, on ne pouvait faire mieux qu'avec une Mercedes-AMG C 63 S fraîche sortie de l'usine de Brême en Allemagne et arrivée de justesse, après une longue traversée. Or, ce serait oublier la maîtrise exceptionnelle d'AMG en termes de performance, de comportement et de mécanique pure. La C 63 S ne s'est classée première dans aucune de nos mesures de performance, mais presque toujours deuxième. Elle a brillé pour tout le reste, sauf en étant la plus assoiffée sur notre boucle routière où elle fut même plus gloutonne que la Hellcat. Tant pis pour la frugalité d'un nouveau V8 biturbo par ailleurs spectaculaire.

Le coupé BMW M4 était attendu de pied ferme et s'est battu avec férocité. Parfois même trop. Le couple surabondant de son moteur turbo rend son pilotage sur circuit délicat à la limite. Nous avons aussi en mémoire les cent mètres de traces qu'il a laissées lors des mesures d'accélération, son mode «départ-canon» maîtrisant très mal le patinage des roues motrices. La M4 demeure malgré tout fidèle à sa lignée. Elle est la plus légère, la plus agile et l'on sent toujours les nerfs et les muscles du pur-sang, juste sous la surface. Quel que soit le mode de conduite ou le rythme choisi, elle n'est jamais au grand jamais ennuyeuse.

N'en déplaise aux inconditionnels des allemandes, c'est toutefois le coupé Lexus RC F, un pur produit japonais, qui a créé la surprise et mérité d'emblée le titre de révélation du match. Malgré son poids substantiel, il affiche une tenue de route d'une agilité, d'une précision et d'une facilité exceptionnelles. Surtout mené à fond sur un circuit aidé par un différentiel électronique qui modifie constamment la répartition du couple et animé par un V8 atmosphérique époustouflant. De quoi lui pardonner un tableau de bord fade, des interfaces rébarbatives et quelques fautes de finition. Lexus a peut-être enfin troqué un fragment de perfection pour une généreuse portion de brio et de caractère sportif. Qui s'en plaindra ?

Malgré son élégance et son raffinement, la musique ravissante de son V8 et le comportement sûr et précis que lui offre son rouage intégral, le coupé Audi RS 5 quattro a payé cher son statut de doyen du match. Après quatre années au beau fixe, il a pris du retard au chapitre des accessoires, du design et de l'intégration des technologies les plus récentes. Ironie cruelle si l'on considère qu'Audi est aux avant-postes dans ce domaine avec le tableau de bord virtuel des nouvelles R8 et TT. Le RS 5 a besoin aussi d'une silhouette rafraîchie, d'une structure allégée et d'un surcroît de puissance pour défier ses rivaux.

Que dire ensuite du Dodge Charger SRT Hellcat, ce beau monstre qui nous a étonnés par sa civilité et un aplomb remarquable pour ses deux tonnes métriques. Sans compter sa victoire nette en freinage d'urgence et l'endurance de ses freins Brembo sur le circuit ICAR, où il a laissé derrière lui la plus longue traînée de fumée bleue jamais vue à la sortie du virage le plus rapide. Les ingénieurs ont fait un travail admirable pour qu'on sache maîtriser à tout moment cette fabuleuse cavalerie, sur pavé droit ou sinueux. Si Claude Carrière dit « chapeau à Dodge d'avoir eu le *guts* de faire une telle voiture », Robin Demers en a carrément fait le premier choix à son classement personnel.

Et si la V60 Polestar a fait la récolte de points la plus modeste, à moins de dix du Hellcat, elle amène Olivier Corbeil à se demander « si la question devient : quelle est la voiture sportive la plus pratique ? » pour répondre aussitôt qu'avec son rouage intégral, ses vraies places arrière à dossiers repliables, sa soute énorme et le prix plus accessible, la suédoise est « la seule du lot qui peut être utilisée par une famille et ce, douze mois par année ! ». Et Yves Demers de renchérir en affirmant que « la V60 Polestar est ma surprise du match en performance générale, à tout point de vue. » Vivement la prochaine.

## Merci à nos essayeurs

Claude Carrière, Olivier Corbeil, Théo De Guire-Lachapelle, Robin Demers, Yves Demers, Jacques Duval, Alexandre Langlois et Daniel St-Georges.

| FICHES TECHNIQUES | AUDI **RS 5** | BMW **M4** | DODGE **CHARGER** **SRT HELLCAT** |
|---|---|---|---|
| RANG | 4 | 2 | 5 |
| Longueur (mm) | 4 649 | 4 671 | 5 100 |
| Largeur (mm) | 1 860 | 1 870 | 1 905 |
| Hauteur (mm) | 1 366 | 1 383 | 1 480 |
| Empattement (mm) | 2 751 | 2 812 | 3 058 |
| Voie avant / arrière (mm) | 1 586 / 1 582 | 1 579 / 1 603 | 1 626 / 1 618 |
| Poids (kg) | 1 715 | 1 601 | 2 075 |
| Coefficient de traînée | 0,32 | 0,34 | 0,335 |
| Places | 4 | 4 | 5 |
| Boîte de vitesses / rapports | double embrayage / 7 | double embrayage / 7 | automatique / 8 |
| Rouage | intégral | propulsion | propulsion |
| Moteur | V8 / DACT | 6L / DACT / biturbo | V8 / culbuteurs / compressé |
| Cylindrée globale | 4,2 litres | 3,0 litres | 6,2 litres |
| Cylindrée précise | 4 163 cm$^3$ | 2 979 cm$^3$ | 6 166 cm$^3$ |
| Puissance maximale (normes SAE) | 444 ch à 8 250 tr/min | 425 ch à 5 500 tr/min | 707 ch à 7 400 tr/min |
| Couple maximal (normes SAE) | 317 lb-pi à 4 000 tr/min | 406 lb-pi à 1 850 tr/min | 650 lb-pi à 4 800 tr/min |
| Rapport poids / puissance (kg / ch) | 3,86 | 3,76 | 2,93 |
| Suspension avant | double bras triangulaire | jambes de force | bras inégaux |
| Suspension arrière | bras multiples | bras multiples | bras multiples |
| Freins avant / diamètre (mm) / pistons | disques céramique / 380 / 4 | disques / 380 / 4 | disques / 390 / 6 |
| Freins arrière / diamètre (mm) / pistons | disques / 325 / 4 | disques / 370 / 2 | disques / 350 / 4 |
| Pneus: marque et type | Pirelli P Zero | Michelin Pilot Super Sport | Pirelli P Zero |
| Pneus avant: taille | 275/30 ZR20 | 255/35 ZR19 | 275/40 ZR20 |
| Pneus arrière: taille | 275/30 ZR20 | 275/35 ZR19 | 275/40 ZR20 |
| Direction | crémaillère servoélectrique | crémaillère servoélectrique | crémaillère servoélectrique |
| Diamètre de braquage (m) | 11,4 | 12,2 | 11,7 |
| Réservoir de carburant (litres) | 61 | 60 | 70 |
| Capacité coffre (litres) | 455 | 445 | 456 |
| Chrono circuit routier ICAR (secondes) | 56,15 | 54,85 | 57,00 |
| Accélération 0-100 km/h (sec) | 4,17 | 4,79 | 4,63 |
| Reprise 80-120 km/h (sec) | 3,10 | 3,25 | 2,95 |
| Accélération 1/4 de mille (sec / km/h) | 12,58 / 180,43 | 12,72 / 191,11 | 12,44 / 198,82 |
| Freinage de 100 km/h (mètres) | 36,45 | 37,28 | 34,17 |
| Consommation mesurée sur route (L/100 km) | 12,87 | 12,03 | 14,28 |
| Cotes consommation RNC (ville/route L/100 km) 5 cycles | 13,7 / 9,2 | 14,1 / 9,7 | 18,0 / 10,7 |
| Prix de base | 82 900 $ | 75 000 $ | 69 695 $ |
| Prix du modèle essayé | 92 940 $ | 93 145 $ | 73 635 $ |
| Lieu de fabrication | Ingostadt, Allemagne | Munich, Allemagne | Brampton, Ontario |

| RANG | 3 | 1 | 6 |
|---|---|---|---|
| Longueur (mm) | 4 705 | 4 756 | 4 635 |
| Largeur (mm) | 1 845 | 1 839 | 2 097 |
| Hauteur (mm) | 1 390 | 1 426 | 1 484 |
| Empattement (mm) | 2 730 | 2 840 | 2 776 |
| Voie avant / arrière (mm) | 1 555 / 1 560 | 1 609 / 1 546 | 1 588 / 1 585 |
| Poids (kg) | 1 795 | 1 655 | 1 834 |
| Coefficient de traînée | 0,30 | 0,30 | 0,30 |
| Places | 2 + 2 | 5 | 5 |
| Boîte de vitesses / rapports | automatique / 8 | automatique / 7 | automatique / 6 |
| Rouage | propulsion | propulsion | intégral |
| Moteur | V8 / DACT | V8 / DACT / biturbo | 6L / DACT / biturbo |
| Cylindrée globale | 5,0 litres | 4,0 litres | 3,0 litres |
| Cylindrée précise | 4 969 cm³ | 3 982 cm³ | 2 953 cm³ |
| Puissance maximale (normes SAE) | 467 ch à 7 100 tr/min | 503 ch à 5 500 tr/min | 345 ch à 5 250 tr/min |
| Couple maximal (normes SAE) | 389 lb-pi à 4 800 tr/min | 516 lb-pi à 1 750 tr/min | 369 lb-pi à 3 000 tr/min |
| Rapport poids / puissance (kg / ch) | 3,84 | 3,29 | 5,28 |
| Suspension avant | jambes de force | bras multiples | jambes de force |
| Suspension arrière | bras multiples | bras multiples | bras multiples |
| Freins avant / diamètre (mm) / pistons | disques / 340 / 6 | disques / 340 / 6 | disques / 371 / 6 |
| Freins arrière / diamètre (mm) / pistons | disques / 330 / 4 | disques / 330 / 4 | disques / 302 / n.d. |
| Pneus: marque et type | Michelin Pilot Super Sport | Michelin Pilot Super Sport M01 | Michelin Pilot Super Sport |
| Pneus avant: taille | 255/35 R19 | 245/35 R19 | 245/35 ZR20 |
| Pneus arrière: taille | 275/35 R19 | 265/35 R19 | 245/35 ZR20 |
| Direction | crémaillère servoélectrique | crémaillère servoélectrique | crémaillère servohydraulique |
| Diamètre de braquage (m) | 11,4 | 11,3 | 11,3 |
| Réservoir de carburant (litres) | 66 | 66 | 67,5 |
| Capacité coffre (litres) | 287 | 435 | 692 |
| Chrono circuit routier ICAR (secondes) | 55,49 | 55,36 | 57,97 |
| Accélération 0-100 km/h (sec) | 4,95 | 4,55 | 4,96 |
| Reprise 80-120 km/h (sec) | 2,80 | 3,45 | 5,25 |
| Accélération 1/4 de mille (sec / km/h) | 13,12 / 179,64 | 12,52 / 192,77 | 13,53 / 168,21 |
| Freinage de 100 km/h (mètres) | 37,70 | 36,06 | 36,87 |
| Consommation mesurée sur route (L/100 km) | 12,48 | 14,37 | 12,24 |
| Cotes consommation RNC (ville/route L/100 km) 5 cycles | 15,2 / 9,5 | 13,4 / 9,6 | 12,8 / 8,9 |
| Prix de base | 81 650 $ | 82 900 $ | 66 895 $ |
| Prix du modèle essayé | 91 171 $ | 93 500 $ | 66 895 $ |
| Lieu de fabrication | Kyushu, Japon | Brême, Allemagne | Gand, Belgique |

## POINTAGE DÉTAILLÉ

| | RANG | AUDI RS 5 | BMW M4 | DODGE CHARGER SRT HELLCAT | LEXUS RC F | MERCEDES-AMG C63 S | VOLVO V60 POLESTAR |
|---|---|---|---|---|---|---|---|
| | | 4 | 2 | 5 | 3 | 1 | 6 |
| **DESIGN / STYLE** | | | | | | | |
| Extérieur (silhouette, proportions, originalité, style, attrait visuel pur) | /30 | 23,1 | 24,3 | 21,3 | 23,6 | **26,4** | 21,7 |
| Intérieur (design, couleurs, style, originalité, agencement des matériaux) | /20 | 16,8 | 16,2 | 13,5 | 16,3 | **18,5** | 14,8 |
| **CARROSSERIE** | | | | | | | |
| Finition carrosserie (qualité de peinture, écarts, assemblage) | /20 | **17,1** | 16,9 | 14,5 | 16,3 | 17,0 | 16,1 |
| Qualité des matériaux intérieurs (texture, couleur, surface, odeur) | /20 | 17,8 | 17,4 | 14,4 | 16,6 | **18,2** | 15,4 |
| Tableau de bord (clarté, lisibilité des cadrans, graphisme, disposition) | /10 | **8,5** | **8,5** | 8,2 | 8,1 | **8,5** | 7,7 |
| Rangements (accès, nombre, taille, commodité) | /10 | 7,1 | 7,1 | 8,2 | 7,4 | 7,9 | **8,5** |
| Équipement (accessoires, multimédia, intégration, audio, etc.) | /5 | 4,2 | 4,2 | 4,1 | 3,9 | **4,4** | 3,8 |
| Coffre (accès, volume, commodité, modularité, polyvalence) | /5 | 3,8 | 3,7 | 4,3 | 3,6 | 4,0 | **4,6** |
| **CONFORT / ERGONOMIE** | | | | | | | |
| Places avant (volant, sièges avant, repose-pied, réglages) | /25 | 20,9 | 21,1 | 18,9 | 20,5 | **21,3** | 20,6 |
| Ergonomie (facilité d'atteindre les commandes, douceur, précision) | /10 | 8,5 | 8,5 | 8,3 | 7,6 | **8,6** | 7,9 |
| Silence de roulement (sur chaussée lisse ou raboteuse, bruit de vent) | /10 | 8,4 | 8,1 | 8,3 | 8,0 | **8,6** | 7,7 |
| Places arrière (accès, confort, espace, appuie-tête) | /5 | 2,7 | 2,7 | **4,2** | 2,7 | 4,0 | **4,2** |
| **CONDUITE** | | | | | | | |
| Tenue de route (équilibre, agilité, adhérence, facilité, marge de sécurité) | /50 | 42,0 | 44,9 | 36,9 | **45,7** | 43,9 | 41,4 |
| Moteur (rendement, puissance, couple à bas régime, réponse, agrément) | /40 | 33,8 | 34,7 | **37,4** | 34,6 | 35,3 | 31,5 |
| Direction (précision, *feedback*, résistance aux secousses, braquage) | /20 | 16,6 | 17,2 | 15,3 | **17,4** | 17,1 | 16,6 |
| Freins (sensations, modulation, constance, performances, résistance) | /20 | 16,8 | 17,3 | **18,1** | 17,4 | 17,4 | 15,1 |
| Transmission (précision, rapidité, étagement, douceur, embrayage) | /10 | 8,4 | **8,8** | 8,7 | **8,8** | 8,7 | 7,9 |
| Qualité de roulement (suspension, solidité structurelle, stabilité) | /10 | 8,7 | 8,8 | 8,1 | **9,1** | 8,7 | 8,5 |
| **SÉCURITÉ** | | | | | | | |
| Visibilité (surface vitrée, largeur des montants, angles morts) | /10 | 7,8 | 8,1 | 8,5 | 7,3 | 8,5 | **8,9** |
| Rétroviseurs (taille, forme, emplacement, clarté, bloque point de corde ?) | /10 | 8,1 | 7,9 | 8,2 | 8,0 | **8,4** | 8,3 |
| Systèmes d'aide à la conduite (efficacité, ajustabilité, rapidité) | /10 | 8,2 | 7,9 | 8,5 | **8,6** | 8,5 | 7,9 |
| **TOTAL ÉVALUATION** | | **289,0** | **294,3** | **277,8** | **291,3** | **303,9** | **279,1** | **279,1** |
| **PERFORMANCES MESURÉES \*** | | | | | | | |
| Chrono tour de piste - circuit ICAR | /40 | 28,6 | **32,8** | 26,2 | 31,0 | 31,0 | 23,2 |
| Freinage de 100 km/h | /20 | 16,4 | 16,0 | 18,4 | 16,0 | **16,8** | 16,0 |
| Accélération 0-100 km/h | /10 | **9,0** | 8,3 | 8,7 | 8,1 | 8,7 | 7,9 |
| Accélération 1/4 de mille | /10 | 8,5 | 8,3 | **8,7** | 7,9 | 8,5 | 7,3 |
| Reprise 80-120 km/h | /10 | 8,2 | 8,0 | 8,4 | **8,6** | 7,8 | 6,0 |
| Consommation réelle (parcours de 313 km) | /10 | 4,6 | **5,4** | 3,3 | 5,0 | 3,3 | **5,4** |
| **CHOIX DES ESSAYEURS** | **/50** | 23,1 | 32,5 | 18,8 | 34,4 | 45,0 | 11,3 |
| **POINTAGE BRUT** | **/500** | 387,4 | 405,6 | 370,2 | 402,2 | 425,0 | 356,1 |
| **POINTAGE FINAL \*\*** | **/500** | 317,1 | 332,0 | 309,4 | 329,9 | 347,7 | 300,3 |

\* Pointage selon des courbes adaptées
\*\* Avec pondération pour le prix selon la courbe des prix annuels de l'AJAC

# CHRONO CIRCUIT ROUTIER ICAR (SECONDES)

**CIRCUIT ICAR**
L'ULTIME COMPLEXE DE SPORTS MOTORISÉS

**1er** BMW **M4**
54,85

**2e** MERCEDES-AMG **C 63 S**
55,36

**3e** LEXUS **RC F**
55,49

**4e** AUDI **RS 5**
56,15

**5e** DODGE **CHARGER SRT HELLCAT**
57,00

**6e** VOLVO **V60 POLESTAR**
57,97

# ACCÉLÉRATION 0-100 KM/H (SEC)

AUDI **RS 5**
4,17

MERCEDES-AMG **C 63 S**
4,55

DODGE **CHARGER SRT HELLCAT**
4,63

BMW **M4**
4,79

LEXUS **RC F**
4,95

VOLVO **V60 POLESTAR**
4,96

# CONSOMMATION MESURÉE SUR ROUTE (L/100 KM)

BMW **M4**
12,03

VOLVO **V60 POLESTAR**
12,24

LEXUS **RC F**
12,48

AUDI **RS 5**
12,87

DODGE **CHARGER SRT HELLCAT**
14,28

MERCEDES-AMG **C 63 S**
14,37

# PRIX DU MODÈLE ESSAYÉ

 DODGE **CHARGER SRT HELLCAT**
73 635 $

 LEXUS **RC F**
91 171 $

 VOLVO **POLESTAR**
66 895 $

 AUDI **RS 5**
92 940 $

 MERCEDES-AMG **C 63 S**
93 500 $

 BMW **M4**
93 145 $

# FREINAGE
## DE 100 KM/H (MÈTRES)

DODGE **CHARGER SRT HELLCAT**
34,17

MERCEDES-AMG **C 63 S**
36,06

AUDI **RS 5**
36,45

VOLVO **V60 POLESTAR**
36,87

BMW **M4**
37,28

LEXUS **RC F**
37,70

# L'AVENIR EST
# PETIT !

CHEVROLET **TRAX**

NISSAN **JUKE**

SUBARU XV **CROSSTREK**

MAZDA **CX-3**

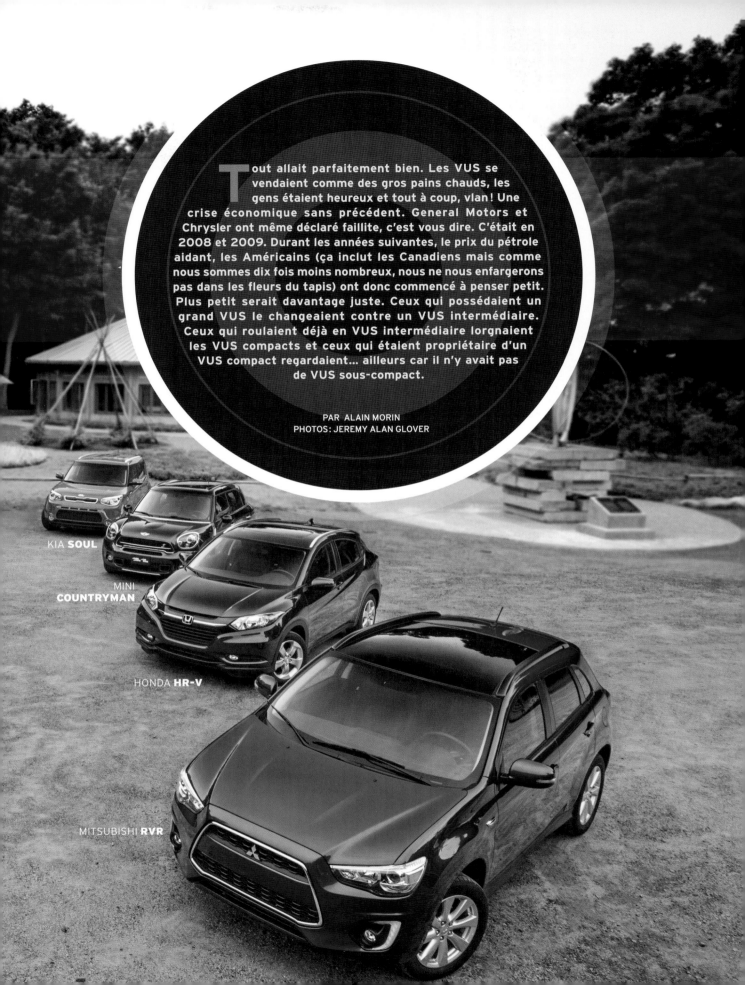

**T**out allait parfaitement bien. Les VUS se vendaient comme des gros pains chauds, les gens étaient heureux et tout à coup, vlan! Une crise économique sans précédent. General Motors et Chrysler ont même déclaré faillite, c'est vous dire. C'était en 2008 et 2009. Durant les années suivantes, le prix du pétrole aidant, les Américains (ça inclut les Canadiens mais comme nous sommes dix fois moins nombreux, nous ne nous enfargerons pas dans les fleurs du tapis) ont donc commencé à penser petit. Plus petit serait davantage juste. Ceux qui possédaient un grand VUS le changeaient contre un VUS intermédiaire. Ceux qui roulaient déjà en VUS intermédiaire lorgnaient les VUS compacts et ceux qui étaient propriétaire d'un VUS compact regardaient... ailleurs car il n'y avait pas de VUS sous-compact.

PAR ALAIN MORIN
PHOTOS: JEREMY ALAN GLOVER

KIA **SOUL**

MINI **COUNTRYMAN**

HONDA **HR-V**

MITSUBISHI **RVR**

On le sait. L'Humain n'apprend jamais de ses erreurs. Dès que les prix du précieux liquide ont moindrement descendu, la folie des grandeurs a repris de plus belle. Mais comme le pétrole n'a pas tendance à demeurer abordable longtemps, le besoin était créé. Et quand il y a un besoin, il faut un produit pour le combler. Les constructeurs ont bien compris que les gens n'avaient pas envie de se départir de leur VUS, convaincus que ce type de véhicule est plus sécuritaire malgré un centre de gravité plus élevé et un sentiment, erroné, d'invincibilité. Et puis, avouons-le, un VUS c'était cool (ça l'est encore). Dans un monde où la conscience environnementale prenait de plus en plus d'importance, un petit VUS c'était encore plus *cool*.

### BABY BOOM

Ça tombait bien. En Europe, il y avait tout plein de petits VUS. Buick est allé piger dans le catalogue d'Opel, la marque maison germanique, et est revenue avec un Encore, construit sur la plateforme de la sous-compacte Sonic. Chevrolet a repris le Encore et en a fait un Trax. Nissan a amené sur nos terres un amusant crapaud, le Juke. Mitsubishi avait un RVR prêt à traverser le Pacifique (il a d'abord été commercialisé au Japon) et Subaru pouvait compter sur la plate-forme de sa fidèle Impreza pour en tirer une version presque VUS. Kia, sans doute plus par chance que par prévoyance, offrait déjà le très intéressant Soul. Cette année, Jeep, Honda et Mazda entrent dans la danse avec leurs Renegade, HR-V et CX-3, respectivement.

Au moment d'écrire ces lignes (mi-juin 2015), le Mazda CX-3 est en vente depuis quelques semaines, Honda s'apprête à faire de même avec son HR-V et, après avoir réglé quelques pépins, Jeep a recommencé à vendre son Renegade. De son côté, le Fiat 500X, un dérivé du Renegade sera bientôt disponible. Il était donc temps pour le Guide de l'auto de voir ce qui en retournait.

Et aussi pour tenter de voir ce qu'il pourrait en retourner d'ici quelques années. Les prix de l'essence vont continuer à augmenter même si, à l'occasion, une crise économique vient contrer cette troublante vérité. D'un autre côté, il faut avouer que petit ne rime plus avec austérité ou tristesse. Rouage intégral, moteurs de faible cylindrée mais habituellement puissants, boîtes de vitesses modernes, équipement de base relevé, niveau sonore bien contenu, performances viriles. Décidément, être petit n'aura jamais été aussi agréable !

**DEUX JOURNÉES DE PLAISIR**
Les 27 et 28 mai 2015, nous avons donc tenu un match comparatif entre huit de ces VUS sous-compacts. Au début, nous avions pensé au Chevrolet Trax, au Mazda CX-3, au Honda HR-V, au Jeep Renegade, au Mitsubishi RVR et à la MINI Countryman. En y regardant de plus près, on s'est rendu compte que le Nissan Juke et le Kia Soul « fittaient » très bien dans le décor, autant par leurs dimensions que leur prix ou leur vocation. Et même si son empattement et sa longueur totale sont quelques millimètres plus longs, le Subaru XV Crosstrek peut aussi faire partie de l'équation. Faute d'espace, nous avons décidé de ne pas inclure la Ford C-Max. D'ailleurs, elle aurait été la seule hybride du groupe. Si elle avait été encore de ce monde, la Toyota Matrix aurait pu être invitée au party.

Tous les véhicules désirés étaient présents lors de nos journées de match. Tous ? Non. Le Jeep Renegade nous a fait faux bond.

Place au match des VUS sous-compacts !

# 1re

MAZDA **CX-3**

| POINTAGE | **338,2 points** |
| PRIX DE LA VERSION ESSAYÉE | **30 495$** |

## LE MAGICIEN

**A**près le succès du CX-5, construit sur la plate-forme de la Mazda3, plusieurs attendaient son petit frère, le CX-3 qui, lui, est dérivé de la nouvelle Mazda2. Et il n'a pas déçu, ce benjamin de la famille Mazda!

Tout d'abord, tout le monde a été conquis par sa bouille. Comme le résume si bien Nadine Filion: «Clairement, c'est le Mazda CX-3 qui se démarque. D'abord, il est le plus joli du lot...». Brigitte Duval trouve que «tous les modèles de la gamme Mazda sont trop pareils. Ils sont tous beaux, mais rien ne les distingue vraiment entre eux». L'habitacle a aussi impressionné et, comme le dit si bien Guy Desjardins: «L'habitacle montre de nombreuses textures, matériaux et couleurs qui sont très bien agencés pour donner une impression de richesse». Il faut toutefois avouer que nous avions droit à une version GT, soit haut de gamme. Certaines livrées sont moins bien nanties. Les places arrière et l'espace cargo, par contre... Carole Dugré se fait la porte-parole du groupe en mentionnant: «Pas certaine qu'il soit pratique pour une petite famille!». Quelques-uns ont trouvé son habitacle bruyant, d'autres moins.

Côté conduite, le CX-3 marque encore beaucoup de points. Son quatre cylindres de 2,0 litres turbocompressé n'est pas le plus puissant du groupe, «un peu plus de couple et ce serait l'apothéose. Un turbo peut-être?» suggère Robert Gariépy. Mais il offre des performances fort décentes. Cependant, il est parmi les trois véhicules qui ont consommé le plus durant les deux journées, soit 9,4 litres en moyenne. Alain McKenna voit juste quand il écrit: «Il ne manquerait qu'un système *Start-Stop*...».

**Le mot de Costa Mouzouris, notre pilote:** «Bons freins, bel équilibre et direction précise. La transmission (6 rapports) fonctionne bien. En mode Sport, elle maintient les révolutions du moteur un peu plus longtemps, ce qui est apprécié sur une piste, mais pas sur la route.»

**Le mot de Jacques Duval:** «Dans l'équation raison/passion, Mazda est fidèle à son «zoom zoom», mais les plus rationnels se tourneront vers le Honda HR-V».

# KIA **SOUL**

2e

## DE JOUET À VEDETTE !

| POINTAGE | **327 points** |
| PRIX DE LA VERSION ESSAYÉE | **22 195 $** |

Lorsqu'il est apparu dans le Guide de l'auto 2010, le Kia Soul avait impressionné. Six ans plus tard, il est toujours là et plus d'actualité que jamais, Kia ayant su le faire évoluer sans jamais renier sa conception originale. Notre exemplaire, une version EX+ d'un rouge pétant, possédait « une bouille sympathique et originale » selon Gilles Olivier. « Si l'intérieur était aussi séduisant que celui du Mazda CX-3, le Soul aurait été mon premier choix », dit Alain Raymond.

L'ergonomie des commandes du tableau de bord a été saluée maintes fois même si « l'utilisation de l'écran central, très petit, est difficile en roulant », selon Guy Desjardins. Le coffre a aussi été bien noté. « J'aime bien le « sous-sol » compartimenté du coffre, ce qui permet du rangement supplémentaire », selon Richard LeCouffe.

Les 164 chevaux du 2,0-litres autorisent des accélérations vives entre 0 et 100 km/h et « sans effet de couple dans le volant », Alain Raymond. Nadine Filion, elle, note : « La transmission réagit promptement, les accélérations sont efficaces, un peu bruyantes, mais loin d'être désagréables ». La suspension, de faire remarquer Jean-Charles Lajeunesse, « montre bien qu'une poutre de torsion arrière bien calibrée peut faire un bon boulot ». Le fait que le Soul n'était pas doté d'un rouage intégral en a dérangé quelques-uns mais, selon Jean-François Guay, « sa garde au sol élevée devrait lui permettre de franchir facilement de petits bancs de neige ».

**Le mot de Costa, notre pilote:** « La direction du Soul est juste assez assistée, surtout en mode Sport. La puissance passe mal au sol et, en sortie de courbe, la roue intérieure manque de traction (N.D.L.R. un rouage intégral aurait sans doute pu éviter ce problème).

**Le mot de Jacques Duval:** « La luminosité de son intérieur, courtoisie d'une bonne surface vitrée, fait du Kia Soul un petit véhicule éminemment sympathique ».

# 3e

## HONDA **HR-V**

| | |
|---|---|
| POINTAGE | **311,9 points** |
| PRIX DE LA VERSION ESSAYÉE | **29 990 $** |

# LE MONONCLE DES ÉTATS

Il convient, pour débuter, de préciser qu'au moment où nous avons tenu notre match, Honda Canada ne possédait aucun exemplaire du nouveau HR-V. Ils ont dû en dénicher un chez Honda USA. Le véhicule que nous avons essayé était donc américain. Il s'agissait d'un EX-L Navi à roues avant motrices, une version que nous n'aurons pas ici. «Nos» EX-L Navi seront à rouage intégral. Pour ne pas pénaliser les autres véhicules au moment de la pondération pour les prix, nous lui avons donné le prix de la version qui sera la mieux équipée ici, à 29 990 $.

Le style général du HR-V a été apprécié, mais personne n'en est tombé amoureux. Richard LeCouffe résume bien en écrivant: «Un bel équilibre, mais il ne se démarque pas beaucoup». Si on se fie aux notes des essayeurs, les designers de Honda devraient surtout s'attarder au tableau de bord. «Écran tactile et climatisation par touches plutôt que par molettes... À proscrire! Horreur!», Alain Raymond. Par contre, tous ont été épatés par, comme l'écrit Yvan Fournier «le mécanisme des sièges arrière rabattables lors de la configuration cargo, c'est génial!». Ça, Yvan, ça s'appelle le Magic Seat. Il est aussi offert dans la Fit qui partage sa plate-forme avec le HR-V.

Avec ses 141 chevaux, le HR-V était le deuxième moins puissant du lot. Son 1,8-litre, relié à une boîte automatique CVT, peine à traîner les 1332 kilos qui lui sont imposés. Il s'agit d'ailleurs du deuxième véhicule le plus lourd... Écoutons Nadine Filion: «Les performances ne sont pas au rendez-vous, mais j'ai trouvé le tour de noter de l'effet de couple dans le volant!». Au moins, au final, le HR-V est celui qui a consommé le moins durant nos deux journées d'essai: 8,4 l/100 km. «La conduite est juste assez ferme, mais plutôt bruyante», Jean-Charles Lajeunesse.

**Le mot de Costa, notre pilote:** «Malgré l'absence d'un rouage intégral, la tenue de route est bonne et le HR-V se comporte mieux en sortie de virage que le Kia Soul. Pas de mode Sport. Mais serait-ce vraiment utile?».

**Le mot de Jacques Duval:** «Sa couleur mortuaire ne l'a pas aidé mais, dans l'ensemble, il obtient un bon score moyen qui influencera le décompte final».

# SUBARU XV CROSSTREK

| POINTAGE | 310,8 points |
|---|---|
| PRIX DE LA VERSION ESSAYÉE | 31 795 $ |

## FINALEMENT, ON A BIEN FAIT...

**A**u début, nous ne savions pas si nous devions inviter le XV Crosstrek de Subaru, ses dimensions étant un peu plus grandes que celles des autres. Pourtant, en le regardant au milieu de ses compagnons, il ne déparait pas du tout. Même qu'il se fondait dans la masse «Look typique de Subaru, c'est-à-dire correct, sans plus», résume Alain Raymond. Mais il y avait pire. Nous avons remarqué la présence de rouille prématurée sur le capot...

De son côté, Yvan Fournier remarquait qu'il avait eu de la difficulté à trouver une bonne position de conduite alors que Nadine Filion l'a trouvé «très facile à apprivoiser, on s'y sent vite comme dans son salon». Cependant «la sono et les réglages d'usine sont toujours aussi mal foutus» selon Alain McKenna.

Alors que le Crosstrek est le moins rapide en accélération et en reprises et a été le plus décevant sur la piste, tous ont souligné la qualité de la conduite et, surtout, la robustesse ressentie au volant. Par exemple, Brigitte Duval écrit : «J'ai été agréablement surprise par la qualité ressentie sur la route. On sent la voiture robuste, ferme, assurée dans les courbes et au freinage». Fait à souligner, le Crosstrek était le seul véhicule du groupe à pouvoir remorquer 680 kilos (1500 livres, remorque freinée). Robert Gariépy, pour sa part, mentionne «Stabilité, confort, habitabilité, moteur souple et puissant.»

Si le Subaru XV Crosstrek a terminé en quatrième position, c'est donc bien davantage grâce à sa solidité, à sa facilité à vivre au quotidien et à son rouage intégral qu'à la beauté de ses lignes ou de ses compétences sportives. Et si le prix de l'exemplaire fourni par Subaru n'avait pas été aussi élevé, il aurait pu terminer au troisième rang.

**Le mot de Costa, notre pilote:** «Le véhicule le plus décevant sur la piste. C'est lui qui affiche le plus de roulis et le plus de sous-virage. La direction est bien calibrée, mais retourne peu d'informations. Au moins, il y a suffisamment de couple à bas régime».

**Le mot de Jacques Duval:** «Le modèle essayé rachète l'insupportable version hybride qui est nettement moins bien réussie. Il reste que comparée aux autres marques japonaises, Subaru arrive derrière Toyota, Honda et Mazda.»

# 5e

## MINI **COUNTRYMAN**

| | |
|---|---|
| **POINTAGE** | **295,3 points** |
| **PRIX DE LA VERSION ESSAYÉE** | **29 950$** |

# LES EXTRÊMES RÉUNIS

S'il y a une voiture qui a polarisé les opinions lors de notre match, c'est bien la MINI Cooper S Countryman ALL4. «La MINI se démarque à cause de son concept conservé et amélioré», Yvan Fournier. «Les charmes intemporels de la Mini s'estompent avec la MINI», Alain Raymond. En passant, notez la subtilité... La première Mini, celle qui avait été dévoilée en 1959, s'écrivait en minuscules. La nouvelle génération, plus imposante, prend des majuscules.

Si la carrosserie n'a pas fait l'unanimité, que dire du tableau de bord! «Instrumentation originale et assez complexe à comprendre», Gilles Olivier. «Tableau de bord déroutant. Peut-être qu'on s'y habitue?», Richard LeCouffe. «Chose certaine, c'est un char de fille!», rétorque Carole Dugré.

La motorisation par contre, a été saluée par tous. Le 1,6 litre de 181 chevaux, deuxième plus puissant du troupeau, jumelé à une boîte automatique à six rapports très efficace, lui a permis de mieux paraître. «Moteur très en verve et direction incisive», note Alain Raymond. Guy Desjardins mentionne que «le mode Sport donne réellement un caractère plus sportif au véhicule. Changements de rapports plus rapides, suspension plus ferme et meilleure sonorité de l'échappement». Bref «une petite bombe amusante à conduire», Richard LeCouffe.

Amusante? Oui, même si le confort et le silence de roulement ont été jugés les plus sévèrement du lot.

**Le mot de Costa, notre pilote:** «Direction précise, très peu de roulis et bel équilibre général. C'est le seul véhicule du groupe que je pouvais faire pivoter en utilisant les freins pour effectuer un transfert de poids en entrant dans les courbes. Le gros problème se situe au niveau des freins qui ont peu de mordant en début de freinage et qui requièrent passablement de force sur la pédale. Lors du match de l'année dernière (N.D.L.R. compactes de luxe), le freinage de la BMW Série 2 avait aussi causé des ennuis...».

**Le mot de Jacques Duval:** «Quel désastre que d'avoir voulu créer un utilitaire en sacrifiant tout ce que la Mini avait de plaisant à offrir. Mon amour de jeunesse transformé en je-ne-sais-quoi».

# NISSAN JUKE

## JAUNE PASSION

| POINTAGE | 283,9 points |
|---|---|
| PRIX DE LA VERSION ESSAYÉE | 30 178 $ |

**S**i vous croyiez que le style de la MINI Countryman avait attiré les commentaires contraires, vous n'avez encore rien lu! «Même avec un V12 Ferrari, la chose est tellement laide qu'il faudrait me mettre un revolver sur la tempe pour que je consente à la choisir», Alain Raymond. «J'aime bien son look», Carole Dugré. «Allure d'un petit jouet un peu trop intense à mon goût... surtout dans cette horrible couleur!», Brigitte Duval. «Look extérieur sportif et très original, surtout en jaune», Guy Desjardins

Outre le fait d'avoir été dernier dans la portion du style extérieur, le Nissan Juke n'a rien fait de très bien ni de très mal. Même qu'on pourrait dire qu'il a fait plus mal que bien. La visibilité, tout comme la petitesse de l'habitacle, en prennent pour leur rhume. «Pauvre visibilité. Heureusement que les caméras de recul existent», Yvan Fournier. «Le Juke n'est pas un véhicule familial à proprement parler, avec des places à l'arrière et un coffre tous deux limités», Alain McKenna. Petite remarque de Jean-Charles Lajeunesse à propos du coffre qui «en deux occasions était mal refermé, même si les essayeurs étaient convaincus de l'avoir bien fermé».

Côté moteur, toutefois, rien à redire. Le 1,6 litre de 188 chevaux est plein de verve. Quant à la boîte automatique CVT, certains l'abhorrent et d'autres l'aiment bien. Jean-Charles Lajeunesse la trouve «meilleure que celle de la Sentra», Alain Raymond la trouve «surprenante d'efficacité» et Nadine Filion la trouve carrément «mauvaise, même lorsque le mode Sport est engagé, ses réactions se font attendre». Quant au mode Eco, Jean-Charles trouve qu'«il rend le Juke léthargique». Enfin, Robert Gariépy ne semble pas avoir apprécié son expérience avec le Juke «Il faut vraiment craquer pour sa gueule spéciale pour vivre avec 36 mois ou plus. Le Juke ne fait pas le poids.»

**Le mot de Costa, notre pilote:** «Le deuxième meilleur véhicule du lot sur la piste. Il accélère vivement, mais pas autant que la MINI à bas régime. Il est très peu sous-vireur et son comportement est quasiment aussi bien équilibré que celui de la MINI».

**Le mot de Jacques Duval:** «L'aspect pratique a été négligé au profit d'un look qui se veut accrocheur, mais qui ne fait rien d'autre que se mériter une place parmi les véhicules les plus laids du marché».

# MITSUBISHI **RVR**

**POINTAGE** 238,8 points

**PRIX DE LA VERSION ESSAYÉE** 29 558 $

7<sup>e</sup>

## L'ÉTERNEL OUBLIÉ

Lorsqu'ils ont vu le RVR dans l'alignement, plusieurs ont mentionné quelque chose du genre « Ah ben, c'est le petit Mitsubishi, ça ? » Ou « Le RVR ! J'aurais même pas pensé l'inviter si c'était moi qui avais organisé le match ». C'est dire à quel point c'est un véhicule méconnu.

Son style général a plu malgré sa sobriété. Brigitte Duval écrit: « Look convenable, sans éclat », secondée par Alain Raymond. »

L'an dernier, le RVR a gagné un nouveau moteur 2,4 litres qui, sans changer du tout au tout son comportement, lui donne enfin des outils pour, au moins, suivre la parade. Et c'est ce que le RVR a fait tout au long de ce match, il a suivi la parade. « Moteur fiable mais peu économique », Gilles Olivier. Tu as parfaitement raison, Gilles. Sa consommation fut la plus élevée du match avec une moyenne de 11,5. « Garantie attrayante », argumente Yvan Fournier. Le fait de pouvoir choisir soi-même le mode intégral désiré a été apprécié même si « le gros bouton AWD sur la console s'apparente plus à celui d'un camion... comme le comportement en général du RVR, d'ailleurs » selon Alain McKenna. Comme le résume Robert Gariépy « Un bon véhicule qui fait la job, mais sans âme, sans personnalité avec une ligne banale au possible. »

**Le mot de Costa, notre pilote:** « La direction ne demande pas d'effort particulier, les freins sont corrects. Rien de spectaculaire. Son comportement général le rapproche de celui du Chevrolet Trax, plus manœuvrable sur la piste que le Trax. »

**Le mot de Jacques Duval:** « Méconnu, mais il mérite de faire partie de la liste d'épicerie quand on magasine un tel véhicule. Chance de bas prix en raison du peu de popularité de la marque ».

# CHEVROLET **TRAX**

**POINTAGE** 269,1 points

**PRIX DE LA VERSION ESSAYÉE** 31 625 $

8<sup>e</sup>

## PAS MAUVAIS MALGRÉ TOUT

Le Chevrolet Trax a terminé dernier dans quatre catégories, dont celle très convoitée du choix des essayeurs. Il faut toutefois avouer que notre système de pointage pour cette catégorie ne l'avantageait pas. Les essayeurs devaient choisir leur véhicule préféré (8 points), le deuxième préféré (7 points) et ainsi de suite jusqu'au moins préféré (1 point). Et comme le pauvre Trax a été le moins préféré de six des quatorze essayeurs... « Ce véhicule ne m'a pas allumée du tout » de dire Carole Dugré.

Heureusement, « La large ouverture des portières permet à un gaillard de s'installer facilement au volant », un commentaire qu'on retrouve dans les notes de Jean-François Guay. De son côté, Richard LeCouffe avance que « le tableau de bord est minimaliste, pour le prix... ». Parmi les quelques points positifs, le Trax est, toujours selon Jean-François, « celui du groupe qui a le plus d'espaces de rangement ».

Le quatre cylindres 1,4 litre de 138 chevaux a beaucoup de difficulté à déloger le Trax de sa position statique. Et quand il le fait, « les reprises et les accélérations sont particulièrement bruyantes ».

**Le mot de Costa, notre pilote:** « Sur la piste, le Trax était le plus « camion » du groupe et celui qui faisait le plus sentir sa lourdeur. Il fallait piloter en conséquence, avec des freinages plus tôt et des entrées en virage à vitesse moins élevée. La direction est trop assistée, comme les bonnes vieilles voitures américaines des années 70 et 80. Au moins, il affichait moins de sous-virage que le Subaru XV Crosstrek ».

**Le mot de Jacques Duval:** « Pas mauvais, mais on a l'impression de sombrer dans l'anonymat d'un véhicule sans âme ».

# LES ABSENTS ONT TOUJOURS TORT...

## JEEP **RENEGADE**

**E**t le Jeep Renegade, dont tout le monde parle, pourquoi n'était-il pas du match ? S'il n'y était pas, ce n'est pas faute de ne pas avoir essayé.

Malgré toute la bonne volonté du représentant pour le Québec, FCA (Fiat Chrysler Automobiles du Canada) a été dans l'impossibilité de nous fournir un exemplaire... même si le Renegade était déjà en vente chez les concessionnaires. Puis, le 21 mai, la raison du refus de FCA est apparue au grand jour... Les ventes du Renegade étaient suspendues à cause de problèmes de programmation de la boîte automatique à neuf rapports. Nous n'avions d'autre choix que de nous plier à la décision de FCA.

Cette absence à notre match est doublement triste. Tout d'abord, la première question qu'à peu près tous les participants au match comparatif ont posé fut «Le nouveau p'tit Jeep *laitte* va-tu être là ?» ou sa variante «Le nouveau p'tit Jeep *cute* à mort va-tu être là ?». Beau ou laid, tout le monde voulait le conduire ! Cette absence est aussi dommage puisque pour une fois, FCA avait un produit qui avait des chances de se démarquer, dans le bon sens du terme. À peine deux ou trois semaines plus tard, les concessionnaires avaient le feu vert pour recommencer à vendre des Renegade, mais il était trop tard pour nous.

Si on se fie à ceux qui ont conduit le Jeep Renegade lors de son lancement et de ceux qui ont mis la main sur sa version Fiat, le 500X (pas encore offert au moment du match), un Renegade sans problème de transmission aurait sans doute pu se classer en troisième ou en quatrième position. Son physique, du type on aime ou l'on hait, ne lui aurait peut-être pas permis de se classer très haut, mais son châssis très solide et son moteur (surtout le 2,4 litres de 180 chevaux) lui auraient sans doute amené beaucoup de points. Son rouage intégral performant, son excellent système d'infodivertissement Uconnect et son confort général l'auraient probablement fait monter encore davantage au classement.

Mais tout ça, ça reste hypothétique et Jeep a sans doute calculé qu'il serait moins dommageable pour la réputation du Renegade de ne pas être du match...

Merci à la maison Amérindienne pour sa collaboration pour la séance de photo.
510, Montée des trente
Mont-Saint-Hilaire, J3H 2R8
450-464-2500
info@maisonamerindienne.com

# CONCLUSION

Lors des deux journées qu'a duré le match comparatif des VUS sous-compacts, les différents commentaiwres entendus ici et là menaient déjà à deux conclusions : Le Mazda CX-3 allait gagner et le Chevrolet Trax allait perdre. Entre les deux, c'était beaucoup moins clair.

On a beau dire que les chiffres ne mentent pas, reste qu'on peut les interpréter de différentes façons. Le CX-3 tient le haut du pavé avec ses 338,2 points sur 500. Un deuxième groupe s'est formé avec le Kia Soul (327,0 points), le Honda HR-V (311,9 points) et la Subaru XV Crosstrek (310,8 points). Enfin, la MINI Countryman (295,3), le Nissan Juke (283,9), le Mitsubishi RVR (283,8) et le Chevrolet Trax (269,1) ferment la marche. Entre le Honda, le Subaru et le Honda, 1,1 point. Entre le Nissan et le Mitsubishi, un malheureux dixième de point... Dans les deux cas, difficile de trancher lequel est le meilleur !

Si on regarde le classement juste en se fiant au choix des essayeurs (le seul choix qui, trop souvent, guide les consommateurs...), les résultats changent un peu. Le CX-3 gagne toujours, et par une bonne marge, le Subaru XV Crosstrek s'empare de la deuxième position, ex aequo avec le Honda HR-V. En quatrième place vient le Kia Soul, suivi de la MINI Countryman, du Nissan Juke, du Mitsubishi RVR et, enfin, du pauvre Trax. Les plus perspicaces auront remarqué que certains des véhicules essayés lors de notre match n'ont pas le même classement que celui de la même catégorie (VUS sous-compacts) dans les meilleurs achats. Cette année, nous avons changé notre façon d'évaluer les voitures pour les meilleurs achats. Outre l'appréciation générale, toutes les données sont calculées avec froideur. Dans un match comparatif, une large part est donnée à la perception, à l'évaluation personnelle et à l'émotion, sauf pour les performances mesurées. Aussi, le classement des meilleurs achats prend toutes les versions d'un modèle en considération alors que durant un match, nous évaluons les voitures qui sont fournies par les constructeurs.

## AU-DELÀ DE LA ZONE DE CONFORT

Dans un autre ordre d'idées, les tours sur piste donnent sans aucun doute les photos les plus spectaculaires, mais nous ne leur avons pas accordé une grande importance, tout comme les données de performances (ensemble, ces quatre entrées ne comptent que pour 60 points sur 500). Pourquoi ? Tout simplement parce que ces petits VUS ne seront jamais conduits sur une piste. Seule la MINI Countryman pourrait le faire, mais quel propriétaire le fera ? Cependant, il nous est apparu important de les pousser au-delà de leur zone de confort, question de pouvoir quantifier leur comportement. Puisque les deux pistes principales du complexe automobile Sanair étaient déjà réservées depuis longtemps pour d'autres activités, nous nous sommes retrouvés sur la petite piste « stock kart » de 2/10e de mille. Sur le coup, nous étions un peu déçus. Or, pour de petits VUS, cette piste s'est avérée tout indiquée. Sa surface était parfaitement lisse et l'adhérence sous la pluie était excellente. Costa, notre pilote, l'a comparée à un *autocross*, sans les cônes. Et Costa ne l'avouera pas, mais pour pousser à fond nos petits VUS sur une piste aussi petite et tout en courbes, comme il l'a fait, ça prenait un sapré bon pilote !

## PETITS, CHERS ET GLOUTONS

Quels enseignements peut-on tirer de notre match comparatif ? Tout d'abord que les véhicules essayés sont petits et qu'outre une ou deux exceptions, les familles, même petites, auraient peut-être intérêt à regarder ailleurs. Aussi, qu'ils sont passablement plus chers que les berlines sous-compactes desquels ils sont généralement dérivés. Enfin, on ne doit pas les acheter pour une éventuelle économie d'essence. Leurs moteurs sont, dans la majorité des cas, peu puissants et doivent travailler très fort pour traîner un poids somme toute assez élevé. Donc, ils consomment !

Si on n'achète pas un VUS sous-compact pour son habitabilité, pour son prix et pour sa consommation, pourquoi le ferait-on, d'abord ? Exactement pour les mêmes raisons qu'un millionnaire s'achète une Ferrari. Pour avoir l'air cool. Et tant qu'à choisir un véhicule avec lequel on vivra pour 3, 4 ou 5 ans, et peut-être même davantage, aussi bien en choisir un cool !

# SANAIR

**I**l serait impossible au *Guide de l'auto* de souligner sa 50ᵉ parution sans un mot sur Sanair. Ce complexe dédié à la course automobile a accueilli tellement de fois l'équipe du *Guide* pour des matchs comparatifs qu'il serait difficile de tous les recenser.

Durant les années 60, Jacques Guertin possède plusieurs entreprises et, pour s'amuser, fait de la course automobile. Un ami l'amène voir une course d'accélération à Napierville... et c'est le début d'une belle aventure. Une des entreprises de Guertin, spécialisée dans les purificateurs d'air, s'appelle San Air (San pour Salin et Air pour... air). Le nom de la nouvelle piste d'accélération et du futur complexe de sport automobile est trouvé. D'ailleurs, à l'endroit où se situe aujourd'hui cette piste d'accélération (1/4 de mille), il y avait avant... une piste d'atterrissage, Jacques Guertin donnant aussi dans l'aviation !

Situé à environ 45 minutes de Montréal, le complexe de Sanair comprend d'abord une piste d'accélération d'un quart de mille. En 1971, son sympathique propriétaire ajoute un ovale d'un tiers de mille, complété l'année suivante par un circuit routier de 2 km. Au fil des années, se sont ajoutées des pistes de karting, des pistes pour autos téléguidées, pour vélo, etc.

Mais c'est davantage l'inauguration, au début des années 1980, du triovale qui allait faire connaître Sanair aux quatre coins du continent. Baptisé Sanair Super Speedway, cette piste de 9/10 de mille compte trois virages inclinés.

Les grands moments de l'une ou l'autre des pistes sont marqués par de grands noms : Danny Sullivan (Indycar), Johnny Rutherford (Indycar), Bobby Rahal (Indycar), Shirley Muldowney (NHRA), Don Garlits (NHRA), Don Prud'homme (NHRA), John Force (NHRA) et des dizaines d'autres. Tout Québécois qui a le moindrement touché à la course automobile connaît Sanair et ses différentes pistes. Aujourd'hui, ce sont les Andrew Ranger et Jean-Paul Cabana, excusez du peu, qui font vibrer Sanair à longueur de semaine avec leurs écoles de pilotage.

Même si les pros de la course automobile y sont légion, Monsieur et Madame Tout-le-monde peut y faire du « lapping » simplement en prenant rendez-vous ou de l'accélération le vendredi soir. Plusieurs courses ont lieu durant la saison et les deux pistes principales sont souvent louées pour des activités de pilotage, notamment par différents corps policiers. Ou empruntées par l'équipe du *Guide de l'auto* !

Au fil des années, le *Guide de l'auto* a utilisé autant le circuit routier de 2 km que le triovale que la piste d'accélération ou que l'aire de dérapage. Cette année, nous avons connu, avec bonheur, le circuit de kart.

*Merci Jacques Guertin !*

Pour de plus amples informations:
www.sanair.ca | 450-772-6400

| FICHES TECHNIQUES | CHEVROLET **TRAX LTZ TI** | HONDA **HRV EX** | KIA **SOUL EX+** | MAZDA **CX-3 GT TI** | |
|---|---|---|---|---|---|
| RANG | 8 | 3 | 2 | 1 | |
| Longueur (mm) | 4,280 | 4,294 | 4,140 | 4,274 | |
| Largeur (mm) - (rétro. inclus) | 1775 - (n/d) | 1772 - (n/d) | 1,800 - (n/d) | 1,767 - (2,049) | |
| Hauteur (mm) | 1,674 | 1,605 | 1,600 | 1,547 | |
| Empattement (mm) | 2,555 | 2,610 | 2,570 | 2,570 | |
| Poids (kg) | 1,476 | 1,332 | 1,406 | 1,339 | |
| Places | 5 | 5 | 5 | 5 | |
| Nbre de coussins | 10 | 6 | 6 | 6 | |
| Boîte de vitesses / rapports | auto / 6 | auto / CVT | auto / 6 | auto / 6 | |
| Rouage | intégral | traction | traction | intégral | |
| Moteur | 4L / DACT | 4L / SACT | 4L / DACT | 4L / DACT | |
| Cylindrée (litres) | 1,4 turbo | 1,8 | 2,0 | 2,0 | |
| Puissance maximale (HP) | 138 @ 4900 | 141 @ 6500 | 164 @ 6300 | 146 @ 6000 | |
| Couple maximal (lb-pi) | 148 @ 1850 | 127 @ 4300 | 151 @ 4000 | 146 @ 2800 | |
| Essence recommandée | ordinaire | ordinaire | ordinaire | ordinaire | |
| Suspension avant | jambes de force | jambes de force | jambes de force | jambes de force | |
| Suspension arrière | poutre de torsion | poutre de torsion | poutre de torsion | poutre de torsion | |
| Freins avant / diamètre (mm) | disques / 300 | disques / 292 | disques / 280 | disques / 295 | |
| Freins arrière / diamètre (mm) | disques / 268 | disques / 282 | disques / 262 | disques / 281 | |
| Pneus | P215/55R18 | P215/55 R17 | P215/55 R17 | 215/50 R18 | |
| Direction | crémaillère électr. vari. | crémaillère électrique | crémaillère électr. vari. | crémaillère électrique | |
| Diamètre de braquage (m) | 11,2 | 10,6 | 10,6 | 10,6 | |
| Réservoir de carburant (litres) | 53 | 50 | 54 | 45 | |
| Capacité coffre min - max (litres) | 530 - 1,371 | 688 - 1,665 | 532 - 1,402 | 408 - 1,484 | |
| Capacité remorquage (kg) | non recommandé | non recommandé | n/d | n/d | |
| Accélération: 0-100 km/h (sec) | 11,6 | 10,1 | 9,6 | 9,7 | |
| Reprise: 80-120 km/h (sec) | 8,3 | 8,2 | 8,2 | 6,6 | |
| Freinage: 100-0 km/h (m) | 46,48 | 43,86 | 41,15 | 45,59 | |
| Piste Sanair (wet): mm.ss.00 | 01:15.50 | 01:11.59 | 01:13.09 | 01:12.03 | |
| Cons. RNC (ville / route l/100 km) | 8,7 / 6,5 | 8,3 / 6,7 | 10,1 / 7,7 | 8,8 / 7,3 | |
| Prix de base | 30 425$ | 20 629$ | 22 195$ | 28 995$ | |
| Prix maximum | 33 275$ | 29 990$ | 24 010$ | 30 495$ | |
| Prix du véhicule à l'essai | 31 625 $ | 29 990$ (est.) | 22 195$ | 30 495$ | |
| Lieu de fabrication | San Luis Potosi, MX | Celaya, MX | Gwangiu-Si, KR | Hiroshima, JP | |
| Consommation mesurée | 9,3 | 8,4 | 9,1 | 9,4 | |

| FICHES TECHNIQUES | MINI COUNTRYMAN COOPER S ALL4 | MITSUBISHI RVR 2,4 GT TI | NISSAN JUKE SL TI | SUBARU XV CROSSTREK LIMITED - TECH |
|---|---|---|---|---|
| **RANG** | 5 | 7 | 6 | 4 |
| **Longueur (mm)** | 4,110 | 4,295 | 4,125 | 4,450 |
| **Largeur (mm) - (rétro. inclus)** | 1789 - (n/d) | 1770 - (n/d) | 1765 - (n/d) | 1,780 - (n/d) |
| **Hauteur (mm)** | 1,561 | 1,630 | 1,570 | 1,615 |
| **Empattement (mm)** | 2,595 | 2,670 | 2,530 | 2,635 |
| **Poids (kg)** | 1,475 | 1,490 | 1,452 | 1,455 |
| **Places** | 5 | 5 | 5 | 5 |
| **Nbre de coussins** | 7 | 7 | 6 | 7 |
| **Boîte de vitesses / rapports** | auto / 6 | auto / CVT | auto / CVT | auto / CVT |
| **Rouage** | intégral | intégral | intégral | intégral |
| **Moteur** | 4L / DACT | 4L / DACT | 4L / DACT | 4H / DACT |
| **Cylindrée (litres)** | 1,6 turbo | 2,4 | 1,6 turbo | 2,0 |
| **Puissance maximale (HP)** | 181 @ 5500 | 168 @ 6000 | 188 @ 5600 | 148 @ 6200 |
| **Couple maximal (lb-pi)** | 177 @ 1600 - 5000 | 167 @ 4100 | 177 @ 1600 - 5200 | 145 @ 4200 |
| **Essence recommandée** | super | ordinaire | super | ordinaire |
| **Suspension avant** | jambes de force | jambes de force | jambes de force | jambes de force |
| **Suspension arrière** | bras multiples | bras multiples | bras multiples | bras multiples |
| **Freins avant / diamètre (mm)** | disques / 307 | disques/ 294 | disques / 297 | disques / 294 |
| **Freins arrière / diamètre (mm)** | disques / 280 | disques / 302 | disques / 292 | disques / 274 |
| **Pneus** | P205/55 R17 | P225/55 R18 | P215/55 R17 | P225/55 R17 |
| **Direction** | crémaillère électr. vari. | crémaillère électrique | crémaillère électr. vari. | crémaillère électr. vari. |
| **Diamètre de braquage (m)** | 11,6 | 10,6 | 11,1 | 10,6 |
| **Réservoir de carburant (litres)** | 47 | 60 | 45 | 60 |
| **Capacité coffre min - max (litres)** | 350 - 1170 | 569 - 1,382 | 297 - 1,017 | 632 - 1,470 |
| **Capacité remorquage (kg)** | 500 | n/d | n/d | 680 (rem. freinée) |
| **Accélération: 0-100 km/h (sec)** | 8,7 | 10,5 | 9,2 | 12,3 |
| **Reprise: 80-120 km/h (sec)** | 5,9 | 7,7 | 7,3 | 8,8 |
| **Freinage: 100-0 km/h (m)** | 45.59 | 43.22 | 45.08 | 45.32 |
| **Piste Sanair (wet): mm.ss.00** | 01:09.94 | 01:14.25 | 01:11.82 | 01:13.41 |
| **Cons. RNC (ville / route l/100 km)** | 10,1 / 7,8 | 10,4 / 8,9 | 8,8 / 7,5 | 9,1 / 7,0 |
| **Prix de base** | 29 950$ | 29 398$ | 30 178$ | 24 995$ |
| **Prix maximum** | 36 170$ | 31 008$ | 31 873$ | 33 560$ |
| **Prix du véhicule à l'essai** | 29950$ | 29558$ | 30 178$ | 31795$ |
| **Lieu de fabrication** | Graz,AT | Normal, IL | Oppama, JP | Gunma, JP |
| **Consommation mesurée** | 10,6 | 11,5 | 9,3 | 8,7 |

Avec échappement optionnel
* Essence super conseillée, pas obligatoire
** Frais de transport et de livraison inclus

# POINTAGE DÉTAILLÉ

| | | CHEVROLET TRAX | HONDA HR-V | KIA SOUL | MAZDA CX-3 |
|---|---|---|---|---|---|
| **RANG** | | 8 | 3 | 2 | 1 |
| **DESIGN / STYLE** | | | | | |
| Extérieur (silhouette, proportions, originalité, style, attrait visuel pur) | /30 | 18.1 | 21.9 | 21.0 | **25.6** |
| Intérieur (design, couleurs, style, originalité, agencement des matériaux) | /30 | 18.2 | 20.6 | 23.7 | **24.2** |
| | **/60** | **36.3** | **42.5** | **44.7** | **49.8** |
| **CARROSSERIE** | | | | | |
| Finition intérieure + extérieure (qualité de peinture, écarts, assemblage) | /15 | 10.2 | 12.0 | 11.1 | **13.0** |
| Qualité des matériaux (texture, couleur, surface, odeur ?) | /15 | 9.0 | 10.5 | 10.6 | **13.2** |
| Tableau de bord (clarté, lisibilité des cadrans, graphisme, disposition) | /10 | 6.8 | 6.7 | 7.5 | **8.2** |
| Équipement (accessoires, innovations, gadgets, système audio, etc.) | /15 | 9.8 | 9.2 | 11.1 | **12.8** |
| Coffre (accès, volume, commodité, modularité, polyvalence : passage?) | /15 | 11.6 | **13.1** | 9.6 | 9.5 |
| Rangements (accès, nombre, taille, commodité, efficacité) | /10 | 7.2 | 6.8 | 7.4 | 6.4 |
| | **/80** | **54.6** | **58.4** | **57.4** | **63.1** |
| **CONFORT / ERGONOMIE** | | | | | |
| Position de conduite (volant, sièges avant, repose-pied, réglages) | /20 | 14.8 | 14.2 | **16.3** | 15.7 |
| Ergonomie (facilité d'atteindre les commandes, douceur, précision) | /20 | 14.2 | 12.7 | 14.7 | **16.8** |
| Places arrière (nombre, accès, confort, espace, appuie-tête ?) | /20 | 13.4 | **16.1** | 14.9 | 10.6 |
| Silence de roulement (sur chaussée lisse ou raboteuse, bruit de vent) | /20 | 13.8 | **15.7** | 14.4 | 14.7 |
| | **/80** | **56.2** | **58.7** | **60.3** | **57.8** |
| **CONDUITE** | | | | | |
| Tenue de route (équilibre, agilité, adhérence, facilité, marge de sécurité) | /20 | 13.6 | 14.1 | 15.5 | 15.5 |
| Moteur (rendement, puissance, couple à bas régime, réponse, agrément) | /20 | 13.4 | 12.7 | 13.9 | **16.1** |
| Direction (précision, 'feedback', résistance aux secousses, braquage) | /20 | 12.8 | 13.9 | 14.2 | 16.8 |
| Freins (sensations, modulation, constance, performances, résistance) | /20 | 13.4 | 15.0 | 14.9 | **16.4** |
| Transmission (précision, rapidité, étagement, douceur, embrayage) | /20 | 12.6 | 14.9 | 14.8 | **16.1** |
| Qualité de roulement (suspension, solidité structurelle) | /20 | 12.8 | 14.6 | 14.4 | **15.1** |
| | **/120** | **78.6** | **85.1** | **87.7** | **95.9** |
| **SÉCURITÉ** | | | | | |
| Visibilité (surface vitrée, largeur des montants, rétroviseurs, angles morts) | /5 | 3.6 | 3.8 | **3.9** | 3.8 |
| Systèmes d'aide à la conduite (efficacité, ajustabilité, rapidité) | /5 | 3.0 | 3.7 | 3.5 | 4.1 |
| | **/10** | **6.6** | **7.5** | **7.4** | **7.9** |
| **PERFORMANCES MESURÉES  NE RIEN INSCRIRE ICI** | | | | | |
| Reprises 80-120km/h | /15 | 8.7 | 8.7 | 11.4 | 12.3 |
| Accélération 0-100 km/h | /15 | 6.5 | 7.8 | 8.4 | 8.4 |
| Freinage de 100 km/h | /15 | 5.1 | 6.9 | **9.6** | 5.1 |
| Piste | /15 | 4.5 | 8.4 | 6.5 | 8.0 |
| Consommation | /40 | 28.8 | **31.2** | 28.8 | 28.8 |
| | **/100** | **53.6** | **63.0** | **64.7** | **62.6** |
| **CHOIX DES ESSAYEURS** | **/50** | 12.9 | 29.6 | 27.9 | 37.1 |
| **TOTAL** | **/500** | 298.7 | 344.8 | 350.0 | 374.3 |
| **POINTAGE FINAL\*** | | **269.1** | **311,9 \*\*** | **327.0** | **338.2** |

| | | MINI COUNTRYMAN | MITSUBISHI RVR | NISSAN JUKE | SUBARU XV CROSSTREK |
|---|---|---|---|---|---|
| **RANG** | | 5 | 7 | 6 | 4 |
| **DESIGN / STYLE** | | | | | |
| Extérieur (silhouette, proportions, originalité, style, attrait visuel pur) | /30 | 20.3 | 19.1 | 17.8 | 20.1 |
| Intérieur (design, couleurs, style, originalité, agencement des matériaux) | /30 | 19.8 | 18.3 | 19.3 | 20.8 |
| | **/60** | **40.2** | **37.4** | **37.2** | **40.9** |
| **CARROSSERIE** | | | | | |
| Finition intérieure + extérieure (qualité de peinture, écarts, assemblage) | /15 | 11.2 | 10.4 | 10.8 | 10.9 |
| Qualité des matériaux (texture, couleur, surface, odeur ?) | /15 | 10.7 | 9.1 | 9.4 | 11.1 |
| wTableau de bord (clarté, lisibilité des cadrans, graphisme, disposition) | /10 | 5.7 | 6.6 | 7.0 | 7.7 |
| Équipement (accessoires, innovations, gadgets, système audio, etc.) | /15 | 9.1 | 9.0 | 10.4 | 11.4 |
| Coffre (accès, volume, commodité, modularité, polyvalence : passage?) | /15 | 6.5 | 12.1 | 7.4 | 10.9 |
| Rangements (accès, nombre, taille, commodité, efficacité) | /10 | 5.7 | 6.9 | 6.3 | **7.7** |
| | **/80** | **48.9** | **54.1** | **51.3** | **59.6** |
| **CONFORT / ERGONOMIE** | | | | | |
| Position de conduite (volant, sièges avant,repose-pied, réglages) | /20 | 14.2 | 15.3 | 15.2 | **15.7** |
| Ergonomie (facilité d'atteindre les commandes, douceur, précision) | /20 | 13.4 | 15.6 | 14.9 | 14.9 |
| Places arrière (nombre, accès, confort, espace, appuie-tête ?) | /20 | 13.5 | 14.0 | 11.1 | 15.7 |
| Silence de roulement (sur chaussée lisse ou raboteuse, bruit de vent) | /20 | 12.3 | 14.6 | 12.9 | 14.3 |
| | **/80** | **53.3** | **59.5** | **54.1** | **60.6** |
| **CONDUITE** | | | | | |
| Tenue de route (équilibre, agilité, adhérence, facilité, marge de sécurité) | /20 | 15.4 | 14.0 | 15.5 | **16.1** |
| Moteur (rendement, puissance, couple à bas régime, réponse, agrément) | /20 | 15.8 | 14.5 | 15.4 | 15.4 |
| Direction (précision, 'feedback', résistance aux secousses, braquage) | /20 | **17.0** | 13.2 | 14.5 | 14.1 |
| Freins (sensations, modulation, constance, performances, résistance) | /20 | 15.3 | 13.9 | 15.0 | 15.0 |
| Transmission (précision, rapidité, étagement, douceur, embrayage) | /20 | 15.7 | 13.3 | 14.0 | 15.6 |
| Qualité de roulement (suspension, solidité structurelle) | /20 | 13.8 | 14.3 | 13.7 | 14.9 |
| | **/120** | **93.0** | **83.3** | **88.1** | **91.2** |
| **SÉCURITÉ** | | | | | |
| Visibilité (surface vitrée, largeur des montants, rétroviseurs, angles morts) | /5 | 3.4 | 3.7 | 3.5 | 3.7 |
| Systèmes d'aide à la conduite (efficacité, ajustabilité, rapidité) | /5 | 3.3 | 3.1 | 3.2 | **4.3** |
| | **/10** | **6.7** | **6.8** | **6.7** | **8.0** |
| **PERFORMANCES MESURÉES  NE RIEN INSCRIRE ICI** | | | | | |
| Reprises 80-120km/h | /15 | **12.9** | 10.5 | 10.5 | 7.8 |
| Accélération 0-100 km/h | /15 | **9.5** | 7.4 | 8.9 | 5.6 |
| Freinage de 100 km/h | /15 | 4.2 | 7.8 | 6.0 | 6.0 |
| Piste | /15 | **12.5** | 5.3 | 8.0 | 6.0 |
| Consommation | /40 | 25.2 | 22.4 | 27.6 | 30.0 |
| | **/100** | **64.2** | **53.3** | **60.9** | **55.4** |
| **CHOIX DES ESSAYEURS** | /50 | 20.0 | 18.9 | 15.7 | 29.6 |
| **TOTAL** | /500 | 326.3 | 313.3 | 313.9 | 345.2 |
| **POINTAGE FINAL*** | | 295.3 | 283.8 | 283.9 | 310.8 |

\* Tient compte de la pondération pour le prix selon la courbe de valeur de l'AJAC
\*\* Puisque le prix du HR-V que nous avions est inconnu, nous avons appliqué la courbe de valeur du prix du modèle le plus élevé (EX-L Navi AWD à 29 990$)

Photo: Alain Morin

# Merci à nos essayeurs

Pour souligner la 50ᵉ édition du *Guide de l'auto*, nous avons pensé inviter uniquement des essayeurs ou des collègues qui ont collaboré, ou qui collaborent encore, au *Guide de l'auto*. Plusieurs « anciens » et moins anciens ont été contactés, mais certains ont dû décliner l'offre.

À ceux qui ont pu répondre à notre appel pour le match des VUS sous-compacts, nous vous remercions sincèrement pour ces superbes journées, pour toutes celles avant et... pour toutes celles à venir !

Enfin, un merci chaleureux à tous ceux qui, un jour ou l'autre, ont aidé le *Guide de l'auto* à devenir ce qu'il est aujourd'hui.

**Photo du haut page de gauche:**

**Jean-François Guay** (collaborateur au *Guide* en 2004 et 2005 et depuis 2015) **| Richard Lecouffe** (participant aux matchs comparatifs, entre autres, entre 1983 et 1990) **| Yvan Fournier** (participant aux matchs comparatifs depuis 1982) **| Guy Desjardins** (collaborateur au *Guide* depuis 2006) **| Carole Dugré** (participante aux matchs comparatifs depuis 1996) **| Alain Morin** (collaborateur au *Guide de l'auto* depuis 2001) **| Costa Mouzouris** (collaborateur au *Guide de l'auto* depuis 2013) **| Nadine Filion** (collaboratrice au *Guide* 2010 à 2015) **| Gilles Olivier** (collaborateur au *Guide de l'auto* depuis 2009) **| Jean-Charles Lajeunesse** (responsable des fiches techniques depuis 2011) **| Alain Raymond** (collaborateur au *Guide de l'auto* entre 1998 et 2004)

**Photo du haut page de droite:**

**Jean-Charles Lajeunesse | Costa Mouzouris | Brigitte Duval** (directrice générale du *Guide de l'auto* entre 2001 et 2004) **| Alain McKenna** (collaborateur au *Guide* en 2003 et 2004) **| Robert Gariépy** (participant aux matchs comparatifs depuis 2000) **| Jacques Duval** (fondateur du *Guide de l'auto*) **| Richard Lecouffe**

Photo: Alain Morin

# CONFRONTATION À
# L'AMÉRICAINE

RAM **1500 ECODIESEL**

CHEVROLET **SILVERADO**

**P**armi tous les véhicules vendus aujourd'hui, aucun segment n'est plus compétitif que celui des camionnettes à usage léger. Ici, chaque petite mesure compte, et le moindre avantage sera utilisé dans les publicités pour affirmer que tel ou tel camion est le meilleur sur le marché.

Voilà pourquoi il est difficile pour l'acheteur moyen d'y voir clair et de départager ces véhicules; le *Guide de l'auto* a donc décidé d'organiser un match comparatif pour enfin déterminer quelle camionnette est la meilleure.

C'est ainsi que nous avons rassemblé trois des modèles les plus vendus chez nous, soit le Ford F-150, le Ram 1500 et le Chevrolet Silverado. En plus d'une version équipée du moteur HEMI, un deuxième Ram s'est joint au match; la version EcoDiesel, qui est l'as caché de la marque.

PAR FRÉDÉRICK BOUCHER-GAULIN
PHOTOS: JEREMY ALAN GLOVER

FORD **F-150**

RAM **1500**

**P**lus moderne que jamais, le Ford F-150 est la première camionnette à recevoir une carrosserie entièrement faite d'aluminium. Ceci permet de diminuer le poids total de près de 317 kilos (699 livres) par rapport à l'ancien modèle, une diminution qui lui permet de transporter une plus lourde charge dans sa caisse; sa capacité de charge maximale de 1 497 kg (3 300 livres) est plus élevée que tous ses concurrents. Quatre moteurs sont disponibles: le V6 de 3,5 litres à aspiration naturelle vient de série et offre 282 chevaux ainsi que 253 livres-pied de couple; son principal avantage est qu'il permet d'offrir le F-150 de base à moins de 27 000 $. Vient ensuite le V6 EcoBoost de 2,7 litres, un nouveau moteur qui déploie 325 chevaux et 375 livres-pied de couple; Ford s'attend à ce que celui-ci ait beaucoup de succès, puisqu'il marie puissance et économie d'essence (12 litres aux 100 km en conduite combinée pour un modèle 4x4). L'autre V6 EcoBoost de 3,5 litres reprend du service; avec 365 chevaux et 420 livres-pied de couple, c'est le plus fort de la gamme. Sinon, il y a encore le V8 de 5,0 litres, qui nous arrive avec 385 chevaux et 387 livres-pied de couple.

Ram, pour sa part, joue plutôt la carte du style et du confort, offrant un camion à l'apparence sportive. Il a du chrome à revendre – sauf sur les finitions Sport noir, comme notre véhicule d'essai –, ses lignes sont agressives et la grille avant n'a rien à envier à celle d'un semi-remorque. Trois moteurs peuvent se cacher derrière celle-ci notamment le V6 Pentastar de 3,6 litres et 305 chevaux, plus puissant que n'importe quel autre V6 à essence dans cette catégorie. Cependant, la majorité des Ram sont équipés du HEMI, un V8 de 5,7 litres fort de 395 chevaux et 410 livres-pied de couple. Récemment, Ram a satisfait beaucoup d'acheteurs qui demandaient un moteur diesel pour leurs camionnettes 1500 en ajoutant le V6 3.0 litres turbodiesel à son catalogue. Celui-ci ne fournit que 240 chevaux, mais compense avec 420 livres-pied de couple. Il est aussi très économe, avec une consommation aussi basse que 8 litres aux 100 km sur la route. Peu importe le moteur choisi, il est couplé à une boîte automatique à huit rapports (mis à part les versions de base équipées du HEMI, qui reçoivent une automatique à six rapports). Pour 2015, Ram offre aussi une suspension pneumatique aux quatre coins se réglant automatiquement selon la vitesse et la charge transportée.

De son côté, GM a joué la carte de la conformité avec son duo Chevrolet Silverado/GMC Sierra. Pas d'aluminium ou de motorisations turbo et/ou diesel; ici, on ne retrouve que des technologies qui ont fait leurs preuves. Bien que les cylindrées des moteurs soient les mêmes qu'auparavant, il s'agit de nouveaux moteurs nommés EcoTec3. On a le choix entre un V6 de 4,3 litres (285 chevaux, 305 livres-pied de couple), un V8 de 5,3 litres – qu'on retrouve dans la majorité des camionnettes GM – avec 355 chevaux et 383 livres-pied de couple à sa disposition et le gros V8 optionnel de 6,2 litres générant 420 chevaux et 460 livres-pied de couple. Ce dernier peut être équipé d'une automatique à huit rapports, tandis que les autres font confiance à une boîte à six rapports.

### PLACE AU MATCH!

Fort de ces données, le temps est venu d'évaluer nos pick-ups! Pour l'occasion, nous avons fait appel à une brochette variée d'essayeurs: l'un d'entre eux est mécanicien, un autre conduit une camionnette tous les jours tandis que certains n'avaient auparavant jamais mis les pieds dans un véhicule aussi gros!

Après une évaluation statique, nos huit essayeurs ont pris la route. Notre essai s'est d'abord effectué sur des routes secondaires puis sur des chemins non pavées. Durant ces essais, la consommation d'essence à vide (sans charge dans la caisse ni de remorque) a aussi été enregistrée. Le lendemain, nous avons procédé à la collecte de données plus techniques, comme les accélérations de 0 à 100 km/h, les distances de freinage ainsi qu'une balade avec un poids de 2 600 livres (1 178 kilos) dans la boîte, ce qui nous a permis de calculer la consommation des camions lorsque chargés et de voir comment ceux-ci se comportaient.

# 1re

## RAM 1500 ECODIESEL

| POINTAGE | 307 points |
| --- | --- |
| PRIX DE LA VERSION ESSAYÉE | 65 620 $ |

# M. DIESEL, SOYEZ LE BIENVENU !

La première place revient au Ram 1500 équipé du moteur EcoDiesel, malgré le fait que cette motorisation engendre un coût supplémentaire de 4 700 $ sur notre modèle d'essai (un Big Horn à cabine d'équipe) qui faisait grimper la facture à 65 620 $. Ce camion s'est démarqué au chapitre de la consommation, enregistrant des chiffres aussi bas que 10,6 litres aux 100 km lorsque conduit par nos essayeurs et 11,5 litres aux 100 km en transportant une charge, preuve que le moteur diesel est conçu pour travailler. Nos essayeurs ont apprécié la suspension pneumatique qui ne s'affaisse pas même lorsque la boîte est rechargée. En plus, cette suspension procure un grand confort. Personne n'a été indifférent au style du Ram – bien que quelques-uns aient décrié le choix des couleurs dans l'habitacle.

Puisqu'aucun véhicule n'est parfait, on doit noter que la roulette utilisée pour sélectionner les rapports de transmission n'a pas été favorablement reçue par la majorité de notre jury et que le fait de devoir ajouter de l'urée dans un réservoir séparé engendre une étape et des coûts supplémentaires dans l'entretien du véhicule. Aussi, à plus d'une reprise, les essayeurs se sont plaints que même si le camion était capable d'accélérer de façon convenable, il semblait peiner à la tâche. Malgré ces quelques défauts, c'est le Ram EcoDiesel qui devient le camion de l'année 2015 du Guide de l'auto.

« Suspension à air : Wow. Très confortable et pratique. »
- Pierre-Luc Brault

« Agencement des couleurs horrible, j'ai l'impression d'être dans le motorisé de mon grand-père ! » - Karine Phaneuf

« Les réglages Off Road 1 et 2 changent véritablement le comportement du véhicule. » - Marc Charest

# FORD F-150

## À DEUX DOIGTS DE LA VICTOIRE

| POINTAGE | **302 points** |
| PRIX DE LA VERSION ESSAYÉE | **77 249 $** |

**N**'eût été la consommation très basse du Ram EcoDiesel, le Ford F-150 aurait été couronné roi des camions; le petit nouveau du manufacturier de Dearborn a dominé les accélérations entre 0 et 100 km/h grâce à la puissance de son V6 EcoBoost de 3,5 litres. L'agrément de conduite était rehaussé par ce moteur et ses puissants freins ont été appréciés par ceux qui avaient le pied pesant. Le poids diminué du F-150 s'est fait sentir pendant l'essai routier, conférant une maniabilité impressionnante. Sa suspension, toutefois, est celle qui a le plus souffert d'un poids dans la caisse. Le camion qui nous avait été fourni était une version haut de gamme Platinum, ce qui lui a fait gagner quelques points dans les catégories du confort et de l'ergonomie, ne récoltant que quelques mauvais commentaires sur la qualité de certains plastiques. Certains essayeurs ont eu maille à partir avec l'écran d'infodivertissement MyFord Touch, mais les commentaires étaient plus positifs, chose impensable il y a à peine deux ans alors que ce système était très complexe.

Le seul défaut majeur de ce camion, à part certaines incertitudes sur les coûts de réparations des panneaux en aluminium et la consommation qui monte rapidement si l'on conduit de façon enjouée, était son prix : l'exemplaire rouge que vous voyez sur les photos ci-dessus se détaillait à près de 80 000 $ (!), ce qui lui a nui au pointage final, pondéré selon la courbe de l'AJAC (Association des Journalistes Automobile du Canada). Il termine donc en 2e place, mais gageons que ses ventes ne diminueront pas de façon dramatique à cause de cela...

« Les options du groupe Platinum nous font oublier le fait qu'on est dans une camionnette. » - Jonathan Thiffault

« Somme toute, si Ford arrivait à ajuster sa suspension pour être plus conciliante et s'il améliorerait la solidité des plastiques dans l'habitacle, il gagnerait selon moi le match comparatif sans problème. » - Benjamin Lafrenière-Carrier

# 3e

## RAM **1500 HEMI**

| POINTAGE | **292 points** |
|---|---|
| PRIX DE LA VERSION ESSAYÉE | **63 990 $** |

# L'ORIGINAL CAMION SPORT

Au final, ce sont quelques misérables points qui ont relégué le Ram 1500 HEMI à la 3e place. Le 1500 Sport avec l'ensemble Sport noir a reçu les meilleures notes au sujet de son apparence, et il est facile de comprendre pourquoi: sa carrosserie noire métallisée, ses roues noircies, sa calandre du même ton et l'absence d'écussons chromés le rendaient extraordinairement sinistre. Son habitacle était de plus haute qualité que celle du EcoDiesel, avec ses cuirs souples et des surpiqûres blanches très chics (bien qu'on se soit demandé si celles-ci resteraient propres longtemps…). Le système d'infodivertissement Uconnect et la chaîne stéréo Alpine étaient très appréciés… lorsqu'ils étaient utilisés! En effet, tous nos essayeurs s'accordent à dire que le moteur HEMI offrait la meilleure bande sonore de la journée. Par contre, cette sonorité ainsi que ses accélérations musclées ont fait mal au Ram au niveau de la consommation: il a enregistré les pires chiffres de la première journée.

Du côté des données de performance, on remarque que le Ram à moteur V8 talonnait de près le F-150 dans l'épreuve du 0-100 km/h; si son moteur avait la puissance pour enregistrer le meilleur temps de la journée, il était handicapé par la boîte à huit rapports, qui devait changer de vitesse une fois de plus que celle du Ford. Notons aussi que la suspension pneumatique de ce camion s'est très bien débrouillée lors du test de charge, ne s'abaissant que de 50 millimètres et rendant la conduite prévisible, alors que les autres camions (à l'exception du Ram EcoDiesel, qui est équipé des mêmes suspensions) s'affaissaient de plusieurs centimètres.

« C'est plutôt un jouet qu'un outil de travail. Il reste quand même un magnifique véhicule plus que plaisant à conduire. » - Sarah-Alexandra Gaulin

« Le son du HEMI est enivrant, mais je n'aurais pas voulu payer la facture d'essence à la fin de la journée! » - Marc Charest

# CHEVROLET
# SILVERADO 1500

## QUAND LA MOYENNE EST HAUTE...

| POINTAGE | **277 points** |
| PRIX DE LA VERSION ESSAYÉE | **50 980 $** |

**E**n queue de peloton, on retrouve le Chevrolet Silverado qui, sans impressionner personne dans une catégorie en particulier, s'est quand même attiré des éloges au niveau de son homogénéité, mariant les caractéristiques d'un camion de travail avec celles d'un véhicule d'agrément. Plusieurs se sont dits satisfaits par les tissus de l'habitacle et les commandes simples à utiliser de la planche de bord. Son style a aussi fait des heureux, récoltant de bons commentaires. Par contre, tous ont mentionné que les plastiques à bord donnaient l'impression d'être de piètre qualité et que les suspensions à lames étaient très fermes, ce qui faisait sautiller l'arrière du camion lorsque la chaussée se dégradait; un de nos essayeurs réussissait — en conduisant de façon assez échevelée — à faire déraper le Silverado sur des routes de terre, et ce, même avec le contrôle de la traction activé.

Le moteur 5,3 litres du Chevrolet avait beau ne pas être le plus puissant du groupe, il s'est révélé d'une surprenante frugalité, n'étant battu que par le diesel lorsque conduit par notre jury. Malheureusement, sa puissance limitée lui a joué un vilain tour lors du test de charge, puisqu'il a récolté la pire note de consommation en trimballant tout ce poids supplémentaire. Vrai que le moteur de 6,2 litres aurait été plus apte à la tâche, mais c'est le 5,3 litres qui est le plus populaire auprès des consommateurs. L'avantage du prix a aidé le Silverado, puisqu'il était le moins cher de ce match à 50 980 $.

« Le camion est plus pratique que le fun à conduire. »
-Karine Phaneuf

« Il est le seul des quatre camions que j'oserais apporter dans un chemin forestier pour travailler. » -Benjamin Lafrenière-Carrier

« Au premier coup d'œil, le Silverado a toute une gueule. »
-Jonathan Thiffault

# UNE GUERRE D'IDÉOLOGIE

**S**'il y a quelque chose qu'on peut déduire en relisant les notes des essayeurs et en analysant les données récoltées pendant ce match, c'est que chacun des manufacturiers américains de camionnettes s'est employé à se tailler une niche bien précise: Ram a choisi de primer l'apparence et les sensations de conduite, se concentrant vers les acheteurs qui désirent beaucoup plus conduire un camion qu'ils n'en ont besoin d'un; ses suspensions sont confortables, il est richement paré et, avec le moteur HEMI du moins, offre un plaisir de conduite inégalé. Le modèle EcoDiesel est venu brouiller les cartes cependant, puisqu'il est clairement conçu pour remorquer de lourdes charges sur de longues distances. Celui-ci présente également l'avantage non négligeable d'être très frugal et d'ainsi permettre des économies à la pompe – d'autant plus qu'au moment d'écrire ces lignes (fin juin 2015), le diesel est moins cher que l'essence régulière!

De son côté, Ford a pris un pari risqué en dotant son F-150 des toutes dernières technologies; l'avenir nous dira ce que ses légions d'acheteurs fidèles ont pensé de cette stratégie, mais il n'en reste pas moins que la plus récente mouture du véhicule le plus vendu de la marque est une option diablement intéressante. Ses moteurs modernes et la litanie de petites attentions qui ont été apportées lors de sa conception lui permettront très certainement de garder sa première place au palmarès des ventes. Finalement, le Chevrolet Silverado (ainsi que son frère jumeau le GMC Sierra) essaie de plaire à un large éventail de conducteurs, offrant à la fois des capacités à travailler dur, des technologies éprouvées et des caractéristiques favorisant le confort.

Pour conclure, il n'y a pas de mauvais choix parmi les trois grandes camionnettes; d'ailleurs les résultats sont somme toute très serrés. Finalement, malgré la victoire du Ram 1500 EcoDiesel dans ce match comparatif, gageons qu'il serait difficile de convaincre un ardent défenseur de Ford ou de Chevrolet d'aller faire un détour par la concession Ram demain matin!

## REMERCIEMENTS

Le *Guide de l'auto* tient à remercier les participants du match:

Pierre-Luc Brault, Marc Charest, Sarah-Alexandra Gaulin, Marc-André Gauthier, Louis-Paul Gauvreau, Benjamin Lafrenière-Carrier, Philippe Marinelli, Karine Phaneuf, Sylvain Raymond, Marie-France Rock, Jonathan Thiffault

Nous remercions également la Municipalité de Saint-Blaise-sur-Richelieu ainsi que Ghislain Delorme de NAPA Saint-Jean-sur-Richelieu qui a fourni le réservoir d'eau et le charriot élévateur.

**NAPA Pièces d'auto - NAPA Saint-Jean**
315, boulevard du Séminaire Nord
Saint-Jean-sur-Richelieu, QC, J3B 8C5

| FICHES TECHNIQUES | CHEVROLET SILVERADO | FORD F-150 | RAM 1500 ECODIESEL | RAM 1500 HEMI |
|---|---|---|---|---|
| **RANG** | 4 | 2 | 1 | 3 |
| Longueur (mm) | 5 843 | 5 890 | 5 817 | 5 817 |
| Largeur (mm) | 2 032 | 2 029 | 2 017 | 2 017 |
| Hauteur (mm) | 1 879 | 1 961 | 1 968 | 1 968 |
| Empattement (mm) | 3 645 | 3 683 | 3 569 | 3 569 |
| Voie avant / arrière (mm) | 1 747 / 1 716 | 1 717 / 1 717 | 1 732 / 1 715 | 1 742 / 1 727 |
| Poids (kg) | 2 406 | 2 261 | 2 545 | 2 488 |
| Places | 5 | 5 | 5 | 5 |
| Boîte de vitesses / rapports | Automatique / 6 rapports | Automatique / 6 rapports | Automatique / 8 rapports | Automatique / 8 rapports |
| Rouage | 4x4 | 4x4 | 4x4 | 4x4 |
| Moteur | V8 | V6 biturbo | V6 diesel | V8 |
| Cylindrée | 5,3 litres | 3,5 litres | 3 litres | 5,7 litres |
| Cylindrée | 5328 cc | 3 493 cc | 2 988 cc | 5 654 cc |
| Puissance maximale (normes SAE) | 355 ch à 5 600 tr/min | 365 ch à 5000 tr/min | 240 ch à 3600 tr/min | 395 ch à 5600 tr/min |
| Couple maximal (normes SAE) | 383 lb-pi à 4 100 tr/min | 420 lb-pi à 2500 tr/min | 420 lb-pi à 2000 tr/min | 410 lb-pi à 3950 tr/min |
| Rapport poids / puissance (kg/ch) | 6,8 | 6,2 | 11,0 | 6,2 |
| Suspension avant | Indépendante à double bras triangulaire | Indépendante; double bras triangulaire | Indépendante; double bras triangulaire; pneumatique | Indépendante; double bras triangulaire; pneumatique |
| Suspension arrière | Essieu rigide; ressort à lames | Essieu rigide; ressort à lames | Essieu rigide; multi-bras; pneumatique | Essieu rigide; multi-bras; pneumatique |
| Freins avant / diamètre (mm) | Disque / 330 | Disque / 351 | Disque / 336 | disque / 336 |
| Freins arrière / diamètre (mm) / pistons | Disque / 345 | Disque / 335 | Disque / 352 | disque / 352 |
| Pneus: marque et type | Goodyear Wrangler | Goodyear Wrangler | Goodyear Wrangler | Goodyear Wrangler |
| Pneus: taille | P265/65R18 | P275/55R20 | P 275/60R20 | P 275/60R20 |
| Direction | crémaillère servoélectrique | crémaillère servoélectrique | crémaillère servoélectrique | crémaillère servoélectrique |
| Diamètre de braquage (m) | 14,4 | 14,6 | 13,8 | 14,4 |
| Réservoir de carburant (litres) | 98 | 136 | 98 | 98 |
| Capacité de remorquage (kg/lbs) | 4 173/9 200 | 4 853/10 700 | 3 475/7 660 | 3 629/8 000 |
| Accélération 0-100 km/h (sec) | 8,4 | 7,2 | 7,4 | 9,2 |
| Accélération chargé 0-100 km/h (sec) | 11,2 | 9,8 | 10,5 | 13,3 |
| Freinage de 60 km/h (mètres) | 16,5 | 15,6 | 16,2 | 16,2 |
| Consommation mesurée (L/100 km) | 12,9 | 14,1 | 10,6 | 16,2 |
| Consommation mesurée charge (L/100 km) | 16,9 | 16,2 | 11,5 | 16,5 |
| Cotes consommation RNC (ville/route L/100 km) 5 cycles | 14,9 / 10,7 | 14,2 / 10,4 | 12,1 / 8,8 | 16,2 / 11,5 |
| Hauteur de caisse vide (mm) | 61,0 | 62,2 | 57,8 | 58,4 |
| Hauteur de caisse chargé (1 178 kg/2 600 lbs) (mm) | 51,6 (-9,4) | 49,5 (-12,7) | 54,9 (-2,9) | 54,6 (-3,8) |
| Prix de base | 29 445$ | 25 628$ | 22 095$ | 22 095$ |
| Prix du modèle essayé | 50 980$ | 77 249$ | 65 620$ | 63 990$ |
| Lieu de fabrication | Fort Wayne, IN | Dearborn, MI | Warren, MI | Warren, MI |

# POINTAGE DÉTAILLÉ

| | **CHEVROLET SILVERADO** | **FORD F-150** | **RAM 1500 ECODIESEL** | **RAM 1500 HEMI** |
|---|---|---|---|---|
| **RANG** | 4 | 2 | 1 | 3 |
| **DESIGN / STYLE** | | | | |
| Extérieur (silhouette, proportions, originalité, style, attrait visuel pur) /30 | 20 | 19 | 20 | **26** |
| Intérieur (design, couleurs, style, originalité, agencement des matériaux) /30 | 21 | **23** | 20 | **23** |
| **CARROSSERIE** | | | | |
| Finition intérieure + extérieure (qualité de peinture, écarts, assemblage) /15 | **10** | 9 | 9 | 9 |
| Qualité des matériaux (texture, couleur, surface, odeur?) /15 | **12** | **12** | 11 | 11 |
| Tableau de bord (clarté, lisibilité des cadrans, graphisme, disposition) /15 | 10 | **13** | 12 | 12 |
| Rangements (accès, nombre, taille, commodité, efficacité) /10 | 10 | **11** | 10 | 10 |
| **CONFORT / ERGONOMIE** | | | | |
| Position de conduite (volant, sièges avant, repose-pied, réglages) /20 | 12 | **18** | 16 | 16 |
| Ergonomie (facilité d'atteindre les commandes, douceur, précision) /20 | 13 | 15 | **16** | **16** |
| Places arrière (nombre, accès, confort, espace, appuie-tête?) /20 | 15 | **16** | **16** | **16** |
| Silence de roulement (sur chaussée lisse ou raboteuse, bruit de vent) /20 | 16 | **18** | 17 | 17 |
| **CONDUITE** | | | | |
| Tenue de route (équilibre, agilité, adhérence, facilité, marge de sécurité) /20 | 14 | 15 | **18** | 16 |
| Moteur (rendement, puissance, couple à bas régime, réponse, agrément) /20 | 16 | 15 | 14 | **18** |
| Direction (précision, 'feedback', résistance aux secousses, braquage) /20 | 16 | 16 | **17** | 15 |
| Freins (sensations, modulation, constance, performances, résistance) /20 | 15 | 15 | 15 | **17** |
| Transmission (précision, rapidité, étagement, douceur, embrayage) /20 | 15 | 15 | 14 | **17** |
| Qualité de roulement (suspension, solidité structurelle) /20 | 15 | 15 | **16** | 16 |
| **SÉCURITÉ** | | | | |
| Visibilité (surface vitrée, largeur des montants, rétroviseurs, angles morts) /5 | **4** | 3 | **4** | **4** |
| Systèmes d'aide à la conduite (efficacité, ajustabilité, rapidité) /5 | 3 | **4** | 3 | 3 |
| **PERFORMANCES MESURÉES*** | | | | |
| Accélération 0-100 km/h /15 | 9 | **11** | 9 | **11** |
| Accélération 0-100 chargé /15 | 7 | **8** | 5 | 7 |
| Freinage 60-0 km/h /15 | 6 | **14** | 10 | 9 |
| Consommation /40 | 18 | 15 | **25** | 8 |
| Consommation chargé /40 | 6 | 8 | **22** | 7 |
| **CHOIX DES ESSAYEURS** /50 | 38 | 46 | 44 | 43 |
| **POINTAGE BRUT** /500 | 321 | 354 | 363 | 347 |
| **POINTAGE FINAL**** /500 | 277 | 302 | 307 | 292 |

**\* Pointage selon des courbes adaptées**
**\*\* Avec pondération pour le prix selon la courbe des prix annuels de l'AJAC**

MEILLEURS
ACHATS

## CITADINES

### 1<sup>er</sup> BMW **I3**

**2<sup>e</sup>** NISSAN **MICRA**

**3<sup>e</sup>** CHEVROLET **SPARK**

**EN LICE :** BMW i3, Chevrolet Spark, Fiat 500, Mitsubishi i-Miev, Mitsubishi Mirage, Nissan Micra, smart Fortwo

## SOUS-COMPACTES

### 1<sup>er</sup> HONDA **FIT**

**2<sup>e</sup>** FORD **FIESTA**

**3<sup>e</sup>** KIA **RIO** / HYUNDAI **ACCENT**

**EN LICE :** Chevrolet Sonic, Fiat 500L, Ford Fiesta, Honda Fit, Hyundai Accent, Kia Rio, MINI Hayon, Nissan Versa Note, Toyota Prius c, Toyota Yaris

## COMPACTES

### 1<sup>er</sup> MAZDA **3**

**2<sup>e</sup>** VOLKSWAGEN **GOLF**

**3<sup>e</sup>** SUBARU **IMPREZA**

**EN LICE :** Chevrolet Cruze, Dodge Dart, Ford Focus, Ford C-Max, Honda Civic, Hyundai Elantra, Kia Forte, Kia Rondo, Mazda 3, Mazda 5, Mitsubishi Lancer, Nissan LEAF, Nissan Sentra, Subaru Impreza, Toyota Prius branchable, Toyota Prius, Toyota Corolla, Volkswagen Golf, Volkswagen Jetta, Volkswagen Beetle

## BERLINES INTERMÉDIAIRES

### 1er MAZDA **6**

**EN LICE :** Buick Regal, Buick LaCrosse, Chevrolet Malibu, Chrysler 200, Ford Fusion, Honda Accord, Hyundai Sonata, Kia Optima, Mazda 6, Nissan Altima, Subaru Legacy, Toyota Camry, Volkswagen Passat, Volkswagen CC

**2e** HONDA **ACCORD**

**3e** VOLKSWAGEN **PASSAT**

## BERLINES ET FAMILIALES DE LUXE MOINS DE 50 000$

### 1er BMW **SÉRIE 3** / AUDI **A4**

BMW Série 3

Audi A4

**EN LICE :** Acura TLX, Audi A4, Audi allroad, BMW Série 3, Buick Verano, Cadillac ATS, Chevrolet Volt, Infiniti Q50, Lexus ES, Lexus IS, Lincoln MKZ, Mercedes-Benz Classe C, Volvo S60, Volvo V60

**2e** MERCEDES-BENZ **CLASSE C /** CHEVROLET **VOLT**

**3e** CADILLAC **ATS**

## BERLINES ET FAMILIALES DE LUXE 50 000$ À 100 000$

### 1er TESLA **MODEL S**

**EN LICE :** Acura RLX, Audi A7, Audi A8, Audi A6, BMW Série 5, BMW Série 3, BMW Série 6, Cadillac CTS, Cadillac XTS, Hyundai Genesis, Hyundai Equus, Infiniti Q50, Infiniti Q70, Jaguar XJ, Jaguar XF, Kia K900, Lexus GS, Lexus LS, Lincoln MKS, Mercedes-Benz Classe E, Mercedes-Benz Classe CLS, Porsche Panamera, Tesla Model S, Volvo S80

**2e** AUDI **A7**

**3e** PORSCHE **PANAMERA**

## BERLINES DE LUXE PLUS DE 100 000 $

### 1<sup>er</sup> TESLA **MODEL S**

2<sup>e</sup> AUDI **A8**

3<sup>e</sup> PORSCHE **PANAMERA**

**EN LICE :** Aston Martin Rapide, Audi A8, Bentley Flying Spur, Bentley Mulsanne, BMW Série 7, BMW Série 6, Jaguar XJ, Lexus LS, Mercedes-Benz Classe CLS, Mercedes-Benz Classe S, Porsche Panamera, Rolls-Royce Ghost Series II, Rolls-Royce Phantom, Tesla Model S

## GRANDES BERLINES

### 1<sup>er</sup> CHRYSLER **300**

2<sup>e</sup> NISSAN **MAXIMA**

3<sup>e</sup> DODGE **CHARGER**

**EN LICE :** Chevrolet Impala, Chrysler 300, Dodge Charger, Ford Taurus, Nissan Maxima, Toyota Avalon

## SPORTIVES ET COUPÉS MOINS DE 50 000 $

### 1<sup>er</sup> VOLKSWAGEN **GOLF GTI**

2<sup>e</sup> SUBARU **WRX**

3<sup>e</sup> FORD **MUSTANG**

**EN LICE :** Audi A5, BMW Série 2, BMW Série 4, Cadillac ATS, Chevrolet Camaro, Dodge Challenger, Fiat Abarth, Ford Focus, Ford Mustang, Honda Civic, Honda Accord, Honda CR-Z, Hyundai Genesis Coupe, Hyundai Veloster, Infiniti Q60, Kia Forte, Mercedes-Benz Classe CLA, Mitsubishi Lancer, Nissan Z, Scion FR-S, Scion tC, Subaru WRX, Subaru BRZ, Subaru WRX STi, Volkswagen Jetta, Volkswagen Golf

## SPORTIVES ET COUPÉS 50 000 $ À 100 000 $

### 1<sup>er</sup> PORSCHE **CAYMAN / PORSCHE BOXSTER**

Boxster

Cayman

**EN LICE :** Alfa Romeo 4C, Audi A6, Audi TT, Audi A5, Audi A7, Audi A4, BMW Série 4, BMW Série 3, BMW Z4, BMW Série 6, Cadillac ATS, Cadillac ELR, Chevrolet Corvette, Dodge Challenger, Ford Mustang, Infiniti Q60, Jaguar F-Type, Jaguar XF, Lexus RC, Lotus Evora, Mercedes-Benz Classe C, Mercedes-Benz Classe E, Mercedes-Benz Classe SLK, Mitsubishi Lancer, Porsche Cayman, Porsche Boxster, Porsche 911

2<sup>e</sup> CHEVROLET **CORVETTE**

3<sup>e</sup> MERCEDES-BENZ **CLASSE C**

## SPORTIVES ET COUPÉS PLUS DE 100 000 $

### 1<sup>er</sup> PORSCHE **911**

**EN LICE :** Aston Martin Vantage, Aston Marti DB9, Aston Martin Vanquish, Audi R8, Audi A7, Audi A8, Bentley Continental, BMW i8, BMW Série 5, BMW Série 6, Dodge Viper, Ferrari FF, Ferrari F12 Berlinetta, Ferrari California, Jaguar F-Type, Jaguar XJ, Jaguar XF, Lamborghini Huracán, Lamborghini Aventador, Maserati Quattroporte, Maserati Gran Turismo, McLaren 650S, Mercedes-Benz AMG GT, Mercedes-Benz Classe SL, Mercedes-Benz Classe E, Mercedes-Benz Classe S, Nissan GT-R, Pagani Huayra, Porsche 911, Rolls-Royce Phantom, Rolls-Royce Wraith

2<sup>e</sup> BMW **I8**

3<sup>e</sup> AUDI **R8**

## CABRIOLETS ET ROADSTERS MOINS DE 50 000 $

### 1<sup>er</sup> MAZDA **MX-5**

**EN LICE :** Chevrolet Camaro, Fiat 500c, Ford Mustang, Mazda MX-5, MINI Cabriolet, Nissan Z, Volkswagen Beetle

2<sup>e</sup> FORD **MUSTANG**

3<sup>e</sup> VOLKSWAGEN **BEETLE**

## CABRIOLETS ET ROADSTERS PLUS DE 50 000$

### 1er AUDI **A5**

**2e MERCEDES-BENZ CLASSE E**

**3e BMW SÉRIE 4**

**EN LICE :** Audi A5, Bentley Continental, BMW Série 4, BMW Série 6, Infiniti Q60, Mercedes-Benz Classe E, Nissan Z, Rolls-Royce Phantom

## VUS SOUS-COMPACTS ET COMPACTS MOINS DE 40 000$

### 1er MAZDA **CX-3**

**2e MAZDA CX-5**

**3e SUBARU XV CROSSTREK**

**EN LICE :** Audi Q3, BMW X1, Buick Encore, Chevrolet Equinox, Chevrolet Trax, Dodge Journey, Fiat 500X, Ford Escape, GMC Terrain, Honda CR-V, Honda HR-V, Hyundai Tucson, Infiniti QX50, Jeep Cherokee, Jeep Compass, Jeep Patriot, Jeep Renegade, Kia Sportage, Kia Soul, Mazda CX-5, Mazda CX-3, Mercedes-Benz Classe GLA, MINI Countryman, MINI Paceman, Mitsubishi Outlander, Mitsubishi RVR, Nissan Rogue, Nissan Juke, Subaru Forester, Subaru XV Crosstrek, Toyota RAV4, Volkswagen Tiguan

## VUS COMPACTS PLUS DE 40 000$

### 1er PORSCHE **MACAN**

**2e MERCEDES-BENZ CLASSE GLC**

**3e AUDI Q5**

**EN LICE :** Acura RDX, Audi Q5, BMW X3, BMW X4, GMC Terrain, Land Rover Range Rover Evoque, Land Rover LR2, Lexus NX, Lincoln MKC, Mercedes-Benz Classe GLC, Mercedes-Benz Classe GLA, Porsche Macan, Volvo XC70, Volvo XC60

## VUS INTERMÉDIAIRES PLUS DE 50 000$

### 1er AUDI **Q7**

**EN LICE :** Acura MDX, Audi Q7, BMW X5, BMW X6, Buick Enclave, Cadillac SRX, Chevrolet Traverse, GMC Acadia, Infiniti QX70, Jeep Grand Cherokee, Land Rover LR4, Lexus RX, Lexus GX, Lincoln MKT, Mercedes-Benz Classe GLE, Mercedes-Benz Classe G, Porsche Cayenne, Toyota Highlander, Volkswagen Touareg, Volvo XC90

**2e** PORSCHE **CAYENNE**

**3e** JEEP **GRAND CHEROKEE**

## VUS INTERMÉDIAIRES MOINS DE 50 000$

### 1er SUBARU **OUTBACK**

**EN LICE :** Chevrolet Traverse, Ford Edge, Ford Flex, Ford Explorer, GMC Acadia, Honda Pilot, Hyundai Santa Fe, Infiniti QX60, Jeep Grand Cherokee, Jeep Wrangler, Kia Sorento, Lincoln MKX, Mazda CX-9, Nissan Murano, Nissan Pathfinder, Nissan Xterra, Subaru Outback, Toyota Highlander, Toyota Venza, Toyota 4Runner

**2e** KIA **SORENTO**

**3e** FORD **EDGE**

## VUS GRAND FORMAT

### 1er LAND ROVER **RANGE ROVER SPORT**

**EN LICE :** Cadillac Escalade, Chevrolet Suburban, Chevrolet Tahoe, Dodge Durango, Ford Expedition, GMC Yukon, Infiniti QX80, Land Rover Range Rover Sport, Land Rover Range Rover, Lexus LX, Mercedes-Benz Classe GLS, Nissan Armada, Toyota Sequoia

**2e** MERCEDES-BENZ **CLASSE GLS /** DODGE **DURANGO**

**3e** GMC **YUKON**

## VÉHICULES ÉLECTRIQUES / HYBRIDES / ENFICHABLES

### 1er TESLA **MODEL S**

**2e PORSCHE CAYENNE S E-HYBRID**

**EN LICE :** Acura RLX, Audi Q5, BMW i3, BMW i8, BMW Série 7, BMW Série 5, BMW Série 3, Buick Regal, Buick LaCrosse, Cadillac ELR, Chevrolet Volt, Chevrolet Malibu, Ford Focus, Ford Fusion, Ford C-Max, Honda Accord, Honda CR-Z, Hyundai Sonata, Infiniti Q70, Infiniti Q50, Kia Soul, Kia Optima, Lexus RX, Lexus GS, Lexus NX, Lexus CT, Lexus ES, Lexus LS, Lincoln MKZ, Mitsubishi Outlander, Nissan LEAF, Nissan Pathfinder, Porsche Cayenne, Porsche Panamera, Subaru XV Crosstrek, Tesla Model S, Toyota Highlander, Toyota Camry, Toyota Prius c, Toyota Prius, Toyota Prius V, Volkswagen Jetta

**3e BMW I8**

## FOURGONNETTES

### 1er HONDA **ODYSSEY**

**2e KIA SEDONA**

**EN LICE :** Chevrolet City Express, Chrysler Town & Country, Dodge Grand Caravan, Ford Transit Connect, Honda Odyssey, Kia Sedona, Mazda5, Nissan NV200, Ram Cargo Van, Ram ProMaster City, Toyota Sienna

**3e TOYOTA SIENNA**

## CAMIONNETTES

### 1er RAM **1500**

**2e FORD F-150**

**EN LICE :** Chevrolet Colorado, GMC Canyon, Nissan Frontier, Toyota Tacoma, Chevrolet Silverado, Ford F-150, GMC Sierra, Nissan Titan, RAM 1500, Toyota Tundra

**3e GMC SIERRA / CHEVROLET SILVERADO**

www.guideautoweb.com

# MEILLEURE NOUVELLE
## VOITURE DE L'ANNÉE

## MAZDA MX-5

**A**u Salon de l'auto de Chicago 1989, Mazda avait causé toute une commotion en dévoilant une petite décapotable deux places, tout en rondeurs, incarnation moderne des roadsters anglais tels les Triumph TR3, MGB et autres Lotus Elan.

Dotée d'un minuscule quatre cylindres de 1,6 litre développant 116 chevaux, la Miata (baptisée MX-5 ailleurs dans le monde à ce moment) prouvait deux choses : A) qu'il n'était point besoin d'avoir beaucoup de chevaux pour avoir du plaisir et B) que Mazda s'y connaissait en matière de belles sensations routières.

25 ans plus tard, Mazda nous refait le coup. Pesant à peine plus de 1000 kilos et propulsée par un quatre cylindres de 155 chevaux, la MX-5 bénéficie d'un excellent rapport poids/puissance... tout comme à ses débuts. Et tout comme à ses débuts, le plaisir de conduire est intact. Avec sa direction très précise, ses suspensions sportives et son centre de gravité très bas, la MX-5 représentait et représente toujours le pinacle de la voiture sport.

Même si l'année a été particulièrement fructueuse au chapitre des nouveautés, aucune autre voiture n'est même venue près de ravir à la MX-5 l'honneur d'être consacrée meilleure nouvelle voiture de l'année du Guide de l'auto 2016. Pas même la pourtant très réussie Tesla P85D.

## MAZDA **CX-3**

**P**armi la floppée de nouveaux utilitaires nouveaux sur le marché cette année, aucun n'a su se faire remarquer aussi bien que le Mazda CX-3. Il a beau être petit (peut-être même un peu trop pour une famille avec de jeunes enfants) mais il affiche de grandes ambitions.

Et Mazda lui a donné les moyens de ses ambitions. Lors du match comparatif entre VUS sous-compacts en première partie de ce Guide, une question était sur les lèvres des essayeurs. Quel véhicule allait terminer deuxième ? Car il ne faisait aucun doute que le Mazda CX-3 allait l'emporter tellement sa supériorité était évidente. Même dans notre classement par catégories dans lequel les barèmes sont différents, il a remporté la palme.

Et même parmi tous les nouveaux utilitaires débarquant sur le marché pour 2016, peu importe la catégorie, le CX-3 s'est démarqué. Ceux qui en ont fait l'essai ont adoré son agilité, la réponse de son quatre cylindres 2,0 litres de 146 chevaux et de sa transmission automatique à six rapports, la qualité des matériaux et la finition de son habitacle. Et que dire de sa gueule qui fait pardonner un espace de chargement plutôt restreint.

Oui, le CX-3 mérite amplement son titre de meilleur nouvel utilitaire de l'année!

# MEILLEUR
# DESIGN DE L'ANNÉE

## FORD **GT**

**A**u dernier Salon de Détroit, en janvier 2015, Ford prenait tout le monde par surprise en dévoilant une toute nouvelle GT. Et quelle GT !

En 2005, Ford avait présenté une GT qui reprenait assez fidèlement les lignes de la première, la GT40, apparue au milieu des années 60 et destinée à visser Ferrari au plancher lors des 24 Heures du Mans. Ce qu'elle avait réussi avec brio, quatre années de suite.

Toujours est-il que la plus récente GT, tout en reprenant le style des deux premières, est résolument moderne avec son châssis en aluminium et sa carrosserie en fibre de carbone. Ce matériau autorise des formes très complexes, ce qui n'a pas manqué d'exciter les designers qui se sont lancés de brillante façon dans l'aventure.

La GT est extrêmement basse et sa partie arrière pratiquement horizontale est un régal pour l'œil et un bienfait pour l'aéro-dynamique. Les longerons qui unissent les ailes arrière au toit en mettent plein la vue en plus d'assurer une excellente rigidité. Comme une image vaut mille mots, nous vous invitons plutôt à aller à la page 12 pour regarder des photos inédites de la GT et lire le compte-rendu de Gabriel Gélinas.

Pour illustrer la couverture du *Guide de l'auto*, nous prenons toujours une voiture qui fera école, que ce soit au niveau technique, stylistique ou en terme d'influence sur le marché. La Ford GT, c'est ça.

# MODE D'EMPLOI: MEILLEURS ACHATS

Chaque année, le choix des gagnants de chaque catégorie du *Guide de l'auto* fait l'objet de vives discussions, autant dans les officines du guide de l'auto que parmi le public. Il n'est d'ailleurs pas toujours facile de s'y retrouver, tellement le nombre de catégories a augmenté depuis quelques années.

En effet, les constructeurs s'ingénient à créer des véhicules qui chevauchent deux ou même trois catégories. C'est le cas des multisegments qui, pour la plupart, sont à la fois des automobiles, des familiales et des 4x4 sans être véritablement l'un ou l'autre. Au final, on se retrouve avec une catégorie fourre-tout. Cette année, parce qu'une chatte y aurait perdu ses chats, nous avons décidé d'éliminer cette catégorie et redistribué les véhicules qui s'y trouvaient dans celles des VUS correspondantes.

Ce changement au chapitre des catégories n'est toutefois que la pointe de l'iceberg... Depuis déjà quelques années, nous jonglions avec l'idée de quantifier la position de chaque véhicule dans sa catégorie. Pour ce faire, nous avons revu notre barème de pointage.

**Chaque véhicule est noté selon six critères:** Consommation, fiabilité, sécurité, système multimédia, agrément de conduite et appréciation générale. Les cinq premiers critères sont purement objectifs. Tous les modèles ont été évalués par rapport aux autres de la même catégorie.

**1. Consommation:** Cette note compte pour 10 % du résultat final. Nous avons établi la moyenne de consommation pour toute la gamme d'un modèle, selon les données de Ressources naturelles Canada. Quand la consommation d'essence est nulle, comme pour les voitures électriques, la note est parfaite, soit 10.

De 1 à 6,0 l/100 km de moyenne.............................. 9 points
De 6,1 à 7,0 l/100 km de moyenne.......................... 8 points
De 7,1 à 8,0 l/100 km de moyenne ........................ 7 points
De 8,1 à 10,0 l/100 km de moyenne......................... 6 points
De 10,1 à 12,0 l/100 km de moyenne ....................... 5 points
De 12,1 à 14,0 l/100 km de moyenne ....................... 4 points
De 14,1 à 16,0 l/100 km de moyenne ...................... 3 points
De 16,1 à 19,0 l/100 km de moyenne ....................... 2 points
De 19,1 à 21,0 l/100 km de moyenne........................ 1 point
De 21,1 l/100 km et plus..........................................0 point

**2. Fiabilité:** Cette note compte pour 10 % du résultat final. Elle est calculée à partir des données recueillies majoritairement auprès de Consumer Reports et Protégez-vous (APA). Ces deux sources comptent pour 70 % de la note finale. L'historique des rappels et les plaintes des consommateurs (forums, courriels reçus, etc.) forment le 30 % restant.

**3. Sécurité:** Cette note compte pour 10 % du résultat final. 50 % de cette note est basée sur les technologies actives de sécurité (freins ABS, contrôle de la traction, etc.), ainsi que sur les indices de sécurité passive (coussins gonflables, appel automatique à un centre d'urgence, etc.). 30 % de la note est basée sur le rouage du véhicule (propulsion = 10 %, traction = 20 %, et 4x4 ou intégrale = 30 %). 20 % de la note est basée sur la visibilité. Certaines voitures extrêmement mauvaises à ce chapitre peuvent avoir reçu 0 %.

**4. Système mutimédia:** Cette note compte pour 10 % du résultat final. Elle a été déterminée par l'ensemble des journalistes automobiles du *Guide de l'auto* qui ont eu à voter pour le système de chaque voiture (sur une échelle de 1 à 10, 1 étant particulièrement mauvais et 10 exceptionnel). Nous devions prendre en considération: la facilité d'utilisation et de compréhension, la qualité graphique, la rapidité de l'affichage, l'ergonomie des commandes, la qualité sonore du système audio, etc. Cette note aurait très bien pu se retrouver dans la section «sécurité» tant certains systèmes demandent une attention soutenue pendant la conduite. Ces derniers sont ceux qui, en général, ont reçu les pires notes.

**5. Agrément de conduite:** Cette note compte pour 30 % du résultat final. Même si cette donnée est difficilement quantifiable, nous croyons avoir trouvé la bonne recette. En faisant abstraction du prix, de la consommation, de la fiabilité, de la sécurité et du système multimédia, chaque auteur du Guide devait voter sur une échelle de 1 à 10 (1 étant particulièrement mauvais et 10 exceptionnel).

**6. Appréciation générale:** Cette note compte pour 30 % du résultat final. Une Ferrari peut bien être des plus agréables à conduire, vivre avec elle au quotidien est une autre histoire... Cette note qui englobe tous les critères ci-haut mentionnés a été déterminée lors d'une rencontre aux bureaux du *Guide de l'auto*. Et curieusement, elle s'est déroulée sans trop d'envolées lyriques ou de débats enflammés. Presque. Dès qu'il n'y avait pas consensus, le vote se tenait à main levée et la majorité l'emportait. L'appréciation générale est la seule note qui soit subjective. Toutefois, comme elle représente la moyenne des opinions d'experts, elle est subjective mais pas aléatoire.

Toutes ces notes donnent le pourcentage final donné à chaque voiture et déterminent le gagnant de chaque catégorie, ainsi que la meilleure nouvelle voiture de l'année et le meilleur nouvel utilitaire de l'année.

**Emp** = Empattement / **lon** = longueur / **lar** = largeur / **haut** = hauteur

**Ind** = indépendante. Une suspension peut aussi être **semi-ind** pour semi-indépendante, à essieu rigide, ress. à lames pour ressort à lames (surtout pour les camionnettes)

**Ass. var. élect.** = À assistance variable électrique

**Le poids** représente le poids à vide du véhicule (en ordre de marche, tous réservoirs pleins, roue de secours, sans le conducteur) / **La capacité de remorquage** est la capacité maximale prescrite par le constructeur pour le modèle montré. Dans plusieurs cas, le véhicule doit être équipé en conséquence et/ou la remorque doit posséder son propre système de freinage. Vérifiez auprès du concessionnaire.

**Tr. base (opt) / rouage base (opt)** = Transmission de base (transmission optionnelle) / rouage de base (rouage optionnel).
Transmission : **A8** = automatique 8 rapports, **M6** = manuelle 6 rapports,
**CVT** = à rapports continuellement variables - Continuously Variable Transmission.
Rouage : **Prop** = propulsion (roues arrière motrices), **Tr** = traction (roues avant motrices),
**Int** = intégral (toutes roues motrices), 4x4 (toutes roues motrices débrayables - pour hors route sérieux.)

**168 ch (125 kW) / 184 lb-pi** - 168 chevaux (125 kilowatts) / 184 livres-pied

**2L 0,7 litre 8 s atmos** = 2 cylindres en ligne 0,7 litre 8 soupapes, atmosphérique. Il s'agit d'un très petit moteur. Dans certains cas, il pourrait s'agir, par exemple, d'un V6 3,5 litres 24s **turbo** = moteur 6 cylindres en V, 3,5 litres, 24 soupapes turbocompressé. **surcomp** = surcompressé

**Sup / 5,7 / 6,3 l/100 km / 2746 kg/an** = Essence super / 5,7 litres aux cent kilomètres en ville / 6,3 litres aux cent kilomètres sur la route / 2 746 kilos par an d'émissions de $CO_2$. Ces données proviennent du Guide de consommation de carburant de Ressources naturelles Canada.

**BMW I3**

### Châssis - Loft Design

| | |
|---|---|
| Emp / lon / lar / haut | 2570 / 4008 / 2039 / 1578 mm |
| Coffre / Réservoir | 260 à 1100 litres / n.d. |
| Nbre coussins sécurité / ceintures | 6 / 4 |
| Suspension avant | ind., jambes force |
| Suspension arrière | ind., multibras |
| Freins avant / arrière | disque / disque |
| Direction | à crémaillère, ass. var. élect. |
| Diamètre de braquage | 9,9 m |
| Pneus avant / arrière | P155/70R19 / P155/70R19 |
| Poids / Capacité de remorquage | 1297 kg / n.d. |
| Assemblage | Leipzig, DE |

### Composantes mécaniques

**Loft Design**

| | |
|---|---|
| Tr. base (opt) / rouage base (opt) | Rapport fixe / Prop |
| 0-100 / 80-120 / V.Max | 7,2 s / 4,9 s / 150 km/h |
| 100-0 km/h | n.d. |

**Moteur électrique**

| | |
|---|---|
| Puissance / Couple | 168 ch (125 kW) / 184 lb-pi |
| Type de batterie | Lithium-ion (Li-ion) |
| Énergie | 19 kWh |
| Temps de charge (120V / 240V) | 5,7 h / 2,8 h |
| Autonomie | 160 km |

**Range Extender**

| | |
|---|---|
| Cylindrée, soupapes, alim. | 2L 0,7 litre 8 s atmos. |
| Puissance / Couple | 38 ch / 41 lb-pi |
| Tr. base (opt) / rouage base (opt) | Rapport fixe / Prop |
| 0-100 / 80-120 / V.Max | 8,0 s / 6,2 s / 150 km/h |
| 100-0 km/h | n.d. |
| Type / ville / route / $CO_2$ | Sup / 5,7 / 6,3 l/100 km / 2746 kg/an |

**Moteur électrique**

| | |
|---|---|
| Puissance / Couple | 168 ch (125 kW) / 184 lb-pi |
| Type de batterie | Lithium-ion (Li-ion) |
| Énergie | 19 kWh |
| Temps de charge (120V / 240V) | 5,5 h / 2,8 h |
| Autonomie | 300 km |

## ⊕ BMW I3

(((SiriusXM)))

**Prix :** 45 300 $ à 49 300 $ (2015)
**Catégorie :** Hatchback
**Garanties :**
4 ans/80 000 km, 4 ans/80 000 km
**Transport et prép. :** 2 095 $
**Ventes QC 2014 :** 50 unités
**Ventes CAN 2014 :** n.d.

### Cote du Guide de l'auto

# 82 %

| Fiabilité | Appréciation générale |
|---|---|
| n.d. | |
| Sécurité | Agrément de conduite |
| Consommation | Système multimédia |

### Cote d'assurance
présentée par
**KANETIX.CA**
$$$     $

➕ Conduite amusante, géniale en ville • Performances étonnantes • Rouage électrique très au point • Habitacle original et chic • Carrosserie antirouille

➖ Prix très épicé pour une compacte • Autonomie électrique limitée • Conduire une propulsion en hiver • Moteur d'appoint assez cher • Seulement quatre places

### Concurrents
Chevrolet Spark EV, Mitsubishi i-MIEV, Nissan Leaf

Les ventes canadiennes et québécoises représentent le nombre d'unités vendues durant l'année calendrier 2014.

Nouveauté cette année, la cote en pourcentage du Guide de l'auto. Cette note est liée à la fiabilité, la sécurité, la consommation, l'appréciation générale, l'agrément de conduite et le système multimédia. Cette cote sert aussi à déterminer le gagnant dans chaque catégorie. Pour plus d'informations à ce sujet, consultez la page 140.

**n.d.** = non disponible. Ici par exemple nous n'avons pu déterminer la fiabilité de la voiture car elle n'est pas sur le marché depuis assez longtemps.

La cote d'assurance est présentée par Kanetix.ca. Plus il y a de carrés jaune, meilleure est cette cote. Et meilleure est cette cote, moins cher le véhicule coûtera à assurer.

Les modèles qui consomment peu (moins de 8,5 l/100km en ville) ou qui sont à motorisation diesel, électrique ou hybride sont identifiés par des symboles.

**Dans le but d'alléger les différents textes du Guide de l'auto, seul le masculin est utilisé et englobe le féminin.**

ESSAIS

## ACURA **ILX**

**Prix :** 29 490 $ à 34 890 $
**Catégorie :** Berline
**Garanties :**
4 ans/80 000 km, 5 ans/100 000 km
**Transport et prép. :** 2 110 $
**Ventes QC 2014 :** 815 unités
**Ventes CAN 2014 :** 2 752 unités

### Cote du Guide de l'auto

# 70 %

Fiabilité
■■■■■■■■■□□

Appréciation générale
■■■■■■■□□□

Sécurité
■■■■■■■□□□

Agrément de conduite
■■■■■■■□□□

Consommation
■■■■■■■□□□

Système multimédia
■■■■■■■□□□

### Cote d'assurance
■■■■■■□□□□

présentée par
**KANETIX.CA**

$$$                          $

➕ Retouches esthétiques • Bon comportement routier • Boîte automatique à double embrayage • Nouvelles technologies embarquées

➖ Retrait de la motorisation hybride • Boîte manuelle discontinuée • Insonorisation à améliorer • Pas d'intégrale contrairement à ses rivales

### Concurrents
Audi A3, Lexus IS,
Mercedes-Benz Classe CLA

# On corrige le tir

Jean-François Guay

L'an dernier, le dévoilement des Audi A3 et Mercedes-Benz CLA dans le segment des berlines compactes de luxe a brouillé les cartes et forcé Acura à refondre son modèle ILX pour 2016.

Dévoilée il y a trois ans, la berline d'entrée de gamme d'Acura avait connu un départ canon pour ensuite être rattrapée par la concurrence. Pourtant, la marque de luxe de Honda s'y connaît dans le domaine des petites voitures de luxe puisqu'elle a inventé le créneau chez nous en commercialisant l'EL à la fin des années 1990 – laquelle fut suivie par la CSX.

Mais, ce n'est pas la première fois que la maison-mère Honda se ravise et change de cap durant le plan quinquennal d'un modèle. On se rappellera que le renouvellement de la Civic en 2012 n'avait pas connu le succès escompté et que Honda avait réajusté le tir dès l'année suivante en remodelant habilement son modèle porte-étendard. Comme pour la Civic, on peut penser que les retouches apportées à l'ILX vont relancer ses ventes.

### DANS LA LIGNÉE DES TLX ET RLX
Le nouveau style de l'ILX s'inspire des dernières créations de la marque et sa filiation avec ses grandes sœurs TLX et RLX est indéniable. La calandre met en évidence une grille pourvue d'une lamelle en acier brossé dont la forme s'assimile à une guillotine. Quant aux cinq lentilles ornant les nouveaux phares Jewel Eye à DEL, leur luminosité est digne des joyaux de la couronne.

À l'arrière, la carrosserie est davantage personnalisée et l'ILX se reconnaît de loin grâce aux épaules de son coffre. On note également la présence de nouveaux feux à DEL. Le design des deux pare-chocs a aussi été revu et adopte une allure plus musclée. Parmi les autres modifications esthétiques, on trouve des nouvelles jantes de 17 ou 18 pouces, au choix.

La toute nouvelle version A-Spec ajoute une touche de sportivité avec des phares antibrouillard, des roues de 18 pouces de série et des éléments aérodynamiques au niveau des bas de caisse et du coffre arrière. L'habitacle offre la totale avec des pédales en acier inoxydable, une instrumentation éclairée rouge, des sièges garnis de simili suède et une garniture surpiquée au pavillon.

À l'exception de la version de base, toutes les livrées disposent d'un nouvel écran tactile multifonction de 7 pouces placé au centre du tableau de bord lequel permet de régler la climatisation et le système audio.

Reconnues jadis pour privilégier la tenue de route au détriment du silence de roulement, les récentes voitures Acura se veulent dorénavant plus confortables pour les occupants. Pour ce faire, l'habitacle dispose d'une chaîne ambiophonique à 10 haut-parleurs Acura/ELS dont la clarté du son mérite des éloges. La liste des équipements se poursuit avec le système Siri Eyes Free qui permet notamment de lire et d'envoyer des messages textes, de répondre à des courriels, tout en gardant les mains sur le volant. Le seul hic est d'apprendre à s'en servir… Bonne chance aux néophytes – dont je suis!

### LE PLAT DE RÉSISTANCE

Pour reprendre ses parts de marché, Acura ne s'est pas limité à restyler la carrosserie et à parfaire les technologies embarquées de l'ILX, car l'exercice aurait été insuffisant face à ses rivales A3 et CLA. Pour rehausser le degré d'appréciation des acheteurs, les motoristes ont relégué aux oubliettes le quatre cylindres de 2,0 litres et la motorisation hybride pour retenir les services d'un seul moteur, soit une version remaniée du quatre cylindres de 2,4 litres.

Bénéficiant de l'injection directe, ce moteur conserve sa cavalerie de 201 chevaux, mais ceux-ci se manifestent plus rapidement grâce à un couple amélioré (180 livres-pied à 3 600 tours/minute au lieu de 170 livres-pied à 4 400 tours/minute) et un taux de compression révisé. Résultat: la puissance est au rendez-vous alors que la consommation et la pollution connaissent une diminution.

Pour transmettre la puissance aux roues avant, une nouvelle boîte automatique à double embrayage et huit rapports (avec palettes au volant) fait son apparition. Quant à la boîte manuelle à six vitesses, elle tire sa révérence. D'où la perception qu'Acura tend à offrir des modèles de moins en moins sportifs pour offrir une conduite plus mielleuse.

Néanmoins, n'allez pas croire que le comportement routier de l'ILX se compare à celui d'une Lexus ou d'une Buick. La direction et les suspensions sont plus fermes et permettent d'aborder les virages avec aplomb. Qui plus est, la nouvelle boîte à double embrayage exploite savamment le régime moteur et sa plage d'utilisation est amusante.

### Du nouveau en 2016

Retouches esthétiques, boîte à double embrayage, suspensions et freins recalibrés, jantes de 18 pouces, quatre cylindres de 2,0 L et motorisation hybride supprimés.

| Châssis - Base | |
|---|---|
| Emp / lon / lar / haut | 2670 / 4620 / 1794 / 1412 mm |
| Coffre / Réservoir | 350 litres / 50 litres |
| Nbre coussins sécurité / ceintures | 6 / 5 |
| Suspension avant | ind., jambes force |
| Suspension arrière | ind., multibras |
| Freins avant / arrière | disque / disque |
| Direction | à crémaillère, ass. var. élect. |
| Diamètre de braquage | 11,2 m |
| Pneus avant / arrière | P215/45R17 / P215/45R17 |
| Poids / Capacité de remorquage | 1397 kg / n.d. |
| Assemblage | Greensburg, IN |

| Composantes mécaniques | |
|---|---|
| Cylindrée, soupapes, alim. | 4L 2,4 litres 16 s atmos. |
| Puissance / Couple | 201 ch / 180 lb-pi |
| Tr. base (opt) / rouage base (opt) | A8 / Tr |
| 0-100 / 80-120 / V.Max | 8,0 s (est) / 6,5 s (est) / n.d. |
| 100-0 km/h | n.d. |
| Type / ville / route / $CO_2$ | Sup / 9,3 / 6,6 l/100 km / 3719 kg/an |

# ACURA **MDX**

**Prix :** 52 990 $ à 64 990 $
**Catégorie :** VUS
**Garanties :**
4 ans/80 000 km, 5 ans/100 000 km
**Transport et prép. :** 2 110 $
**Ventes QC 2014 :** 1 016 unités
**Ventes CAN 2014 :** 6 272 unités

### Cote du Guide de l'auto

# 73 %

| Fiabilité | Appréciation générale |
|---|---|
| ■■■■■■■□□□ | ■■■■■■■□□□ |
| Sécurité | Agrément de conduite |
| ■■■■■■■■□□ | ■■■■■□□□□□ |
| Consommation | Système multimédia |
| ■■■■■□□□□□ | ■■■■■■□□□□ |

### Cote d'assurance

■■■■■■■□□□

présentée par
**KANETIX.CA**

$$$       $

**+** Technologies de pointe •
Motorisation efficace et fiable •
Boîte à 9 rapports bien étagée •
Système SH-AWD efficace

**−** Design extérieur discret •
Comportement embourgeoisé •
Trop d'aides à la conduite • Modes
de conduite peu distincts

### Concurrents

Audi Q7, BMW X5, Infiniti QX70,
Jeep Grand Cherokee, Lexus RX,
Mercedes-Benz Classe M,
Porsche Cayenne, Volkswagen Touareg,
Volvo XC90

# Maturité et sobriété

Guy Desjardins

Le MDX a subi une cure de rajeunissement voilà maintenant deux ans. Plusieurs changements lui ont permis de rester sur le podium l'an dernier dans la catégorie des VUS intermédiaires de plus de 50 000 $. Pour 2016, Acura le dote d'une boîte automatique à 9 rapports, améliore son système de rouage intégral SH-AWD et propose l'ensemble AcuraWatch sur toutes les versions.

Le grand frère du RDX n'est pas le plus flamboyant modèle du groupe. Il ne fait aucun doute qu'un Mercedes-Benz GLE montre davantage de prestige et qu'un Porsche Cayenne s'invite naturellement sur une piste de course. Le MDX réussit néanmoins à conjuguer gracieusement ces deux caractéristiques tout en restant sobre et discret.

**VOUS ÊTES «WATCHÉ»!**
Outre les traditionnels gadgets que l'on trouve sur la plupart des véhicules concurrents, Acura bonifie l'offre avec l'ajout d'AcuraWatch. Dans les faits, le conducteur bénéficie d'un ensemble de 9 systèmes d'aide à la conduite, majoritairement des alertes de collisions alimentées par de nombreuses caméras et détecteurs parsemés autour du véhicule.

Coté mécanique, le MDX compte sur une unique motorisation V6 de 3,5 litres et profite cette année d'une nouvelle boîte à 9 rapports qui permet d'optimiser les performances. Dotée du système de désactivation des cylindres, la motorisation du VUS peut désactiver trois de ses cylindres afin de consommer moins de 10 litres aux 100 km sur la route. Évidemment, de nombreux critères influent sur ce système qui n'a désactivé les cylindres que très rarement durant notre essai, lequel a été principalement effectué en terrain montagneux, en hiver et lourdement chargé.

Mais son attrait, le MDX le doit à son rouage SH-AWD amélioré qui transmet 100 % du couple aux roues avant en temps normal, mais qui peut distribuer jusqu'à 70 % de ce couple aux roues arrière au besoin, et même de le répartir à la roue bénéficiant de la meilleure adhérence. Même si l'efficacité est remarquable sur piste, c'est plutôt en hiver que le conducteur profite le plus de cette transmission intégrale.

Fidèle à ses habitudes, Acura propose la fonction Start/Stop uniquement sur la version Elite, la plus luxueuse. Elle permet au moteur de s'éteindre automatiquement lorsque le véhicule s'immobilise. Bien qu'il y ait un très léger délai, le redémarrage se fait discrètement et en douceur, ce qui le rend pratiquement imperceptible. En circulation urbaine, ce système favorise de·très bonnes économies de carburant et limite grandement les émanations de $CO_2$.

### EXIT EXCITATIONS

La conduite du MDX ne procure pas de grands frissons. Même si Acura se vante d'avoir testé et calibré son VUS sur la célèbre piste du Nürburgring en Allemagne, la tenue de route ne rivalise aucunement avec celle d'un bolide de course. Les suspensions avant indépendantes et arrière à articulations multiples confèrent cependant au MDX une excellente maniabilité et un confort se rapprochant d'une berline sportive. Le VUS offre également trois modes de conduite. Selon le choix effectué, des ajustements s'opèrent sur la résistance du volant, l'accélérateur, le système SH-AWD et le son du moteur, mais rien ne modifie la fermeté de la suspension. Malheureusement, les différences sont à peine perceptibles pour la plupart des conducteurs. Le gabarit du véhicule et son comportement axé sur le confort atténuent les ajustements, si bien que l'on oublie rapidement le mode dans lequel le véhicule se trouve.

À l'intérieur, on constate l'habituelle disposition des commandes du fabricant. La présentation montre de nombreux reliefs qui ne cadrent pas toujours avec l'image de luxe pourtant véhiculée par la marque de prestige. L'habitacle réussit à procurer un environnement vaste malgré la perte de 3 cm en largeur subie lors de la dernière refonte. L'utilisation du système audio s'est grandement améliorée, mais les fonctions commandées par le gros bouton rotatif restent quelques fois hasardeuses. Audacieux pour sa version 2016, Acura a troqué le levier de vitesses traditionnel pour un sélecteur électronique à boutons-poussoirs. Son utilisation demande une légère adaptation, mais le dégagement résultant augmente l'espace disponible entre les deux occupants.

Les performances du MDX se sont embourgeoisées avec l'arrivée de la 3e génération. Malgré sa nouvelle plate-forme, la carrosserie classique qu'il adopte lui confère une image très discrète et un peu trop sérieuse. La fiabilité et la mécanique permettent au MDX de s'en sortir face à des concurrents plus excentriques.

| Châssis - Technologie | |
| --- | --- |
| Emp / lon / lar / haut | 2820 / 4917 / 1962 / 1716 mm |
| Coffre / Réservoir | 447 à 2575 litres / 74 litres |
| Nbre coussins sécurité / ceintures | 7 / 7 |
| Suspension avant | ind., jambes force |
| Suspension arrière | ind., multibras |
| Freins avant / arrière | disque / disque |
| Direction | à crémaillère, ass. élect. |
| Diamètre de braquage | 11,8 m |
| Pneus avant / arrière | P245/55R19 / P245/55R19 |
| Poids / Capacité de remorquage | 1915 kg / 1588 kg (3500 lb) |
| Assemblage | Lincoln, AL |

| Composantes mécaniques | |
| --- | --- |
| Cylindrée, soupapes, alim. | V6 3,5 litres 24 s atmos. |
| Puissance / Couple | 290 ch / 267 lb-pi |
| Tr. base (opt) / rouage base (opt) | A9 / Int |
| 0-100 / 80-120 / V.Max | 7,2 s (est) / n.d. / n.d. |
| 100-0 km/h | n.d. |
| Type / ville / route / $CO_2$ | Sup / 12,2 / 9,1 l/100 km / 4970 kg/an |

## Du nouveau en 2016

Boîte à 9 rapports avec sélecteur électronique à boutons, système SH-AWD amélioré, ajout de l'ensemble sécurité AcuraWatch, système Start/Stop sur la version Elite.

Photos: Acura Canada

# ACURA **NSX**

**Prix :** 150 000 $ (estimé)
**Catégorie :** Coupé
**Garanties :**
4 ans/80 000 km, 5 ans/100 000 km
**Transport et prép. :** n.d.
**Ventes QC 2014 :** n.d.
**Ventes CAN 2014 :** n.d.

## Cote du Guide de l'auto

# n.d.

Fiabilité
n.d.

Sécurité
n.d.

Consommation
n.d.

Appréciation générale
n.d.

Agrément de conduite
n.d.

Système multimédia
n.d.

## Cote d'assurance

n.d.

présentée par
**KANETIX.CA**

➕ Silhouette moderne et racée •
Groupe propulseur et rouage novateurs •
Une grande sportive pour 150 000 $ •
Grande qualité et fiabilité probables

➖ Certains détails presque kitsch •
Rangements limités • Volume de
chargement sûrement restreint •
Une Acura de 150 000 $

## Concurrents

Audi R8, Chevrolet Corvette,
McLaren 650S, Mercedes-Benz AMG GT,
Nissan GT-R, Porsche 911

# Belles promesses

Marc Lachapelle

**D**epuis le temps qu'on nous la promet et qu'on nous la dévoile, morceau par morceau, la nouvelle NSX arrive bientôt. Sans blague. Sérieux. Trois ans après le dévoilement spectaculaire de la NSX Concept au Salon de Detroit, Acura présentait enfin la version de série de sa grande sportive dans la même salle immense, en janvier dernier. La silhouette racée, à peine modifiée, a fait sensation encore une fois, mais ce sont les révélations techniques qui ont surpris. Il ne nous reste plus qu'à la conduire, et cet élément que les créateurs de la NSX disent essentiel est la seule pièce qui manque à ce portrait. Dommage.

Après avoir montré des versions légèrement modifiées de la carrosserie en trois couleurs différentes de Shanghai à Genève et dévoilé l'habitacle à Detroit, il y a deux ans, Acura s'est pointée au même salon avec la version définitive de sa nouvelle sportive, en rouge rubis. L'Américain Ted Klaus, qui dirige l'équipe qui a développé cette nouvelle NSX, la déclara virtuellement prête à être produite au Performance Manufacturing Center, une usine toute neuve, à Marysville en Ohio. Et son moteur sera fabriqué à l'usine d'Ana, qui est tout près. La première NSX avait été conçue et construite entièrement au Japon.

## UN QUART DE TOUR POUR LE MOTEUR

Parlons-en du moteur. L'ingénieur Klaus nous a étonnés en révélant que la NSX allait recevoir un V6 de 3,5 litres à double turbo inspiré des moteurs de course de Honda et monté dans l'axe longitudinal plutôt que le V6 atmosphérique transversal d'abord annoncé. Ce changement majeur, en cours de développement, a permis d'installer les composantes du groupe propulseur hybride le plus bas possible pour que le centre de gravité le soit tout autant. C'est pour cette même raison que son V6 entièrement inédit est lubrifié par carter sec, que ses rangées de cylindres sont espacées à 75 degrés et que ses deux turbos sont placés sous les collecteurs d'échappement. Résultat : le centre de gravité le plus bas de la catégorie. Plus bas même que la Ferrari 458, référence en la matière, et nettement plus que la première NSX.

Les ingénieurs se sont creusé les méninges pour fixer les masses le plus près possible du centre de la voiture, question de réduire le «moment polaire d'inertie» et de favoriser l'agilité. Parmi ces composantes, la batterie en forme de T qui alimente les trois moteurs électriques : un pour chacune des roues avant et le troisième en prise directe sur le vilebrequin du moteur thermique, intégré à une boîte-pont à double embrayage automatisé qui compte 9 rapports. Toute neuve, elle aussi.

Les moteurs avant font de la NSX une sportive à rouage intégral. Ils devraient permettre de maximiser l'accélération, mais également d'aiguiser la tenue de route et l'agilité comme jamais auparavant, grâce à des transferts de couple instantanés à l'une ou l'autre des roues. Il s'agit, en fait, d'une version ultrasportive (et inversée) du rouage SH-AWD version 2.0 que l'on retrouve sur la RLX Sport Hybrid.

Ted Klaus jure que la puissance n'a jamais été un objectif, mais confirme que les quatre moteurs produisent ensemble au moins 550 chevaux. La NSX devrait être assez rapide, merci. Elle aura quatre freins à disque en carbone-céramique pour la ralentir et une suspension tout aluminium à double bras triangulé pour tenir le cap.

### MATÉRIAUX MULTIPLES
Tous ces morceaux sont fixés à un châssis ultraléger qui serait également le plus rigide de sa catégorie. Il combine l'aluminium et l'acier à haute résistance, coulés, soudés et moulés selon des techniques nouvelles, avec un plancher en fibre de carbone pour faire bonne mesure. Les plus grands panneaux de la carrosserie, le toit et le capot, sont en aluminium. Les autres sont en composites de plastique moulés.

Le plus grand défi des ingénieurs et stylistes fut d'assurer le refroidissement de tous ces moteurs et d'obtenir quand même une excellente efficacité aérodynamique. Chose étonnante, ils y sont arrivés sans le moindre aileron mobile, variable ou rétractable. La NSX compte dix refroidisseurs et radiateurs, ce qui explique les prises d'air plus grandes devant les ailes arrière. Et si elle paraît plus costaude, c'est qu'elle est effectivement plus longue que le prototype de 8 cm sur un empattement allongé de 2 cm, et à la fois un peu plus large et haute.

La cabine est résolument moderne et axée sur la conduite, avec des contrôles minimalistes et des sièges très sculptés. Nous avons simplement hâte de boucler la ceinture, de choisir un des quatre modes de conduite et de démarrer. Pourquoi pas en mode Quiet, tout électrique ? Le plus tôt sera le mieux !

| Châssis - Base | |
| --- | --- |
| Emp / lon / lar / haut | 2630 / 4470 / 1940 / 1215 mm |
| Coffre / Réservoir | n.d. / n.d. |
| Nbre coussins sécurité / ceintures | n.d. / 2 |
| Suspension avant | ind., multibras |
| Suspension arrière | ind., multibras |
| Freins avant / arrière | disque / disque |
| Direction | à crémaillère, assistée |
| Diamètre de braquage | n.d. |
| Pneus avant / arrière | P245/35R19 / P295/30R20 |
| Poids / Capacité de remorquage | 1400 kg / n.d. |
| Assemblage | Marysville, OH |

| Composantes mécaniques | |
| --- | --- |
| Cylindrée, soupapes, alim. | V6 3,5 litres 24 s turbo |
| Puissance / Couple | n.d. ch / n.d. lb-pi |
| Tr. base (opt) / rouage base (opt) | A9 / Int |
| 0-100 / 80-120 / V.Max | n.d. / n.d. / n.d. |
| 100-0 km/h | n.d. |
| Type / ville / route / $CO_2$ | n.d. / n.d. / n.d. / n.d. |
| **Moteur électrique** | |
| Puissance / Couple | n.d. ch (n.d. kW) / n.d. lb-pi |
| Type de batterie | Lithium-ion (Li-ion) |
| Énergie | n.d. |

## Du nouveau en 2016

Tout nouveau modèle. Devrait être dévoilé dans les prochains mois.

Photos: Acura Canada

# ⒶACURA **RDX**

**Prix :** 41 990 $ à 46 590 $
**Catégorie :** VUS
**Garanties :**
4 ans/80 000 km, 5 ans/100 000 km
**Transport et prép. :** 2 110 $
**Ventes QC 2014 :** 1 369 unités
**Ventes CAN 2014 :** 6 557 unités

## Cote du Guide de l'auto

# 69 %

| Fiabilité | Appréciation générale |
|---|---|
| ■■■■■■■□□□ | ■■■■■■■□□□ |
| **Sécurité** | **Agrément de conduite** |
| ■■■■■■□□□□ | ■■■■■■■□□□ |
| **Consommation** | **Système multimédia** |
| ■■■■■□□□□□ | ■■■■■■■□□□ |

## Cote d'assurance

■■■■■■■■□□
$$$                             présentée par
                                **KANETIX.CA**
$$$                          $

➕ Puissance suffisante, peu importe la vitesse • Rouage intégral au fonctionnement transparent • L'un des plus spacieux de son segment • Style qui vieillira bien

➖ Direction surrassistée • Écran ACL un peu vieillot • Molette centrale contreintuitive • Accélérateur difficile à doser

## Concurrents
Audi Q5, BMW X3, Infiniti QX50, Land Rover Discovery Sport, Lincoln MKC, Mercedes-Benz Classe GLC, Volvo XC60

# De moins en moins caractériel

Frédérick Boucher-Gaulin

**P**lus compact que son grand frère le MDX et ô combien plus populaire que le défunt ZDX, le RDX a vu le jour en 2006 et en est actuellement à sa deuxième génération, qui date de 2012. Dès sa sortie, il s'est fait une place parmi les VUS intermédiaires de luxe, étant non seulement confortable et bien équipé, mais aussi très agréable à conduire.

Il présentait également des caractéristiques uniques, comme un moteur quatre cylindres turbocompressé (l'un des seuls au sein de la gamme Honda) ainsi qu'un rouage intégral sophistiqué. Baptisé SH-AWD, celui-ci transférait rapidement le couple du moteur d'une roue à l'autre pour augmenter la maniabilité dans les virages. Lors de sa plus récente refonte, le RDX a perdu les petites touches qui lui donnaient de la personnalité : il a troqué son quatre cylindres pour le V6 de 3,5 litres que l'on retrouve dans presque tous les autres produits Acura et son rouage techniquement avancé a fait place à une mécanique plus simple (similaire à celle installée sur le Honda CR-V). Ces changements avaient pour but de rendre le RDX plus accessible (et moins dispendieux à produire). Mais est-il toujours aussi attrayant ?

### POUR PLAIRE À TOUS
Le style du RDX peut maintenant être qualifié de conventionnel ; ses lignes ne sont pas trop agressives et le font paraître plus petit qu'il ne l'est en réalité. De plus, elles risquent de bien vieillir, puisqu'elles ne sont pas spécialement à la mode. On reconnaît immédiatement la grille en bec de rapace à l'avant du véhicule ; que l'on aime ou non, grâce à elle, on sait que l'on a affaire à un produit Acura. Les surfaces vitrées sont suffisamment grandes pour permettre une bonne visibilité sur 360 degrés, et même les manœuvres de recul sont faciles à effectuer (la caméra de recul venant de série aide beaucoup, avouons-le !). Somme toute, le RDX se fond dans la circulation, vous offrant ainsi l'anonymat.

L'habitacle se veut l'un des plus spacieux de sa catégorie, avec beaucoup d'espace pour vous, vos deux ou trois passagers et tous vos bagages.

La planche de bord a elle aussi été développée pour plaire à la majorité; si vous avez conduit un produit Honda dans la dernière décennie, vous ne serez pas dépaysé dans le RDX. Le tout est solidement fixé et la qualité des matériaux est digne de l'écusson Acura. Il faut un peu de temps pour apprivoiser la molette qui contrôle le système d'infodivertissement, cependant.

Le poste de pilotage du RDX est simple et bien disposé; on a un compte-tours et un indicateur de vitesse analogique sous les yeux, et ceux-ci sont séparés par un petit écran ACL qui renseigne sur l'état du véhicule, sa consommation d'essence, la durée du trajet... Avec son affichage bicolore, ce dernier fait un peu vieillot, mais il a le mérite d'être facile à lire.

Les sièges avant fournissent beaucoup de support latéral tout en étant suffisamment confortables lors de longs trajets. Par ailleurs, on accède aisément à toutes les commandes et puisque le cuir est le seul recouvrement disponible dans le RDX, le luxe règne à bord. Les places arrière ne rendront pas vos passagers impatients d'arriver à destination, mais ils ne s'y prélasseront pas non plus; l'espace pour les jambes y est cependant très adéquat. De plus, il est possible de transporter jusqu'à 2 178 litres de chargement en rabattant la banquette arrière.

### SPORTIVITÉ EN LIGNE DROITE

Le RDX bénéficie de 279 chevaux et 252 livres-pied de couple provenant de son V6 de 3,5 litres. Avec sa boîte automatique à six rapports et son rouage intégral, le VUS accélère avec autorité, peu importe la vitesse initiale. La transmission passe ses vitesses avec rapidité et transparence, et les quatre roues motrices optimisent la traction au besoin; lorsque les roues avant suffisent à la tâche, l'essieu arrière se déconnecte, ce qui améliore la consommation d'essence (celle-ci se chiffre à 8,7 litres aux 100 km sur la route et 12,1 en ville).

La direction du RDX est vive et directe, bien qu'un peu surassistée. Les suspensions sont conciliantes et ont à cœur le confort des occupants; ajoutez à cela le fait que le centre de gravité du véhicule est passablement haut, et un virage suffit à nous rappeler qu'on n'est pas au volant d'un coupé sport! Conduit à une allure raisonnable, ce VUS m'a surpris par sa douceur de roulement.

Même s'il a perdu quelques-uns des éléments qui le rendaient différent de ses compétiteurs directs, l'Acura RDX n'est pas devenu inintéressant; au contraire, ces changements ne l'ont rendu que plus attrayant pour l'acheteur type d'un multisegment. Plus que jamais, le plus petit des VUS Acura mérite considération, même lorsqu'on le compare à certains produits germaniques.

## Châssis - Base TI

| | |
|---|---|
| Emp / lon / lar / haut | 2685 / 4685 / 1872 / 1650 mm |
| Coffre / Réservoir | 739 à 2178 litres / 60 litres |
| Nbre coussins sécurité / ceintures | 6 / 5 |
| Suspension avant | ind., jambes force |
| Suspension arrière | ind., multibras |
| Freins avant / arrière | disque / disque |
| Direction | à crémaillère, ass. var. élect. |
| Diamètre de braquage | 11,9 m |
| Pneus avant / arrière | P235/60R18 / P235/60R18 |
| Poids / Capacité de remorquage | 1770 kg / 680 kg (1499 lb) |
| Assemblage | Marysville, OH |

## Composantes mécaniques

| | |
|---|---|
| Cylindrée, soupapes, alim. | V6 3,5 litres 24 s atmos. |
| Puissance / Couple | 279 ch / 252 lb-pi |
| Tr. base (opt) / rouage base (opt) | A6 / Int |
| 0-100 / 80-120 / V.Max | 7,1 s / 5,5 s / n.d. |
| 100-0 km/h | 42,9 m |
| Type / ville / route / $CO_2$ | Sup / 12,4 / 8,4 l/100 km / 4876 kg/an |

## Du nouveau en 2016

Modifications esthétiques aux pare-chocs et à la grille, nouveaux phares Jewel-Eye et feux arrière redessinés, nouvelles roues, plus de puissance et meilleure économie d'essence.

# ACURA **RLX**

**Prix :** 56 500 $ à 70 000 $ (estimé)
**Catégorie :** Berline
**Garanties :**
4 ans/80 000 km, 5 ans/100 000 km
**Transport et prép. :** 2 110 $
**Ventes QC 2014 :** 47 unités
**Ventes CAN 2014 :** 243 unités

## Cote du Guide de l'auto

# 70 %

| Fiabilité | Appréciation générale |
|---|---|
| ■■■■■■■□□□ | ■■■■■■■□□□ |

| Sécurité | Agrément de conduite |
|---|---|
| ■■■■■■■■□□ | ■■■■■■□□□□ |

| Consommation | Système multimédia |
|---|---|
| ■■■■■■□□□□ | ■■■■■□□□□□ |

## Cote d'assurance

présentée par
**KANETIX.CA**

■■■■■■■■□□
$$$                    $

➕ Sièges avant exceptionnels • Comportement sûr et fluide (hybride) • Groupe propulseur hybride et rouage novateurs • Grande fiabilité probable

➖ Consommation décevante (hybride) • Coffre limité (hybride) • Freinage sec en ville (hybride) • Silhouette anonyme • Certaines commandes agaçantes

## Concurrents
Audi A6, BMW Série 5, Cadillac CTS, Hyundai Genesis, Infiniti Q70, Jaguar XF, Lexus GS, Mercedes-Benz Classe E

# Luxes invisibles

Marc Lachapelle

**D**epuis sa création, Acura n'a jamais connu de grande réussite avec les berlines qui ont occupé le sommet de sa gamme. Entendons-nous pour accorder à la sportive NSX un statut particulier. Dans un segment où la concurrence est féroce avec les ténors allemands, les marques de luxe japonaises et même une coréenne, les modèles-phares d'Acura n'ont jamais brillé, malgré des qualités indiscutables et certains traits exceptionnels. La chose est encore vraie pour la RLX, en dépit des exploits techniques de la version Sport Hybrid.

Dans le monde du luxe automobile où l'excès est souvent perçu comme une vertu, les principes qui ont fait la force de Honda n'ont pas aussi bien servi sa marque de prestige. Les mots simplicité, ingéniosité, efficacité et logique ne sont effectivement pas les premiers qu'on associe aux voitures de luxe. Des premières Legend aux RLX actuelles, en passant par deux générations de RL, Acura s'est par exemple entêtée à conserver un V6 comme unique motorisation alors que ses rivales offrent au moins la possibilité de choisir un V8, classique moderne du genre.

### DÉBUTER EN AGNEAU
Mieux encore, la série RLX a été lancée avec un modèle à roues avant motrices alors qu'il faut maintenant un rouage intégral pour cartonner. Surtout chez nous. Cette première RLX était quand même plus grande, plus spacieuse, mieux équipée, plus sûre et plus raffinée. Plus élégante aussi, même si elle n'affiche toujours pas le style mordant et unique qu'il faut pour se démarquer et s'imposer dans ce segment où la robe chic est obligatoire. Au risque de choquer.

Heureusement qu'Acura avait déjà dans ses cartons la RLX Sport Hybrid qui allait au moins lui permettre d'échapper à l'anonymat le plus complet grâce à un groupe propulseur hybride inédit. Le premier rouage intégral SH-AWD (*Super Handling All-Wheel Drive*), présenté sur la berline RL en 2005, a été le pionnier du transfert de couple, une technique qui améliore grandement stabilité et tenue de route. On l'a abondamment imité depuis, y compris les Allemands. Or, Acura en a conçu une version entièrement nouvelle qui reprend le même principe mais l'applique de manière totalement différente.

## POURSUIVRE EN LI-ION...

Le nouveau rouage SH-AWD utilise un moteur électrique de 36 chevaux (27 kW) pour chacune des roues arrière de la RLX Sport Hybrid et un troisième (de 47 chevaux et 109 lb-pi) qui est solidaire de sa nouvelle boîte à 7 rapports et double embrayage robotisé. Les moteurs électriques sont alimentés par une batterie au lithium-ion (Li-Ion) et jumelés au V6 thermique à injection directe de 3,5 litres qui entraîne les roues avant.

Ce groupe propulseur hybride est semblable à celui de la nouvelle NSX, sauf que ce sont les roues avant qui sont entraînées par des moteurs électriques sur la sportive. Pour la RLX Sport Hybrid, la puissance combinée des quatre moteurs est de 377 chevaux et le couple total de 341 lb-pi. Elle expédie le sprint 0-100 km/h en 6,0 secondes et la reprise 80-120 km/h en 4,2 secondes. Ce n'est pas la bête de performance qu'on attendait mais à 1 975 kg, c'est loin d'être un poids plume.

Avec le couple instantané des moteurs électriques, la RLX survire très facilement sur une chaussée enneigée. On s'y adapte rapidement, grâce à un rouage qui modifie constamment le couple transmis aux roues et un antidérapage efficace, qui rend la conduite fluide. La direction et le train avant sont précis et linéaires. La RLX enfile les virages avec une finesse réjouissante.

Les freins mordent cependant trop sèchement en conduite urbaine, défaut courant sur les hybrides qui devient plus embêtant sur la neige et la glace. Étonnant qu'on n'ait pas adopté, pour la RLX, l'astuce technique qui corrige cette tare sur la Honda Accord Hybride actuelle.

## DOUÉE POUR LES LONGS COURRIERS

Notre essai de la RLX Sport Hybrid comprenait l'aller-retour au Salon de Detroit, périple de quelque 2 000 km. Elle s'y est révélée une excellente routière, dotée entre autres de sièges avant exceptionnellement confortables. Sans doute les meilleurs du moment.

Dommage que la Sport Hybrid ne soit pas très frugale avec une consommation d'environ 9 l/100 km à vitesse constante. L'autoroute n'est pas la force des hybrides et les froids de janvier n'ont pas aidé. On s'attend néanmoins à mieux, comme pour son coffre, amputé d'une part de son volume par la batterie de propulsion, comme plusieurs berlines hybrides.

La RLX ordinaire fait mieux dans les deux cas et promet elle aussi une excellente fiabilité. Quant à la Sport Hybrid, elle mérite une présentation plus audacieuse, à l'intention des technophiles avertis.

### Du nouveau en 2016

Suspension fortement révisée, groupe de sécurité AcuraWatch enrichi, nouvelle caméra périphérique disponible.

### Châssis - SH - AWD

| | |
|---|---|
| Emp / lon / lar / haut | 2850 / 4982 / 1890 / 1466 mm |
| Coffre / Réservoir | 328 litres / 57 litres |
| Nbre coussins sécurité / ceintures | 7 / 5 |
| Suspension avant | ind., double triangulation |
| Suspension arrière | ind., multibras |
| Freins avant / arrière | disque / disque |
| Direction | à crémaillère, ass. var. élect. |
| Diamètre de braquage | 12,4 m |
| Pneus avant / arrière | P245/40R19 / P245/40R19 |
| Poids / Capacité de remorquage | 1975 kg / n.d. |
| Assemblage | Saitama, JP |

### Composantes mécaniques

**SH - AWD**

| | |
|---|---|
| Cylindrée, soupapes, alim. | V6 3,5 litres 24 s atmos. |
| Puissance / Couple | 310 ch / 273 lb-pi |
| Tr. base (opt) / rouage base (opt) | A7 / Int |
| 0-100 / 80-120 / V.Max | 6,0 s / 4,2 s / n.d. |
| 100-0 km/h | 44,3 m |
| Type / ville / route / $CO_2$ | Sup / 8,0 / 7,5 l/100 km / 3577 kg/an |

**Moteur électrique**

| | |
|---|---|
| Puissance / Couple | 47 ch (35 kW) / n.d. lb-pi |
| Type de batterie | Lithium-ion (Li-ion) |
| Énergie | 1,3 kWh |

**Technologie, Elite**

| | |
|---|---|
| Cylindrée, soupapes, alim. | V6 3,5 litres 24 s atmos. |
| Puissance / Couple | 310 ch / 272 lb-pi |
| Tr. base (opt) / rouage base (opt) | A6 / Tr |
| 0-100 / 80-120 / V.Max | 6,8 s / 4,2 s / n.d. |
| 100-0 km/h | 43,2 m |
| Type / ville / route / $CO_2$ | Sup / 11,9 / 7,9 l/100 km / 4646 kg/an |

Photos : Jacques Duval, Acura Canada

# ⒶACURA **TLX**

((( **SiriusXM** )))

**Prix:** 37 141 $ à 49 641 $ (2015)
**Catégorie:** Berline
**Garanties:**
4 ans/80 000 km, 5 ans/100 000 km
**Transport et prép.:** 2 110 $
**Ventes QC 2014:** 844 unités (incluant TL)
**Ventes CAN 2014:** 3 497 unités (incluant TL)

## Cote du Guide de l'auto

# 74 %

| Fiabilité | Appréciation générale |
|---|---|
| ■■■■■■■□□□ | ■■■■■■■□□□ |
| Sécurité | Agrément de conduite |
| ■■■■■■■■□□ | ■■■■■■□□□□ |
| Consommation | Système multimédia |
| ■■■■■■□□□□ | ■■■■■■■□□□ |

## Cote d'assurance

■■■■■■■■□□

$$$                      $

présentée par
**KANETIX.CA**

➕ Moteurs et transmissions bien adaptés • Consommation modérée • Plate-forme solide • Fiabilité appréciée • Phares puissants

➖ Marque en manque de prestige • Système à quatre roues directrices peu intéressant • Mode sport+ trop sport + • Infinité de boutons au tableau de bord

## Concurrents
Audi A4, BMW Série 3, Cadillac ATS, Infiniti Q50, Lexus IS, Lincoln MKZ, Mercedes-Benz Classe C, Volvo S60

# Du deux dans un

Jacques Duval

**A**près un départ fulgurant sur le marché avec des voitures jeunes et dynamiques (souvenons-nous de l'Integra de type R), le giron de luxe de Honda tente depuis peu une percée dans l'arène des voitures mi-sportives, mi-luxueuses avec un modèle qui se veut du deux dans un en prenant la place des anciennes TSX et TL. Ces deux dernières sont parties à la retraite pour faire place à la TLX que j'ai pu essayer à l'aurore de l'hiver. Le temps pluvieux a notamment permis de constater que l'équipement pneumatique (Potenza) résiste drôlement bien à l'aquaplanage, une qualité que l'on vérifie malheureusement trop peu souvent.

Un merci immédiat au rouage intégral, une option qui faisait partie de l'équipement de la version dotée du moteur V6 de 3,5 litres et 290 chevaux qui acheminait son couple aux 4 roues motrices via une transmission automatique à, tenez-vous bien, 9 rapports. On est loin ici des *PowerGlide* à 2 vitesses des anciennes voitures de GM! Pour les moins vifs de caractère, cette berline sport peut épouser un moteur 4 cylindres de 2,4 litres et 206 chevaux qui, lui, s'accommode d'une transmission à 8 rapports… seulement, serait-on tenté d'ajouter.

### 4 ROUES DIRECTRICES ET MOTRICES
Pour cette offensive sur un marché où la concurrence arbore les emblèmes d'Audi, Lexus, BMW, Cadillac ou Mercedes-Benz, Acura a eu recours à la grande artillerie avec l'exclusive direction P-AWS agissant non seulement sur les roues antérieures, mais aussi postérieures, une technique utilisée d'abord, sans grand succès, sur une ancienne Honda Prelude. À l'usage, le volant donne une sensation bizarre et devient plus ferme qu'on le souhaiterait à une vitesse de croisière. Il faudrait des appareils de calcul hautement sophistiqués pour juger de l'efficacité de ce système particulier.

Le moteur V6 à injection directe est l'auteur d'accélérations vives et de reprises robustes, mais on appréciera davantage sa consommation modérée d'environ 7 litres aux 100 km sur l'autoroute. En ville ou en banlieue, cette sobriété est cependant moins évidente et peut grimper jusqu'à 10 litres aux 100 km. Hormis cette mauvaise note, la nouvelle TLX procure un bel agrément de conduite et il suffit de placer la suspension en mode sport pour s'amuser un peu. On évitera le choix du mode sport + qui semble céder toutes les commandes à l'électronique avec des changements de rapport inopportuns.

## ACCESSOIRES AD NAUSEAM

Cela paraîtra paradoxal, mais cette nouvelle Acura m'est apparue comme l'une des voitures dans lesquelles on se sent immédiatement à l'aise. Pas d'apprentissage requis, sauf au chapitre des commandes servant au fonctionnement de la flopée d'accessoires. Des boutons, il en pleut plein le tableau de bord au point où cela devient un véritable fouillis qui est l'antithèse de l'ergonomie. Les ingénieurs japonais auraient intérêt à se pencher sur cette anomalie.

Et pendant que l'on y est, pourquoi ne pas revenir au levier de vitesses conventionnel plus intuitif, au lieu de cette mollette placée sur la console centrale et qu'il faut tourner afin de l'aligner sur l'une les fonctions désirées entre PRND ou IDS pour les divers réglages du châssis. Et que dire du bouton de lancement du moteur terré derrière le volant !

Une fois franchie cette étape, le conducteur est dorloté par un volant chauffant, des sièges accueillants, une finition attentive sans oublier une excellente visibilité nuit et jour grâce à des phares que d'autres constructeurs devraient adopter (notamment GM sur sa Chevrolet Volt).

Le 3,5 litres commande à lui seul une première étoile et autorise la marque japonaise à considérer ce modèle comme une berline sport. On appréciera aussi la transparence de la transmission automatique qui enfile sa multitude de rapports sans à-coups. À l'image de ses rivales, la voiture est un peu chiche quant à l'espace pour les passagers arrière, surtout en ce qui a trait au dégagement pour la tête. Mon carnet de notes fait également mention d'une caisse solide, étanche aux bruits de caisse.

En voulant s'insérer plus solidement dans le segment des berlines sport de format moyen, Acura a produit une voiture digne d'intérêt, mais, qui, selon moi, aura du mal à déloger les modèles en place. L'excellente cote de fiabilité de la marque pourrait cependant détourner les acheteurs déçus de plus en plus des modèles équivalents de l'industrie allemande.

### Châssis - V6 Elite

| | |
|---|---|
| Emp / lon / lar / haut | 2775 / 4832 / 2091 / 1447 mm |
| Coffre / Réservoir | 405 litres / 65 litres |
| Nbre coussins sécurité / ceintures | 7 / 5 |
| Suspension avant | ind., jambes force |
| Suspension arrière | ind., multibras |
| Freins avant / arrière | disque / disque |
| Direction | à crémaillère, ass. var. élect. |
| Diamètre de braquage | 11,5 m |
| Pneus avant / arrière | P225/50R18 / P225/50R18 |
| Poids / Capacité de remorquage | 1647 kg / n.d. |
| Assemblage | Marysville, OH |

### Composantes mécaniques

**Base, Technologie**

| | |
|---|---|
| Cylindrée, soupapes, alim. | 4L 2,4 litres 16 s atmos. |
| Puissance / Couple | 206 ch / 182 lb-pi |
| Tr. base (opt) / rouage base (opt) | A8 / Tr |
| 0-100 / 80-120 / V.Max | 7,3 s (est) / n.d. / n.d. |
| 100-0 km/h | n.d. |
| Type / ville / route / $CO_2$ | Sup / 9,6 / 6,6 l/100 km / 3795 kg/an |

**SH-AWD**

| | |
|---|---|
| Cylindrée, soupapes, alim. | V6 3,5 litres 24 s atmos. |
| Puissance / Couple | 290 ch / 267 lb-pi |
| Tr. base (opt) / rouage base (opt) | A9 / Int (Tr) |
| 0-100 / 80-120 / V.Max | 6,6 s / 4,7 s / n.d. |
| 100-0 km/h | 47,3 m |
| Type / ville / route / $CO_2$ | Sup / 11,2 / 7,5 l/100 km / 4386 kg/an |

## Du nouveau en 2016

Aucun changement majeur

Photos : Acura Canada

ACURA TLX

## ALFA ROMEO 4C

((SiriusXM))

**Prix :** 61 995 $ à 75 995 $ (2015)
**Catégorie :** Roadster/Coupé
**Garanties :**
3 ans/60 000 km, 3 ans/60 000 km
**Transport et prép. :** n.d.
**Ventes QC 2014 :** n.d.
**Ventes CAN 2014 :** 2 unités

Cote du Guide de l'auto

# 77 %

Fiabilité
n.d.

Appréciation générale
■■■■■■■□□□

Sécurité
■■■■■■■■□□

Agrément de conduite
■■■■■■■■□□

Consommation
■■■■■■□□□□

Système multimédia
■■■■■□□□□□

Cote d'assurance
■■■□□□□□□□

présentée par
**KANETIX.CA**

$$$          $

➕ Superbe design • Châssis
léger • Excellente tenue de route •
Incroyablement amusante à conduire

➖ Difficile d'entrer et de sortir
du véhicule • Peu pratique pour un
usage au quotidien • Difficile à conduire
à basse vitesse • Aménagement
intérieur spartiate

## Concurrents
Audi TT, BMW Z4, Lotus Evora 400,
Mercedes-Benz SLK, Porsche Cayman

# Reculez ! Elle mord !

Benjamin Hunting

**Q**uand un manufacturier souhaite réintégrer un créneau qu'il a abandonné il y a longtemps, il opte habituellement pour l'une des deux voies suivantes : construire un modèle grand public abordable, ou faire un coup d'éclat en lançant une machine spectaculaire que peu d'autres marques oseraient présenter. De toute évidence, Alfa Romeo a choisi la deuxième option pour sa 4C.

Cette voiture constitue une excellente réponse à la question : que conduiriez-vous si vos seuls critères étaient une tenue de route super aiguisée et un look exotique saisissant ? La 4C affiche une personnalité impertinente et indéniablement remarquable, mais qu'a-t-elle d'autre à offrir pour se distinguer du peloton des voitures sportives ?

### DU CARACTÈRE À REVENDRE

Le caractère est un aspect que l'on néglige souvent lors de l'évaluation des automobiles modernes de haute performance. Chose certaine, la 4C n'en manque pas. Précisons qu'elle est résolument non fonctionnelle en tant que véhicule de tous les jours : elle n'a pas de coffre digne de ce nom (seulement une cavité sous le hayon, coincée entre le pare-chocs et le moteur central), les rebords de la caisse structurelle en fibre de carbone sont tellement larges qu'on a peine à prendre place, et les sièges ne s'inclinent pas du tout parce que… il n'y a pas assez de place pour les incliner.

Le caractère affirmé de la 4C continue à se manifester une fois qu'on a appuyé sur le bouton de démarrage. La boîte automatisée à six rapports avec double embrayage n'a pas de position « Park », ce qui fait que le coupé se déplace selon la pente du sol dès qu'on enlève le pied de la pédale de frein. La direction n'est pas assistée, ce qui vous permettra de développer la force musculaire d'un débardeur au niveau des épaules en conduite à moins de 10 km/h. Quant au système d'échappement, il est constitué d'un simple tube qui va des collecteurs d'échappement aux sorties arrière : pas de silencieux final, pas de « résonateur » intermédiaire, rien ! Voilà qui complique les discussions philosophiques avec votre passager quand la 4C roule à bonne vitesse.

## ÇA VAUT LE COUP

Vous vous souvenez de ce coloc un peu étrange que vous tolériez parce qu'il vous trouvait toujours des billets pour les parties des Canadiens ? Tout ce qui rend l'Alfa Romeo 4C si terrible pour un usage au quotidien disparaît instantanément quand vous réalisez que c'est précisément cela qui vous permet de vivre une expérience à haute teneur en adrénaline, comme on en vit de moins en moins à bord des voitures sportives modernes.

Des boutons dans la console centrale permettent de choisir entre trois modes de conduite : dynamique, naturel et tous climats. Choisissez le mode dynamique et vous voilà prêt à utiliser les palettes au volant afin de monter les rapports. Votre récompense : faire grimper le régime du quatre cylindres turbo de 1,75 litre jusqu'à la zone rouge. Avec ses 237 chevaux et son couple de 258 lb-pi, le moteur propulse la 4C avec autorité, et peut accélérer de 0 à 100 km/h en 4,5 secondes. Le tout avec la trame sonore impétueuse du turbocompresseur qui s'emballe juste derrière votre tête. Les amateurs du genre seront comblés.

Le plaisir viscéral engendré par cette Alfa Romeo est renforcé par le sentiment intense de connexion à la route. Cet attribut provient en bonne partie de la légèreté de la machine, et du fait que la direction n'est pas assistée, comme nous avons mentionné plus tôt. La répartition du poids est légèrement accentuée vers l'arrière (9 % de plus), ce qui permet à la 4C de sortir des virages comme si elle était propulsée par un lance-pierre tandis que ses pneus de 19 pouces s'agrippent à la route avec fureur. Il n'y a que la pédale de frein, à la réponse sèche, qui ne donne pas le même *feedback* sensationnel que le reste de la mécanique.

Au lieu d'essayer de fabriquer une voiture sport parfaite, Alfa Romeo a décidé de construire une machine avec une personnalité extrêmement affirmée, un bolide d'à peine 1 000 kg prêt à dévorer la route. Il n'est pas exagéré de dire qu'avec sa carrosserie de fibre de verre aux lignes sculpturales, la 4C est l'un des plus beaux véhicules disponibles au pays. Et à l'usage, on réalise que son caractère particulièrement aiguisé est au diapason de son look impressionnant, ce qui fait ombrage à plusieurs de ses rivales hautes performances nettement plus raisonnables, mais moins électrisantes.

### Châssis - Coupé

| | |
|---|---|
| Emp / lon / lar / haut | 2380 / 4000 / 1868 / 1183 mm |
| Coffre / Réservoir | 105 litres / 40 litres |
| Nbre coussins sécurité / ceintures | 2 / 2 |
| Suspension avant | ind., double triangulation |
| Suspension arrière | ind., jambes force |
| Freins avant / arrière | disque / disque |
| Direction | à crémaillère |
| Diamètre de braquage | 12,1 m |
| Pneus avant / arrière | P205/45ZR17 / P235/40ZR18 |
| Poids / Capacité de remorquage | 1118 kg / n.d. |
| Assemblage | Modène, IT |

### Composantes mécaniques

| | |
|---|---|
| Cylindrée, soupapes, alim. | 4L 1,7 litre 16 s turbo |
| Puissance / Couple | 237 ch / 258 lb-pi |
| Tr. base (opt) / rouage base (opt) | A6 / Prop |
| 0-100 / 80-120 / V.Max | 4,5 s (const) / n.d. / 260 km/h |
| 100-0 km/h | 36,0 m |
| Type / ville / route / $CO_2$ | Sup / 9,8 / 5,0 l/100 km / 3514 kg/an |

### Du nouveau en 2016

Ajout de la version 4C Spider à toit amovible

Photos : Alfa Romeo

# ASTON MARTIN **DB9/VANQUISH**

**Prix :** 198 000 $ à 319 000 $ (2015)
**Catégorie :** Cabriolet, Coupé
**Garanties :**
3 ans/illimité, 3 ans/illimité
**Transport et prép. :** n.d.
**Ventes QC 2014 :** n.d.
**Ventes CAN 2014 :** n.d.

## Cote du Guide de l'auto

# 67 %

Fiabilité
■■■■■■□□□□

Appréciation générale
■■■■■■■□□□

Sécurité
■■■■■□□□□□

Agrément de conduite
■■■■■■□□□□

Consommation
■■■□□□□□□□

Système multimédia
■■■■■□□□□□

## Cote d'assurance
■■■□□□□□□□
$$$                    $

présentée par
**KANETIX.CA**

⊕ Silhouettes superbes • Bon niveau
de confort • Présentation soignée de
l'habitacle • Sonorité envoûtante du V12

⊖ Diffusion limitée • Places arrière
symboliques • Absence de boîte
à double embrayage • Pas aussi
performantes que la concurrence

## Concurrents
Audi R8, Bentley Continental,
Ferrari 488 GTB, Lamborghini Huracán,
McLaren 650S, Mercedes-Benz AMG GT,
Porsche 911

# En transition

Gabriel Gélinas

**L**a marque Aston Martin est en voie de transition avec
une nouvelle Vanquish lancée en 2015, alors que la rem-
plaçante de la DB9 se pointera fin 2016 ou début 2017.
**Portrait de deux exotiques dont le charme est au zénith.**

Pour ce qui est du style, la Vanquish redessinée ne se démarque pas
tellement de sa devancière, histoire de préserver une filiation avec la
lignée. C'est plus sur le plan technique que l'on note un certain progrès
avec, par exemple, l'adoption d'une nouvelle boîte à huit rapports —
développée par l'équipementier ZF — en remplacement de la boîte à
six rapports du modèle précédent, ainsi que l'adoption de nouvelles
liaisons au sol par l'entremise de suspensions redessinées paramé-
trables sur trois modes, soit Normal, Sport et Track.

### LOURDE, MAIS ÉQUILIBRÉE
La nouvelle Vanquish affiche encore et toujours un poids très élevé à la
pesée, mais compose avec cet impair grâce à une répartition presque
idéale des masses, soit de 51 % sur l'avant et 49 % sur l'arrière. Cela lui
assure un très bon équilibre, gage d'un dynamisme inspiré. Le V12 de
6,0 litres et 568 chevaux s'exprime avec un enthousiasme débridé
lorsqu'il atteint 5 000 tours/minute mais ronronne comme un gros chat
au ralenti. En ce qui a trait à la performance pure, la Vanquish est
déclassée par la Ferrari F12berlinetta, la fougueuse italienne pouvant
s'avérer plus radicale et dynamique que la belle anglaise.

Prendre place à bord d'une Aston Martin, c'est découvrir un habitacle
drapé de cuir avec des sièges enveloppants et une console centrale
de style *old school* qui affiche une sobriété tout à fait britannique.
Cependant, la Vanquish montre un peu son âge puisqu'elle est
dépourvue des plus récentes technologies, comme un écran tactile, et
elle doit encore composer avec un écran central qui se déploie pour
afficher les indications du système de navigation. Elle accuse donc
un certain retard sur le plan technique par rapport aux rivales de
conception plus récente.

## LA PROCHAINE DB

Un prototype de la remplaçante de l'actuelle DB9, dont le lancement est programmé pour la fin de 2016 ou le début de 2017, a été photographié lors d'essais menés sur le circuit du Nürburgring, terrain de jeu par excellence pour la mise au point de voitures à vocation sportive. La prochaine Aston Martin portera probablement le nom de DB10 ou DB11, ces deux désignations ayant été dernièrement enregistrées par la marque anglaise, et sera élaborée sur une version modifiée de la plate-forme VH qui fera un usage plus étendu de matériaux plus légers, dont l'aluminium, histoire de réduire le poids de la voiture tout en augmentant la rigidité du châssis.

Une version modifiée du moteur V8 biturbo — développé par la division AMG de Mercedes-Benz — qui anime la récente AMG GT se retrouvera sous le capot de la nouvelle DB et il est également possible que le moteur atmosphérique V12 de 6,0 litres et 510 chevaux de l'actuelle DB9 soit doté de la turbocompression lors de la refonte, permettant au constructeur de déployer encore plus de puissance. Serait-il donc possible de voir arriver une DB10 à moteur V8 biturbo doublée d'une DB11 à moteur V12 biturbo ? Quand on considère que Aston Martin est un petit constructeur produisant un peu plus de 4 000 voitures par année à l'heure actuelle, une telle segmentation du modèle DB permettrait certainement à la marque d'augmenter sa marge de profit.

## LE FUTUR AUGURE BIEN

Aston Martin est aujourd'hui la propriété de fonds d'investissement d'Europe et du Moyen-Orient et l'époque où la célèbre marque anglaise faisait partie du portefeuille des marques de Ford est depuis longtemps révolue. Aston Martin ne peut donc plus compter sur les ressources financières et techniques d'un géant de l'automobile pour concevoir les nouveaux modèles dont elle a grandement besoin.

Bénéficiant d'une injection de capitaux chiffrée à 200 millions de livres sterling de la part de ses propriétaires, Aston Martin est aujourd'hui sur la voie d'une relance qui lui permettra de concevoir de nouvelles plates-formes servant à la construction de nouveaux modèles, dont un éventuel VUS élaboré à partir du Concept DBX à motorisation électrique qui a été très bien reçu à son dévoilement au Salon de l'auto de Genève. Il est également possible que Aston Martin établisse une usine dans le sud des États-Unis ou qu'elle reprenne l'ancienne usine de Jaguar à Brown's Lane en Angleterre pour produire ses futurs modèles. La suite des choses promet d'être passionnante.

### Châssis - DB9 Volante

| | |
|---|---|
| Emp / lon / lar / haut | 2740 / 4720 / 2061 / 1282 mm |
| Coffre / Réservoir | 187 litres / 78 litres |
| Nbre coussins sécurité / ceintures | 4 / 4 |
| Suspension avant | ind., double triangulation |
| Suspension arrière | ind., double triangulation |
| Freins avant / arrière | disque / disque |
| Direction | à crémaillère, ass. var. électro. |
| Diamètre de braquage | 12,5 m |
| Pneus avant / arrière | P245/35ZR20 / P295/30ZR20 |
| Poids / Capacité de remorquage | 1890 kg / n.d. |
| Assemblage | Gaydon, GB |

### Composantes mécaniques

**DB9 Coupé, Volante**

| | |
|---|---|
| Cylindrée, soupapes, alim. | V12 6,0 litres 48 s atmos. |
| Puissance / Couple | 510 ch / 457 lb-pi |
| Tr. base (opt) / rouage base (opt) | A6 / Prop |
| 0-100 / 80-120 / V.Max | 4,6 s (const) / n.d. / 295 km/h |
| 100-0 km/h | n.d. |
| Type / ville / route / $CO_2$ | Sup / 21,6 / 10,0 l/100 km / 7535 kg/an |

**Vanquish**

| | |
|---|---|
| Cylindrée, soupapes, alim. | V12 6,0 litres 48 s atmos. |
| Puissance / Couple | 568 ch / 465 lb-pi |
| Tr. base (opt) / rouage base (opt) | A6 / Prop |
| 0-100 / 80-120 / V.Max | 4,1 s (const) / n.d. / 295 km/h |
| 100-0 km/h | n.d. |
| Type / ville / route / $CO_2$ | Sup / 16,2 / 10,7 l/100 km / 6305 kg/an |

### Du nouveau en 2016

Nouvelle génération du modèle DB à venir

Photos : Aston Martin

# ASTON MARTIN **RAPIDE**

**Prix :** 210 500 $ (2015)
**Catégorie :** Berline
**Garanties :**
3 ans/illimité, 3 ans/illimité
**Transport et prép. :** n.d.
**Ventes QC 2014 :** n.d.
**Ventes CAN 2014 :** n.d.

## Cote du Guide de l'auto

# 68 %

| Fiabilité | Appréciation générale |
|---|---|
| ■■■■■■□□□□ | ■■■■■■■□□□ |
| Sécurité | Agrément de conduite |
| ■■■■■■■□□□ | ■■■■■■■□□□ |
| Consommation | Système multimédia |
| ■■■■■□□□□□ | ■■■■■■□□□□ |

## Cote d'assurance

■■■■□□□□□□
$$$                    $

présentée par
**KANETIX.CA**

+ Le V12 au son le plus mélodieux qui soit • Tenue de route d'une voiture sport • Boîte de vitesses améliorée • La plus belle voiture au monde à mon avis

– Places arrière pour courts trajets seulement • Pas de boîte automatisée à double embrayage • Prix élevé • Système de navigation peu convivial

## Concurrents

Jaguar XJ, Mercedes-Benz Classe CLS, Porsche Panamera

# Toute une beauté !

David Booth

**L**a Rapide S a beau jouer la carte des voitures pratiques, elle est d'abord et avant tout conçue comme une véritable sportive. Cette berline est absolument magnifique – c'est la plus belle voiture au monde à mon avis !

Comme dans le cas d'un coupé, les sièges arrière serviront essentiellement à emmener vos amis à votre boîte de nuit préférée, car ils sont à peine plus spacieux que ceux d'un coupé. Ou plutôt à l'opéra, parce que la plupart des gens qui ont les moyens d'acheter une Aston Martin ont passé l'âge des boîtes de nuit... Grâce aux quatre portières, vos élégants passagers pourront accéder aux petites places arrière avec un minimum d'acrobaties. Vous ne voudrez pas les y asseoir lors d'une longue promenade, par contre, parce qu'ils risquent d'être victimes de claustrophobie ou de maux de dos. En fait, voyez cette Aston Martin à quatre portes comme un coupé 2+2 avec un accès plus facile à l'arrière.

### LA RAPIDE ET RIEN D'AUTRE

Cela dit, la Rapide S est l'Aston Martin que je choisirais. Notamment parce que c'est la bagnole la plus belle et la plus *sexy* sur Terre. Pas la plus belle berline, pas la plus belle voiture de luxe, non, la plus belle tout court. Je trouve qu'elle affiche des proportions parfaites. Un seul petit bémol : Aston Martin a trop agrandi la calandre il y a quelques années en voulant lui donner un air plus agressif. Ça manque un peu de subtilité. Mais au total, j'estime quand même que le style de la Rapide S occupe la première place sur la planète automobile, toutes catégories confondues. Et, oui, elle devance même la Ferrari 488 GTB que j'ai essayée récemment.

Les prestations sportives de la Rapide sont à la hauteur de son apparence. Elle est propulsée par le moteur phare d'Aston, un V12 de 6,0 litres à double arbre à cames en tête. Sa puissance a été haussée à 552 chevaux, avec un couple de 465 lb-pi. C'est un véritable bijou. Il ne monte pas en régime aussi intensément que celui de la Ferrari F12berlinetta, par exemple, mais sa sonorité est plus exotique et absolument mélodieuse.

## ELLE PORTE BIEN SON NOM

Tout comme la Vanquish, la Rapide gagne cette année une boîte automatique à huit rapports (au lieu de la boîte ZF à six vitesses). En plus d'entraîner une baisse de la consommation d'essence de l'ordre de 10 %, elle contribue à rendre la Rapide encore plus... rapide! Elle passe désormais de 0 à 100 km/h en seulement 4,4 secondes. La machine affiche également une hausse de sa vitesse de pointe, à plus de 320 km/h (mais cela ne fait pas beaucoup de différence dans un pays où les policiers n'ont rien d'autre à faire que de pointer leurs radars sur les automobilistes).

En plus d'être magnifique et puissante, la Rapide est dotée d'une solide tenue de route. L'an dernier, elle a gagné une suspension plus ferme et sa direction est encore plus précise. La berline enfile tellement bien les virages qu'on peut facilement oublier qu'il y a deux autres sièges derrière. Quoique s'il y a des passagers dans lesdits sièges, vous les entendrez peut-être pousser des cris si vous conduisez trop vite... Cela dit, si vous roulez sagement sur l'autoroute, ils pourront se laisser dorloter dans un environnement douillet. Cette Rapide affiche une polyvalence que l'on ne retrouve pas dans beaucoup d'autres bagnoles sportives.

## SYMPHONIE

À l'intérieur, les cuirs fins abondent et les sièges baquets à l'arrière sont chics et enveloppants. Ils ne sont peut-être pas idéaux pour les longs trajets, mais les dossiers se rabattent complètement en appuyant sur un bouton, ce qui crée un espace de chargement plus spacieux que dans toute autre 2+2. Le système de navigation est toujours un peu bancal, mais la chaîne audio Bang & Olufsen est digne d'une Audi.

Aston Martin décrit sa Rapide S comme «la voiture sport à quatre portières la plus belle du monde». Tous les éléments de cette affirmation sont vrais, mais le côté pratique habituel des automobiles à quatre portes n'est pas aussi présent qu'on pourrait le croire. Au final, cependant, il n'en demeure pas moins que la Rapide est plus racée qu'une Porsche Panamera, plus envoûtante qu'une Audi RS 7 et supérieure à une Mercedes-Benz CLS au chapitre de la tenue de route. Et vos amis seront vraiment contents de pouvoir accéder aux places arrière sans faire d'acrobaties.

### Châssis - S

| | |
|---|---|
| Emp / lon / lar / haut | 2989 / 5019 / 2140 / 1360 mm |
| Coffre / Réservoir | 223 à 792 litres / 91 litres |
| Nbre coussins sécurité / ceintures | 8 / 4 |
| Suspension avant | ind., double triangulation |
| Suspension arrière | ind., double triangulation |
| Freins avant / arrière | disque / disque |
| Direction | à crémaillère, ass. var. |
| Diamètre de braquage | 12,5 m |
| Pneus avant / arrière | P245/40R20 / P295/35R20 |
| Poids / Capacité de remorquage | 1990 kg / n.d. |
| Assemblage | Gaydon, GB |

### Composantes mécaniques

**S**

| | |
|---|---|
| Cylindrée, soupapes, alim. | V12 6,0 litres 48 s atmos. |
| Puissance / Couple | 552 ch / 465 lb-pi |
| Tr. base (opt) / rouage base (opt) | A8 / Prop |
| 0-100 / 80-120 / V.Max | 4,4 s (const) / n.d. / 327 km/h |
| 100-0 km/h | n.d. |
| Type / ville / route / CO$_2$ | Sup / 16,8 / 10,7 l/100 km / 6465 kg/an |

## Du nouveau en 2016

Aucun changement majeur

Photos: Aston Martin

# ASTON MARTIN **VANTAGE**

**Prix :** 105 000 $ à 195 300 $ (2015)
**Catégorie :** Coupé, Roadster
**Garanties :**
3 ans/illimité, 3 ans/illimité
**Transport et prép. :** n.d.
**Ventes QC 2014 :** n.d.
**Ventes CAN 2014 :** n.d.

## Cote du Guide de l'auto

# 68 %

Fiabilité
■■■■■□□□□□

Appréciation générale
■■■■■■■□□□

Sécurité
■■■■■■□□□□

Agrément de conduite
■■■■■■■□□□

Consommation
■■■■■■□□□□

Système multimédia
■■■■□□□□□□

## Cote d'assurance
■■□■■■■□□□
$$$              $

➕ Bon prix pour un coupé sport de luxe (GT) • Puissant moteur V8 • Tenue de route supérieure • Lignes attrayantes

➖ Confort de roulement • Système de navigation perfectible • Plate-forme VH en fin de parcours • Version V12 Vantage trop chère

### Concurrents
Audi R8, Jaguar XF, Mercedes-Benz AMG GT, Porsche 911

# Presque raisonnable

David Booth

**A**ngeles Crest Highway. Aston Martin Vantage. Virages serrés. Tenue de route précise. Adhérence exceptionnelle. Légères protestations des pneus Bridgestone. Protestations un peu plus marquées du passager. V8 de 4,7 litres à double arbre à cames en tête qui ronronne. Bref, la routine au volant d'une Aston Martin.

### PAS VRAIMENT...
Nous sommes à bord de la GT. Comme les autres Vantage, elle affiche des lignes superbes et l'on trouve 430 chevaux sous le capot. Mais il y a quelque chose de différent : un prix de vente (presque) raisonnable.

Évidemment, tout est relatif, mais à 105 000 $ (tarif de 2015), c'est le montant le plus bas jamais vu pour une Aston Martin depuis plus de 30 ans. Pour vous donner une idée, il s'agit d'un prix comparable à celui d'une Porsche 911 Carrera d'entrée de gamme.

### PLUS DE PUISSANCE À MOINDRE PRIX
La GT est pourtant loin d'être un modèle dénudé au point de perdre son âme. Avec la V8 Vantage de base et la version supérieure S, on peut choisir – au moment de l'achat – un calibrage de suspension de type sport ou confort. Dans le cas de la GT, la suspension sport est toujours livrée de série. De plus, elle est offerte avec un choix limité de couleurs. Pour le reste, la majorité des touches de luxe des Vantage sont au rendez-vous : sièges en cuir, clé en verre et système de navigation (peu convivial). Plus important encore, le puissant V8 de 4,7 litres n'a pas été recalibré à la baisse comme c'est souvent le cas quand les manufacturiers de luxe lancent des modèles à prix réduit. Au contraire, la GT a droit au moteur légèrement plus puissant de la version S. Il développe 430 chevaux et 361 lb-pi de couple (contre 420 ch et 346 lb-pi pour le moteur de base). Bref, la GT a beau être moins chère, elle n'est pas diluée pour autant.

C'est d'ailleurs ce que j'ai pu vérifier en poursuivant des motos sport particulièrement rapides sur la route Angeles Crest de Californie. La

GT est disponible avec une boîte automatisée à sept rapports avec simple embrayage, mais le passage des vitesses est sec. Mieux vaut conserver l'excellente boîte manuelle à six rapports de série. Le gros V8 livre une puissance prodigieuse de 3 000 à 7 000 tr/min – la troisième vitesse fait donc des merveilles pour la majorité de ce trajet.

Tout comme la direction. L'architecture VH d'Aston Martin a eu droit à de nombreuses améliorations au fil des ans, mais elle est tout de même âgée d'une dizaine d'années déjà, ce qui est énorme dans le monde automobile actuel. En pratique, toutefois, on ne sent absolument rien d'archaïque en enfilant les virages. La direction à assistance hydraulique est plus lourde que les systèmes à assistance électrique modernes, mais elle permet de sentir particulièrement bien la route. J'accélère, je tourne et je freine à fond avec le même entrain que si j'étais dans une 911. L'adhérence des pneus Bridgestone Potenza RE050 (245/40ZR19 à l'avant, 285/35ZR19 à l'arrière) est prodigieuse et, surtout, elle est bien répartie entre l'avant et l'arrière. En d'autres termes, même si la Vantage GT n'est pas le coupé sport le plus rapide sur le marché, il est l'un des plus faciles à piloter et, sauf pour les véritables coureurs automobiles, c'est là une qualité nettement plus importante.

La GT exige peu de concessions malgré son prix réduit. Si vous voulez une Vantage pour impressionner la galerie plutôt que pour la conduite sport, vous trouverez sans doute sa suspension passablement ferme sur les revêtements défoncés. Vous pourriez alors envisager la version S, et la commander avec une suspension confort. Quant au système de navigation, il donne l'impression d'avoir été ajouté à la dernière minute (mais c'est également le cas dans certaines Aston Martin plus coûteuses).

## GT OU S?

La V8 Vantage S est propulsée par un moteur absolument identique à celui de la GT, mais elle coûte presque 40 000$ de plus. Pour ce montant supplémentaire, vous obtenez une suspension améliorée, un système d'échappement sport et différentes pièces en fibre de carbone. La différence de prix ne me semble pas justifiée. Quant à la Vantage à moteur V12 de 565 chevaux, certains affirment que c'est la plus sportive des Aston Martin, mais pour le même montant, vous pourriez acheter la Rapide S à quatre portières, un modèle presque aussi rapide, tout aussi *sexy* et plus pratique.

C'est tout cela qui fait de la GT ma Vantage préférée. Elle est plus typée que le modèle standard, plus séduisante que la S (elle est irrésistible en livrée verte et jaune) et plus équilibrée que la V12. Le fait qu'elle soit offerte à si bas prix n'est pas la raison pour acheter la GT, c'est juste une excuse.

### Châssis - V12 Coupé S

| | |
|---|---|
| Emp / lon / lar / haut | 2600 / 4385 / 2022 / 1250 mm |
| Coffre / Réservoir | 300 litres / 80 litres |
| Nbre coussins sécurité / ceintures | 4 / 2 |
| Suspension avant | ind., double triangulation |
| Suspension arrière | ind., double triangulation |
| Freins avant / arrière | disque / disque |
| Direction | à crémaillère, ass. var. |
| Diamètre de braquage | 11,8 m |
| Pneus avant / arrière | P255/35ZR19 / P295/30ZR19 |
| Poids / Capacité de remorquage | 1665 kg / n.d. |
| Assemblage | Gaydon, GB |

### Composantes mécaniques

**V8 Coupé / Roadster**

| | |
|---|---|
| Cylindrée, soupapes, alim. | V8 4,7 litres 32 s atmos. |
| Puissance / Couple | 420 ch / 346 lb-pi |
| Tr. base (opt) / rouage base (opt) | M6 (A7) / Prop |
| 0-100 / 80-120 / V.Max | 4,9 s / 290 km/h |
| 100-0 km/h | 39,0 m |
| Type / ville / route / $CO_2$ | Sup / 16,3 / 10,4 l/100 km / 6302 kg/an |

**V8 Coupé GT, V8 Coupé S, V8 Roadster S**

| | |
|---|---|
| Cylindrée, soupapes, alim. | V8 4,7 litres 32 s atmos. |
| Puissance / Couple | 430 ch / 361 lb-pi |
| Tr. base (opt) / rouage base (opt) | M6 (M7) / Prop |
| 0-100 / 80-120 / V.Max | 4,8 s (const) / n.d. / 305 km/h |
| 100-0 km/h | 39,0 m |
| Type / ville / route / $CO_2$ | Sup / 15,7 / 9,6 l/100 km / 5934 kg/an |

**V12 Coupé S**

| | |
|---|---|
| Cylindrée, soupapes, alim. | V12 6,0 litres 48 s atmos. |
| Puissance / Couple | 565 ch / 457 lb-pi |
| Tr. base (opt) / rouage base (opt) | A7 / Prop |
| 0-100 / 80-120 / V.Max | 3,9 s (const) / n.d. / 330 km/h |
| 100-0 km/h | n.d. |
| Type / ville / route / $CO_2$ | Sup / 24,1 / 11,6 l/100 km / 7750 kg/an |

## Du nouveau en 2016

Aucun changement majeur

Photos : Aston Martin

# AUDI **A3**

## Le retour de la familiale

Sylvain Raymond

**Prix :** 31 600 $ à 48 900 $ (2015)
**Catégorie :** Berline, Cabriolet, Hatchback
**Garanties :**
4 ans/80 000 km, 4 ans/80 000 km
**Transport et prép. :** 2 095 $
**Ventes QC 2014 :** 836 unités
**Ventes CAN 2014 :** 2 452 unités

---

Cote du Guide de l'auto

## 80 %

Fiabilité
■■■■■■■■■□□

Appréciation générale
n.d.

Sécurité
■■■■■■■■□□

Agrément de conduite
■■■■■■■■□□

Consommation
■■■■■■□□□□

Système multimédia
■■■■■■■□□□

---

Cote d'assurance
■■■■■■■■□□
$$$                    $

présentée par
**KANETIX.CA**

---

➕ Plusieurs mécaniques intéressantes •
Retour de la familiale • Conduite
dynamique • Finition intérieure

➖ Espace intérieur limité (berline) •
Équipements intéressants en option •
Pas de moteur conventionnel dans la
familiale • Absence d'une boîte manuelle

---

**Concurrents**
Acura ILX, BMW Série 2,
Mercedes-Benz Classe CLA

**L**ors de l'introduction de la nouvelle génération de l'A3 l'an passé, Audi a changé son fusil d'épaule et a décidé de la proposer sous les traits d'une berline quatre portes au lieu de la familiale. Pourquoi ? Pour donner la réplique à Mercedes-Benz et BMW qui écoulent bon nombre d'unités dans ce segment, mais surtout pour augmenter les ventes globales du modèle en adoptant une configuration plus populaire.

Même si ce changement a permis d'obtenir les premières A3 cabriolet et S3 berline, plusieurs loyaux amateurs auraient bien aimé que l'on continue à proposer la familiale. Il est facile de s'imaginer pourquoi. Le style, la conduite emballante et l'espace de chargement du modèle sont une combinaison difficile à égaler. Il semble que leurs doléances ont trouvé une oreille attentive puisque le constructeur l'a remise au catalogue pour 2016, non pas sans imposer tout de même un compromis quant aux possibilités.

### PAS UNE, DEUX FAMILIALES

Puisqu'elle est baptisée Sportback TDI, on comprend qu'elle n'est pas proposée avec un moteur à essence mais bien une mécanique diesel. On a pigé du côté du groupe Volkswagen afin de l'équiper d'un quatre cylindres de 2,0 litres qui développe une puissance de 150 chevaux. Il est jumelé à une boîte de vitesses S tronic à six rapports et à double embrayage. L'autre familiale, c'est la Sportback e-tron qui est encore plus économique grâce à son groupe propulseur hybride. Elle hérite d'un moteur électrique de 75 kilowatts jumelé à un moteur à essence quatre cylindres de 1,4 litre qui produit 150 chevaux. La puissance combinée des deux moteurs est de 204 chevaux et le couple maximal est chiffré à 258 livres-pied. Malgré un poids supérieur d'à peu près 300 kilos, cette dernière peut boucler le sprint du 0-100 km/h en environ 7,5 secondes.

Quant à la berline A3, elle demeure pratiquement inchangée cette année et revient avec ses trois motorisations. La livrée de base reçoit le quatre cylindres de 1,8 litre turbocompressé et à injection directe qui développe 170 chevaux, principalement intéressant en raison de son prix de base attrayant, un peu plus de 30 000 $. Vient ensuite la version diesel TDI qui séduit par sa consommation réduite, surtout sur l'autoroute et finalement, la 2.0 TFSI dont le moteur développe 220 chevaux.

## LA S3, UN VRAI DÉLICE!

Vous cherchez une sportive compacte, relativement abordable et capable de vous donner des frissons sur piste? La S3 est à retenir. Elle reçoit de série un rouage intégral quattro et le moteur qui l'anime est un quatre cylindres de 2,0 litres turbocompressé d'une puissance de 290 chevaux et un couple de 280 lb-pi. Ce sont tout de même des chiffes plus éloquents que les 220 chevaux de l'A3 régulière, mais moins brutaux que les 355 chevaux de la Mercedes-Benz CLA 45 AMG, sa plus proche rivale. En revanche, le prix de la S3 est inférieur à celui de la sportive compacte AMG, un compromis que plusieurs seront prêts à accepter.

Côté style l'A3 s'est modernisée l'an passé et ses dimensions sont en hausse, ce qui apporte un habitacle plus spacieux. On apprécie les subtilités de la S3, notamment son bouclier plus agressif et ses jantes optionnelles de 19 pouces laissant entrevoir les étriers de freins peints en rouge.

Les intérieurs, c'est l'affaire d'Audi. L'odeur de l'habitacle est typique, les yeux fermés on pourrait deviner que l'on est à bord d'un produit Audi. Les passagers avant profitent de sièges comportant des supports plus agressifs alors que ceux à l'arrière doivent composer avec un peu plus d'intimité, élément commun à toutes les berlines compactes. Même constat pour l'espace de chargement qui est plus réduit que dans le cas de la familiale.

Ce que l'A3 perd en aspect pratique, elle le gagne en agilité et en plaisir de conduite. On peut regretter l'absence d'une boîte manuelle, elle était drôlement intéressante, mais on ne peut passer à côté de l'efficacité de la boîte de vitesses à double embrayage. Ses changements sont rapides et précis et elle nous évite de devoir jouer de l'embrayage dans la congestion. Mise à l'essai, la S3 nous a séduites par sa grande agilité. Elle se conduit du bout des doigts et on prend plaisir à enfiler virage après virage sans véritable transfert de poids. On la sent légère et son châssis extrêmement rigide ajoute au plaisir. On apprécie le système Drive Select qui modifie la personnalité du véhicule et fait varier notamment la réponse de l'accélérateur, de la direction et de la suspension. Malgré ses prétentions de sportive, elle demeure agréable en tout et c'est ici qu'on apprécie sa sobriété.

## Châssis - Sportback 2.0 TDI

| | |
|---|---|
| Emp / lon / lar / haut | 2637 / 4310 / 1966 / 1426 mm |
| Coffre / Réservoir | 380 à 1220 litres / 50 litres |
| Nbre coussins sécurité / ceintures | 6 / 5 |
| Suspension avant | ind., jambes force |
| Suspension arrière | ind., multibras |
| Freins avant / arrière | disque / disque |
| Direction | à crémaillère, ass. var. électro. |
| Diamètre de braquage | 10,9 m |
| Pneus avant / arrière | P225/45R17 / P225/45R17 |
| Poids / Capacité de remorquage | 1395 kg / n.d. |
| Assemblage | Ingolstadt, DE |

## Composantes mécaniques

**Sportback e-tron**

| | |
|---|---|
| Cylindrée, soupapes, alim. | 4L 1,4 litre 16 s turbo |
| Puissance / Couple | 150 ch / 184 lb-pi |
| Tr. base (opt) / rouage base (opt) | A6 / Tr |
| 0-100 / 80-120 / V.Max | 7,6 s / n.d. / 222 km/h |
| 100-0 km/h | n.d. |
| Type / ville / route / $CO_2$ | Sup / 7,9 / 8,7 l/100 km / 3800 kg/an |
| Moteur électrique | |
| Puissance / Couple | 101 ch (75 kW) / 243 lb-pi |
| Type de batterie | Lithium-ion (Li-ion) |
| Énergie | 8,8 kWh |
| Temps de charge (120V / 240V) | n.d. / 3,5 h |
| Autonomie | 50 km |

**Sportback 2.0 TDI**

| | |
|---|---|
| Cylindrée, soupapes, alim. | 4L 2,0 litres 16 s turbo |
| Puissance / Couple | 150 ch / 251 lb-pi |
| Tr. base (opt) / rouage base (opt) | A6 / Tr |
| 0-100 / 80-120 / V.Max | 8,3 s (const) / n.d. / 218 km/h |
| 100-0 km/h | n.d. |
| Type / ville / route / $CO_2$ | Dié / 5,2 / 4 l/100 km / 2516 kg/an |

**S3**

4L - 2,0 litres - 290 ch / 280 lb-pi - A6 - 0-100: 4,9 s - 10,1 / 7,7 l/100 km

**Berline 1.8 TFSI**

4L - 1,8 litre - 170 ch / 199 lb-pi - A6 - 0-100: 7,7 s (const) - 10,0 / 7,1 l/100 km

**Berline 2.0 TFSI**

4L - 2,0 litres - 220 ch / 258 lb-pi - A6 - 0-100: 6,3 s (const) - 10,1 / 7,5 l/100 km

## Du nouveau en 2016

Retour de la version familiale et quelques changements mineurs

Photos: Audi Canada

**MODÈLE 2017**

# ⟨⟨⟨⟨ AUDI **A4**

**((( SiriusXM )))**

**Prix :** 45 500 $ à 49 000 $ (2015)
**Catégorie :** Berline
**Garanties :**
4 ans/80 000 km, 4 ans/80 000 km
**Transport et prép. :** 1 995 $
**Ventes QC 2014 :** 1 750 unités
**Ventes CAN 2014 :** 5 850 unités

## Cote du Guide de l'auto

# 77 %

| Fiabilité | Appréciation générale |
|---|---|
| ■■■■■■■□□ | ■■■■■■■□□ |

| Sécurité | Agrément de conduite |
|---|---|
| ■■■■■■■■□ | ■■■■■■□□□ |

| Consommation | Système multimédia |
|---|---|
| ■■■■■□□□□ | ■■■■■■■□□ |

## Cote d'assurance

■■■■■■■□□□
$$$         $

présentée par
**KANETIX.CA**

➕ Réduction de poids (2017) • Rouage intégral performant • Cockpit virtuel Audi innovant (2017) • Systèmes avancés d'aides à la conduite

➖ Style conservateur • Nombreux équipements en option • Coût des options

## Concurrents

Acura TLX, BMW Série 3, Cadillac ATS, Infiniti Q50, Jaguar XF, Lexus IS, Lincoln MKZ, Mercedes-Benz Classe C, Volvo S60

# Futuro rétro

Gabriel Gélinas

**F**ace à une concurrence plus affûtée, composée principalement des BMW Série 3, Cadillac ATS, Lexus IS et Mercedes-Benz de Classe C, Audi riposte avec une nouvelle A4 élaborée sur la base de la plate-forme modulaire MLB Evo qui a également servi au développement du VUS Q7. En faisant un usage plus étendu de matériaux légers et en affinant ses lignes, cette A4 promet de bonifier sa consommation et se targue d'être la voiture la plus aérodynamique de son créneau. Elle se pointera chez nous au premier trimestre de 2016 en tant que modèle 2017.

On a la très nette impression que la marque allemande a fait cohabiter les mots évolution, innovation, rétro et héritage pour décrire la A4, un modèle qui est d'une importance capitale au chapitre des ventes à l'échelle mondiale. En effet, évolution est le premier mot qui vient à l'esprit lorsque l'on contemple la nouvelle A4 dont le style demeure plutôt conservateur, ce qui détonne un peu avec les avancées stylistiques inaugurées par les voitures-concepts Prologue dévoilées il y a peu de temps. Au premier coup d'œil, la nouvelle génération de la A4 ressemble beaucoup au modèle précédent. D'ailleurs, les dimensions extérieures sont comparables. Sous cette carrosserie au style familier se cache cependant une structure innovante dont certains éléments sont en magnésium ou en aluminium afin de réduire le poids de la voiture, Audi affirmant que quelques déclinaisons de la A4 ont perdu jusqu'à 120 kilos par rapport aux modèles précédents comparables.

**LE STYLE FUTURISTE DE L'HABITACLE**
Si le style extérieur évoque une certaine continuité avec l'ancien modèle, la présentation intérieure de la nouvelle A4 marque un clivage très net avec son design que l'on peut facilement qualifier de futuriste, particulièrement lorsque le cockpit virtuel paramétrable d'Audi est au programme, remplaçant ainsi les cadrans analogiques qui équipent les modèles de base. En mode Infodivertissement, l'indicateur de vitesse et le tachymètre virtuels sont surimposés sur les côtés gauche et droit

de la carte du système de navigation qui prend alors presque toute la surface de l'écran. La A4 est également dotée d'un écran central qui est cependant fixe, contrairement à celui de la A3 qui s'élève de la planche de bord. L'espace aux places avant et arrière est légèrement plus généreux qu'auparavant.

Pour animer cette A4, Audi mise sur un tout nouveau quatre cylindres turbocompressé de 2,0 litres qui adopte le cycle de Miller afin de bonifier la consommation et d'offrir un couple maximal sur une large plage, soit entre 1 500 et 4 400 tours/minute. Ce moteur sera proposé en deux versions développant 190 chevaux et 236 livres-pied de couple ou 252 chevaux et 273 livres-pied de couple. Il est également possible que le turbodiesel de 2,0 litres livrant 190 chevaux et 295 livres-pied de couple soit au programme chez nous.

### ET LA 2016 ?

L'actuelle A4 poursuit sa route jusqu'à l'arrivée chez nous du nouveau modèle et continue de séduire avec son moteur turbocompressé très souple qui livre une poussée très soutenue, non seulement en accélération franche, mais également lors de la conduite de tous les jours où l'on accélère rarement à l'emporte-pièce. Comme le rouage intégral priorise le train arrière pour la répartition du couple (40 pour cent sur le train avant et 60 pour cent sur le train arrière en conduite normale), le comportement routier et la tenue de route sont axés sur la dynamique ce qui ajoute à l'agrément de conduite. La A4 sait se montrer joueuse quand il nous plaît de la pousser un peu tout en étant particulièrement agréable et confortable lors d'une conduite plus relaxe. Avec la boîte manuelle, même au milieu d'une circulation très dense en pleine heure de pointe, l'embrayage s'avère très léger et ne demande que peu d'efforts. Même chose pour le levier de vitesses qui est d'une facilité déconcertante à manipuler.

La qualité des matériaux utilisés dans l'habitacle et la finition intérieure sont sans reproches, les sièges avant sont très confortables et le volant sport avec méplat complète ce look qui allie classicisme et sportivité.

En fait, on ne peut adresser qu'un seul reproche à l'actuelle A4 et c'est que son système MMI (Multi Media Interface) commence à dater un peu pour ce qui est de son design graphique, surtout si on le compare aux modèles plus récents de la marque d'Ingolstadt, comme la A3 par exemple.

La A4 actuelle a beau être une réussite, celle qui la remplacera devrait lui être supérieure, misant à la fois sur les technologies récentes et sur une certaine continuité dans le design, tout en conservant les caractéristiques qui ont assuré le succès continu du modèle, rouage intégral en tête.

| Châssis - 2.0 TFSI Berline Quattro | |
|---|---|
| Emp / lon / lar / haut | 2808 / 4701 / 2040 / 1427 mm |
| Coffre / Réservoir | 351 à 963 litres / 61 litres |
| Nbre coussins sécurité / ceintures | 6 / 5 |
| Suspension avant | ind., multibras |
| Suspension arrière | ind., multibras |
| Freins avant / arrière | disque / disque |
| Direction | à crémaillère, ass. var. électro. |
| Diamètre de braquage | 11,5 m |
| Pneus avant / arrière | P245/45R17 / P245/45R17 |
| Poids / Capacité de remorquage | 1655 kg / n.d. |
| Assemblage | Ingolstadt, DE |

| Composantes mécaniques | |
|---|---|
| **2.0 TFSI Berline, allroad** | |
| Cylindrée, soupapes, alim. | 4L 2,0 litres 16 s turbo |
| Puissance / Couple | 220 ch / 258 lb-pi |
| Tr. base (opt) / rouage base (opt) | CVT (A8) / Tr (Int) |
| 0-100 / 80-120 / V.Max | n.d. / n.d. / 209 km/h |
| 100-0 km/h | 42,2 m |
| Type / ville / route / CO$_2$ | Sup / 11,2 / 7,8 l/100 km / 4448 kg/an |
| **S4** | |
| Cylindrée, soupapes, alim. | V6 3,0 litres 24 s surcompressé |
| Puissance / Couple | 333 ch / 325 lb-pi |
| Tr. base (opt) / rouage base (opt) | M6 (A7) / Int |
| 0-100 / 80-120 / V.Max | 5,2 s / 4,1 s / 250 km/h |
| 100-0 km/h | 38,7 m |
| Type / ville / route / CO$_2$ | Sup / 13,1 / 8,4 l/100 km / 5053 kg/an |

## Du nouveau en 2016

Toute nouvelle génération du modèle

Photos : Audi Canada

MODÈLE 2017

## AUDI **A5**

**(((SiriusXM)))**

**Prix :** 43 900 $ à 94 900 $ (2015)
**Catégorie :** Cabriolet, Coupé
**Garanties :**
4 ans/80 000 km, 4 ans/80 000 km
**Transport et prép. :** 1 995 $
**Ventes QC 2014 :** 541 unités
**Ventes CAN 2014 :** 2 165 unités

### Cote du Guide de l'auto
# 78 %

Fiabilité
■■■■■■■□□□

Appréciation générale
■■■■■■■■□□

Sécurité
■■■■■■■□□□

Agrément de conduite
■■■■■■■■□□

Consommation
■■■■■■■□□□

Système multimédia
■■■■■■■■□□

### Cote d'assurance
■■■■■■□□□□
$$$         $

présentée par
**KANETIX.CA**

**+** Style intemporel • Qualité
d'assemblage et de finition • Rouage
intégral de série • Motorisations
performantes

**−** Prix élevés • Options nombreuses
et coûteuses • Direction légère (A5) •
Dégagement limité aux places arrière

### Concurrents
BMW Série 4, Cadillac ATS,
Infiniti Q60, Lexus RC

# Priorité à l'élégance

Gabriel Gélinas

**T**oujours aussi élégante, l'Audi A5 poursuit sa route en 2016 accompagnée d'une seule variante sportive, soit la S5 déclinée en coupé et en cabriolet, le modèle RS 5 et son moteur V8 de 450 chevaux étant retiré du catalogue pour 2016. Suite au lancement d'une toute nouvelle A4 en 2016, l'A5 sera aussi renouvelée et se pointera chez nous pour l'année-modèle 2017.

La R8 est frappante et la TT est très sportive, mais c'est véritablement l'A5 qui accroche le regard parmi les voitures de la marque aux quatre anneaux. C'est une évidence de dire que son designer, Walter de'Silva, a eu la main heureuse lorsqu'il a dessiné les superbes lignes de ce coupé, qui demeure tout aussi actuel aujourd'hui qu'à son arrivée sur le marché il y a déjà sept ans. L'élément le plus frappant de ce design intemporel est la ligne qui trouve son point de départ aux ailes avant et qui se prolonge sur les flancs de la voiture jusqu'aux feux arrière. En prenant place à bord, on remarque immédiatement la qualité de la finition intérieure et le design qui fait preuve d'une sobriété toute germanique. Les places avant offrent un dégagement tout à fait convenable pour deux adultes, mais l'espace et compté aux places arrière, surtout dans le cas du modèle cabriolet à toit souple qui se découvre en 15 secondes.

### DEUX MOTEURS, DEUX PERSONNALITÉS
En entrée de gamme, le moteur 4 cylindres de 2,0 litres turbocompressé s'acquitte très bien de sa tâche sous le capot de l'A5 en livrant 220 chevaux, mais surtout 258 livres-pied de couple, ce qui permet aux modèles coupé et cabriolet de décoller avec un aplomb certain, ce moteur étant remarquablement bien adapté au gabarit et au poids de ces modèles. La S5 hérite du V6 surcompressé qui développe 333 chevaux, permettant à la voiture d'abattre le sprint de 0 à 100 km/h en 5,2 secondes en livrant sa puissance et son couple avec une très belle linéarité.

Pour ce qui est du comportement routier, cette Audi n'est pas aussi incisive que la BMW Série 4, mais elle réussit très bien à concilier tenue de route et confort. L'ajout du système Audi Drive Select permet également au conducteur de paramétrer la réponse du groupe motopropulseur, de la direction et des suspensions indépendamment l'un de l'autre. Ainsi, il est possible de régler la suspension en mode «Comfort» et le moteur en mode «Dynamic», bref de régler le comportement de la voiture selon son humeur du moment, au moyen de ce système qui est également disponible sur la S5. De son côté, la S5 livre des performances plus relevées et une consommation moyenne observée qui est à l'avenant, puisqu'elle est supérieure à 11,5 l/100 km.

## DANS LA BOULE DE CRISTAL

Après la nouvelle A4 lancée au Salon de l'auto de Francfort en septembre 2015, la A5 sera la prochaine voiture de la marque à être revue de fond en comble, un scénario inverse à celui qui avait été adopté par le constructeur allemand il y a quelques années, alors que le coupé avait alors devancé la berline. Chez Audi, elle jouit d'un statut particulier parce que c'est le modèle préféré de Walter de'Silva, devenu Designer en chef de tout le groupe Volkswagen, et c'est pourquoi il faut s'attendre à ce que la prochaine génération représente une évolution stylistique plutôt qu'une refonte complète pour ce qui est du design. Les photos prises sur le vif de prototypes camouflés roulant sur les routes publiques laissent entrevoir une silhouette plus musclée, particulièrement en ce qui a trait aux ailes avant et arrière, la nouvelle A5 reprenant cet élément de style inauguré sur la récente TT, mais la filiation avec le modèle actuel devrait être conservée.

Sous la carrosserie, la prochaine A5 sera élaborée sur la toute nouvelle plate-forme qui sert à la nouvelle A4 et, tout comme la berline, le coupé bénéficiera d'une réduction de poids d'environ une centaine de kilos en raison d'un usage plus étendu de matériaux plus légers comme l'aluminium et les matières en composite. Il y a également fort à parier que la nouvelle A5 fasse le plein d'équipements annoncés pour la A4, notamment l'aide au stationnement autonome, le système de vision nocturne et l'affichage tête haute, entre autres. On s'attend également à ce que les déclinaisons actuelles A5, S5 et RS 5 soient de retour en modèles coupés et cabriolets, mais il est peu probable que le modèle Sportback à 5 portes prévu pour le marché européen fasse le trajet outre-mer. Lancement prévu fin 2016 et arrivée sur notre marché pour l'année-modèle 2017.

### Châssis - 2.0 TFSI Premium Quattro Tiptronic

| | |
|---|---|
| Emp / lon / lar / haut | 2751 / 4626 / 2020 / 1372 mm |
| Coffre / Réservoir | 346 à 440 litres / 61 litres |
| Nbre coussins sécurité / ceintures | 6 / 4 |
| Suspension avant | ind., multibras |
| Suspension arrière | ind., multibras |
| Freins avant / arrière | disque / disque |
| Direction | à crémaillère, ass. var. électro. |
| Diamètre de braquage | 11,4 m |
| Pneus avant / arrière | P245/40R18 / P245/40R18 |
| Poids / Capacité de remorquage | 1673 kg / n.d. |
| Assemblage | Ingolstadt, DE |

### Composantes mécaniques

**2.0 TFSI**

| | |
|---|---|
| Cylindrée, soupapes, alim. | 4L 2,0 litres 16 s turbo |
| Puissance / Couple | 220 ch / 258 lb-pi |
| Tr. base (opt) / rouage base (opt) | M6 (A8) / Int |
| 0-100 / 80-120 / V.Max | 6,7 s / n.d. / n.d. |
| 100-0 km/h | n.d. |
| Type / ville / route / $CO_2$ | Sup / 10,1 / 6,8 l/100 km / 3965 kg/an |

**S5**

| | |
|---|---|
| Cylindrée, soupapes, alim. | V6 3,0 litres 24 s surcompressé |
| Puissance / Couple | 333 ch / 325 lb-pi |
| Tr. base (opt) / rouage base (opt) | M6 (A7) / Int |
| 0-100 / 80-120 / V.Max | 5,2 s / 4,0 s / 250 km/h |
| 100-0 km/h | 36,3 m |
| Type / ville / route / $CO_2$ | Sup / 11,8 / 8 l/100 km / 4640 kg/an |

### Du nouveau en 2016

Aucun changement majeur. Retrait de la version RS 5 et refonte du modèle pour 2017.

Photos: Audi Canada

# ⊙⊙⊙⊙ AUDI **A6**

(((**SiriusXM**)))

**Prix :** 56 900 $ à 88 500 $
**Catégorie :** Berline
**Garanties :**
4 ans/80 000 km, 4 ans/80 000 km
**Transport et prép. :** 2 095 $
**Ventes QC 2014 :** 253 unités
**Ventes CAN 2014 :** 1 113 unités

### Cote du Guide de l'auto
# 80 %

Fiabilité ■■■■■■■■□□
Sécurité ■■■■■■■■□□
Consommation ■■■■■□□□□□

Appréciation générale ■■■■■■■■□□
Agrément de conduite ■■■■■■■■□□
Système multimédia ■■■■■■■□□□

### Cote d'assurance
■■■■■■□□□□
présentée par
**KANETIX.CA**
$$$                    $

➕ Bon choix de moteurs •
Puissance en hausse • Finition intérieure •
Version diesel

➖ Prix des options • Style sobre •
Version diesel onéreuse

**Concurrents**
Acura RLX, BMW Série 5,
Cadillac CTS, Infiniti Q70, Jaguar XF,
Lexus GS, Lincoln MKS,
Mercedes-Benz Classe E, Volvo S80

# On joue avec les mécaniques

Sylvain Raymond

**I**ntroduite en 2011, la génération actuelle de l'A6 profite d'une légère refonte, histoire de lui insuffler un peu de nouveauté et lui permettre de faire face à la concurrence encore quelques années avant l'arrivée d'une nouvelle génération. Au menu, quelques changements mécaniques, technologiques et de style, mais rien pour bousculer son segment.

Puisque l'Amérique du Nord affectionne les VUS, l'A6 familiale, ou la Avant pour les intimes, ne traverse pas l'Atlantique à la grande déception de plusieurs. Même destin pour la version allroad, un modèle situé à la croisée d'un VUS et d'une familiale. Notre plus grand regret, et celui de plusieurs amateurs de haute performance, c'est l'absence de la RS 6 Avant, une véritable bête qui cache sous ses traits de familiale anodine un moteur V8 turbocompressé de 560 chevaux.

Ici, la nomenclature est très simple puisque seule la berline quatre portes est proposée. C'est la même chose du côté de BMW qui tente tout de même d'apporter, sans grand succès, un peu de variété à sa série avec la version GT à hayon. Seul Mercedes-Benz croit encore à la familiale chez nous et l'offre avec sa Classe E.

Chez Audi, les seuls choix disponibles touchent les mécaniques. L'entrée de gamme, c'est l'A6 2.0 TFSI et son moteur quatre cylindres turbocompressé de 2,0 litres. Sa puissance grimpe cette année à 252 chevaux, une hausse de 32 équidés par rapport à l'an passé, lui permettant ainsi d'être un peu plus en harmonie avec les moteurs de base de la concurrence. Comme toutes les A6 sont des quattro, on comprend que la puissance est transmise aux quatre roues, une excellente chose. Pour un peu plus de prestige, on peut obtenir la voiture équipée d'un six cylindres de 3,0 litres produisant 333 chevaux. On a optimisé son économie de carburant avec l'ajout d'un nouvel embrayage électro-magnétique qui désactive le turbocompresseur à des charges et des régimes moins importants. La livrée diesel 3.0 TDI est de retour sans véritable changement, mais son prix plus relevé la rend moins populaire.

La plus sportive du lot est sans contredit la S6 qui, sans être aussi bestiale que la RS 6, réussit tout de même à procurer quelques frissons supplémentaires avec son huit cylindres biturbo de 4,0 litres déployant 450 chevaux. Ce n'est pas tant la puissance supérieure qui nous intéresse ici, mais beaucoup plus la riche sonorité du moteur, un aspect que l'on peut apprécier bien plus souvent que la seconde et demie retranchée au sprint du 0-100 km/h.

## LA LIGNE TORNADO

C'est ainsi que l'on nomme chez Audi l'élément de style au cœur de la A6, mais puisque les grandes berlines de luxe s'adressent à une clientèle préférant souvent le bon goût et la retenue, l'évolution du modèle ne se fait pas à coups de crayon. La voiture conserve ses lignes sobres et élégantes, mais on l'a modernisée avec notamment l'ajout de phares aux DEL. Le bouclier avant et la calandre ont été légèrement modifiés, les feux arrière sont nouveaux, les sorties d'échappement sont plus larges et le choix de jantes a été bonifié.

Bien entendu, si vous êtes un peu plus extravertis, c'est la S6 qui attirera le plus l'attention avec son style distinctif. C'est le même constat à bord. Alors que l'habitacle de l'A6 arbore des tons plus neutres et des boiseries en guise de garnitures, la S6 se radicalise avec ses revêtements en Alcantara et ses appliques en fibre de carbone. Peu importe la version que vous affectionnez, le confort est maître à bord et c'est exactement pour cette raison que l'on choisit ce type de voiture. Tous les passagers profitent d'excellents dégagements, surtout à la tête et aux jambes. Le tableau de bord est sobre et l'ergonomie des contrôles et composantes est sans reproche. Les habitacles, c'est la véritable force d'Audi.

## SUR LA ROUTE

Bien entendu, le confort demeure la vocation principale de l'A6 et si vous cherchez une berline légère et agile, il vaut mieux vous tourner vers l'A4/S4. Avec ses chevaux supplémentaires et son couple développé à un régime un peu plus bas, le quatre cylindres TSFI de l'A6 permet des performances supérieures au passé alors que le sprint du 0-100 km/h est réduit à environ 6,9 secondes. C'est surtout sa consommation réduite qui le rend aussi intéressant.

Malgré ses dimensions imposantes, l'A6 conserve un bel équilibre en conduite et son freinage demeure mordant. Évidemment, on retrouve une panoplie de systèmes destinés à assurer votre sécurité, mais c'est sans aucun doute son rouage intégral qu'on apprécie le plus.

### Châssis - 3.0 TDI

| | |
|---|---|
| Emp / lon / lar / haut | 2912 / 4915 / 2086 / 1468 mm |
| Coffre / Réservoir | 399 litres / 73 litres |
| Nbre coussins sécurité / ceintures | 8 / 5 |
| Suspension avant | ind., multibras |
| Suspension arrière | ind., multibras |
| Freins avant / arrière | disque / disque |
| Direction | à crémaillère, ass. var. électro. |
| Diamètre de braquage | 11,9 m |
| Pneus avant / arrière | P245/45R18 / P245/45R18 |
| Poids / Capacité de remorquage | 1940 kg / n.d. |
| Assemblage | Neckarsulm, DE |

### Composantes mécaniques

**3.0 TDI**

| | |
|---|---|
| Cylindrée, soupapes, alim. | V6 3,0 litres 24 s turbo |
| Puissance / Couple | 240 ch / 428 lb-pi |
| Tr. base (opt) / rouage base (opt) | A8 / Int |
| 0-100 / 80-120 / V.Max | 5,7 s (const) / n.d. / 209 km/h |
| 100-0 km/h | n.d. |
| Type / ville / route / $CO_2$ | Dié / 9,4 / 6,2 l/100 km / 3662 kg/an |

**2.0T**

| | |
|---|---|
| Cylindrée, soupapes, alim. | 4L 2,0 litres 16 s turbo |
| Puissance / Couple | 252 ch / 273 lb-pi |
| Tr. base (opt) / rouage base (opt) | A8 / Int |
| 0-100 / 80-120 / V.Max | 6,9 s (const) / n.d. / 209 km/h |
| 100-0 km/h | n.d. |
| Type / ville / route / $CO_2$ | Sup / 10,7 / 7,4 l/100 km / 4239 kg/an |

**3.0T**

| | |
|---|---|
| Cylindrée, soupapes, alim. | V6 3,0 litres 24 s surcompressé |
| Puissance / Couple | 333 ch / 326 lb-pi |
| Tr. base (opt) / rouage base (opt) | A8 / Int |
| 0-100 / 80-120 / V.Max | 5,3 s (const) / n.d. / 209 km/h |
| 100-0 km/h | n.d. |
| Type / ville / route / $CO_2$ | Sup / 11,8 / 7,8 l/100 km / 4600 kg/an |

**S6**

| | |
|---|---|
| Cylindrée, soupapes, alim. | V8 4,0 litres 32 s turbo |
| Puissance / Couple | 450 ch / 406 lb-pi |
| Tr. base (opt) / rouage base (opt) | A7 / Int |
| 0-100 / 80-120 / V.Max | 4,6 s (const) / n.d. / 250 km/h |
| 100-0 km/h | n.d. |
| Type / ville / route / $CO_2$ | Sup / 13,1 / 8,7 l/100 km / 5115 kg/an |

## Du nouveau en 2016

Nouvelles mécaniques et quelques changements esthétiques

Photos: Audi Canada

## AUDI **A7**

**Prix :** 74 500 $ à 116 000 $ (2015)
**Catégorie :** Berline
**Garanties :**
4 ans/80 000 km, 4 ans/80 000 km
**Transport et prép. :** 1 995 $
**Ventes QC 2014 :** 181 unités
**Ventes CAN 2014 :** 876 unités

### Cote du Guide de l'auto

# 82 %

Fiabilité
■■■■■■■■□□

Appréciation générale
■■■■■■■■□□

Sécurité
■■■■■■■■■□

Agrément de conduite
■■■■■■■□□□

Consommation
■■■■■□□□□□

Système multimédia
■■■■■■■■□□

### Cote d'assurance
■■■■■□□□□□
$$$                    $

présentée par
**KANETIX.CA**

➕ Silhouette réussie • Habitacle sophistiqué • Moteurs d'anthologie • Système quattro raffiné • Tenue de route supérieure

➖ Multiples options onéreuses • Places arrière difficiles d'accès • Consommation élevée (RS7) • Visibilité arrière moyenne

### Concurrents
BMW Série 6 Gran Coupe, Jaguar XF, Mercedes-Benz Classe CLS, Porsche Panamera

((SiriusXM))

# Presque parfaite

Denis Duquet

**S**i Mercedes-Benz a lancé la tendance des coupés quatre portes dans la catégorie des voitures de luxe, Audi a pour sa part opté pour une voiture cinq portes tout aussi luxueuse, mais se démarquant davantage. En fait, au chapitre de la silhouette, cette automobile a un petit quelque chose de différent qui fait tourner les têtes et qui est apprécié par ses propriétaires en raison du caractère pratique de sa carrosserie. Mieux encore, il faut y regarder de près pour découvrir que cette voiture possède un hayon.

L'an dernier, l'A7 a bénéficié de plusieurs retouches esthétiques afin d'optimiser son style et de l'harmoniser avec les nouveaux modèles qui se sont récemment ajoutés à la gamme. On venait ainsi peaufiner une voiture qui cible un large potentiel de clients par l'intermédiaire non seulement d'un habitacle hors du commun en fait de luxe et de présentation, mais aussi par le biais d'un choix très élaboré de motorisations.

### UNE TRADITION
Peu importe le modèle produit par Audi, les commentaires sont élogieux en ce qui concerne l'habitacle : la qualité des matériaux est excellente, tandis que le design et l'ergonomie sont pratiquement sans égal. Comme le veut la tendance actuelle, le grand écran d'affichage est superposé à la planche de bord tandis que la console centrale est dotée du bouton de contrôle du système MMI qui permet de gérer les principales fonctions de la voiture, notamment la climatisation, le système audio, la navigation et la téléphonie. Ce bouton central est garni en périphérie de pavés de commande qui permettent de sélectionner assez rapidement une catégorie de fonctions, et c'est intuitif. D'ailleurs, l'A7 a été l'une des premières voitures sur le marché à offrir un pavé tactile afin de gérer certaines fonctions, dont celle de la navigation.

Si la silhouette est sportive à souhait avec son toit fuyant et son hayon arrière, les occupants des places arrière sont pénalisés par cette configuration dictée par l'esthétique. En effet, il faut se pencher plus que la moyenne pour prendre place à bord et une fois installé le dégagement pour la tête est plutôt limité. Malgré tout, même les personnes de grande taille trouveront un moyen de s'en accommoder. Il faut également souligner un catalogue d'options vraiment très étoffé qui permet d'ajouter encore au luxe de cette voiture.

## SUPERBE OU EXTRAORDINAIRE!

Dans sa livrée de base, cette Audi offre le choix entre deux moteurs. Si vous êtes un inconditionnel du diesel, le V6 3,0 litres TDI en impose avec ses 240 chevaux et son couple de 428 de livres-pied. Il est associé à une boîte automatique à huit rapports. Son couple généreux permet de boucler le 0-100 km/h en un peu plus de six secondes tandis que sa consommation observée est de 7,2 l/100 km. L'autre choix est un autre V6 3,0 litres mais à essence cette fois. Ses 333 chevaux sont plus que suffisants pour plaire aux amateurs de conduite nerveuse. Sur la route, cette voiture se révèle aussi agile et agréable à conduire qu'elle est élégante et il faut se creuser la tête pour trouver à redire.

Mais on peut encore en obtenir plus en optant pour la version S7 à vocation plus sportive, dotée de plusieurs éléments additionnels. Ce modèle est propulsé par un V8 4,0 litres biturbo de 450 chevaux. Cette fois, c'est une transmission sept rapports à double embrayage qui transmet la cavalerie de ce moteur au bitume par l'intermédiaire du rouage intégral quattro. Sa suspension plus ferme et une direction un peu plus nerveuse s'associent à cette puissance accrue pour rendre une voiture désirable encore plus attrayante. Attrayante? Assurément. Mieux, superbe. Si ce modèle est livré de série avec des jantes de 20 pouces, il est possible de commander des roues de 21 pouces.

Et si vos moyens financiers sont à la hauteur de vos attentes en fait de conduite ultime, la RS7 avec son V8 turbocompressé de 560 chevaux fait partie de ce qu'il y a de mieux tant au chapitre de son raffinement supérieur que de la conduite très relevée en raison de la puissance du moteur et de la traction intégrale offerte par le système quattro.

Dans cette catégorie où le prestige côtoie la puissance, la famille des Audi A7 est en mesure d'inquiéter la concurrence.

### Châssis - 3.0 TDI Quattro

| | |
|---|---|
| Emp / lon / lar / haut | 2914 / 4969 / 2139 / 1420 mm |
| Coffre / Réservoir | 535 à 1390 litres / 73 litres |
| Nbre coussins sécurité / ceintures | 6 / 5 |
| Suspension avant | ind., multibras |
| Suspension arrière | ind., multibras |
| Freins avant / arrière | disque / disque |
| Direction | à crémaillère, ass. var. élect. |
| Diamètre de braquage | 11,9 m |
| Pneus avant / arrière | P255/40R19 / P255/40R19 |
| Poids / Capacité de remorquage | 1979 kg / 750 kg (1653 lb) |
| Assemblage | Neckarsulum, DE |

### Composantes mécaniques

**3.0 TDI Quattro**

| | |
|---|---|
| Cylindrée, soupapes, alim. | V6 3,0 litres 24 s turbo |
| Puissance / Couple | 240 ch / 428 lb-pi |
| Tr. base (opt) / rouage base (opt) | A8 / Int |
| 0-100 / 80-120 / V.Max | 6,0 s (est) / n.d. / 209 km/h |
| 100-0 km/h | n.d. |
| Type / ville / route / $CO_2$ | Dié / 9,6 / 6,2 l/100 km / 4358 kg/an |

**3.0 TFSI Quattro Premium**

| | |
|---|---|
| Cylindrée, soupapes, alim. | V6 3,0 litres 24 s surcompressé |
| Puissance / Couple | 333 ch / 326 lb-pi |
| Tr. base (opt) / rouage base (opt) | A8 / Int |
| 0-100 / 80-120 / V.Max | 5,4 s / n.d. / 210 km/h |
| 100-0 km/h | n.d. |
| Type / ville / route / $CO_2$ | Sup / 11,8 / 7,8 l/100 km / 4600 kg/an |

**4.0 TFSI S7 Quattro**

| | |
|---|---|
| Cylindrée, soupapes, alim. | V8 4,0 litres 32 s turbo |
| Puissance / Couple | 450 ch / 406 lb-pi |
| Tr. base (opt) / rouage base (opt) | A7 / Int |
| 0-100 / 80-120 / V.Max | 4,7 s / n.d. / 250 km/h |
| 100-0 km/h | n.d. |
| Type / ville / route / $CO_2$ | Sup / 13,8 / 8,7 l/100 km / 5292 kg/an |

**4.0 RS7 Quattro**

| | |
|---|---|
| Cylindrée, soupapes, alim. | V8 4,0 litres 32 s turbo |
| Puissance / Couple | 560 ch / 516 lb-pi |
| Tr. base (opt) / rouage base (opt) | A8 / Int |
| 0-100 / 80-120 / V.Max | 3,9 s (const) / n.d. / 280 km/h |
| 100-0 km/h | n.d. |
| Type / ville / route / $CO_2$ | Sup / 16,3 / 9,1 l/100 km / 6008 kg/an |

### Du nouveau en 2016

Aucun changement majeur, modifications de détails, révision de certaines options

Photos: Audi

# ((( SiriusXM )))

## AUDI **A8**

**Prix :** 85 300 $ à 169 000 $ (2015)
**Catégorie :** Berline
**Garanties :**
4 ans/80 000 km, 4 ans/80 000 km
**Transport et prép. :** 2 095 $
**Ventes QC 2014 :** 62 unités
**Ventes CAN 2014 :** 266 unités

### Cote du Guide de l'auto

# 80 %

| | |
|---|---|
| Fiabilité | Appréciation générale |
| ■■■■■■■□□□ | ■■■■■■■■□□ |
| Sécurité | Agrément de conduite |
| ■■■■■■■■□□ | ■■■■■■■□□□ |
| Consommation | Système multimédia |
| ■■■■■■□□□□ | ■■■■■■□□□□ |

### Cote d'assurance

■■■■□□□□□□               présentée par
$$$                          **KANETIX.CA**
$$$                               $

➕ Vaste choix de moteurs •
Transmission intégrale quattro •
Comportement routier • Silence de
roulement • Finition soignée

➖ Tarifs élevés • Prix du moteur TDI •
Sonorité du V8 trop discrète • Sobriété
du design • Fonctionnement du levier
de vitesses

### Concurrents

BMW Série 7, Jaguar XJ,
Maserati Quattroporte,
Mercedes-Benz Classe S

# En attendant la conduite parfaitement autonome

Jean-François Guay

**T**ous les modèles Audi se ressemblent copieusement, et ce, particulièrement dans le cas des A6 et A8. Cette proximité entre les deux berlines semble gruger des parts de marché à l'A8 au profit de sa sœur d'armes — vendue beaucoup moins cher. Mais, la carrière de la plus grande berline d'Audi devrait prendre un nouvel élan à la fin de 2016 grâce à une refonte complète de son design. La prochaine A8 devrait s'inspirer des lignes du concept A9, lequel a été dévoilé en avant-première au Salon de Los Angeles 2014 et par la suite dans les principaux salons automobiles de 2015.

Si le concept A9 voit le jour, ce grand coupé sera la réponse d'Audi à la nouvelle Mercedes-Benz Classe S Coupé et à la BMW Série 6, sans oublier des modèles comme les Aston Martin DB9 et Maserati GranTurismo.

Quant à la prochaine génération de l'A8, elle suivra la tendance de la nouvelle BMW Série 7 en perdant du poids. Cependant, l'effort visant à réduire sa masse sera sans doute moins significatif puisqu'Audi travaille surtout à redorer la silhouette de son vaisseau amiral. On sait que six propositions stylistiques ont été mises sur la table. Reste à connaître le choix final. Mais, une chose est sûre, la future A8 se distinguera davantage de l'A6 en arborant un profil plus élancé et des lignes plus athlétiques.

Au départ, la nouvelle A8 était attendue cette année. Toutefois, son lancement a été repoussé d'un an afin que les ingénieurs puissent achever la mise au point des technologies qui lui permettront d'offrir une conduite 100 % autonome. Rappelons que l'enjeu est important pour les marques de luxe qui visent chacune à être la première à intégrer cette technologie futuriste.

### QUATRE MOTORISATIONS

En attendant la relève, l'actuelle A8 se mesure non seulement à l'A6 mais également à de grandes pointures comme la Mercedes-Benz Classe S et la BMW Série 7. Pour contrer ses rivales, l'A8 ne manque pas d'attributs. Outre le style épuré de sa carrosserie, elle propose un vaste choix de motorisations et adopte un comportement routier en toute agilité grâce à son poids plume (pour la catégorie, s'entend).

Mesurant plus de 5 mètres de long, on pourrait croire que l'A8 est sous-motorisée lorsqu'elle est animée par les 240 chevaux de son six cylindres turbodiesel de 3,0 litres. Pourtant, le couple de cette mécanique TDI qui produit 429 livres-pied à 1 750 tours/minute permet d'accélérer de 0 à 100 km/h en moins de 7 secondes. Qui plus est, nos tests de consommation sont aussi impressionnants avec une moyenne de 6,9 l/100 km — une donnée qui varie selon les conditions routières et le style de conduite.

Si vous êtes allergique au gazole, le V6 surcompressé de 3,0 litres à essence représente un choix logique. Émettant une sonorité plus douce à l'oreille, ce moteur fournit des accélérations plus linéaires et de meilleurs temps d'accélération. Même s'il consomme un peu plus que le moteur TDI, le V6 à essence permet d'épargner plus de 5 000 $ à l'achat.

Mais le nec plus ultra demeure le V8 turbocompressé de 4,0 litres. Compact et silencieux, ce petit V8 développe une puissance respectable de 435 chevaux. Pour davantage de « Ouf ! » et de « Wow ! », le V8 biturbo de 4,0 litres de la version S8 vous coupera le souffle avec ses 520 chevaux et son couple de 481 livres-pied. Quant au moteur W12 à douze cylindres et 500 chevaux de l'A8L à empattement allongé, il est offert seulement sur commande spéciale.

### UN STYLE ANONYME

Moins flamboyante que ses rivales, l'A8 a une apparence plus réservée qui permet au propriétaire d'afficher discrètement sa fortune.

Sur la route, la direction est sûre et la suspension pneumatique peut être calibrée en fonction de la qualité du revêtement ou du style de conduite. D'ailleurs, cette grande routière allemande cache bien son poids, qui frôle les deux tonnes, en abordant avec aplomb les parcours sinueux et en se menant au doigt et à l'œil dans les rues étroites des centres-villes.

La présentation intérieure n'adopte pas l'aspect princier d'une Classe S ou le futurisme d'une Série 7. À l'image de la carrosserie, le tableau de bord de l'A8 est sobre avec un soupçon de modernisme. Les commandes sont faciles d'accès et la molette MMI favorise la rapidité d'exécution. La surface tactile avec reconnaissance des caractères manuscrits est l'une des plus évoluées de l'industrie. Pour le confort des passagers, l'A8L est équipée d'un toit ouvrant panoramique alors que la banquette arrière des S8 et A8L W12 est pourvue d'une fonction de massage.

### Du nouveau en 2016

Aucun changement majeur, nouvelle génération en préparation

## Châssis - 3.0 TDI Quattro

| | |
|---|---|
| Emp / lon / lar / haut | 2992 / 5135 / 2111 / 1460 mm |
| Coffre / Réservoir | 402 litres / 82 litres |
| Nbre coussins sécurité / ceintures | 10 / 5 |
| Suspension avant | ind., pneumatique, bras inégaux |
| Suspension arrière | ind., pneumatique, multibras |
| Freins avant / arrière | disque / disque |
| Direction | à crémaillère, ass. var. électro. |
| Diamètre de braquage | 12,3 m |
| Pneus avant / arrière | P255/45R19 / P255/45R19 |
| Poids / Capacité de remorquage | 2045 kg / n.d. |
| Assemblage | Neckarsulm, DE |

## Composantes mécaniques

### 3.0 TDI

| | |
|---|---|
| Cylindrée, soupapes, alim. | V6 3,0 litres 24 s turbo |
| Puissance / Couple | 240 ch / 429 lb-pi |
| Tr. base (opt) / rouage base (opt) | A8 / Int |
| 0-100 / 80-120 / V.Max | 6,4 s (const) / n.d. / 209 km/h |
| 100-0 km/h | n.d. |
| Type / ville / route / $CO_2$ | Dié / 9,9 / 6,5 l/100 km / 4520 kg/an |

### 3.0 TFSI

| | |
|---|---|
| Cylindrée, soupapes, alim. | V6 3,0 litres 24 s surcompressé |
| Puissance / Couple | 333 ch / 326 lb-pi |
| Tr. base (opt) / rouage base (opt) | A8 / Int |
| 0-100 / 80-120 / V.Max | 5,6 s (const) / n.d. / 209 km/h |
| 100-0 km/h | n.d. |
| Type / ville / route / $CO_2$ | Sup / 12,6 / 8,0 l/100 km / 4844 kg/an |

### 4.0 TFSI

| | |
|---|---|
| Cylindrée, soupapes, alim. | V8 4,0 litres 32 s turbo |
| Puissance / Couple | 435 ch / 444 lb-pi |
| Tr. base (opt) / rouage base (opt) | A8 / Int |
| 0-100 / 80-120 / V.Max | 4,4 s (const) / n.d. / 209 km/h |
| 100-0 km/h | n.d. |
| Type / ville / route / $CO_2$ | Sup / 13,1 / 8,3 l/100 km / 5032 kg/an |

### 6.3L W12

W12 - 6,3 litres - 500 ch / 463 lb-pi - A8 - 0-100 : 4,4 s (const) - 16,8 / 11,2 l/100 km

### S8

V8 - 4,0 litres - 520 ch / 481 lb-pi - A8 - 0-100 : 4,0 s (const) - 14,2 / 8,8 l/100 km

Photos : Audi Canada

# ⬤⬤⬤⬤ AUDI **Q3**

(((SiriusXM)))

**Prix :** 35 800 $ à 36 690 $ (2015)
**Catégorie :** VUS
**Garanties :**
4 ans/80 000 km, 4 ans/80 000 km
**Transport et prép. :** 2 095 $
**Ventes QC 2014 :** 451 unités
**Ventes CAN 2014 :** 1 566 unités

## Cote du Guide de l'auto

# 75 %

| Fiabilité | Appréciation générale |
|---|---|
| ■■■■■□□ | ■■■■■■□ |
| Sécurité | Agrément de conduite |
| ■■■■■■□ | ■■■■■■□ |
| Consommation | Système multimédia |
| ■■■■■□□ | ■■■■■□□ |

## Cote d'assurance

■■■■■■□
$$$                         $

présentée par
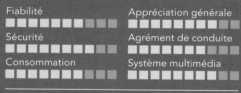

➕ Qualité d'assemblage et de finition •
Moteur performant • Freinage
puissant • Très bonne tenue de route

➖ Prix élevé • Volume de chargement
limité • Carbure au super • Absence
du moteur diesel

## Concurrents
BMW X1, Mercedes-Benz Classe GLA

# Un nouveau style pour 2016

Gabriel Gélinas

**L**e Q3 de Audi a fait ses débuts au Canada en 2014, mais il roule déjà depuis 2011 en Europe et ailleurs, où 400 000 exemplaires de ce VUS de luxe de taille compacte ont trouvé preneurs. C'est la raison pour laquelle la marque allemande a décidé de procéder à une refonte esthétique du modèle, lequel adopte désormais une partie avant qui n'est pas sans rappeler celle du concept Crosslane Coupé présenté au Mondial de l'automobile de Paris en 2012.

Au premier coup d'œil, on remarque le nouveau design en relief de la calandre Singleframe, qui rejoint maintenant les phares avant au xénon, les feux de jour à DEL, ainsi que les feux arrière (également de type DEL). Le design de ceux-ci a été revu afin d'intégrer un clignotant dynamique adoptant la forme d'une bande lumineuse de couleur orange qui progresse de l'intérieur vers l'extérieur lorsque le conducteur actionne l'indicateur de changement de voie.

### QUALITÉ D'ASSEMBLAGE AU TOP
Le Q3 s'inscrit dans un créneau où les ventes sont en très forte progression et où la concurrence a pour nom BMW X1, Mercedes-Benz GLA et GLC (nouvelle désignation du GLK), et Range Rover Evoque pour ne nommer que ceux-là. Visant avant tout une clientèle jeune, urbaine et branchée, le Q3 mise sur une dotation complète d'équipement de série et sur une qualité de matériaux et d'assemblage qui fait l'apanage de la marque. Il est cependant dommage que la présentation de la planche de bord ne soit pas à l'image des plus récents modèles de la marque, celle du Q3 datant de plusieurs années.

Aussi, il est plus difficile d'interagir avec le système d'infodivertissement du Q3 en roulant, car le contrôleur rotatif du MMI (Multi Media Interface) ainsi que les touches de commande du système sont localisées en plein centre de la planche de bord et non pas près du levier de vitesses comme sur les autres modèles de la marque.

Même s'il est plus court et que son empattement est réduit de 204 millimètres par rapport au Q5, le Q3 offre beaucoup d'espace aux places avant. C'est plutôt le dégagement pour les jambes des passagers arrière qui écope. Idem pour l'espace de chargement de seulement 460 litres avec les dossiers des sièges arrière en place. On peut cependant abaisser ces dossiers pour augmenter le volume de chargement à 1 365 litres, mais le Mercedes-Benz GLC fait mieux à ce chapitre.

En Europe et ailleurs, le Q3 est livrable avec des motorisations essence et diesel, mais le seul moteur disponible au Canada est le quatre cylindres turbo-compressé de deux litres, carburant à l'essence et développant 200 chevaux, que l'on retrouve également sous le capot de plusieurs modèles de la marque ainsi que d'autres véhicules produits par Volkswagen.

Il a beau être servi à toutes les sauces, il n'en demeure pas moins que ce moteur est exceptionnel en raison de son couple abondant, livré entre 1 500 et 4 400 tours/minute, et de sa grande douceur. Un seul bémol à relever, les Q3 livrables au Canada, en modèles à traction ou avec le rouage intégral, sont équipés d'une boîte automatique qui ne compte que six rapports, alors que celle du Q5 en a huit.

### UN COMPORTEMENT ROUTIER TRÈS ÉQUILIBRÉ

Au sujet du comportement routier, le Q3 impressionne par sa tenue de route qui s'approche plus de celle d'une familiale que d'un VUS. Avec le rouage intégral et le système Audi Drive Select — permettant de paramétrer l'amortissement des suspensions, la rapidité de la direction et la réponse de l'accélérateur —, le Q3 adopte une conduite relaxe souple en mode Comfort ou une conduite carrément plus directe et précise à la seule pression d'un bouton pour sélectionner le mode Dynamic.

Sur les routes secondaires, le Q3 fait preuve d'un aplomb remarquable, ainsi que d'une stabilité exemplaire, même à plus de 200 kilomètres/heure sur les *autobahn* allemandes. Sur ce parcours mixte, où la vitesse de pointe était nettement plus élevée que chez nous, le Q3 a enregistré une consommation moyenne de 9,2 litres aux 100 kilomètres et il y a fort à parier que le Q3 consommera beaucoup moins sur nos routes où les limites sont beaucoup moins élevées...

Avec son allure plus dynamique que celle du Q5, sa dotation très complète d'équipement de série et sa qualité d'assemblage, le Q3 ne manque pas d'arguments pour convaincre, mais il doit affronter des rivaux souvent offerts à prix moindre sur notre marché.

AUDI Q3

### Châssis - 2.0 Quattro

| | |
|---|---|
| Emp / lon / lar / haut | 2603 / 4385 / 1831 / 1590 mm |
| Coffre / Réservoir | 460 à 1365 litres / 64 litres |
| Nbre coussins sécurité / ceintures | 6 / 5 |
| Suspension avant | ind., jambes force |
| Suspension arrière | ind., multibras |
| Freins avant / arrière | disque / disque |
| Direction | à crémaillère, ass. var. élect. |
| Diamètre de braquage | 11,8 m |
| Pneus avant / arrière | P235/50R18 / P235/50R18 |
| Poids / Capacité de remorquage | 1670 kg / 750 kg (1653 lb) |
| Assemblage | Wolfsburg, DE |

### Composantes mécaniques

| | |
|---|---|
| Cylindrée, soupapes, alim. | 4L 2,0 litres 16 s turbo |
| Puissance / Couple | 200 ch / 207 lb-pi |
| Tr. base (opt) / rouage base (opt) | A6 / Tr (Int) |
| 0-100 / 80-120 / V.Max | 8,2 s / n.d. / 209 km/h |
| 100-0 km/h | n.d. |
| Type / ville / route / $CO_2$ | Sup / 11,9 / 8,4 l/100 km / 4750 kg/an |

### Du nouveau en 2016

Aucun changement majeur, révisions stylistiques

Photos : Dominic Dubreuil

# ⨀⨀ AUDI **Q5**

**Prix :** 41 900 $ à 57 400 $ (2015)
**Catégorie :** VUS
**Garanties :**
4 ans/80 000 km, 4 ans/80 000 km
**Transport et prép. :** n.d.
**Ventes QC 2014 :** 1 889 unités
**Ventes CAN 2014 :** 7 862 unités

## Cote du Guide de l'auto

# 79 %

| Fiabilité | Appréciation générale |
| --- | --- |
| ■■■■■■■□□□ | ■■■■■■■□□□ |
| Sécurité | Agrément de conduite |
| ■■■■■■■□□□ | ■■■■■■■■□□ |
| Consommation | Système multimédia |
| ■■■■■■■■□□ | ■■■■■■■□□□ |

## Cote d'assurance

présentée par
*KANETIX.CA*

■■■■■■■■□□
$$$                         $

➕ Version SQ5 très performante •
Comportement et freinage sûrs •
Finition et qualité exemplaires •
Confort et fiabilité louables

➖ Rétroviseur gauche bloque toute la
vue • SQ5 trop discret en mode Sport •
En surpoids pour leur taille • Prix corsés
face à la concurrence

## Concurrents

Acura RDX, BMW X3, Land Rover
Discovery Sport, Lexus NX, Lincoln
MKC, Mercedes-Benz Classe GLK,
Porsche Macan, Volvo XC60

# L'ennemi est dans les murs

Marc Lachapelle

**L**ancé en 2009, le Q5 a régné quelques années au sommet de la catégorie très disputée des utilitaires sport compacts de luxe. Il s'est imposé par une motorisation très variée, une conduite inspirée et l'excellente qualité d'assemblage et de finition dont Audi a fait son fonds de commerce. Mais voilà qu'un rival redoutable s'est mis sur son chemin. Pire encore, ce rival est un cousin, sinon un frère.

Le Q5 filait le parfait bonheur chez les « 4x4 » urbains de luxe, en format compact. Avec la gamme la plus complète de cette catégorie, surtout concernant la motorisation, il fut d'ailleurs encore le meilleur succès de vente de la catégorie l'an dernier, sur le marché québécois. Mais voilà que se pointe un jeune premier aux griffes et aux crocs acérés, construit en plus sur les mêmes bases, la même architecture, la même plate-forme que lui : le Porsche Macan.

### LE DÉFI EST LANCÉ

Audi n'a sans doute pas à s'inquiéter pour la performance et la position de ses Q5 au palmarès des ventes. Pas pour l'instant, à tout le moins, puisque le Macan n'est actuellement offert qu'en deux versions axées sur la performance. En accord avec la mission de Porsche au sein de la galaxie qu'est devenu le groupe Volkswagen. Ce qui n'empêchera aucunement ces deux marques cousines d'être en compétition féroce, comme on l'a vu lors des deux dernières éditions des 24 Heures du Mans. Avec le résultat que l'on sait pour le deuxième round de cet affrontement. Avantage Audi.

Porsche n'entend jamais à rigoler et son Macan a chassé cette année le Q5 du premier rang de notre classement des «utilitaires compacts de luxe». Il a même été devancé, au deuxième rang, par le nouveau GLC (ex GLK) de Mercedes-Benz qui subit un remodelage et des mises à niveau sérieuses et complètes cette année. Les deux ont droit aux versions les plus récentes des accessoires et technologies dont la clientèle type de ce genre de véhicule est très friande, alors que le Q5 fait essentiellement du surplace.

On verra si Porsche élargira l'offre pour augmenter aussi les ventes du Macan après cette victoire d'estime et de mérite. Chose certaine, le SQ5, version la plus performante et sportive de cette série, est directement dans la mire du Macan S. Y compris en termes de coût. Ce qui n'est pas une position confortable si l'on songe que ce dernier est plus à jour et mieux équipé.

Ces deux cousins rivaux sont mus par des V6 de 3,0 litres très différents. Celui du SQ5 est suralimenté par compresseur et produit 354 chevaux. Jumelé à une boîte automatique à 8 rapports, il le propulse de 0 à 100 km/h en 5,41 secondes. Avec son V6 à double turbo et une boîte PDK à double embrayage et 7 rapports, le Macan s'exécute en 5,26 secondes. Il faut dire qu'il est plus léger que le SQ5 de 140 kg, ce qui souligne encore son avantage question agilité et aplomb.

Avec sa carrosserie surbaissée de 30 mm et les larges pneus de taille 255/40 montés sur les jantes optionnelles de 21 pouces, le SQ5 se débrouille tout de même très honorablement en tenue de route. Il profite aussi de leur mordant et de ses freins avant plus grands (380 contre 350 mm) pour devancer légèrement son rival en freinage d'urgence avec une distance moyenne de 36,73 contre 37,83 mètres pour stopper de 100 km/h. Ce qui n'est pas rien.

### D'AUTRES CARTES DANS SON JEU

Chose certaine, le cousin Macan ne peut rivaliser avec les autres modèles de la série Q5 en termes de prix, assurément, mais aussi en termes de consommation et d'empreinte écologique. Deux versions du Q5 se disputent d'ailleurs le titre du plus écolo et frugal. En toute logique, le Q5 hybride a l'avantage en ville pour la consommation, avec une cote de 9,8 l/100 km contre 10,0 l/100 km pour le Q5 TDI à moteur turbodiesel. Ce dernier se reprend avec une cote routière de 7,5 l/100 km qui intéressera les grands rouleurs plus que les 7,9 l/100 km de l'autre. Les deux sont très près en performance avec un sprint 0-100 km/h annoncé à 6,7 secondes pour le TDI et 7,0 pour le Q5 hybride. La palme verte revient par contre à ce dernier pour ses émissions de polluants plus faibles.

Les Q5 ont encore ce qu'il faut pour soutenir les assauts de leurs concurrents les plus sérieux et récents. Surtout cette petite peste de Macan. La qualité toujours exceptionnelle de leur finition et leurs bonnes cotes de fiabilité sont par exemple des atouts plus qu'appréciables. Il sera cependant bientôt grand temps que la cavalerie se pointe et qu'un remodelage sérieux sache remettre le Q5 au cœur de l'action. Sinon en tête, pour l'ensemble de son œuvre.

### Châssis - TDI

| | |
|---|---|
| Emp / lon / lar / haut | 2807 / 4639 / 2089 / 1655 mm |
| Coffre / Réservoir | 540 à 1560 litres / 75 litres |
| Nbre coussins sécurité / ceintures | 6 / 5 |
| Suspension avant | ind., multibras |
| Suspension arrière | ind., multibras |
| Freins avant / arrière | disque / disque |
| Direction | à crémaillère, ass. var. électro. |
| Diamètre de braquage | 11,6 m |
| Pneus avant / arrière | P235/60R18 / P235/60R18 |
| Poids / Capacité de remorquage | 2030 kg / 2400 kg (5291 lb) |
| Assemblage | Ingolstadt, DE |

### Composantes mécaniques

**TDI**

| | |
|---|---|
| Cylindrée, soupapes, alim. | V6 3,0 litres 24 s turbo |
| Puissance / Couple | 240 ch / 428 lb-pi |
| Tr. base (opt) / rouage base (opt) | A8 / Int |
| 0-100 / 80-120 / V.Max | 6,7 s / n.d. / 209 km/h |
| 100-0 km/h | n.d. |
| Type / ville / route / CO$_2$ | Dié / 10 / 7,5 l/100 km / 4793 kg/an |

**3.0 Quattro**

| | |
|---|---|
| Cylindrée, soupapes, alim. | V6 3,0 litres 24 s surcompressé |
| Puissance / Couple | 272 ch / 295 lb-pi |
| Tr. base (opt) / rouage base (opt) | A8 / Int |
| 0-100 / 80-120 / V.Max | 6,2 s / n.d. / 209 km/h |
| 100-0 km/h | n.d. |
| Type / ville / route / CO$_2$ | Sup / 11,4 / 7,8 l/100 km / 4499 kg/an |

**S Quattro**

| | |
|---|---|
| Cylindrée, soupapes, alim. | V6 3,0 litres 24 s surcompressé |
| Puissance / Couple | 354 ch / 347 lb-pi |
| Tr. base (opt) / rouage base (opt) | A8 / Int |
| 0-100 / 80-120 / V.Max | 5,4 s / n.d. / 250 km/h |
| 100-0 km/h | 36,7 m |
| Type / ville / route / CO$_2$ | Sup / 13,2 / 8,5 l/100 km / 5099 kg/an |

**Hybride**

4L - 2,0 litres - 211 ch / 258 lb-pi - A8 - 0-100: 7,0 s - 9,8 / 7,9 l/100 km

**Moteur électrique**

54 ch / 155 lb-pi - batterie Li-ion - 1,3 kWh

**2.0 Quattro**

4L - 2,0 litres - 220 ch / 258 lb-pi - A8 -0-100: 7,1 s - 10,5 / 7,2 l/100 km

### Du nouveau en 2016

Étriers de freins rouges (SQ5), volant multifonction et toit panoramique de série, chaîne audio Bang & Olufsen avec groupe Technologie, suspension adaptative en option (SQ5)

Photos: Marc Lachapelle

## ◯◯◯◯ AUDI **Q7**

**Prix :** 60 500 $ à 65 500 $ (estimé)
**Catégorie :** VUS
**Garanties :**
4 ans/80 000 km, 4 ans/80 000 km
**Transport et prép. :** 2 095 $
**Ventes QC 2014 :** 368 unités
**Ventes CAN 2014 :** 1 959 unités

### Cote du Guide de l'auto
# 85 %

| Fiabilité | Appréciation générale |
|---|---|
| ■■■■■■■□□□ | ■■■■■■■■□□ |

| Sécurité | Agrément de conduite |
|---|---|
| ■■■■■■■■□□ | ■■■■■■■□□□ |

| Consommation | Système multimédia |
|---|---|
| ■■■■■■□□□□ | ■■■■■■■□□□ |

### Cote d'assurance
■■■■■■■■□□     *présentée par*
$$$        $    **KANETIX.CA**

**➕** Conduite emballante • Style plus moderne • Mécanique diesel • Pléiade de technologies

**➖** Certains systèmes complexes à maîtriser • Prix et quantité des options • Moins de dégagement à la 3ᵉ banquette

**Concurrents**
Acura MDX, BMW X5, Mercedes-Benz Classe GLE, Porsche Cayenne, Volkswagen Touareg, Volvo XC90

# Celui qui se conduit pratiquement seul

Sylvain Raymond

**L**e Q7, le plus imposant et luxueux des VUS chez Audi, se refait une beauté cette année, lui qui arrive dans les salles d'exposition cet automne. Il est assez étonnant de constater qu'après pratiquement une décennie de commercialisation, la première génération a bien traversé les années.

Les nouvelles lignes du Q7 sont frappantes. Il délaisse ses courbes de VUS macho tout en rondeurs, et s'apparente maintenant beaucoup plus à une familiale, haute sur pattes. Cela découle en bonne partie de son toit plus plat et de ses lignes davantage angulaires. Le style est classique, on se demande comment il va vieillir. L'affiliation à la marque aux anneaux est évidente, surtout à l'avant. On retrouve une grille trapézoïdale à barres transversales plus massive, car elle s'étend un peu plus en largeur et en hauteur. Les bandes à DEL des feux et des phares font très chic, surtout en soirée.

**PLUS DE PUISSANCE POUR LA PAIRE DE V6**
Côté mécanique, on retrouve toujours une paire de six cylindres de 3,0 litres. Le premier est celui qui était réservé au Q7 Sport l'an passé et qui est désormais de série. Il développe 333 chevaux et un couple de 325 lb-pi, des chiffres désormais mieux alignés avec la concurrence. Qui dit Audi dit rouage intégral quattro et tous les Q7 en sont équipés, une autre bonne nouvelle.

L'autre V6, c'est le TDI. Comme son nom l'indique, il carbure au diesel ; un précieux liquide qui, malgré son prix souvent plus élevé à la pompe chez nous, permet d'obtenir une consommation moyenne plus favorable. Disposant de la même cylindrée, il génère cette fois 272 chevaux pour un couple de 443 lb-pi, une hausse qui le positionne parmi les plus robustes de sa catégorie. Grâce à son couple imposant, ce moteur turbodiesel ne concède que deux centièmes de seconde au sprint du 0-100 km/h par rapport à l'autre V6.

On sait déjà qu'un SQ7 est en préparation et se frottera aux autres bolides du genre alors que la version hybride enfichable e-tron devrait aussi traverser l'Atlantique. Ce sera le premier véhicule à marier chez nous moteurs diesel et électrique et Audi promet une consommation sous les 2,0 l/100 km.

## UNE PLÉIADE DE TECHNOLOGIES

L'habitacle du Q7 est à la hauteur. La qualité des matériaux, leur agencement et l'assemblage sont sans reproche. Audi crée probablement les plus beaux intérieurs et l'effet est toujours aussi réussi avec le Q7. Ce VUS abrite le nec plus ultra en matière de technologie, dépassant même ce que l'on retrouve dans les luxueuses berlines du constructeur allemand.

Certaines livrées proposent le tableau de bord virtuel d'Audi qui comprend une instrumentation entièrement numérique. Un large écran remplace toutes les jauges analogiques, et présente les informations de conduite en couleur haute résolution. On croirait à un cockpit d'avion et bien entendu, il est possible de personnaliser le tout à volonté. Le nouveau système MMI qui règle pratiquement tout à bord comprend maintenant un petit pavé tactile pour faciliter la sélection des éléments. Les passagers arrière pourront quant à eux compter sur la tablette Audi, fonctionnant sous Android, laquelle permet d'interagir avec tous les systèmes du véhicule. Un véritable iPad, un peu plus résistant selon Audi.

Le Q7 se conduit pratiquement seul grâce à son régulateur de vitesse intelligent qui non seulement conserve une distance entre vous et le véhicule qui vous précède, mais maintient aussi la trajectoire, détecte les limites de vitesse pour s'y conformer automatiquement et freine seul en cas de besoin.

## QUATRE ROUES DIRECTIONNELLES

Audi a accordé une attention spéciale à la réduction du poids et sur la route, cette diminution de plus de 300 kilos se fait sentir. Le Q7 est plus agile et ses nouvelles lignes donnent l'impression qu'il est plus petit, ce qui est d'ailleurs vrai, de quelques millimètres. Cette agilité, il la doit à ses quatre roues directionnelles qui permettent de réduire le diamètre de braquage et de faciliter les virages à plus grande vitesse. Cette technologie a toujours eu de la difficulté à s'imposer dans le passé. Est-ce la bonne, cette fois?

Sur la route, on apprécie la fougue du moteur à essence et son couple disponible à bas régime. La transmission Tiptronic à huit rapports extirpe bien la puissance et l'on aime bien le système Drive Select qui permet de modifier du bout du doigt le comportement du Q7 en faisant varier notamment la réponse de l'accélérateur, de la direction et de la suspension. Le moteur diesel continue de séduire en raison de son économie de carburant, mais surtout grâce à son couple généreux. Rien à voir avec les mécaniques rugueuses du passé. À l'oreille, il est difficile de déceler qu'il s'agit d'un Q7 TDI.

### Châssis - 3.0 TDI Quattro Progressiv

| | |
|---|---|
| Emp / lon / lar / haut | 2994 / 5052 / 1968 / 1741 mm |
| Coffre / Réservoir | 295 à 2075 litres / 75 litres |
| Nbre coussins sécurité / ceintures | 6 / 7 |
| Suspension avant | ind., multibras |
| Suspension arrière | ind., multibras |
| Freins avant / arrière | disque / disque |
| Direction | à crémaillère, ass. var. élect. |
| Diamètre de braquage | 12,4 m |
| Pneus avant / arrière | P265/50R19 / P265/50R19 |
| Poids / Capacité de remorquage | 2060 kg / 2500 kg (5511 lb) |
| Assemblage | Bratislava, SK |

### Composantes mécaniques

**3.0 TDI**

| | |
|---|---|
| Cylindrée, soupapes, alim. | V6 3,0 litres 24 s turbo |
| Puissance / Couple | 272 ch / 443 lb-pi |
| Tr. base (opt) / rouage base (opt) | A8 / Int |
| 0-100 / 80-120 / V.Max | 6,5 s (const) / n.d. / 234 km/h |
| 100-0 km/h | n.d. |
| Type / ville / route / $CO_2$ | Dié / 6,7 / 6,0 l/100 km / 3448 kg/an |

**3.0 TFSI**

| | |
|---|---|
| Cylindrée, soupapes, alim. | V6 3,0 litres 24 s surcompressé |
| Puissance / Couple | 333 ch / 325 lb-pi |
| Tr. base (opt) / rouage base (opt) | A8 / Int |
| 0-100 / 80-120 / V.Max | 6,3 s (const) / n.d. / 250 km/h |
| 100-0 km/h | n.d. |
| Type / ville / route / $CO_2$ | Sup / 10,0 / 7,3 l/100 km / 4041 kg/an |

## Du nouveau en 2016

Nouveau modèle

Photos: Sylvain Raymond, Audi Canada

## AUDI **R8**

((( **SiriusXM** )))

**Prix :** 182 000 $ à 202 000 $ (estimé)
**Catégorie :** Coupé
**Garanties :**
4 ans/80 000 km, 4 ans/80 000 km
**Transport et prép. :** 2 895 $
**Ventes QC 2014 :** 22 unités
**Ventes CAN 2014 :** 116 unités

### Cote du Guide de l'auto

# 82 %

| Fiabilité | Appréciation générale |
|---|---|
| Sécurité | Agrément de conduite |
| Consommation | Système multimédia |

### Cote d'assurance

présentée par
**KANETIX.CA**

$$$                    $

**+** Style exotique du modèle •
Performances relevées • Confort en
toute condition • Finition intérieure
soignée • Rouage quattro

**−** Prix assez corsé • Espaces de
rangement peu nombreux • Juste deux
places • Disparition du moteur V8

**Concurrents**
Aston Martin Vantage,
Chevrolet Dodge Viper, Ferrari 488 GTB,
Lamborghini Huracán, McLaren 650S,
Mercedes-Benz AMG GT,
Nissan GT-R, Porsche 911

# Épisode deux

Sylvain Raymond

**I**ntroduite en 2007, la R8 a permis à Audi de se positionner parmi les constructeurs de grandes sportives. Cette fois, plus personne ne pouvait regarder Audi de haut, la R8 devenant non seulement l'icône des voitures sport de la marque, mais aussi une célébrité en sport automobile remportant de nombreux titres prestigieux. Après une légère refonte en 2012, voici qu'elle se pointe le bout du nez sous sa seconde génération.

Partageant jadis sa plate-forme avec la Lamborghini Gallardo, la R8 conserve ses affiliations avec la célèbre marque italienne, normal puisque les deux firmes sont sous le giron du groupe Volkswagen. Les ingénieurs ont utilisé cette fois la nouvelle architecture à moteur central MSS (*Modular Sport System*) comme base, la même qui a servi pour le développement de la dernière-née des Lamborghini, la Huracán. La R8 est un peu plus imposante que cette dernière, mais aussi plus compacte que la précédente génération, quelques millimètres ici et là.

### UNE ÉVOLUTION PLUS QU'UNE RÉVOLUTION

Dans le cas de cette R8, on n'a pas réinventé la roue, on a simplement fait évoluer le modèle et optimisé une recette déjà gagnante. Afin de hausser les performances, on a tout d'abord réduit le poids du bolide par une utilisation prononcée de l'aluminium, renforcée par de la fibre de carbone, dans les composantes d'architecture. Les ingénieurs ont ainsi retranché environ 45 kg au véhicule, tout en améliorant la rigidité structurelle.

Côté style, il faut être tout de même attentif pour remarquer les changements. La R8 est légèrement plus angulaire que par le passé et ses lignes générales ne sont pas sans nous rappeler celles de la nouvelle TT. L'élément le plus distinctif, ce sont les fameux *Sideblade* — les panneaux verticaux placés juste derrière les portes — qui jadis traversaient la voiture de bas en haut et qui sont maintenant séparés en deux sections. À l'arrière, les diffuseurs d'air situés sous la caisse ont aussi davantage d'impact visuel. Soyez rassuré, l'exotisme est toujours au rendez-vous.

## DE TRISTES DISPARITIONS

Concernant les mécaniques, on délaisse le valeureux V8 de 4,2 litres atmosphérique. On ne l'appréciait pas pour sa consommation à peine réduite par rapport au V10, son grand intérêt résidait plutôt dans le prix de base très attrayant du modèle, pratiquement 35 000 $ de moins que la version V10. Avec cet abandon, la R8 perd un de ses attraits et devient beaucoup plus exclusive.

Audi se rabat donc sur son V10 de 5,2 litres, un moteur très intéressant, bourré de couple et surtout, qui nous rappelle la sonorité des F1 d'un passé pas si lointain. Légèrement remanié, le V10 FSI développe 15 chevaux supplémentaires, pour un total de 540. Dans la version Plus, une livrée un peu plus exclusive, le V10 fait gronder 610 chevaux, toute une hausse par rapport aux 550 chevaux qu'il livrait l'année dernière. Cette fois, le 0-100 km/h ne sera l'affaire que d'environ 3,2 secondes selon Audi.

Histoire de rivaliser avec certains autres bolides du genre, dont la BMW i8, Audi devrait proposer la R8 en version e-tron, une auto 100 % électrique qui pourra parcourir environ 450 km sur une pleine charge.

Au chapitre des boîtes de vitesses, une autre déception nous frappe, c'est la perte de la manuelle à six rapports. Elle était admirable, spécialement dans sa présentation. On adorait faire glisser le levier dans les fentes de la grille, le tout accompagné d'un de bruit métal sur métal. On se rallie à la tendance et toutes les R8 disposent maintenant de série la boîte à sept rapports à double embrayage, drôlement efficace et qui, grâce à son mode de départs-canon, vous fait atteindre la limite de vitesse légale en un clin d'œil. On a aussi repensé le rouage intégral quattro qui en condition normale envoie 100 % du couple aux roues arrière, mais qui peut transférer la totalité de la puissance au train avant en cas de besoin.

Dans l'habitacle, on n'est pas étonné de retrouver le tout nouveau cockpit d'Audi, un module comprenant un large écran remplaçant toutes les jauges mécaniques et qui présente les informations de conduite en couleur et en haute résolution. Cet ajout a permis d'épurer la partie centrale du tableau de bord puisqu'on a retiré l'ancien écran d'affichage.

Par rapport à ses rivales, la R8 a toujours eu la réputation d'être un peu plus confortable et civilisée en conduite quotidienne. Tant ses sièges que sa suspension rendent les longues randonnées très agréables. D'ailleurs, la R8 est même intéressante et efficace en hiver ! L'autre avantage de la R8 ? Audi jouit d'un réseau de concessionnaires bien établi, apportant une tranquillité d'esprit supplémentaire.

### Châssis - V10 plus Coupé

| | |
|---|---|
| Emp / lon / lar / haut | 2650 / 4426 / 1940 / 1240 mm |
| Coffre / Réservoir | 112 litres / 73 litres |
| Nbre coussins sécurité / ceintures | 4 / 2 |
| Suspension avant | ind., double triangulation |
| Suspension arrière | ind., double triangulation |
| Freins avant / arrière | disque / disque |
| Direction | à crémaillère, ass. élect. |
| Diamètre de braquage | 11,2 m |
| Pneus avant / arrière | P245/35ZR19 / P295/35ZR19 |
| Poids / Capacité de remorquage | 1555 kg / non recommandé |
| Assemblage | Neckarsulm, DE |

### Composantes mécaniques

**V10 Coupé**

| | |
|---|---|
| Cylindrée, soupapes, alim. | V10 5,2 litres 40 s atmos. |
| Puissance / Couple | 540 ch / 398 lb-pi |
| Tr. base (opt) / rouage base (opt) | A7 / Int |
| 0-100 / 80-120 / V.Max | 3,5 s (const) / n.d. / 320 km/h |
| 100-0 km/h | n.d. |
| Type / ville / route / $CO_2$ | Sup / 16,7 / 8,4 l/100 km / 5964 kg/an |

**V10 plus Coupé**

| | |
|---|---|
| Cylindrée, soupapes, alim. | V10 5,2 litres 40 s atmos. |
| Puissance / Couple | 610 ch / 413 lb-pi |
| Tr. base (opt) / rouage base (opt) | A7 / Int |
| 0-100 / 80-120 / V.Max | 3,2 s (const) / n.d. / 330 km/h |
| 100-0 km/h | n.d. |
| Type / ville / route / $CO_2$ | Sup / 17,5 / 9,3 l/100 km / 6353 kg/an |

## Du nouveau en 2016

Nouveau modèle

Photos : Audi Canada

# ÉCONOMIQUE

## AUDI **TT**

((( SiriusXM )))

**Prix :** 53 000 $ à 67 000 $ (estimé)
**Catégorie :** Coupé, Roadster
**Garanties :**
4 ans/80 000 km, 4 ans/80 000 km
**Transport et prép. :** 1 995 $
**Ventes QC 2014 :** 98 unités
**Ventes CAN 2014 :** 289 unités

### Cote du Guide de l'auto

# 78 %

| Fiabilité | Appréciation générale |
|---|---|
| ■■■■■■■■□□ | ■■■■■■■□□□ |
| Sécurité | Agrément de conduite |
| ■■■■■■■□□□ | ■■■■■■■□□□ |
| Consommation | Système multimédia |
| ■■■■■□□□□□ | ■■■■■■□□□□ |

### Cote d'assurance

■■■■■□□□□□                  présentée par
$$$                              $        **KANETIX.CA**

➕ Cockpit virtuel à la fine pointe •
Version TTS dynamique et performante •
Rouage intégral sérieux • Belle évolution
du style • Design superbe de la
planche de bord

➖ *Feedback* de la direction à revoir •
Prix élevés • Poids plus élevé (Roadster) •
Places arrière symboliques (Coupé)

### Concurrents

Alfa Romeo 4C, BMW Z4, Jaguar F-Type,
Lotus Evora, Mercedes-Benz Classe SLK,
Porsche Boxster, Porsche Cayman

## Dans l'air du temps

Gabriel Gélinas

**L**'arrivée du concept TT au Salon de Francfort en 1995 a eu l'effet d'une onde de choc. Avec cette voiture marquante, Audi annonçait qu'elle serait dorénavant aux avant-postes en matière de design. Avec le modèle de deuxième génération, le constructeur d'Ingolstadt bonifiait la dynamique — grâce à un nouveau châssis —, et certaines versions, comme la TT-RS, sont devenues de sérieuses voitures de performance.

Avec la TT de troisième génération, et sa variante plus typée TTS, Audi revoit sa copie en développant sa nouvelle sportive sur la plate-forme MQB, qui sert également de base à la Volkswagen Golf et la Audi A3. En même temps, Audi inaugure un concept pour le design intérieur en logeant un écran TFT couleur de 12,3 pouces en lieu et place du traditionnel bloc d'instruments.

Côté style, la nouvelle TT emprunte certains éléments de design à la R8, comme l'emblème des quatre anneaux que l'on retrouve sur le capot avant de la voiture, et le style est plus ciselé comme en témoignent les lignes qui jouxtent la calandre Singleframe. Les dimensions de ce modèle sont légèrement plus courtes et plus étroites que celles de l'ancien, mais l'empattement a progressé de 37 millimètres et les porte-à-faux avant et arrière sont plus courts, ce qui lui donne une allure plus athlétique.

Sous le capot, la TT fait appel au moteur EA888 quatre cylindres de 2,0 litres turbocompressé qui anime aussi la Volkswagen GTI, mais sa puissance a été portée à 220 chevaux alors que le couple est chiffré à 273 livres-pied. Avec la boîte à double embrayage S Tronic à six rapports et le rouage intégral quattro, la TT est capable d'atteindre 100 kilomètres/heure en 5,3 secondes. La variante TTS reçoit un moteur gonflé à 290 chevaux et 280 livres-pied de couple et fait le 0-100 km/h en 4,6 secondes.

## ÉQUILIBRÉE ET AGILE

La TT de troisième génération a moins tendance à sous-virer et le rouage intégral peut maintenant envoyer plus de couple aux roues arrière en conduite sportive. Lorsque le système Audi Drive Select fait partie de l'équation (livrable en option sur la TT et la TTS au Canada), le comportement routier peut être paramétré par le conducteur selon trois modes — Dynamic, Auto ou Comfort — qui affectent la réponse de l'accélérateur, la rapidité du passage des rapports de la boîte à double embrayage et de la direction, l'amortissement de la suspension pilotée Magnetic Ride de même que le degré d'intervention du système de contrôle électronique de la stabilité. Tout cela fait en sorte que la TT est une voiture très compétente en conduite sportive.

Comme il se doit, la TTS hausse la barre d'un cran. Avec son moteur de 290 chevaux, la TTS est rapide et elle le fait sentir admirablement bien par le biais d'un système acoustique qui amplifie le son du moteur dans l'habitacle ainsi que par les échappements à clapets qui s'ouvrent lorsque le moteur tourne à haut régime. Sur circuit, la TTS s'avère particulièrement joueuse, le rouage intégral livrant plus de couple aux roues arrière en conduite sportive. La TTS s'inscrit en virage avec une grande précision malgré le fait que la direction ne rend pas la même qualité de *feedback* que celle d'une sportive à deux roues motrices, le train avant étant toujours lié au rouage intégral.

## UN TABLEAU DE BORD QUI FERA ÉCOLE

La dynamique de la TT impressionne, mais c'est son habitacle qui est la véritable pièce maîtresse. On est soufflé par la simplicité du design et par la beauté de la planche de bord, laquelle est fortement inspirée de la course automobile. Elle remplace le traditionnel bloc d'instruments par un écran TFT couleur de 12,3 pouces qui peut être configuré par le conducteur selon plusieurs modes. La planche de bord se déploie vers le passager comme une aile d'avion et les buses rondes de ventilation, qui intègrent toutes les commandes du système de chauffage/climatisation ainsi que les commandes des sièges chauffants, évoquent les réacteurs d'un avion nichés sous l'aile.

Quant aux modèles Roadster, précisons que le toit rétractable est en tissu et disponible en noir, en gris ou en beige. Les moteurs électriques permettent de l'abaisser ou de le remettre en place tout en roulant, jusqu'à une vitesse de 50 km/h. Concernant le comportement routier, il est remarquablement similaire à celui des modèles coupés malgré un poids plus élevé de 90 kilos.

Plus dynamiques et plus expressives, les TT et TTS respectent en tout point le credo de la marque en jouxtant la conduite sportive et la traction intégrale alors que les Porsche Boxster et Cayman sont plus performantes mais demeurent de simples propulsions.

### Châssis - S Coupé

| | |
|---|---|
| Emp / lon / lar / haut | 2505 / 4191 / 1966 / 1343 mm |
| Coffre / Réservoir | 305 à 712 litres / 55 litres |
| Nbre coussins sécurité / ceintures | 4 / 4 |
| Suspension avant | ind., jambes force |
| Suspension arrière | ind., multibras |
| Freins avant / arrière | disque / disque |
| Direction | à crémaillère, ass. var. élect. |
| Diamètre de braquage | 11,0 m |
| Pneus avant / arrière | P245/40R18 / P245/40R18 |
| Poids / Capacité de remorquage | 1440 kg / n.d. |
| Assemblage | Gyor, HU |

### Composantes mécaniques

**Coupé, Roadster**

| | |
|---|---|
| Cylindrée, soupapes, alim. | 4L 2,0 litres 16 s turbo |
| Puissance / Couple | 220 ch / 273 lb-pi |
| Tr. base (opt) / rouage base (opt) | A6 / Int |
| 0-100 / 80-120 / V.Max | 5,3 s / n.d. / 250 km/h |
| 100-0 km/h | n.d. |
| Type / ville / route / $CO_2$ | Sup / 8,5 / 5,6 l/100 km / 3310 kg/an |

**S Coupé, S Roadster**

| | |
|---|---|
| Cylindrée, soupapes, alim. | 4L 2,0 litres 16 s turbo |
| Puissance / Couple | 290 ch / 280 lb-pi |
| Tr. base (opt) / rouage base (opt) | A6 / Int |
| 0-100 / 80-120 / V.Max | 4,6 s / n.d. / 250 km/h |
| 100-0 km/h | n.d. |
| Type / ville / route / $CO_2$ | Sup / 9,3 / 6,1 l/100 km / 3616 kg/an |

## Du nouveau en 2016

Nouveau modèle

Photos : Costa Mouzouris

CONTINENTAL GT SPEED CONVERTIBLE

# BENTLEY **CONTINENTAL GT/FLYING SPUR**

((SiriusXM))

**Prix:** 234 190 $ à 311 850 $ (2015)
**Catégorie:** Cabriolet, Coupé, Berline
**Garanties:**
3 ans/illimité, 3 ans/illimité
**Transport et prép.:** n.d.
**Ventes QC 2014:** n.d.
**Ventes CAN 2014:** n.d.

## Cote du Guide de l'auto

# 72%

| Fiabilité | Appréciation générale |
| Sécurité | Agrément de conduite |
| Consommation | Système multimédia |

## Cote d'assurance

présentée par
**KANETIX.CA**

$$$                    $

 Moteurs ultrapuissants • Prestige extraordinaire • Exclusivité assurée • Conduite tout en douceur • Confort royal

— Prix à faire reculer Bill Gates • Poids superlatif • Consommation honteuse • Places arrière indignes (sauf Flying Spur) • Aussi chère à entretenir qu'un Airbus

## Concurrents

Continental GT: Aston Martin DB9/ Vanquish,Ferrari F12 Berlinetta, Maserati Gran Turismo, Mercedes-Benz AMG GT, Flying Spur: Aston Martin Rapide, Maserati Quatroporte, Rolls-Royce Ghost

# Rolls-Royce? Connaît pas.

Alain Morin

**A**u début des années 2000, personne ne donnait cher de la marque Bentley, autrefois un fleuron de l'industrie automobile anglaise aux côtés de la non moins noble Rolls-Royce. Au tournant du nouveau millénaire, les Bentley n'étaient d'ailleurs plus qu'une pâle copie des Rolls, «pâle» devant être pris dans un sens plutôt large... Dans une saga judiciaire digne d'être portée à l'écran, BMW venait de se porter acquéreur de Rolls-Royce et Volkswagen de Bentley. Chez BMW, on se tenait les côtes tant on était heureux de voir Volkswagen pris avec cette plaie de lit.

Que l'on soit riche ou pauvre, beau ou laid, petit ou grand, la vie demeure seul maître à bord. Elle avait même mis de côté une de ses magistrales claques pour BMW. Alors que celui-ci commençait à peine à retrouver un semblant de contenance après le fou rire, Bentley dévoilait sa Continental GT. Et vlan, BMW, dans les dents!

### ON S'HABITUE À TOUT. MÊME AU LUXE.

Au début, le style de la Continental GT avait surpris. La partie avant avec ses gros phares, surtout, ne laissait personne indifférent tandis que le reste de la voiture était loin de faire dans la dentelle. Il faut toutefois dire que de la dentelle de riche, c'est beaucoup plus solide que de la dentelle de pauvre. Toujours est-il que ce gros coupé a évolué avec les années. Bentley lui a enlevé son toit pour créer une version décapotable puis a ajouté deux portes pour en faire une berline.

Si la carrosserie fait dans le superlatif, que dire de l'habitacle où se marient cuirs fins (extraordinairement fins serait plus juste), boiseries rares et autres matériaux choisis avec un soin maniaque. Le moderne côtoie l'ancien, mais dans une moindre mesure depuis une refonte majeure en 2011. Les sièges avant évoquent davantage le trône royal que l'accessoire automobile tant ils sont confortables. Bentley s'inspire beaucoup des sièges qu'on retrouve dans les camions qui parcourent de très longues distances pour créer les siens. Les places arrière du coupé sont forcément plus petites et on a beau y être bien assis, on finit par trouver le temps long assez rapidement. Les places arrière du cabriolet ne sont guère mieux nanties, mais celles de la berline compensent allègrement.

La vie veille au grain, BMW peut vous en parler, et possède toujours un bon stock de baffes dans un coin de son atelier. Il y a quelques années, elle a foutu dans les pattes des marques de prestige une planète aux prises avec des problèmes d'environnement et des gouvernements de plus en plus sévères en matière de rejets nocifs dans l'atmosphère. Délicat problème pour une marque comme Bentley qui a fait de la puissance son cheval de bataille. Pour s'en sortir sans trop perdre la face, la marque de Crewe en Angleterre (c'est toujours là, d'ailleurs, que les Bentley sont construites) décidait, en 2013, d'offrir un V8 dans sa gamme Continental. C'était à la limite du mauvais goût et sûrement que quelques disciples du fondateur, Walter Owen Bentley, ont pleuré, mais c'était tout de même mieux que de créer un modèle hybride, ce qui aurait été une hérésie pure et simple.

## LE MINIMUM DES UNS, LE MAXIMUM DES AUTRES

Chez Bentley, un V8, ça génère 500 ou 521 chevaux selon la version, ce qui constitue, d'après les critères «bentléens», un minimum acceptable. Avec un couple se situant dans les mêmes eaux, on a beau avoir une voiture dont le poids dépasse allègrement 2 200 kilos, les performances sont au rendez-vous. Même avec ce «petit» moteur, un 0-100 km/h demande moins de 5 secondes ce qui, pour une Bentley, est dans le domaine du raisonnable.

Pour ne pas froisser une clientèle susceptible (et ayant les moyens de l'être), Bentley a tout de même prévu laisser le W12 au catalogue. Cette année, elle lui accorde même une petite augmentation de puissance. Le 6,0 litres passe, dans sa version de base (!?!?), de 567 à 582 chevaux et de 516 à 531 lb-pi de couple. Ça va lui faire du bien, il manquait tellement de puissance auparavant... La version Speed produit 626 chevaux et 607 lb-pi de couple. Entre vous et moi, pour avoir essayé les deux variantes du W12, faire le 0-100 km/h en 4,2 secondes au lieu de 4,5, ça ne paraît absolument pas. Peut-être que je ne suis pas assez riche pour voir la différence.

Loin de s'asseoir sur ses glorieux lauriers, la Bentley continue de développer sa gamme Continental et Flying Spur en dévoilant chaque année au moins une nouvelle version. La plus récente est la livrée Beluga (un nom qui en dit long sur le poids de la voiture...), offerte seulement avec la Flying Spur V8. Chez Bentley, on se fout de Rolls-Royce et on va de l'avant. Vite.

### Du nouveau en 2016

Nouvelle Flying Spur Beluga (disponible avec V8 seulement). W12 un peu plus puissant, quelques révisions esthétiques à l'extérieur comme à l'intérieur.

### Châssis - GT V8 S convertible

| | |
|---|---|
| Emp / lon / lar / haut | 2746 / 4806 / 2227 / 1403 mm |
| Coffre / Réservoir | 260 litres / 90 litres |
| Nbre coussins sécurité / ceintures | 5 / 4 |
| Suspension avant | ind., pneumatique, bras inégaux |
| Suspension arrière | ind., pneumatique, multibras |
| Freins avant / arrière | disque / disque |
| Direction | à crémaillère, ass. var. élect. |
| Diamètre de braquage | 11,3 m |
| Pneus avant / arrière | P275/40ZR20 / P275/40ZR20 |
| Poids / Capacité de remorquage | 2470 kg / n.d. |
| Assemblage | Crewe, GB |

### Composantes mécaniques

**V8**

| | |
|---|---|
| Cylindrée, soupapes, alim. | V8 4,0 litres 32 s turbo |
| Puissance / Couple | 500 ch / 487 lb-pi |
| Tr. base (opt) / rouage base (opt) | A8 / Int |
| 0-100 / 80-120 / V.Max | 4,8 s (const) / n.d. / 301 km/h |
| 100-0 km/h | n.d. |
| Type / ville / route / CO$_2$ | Sup / 16,8 / 9,8 l/100 km / 6279 kg/an |

**V8 S**

| | |
|---|---|
| Cylindrée, soupapes, alim. | V8 4,0 litres 32 s turbo |
| Puissance / Couple | 521 ch / 502 lb-pi |
| Tr. base (opt) / rouage base (opt) | A8 / Int |
| 0-100 / 80-120 / V.Max | 4,5 s (const)/ n.d. / 308 km/h |
| 100-0 km/h | n.d. |
| Type / ville / route / CO$_2$ | Sup / 16,8 / 9,8 l/100 km / 6279 kg/an |

**GT**

| | |
|---|---|
| Cylindrée, soupapes, alim. | W12 6,0 litres 48 s turbo |
| Puissance / Couple | 582 ch / 531 lb-pi |
| Tr. base (opt) / rouage base (opt) | A8 / Int |
| 0-100 / 80-120 / V.Max | 4,5 s (const) / n.d. / 315 km/h |
| 100-0 km/h | n.d. |
| Type / ville / route / CO$_2$ | Sup / 19,6 / 11,8 l/100 km / 7401 kg/an |

**GT Speed**

| | |
|---|---|
| Cylindrée, soupapes, alim. | W12 6,0 litres 48 s turbo |
| Puissance / Couple | 626 ch / 607 lb-pi |
| Tr. base (opt) / rouage base (opt) | A8 / Int |
| 0-100 / 80-120 / V.Max | 4,2 s (const) / n.d. / 327 km/h |
| 100-0 km/h | n.d. |
| Type / ville / route / CO$_2$ | Sup / 19,6 / 11,8 l/100 km / 7401 kg/an |

FLYING SPUR

# BENTLEY **MULSANNE**

**Prix :** 367 510 $ à 375 000 $ (2015)
**Catégorie :** Berline
**Garanties :**
3 ans/illimité, 3 ans/illimité
**Transport et prép. :** n.d.
**Ventes QC 2014 :** n.d.
**Ventes CAN 2014 :** n.d.

## Cote du Guide de l'auto
# 63 %

| Fiabilité | Appréciation générale |
|---|---|
| ■■■■□ | ■■■□□ |
| Sécurité | Agrément de conduite |
| ■■■■□ | ■■■□□ |
| Consommation | Système multimédia |
| ■■■□□ | ■■■□□ |

## Cote d'assurance
■■□□□□
$$$                    $

présentée par
**KANETIX.CA**

➕ Design intensément vivant •
Quintessence du confort • Exclusivité
garantie • Puissance surréelle • Silence
de roulement impeccable

➖ Prix absolument indécent • Poids
d'une locomotive • Consommation
grotesque • Conduite plutôt assommante

**Concurrents**
Rolls-Royce Phantom

# Pour toutes les sortes de riches

Alain Morin

**D**epuis son arrivée sur cette Terre, l'Humain n'a eu de cesse de façonner celle-ci à sa guise. Cette transformation fut d'abord lente puis s'est accélérée de manière exponentielle avec la révolution industrielle. En quelques dizaines d'années sont apparus le cinéma, la radio, le téléphone, l'automobile, l'avion et les gratte-ciel. Puis l'électronique a amené la télévision, facilité les communications, fait rapetisser les dimensions de tous les appareils. L'Humain a appris à observer l'infiniment petit et à construire l'immensément grand. Les barrages hydroélectriques, les zeppelins, la Bentley Mulsanne...

Il faut dire que Bentley n'a jamais fait dans le petit. Créée en 1919 par Walter Owen Bentley, un homme qui n'était satisfait que lorsqu'il obtenait le meilleur, la marque à la lettre B ailée s'est rapidement fait un nom dans la course automobile. Ses créations ont toujours été surpuissantes, démesurées, intenses. La tradition se poursuit encore aujourd'hui.

### ALLEZ, ALLEZ, ON DÉGAGE...
La Mulsanne en est la plus récente preuve. Son style, tout d'abord, en jette plein la vue. À la limite du grotesque, la partie avant, avec ses grands phares placés de chaque côté d'une immense calandre, annonce aux mortels une présence hors du commun. Oui, de la présence, la Mulsanne en a ! Coller au derrière d'une Civic blanche ayant pris possession de la voie de gauche sur l'autoroute 20 et voir, via son rétroviseur intérieur, le visage terrifié du conducteur puis le clignotant de droite se mettre en fonction est un bonheur qu'il faut avoir vécu au moins une fois dans sa vie (tout en restant dans les limites de la légalité, évidemment...)

Le confort de l'habitacle ne peut se décrire qu'en termes poétiques et, enfermé dans cet espace dont le luxe a fait son apanage, prêt à prendre le volant d'une voiture qui tient de l'hommage, on fait attention pour ne pas salir les sièges quand on mange du fromage.

La Mulsanne, c'est le genre de voiture dont le luxe n'a pas été ajouté. C'est du luxe auquel on a ajouté une voiture. Rien, absolument rien n'a été négligé. Une moulure en aluminium brossé coûtera 1 000 $ de plus qu'une autre d'une qualité un zeste inférieure ? Chez Bentley, comme chez quelques autres marques prestigieuses, on ne se pose pas la question ! On augmentera le prix de vente d'autant, c'est tout. Sur un demi-million de dollars, ça ne paraîtra même pas.

La noblesse des matériaux ne se décrit pas avec de simples mots et le dictionnaire des superlatifs est requis. Le design un peu vieillot du tableau de bord constituerait un accroc au protocole de la modernité pour toute automobile le moindrement dispendieuse. Pas dans une Mulsanne. Au contraire, en plus de rappeler les origines anglaises, donc forcément nobles, de la marque, il nous lance au visage que ce n'est pas le reste de l'industrie automobile qui dictera à Bentley le chemin à prendre.

### UN V8, TOUT SIMPLEMENT
Sous le capot, un V8, tout simplement. Huit cylindres comme on en retrouve chez les vulgaires BMW ou Mercedes-AMG. Mais un huit cylindres de 505 chevaux et 752 livres-pied de couple. À 1 750 tours/minute, svp. Si vous ne savez pas ce que ces chiffres veulent dire, ce n'est pas grave. Écrasez l'accélérateur et laissez-les s'exprimer. Il va probablement vous en coûter une dizaine de dollars d'essence (super, bien sûr) pour cette unique accélération, mais ce sera comme une révélation. Qu'est-ce que ça avance !

Quoique parfaitement inutile, une version encore plus puissante de ce moteur est installée dans la Mulsanne Speed. Selon Bentley, elle permet le 0-100 km/h en 4,9 secondes. Même si 530 chevaux et, surtout, un couple de 811 livres-pied constituent une inépuisable source de puissance, il demeure que 2 711 kilos à déplacer, c'est pas de la tarte. Mais, bon, quand on navigue dans les très hautes sphères du pouvoir économique, sans doute qu'il s'agit là de la moindre des choses pour une automobile...

Mais tout ce que vous venez de lire, c'était pour les riches les plus pauvres. Pour les autres, il y a Mulliner, un carrossier associé à Bentley depuis des décennies qui existe pour répondre aux extravagances les plus sérieuses comme les plus folles. Le prix des voitures qui sortent de ses ateliers est tout simplement indécent. Et ça, ça fait plaisir aux riches les plus riches.

| Châssis - Speed | |
| --- | --- |
| Emp / lon / lar / haut | 3266 / 5575 / 2208 / 1521 mm |
| Coffre / Réservoir | 443 litres / 96 litres |
| Nbre coussins sécurité / ceintures | 6 / 5 |
| Suspension avant | ind., pneumatique, bras inégaux |
| Suspension arrière | ind., pneumatique, multibras |
| Freins avant / arrière | disque / disque |
| Direction | à crémaillère, ass. var. élect. |
| Diamètre de braquage | 12,6 m |
| Pneus avant / arrière | P265/40ZR21 / P265/40ZR21 |
| Poids / Capacité de remorquage | 2685 kg / n.d. |
| Assemblage | Crewe, GB |

| Composantes mécaniques | |
| --- | --- |
| **Base** | |
| Cylindrée, soupapes, alim. | V8 6,8 litres 32 s turbo |
| Puissance / Couple | 505 ch / 752 lb-pi |
| Tr. base (opt) / rouage base (opt) | A8 / Prop |
| 0-100 / 80-120 / V.Max | 5,8 s / 3,6 s / 296 km/h |
| 100-0 km/h | 37,1 m |
| Type / ville / route / CO$_2$ | Sup / 19,6 / 12,4 l/100 km / 7526 kg/an |
| **Speed** | |
| Cylindrée, soupapes, alim. | V8 6,8 litres 32 s turbo |
| Puissance / Couple | 530 ch / 811 lb-pi |
| Tr. base (opt) / rouage base (opt) | A8 / Prop |
| 0-100 / 80-120 / V.Max | 4,9 s (const) / n.d. / 305 km/h |
| 100-0 km/h | n.d. |
| Type / ville / route / CO$_2$ | Sup / 19,6 / 12,4 l/100 km / 7526 kg/an |

### Du nouveau en 2016
Ajout d'une version Speed

Photos : Bentley Canada

# BMW I3

**Prix:** 45 300 $ à 49 300 $ (2015)
**Catégorie:** Hatchback
**Garanties:**
4 ans/80 000 km, 4 ans/80 000 km
**Transport et prép.:** 2 095 $
**Ventes QC 2014:** 50 unités
**Ventes CAN 2014:** n.d.

## Cote du Guide de l'auto

# 82 %

| | |
|---|---|
| Fiabilité n.d. | Appréciation générale ■■■■■■□□ |
| Sécurité ■■■■■■□□ | Agrément de conduite ■■■■■■□□ |
| Consommation ■■■■■■■■□ | Système multimédia ■■■■■□□□ |

## Cote d'assurance

■■■■■■■■■□
$$$                    $

présentée par
**KANETIX.CA**

➕ Conduite amusante, géniale en ville • Performances étonnantes • Rouage électrique très au point • Habitacle original et chic • Carrosserie antirouille

➖ Prix très épicé pour une compacte • Autonomie électrique limitée • Conduire une propulsion en hiver • Moteur d'appoint assez cher • Seulement quatre places

## Concurrents

Chevrolet Spark EV, Mitsubishi i-MIEV, Nissan Leaf

---

# La fée des électrons est en ville

Marc Lachapelle

**M**otoriste exceptionnelle et grande défenseure de l'hydrogène comme carburant, BMW s'est néanmoins lancée à fond lorsqu'elle a choisi de développer une voiture de série à propulsion électrique. Née sur une feuille ou un écran blanc, la i3 repose sur une structure remarquablement légère et solide, conçue dès la première seconde pour ce type de voiture. Tout le reste est à l'avenant dans une citadine comme on n'en avait jamais vue.

Courte et trapue, la i3 a été créée pour rouler en ville avant toute chose. Son profil anguleux et ses lignes brisées donnent l'impression d'avoir été taillés au scalpel. Des spécialistes l'ont néanmoins primée Design de l'année aux prix mondiaux de l'automobile. Chose certaine, elle ne passe jamais inaperçue, mais il faut vraiment les faux naseaux qui lui tiennent lieu de calandre et le fameux «roundel» bleu et blanc pour savoir qu'il s'agit bien d'une BMW.

## VUE PANORAMIQUE ET PORTIÈRES EN ACCOLADE

L'immense pare-brise de la i3 et ses glaces latérales découpées très bas offrent une visibilité exceptionnelle pour la conduite en ville. Des glaces presque carrées en font autant pour les passagers arrière, mais elles sont fixes. Tant pis pour l'air frais. Ces glaces sont découpées dans les courtes portières en accolade qui permettent un accès facile à deux places raisonnablement spacieuses et confortables. Si la i3 peut s'offrir cette immense ouverture et se passer de montant central, c'est grâce à une coque très rigide en plastique renforcé de fibre de carbone à laquelle sont fixés des panneaux de carrosserie en polymère. Donc antichocs et antirouille.

L'ensemble est ancré au châssis en aluminium qui porte la batterie lithium-ion de 19 kWh sous le plancher et les moteurs au-dessus de l'essieu arrière. Une bonne nouvelle en termes de motricité pour cette propulsion, si l'on songe à l'hiver. Sans compter qu'avec cette disposition, la i3 profite d'une répartition des masses idéale (50/50) qui explique en bonne partie son agilité et le plaisir qu'on prend à la conduire, même si elle roule sur des pneus «écolo» très étroits de taille 155/70R19 à l'avant et 175/60R19 à l'arrière. Les premiers lui valent un diamètre de braquage très court qui fait des merveilles pour la maniabilité et le stationnement.

Autre élément qui explique la vivacité de la i3: sa direction très rapide. Un peu trop, même. Les ingénieurs y sont allés un peu fort, sans doute pour compenser le profil haut de leur citadine électrique. On s'y fait vite pour la ville, mais la i3 est plutôt nerveuse en tenue de cap sur la route. Côté autonomie électrique, je n'ai pas vu plus de 135 km au compteur après une recharge complète. On en profite en roulant en mode Eco Pro+ qui désactive le climatiseur, limite la vitesse à 90 km/h, mais réduit à peine l'accélération. C'est tout ce qui compte, en ville. Prière d'ailleurs, BMW, d'ajouter une DEL sous le capot avant pour prendre le câble de recharge le soir dans le coffre minuscule.

## COMME UN BIMOTEUR URBAIN

Le moteur d'appoint optionnel, un bicylindre à essence de 650 cm3 et 38 chevaux, est installé sous le plancher de la soute à l'arrière. Il ajoute 123 kg aux 1 297 kilos de la version purement électrique de la i3 et une centaine de kilomètres d'autonomie. Il ne démarre que lorsque l'autonomie électrique affichée est entièrement épuisée et uniquement pour recharger la batterie de propulsion. On entend alors un léger grondement qui n'a rien de désagréable et le drôle de toussotement de l'échappement.

J'ai mesuré un 0-100 km/h de 8,07 secondes avec cette version, tout près des 7,9 secondes annoncées. BMW promet 7,2 secondes pour la i3 tout-électrique. C'est nettement mieux que les 11,28 secondes de la Nissan Leaf, plus lourde de 300 kg. La i3 boucle la reprise de 80-120 km/h en 6,2 secondes, mais accélère surtout de 60 à 100 km/h en 4,2 secondes. Une autre des raisons qui la rendent si réjouissante à conduire en ville.

Parce qu'il faut certainement accorder aussi une part du mérite à un habitacle vaste, lumineux et accueillant, où se combinent joliment des matériaux et des tissus d'aspect et de texture très variés. Parfaitement écolos aussi pour la plupart. Comme cette planche de bord en bois d'eucalyptus récolté tout près de l'usine de Leipzig où la i3 est produite. Le petit écran, droit devant, présente toutes les données essentielles et le grand, qui semble flotter dans l'air au centre, est une merveille de clarté. Surtout si l'on s'est offert l'affichage des données de circulation en temps réel. Parce que dans la i3, la radio est dépourvue de bande AM pour écouter les rapports. On est moderne ou on ne l'est pas. Et BMW a certainement choisi son camp dans ce débat.

## Châssis - avec Range Extender

| | |
|---|---|
| Emp / lon / lar / haut | 2570 / 4008 / 2039 / 1578 mm |
| Coffre / Réservoir | 260 à 1100 litres / 7 litres |
| Nbre coussins sécurité / ceintures | 6 / 4 |
| Suspension avant | ind., jambes force |
| Suspension arrière | ind., multibras |
| Freins avant / arrière | disque / disque |
| Direction | à crémaillère, ass. var. élect. |
| Diamètre de braquage | 9,9 m |
| Pneus avant / arrière | P155/70R19 / P175/60R19 |
| Poids / Capacité de remorquage | 1420 kg / Non recommandé |
| Assemblage | Leipzig, DE |

## Composantes mécaniques

**Loft Design**

| | |
|---|---|
| Tr. base (opt) / rouage base (opt) | Rapport fixe / Prop |
| 0-100 / 80-120 / V.Max | 7,2 s / 4,9 s / 150 km/h |
| 100-0 km/h | n.d. |

**Moteur électrique**

| | |
|---|---|
| Puissance / Couple | 168 ch (125 kW) / 184 lb-pi |
| Type de batterie | Lithium-ion (Li-ion) |
| Énergie | 19 kWh |
| Temps de charge (120V / 240V) | 5,7 h / 2,8 h |
| Autonomie | 160 km |

**Range Extender**

| | |
|---|---|
| Cylindrée, soupapes, alim. | 2L 0,7 litre 8 s atmos. |
| Puissance / Couple | 38 ch / 41 lb-pi |
| Tr. base (opt) / rouage base (opt) | Rapport fixe / Prop |
| 0-100 / 80-120 / V.Max | 8,0 s / 6,2 s / 150 km/h |
| 100-0 km/h | n.d. |
| Type / ville / route / $CO_2$ | Sup / 5,7 / 6,3 l/100 km / 2746 kg/an |

**Moteur électrique**

| | |
|---|---|
| Puissance / Couple | 168 ch (125 kW) / 184 lb-pi |
| Type de batterie | Lithium-ion (Li-ion) |
| Énergie | 19 kWh |
| Temps de charge (120V / 240V) | 5,5 h / 2,8 h |
| Autonomie | 300 km |

## Du nouveau en 2016

Aucun changement majeur

Photos: Marc Lachapelle

## BMW i8

**Prix :** 150 000 $
**Catégorie :** Coupé
**Garanties :**
4 ans/80 000 km, 4 ans/80 000 km
**Transport et prép. :** 2 095 $
**Ventes QC 2014 :** n.d.
**Ventes CAN 2014 :** n.d.

Cote du Guide de l'auto

# 83 %

Fiabilité
n.d.

Appréciation générale
■■■■■■■■□□

Sécurité
■■■■■■■□□□

Agrément de conduite
■■■■■■■■■□

Consommation
■■■■■■■■■■

Système multimédia
■■■■■■■□□□

Cote d'assurance
■■■■□□□□□□
$$$       $

présentée par
**KANETIX.CA**

➕ Silhouette magnifique • Conception et réalisation magistrales • Performances et frugalité d'exception • Confort, douceur et silence étonnants

➖ Le freinage un peu sec d'une hybride • Rangements presque nuls dans la cabine • Places arrière dérisoires • Coffre vraiment minuscule • Fiabilité à démontrer

**Concurrents**
Aucun concurrent direct.

Pourrait se comparer à : Audi R8, Ferrari 488, Lamborghini Huracán, McLaren 650S, Porsche 911

# Moderne et magique

Marc Lachapelle

**B**MW a créé très peu de grandes sportives en plus d'un demi-siècle. Les 507, M1 et Z8 ont cependant toutes été uniques et marquantes. Aucune n'aura toutefois démontré la vision, l'audace et la maîtrise technique du constructeur bavarois avec autant d'éclat que la spectaculaire i8 qui est devenue, à bien des égards, la première sportive entièrement nouvelle de l'ère moderne.

Version de série du prototype Vision Efficient Dynamics qui rayonnait sur la couverture du *Guide de l'auto 2012*, la i8 a été développée et mise en production en à peine plus de trois années. C'est déjà phénoménal, si l'on considère le niveau étourdissant de complexité, de nouveauté et de difficulté de sa conception.

On est vite doublement impressionné en passant plus de temps à ses commandes et en complétant tous les essais et toutes les mesures souhaitées, en terrain connu. À vivre une semaine entière avec cette sportive racée, parfaitement unique, on constate à quel point elle est originale, performante et raffinée.

**UN OISEAU RARE**
À vrai dire, l'esprit, le caractère et le brio de la i8 se trouvent entiers dans ces portières en élytre qui la rendent déjà exotique. Ces grandes ailes s'ouvrent et se referment à deux doigts, sans le moindre effort, avec le son net et sourd de la qualité. Elles combinent les seuls panneaux en aluminium de la carrosserie, fixés à des cadres faits du même plastique renforcé de fibre de carbone (PRFC) que la coque de l'habitacle.

Cette structure légère et robuste est elle-même posée sur un châssis en aluminium et en fibre de carbone auquel sont boulonnées les composantes du groupe propulseur hybride et les suspensions. Les autres panneaux de la carrosserie sont en thermoplastique, donc antirouille et à l'épreuve des chocs.

On se glisse à bord facilement, malgré des seuils larges et hauts. L'habitacle est lumineux, la visibilité très correcte, même avec un large montant arrière et une lunette qui n'a rien de panoramique. La cabine est séparée du compartiment-moteur arrière par une double glace dont le verre ultramince insonorise sans alourdir. Une première pour l'automobile. Le coffre, sous le hayon en verre, est microscopique. Oubliez le golf. Peut-être un sac de *bowling*.

Le dessin du tableau de bord est fluide, la qualité des matériaux et la finition irréprochables. Partout, on voit et on touche des cuirs cousus magnifiques, tannés avec un extrait de feuilles d'olivier, un procédé non polluant. Les sièges sont bien sculptés, leur coussin hélas un peu court pour un maintien parfait des cuisses. La i8 est présentée comme une 2+2 mais ses places arrière sont tout juste utilisables pour un adulte : tête au plafond, dossier quasi vertical.

Sur le volant en cuir, une mince ligne aussi bleue que les ceintures de la finition Halo optionnelle. Des lignes rouges s'illuminent sur les contre-portes et le tableau de bord, de part et d'autre de la nacelle où logent les cadrans virtuels. Ils virent du gris au rouge-orangé quand on passe du mode Comfort au mode Sport et au bleu en mode EcoPro.

### COMME SUR UN TAPIS MAGIQUE

Les commandes sont simples et à portée de doigt. Une pression sur le bouton *Start*, une autre sur celui du frein de parc électronique et la i8 démarre, en silence. Le moteur électrique de 129 chevaux (96 kW) vous emmène facilement à plus de 110 km/h en entraînant les seules roues avant. Votre autonomie électrique sera d'au plus 29 km, le mieux que nous ayons obtenu après une recharge qui dure un peu plus que les 4 heures annoncées.

Sur l'autoroute, la i8 est vraiment douce et silencieuse pour une sportive, sauf sur une chaussée très rugueuse. Elle absorbe étonnamment bien les fentes et saillies les plus grosses et sautille sur les petites.

Poussez le sélecteur électronique vers la gauche pour passer en mode Sport et le tricylindre turbocompressé de 1,5 litre et 228 chevaux monté à l'arrière se réveille et se joint au moteur électrique. Avec quatre roues motrices, vous atteignez 100 km/h en 4,3 secondes, un grognement sourd et réjouissant plein les oreilles. En quelques dixièmes de mieux que promis.

En courbe rapide, la i8 sous-vire d'abord légèrement. Un peu d'accélérateur et les roues avant vous ramènent vers le point de corde avec le couple du moteur électrique. Reste à voir si elle aime les circuits. Sur un dernier trajet mixte de 30 km, nous avons obtenu 1,6 l/100 km en mode EcoPro. Et il restait 3 km d'autonomie électrique à l'arrivée. Vous ne trouverez pas de sportive plus moderne, écolo et frugale. Et rares sont celles qui font sourire autant.

### Du nouveau en 2016

Aucun changement majeur

| Châssis - Base | |
|---|---|
| Emp / lon / lar / haut | 2800 / 4697 / 1942 / 1291 mm |
| Coffre / Réservoir | 154 litres / 42 litres |
| Nbre coussins sécurité / ceintures | 6 / 4 |
| Suspension avant | ind., bras inégaux |
| Suspension arrière | ind., multibras |
| Freins avant / arrière | disque / disque |
| Direction | à crémaillère, ass. var. élect. |
| Diamètre de braquage | 12,3 m |
| Pneus avant / arrière | P215/45R20 / P245/40R20 |
| Poids / Capacité de remorquage | 1567 kg / n.d. |
| Assemblage | Leipzig, DE |

| Composantes mécaniques | |
|---|---|
| Cylindrée, soupapes, alim. | 3L 1,5 litre 12 s turbo |
| Puissance / Couple | 228 ch / 236 lb-pi |
| Tr. base (opt) / rouage base (opt) | A6 / Int |
| 0-100 / 80-120 / V.Max | 4,3 s / 3,6 s / 250 km/h |
| 100-0 km/h | 39,1 m |
| Type / ville / route / $CO_2$ | Sup / 8,4 / 8,1 l/100 km / 3802 kg/an |
| **Moteur électrique** | |
| Puissance / Couple | 129 ch (96 kW) / 184 lb-pi |
| Type de batterie | Lithium-ion (Li-ion) |
| Énergie | 7,1 kWh |
| Temps de charge (120V / 240V) | 3,5 h / 1,5 h |
| Autonomie | 24 km |

Photos : Marc Lachapelle

## BMW **SÉRIE 2**

**Prix :** 39 750 $ à 51 900 $ (2015)
**Catégorie :** Coupé / Cabriolet
**Garanties :**
4 ans/80 000 km, 4 ans/80 000 km
**Transport et prép. :** 2 802 $
**Ventes QC 2014 :** 160 unités
**Ventes CAN 2014 :** 883 unités

### Cote du Guide de l'auto

## 76 %

| Fiabilité | Appréciation générale |
|---|---|
| ■■■■■■□□□□ | ■■■■■■■□□□ |
| Sécurité | Agrément de conduite |
| ■■■■■■■□□□ | ■■■■■■■■□□ |
| Consommation | Système multimédia |
| ■■■■■■□□□□ | ■■■■■■■□□□ |

### Cote d'assurance

présentée par
**KANETIX.CA**

■■■■■■□□□□
$$$                    $

➕ Très bonne tenue de route •
Motorisations performantes • Style
réussi • Excellente boîte manuelle

➖ Places arrière étriquées •
Coût des options • Poids plus élevé
(cabriolet) • Boîte automatique
seulement (cabriolet 228i)

### Concurrents

Audi A3, Ford Mustang, Infiniti Q60,
Mercedes-Benz Classe CLA

# Une gamme plus étoffée

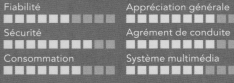

Gabriel Gélinas

**E**n 2015, BMW a répliqué à l'offensive menée par Mercedes-Benz avec sa CLA et, surtout, par Audi avec sa A3. Désormais déclinée en coupés et en cabriolets, la Série 2 s'enrichira aussi d'une M2 gonflée aux stéroïdes dont l'arrivée est programmée pour 2016 ou 2017. Portrait d'une gamme devenue presque aussi étoffée que la Série 3.

Avec l'arrivée récente des cabriolets, dont la 228i maintenant disponible avec le rouage intégral xDrive, BMW bonifie son offre et se dote d'une gamme étendue pour parer les attaques de la récente Audi A3, déclinée en berline, en cabriolet et en version S3.

Pour BMW, les cabriolets c'est du sérieux... Même si leur diffusion est plus limitée que celle des berlines, il n'en demeure pas moins que ces modèles ont toujours eu leur place chez le constructeur bavarois et que la Série 2 constitue une alternative plus pratique, et surtout moins dispendieuse, que le roadster Z4 ou le cabriolet de Série 4.

### PLUS POUR DEUX QUE POUR QUATRE

Avec ses dimensions plus compactes, le cabriolet de Série 2 n'offre pas beaucoup de dégagement pour les jambes des passagers arrière, et ces places ne conviendront que pour de courts trajets. C'est plutôt avec le déflecteur de vent déployé à l'arrière de l'habitacle et les glaces latérales relevées que la plupart des acheteurs rouleront au volant de ce cabriolet à capote souple. Côté style, le cabriolet de Série 2 reprend les canons esthétiques de la marque avec son long capot, sa ceinture de caisse rectiligne et ses porte-à-faux très courts.

Évidemment, le cabriolet a les défauts de ses qualités, dans la mesure où le remplacement du toit fixe par une capote souple et son mécanisme d'ouverture fait en sorte que la rigidité structurelle est moins élevée que celle du coupé.

De plus, le poids de la voiture est en hausse, deux facteurs ayant une incidence directe sur les performances et l'agrément de conduite qui est abaissé d'un cran par rapport aux coupés de la gamme. En s'installant dans le cabriolet, comme dans le coupé, on fait face à une planche de bord bien agencée, mais on remarque aussi que la qualité de la finition n'est pas égale à celle de l'Audi A3.

La vedette de la gamme est sans contredit le coupé M235i qui s'exprime avec une vitalité désarmante. Parfaitement équilibré et homogène, il permet de faire le plein de sensations chaque fois que l'occasion se présente. C'est un véritable plaisir de le conduire sur une route sinueuse ou «d'attaquer» les bretelles d'accès ou les sorties des autoroutes.

On est littéralement séduit par la précision de la direction et par le fait qu'il est possible d'induire de très légers changements de trajectoire en jouant progressivement de l'accélérateur, puisque le châssis répond instantanément à la moindre sollicitation. Évidemment, ce coupé n'offre pas un potentiel de performance comparable à celui d'une M4, mais la philosophie est la même et l'agrément de conduite est toujours au rendez-vous.

### UNE M2 DANS LE COLLIMATEUR

BMW est en train d'élaborer une M2, laquelle viendra chapeauter l'actuelle M235i et deviendra en quelque sorte la remplaçante du coupé 1M qui avait connu un franc succès d'estime. Avec une monte pneumatique surdimensionnée, des ailes élargies, quatre sorties d'échappement et, surtout, un moteur six cylindres en ligne biturbo de 3,0 litres qui développerait 365 chevaux et 343 livres-pied de couple, du moins si l'on se fie aux récentes rumeurs circulant à son sujet, la M2 annonce ses couleurs.

On s'attendait à plus de puissance, car le chiffre de 400 chevaux avait été évoqué, mais comme BMW doit éviter de porter ombrage à ses M3 et M4, il est logique que la puissance dévolue à la M2 soit en retrait. De toute façon, comme la 1M était dans une ligue à part avec sa dynamique nettement plus affûtée que celle des autres modèles de la gamme, on s'attend à ce qu'une proposition semblable soit offerte par la M2. Histoire à suivre...

En conclusion, la Série 2 fait flèche de tout bois avec ses modèles coupés et cabriolets qui proposent un agrément de conduite relevé et qui coûtent un peu moins cher que les modèles de Série 3 et 4.

## Châssis - M235i cabriolet

| | |
|---|---|
| Emp / lon / lar / haut | 2690 / 4454 / 1984 / 1413 mm |
| Coffre / Réservoir | 390 litres / 52 litres |
| Nbre coussins sécurité / ceintures | 4 / 4 |
| Suspension avant | ind., jambes force |
| Suspension arrière | ind., multibras |
| Freins avant / arrière | disque / disque |
| Direction | à crémaillère, ass. var. élect. |
| Diamètre de braquage | 10,9 m |
| Pneus avant / arrière | P225/40R18 / P245/35R18 |
| Poids / Capacité de remorquage | 1690 kg / n.d. |
| Assemblage | Leipzig, DE |

## Composantes mécaniques

### 228i xDrive

| | |
|---|---|
| Cylindrée, soupapes, alim. | 4L 2,0 litres 16 s turbo |
| Puissance / Couple | 241 ch / 258 lb-pi |
| Tr. base (opt) / rouage base (opt) | A8 / Int |
| 0-100 / 80-120 / V.Max | 6,5 s / n.d. / 210 km/h |
| 100-0 km/h | 43,5 m |
| Type / ville / route / $CO_2$ | Sup / 10,6 / 7,2 l/100 km / 4172 kg/an |

### M235i

| | |
|---|---|
| Cylindrée, soupapes, alim. | 6L 3,0 litres 24 s turbo |
| Puissance / Couple | 322 ch / 332 lb-pi |
| Tr. base (opt) / rouage base (opt) | M6 (A8) / Prop |
| 0-100 / 80-120 / V.Max | 5,4 s / 3,5 s / 250 km/h |
| 100-0 km/h | 36,7 m |
| Type / ville / route / $CO_2$ | Sup / 11,8 / 8,2 l/100 km / 4683 kg/an |

## Du nouveau en 2016

Cabriolet 228i maintenant avec rouage intégral

Photos: Benjamin Hunting, BMW Canada

# BMW **SÉRIE 3**

**Prix :** 35 990 $ à 74 000 $ (2015)
**Catégorie :** Berline, Hatchback
**Garanties :**
4 ans/80 000 km, 4 ans/80 000 km
**Transport et prép. :** 2 095 $
**Ventes QC 2014 :** 2 477 unités
**Ventes CAN 2014 :** 10 086 unités

## Cote du Guide de l'auto

# 80 %

| | |
|---|---|
| Fiabilité | Appréciation générale |
| Sécurité | Agrément de conduite |
| Consommation | Système multimédia |

## Cote d'assurance

présentée par
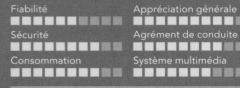

$$$                    $

➕ Moteurs bien adaptés • Dynamique évoluée • Design plus luxueux de la planche de bord • Rouage intégral disponible • Boîte manuelle toujours au programme

➖ Prix élevés • Options chères et nombreuses • Design trop similaire à celui du modèle antérieur • Modèles de base dépouillés

## Concurrents

Acura TLX, Audi A4, Cadillac ATS, Infiniti Q50, Jaguar XF, Lexus IS, Lincoln MKZ, Maserati Ghibli, Mercedes-Benz Classe C, Volvo S60

# La jeune quarantaine

Gabriel Gélinas

**À** quarante ans, on a encore la fougue de sa jeunesse, mais celle-ci est tempérée par une sagesse acquise au fil des ans. La Série 3 de BMW, née en 1975 au Salon de l'auto de Francfort, vient de franchir ce jalon marquant de sa riche histoire et se paye une évolution cosmétique, histoire de conserver un certain air de jeunesse, mais aussi mécanique avec l'adoption d'un nouveau six cylindres en ligne. Ce dernier est issu de la famille de moteurs modulaires de la marque bavaroise, et se retrouve sous le capot de la 340i.

Il faut y mettre les efforts pour rester au top. C'est un peu le constat que l'on fait en observant de près les améliorations apportées à la gamme de Série 3 qui subit, encore et toujours, les assauts de ses rivales. Bien que Mercedes-Benz ait finalement décidé de faire évoluer sa Classe C dans une autre direction, BMW doit se positionner pour résister à l'assaut de la prochaine Audi A4, dont le lancement est programmé pour le Salon de l'auto de Francfort en septembre 2015, et parer les attaques de plus récentes recrues comme la Cadillac ATS, entre autres.

## DYNAMIQUE REVUE ET CORRIGÉE

La Série 3, offerte en berline, en familiale et en cinq portes à hayon Gran Turismo, avait perdu un peu de sa superbe pour ce qui est de la dynamique avec l'arrivée de la sixième génération en 2012, adoptant un comportement routier plus souple, histoire de bonifier le confort. En fait, on avait presque l'impression que BMW migrait en direction de Lexus alors que la marque japonaise tentait d'insuffler plus de sportivité à ses propres modèles. BMW corrige le tir en dotant la Série 3 d'une direction recalibrée et en modifiant les suspensions pour assurer une liaison au sol plus directe et minimiser le roulis en virage.

Au sujet des motorisations, le nouveau modèle fait à la fois dans la continuité et le changement puisque les moteurs quatre cylindres turbo sont toujours au programme alors qu'un tout nouveau moteur six cylindres en ligne turbocompressé de 3,0 litres remplace le précédent. De plus, le constructeur bavarois ajoutera une version hybride branchable à la gamme en cours d'année 2016, et elle remplacera la Série 3 ActiveHybrid.

L'esthétique de la Série 3 a été modifiée afin qu'elle ressemble un peu plus à l'actuelle Série 4 comme en témoignent les pare-chocs restylés, à l'avant comme à l'arrière, et le nouveau design des feux et des phares. Cependant, ces changements sont subtils au point de passer presque inaperçus pour le commun des mortels. Le design de la planche de bord a également évolué pour donner un cachet luxueux plus affirmé à la nouvelle Série 3.

## UNE M3 SUBTILEMENT RELOOKÉE
Au *Guide de l'auto*, on a un faible pour cette berline sport qui s'est retrouvée au sommet de notre classement des meilleurs achats pour sa catégorie chaque année depuis 2006... Pourquoi ?

Tout simplement parce que nous sommes séduits par sa dynamique exaltante, par l'équilibre de son châssis, par sa grande homogénéité et par ses motorisations superbement adaptées. Tous ces éléments convergent pour livrer une expérience où le conducteur est en symbiose avec la machine qu'il contrôle pour son plus grand plaisir.

## DYNAMIQUE M3
Pour 2016, la M3 n'a pas droit à des modifications aussi complètes que celles apportées à la Série 3, et elle se contente de changements mineurs à la carrosserie et dans l'habitacle en demeurant essentiellement inchangée pour ce qui est de la mécanique. Son moteur six cylindres biturbo est toujours au poste, tout comme la boîte manuelle à six rapports ou la boîte à double embrayage à sept rapports fournie par l'équipementier Getrag. La M3 poursuit sa route en 2016 en livrant toujours une expérience de conduite axée sur la dynamique et la performance.

La Série 3 célèbre ses quarante ans et une riche histoire. C'est ce modèle qui a pratiquement inventé le créneau de la berline sport et qui a donné à BMW ses lettres de noblesse concernant la dynamique et les performances. Plusieurs rivales ont été lancées à l'assaut de la Série 3 au cours de son histoire, mais elle a toujours été sur le podium et souvent sur la plus haute marche. Pour BMW, le défi est grand et la nouvelle Série 3 se doit de réussir.

### Châssis - 340i xDrive berline

| | |
|---|---|
| Emp / lon / lar / haut | 2810 / 4627 / 2031 / 1434 mm |
| Coffre / Réservoir | 480 litres / 60 litres |
| Nbre coussins sécurité / ceintures | 8 / 5 |
| Suspension avant | ind., jambes force |
| Suspension arrière | ind., multibras |
| Freins avant / arrière | disque / disque |
| Direction | à crémaillère, ass. var. élect. |
| Diamètre de braquage | 11,7 m |
| Pneus avant / arrière | P225/45R18 / P225/45R18 |
| Poids / Capacité de remorquage | 1676 kg / n.d. |
| Assemblage | Munich, DE |

### Composantes mécaniques

**328d xDrive**

| | |
|---|---|
| Cylindrée, soupapes, alim. | 4L 2,0 litres 16 s turbo |
| Puissance / Couple | 180 ch / 280 lb-pi |
| Tr. base (opt) / rouage base (opt) | A8 / Int |
| 0-100 / 80-120 / V.Max | 7,5 s (const) / n.d. / 210 km/h |
| 100-0 km/h | n.d. |
| Type / ville / route / CO₂ | Dié / 7,6 / 5,5 l/100 km / 3594 kg/an |

**340i, 340i xDrive**

| | |
|---|---|
| Cylindrée, soupapes, alim. | 6L 3,0 litres 24 s turbo |
| Puissance / Couple | 320 ch / 330 lb-pi |
| Tr. base (opt) / rouage base (opt) | A8 (M6) / Prop (Int) |
| 0-100 / 80-120 / V.Max | 4,6 s (estimé) / n.d. / 210 km/h |
| 100-0 km/h | n.d. |
| Type / ville / route / CO₂ | Sup / 10,7 / 6,3 l/100 km / 4011 kg/an |

**M3**

| | |
|---|---|
| Cylindrée, soupapes, alim. | 6L 3,0 litres 24 s turbo |
| Puissance / Couple | 425 ch / 406 lb-pi |
| Tr. base (opt) / rouage base (opt) | M6 (A7) / Prop |
| 0-100 / 80-120 / V.Max | 4,3 s (const) / n.d. / 250 km/h |
| 100-0 km/h | n.d. |
| Type / ville / route / CO₂ | Sup / 13,7 / 9 l/100 km / 5329 kg/an |

**320i, 320i xDrive**

4L 2,0 l - 181 ch/200 lb-pi - A8 (M6) - 0-100: 7,5 s - 10,3/6,7 l/100 km

**328i xDrive GT**

4L 2,0 l - 241 ch/258 lb-pi - A8 - 0-100: 6,4 s - 10,6/7,2 l/100 km

**328i, 328i xDrive**

4L 2,0 l - 241 ch/255 lb-pi - A8 (M6) - 0-100: 8,5 s - 9,4/6,1 l/100km

## Du nouveau en 2016

Nouveau moteur six cylindres (340i), retouches esthétiques, suspensions recalibrées et évolution du design de l'habitacle

Photos : Marc Lachapelle

# BMW **SÉRIE 4**

**Prix :** 44 900 $ à 84 500 $ (2015)
**Catégorie :** Cabriolet, Coupé, Hatchback
**Garanties :**
4 ans/80 000 km, 4 ans/80 000 km
**Transport et prép. :** 2 095 $
**Ventes QC 2014 :** 680 unités
**Ventes CAN 2014 :** 3 469 unités

Cote du Guide de l'auto

# 80 %

| Fiabilité | Appréciation générale |
|---|---|
| ■■■■■□□□ | ■■■■■■■□ |
| Sécurité | Agrément de conduite |
| ■■■■■■■□ | ■■■■■■■□ |
| Consommation | Système multimédia |
| ■■■■■□□□ | ■■■■■■□□ |

Cote d'assurance

■■■■■■■□          présentée par
$$$                       $        **KANETIX.CA**

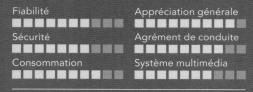

➕ Espace de chargement pratique du Gran Coupé • Bonne puissance du six cylindres turbo • Transmission intégrale disponible • M4 aux performances élevées

➖ Coupé et cabriolet : minuscules places arrière • Cabriolet : pas de boîte manuelle • Le poids des BMW continue à augmenter

**Concurrents**
Audi A5, Cadillac ATS, Infiniti Q60, Lexus RC

# La famille s'agrandit

Benjamin Hunting

Il fut un temps où les manufacturiers automobiles essayaient de garder leur système de nomination des modèles aussi simple que possible, de façon à ce que les clients puissent facilement s'y retrouver. Les BMW de Série 4 sont l'exemple parfait de l'inversion de ce principe : autrefois réservée aux modèles à deux portières, cette appellation inclut maintenant une quatre portes avec l'arrivée du Gran Coupé de Série 4. Cela dit, heureusement pour les acheteurs potentiels mystifiés, ce nouveau modèle renforce encore l'exclusivité de la Série 4. Il illustre aussi à quel point BMW tente de s'imposer dans toutes les niches de produits possibles.

**DES SOSIES MÉCANIQUES, À QUELQUES DÉTAILS PRÈS**
Amateurs de véhicules à deux portières, ne vous inquiétez pas : BMW continue à offrir le coupé traditionnel et le cabriolet de Série 4. Lancés il y a deux ans, ces modèles sont dérivés de la plateforme des berlines de Série 3. Deux moteurs suralimentés par turbocompresseur sont offerts : un quatre cylindres de 2,0 litres qui produit 241 chevaux et un couple de 258 lb-pi, et un six cylindres de 3,0 litres qui livre 300 chevaux et un couple de 300 lb-pi.

La transmission intégrale est disponible pour les deux modèles. Côté boîtes de vitesses, le cabriolet ne peut pas être livré avec la manuelle à six rapports ; seule l'excellente boîte automatique à huit rapports est offerte. Il en va de même pour les coupés xDrive (à rouage intégral) avec moteur quatre cylindres. Quant aux Gran Coupé, seul le 428i d'entrée de gamme à moteur quatre cylindres turbo est livrable avec une boîte manuelle. Toutes les autres déclinaisons, avec l'intégrale et 435i à moteur six cylindres, sont dotées de la boîte automatique.

Il y a cependant une déclinaison de la Série 4 que vous ne pourrez pas obtenir en format Gran Coupé, du moins pour l'instant : la M4 hautes performances fraîchement renouvelée pour 2015. Sous le capot de la petite bombe à deux portières, on retrouve une version encore plus puissante du six cylindres en ligne suralimenté de 3,0 litres. Avec ses 425 chevaux et son couple de 406 lb-pi, il propulse la M4 de 0 à 100 km/h en 4 secondes et des poussières. La boîte manuelle est livrée de série, mais on peut également commander une boîte automatisée à sept rapports avec double embrayage et dispositif de départs-canon.

La tenue de route des différentes versions de la Série 4 varie d'un peu lourde à prodigieuse. La direction à assistance électrique offre un *feedback* étonnamment bon. Les modèles à propulsion engendrent une conduite précise, mais ceux à transmission intégrale – surtout avec le moteur 4 cylindres – affichent des réflexes engourdis par leur poids supplémentaire. Quant à la M4, elle est exceptionnellement vive, rapide et compétente en virage.

### DEUX PORTES C'EST BIEN… QUATRE C'EST TRÈS BIEN AUSSI

Même si les modèles de Série 4 reposent sur le même châssis que la Série 3, ils se distinguent à différents égards, notamment par leur voie plus large à l'avant et à l'arrière, soulignée par des ailes plus galbées, et par leur design d'ensemble plus bas, qui renforce les proportions athlétiques de la voiture. (Dommage cependant que les prises d'air dans les ailes semblent être en plastique.) Le Gran Coupé à quatre portières est encore plus distinctif par rapport à la berline de Série 3 avec sa pente de toit plus effilée, son hayon élargi et ses ailes galbées.

On pourrait croire que les places arrière du Gran Coupé de Série 4 sont étriquées, comme dans le coupé et le cabriolet de la même famille, mais ce n'est tout simplement pas le cas. Il est vrai que presque tous les «coupés quatre portes» sacrifient le dégagement pour la tête au profit du style. De son côté, BMW a décidé d'abaisser le siège arrière pour offrir autant d'espace que possible aux dandys en chapeau haut-de-forme. De plus, le hayon facilite le chargement par rapport au coffre de la berline, à l'ouverture plus étroite, et vous obtenez un énorme volume de chargement en abaissant les dossiers du siège arrière.

Les coupés et cabriolets de Série 4 constituent des choix très solides dans le segment des véhicules de luxe d'entrée de gamme pour les acheteurs qui n'ont pas besoin de véritables places arrière. Pour tous les autres, on peut dire (même si cela peut sembler scandaleux) que le Gran Coupé de Série 4 surpasse ses origines de Série 3 en termes de style et de fonctionnalité, ce qui en fait un véhicule plus intéressant malgré la surprime à payer par rapport à une berline équipée de la même façon.

## Châssis - 428i xDrive cabriolet

| | |
|---|---|
| Emp / lon / lar / haut | 2810 / 4638 / 2017 / 1384 mm |
| Coffre / Réservoir | 220 à 370 litres / 60 litres |
| Nbre coussins sécurité / ceintures | 6 / 4 |
| Suspension avant | ind., jambes force |
| Suspension arrière | ind., multibras |
| Freins avant / arrière | disque / disque |
| Direction | à crémaillère, ass. var. |
| Diamètre de braquage | 11,8 m |
| Pneus avant / arrière | P225/45R18 / P225/45R18 |
| Poids / Capacité de remorquage | 1887 kg / n.d. |
| Assemblage | Munich, DE |

## Composantes mécaniques

### 428i Gran Coupé, 428i coupé, 428i cabriolet

| | |
|---|---|
| Cylindrée, soupapes, alim. | 4L 2,0 litres 16 s turbo |
| Puissance / Couple | 241 ch / 258 lb-pi |
| Tr. base (opt) / rouage base (opt) | A8 (M6, Aucune) / Prop (Int) |
| 0-100 / 80-120 / V.Max | 5,9 s (const) / n.d. / 210 km/h |
| 100-0 km/h | n.d. |
| Type / ville / route / $CO_2$ | Sup / 11,2 / 7,1 l/100 km / 4303 kg/an |

### 435i Gran Coupé, 435i coupé, 435i cabriolet

| | |
|---|---|
| Cylindrée, soupapes, alim. | 6L 3,0 litres 24 s turbo |
| Puissance / Couple | 300 ch / 300 lb-pi |
| Tr. base (opt) / rouage base (opt) | A8 / Prop (Gran Coupé) |
| Tr. base (opt) / rouage base (opt) | A8 (M6) / Prop (Int) (Coupé, cabriolet) |
| 0-100 / 80-120 / V.Max | 5,2 s (const) / n.d. / 210 km/h |
| 100-0 km/h | n.d. |
| Type / ville / route / $CO_2$ | Sup / 10,0 / 6,1 l/100 km / 3790 kg/an |

### M4

| | |
|---|---|
| Cylindrée, soupapes, alim. | 6L 3,0 litres 24 s turbo |
| Puissance / Couple | 425 ch / 406 lb-pi |
| Tr. base (opt) / rouage base (opt) | M6 (A7) / Prop |
| 0-100 / 80-120 / V.Max | 4,3 s (const) / n.d. / 250 km/h |
| 100-0 km/h | n.d. |
| Type / ville / route / $CO_2$ | Sup / 12,4 / 7,2 l/100 km / 4628 kg/an |

## Du nouveau en 2016

Aucun changement majeur

Photos : Marc Lachapelle

DIESEL HYBRIDE

## BMW **SÉRIE 5**

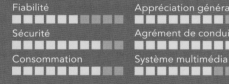

**Prix:** 56 900 $ à 101 500 $ (2015)
**Catégorie:** Berline, Hatchback
**Garanties:**
4 ans/80 000 km, 4 ans/80 000 km
**Transport et prép.:** 2 095 $
**Ventes QC 2014:** 417 unités
**Ventes CAN 2014:** 2 337 unités

### Cote du Guide de l'auto

# 80 %

Fiabilité
■■■■■■■□□□

Appréciation générale
■■■■■■■■□□

Sécurité
■■■■■■■■□□

Agrément de conduite
■■■■■■■■□□

Consommation
■■■■■■□□□□

Système multimédia
■■■■■■■■□□

### Cote d'assurance
■■■■■□□□□□
$$$         $

présentée par
**KANETIX.CA**

➕ Agrément de conduite • Choix
varié de motorisations • Rouage intégral
xDrive • Technologie de pointe •
Performances époustouflantes (V8)

➖ Prix élevé • Coût des options •
Modèle Gran Turismo • Version
hybride futile • Génération actuelle
en fin de carrière

### Concurrents
Audi A6, Cadillac CTS, Infiniti Q70,
Lexus GS, Lincoln MKS, Mercedes-Benz
Classe E, Volvo S80

# Toujours dans une classe à part

Jean-François Guay

**P**ionnière dans son segment, la BMW Série 5 a ouvert la porte aux berlines sport de taille intermédiaire. Mais après toutes ces années, est-elle toujours la référence de sa catégorie? Depuis son lancement en 1972, les modèles et les versions se sont multipliés. La plupart pour le mieux... mais aussi pour le pire, si l'on se fie au modèle Gran Turismo qui cherche encore sa vocation. Quoi qu'il en soit, la Série 5 demeure une source d'inspiration pour la majorité de ses rivales.

On peut juste regretter que BMW ait cessé de commercialiser en Amérique du Nord le modèle Touring. On se rappellera que cette familiale nous a quittés il y a 5 ans. Mais en toute logique, la prolifération des VUS n'est pas étrangère à sa disparition. Reviendra-t-elle un jour sillonner nos routes? On en doute. D'ici là, BMW se prépare activement à mettre la touche finale à la 7e génération de la Série 5 qui sera dévoilée d'ici la fin de 2016.

### EN ATTENDANT LA RELÈVE
Pour l'heure, la Série 5 conserve les mêmes caractéristiques que l'an dernier. Toutes catégories confondues, elle est l'une des voitures qui offre le plus vaste choix de motorisations de l'industrie. D'entrée de jeu, les 241 chevaux du 4 cylindres turbo de 2,0 litres laissent perplexe pour déplacer les 2 tonnes de la 528i. Pourtant, les accélérations sont au rendez-vous! En contrepartie, la tonalité de ce moteur discorde dans une voiture aussi prestigieuse. La puissance et la sonorité des 300 chevaux du 6 cylindres turbo de 3,0 litres représentent un choix plus judicieux, et la 535i s'avérera un meilleur investissement à long terme pour la revente.

Quant à la version ActiveHybrid combinant un 6 cylindres turbo de 3,0 litres à essence et un moteur électrique de 40 kW (53 chevaux), à moins d'être un fervent défenseur de l'hybride, son prix prohibitif ne vaut pas le coup. Surtout que la concurrence (la Lexus GS 450h et la Tesla Model S 70D, par exemple) à prix comparable fait mieux en matière d'économie de carburant. Pour espacer les visites à la pompe, le 6 cylindres turbodiesel de 3,0 litres s'avère plus intéressant. Développant 255 chevaux et un couple de 413 livres-pied, le moteur de la 535d accote sans peine les performances de son équivalent à essence.

Pour davantage de puissance, les 445 chevaux du V8 biturbo de 4,4 litres de la 550i promettent de faire la barbe à de nombreux coupés sport sur une piste d'accélération. Toutefois, le nirvana se trouve derrière le volant de la M5, où il est jouissif de cravacher les 560 chevaux de son V8 biturbo. L'option du groupe compétition augmente même la puissance à 575 chevaux. Peu importe la version, la Série 5 est la plus caractérielle de sa catégorie et personne ne s'ennuiera à son volant.

À bord, le poste de conduite adopte un air typiquement BMW, alors que le tableau de bord est orienté vers le conducteur. Tous les instruments sont aménagés de façon ergonomique. On peut juste maugréer contre le levier de vitesses dont le maniement demande une certaine adaptation. L'ambiance cosy régnant dans l'habitacle est agrémentée par la sobriété du tableau de bord, la finition des matériaux, l'odeur des cuirs et l'éclairage tamisé.

Reconnue jadis pour être une berline sportive sans compromis, la Série 5 repose maintenant sur des suspensions pilotées qui lissent les imperfections de la chaussée avec minutie. Cet espace tampon entre le conducteur et la route diminue cependant la sensation de faire corps avec la voiture. En contrepartie, la direction sauve la mise en demeurant aussi communicative qu'autrefois.

### LA PROCHAINE GÉNÉRATION
S'il y a un risque que BMW ne peut se permettre, c'est de rater la refonte de la Série 5. Au moment de mettre sous presse, la prochaine Série 5 laissait sous-entendre qu'elle utilisera la plate-forme modulaire de la Série 7 afin de réduire son poids de plusieurs dizaines de kilos grâce à l'emploi de la fibre de carbone et d'aluminium au niveau de ses composantes.

Côté look, l'évolution stylistique sera modérée, mais se démarquera par une silhouette plus anguleuse. Il est déjà assuré que la calandre conservera ses 2 naseaux distinctifs. Du côté des innovations, on trouvera en option des phares laser comme sur la BMW i8 et des feux arrière utilisant la technologie OLED.

Sous le capot, il est probable qu'une motorisation hybride branchable fasse son apparition. Ce groupe propulseur est déjà offert sur le marché chinois dans la 530Le. Selon d'autres rumeurs, un modèle i5 se joindra à la famille « i » vers 2018. Quant à la future M5, elle serait équipée de la transmission intégrale pour chasser en hiver les Audi RS 7 et Mercedes Classe E 63 AMG de son territoire.

## Du nouveau en 2016

Aucun changement majeur

### Châssis - M berline

| | |
|---|---|
| Emp / lon / lar / haut | 2964 / 4916 / 2119 / 1456 mm |
| Coffre / Réservoir | 520 litres / 80 litres |
| Nbre coussins sécurité / ceintures | 6 / 5 |
| Suspension avant | ind., double triangulation |
| Suspension arrière | ind., multibras |
| Freins avant / arrière | disque / disque |
| Direction | à crémaillère, ass. var. |
| Diamètre de braquage | 12,6 m |
| Pneus avant / arrière | P265/35ZR20 / P295/30ZR20 |
| Poids / Capacité de remorquage | 1990 kg / 750 kg (1653 lb) |
| Assemblage | Dingolfing, DE |

### Composantes mécaniques

**550i xDrive, 550i GT xDrive**

| | |
|---|---|
| Cylindrée, soupapes, alim. | V8 4,4 litres 32 s turbo |
| Puissance / Couple | 445 ch / 480 lb-pi |
| Tr. base (opt) / rouage base (opt) | A8 / Int |
| 0-100 / 80-120 / V.Max | 4,9 s (const) / n.d. / 240 km/h |
| 100-0 km/h | n.d. |
| Type / ville / route / CO$_2$ | Sup / 13,6 / 8,9 l/100 km / 5260 kg/an |

**M**

| | |
|---|---|
| Cylindrée, soupapes, alim. | V8 4,4 litres 32 s turbo |
| Puissance / Couple | 560 ch / 500 lb-pi |
| Tr. base (opt) / rouage base (opt) | A7 (M6) / Prop |
| 0-100 / 80-120 / V.Max | 4,4 s (const) / 4,6 s / 250 km/h |
| 100-0 km/h | 38,0 m |
| Type / ville / route / CO$_2$ | Sup / 13,2 / 8,6 l/100 km / 5120 kg/an |

**528i**

4L - 2,0 l - 241 ch / 258 lb-pi - A8 - 0-100: 6,6 s (const) - 8,8/5,9 l/100 km

**535d xDrive**

6L - 3,0 l die. - 255 ch/413 lb-pi - A8 - 0-100: 6,0 s (const) - 7,9/5,3 l/100 km

**535i xDrive**

6L - 3,0 l - 300 ch/300 lb-pi - A8 (M6) - 0-100: 5,9 s - 9,7/6,6 l/100 km

**535i GT xDrive**

6L - 3,0 l - 300 ch/300 lb-pi - A8 - 0-100: 6,5 s - 11,1/7,6 l/100 km

**ActiveHybrid 5**

6L - 3,0 l - 300 ch / 300 lb-pi - A8 - 0-100: 6,0 s (const) - 8,3/6,4 l/100 km

GRAN COUPÉ

## BMW **SÉRIE 6**

**Prix:** 89 900 $ à 135 000 $
**Catégorie:** Berline, Cabriolet, Coupé
**Garanties:**
4 ans/80 000 km, 4 ans/80 000 km
**Transport et prép.:** 2 095 $
**Ventes QC 2014:** 84 unités
**Ventes CAN 2014:** 443 unités

### Cote du Guide de l'auto

# 68 %

Fiabilité
■■■■■■■□□□

Appréciation générale
■■■■■■■□□□

Sécurité
■■■■■■■□□□

Agrément de conduite
■■■■■■□□□□

Consommation
■■■■□□□□□□

Système multimédia
■■■■■■■□□□

### Cote d'assurance
■■■□□□□□□□

présentée par
**KANETIX.CA**

$$$                    $

➕ Moteurs extraordinaires • Multiples modèles • Finition impeccable • Freins puissants • Versions M

➖ Dimensions encombrantes • Poids élevé • Places arrière étriquées • Prix prohibitifs • Agrément de conduite moyen

### Concurrents
Audi A7, BMW Série 5, Cadillac CTS, Maserati Gran Turismo, Mercedes-Benz Classe E, Volvo S60

# Une allemande qui se croit américaine

Denis Duquet

**O**n se demande ce qui a bien pu pousser BMW à lancer certains modèles dont la justification peut sembler parfois énigmatique. Alors que la première génération de cette série (1976 à 1989) était parfaitement justifiée, celle présentée en 2002 a fait dire à plusieurs plaisantins que la seule raison d'être de ce modèle était qu'il permettait d'offrir quelque chose entre la Série 5 et la Série 7.

En fait, le but original de cette série 6 était d'offrir une version deux portes plus sportive que la Série 5, mais moins bourgeoise que la Série 7 tout en étalant le même luxe, ou presque. Au fil des années, un cabriolet est apparu dans la famille tandis que l'évolution s'est poursuivie avec l'apparition du Gran Coupé, une berline ayant la silhouette d'un coupé. Ce Gran Coupé cible notamment l'Audi A7 ainsi que la Mercedes-Benz CLS. Toutefois, sa partie arrière est plus ou moins réussie et il n'affiche pas la silhouette équilibrée du coupé ou du cabriolet.

La boucle était bouclée avec une gamme complète ou presque, bonifiée avec l'arrivée des modèles M et leur puissant moteur V8 de 4,4 litres produisant 560 chevaux. Avec le temps, la gamme de la Série 6 a été modifiée afin de la singulariser et lui donner un cachet sportif. Mais bien que sa silhouette nous porte à croire que nous avons affaire à une sportive pure et dure, ses dimensions encombrantes et son poids frôlant les deux tonnes viennent réduire à néant ses prétentions sportives. On croirait que ce sont les Américains qui ont conçu cette voiture!

**FINITION SANS FAILLE**
Comme toute BMW qui se respecte et notamment parce qu'il s'agit d'un modèle de haut de gamme, la qualité d'assemblage et de finition de l'habitacle est impressionnante. Les sièges sculptés fournissent un excellent confort et un bon support latéral. Quant à la planche de bord, le point d'attraction central est l'écran d'affichage pratiquement géant qui est relié au système iDrive permettant de gérer la plupart

des éléments de la voiture. Ce dispositif a fortement été critiqué lors de ses débuts sur le marché, mais il a depuis progressé en facilité d'utilisation. Il faut toujours un certain temps pour s'y acclimater, mais on découvre sa logique de fonctionnement assez rapidement et les choses sont plus simples par la suite.

Il faut souligner également que cette planche de bord est moins triste que dans certains autres modèles de la marque qui sont d'une sobriété presque excessive et qui font appel à des matériaux aux couleurs sombres. Les places arrière du coupé et du cabriolet ne sont pas tellement accueillantes et les occupants de cette banquette dans la version Gran Coupé s'en tirent à meilleur compte.

### PLUSIEURS MOTEURS

L'acheteur a l'embarras du choix en ce qui concerne le moteur. En effet, sur les versions plus économiques, il est possible de commander le fabuleux six cylindres en ligne de 3,0 litres d'une grande douceur. Ses 315 chevaux sont adéquats mais comme ils doivent traîner une masse de tout près de 2 000 kilos, leur prestation est tout juste correcte. C'est pourquoi le V8 de 4,4 litres de 445 chevaux est beaucoup mieux adapté à un poids lourd comme la Série 6. Avec son impressionnant couple et une belle sonorité en accélération, c'est le moteur parfait pour avoir un minimum de plaisir. Il faut également préciser que toutes les versions viennent avec le rouage intégral xDrive. Quant aux versions M disponibles pour les trois modèles, elles hébergent un moteur V8 4,4 litres à double turbo de 560 chevaux actionnant les roues arrière seulement. Et croyez-le ou non, il est encore possible d'obtenir, en option, une boîte manuelle à six rapports.

Et en poussant davantage, BMW propose l'Alpina B6 Gran Coupé, une version à diffusion limitée disposant de 600 chevaux. Exclusivité assurée.

Malgré cette débauche de chevaux, de luxe et de sophistication technologique, la Série 6 n'est pas nécessairement une voiture dotée d'un agrément de conduite sportif comme le sont plusieurs autres BMW. En effet, son poids excessif vient gommer toute impression de conduite et l'on se retrouve au volant d'une voiture qui semble uniquement faite pour rouler sur les autoroutes... et épater ses voisins. Fut un temps où pour décrire la Série 6 coupé, les gens en parlaient comme de la Camaro allemande, c'est tout dire. Par contre, son propriétaire jouit d'une certaine exclusivité et peut se laisser bercer par le confort d'un habitacle dont la finition est vraiment hors du commun.

### Du nouveau en 2016

Aucun changement majeur, ensemble compétition optionnel pour versions M6 avec chevaux additionnels

### Châssis - M6 cabriolet

| | |
|---|---|
| Emp / lon / lar / haut | 2851 / 4903 / 2106 / 1368 mm |
| Coffre / Réservoir | 300 à 350 litres / 80 litres |
| Nbre coussins sécurité / ceintures | 6 / 4 |
| Suspension avant | ind., double triangulation |
| Suspension arrière | ind., multibras |
| Freins avant / arrière | disque / disque |
| Direction | à crémaillère, ass. var. |
| Diamètre de braquage | 12,1 m |
| Pneus avant / arrière | P265/35R20 / P295/30R20 |
| Poids / Capacité de remorquage | 2045 kg / n.d. |
| Assemblage | Dingolfing, DE |

### Composantes mécaniques

**640i Gran Coupé xDrive**

| | |
|---|---|
| Cylindrée, soupapes, alim. | 6L 3,0 litres 24 s turbo |
| Puissance / Couple | 315 ch / 330 lb-pi |
| Tr. base (opt) / rouage base (opt) | A8 / Int |
| 0-100 / 80-120 / V.Max | 5,3 s (const) / n.d. / 210 km/h |
| 100-0 km/h | n.d. |
| Type / ville / route / $CO_2$ | Sup / 12,1 / 8,1 l/100 km / 4738 kg/an |

**650i xDrive coupé, 650i Gran Coupé xDrive, 650i xDrive cabriolet**

| | |
|---|---|
| Cylindrée, soupapes, alim. | V8 4,4 litres 32 s turbo |
| Puissance / Couple | 445 ch / 480 lb-pi |
| Tr. base (opt) / rouage base (opt) | A8 / Int |
| 0-100 / 80-120 / V.Max | 4,3 s (const) / n.d. / 250 km/h |
| 100-0 km/h | n.d. |
| Type / ville / route / $CO_2$ | Sup / 15,1 / 9,8 l/100 km / 5849 kg/an |

**M6 coupé, M6 Gran Coupé, M6 cabriolet**

| | |
|---|---|
| Cylindrée, soupapes, alim. | V8 4,4 litres 32 s turbo |
| Puissance / Couple | 560 ch / 500 lb-pi |
| Tr. base (opt) / rouage base (opt) | A7 (M6) / Prop |
| 0-100 / 80-120 / V.Max | 4,2 s (const) / n.d. / 250 km/h |
| 100-0 km/h | n.d. |
| Type / ville / route / $CO_2$ | Sup / 13,3 / 8,6 l/100 km / 5145 kg/an |

**B6 xDrive Gran Coupe**

| | |
|---|---|
| Cylindrée, soupapes, alim. | V8 4,4 litres 32 s turbo |
| Puissance / Couple | 600 ch / 590 lb-pi |
| Tr. base (opt) / rouage base (opt) | A8 / Int |
| 0-100 / 80-120 / V.Max | 3,8 s (const) / n.d. / 320 km/h |
| 100-0 km/h | n.d. |
| Type / ville / route / $CO_2$ | Sup / 14,3 / 8,2 l/100 km / 5315 kg/an |

Photos : BMW Canada

# BMW **SÉRIE 7**

**Prix :** 103 000 $ à 116 000 $ (estimé)
**Catégorie :** Berline
**Garanties :**
4 ans/80 000 km, 4 ans/80 000 km
**Transport et prép. :** 2 095 $
**Ventes QC 2014 :** 75 unités
**Ventes CAN 2014 :** 374 unités

## Cote du Guide de l'auto

# 76 %

| Fiabilité | Appréciation générale |
|---|---|
| ■■■■■■■□□□ | ■■■■■■■□□□ |
| Sécurité | Agrément de conduite |
| ■■■■■■■□□□ | ■■■■■■■□□□ |
| Consommation | Système multimédia |
| ■■■■■□□□□□ | ■■■■■■■□□□ |

## Cote d'assurance

■■■□□□□□□□
$$$        $

➕ Gamme étendue de motorisations • Technique de construction de pointe • Rouage intégral efficace • Réduction du poids

➖ Prix élevé • Réparations de carrosserie plus compliquées • Entretien onéreux • Options chères

## Concurrents
Aston Martin Rapide, Audi A8, Jaguar XJ, Lexus LS, Mercedes-Benz Classe S, Porsche Panamera, Tesla Model S

# Sortir de l'ombre

Gabriel Gélinas

**E**ntièrement redessinée pour 2016, la nouvelle Série 7 a pour objectif de sortir de l'ombre de la Mercedes-Benz de Classe S qui est devenue la référence de la catégorie des voitures de grand luxe. Dévoilée au Salon de l'auto de Francfort, la sixième génération de la Série 7 a recours au plastique renforcé de fibre de carbone, à l'aluminium, au magnésium, à l'acier ainsi qu'au plastique et se targue d'avoir perdu plus de 130 kilos par rapport au modèle de cinquième génération. Tout ça en faisant le plein des plus récentes technologies pour rivaliser, non seulement avec son éternelle rivale, mais aussi avec les Audi A8, Porsche Panamera, Jaguar XJ, Cadillac CT6 et autres prétendantes à la couronne.

« Carbon Core ». C'est le nom trouvé par le constructeur bavarois pour désigner la technique de construction de la structure monocoque de la nouvelle Série 7 qui, bien qu'elle soit majoritairement composée d'acier, comporte également une quinzaine de pièces moulées en fibre de carbone fixées à des endroits stratégiques afin de la rigidifier. Ainsi, une pièce moulée en fibre de carbone est fixée à la base de chaque pilier A et se déploie jusqu'au toit puis jusqu'à la base de chaque pilier C, ceinturant de ce fait l'ouverture des portières, alors que d'autres sont apposées au tunnel de transmission, dans les seuils des portières et à d'autres endroits névralgiques.

Déjà en 2011, BMW annonçait clairement son intention de développer des technologies pour intégrer des matériaux plus légers, comme la fibre de carbone. Au début, le constructeur se contentait de produire un toit en fibre de carbone pour des modèles très typés et à diffusion limitée, mais voilà que les progrès de la technologie permettent maintenant au constructeur munichois d'aller plus loin en intégrant ces pièces directement dans la structure même du véhicule. Une chose est sûre, ce type de structure, que l'on peut qualifier d'« hybride » parce que composée de plusieurs matériaux différents, sera peut-être très rigide mais elle ne sera certainement pas simple à réparer en cas d'accident...

## MOTORISATIONS MODULAIRES

Pour le marché canadien, le lancement de la nouvelle Série 7 se déroule en deux temps, les modèles 750 à moteur V8 débarquant à l'automne 2015 alors que les 740 seront disponibles au printemps 2016. Également au programme, la 740e xDrive, un modèle hybride-rechargeable, fera son entrée en cours d'année 2016.

Le nouveau six cylindres en ligne de 3,0 litres se démarque parce qu'il est le résultat de l'approche modulaire mise de l'avant par la marque pour le développement d'une nouvelle série de moteurs à trois, quatre et six cylindres en ligne. Tous sont dotés de cylindres d'une capacité de 500 centimètres cubes, ratio jugé optimal par BMW pour réduire la consommation, maximiser les performances et réduire les coûts de production. La boîte automatique à huit rapports de l'équipementier ZF sera encore au programme tout comme le rouage intégral, bien sûr.

Par ailleurs, la nouvelle 7 est équipée de nouveaux systèmes avancés d'aides électroniques à la conduite et surtout d'un système de télématique iDrive avec écran tactile qui reconnaît à la fois les touches du doigt et aussi les mouvements de la main devant l'écran, grâce à un capteur 3D. Ainsi, un conducteur qui désire ne pas répondre à un appel téléphonique n'a qu'à faire un mouvement latéral de la main devant l'écran pour que cet appel soit dirigé vers la boîte vocale. S'il veut répondre, il n'a qu'à pointer l'index vers l'écran.

## DYNAMIQUE REHAUSSÉE

Afin de rehausser la dynamique, les ingénieurs ont mis au point une suspension pneumatique pour les trains avant et arrière avec objectif de bonifier le confort ainsi que la tenue de route. Aussi, le système Dynamic Drive réduit les mouvements de la caisse grâce à des barres antiroulis à commande électromécanique. De plus, la 7 est dotée d'un bouton permettant de paramétrer le comportement routier de la voiture sur plusieurs modes, dont un nouveau qui est appelé Adaptive et qui ajuste automatiquement l'amortissement en fonction du style de conduite et de la topographie de la route.

Avec cette nouvelle génération développée avec les plus récentes technologies, BMW espère redorer le blason de sa grande berline de luxe. L'avenir nous dira si la mission a été accomplie avec succès.

### Châssis - 750i xDrive

| | |
|---|---|
| Emp / lon / lar / haut | 3070 / 5108 / 2169 / 1478 mm |
| Coffre / Réservoir | 515 litres / 78 litres |
| Nbre coussins sécurité / ceintures | 6 / 5 |
| Suspension avant | ind., pneumatique, double triangulation |
| Suspension arrière | ind., pneumatique, multibras |
| Freins avant / arrière | disque / disque |
| Direction | à crémaillère, ass. var. |
| Diamètre de braquage | 12,5 m |
| Pneus avant / arrière | P245/45R19 / P245/45R19 |
| Poids / Capacité de remorquage | 2070 kg / n.d. |
| Assemblage | Dingolfing, DE |

### Composantes mécaniques

**740e xDrive**

| | |
|---|---|
| Cylindrée, soupapes, alim. | 4L 2,0 litres 16 s turbo |
| Puissance / Couple | 258 ch / 295 lb-pi |
| Tr. base (opt) / rouage base (opt) | A8 / Int |
| 0-100 / 80-120 / V.Max | 5,6 s (const) / n.d. / 240 km/h |
| 100-0 km/h | n.d. |
| Type / ville / route / $CO_2$ | Sup / n.d. / n.d. / 1060 kg/an |

**Moteur électrique**

| | |
|---|---|
| Puissance / Couple | 94 ch (70 kW) / 184 lb-pi |
| Type de batterie | Lithium-ion (Li-ion) |
| Énergie | 9 kWh |
| Temps de charge (120V / 240V) | n.d. / 3,0 h (est) |
| Autonomie | 37 km |

**740Li xDrive**

| | |
|---|---|
| Cylindrée, soupapes, alim. | 6L 3,0 litres 24 s turbo |
| Puissance / Couple | 320 ch / 330 lb-pi |
| Tr. base (opt) / rouage base (opt) | A8 / Int |
| 0-100 / 80-120 / V.Max | 5,4 s (const) / n.d. / 209 km/h |
| 100-0 km/h | n.d. |
| Type / ville / route / $CO_2$ | Sup / 9,7 / 5,5 l/100 km / 3593 kg/an |

**750i xDrive, 750Li xDrive**

| | |
|---|---|
| Cylindrée, soupapes, alim. | V8 4,4 litres 32 s turbo |
| Puissance / Couple | 445 ch / 480 lb-pi |
| Tr. base (opt) / rouage base (opt) | A8 / Int |
| 0-100 / 80-120 / V.Max | n.d. / n.d. / 209 km/h |
| 100-0 km/h | n.d. |
| Type / ville / route / $CO_2$ | Sup / 11,9 / 6,5 l/100 km / 4356 kg/an |

## Du nouveau en 2016

Nouveau modèle

## BMW **X1**

**Prix :** 38 500 $ (estimé)
**Catégorie :** VUS
**Garanties :**
4 ans/80 000 km, 4 ans/80 000 km
**Transport et prép. :** 2 095 $
**Ventes QC 2014 :** 733 unités
**Ventes CAN 2014 :** 2 735 unités

### Cote du Guide de l'auto
# 74 %

| Fiabilité | Appréciation générale |
|---|---|
| ■■■■■■□□□ | ■■■■■■■□□ |
| **Sécurité** | **Agrément de conduite** |
| ■■■■■■■□□ | ■■■■■■□□□ |
| **Consommation** | **Système multimédia** |
| ■■■■■■□□□ | ■■■■■□□□□ |

### Cote d'assurance
■■■■■■■■□
$$$                    $

présentée par
**KANETIX.CA**

➕ Silhouette plus moderne •
Plate-forme plus rigide • Boîte de
vitesses à 8 rapports • Habitabilité
améliorée

➖ Rouage à traction moins bien
perçue • Puissance réduite • Planche
de bord austère • Fiabilité inconnue

### Concurrents
Audi Q3, Infiniti QX50, Mercedes-Benz
Classe GLA

# L'union fait la force

Denis Duquet

**D**e nos jours, c'est la guerre des VUS sous toutes les moutures dans l'industrie automobile. Si les grosses pointures ont toujours leurs fidèles, ce sont les VUS plus petits qui ont la cote. Et, depuis quelques années, les très petits VUS sont en net progrès. Ces VUS ont d'abord été connus comme des versions économiques mais voilà que le luxe se mêle de la partie.

Le BMW X1 qui fait l'objet de ce texte sera le plus économique des VUS BMW. Sa mission est de contrer les modèles concurrents que sont les Audi Q3, Mercedes-Benz GLC et même Range Rover Evoque. On peut même y ajouter la nouvelle Mercedes-Benz GLA, tandis que plusieurs personnes seraient portées à ajouter le Volkswagen Tiguan à ce groupe.

Ces modèles ne sont pas nécessairement tous de même grandeur ou de même puissance, mais les acheteurs intéressés à cette catégorie les inscrivent généralement parmi les premiers sur leur liste. Cette année, le X1 fait peau neuve. Certains seront surpris puisque ce modèle n'est arrivé sur notre marché qu'en 2012. Mais il faut savoir qu'il était commercialisé en Europe depuis quelques années et sa transformation pour 2016 respecte les échéanciers en vigueur dans l'industrie.

Ce nouveau venu n'est pas uniquement l'objet d'une révision esthétique, mais subit un changement plus fondamental puisque BMW a fait appel à une nouvelle plate-forme qu'on est allé la chercher dans la famille MINI. Car MINI appartient à BMW.

### DIABLE ! UNE TRACTION !
Aussi incroyable que cela puisse être, cette X1 est dorénavant une traction. Il est certain que les inconditionnels de la marque de Munich vont crier à la trahison, mais ils doivent se souvenir que dans le monde de l'automobile, comme dans tout autre domaine, moins les coûts de production sont élevés, meilleure sera la situation financière de la com-

pagnie. De plus, le X1 s'adresse à une clientèle beaucoup moins intéressée par la disposition mécanique du moteur que certaines autres catégories d'acheteurs.

Cette nouvelle génération est plus légère que la précédente, suivant ainsi la tendance du marché. Cette réduction est obtenue par l'utilisation de nombreuses pièces en aluminium et d'acier de haute qualité. Cet acier à haute résistance permet d'obtenir non seulement une plate-forme plus légère, mais offre une rigidité accrue. Toujours pour alléger la voiture, le capot, les supports de pare-chocs, les moyeux des roues et de nombreuses autres pièces sont produits en aluminium.

Puisque le moteur est monté transversalement, l'habitabilité est plus grande et il en est de même pour le coffre à bagages. Les passagers des places arrière bénéficieront pour leur part d'un dégagement pour les jambes plus long de 4 cm. Il faut aussi souligner que tous les occupants sont assis plus haut que précédemment. Incidemment, ce nouveau X1 est plus haut que son prédécesseur.

Extérieurement, le bouclier avant est tout nouveau avec une prise d'air inférieure allongée, des grilles de calandre plus grandes tandis que les phares sont également modifiés, sans oublier la présence d'une ligne de caractère parcourant la partie supérieure des parois.

Le groupe d'options Drive Assistance Plus comprend de nombreuses avancées technologiques au chapitre de la sécurité, tels un avertisseur de collision frontale, les phares de croisement automatiques, le régulateur de croisière intelligent et bien d'autres.

### AVANTAGE AUX 4 CYLINDRES

Le fait de monter le moteur transversalement sur ce modèle vient de stopper l'utilisation d'un moteur 6 cylindres en ligne, si apprécié des amateurs de belles mécaniques. Un moteur trop long est non seulement difficile à loger, mais ses conséquences négatives sur le diamètre de braquage causent encore plus de problèmes.

Selon les indications préliminaires obtenues au moment d'écrire ces lignes, il semble que seul le moteur 4 cylindres 2,0 litres turbo sera disponible. Il provient d'une famille de nouveaux moteurs modulaires qui permettent de produire différentes cylindrées de façon plus efficace et plus économique. Il sera associé au rouage intégral xDrive et à une boîte automatique à 8 rapports à double embrayage. Avec ses 228 chevaux, il devrait conserver des accélérations et des reprises similaires à celles du modèle précédent compte tenu de nombreuses modifications et de l'allégement de la voiture.

Bien que le X1 soit un VUS sous-compact, son niveau de raffinement devrait être à l'égal de celui des autres produits BMW.

| Châssis - xDrive 28i | |
|---|---|
| Emp / lon / lar / haut | 2670 / 4455 / 2060 / 1588 mm |
| Coffre / Réservoir | 767 à 1662 litres / 61 litres |
| Nbre coussins sécurité / ceintures | 6 / 5 |
| Suspension avant | ind., jambes force |
| Suspension arrière | ind., multibras |
| Freins avant / arrière | disque / disque |
| Direction | à crémaillère, ass. var. élect. |
| Diamètre de braquage | 11,4 m |
| Pneus avant / arrière | P225/50R18 / P225/50R18 |
| Poids / Capacité de remorquage | 1664 kg / n.d. |
| Assemblage | Leipzig, DE |

| Composantes mécaniques | |
|---|---|
| xDrive 28i | |
| Cylindrée, soupapes, alim. | 4L 2,0 litres 16 s turbo |
| Puissance / Couple | 228 ch / 258 lb-pi |
| Tr. base (opt) / rouage base (opt) | A8 / Int |
| 0-100 / 80-120 / V.Max | 6,5 s (estimé) / n.d. / 210 km/h |
| 100-0 km/h | n.d. |
| Type / ville / route / $CO_2$ | Sup / 7,8 / 5,8 l/100 km / 3174 kg/an |

## Du nouveau en 2016

Nouveau modèle

Photos: BMW Canada

DIESEL

BMW X4

# BMW **X3/X4**

((SiriusXM))

**Prix :** 43 600 $ à 49 200 $ (2015)
**Catégorie :** VUS
**Garanties :**
4 ans/80 000 km, 4 ans/80 000 km
**Transport et prép. :** 2 802 $
**Ventes QC 2014 :** 1 106 unités*
**Ventes CAN 2014 :** 5 709 unités**

## Cote du Guide de l'auto
# 75 %

Fiabilité
■■■■■■■■□□

Sécurité
■■■■■■■■□□

Consommation
■■■■■□□□□□

Appréciation générale
■■■■■■■□□□

Agrément de conduite
■■■■■■■□□□

Système multimédia
■■■■■■□□□□

## Cote d'assurance
■■■■■■■□□□
$$$                          $

présentée par
**KANETIX.CA**

➕ Moteurs bien adaptés • Bonne
tenue de route (X4) • Rouage intégral
efficace • Polyvalence assurée (X3)

➖ Freinage manque de mordant •
Boîte automatique peu réactive •
Prix élevés • Options nombreuses
et coûteuses

## Concurrents
X3 : Acura RDX, Audi Q5, Lexus NX, Lin-
coln MKC, Mercedes-Benz Classe GLK,
Porsche Macan, Volvo XC60

X4 : Land Rover Range Rover Evoque,
Porsche Macan

# Les deux hémisphères du cerveau

Gabriel Gélinas

**A**vec le X6, BMW a fait la preuve qu'une déclinaison plus typée du X5 pouvait connaître un succès commercial, ce qui a forcé les marques Audi et Mercedes-Benz à se mettre en mode rattrapage. Poursuivant sur sa lancée, BMW adapte cette recette gagnante pour produire un X4 qui «looke», élaboré sur la base du X3. Plus pratique, le X3 ajoute un moteur diesel aux deux moteurs à essence communs aux deux modèles. Portrait d'une gamme qui table sur la polyvalence ou le style à tout prix.

Avec sa ligne de toit fuyante et son style de «coupé quatre portes», le X4 émule le X6, mais le jumelage de ce style particulier avec un véhicule de taille plus compacte n'est pas des plus heureux. Comparé au X3 dont il est dérivé, le X4 est plus bas ainsi que légèrement plus long et il roule sur des suspensions plus fermes, ce qui autorise une meilleure tenue de route en virage. La direction est précise et communique bien les sensations de la route, mais le freinage manque un peu de mordant et la boîte automatique tarde parfois à rétrograder en conduite sportive.

Animé par le quatre cylindres turbocompressé de 2,0 litres, le X4 xDrive28i se défend très bien entre 0 et 100 kilomètres/heure. Par contre, le X4 xDrive35i, fort de son six cylindres en ligne turbo-compressé qui est un modèle de souplesse, fait preuve de plus de caractère, particulièrement en reprises. On regrette toutefois que le X4 soit aussi lourd, le 28i affichant 1 873 kilos à la pesée et le 35i faisant osciller la balance à 1 932 kilos.

### UN DIESEL POUR LE X3
Au fil des ans, les constructeurs allemands ont développé une solide expertise de la motorisation diesel qui est encore dominante sur le marché européen. Chez nous, le moteur diesel est très populaire chez les VUS de grande taille, mais des modèles plus compacts sont aujourd'hui disponibles avec un moteur carburant au gazole.

* X3 : 988 unités / X4 : 118 unités          ** X3 : 5 219 unités / X4 : 490 unités

Le X3 fait partie de ce groupe restreint qui offre une consommation bonifiée, particulièrement sur l'autoroute, par rapport aux modèles carburant à l'essence. Dommage que le prix du diesel soit souvent plus élevé que celui de l'essence et que BMW facture un supplément important pour son X3 xDrive28d.

Pour ce qui est de l'habitabilité et de la vie à bord, le X3 dispose d'un net avantage par rapport au X4 dont la ligne de toit rogne le dégagement pour la tête à l'avant comme à l'arrière. Aussi, la banquette du X4 est abaissée par rapport à celle du X3, ce qui signifie que les passagers prenant place à l'arrière ont les genoux plus fléchis, ce qui est moins confortable.

La planche de bord est identique sur les deux modèles et la finition intérieure est soignée, mais elle n'est toujours pas aux standards de la marque Audi qui demeure la référence en ce domaine. Dommage aussi que la boîte de vitesses ne réagisse pas promptement au mouvement du levier de vitesses lorsqu'on passe de Park à Drive ou à la marche arrière.

**DANS LA BOULE DE CRISTAL**

Même s'il a été restylé en 2014, le X3 s'apprête à subir une refonte complète et devrait apparaître en cours d'année 2016 en tant que modèle 2017. Côté style, on s'attend à ce que le prochain X3 ne présente qu'une évolution, mais le nouveau millésime du X3 fera un bon usage de plastique renforcé de carbone, tout comme la Série 7, histoire de réduire son poids et de bonifier la consommation.

Par ailleurs, la gamme s'enrichira d'un modèle hybride branchable et des versions M seront également proposées pour le X3 et le X4, BMW étant passé maître dans l'art de commercialiser le plus de variantes possibles de ses véhicules. Ces nouvelles versions M seront animées par le six cylindres biturbo que l'on retrouve sous le capot des M3 et M4, ce qui devrait insuffler une bonne dose de personnalité à ces modèles, BMW reprenant ainsi la recette qui a assuré le succès commercial des X5 M et X6 M.

Pour l'heure, BMW propose donc deux alternatives à l'acheteur d'un VUS de luxe de taille compacte, mais il est dommage que la liste d'options soit aussi longue et que les équipements ainsi proposés soient aussi chers. Une tendance qui se poursuit chez le constructeur bavarois.

| Châssis - X3 xDrive 35i | |
| --- | --- |
| Emp / lon / lar / haut | 2810 / 4657 / 2098 / 1661 mm |
| Coffre / Réservoir | 550 à 1600 litres / 67 litres |
| Nbre coussins sécurité / ceintures | 6 / 5 |
| Suspension avant | ind., jambes force |
| Suspension arrière | ind., multibras |
| Freins avant / arrière | disque / disque |
| Direction | à crémaillère, ass. var. élect. |
| Diamètre de braquage | 11,9 m |
| Pneus avant / arrière | P245/50R18 / P245/50R18 |
| Poids / Capacité de remorquage | 1890 kg / 750 kg (1653 lb) |
| Assemblage | Spartanburg, SC |

| Composantes mécaniques | |
| --- | --- |
| **X3 xDrive 28d** | |
| Cylindrée, soupapes, alim. | 4L 2,0 litres 16 s turbo |
| Puissance / Couple | 180 ch / 280 lb-pi |
| Tr. base (opt) / rouage base (opt) | A8 / Int |
| 0-100 / 80-120 / V.Max | 8,0 s / 8,8 s / 210 km/h |
| 100-0 km/h | n.d. |
| Type / ville / route / $CO_2$ | Dié / 6,2 / 5 l/100 km / 3060 kg/an |
| **X3 xDrive 28i, X4 xDrive 28i** | |
| Cylindrée, soupapes, alim. | 4L 2,0 litres 16 s turbo |
| Puissance / Couple | 241 ch / 258 lb-pi |
| Tr. base (opt) / rouage base (opt) | A8 / Int |
| 0-100 / 80-120 / V.Max | 6,5 s / n.d. / 230 km/h |
| 100-0 km/h | 42,5 m |
| Type / ville / route / $CO_2$ | Sup / 9,1 / 6,2 l/100 km / 3590 kg/an |
| **X3 xDrive 35i, X4 xDrive 35i** | |
| Cylindrée, soupapes, alim. | 6L 3,0 litres 24 s turbo |
| Puissance / Couple | 300 ch / 300 lb-pi |
| Tr. base (opt) / rouage base (opt) | A8 / Int |
| 0-100 / 80-120 / V.Max | 6,8 s / 4,4 s / 245 km/h |
| 100-0 km/h | 42,5 m |
| Type / ville / route / $CO_2$ | Sup / 10,7 / 6,9 l/100 km / 4135 kg/an |

BMW X3/X4

**Du nouveau en 2016**

Aucun changement majeur. Refonte du modèle X3 à venir.

BMW X3

Photos : Alain Morin, BMW Canada

BMW X5 M

# ⊛ BMW **X5/X6**

**Prix :** 65 500 $ à 105 900 $ (2015)
**Catégorie :** VUS
**Garanties :**
4 ans/80 000 km, 4 ans/80 000 km
**Transport et prép. :** 2 802 $
**Ventes QC 2014 :** 959 unités*
**Ventes CAN 2014 :** 6 365 unités**

### Cote du Guide de l'auto

# 73 %

Fiabilité                     Appréciation générale
■■■■■■■□□□        ■■■■■■■□□□

Sécurité                      Agrément de conduite
■■■■■■■■□□        ■■■■■■■■□□

Consommation              Système multimédia
■■■■■□□□□□        ■■■■■■■□□□

### Cote d'assurance
                              présentée par
■■■■■■□□□□        **KANETIX.CA**
$$$                        $

➕ Bon choix de moteurs • X5 hybride
prometteur • Bonne tenue de route •
Habitacle luxueux • Versions M enivrantes

➖ Versions M exagérées • Piètre
visibilité arrière (X6) • Options
nombreuses et onéreuses •
Coffre étriqué

## Concurrents

X5 : Acura MDX, Audi Q7, Infiniti QX60,
Land Rover LR4, Lexus RX, Mercedes-Benz
Classe M, Porsche Cayenne, Volvo XC90

X6 : Infiniti QX70, Land Rover Range
Rover Sport

# Écologie et performances

Denis Duquet

**L**es ventes du VUS de luxe de BMW, le X5, continuent d'être au beau fixe. Sa silhouette dynamique, son habitacle luxueux sans oublier un comportement routier vraiment supérieur à la moyenne de la catégorie sont autant de raisons pour les acheteurs d'opter pour ce modèle. Ceux-ci ont également l'embarras du choix en ce qui concerne la motorisation puisque deux moteurs six cylindres en ligne et un V8 sont au catalogue, tous les trois associés à une boîte automatique à huit rapports.

Malgré ces succès, le constructeur bavarois n'a nullement l'intention de se reposer sur ses lauriers et cette année, il commercialise une nouvelle version. Cette dernière sera propulsée par une motorisation hybride pouvant être branchée, donc branchable ou, selon le terme anglais mieux connu « plug in ».

Il s'agit du premier véhicule du genre à être commercialisé par BMW. On souligne que ce sont les connaissances apprises lors du développement des voitures i3 et i8 qui ont permis de développer ce modèle. Et sans être prophète, il est certain que cette motorisation écologique va se retrouver sous le capot de plusieurs autres modèles au cours des années à venir.

### UN QUATRE CYLINDRES ?

Puisque le X5 est au sommet de la pyramide des modèles X et jouit conséquemment des moteurs les plus puissants, il est surprenant d'apprendre que le nouvel ajout à la famille, le xDrive40e, sera propulsé par un quatre cylindres turbo. D'une cylindrée de 2,0 litres, il produit 241 chevaux et 258 livres-pied de couple. Le reste de la puissance provient d'un moteur électrique intégré dans la boîte automatique à huit rapports et alimenté par une batterie de 9 kWh. L'ajout de ce moteur électrique permet de porter la puissance totale à 308 chevaux et 332 livres-pied de couple. Comme la dénomination de ce modèle l'indique, cette puissance le place entre les modèles 35i et 50i.

* X5 : 797 unités / X6 : 162 unités          ** X5 : 5 470 unités / X6 : 895 unités

Par défaut, lorsque le moteur est lancé, c'est le mode Auto eDrive qui prévaut. Ce qui signifie que les moteurs thermique et électrique travaillent de concert et de la façon la plus harmonieuse qui soit afin d'optimiser la conduite écologique. En mode Max eDrive, soit 100% électrique, il est possible de franchir une distance d'environ 20 km, tandis que la vitesse maximale est limitée à 120 km/h.

On pourra recharger la batterie sur une prise de courant domestique, mais ce sera encore plus efficace avec la station de recharge propriétaire qui permettra d'obtenir une pile entièrement rechargée en moins de 3 heures. Ce modèle se démarque également des autres de la gamme X5 par une instrumentation différente qui inclut un nouveau compte-tours ainsi que des cadrans indicateurs de charge et de rayon d'action. Comme tous les autres véhicules de ce genre, un graphique animé informera le pilote et ses passagers du flot d'énergie à la batterie ou provenant de celle-ci.

Par ailleurs, les modèles à moteur thermique xDrive35d, xDrive35i ainsi que le puissant xDrive50i sont de retour. Sans oublier le spectaculaire X5 M qui partage la même motorisation que le X6 M.

### X6 M: LA SPORTIVE

Lorsque le X6 de série a été dévoilé au Salon de Detroit en 2008, nombreux ont été ceux qui lui prédisaient une très courte carrière. Pourtant, ce VUS aux allures de coupé sport signe et persiste. Il semble attirer les personnes qui désirent un VUS pour sa polyvalence, mais qui ne veulent pas s'associer à la silhouette carrée de la catégorie et du X5 en particulier.

Cette silhouette audacieuse permet donc de bénéficier de toutes les qualités du X5 puisque le X6 partage sa mécanique avec ce dernier. On retrouve donc le six cylindres en ligne de 3,0 litres et le V8 de 4,4 litres, les deux associés à une automatique à huit rapports. Puis, on retrouve la version M avec un V8 de même cylindrée que le xDrive 50i. Ce 4,4 litres produit 567 chevaux, de quoi assurer des performances spectaculaires, surtout pour un VUS. Le 0-100 km/h est l'affaire de 4,2 secondes, tandis que la vitesse de pointe est de 250 km/h. Et selon les données de BMW, la consommation moyenne combinée de ce bolide serait de 14,6 l/100 km. C'est beaucoup et encore là, pour arriver à une telle moyenne, il faut assurément conduire sur une route parfaitement plane, avec des pneus gonflés à la perfection, tout en suivant scrupuleusement la limite de vitesse par une journée où la température et le taux d'humidité sont parfaits.

Quoi qu'il en soit, le X6 M est un véhicule d'exception tant pour ses performances que par ses formes. Et si vous voulez conserver ces prestations dans un véhicule plus pratique, le X5 M se charge de répondre à vos besoins.

### Du nouveau en 2016

X5 hybride plug-in, versions X5 M et X6 M à moteur 567 chevaux

## Châssis - X5 xDrive 40e

| | |
|---|---|
| Emp / lon / lar / haut | 2933 / 4886 / 2184 / 1762 mm |
| Coffre / Réservoir | 520 à 1720 litres / 85 litres |
| Nbre coussins sécurité / ceintures | 6 / 5 |
| Suspension avant | ind., double triangulation |
| Suspension arrière | ind., pneumatique, multibras |
| Freins avant / arrière | disque / disque |
| Direction | à crémaillère, ass. var. élect. |
| Diamètre de braquage | 12,7 m |
| Pneus avant / arrière | P255/50R19 / P255/50R19 |
| Poids / Capacité de remorquage | 2305 kg / n.d. |
| Assemblage | Spartanburg, SC |

## Composantes mécaniques

### X5 xDrive 40e

| | |
|---|---|
| Cylindrée, soupapes, alim. | 4L 2,0 litres 16 s turbo |
| Puissance / Couple | 241 ch / 258 lb-pi |
| Tr. base (opt) / rouage base (opt) | A8 / Int |
| 0-100 / 80-120 / V.Max | 6,5 s / n.d. / 210 km/h |
| 100-0 km/h | n.d. |
| Type / ville / route / $CO_2$ | Sup / n.d. / n.d. l/100 km / 1987 kg/an |

### Moteur électrique

| | |
|---|---|
| Puissance / Couple | 111 ch (82 kW) / 184 lb-pi |
| Type de batterie | Lithium-ion (Li-ion) |
| Énergie | 9 kWh |
| Temps de charge (120V / 240V) | n.d. / 2,8 h |
| Autonomie | 21 km |

### X5 M, X6 M

| | |
|---|---|
| Cylindrée, soupapes, alim. | V8 4,4 litres 32 s turbo |
| Puissance / Couple | 567 ch / 553 lb-pi |
| Tr. base (opt) / rouage base (opt) | A8 / Int |
| 0-100 / 80-120 / V.Max | 4,2 s (const) / n.d. / 250 km/h |
| 100-0 km/h | n.d. |
| Type / ville / route / $CO_2$ | Sup / 16,6 / 12,1 l/100 km / 6705 kg/an |

### X5 xDrive 35d

6L - 3,0 l die.- 255 ch/413 lb-pi - A8 - 0-100: 7,0 s (const) - 9,2/7,2 l/100 km

### X5 xDrive 35i, X6 xDrive 35i

6L - 3,0 l - 300 ch/300 lb-pi - A8 - 0-100: 6,6 s (const) - 13,0/8,9 l/100 km

### X5 xDrive 50i, X6 xDrive 50i

V8 - 4,4 l - 445 ch/479 lb-pi - A8 - 0-100: 5,1 s (const) - 16,0/10,9 l/100 km

BMW X6 M

# BMW **Z4**

**Prix :** 54 300 $ à 77 900 $ (2015)
**Catégorie :** Roadster
**Garanties :**
4 ans/80 000 km, 4 ans/80 000 km
**Transport et prép. :** 2 095 $
**Ventes QC 2014 :** 35 unités
**Ventes CAN 2014 :** 173 unités

## Cote du Guide de l'auto

# 73 %

| Fiabilité | Appréciation générale |
|---|---|
| ■■■■■■□□□□ | ■■■■■■■□□□ |
| Sécurité | Agrément de conduite |
| ■■■■■■□□□□ | ■■■■■■■□□ |
| Consommation | Système multimédia |
| ■■■□□□□□□□ | ■■■■■■□□□□ |

## Cote d'assurance

■■■■■■■□□□
$$$                    $

présentée par
**KANETIX.CA**

➕ Lignes sportives • Conduite engageante • Moteurs efficaces • Finition soignée

➖ Deux places uniquement • Espace de chargement limité • Prix des options • Vue arrière difficile

## Concurrents
Audi TT, Chevrolet Corvette, Jaguar F-Type, Mercedes-Benz Classe SLK, Porsche Boxster

# Le cœur avant tout !

Sylvain Raymond

**C**hacun s'est déjà imaginé au volant d'un roadster, par une chaude journée d'été, roulant cheveux au vent, écoutant sa musique préférée. C'est exactement pour cette raison que l'on se paie ce type de voiture, pour le plaisir qu'elle procure car il faut bien l'avouer, les roadsters ne sont pas très pratiques et ils font appel bien plus au cœur qu'à la raison.

Succédant à la Z3 en 2002, la BMW Z4 se présente sous les traits d'un roadster à toit rigide, mariant ainsi le meilleur de tous les mondes. La présence d'un tel toit préserve le style de la voiture et apporte le confort d'un coupé sport. En quelques secondes, le toit se rétracte et l'on peut profiter des plaisirs de la conduite à ciel ouvert, ce qui élimine pratiquement tous les compromis. Qui plus est, l'insonorisation est meilleure et le toit est beaucoup moins salissant et plus esthétique qu'un souple.

### RACINES DE SPORTIVE
Le design de la Z4 est inspiré des lignes de la Z8, une voiture commercialisée au début des années 2000. On apprécie sa section avant qui intègre la grille réniforme distinctive de BMW alors que les flancs offrent un mélange de lignes fluides et de contours tranchants. Comme c'est souvent le cas, les jantes campent le style et le dynamisme de la voiture. On retrouve toujours les proportions typiques des roadsters, soit un long capot, des porte-à-faux courts et un habitacle reculé, une formule utilisée par de nombreuses voitures sport de renom dans le passé.

Dans l'habitacle, tout est orienté vers le pilote. L'instrumentation simpliste est principalement composée de deux cadrans, l'indicateur de vitesse et le tachymètre. La finition est excellente et d'apparence chic, surtout grâce aux boiseries et garnitures chromées. Les deux passagers profitent de bons dégagements, mais on aimerait avoir un peu plus de rangement pour les petits objets. Si l'espace à la tête n'est pas des plus généreux, 20 secondes suffisent pour retirer entièrement le toit, une opération électrique qui peut s'effectuer jusqu'à une vitesse de 40 km/h. Une fois le toit rangé dans le coffre, on perd évidemment beaucoup d'espace de chargement, mais c'est le prix à payer pour tous les modèles du genre.

## PAS DE Z4 SURVITAMINÉE

La Z4 de base cache sous son long capot un quatre cylindres turbocompressé de 2,0 litres qui génère 241 chevaux pour un couple de 258 lb-pi. C'est tout de même une puissance supérieure à ce que nous proposent les livrées de base Audi TT et Mercedes-Benz SLK. L'avantage de cette mécanique? Son poids réduit qui rend la voiture plus maniable et équilibrée tout en autorisant une meilleure consommation de carburant.

Si vous recherchez un peu plus de vigueur, vous pourrez vous tourner vers la Z4 sDrive 35i dont le six cylindres en ligne suralimenté développe 300 chevaux et un couple identique livré dès les 1 400 tours/min. C'est sans doute le moteur qui rend le plus justice au modèle. Il est pratiquement tout aussi léger et sa puissance supérieure dote la voiture de performances fort relevées.

Pour ceux qui désirent laisser derrière les autres Z4, la sDrive 35is profite d'une version plus poussée du six cylindres de 3,0 litres, mais cette fois, la paire de turbocompresseurs est à double volute, ce qui permet d'extirper 35 chevaux supplémentaires et d'amputer quelques centièmes de seconde au sprint 0-100 km/h. Il faudra toutefois être prêt à débourser une surprime assez corsée pour cette Z4 plus exclusive. Pas de M au catalogue, seule Mercedes-Benz repousse les limites dans ce créneau avec sa SLK AMG de 415 chevaux.

Sur la route, le petit quatre cylindres 2,0 litres turbocompressé dote la Z4 de performances intéressantes. Son couple livré à bas régime compense largement la réduction de puissance et le 0-100 km/h est l'affaire d'environ 5,7 secondes lorsque couplé à la transmission manuelle six rapports. Vous pourrez opter pour une automatique à huit rapports si jamais vous n'appréciez pas la configuration à trois pédales.

Bien entendu, les deux six cylindres transforment la Z4 en bolide beaucoup plus convaincant, les accélérations vous clouant au siège. BMW a associé ces moteurs à la plus efficace de toutes les transmissions offertes pour ce roadster, une automatique à sept rapports et à double embrayage. Côté suspension, malgré une certaine sportivité, on s'aperçoit rapidement que la Z4 offre un compromis entre le confort de roulement et les performances. Elle s'approche d'une voiture de grand tourisme, beaucoup plus que d'un bolide pur et dur.

### Châssis - sDrive 35i

| | |
|---|---|
| Emp / lon / lar / haut | 2496 / 4239 / 1951 / 1291 mm |
| Coffre / Réservoir | 180 à 310 litres / 55 litres |
| Nbre coussins sécurité / ceintures | 6 / 2 |
| Suspension avant | ind., leviers triangulés |
| Suspension arrière | ind., multibras |
| Freins avant / arrière | disque / disque |
| Direction | à crémaillère, ass. var. élect. |
| Diamètre de braquage | 10,7 m |
| Pneus avant / arrière | P225/45R17 / P255/40R17 |
| Poids / Capacité de remorquage | 1585 kg / n.d. |
| Assemblage | Regensburg, DE |

### Composantes mécaniques

**sDrive 28i**

| | |
|---|---|
| Cylindrée, soupapes, alim. | 4L 2,0 litres 16 s turbo |
| Puissance / Couple | 241 ch / 258 lb-pi |
| Tr. base (opt) / rouage base (opt) | M6 (A8) / Prop |
| 0-100 / 80-120 / V.Max | 5,7 s / 5,2 s / 210 km/h |
| 100-0 km/h | n.d. |
| Type / ville / route / $CO_2$ | Sup / 9,0 / 5,6 l/100 km / 3450 kg/an |

**sDrive 35i**

| | |
|---|---|
| Cylindrée, soupapes, alim. | 6L 3,0 litres 24 s turbo |
| Puissance / Couple | 300 ch / 300 lb-pi |
| Tr. base (opt) / rouage base (opt) | M6 (A7) / Prop |
| 0-100 / 80-120 / V.Max | 5,3 s / 5,0 s / 210 km/h |
| 100-0 km/h | n.d. |
| Type / ville / route / $CO_2$ | Sup / 11,2 / 7,6 l/100 km / 4416 kg/an |

**sDrive 35is**

| | |
|---|---|
| Cylindrée, soupapes, alim. | 6L 3,0 litres 24 s turbo |
| Puissance / Couple | 335 ch / 332 lb-pi |
| Tr. base (opt) / rouage base (opt) | A7 / Prop |
| 0-100 / 80-120 / V.Max | 5,0 s / 4,5 s / 250 km/h |
| 100-0 km/h | n.d. |
| Type / ville / route / $CO_2$ | Sup / 12,4 / 8,5 l/100 km / 4876 kg/an |

### Du nouveau en 2016

Aucun changement majeur, nouvelle couleur Bleu Estoril

Photos : BMW Canada

BMW Z4

**CHEVROLET TRAVERSE**

## BUICK **ENCLAVE** / CHEVROLET **TRAVERSE** / GMC **ACADIA**

(((SiriusXM)))

**Prix :** 47 760 $ à 55 260 $ (2015)
**Catégorie :** VUS
**Garanties :**
4 ans/80 000 km, 5 ans/160 000 km
**Transport et prép. :** 1 950 $
**Ventes QC 2014 :** 1 286 unités*
**Ventes CAN 2014 :** 13 387 unités**

**Cote du Guide de l'auto**

# 67 %

| Fiabilité | Appréciation générale |
|---|---|
| ■■■■■■□□□□ | ■■■■■■■□□□ |
| Sécurité | Agrément de conduite |
| ■■■■■■■■□□ | ■■■■■■□□□□ |
| Consommation | Système multimédia |
| ■■■■□□□□□□ | ■■■■■■■□□□ |

**Cote d'assurance**                       présentée par
■■■■■■■■□□                            **KANETIX.CA**
$$$                          $

**+** Habitacle aussi silencieux que
logeable • Présentation agréable •
Sièges confortables • Rouage intégral
efficace • Prix corrects

**−** Dimensions et poids imposants •
Puissance un peu juste • Sportivité
nulle • Consommation élevée •
Fiabilité erratique

**Concurrents**
Ford Flex, Honda Pilot, Mazda CX-9,
Toyota Highlander, Volkswagen Touareg

# Allergique aux fourgonnettes ?

Alain Morin

**L** es fourgonnettes sont les véhicules les plus polyvalents sur le marché. Vous aurez beau trépigner, argumenter, vous tenir le bras gauche avec la main droite en suant à grosses gouttes, faire la « danse du bacon », les fourgonnettes demeureront les véhicules les plus polyvalents sur le marché, point à la ligne.

Heureusement, on peut compter sur les constructeurs automobiles pour sauver l'humanité. Prenez General Motors, par exemple. Dans un but purement désintéressé, le géant américain a décidé de produire une gamme de fourgonnettes qui n'en sont pas vraiment. Ceux qui abhorrent les fourgonnettes lui en seront éternellement reconnaissants.

Cette gamme de fourgonnettes-qui-n'en-sont-pas-vraiment, ce sont les Buick Enclave, Chevrolet Traverse et GMC Acadia, construits autour de la même plate-forme, mais dotés d'une personnalité propre. Et ça, chez General Motors, c'est extrêmement rare. Habituellement, on fout un badge Buick sur un produit Chevrolet et le tour est joué. Le cas Chevrolet Trax/Buick Encore en est un bel exemple.

### DE CHEVROLET À BUICK EN PASSANT PAR GMC
Comme il se doit dans la hiérarchie du Général, le Chevrolet est le plus prolétaire du groupe. Ce qui n'empêche pas le Traverse de présenter une jolie gueule, surtout depuis les retouches de 2013 et un tableau de bord ma foi fort réussi. Le GMC Acadia, de son côté, est le *tough* du groupe, GMC étant davantage associé aux camions que Chevrolet. Ou que Buick qui ne l'est pas du tout. La calandre imposante du GMC parle d'elle-même.

Le Buick Enclave, on l'aura deviné, représente la livrée haut de gamme avec son style plus classique et ses matériaux de meilleure qualité. Dans les deux autres, ce n'est pas mal non plus, mais la coche est un peu plus élevée dans l'Enclave. Bien qu'à première vue les trois tableaux de bord affichent un style différent, il ne faut pas chercher

---

\* Enclave : 269 unités / Traverse : 373 unités    \*\*Enclave : 3 528 unités / Traverse : 3 886 unités
Acadia : 644 unités                                      Acadia : 5 973 unités

trop longtemps pour découvrir qu'en dessous, c'est du pareil au même. Bravo aux designers pour avoir réussi à les distinguer les uns des autres.

Peu importe le modèle, l'habitacle est vaste comme un parlement et les sièges sont à peu près parfaits. Même ceux de la troisième rangée ne sont pas à dédaigner, d'autant plus qu'y accéder est relativement facile. Quand tous les dossiers sont relevés, l'espace dans le coffre est certes moindre, néanmoins, on a déjà vu bien pire. En passant, le trio Enclave/Traverse/Acadia peut accueillir sept ou huit personnes. Sept si l'on opte pour les sièges capitaines à la deuxième rangée, huit si on choisit la banquette. La polyvalence n'est pas encore au niveau de celle d'une fourgonnette, mais on s'en approche.

### LE POIDS, L'ENNEMI NUMÉRO UN

Côté moteur, rien de bien sorcier puisqu'un seul est offert. Il s'agit d'un V6 de 3,6 litres développant 288 chevaux dans les Enclave, Acadia et Traverse LTZ et 281 chevaux dans les autres Traverse. Ç'aurait sans doute été trop compliqué de faire simple... Quel que soit le modèle, la transmission est une automatique à six rapports quelquefois lente à réagir, surtout à froid. Selon la version, les roues avant sont motrices (TA dans le jargon GM) ou le rouage est intégral (TI). Nous vous le recommandons chaleureusement malgré les quelque 3 000 $ supplémentaires qu'il demande. De toute façon, cette différence vous sera en bonne partie remise lors de la revente.

Aucun des véhicules de notre trio vedette n'est un poids plume. Cet embonpoint se fait sentir par des performances assez justes lorsque ces fourgonnettes-qui-n'en-sont-pas sont allèges. Quand elles auront sept ou huit personnes et leurs bagages à transporter, ou une remorque de 4 500 livres — si équipée en conséquence —, les accélérations seront inévitablement plus pénibles. La consommation d'essence aussi est influencée par le poids élevé et une moyenne de 14 l/100 km ou davantage est fréquente avec le rouage intégral. On peut compter environ 1 litre de moins avec la traction.

Tout comme les fourgonnettes, les Traverse/Acadia/Enclave sont aussi sportifs qu'un poteau de téléphone. La direction est très assistée et transmet bien peu de retour d'information et les suspensions, calibrées pour offrir un maximum de confort, ont bien de la difficulté à contrer le roulis en virage.

C'en est à se demander si une fourgonnette ne serait pas un choix plus judicieux... Ben non, c'est une farce !

| Châssis - Buick Enclave Haut de gamme TI | |
| --- | --- |
| Emp / lon / lar / haut | 3020 / 5128 / 2202 / 1821 mm |
| Coffre / Réservoir | 660 à 3263 litres / 83 litres |
| Nbre coussins sécurité / ceintures | 7 / 7 |
| Suspension avant | ind., jambes force |
| Suspension arrière | ind., multibras |
| Freins avant / arrière | disque / disque |
| Direction | à crémaillère, ass. var. |
| Diamètre de braquage | 12,3 m |
| Pneus avant / arrière | P255/60R19 / P255/60R19 |
| Poids / Capacité de remorquage | 2233 kg / 907 kg (1999 lb) |
| Assemblage | Lansing, MI |

| Composantes mécaniques | |
| --- | --- |

**Chevrolet Traverse**

| | |
| --- | --- |
| Cylindrée, soupapes, alim. | V6 3,6 litres 24 s atmos. |
| Puissance / Couple | 281 ch / 266 lb-pi |
| Tr. base (opt) / rouage base (opt) | A6 / Tr (Int) |
| 0-100 / 80-120 / V.Max | 8,5 s / 7,1 s / 200 km/h |
| 100-0 km/h | 44,1 m |
| Type / ville / route / $CO_2$ | Ord / 12,7 / 8,4 l/100 km / 4968 kg/an |

**Buick Enclave, GMC Acadia, Chevrolet Traverse LTZ**

| | |
| --- | --- |
| Cylindrée, soupapes, alim. | V6 3,6 litres 24 s atmos. |
| Puissance / Couple | 288 ch / 270 lb-pi |
| Tr. base (opt) / rouage base (opt) | A6 / Tr (Int) |
| 0-100 / 80-120 / V.Max | 9,2 s / 7,1 s / 200 km/h |
| 100-0 km/h | 45,9 m |
| Type / ville / route / $CO_2$ | Ord / 14,6 / 10,2 l/100 km / 5805 kg/an |

## Du nouveau en 2016

Aucun changement majeur

Photos : Dominic Dubreuil, Buick Canada

**BUICK ENCLAVE**

**GMC ACADIA**

# BUICK **LACROSSE**

**((SiriusXM))**

**Prix :** 37 945 $ à 45 295 $ (2015)
**Catégorie :** Berline
**Garanties :**
4 ans/80 000 km, 5 ans/160 000 km
**Transport et prép. :** 1 950 $
**Ventes QC 2014 :** n.d.
**Ventes CAN 2014 :** 1 557 unités

## Cote du Guide de l'auto

# 66 %

| Fiabilité | Appréciation générale |
|---|---|
| ■■■■■■□□□□ | ■■■■■■■□□□ |
| Sécurité | Agrément de conduite |
| ■■■■■■■■□□ | ■■■■■■□□□□ |
| Consommation | Système multimédia |
| ■■■■■■□□□□ | ■■■■■■■□□□ |

## Cote d'assurance
■■■■■■■■■□
$$$                    $

présentée par
**KANETIX.CA**

➕ Insonorisation exceptionnelle •
Confort assuré à l'arrière •
Motorisation V6 stable et douce •
Option eAssist économe

➖ Design extérieur trop neutre •
Transmission intégrale uniquement
sur V6 • Puissance juste (eAssist) •
Réputation de «voiture à papi»

## Concurrents
Chevrolet Impala, Chrysler 300,
Ford Taurus, Lexus ES, Lincoln MKZ,
Toyota Avalon

# Rassurante et fiable

Guy Desjardins

**L**a plus volumineuse berline de la gamme Buick se vend moins que la smart fortwo au pays. On écoule à peine plus de 1 000 LaCrosse par année alors que la micro-voiture affiche le double de ventes pour la même période. Pourtant, une LaCrosse offre tellement plus d'équipement, d'espace et de puissance !

Alors que ce modèle se vend par milliers chez les concessionnaires américains, nous, les Canadiens, sommes un peu plus critiques lorsque vient le temps de choisir notre bagnole. Cette Buick possède évidemment tout ce qu'un véhicule de cette catégorie doit inclure de série. Elle est spacieuse, économe en carburant et très confortable. Néanmoins, un petit sondage maison nous confirme que la voiture ne soulève pas de passion.

## DEUX MOTEURS EFFICACES
Plusieurs versions de ce modèle s'insèrent dans l'offre de Buick et se distinguent principalement par leur niveau d'équipement. Par exemple, les modèles «top of the line» ont de nombreuses caractéristiques de luxe, dont des sièges avant ventilés, un système audio à 11 haut-parleurs, des suspensions avec mode de conduite sport et des roues de 20 po en aluminium usiné. Le groupe motopropulseur de série comprend le V6 de 3,6 litres développant 304 ch. En option, un moteur 4 cylindres de 2,4 litres existe et heureusement, il est doté de la technologie eAssist, une assistance électrique qui vient épauler le moteur à essence. Un rouage intégral se pointe également sur la liste d'options mais ne peut être commandé qu'avec les modèles à motorisation 6 cylindres.

Depuis son apparition en 2010, la Buick LaCrosse a grandement évolué au niveau technologique, mais bien peu de changements ont été apportés à son aspect extérieur. Dans l'habitacle par contre, plusieurs éléments ont été complètement repensés lors de la refonte de 2014 afin de créer un agencement à la fois simple et attrayant. L'éclairage d'ambiance bleu givré, les garnitures en faux bois et les appliques en chrome charment à tout coup.

Bien que la position de conduite se trouve aisément, il ne faut pas s'attendre à un moulage parfait du corps. Les réglages suffisent à bien se positionner et l'assise moelleuse est loin de la fermeté des sièges des véhicules allemands ou japonais, ce qui rend les courts déplacements agréables, mais pour de très longues distances, le soutien manque. Devant le conducteur, on remarque un tableau de bord épuré où la richesse des matériaux donne une certaine noblesse à cette Buick. La console centrale intègre un écran de contrôle généreux et l'interface de navigation s'avère intuitive même lorsque son utilisateur vient d'une génération qui a vu naître la télévision.

À l'arrière, l'espace très vaste pour les jambes nous fait pratiquement regretter de conduire la voiture. Les passagers bénéficient d'un grand confort d'autant plus que la technologie QuietTuning de Buick permet d'atteindre un niveau d'insonorisation assez élevé. Quant au coffre, l'espace est suffisant pour y loger facilement 3 sacs de golf, 4 en poussant fort !

## CONFORT ET QUIÉTUDE

Sur la route, le comportement de la voiture diffère selon la motorisation présente sous le capot. De série, le V6 qui équipe les versions plus luxueuses adopte une tenue de route très stable, silencieuse et rassurante. Les prestations ne sont pas axées sur la performance, cependant compte tenu de la puissance disponible, les accélérations s'avèrent tout de même dynamiques et bien réparties sur l'ensemble des révolutions du moteur. La voiture montre un léger roulis, mais dans cette catégorie, il ne faut pas s'attendre à ce qu'elle colle à la route. On ne lui en tiendra donc pas rigueur puisque son rôle n'est pas de calquer le comportement de la Corvette.

À l'opposé, l'option eAssist hybride, qui mise avant tout sur l'économie de carburant, livre un comportement routier tout aussi doux, mais moins stable, plus bruyant et légèrement rugueux. Malgré tout, les performances s'avèrent très acceptables, gracieuseté du couple élevé produit par le système eAssist qui seconde le 4 cylindres à essence. Équipée de la sorte, la LaCrosse réussit à rouler sur l'autoroute en limitant sa consommation à 6,5 litres/100 km. Malheureusement, la présence d'un 4 cylindres dans une voiture si imposante dilue le prestige qu'elle tente de nous montrer, d'autant plus qu'elle peut facilement atteindre un prix de 45 000 $.

Si ce n'était pas de sa réputation de «voiture à papi», la Buick LaCrosse trônerait bien haut dans le palmarès de sa catégorie. Son rapport qualité/prix est bon, le confort est divin, la tenue de route rassurante et la consommation décente. Que demander de mieux ?

### Châssis - eAssist

| | |
|---|---|
| Emp / lon / lar / haut | 2837 / 5001 / 1857 / 1504 mm |
| Coffre / Réservoir | 306 litres / 60 litres |
| Nbre coussins sécurité / ceintures | 8 / 5 |
| Suspension avant | ind., jambes force |
| Suspension arrière | ind., multibras |
| Freins avant / arrière | disque / disque |
| Direction | à crémaillère, ass. élect. |
| Diamètre de braquage | 11,2 m |
| Pneus avant / arrière | P235/50R17 / P235/50R17 |
| Poids / Capacité de remorquage | 1708 kg / non recommandé |
| Assemblage | Kansas City, KS |

### Composantes mécaniques

**eAssist**

| | |
|---|---|
| Cylindrée, soupapes, alim. | 4L 2,4 litres 16 s atmos. |
| Puissance / Couple | 182 ch / 172 lb-pi |
| Tr. base (opt) / rouage base (opt) | A6 / Tr |
| 0-100 / 80-120 / V.Max | 9,9 s / 7,1 s / n.d. |
| 100-0 km/h | 41,6 m |
| Type / ville / route / $CO_2$ | Ord / 9,6 / 6,5 l/100 km / 3774 kg/an |

**Moteur électrique**

| | |
|---|---|
| Puissance / Couple | 20 ch (15 kW) / 79 lb-pi |
| Type de batterie | Lithium-ion (Li-ion) |
| Énergie | 0,5 kWh |

**Cuir, Haut de gamme I, Haut de gamme II**

| | |
|---|---|
| Cylindrée, soupapes, alim. | V6 3,6 litres 24 s atmos. |
| Puissance / Couple | 304 ch / 264 lb-pi |
| Tr. base (opt) / rouage base (opt) | A6 / Tr (Int) |
| 0-100 / 80-120 / V.Max | 7,7 s / 5,3 s / n.d. |
| 100-0 km/h | 41,4 m |
| Type / ville / route / $CO_2$ | Ord / 13,9 / 9,1 l/100 km / 5400 kg/an |

## Du nouveau en 2016

Aucun changement majeur

Photos: Alain Morin, Buick Canada

# BUICK **REGAL**

((SiriusXM))

**Prix :** 34 545 $ à 45 045 $ (2015)
**Catégorie :** Berline
**Garanties :**
4 ans/80 000 km, 5 ans/160 000 km
**Transport et prép. :** 1 950 $
**Ventes QC 2014 :** 124 unités
**Ventes CAN 2014 :** 816 unités

**Cote du Guide de l'auto**

## 74 %

| Fiabilité | Appréciation générale |
|---|---|
| ■■■■■■■□□□ | ■■■■■■■□□□ |
| Sécurité | Agrément de conduite |
| ■■■■■■■□□□ | ■■■■■■■■□□ |
| Consommation | Système multimédia |
| ■■■■■■□□□□ | ■■■■■■■□□□ |

**Cote d'assurance**

■■■■■■■□□□
$$$                              $

présentée par
**KANETIX.CA**

➕ Conduite agréable et dynamique •
Transmission intégrale efficace •
Voiture silencieuse et confortable •
Boîte automatique impeccable

➖ Places arrière limitées • Image
« vieillarde » collée à la marque • Pas de
boîte manuelle sur les versions à 4RM •
Accélération à améliorer (version GS)

**Concurrents**
Acura TLX, Lexus ES, Mercedes-Benz
Classe C, Volvo S60

# La plus européenne des GM

Marc-André Gauthier

**G**eneral Motors est bien implantée en Europe par l'entremise de plusieurs divisions. Selon plusieurs, ses produits là-bas sont supérieurs à ceux vendus ici. Pourtant, déguisées d'un autre écusson, plusieurs de ces voitures nous parvenaient, comme la Saturn Astra.

Avec le départ de cette division vers les cieux, ceux et celles qui désirent rouler en GM européenne ont-ils une option mise à part déménager ? Eh oui ! Buick vend une voiture au nom historique, la Regal, et la génération actuelle est basée sur l'Opel Insignia.

De ce fait, la première chose que l'on doit dire sur la Regal est qu'elle n'a rien de commun avec la Regal d'antan. De nos jours, elle incarne tout le savoir-faire de Buick en présentant des caractéristiques résolument européennes.

### CÔTÉ FIBRES

Il n'y a pas si longtemps, au fur et à mesure que l'on grimpait dans l'échelle sociale, on grimpait dans l'échelle GM par l'intermédiaire des marques : Chevrolet en premier puis Pontiac, Oldsmobile, Buick et Cadillac. À notre époque, les choses ont changé. Buick ne se positionne plus vraiment comme des Cadillac de prix plus abordable. La marque essaie plutôt d'offrir des véhicules qui lui sont très caractéristiques, tandis que Cadillac est partie à la guerre contre les hordes germaniques et leurs vis-à-vis nippons. Quelles sont ces caractéristiques ? Buick vend avant toutes choses le silence et le confort.

Qu'en est-il ? À l'intérieur de la Buick Regal, on doit dire qu'on se sent apaisé. Les instruments sont d'un design sobre et l'éclairage à DEL utilisé ici et là adoucit l'atmosphère. D'ailleurs, lorsque la voiture file sur nos routes, on est effectivement confortable, et le silence s'apprécie. Cette voiture est dotée d'une bonne insonorisation, et même nos pavés abîmés ne sauraient déranger le périple.

Petit problème à l'arrière, les places sont un peu justes. La Regal ne prétend pas être la plus grosse voiture de la gamme Buick, mais tout de même, un adulte de bonne taille se sent à l'étroit à l'arrière, en particulier pour les longs trajets. Cette banquette offre tout de même un bon niveau de confort pour les gens de plus petite taille.

## CÔTÉ GIVRÉ

Sous le capot, on retrouve le fameux quatre cylindres turbocompressé de 2,0 litres que GM se plaît bien à mettre dans plusieurs de ses modèles. Dans ce cas-ci, il développe 259 chevaux et 295 livres-pied de couple. Un quatre cylindres de 2,4 litres, plus écologique avec sa technologie eAssist, produit 182 chevaux et est disponible sur certaines versions de la Regal.

Typiquement, la puissance est acheminée aux roues avant à l'aide d'une boîte automatique à 6 rapports. Cette dernière fonctionne à merveille. Si GM sait bien faire quelque chose, c'est bien les boîtes automatiques. Une transmission intégrale est offerte en option. Il est également possible d'équiper sa Regal d'une boîte manuelle à 6 rapports sur certaines versions, mais seulement si le véhicule est muni d'un rouage à traction. Dans l'ensemble, la Regal est dynamique à la conduite, et n'a rien à voir avec les trampolines ambulants que la marque fabriquait il y a quelques années.

Le plus gros problème de Buick est l'image que la compagnie s'est collée à la peau avec les années. La belle époque de la GNX et de sa présence en NASCAR est loin derrière, puisqu'aujourd'hui les jeunes s'intéressent peu à la marque. Il y a quelques années, l'âge moyen du client Buick était de 65 ans. Aujourd'hui, il est de 57.

Pour continuer d'abaisser ce chiffre, Buick offre une version « Grand Sport » de sa Regal. Si le moteur 2,0 litres turbo que l'on retrouve sous le capot est le même, la voiture, elle, présente plusieurs améliorations. Entre autres, on parle de sièges baquets sportifs, d'une suspension sport ajustable, de pneus plus performants et d'accents sportifs sur l'ensemble de la carrosserie.

Côté plaisir de conduite, cette Regal GS est certainement plus vivante que les autres versions. Mais bon, sur la bonne vieille ligne droite, elle ne se démarque pas vraiment. Le plus gros problème de cette version sport concerne ses accélérations. Le 0-100 km/h se fait tout juste sous les 7,5 secondes. Ces performances sont correctes pour la Regal, mais la version GS devrait être plus rapide pour « être de la partie ».

Mais bon, ces quelques détails ne doivent pas nous éloigner de l'enjeu principal. La Buick Regal offre beaucoup de dynamisme à son conducteur, sans compromettre le confort duquel on s'attend d'une Buick. Un choix original pour une berline intermédiaire, qui ne devrait pas vous décevoir.

### Châssis - Turbo TI

| | |
|---|---|
| Emp / lon / lar / haut | 2738 / 4831 / 1857 / 1483 mm |
| Coffre / Réservoir | 402 litres / 70 litres |
| Nbre coussins sécurité / ceintures | 6 / 5 |
| Suspension avant | ind., jambes force |
| Suspension arrière | ind., multibras |
| Freins avant / arrière | disque / disque |
| Direction | à crémaillère, ass. élect. |
| Diamètre de braquage | 11,6 m |
| Pneus avant / arrière | P235/50R18 / P235/50R18 |
| Poids / Capacité de remorquage | 1733 kg / n.d. |
| Assemblage | Oshawa, ON |

### Composantes mécaniques

**eAssist**

| | |
|---|---|
| Cylindrée, soupapes, alim. | 4L 2,4 litres 16 s atmos. |
| Puissance / Couple | 182 ch / 172 lb-pi |
| Tr. base (opt) / rouage base (opt) | A6 / Tr |
| 0-100 / 80-120 / V.Max | 9,0 s / 7,8 s / n.d. |
| 100-0 km/h | 42,0 m |
| Type / ville / route / $CO_2$ | Ord / 8,3 / 5,4 l/100 km / 3220 kg/an |

**Moteur électrique**

| | |
|---|---|
| Puissance / Couple | 20 ch (15 kW) / 79 lb-pi |
| Type de batterie | Lithium-ion (Li-ion) |
| Énergie | 0,5 kWh |

**Turbo, GS**

| | |
|---|---|
| Cylindrée, soupapes, alim. | 4L 2,0 litres 16 s turbo |
| Puissance / Couple | 259 ch / 295 lb-pi |
| Tr. base (opt) / rouage base (opt) | A6 (M6) / Tr (Int) |
| 0-100 / 80-120 / V.Max | 7,4 s / 5,6 s / n.d. |
| 100-0 km/h | 41,5 m |
| Type / ville / route / $CO_2$ | Sup / 10,9 / 7,3 l/100 km / 4270 kg/an |

## Du nouveau en 2016

Aucun changement majeur, intégration des technologies Apple CarPlay et Android Auto

Photos : Buick Canada

# BUICK **VERANO**

((SiriusXM))

**Prix :** 25 455 $ à 34 435 $ (2015)
**Catégorie :** Berline
**Garanties :**
4 ans/80 000 km, 5 ans/160 000 km
**Transport et prép. :** 1 950 $
**Ventes QC 2014 :** 2 067 unités
**Ventes CAN 2014 :** 7 161 unités

## Cote du Guide de l'auto

# 72 %

Fiabilité
■■■■■■■□□□

Appréciation générale
■■■■■■■□□□

Sécurité
■■■■■■■□□□

Agrément de conduite
■■■■■■□□□□

Consommation
■■■■■■■□□□

Système multimédia
■■■■■■■□□□

## Cote d'assurance
■■■■■■■■□□
$$$                    $

présentée par
**KANETIX.CA**

**+** Silence de roulement omniprésent • Confort relevé • Puissance plus adéquate (Turbo) • Conduite tout en douceur • Prix réaliste

**—** Petite ouverture du coffre • Système multimédia inutilement compliqué • Pas de version à rouage intégral • Effet de couple en accélération vive (Turbo)

## Concurrents
Acura ILX, Mercedes-Benz Classe CLA, Lexus CT

# Encore des croûtes à manger...

Alain Morin

**T**raditionnellement, la marque Buick se positionne entre Chevrolet et Cadillac dans la gamme General Motors. Traditionnellement, Chevrolet s'adresse à un public jeune et Cadillac à un public plus âgé. Or, depuis une dizaine d'années, Cadillac crée des produits capables de rivaliser avec des allemandes reconnues pour leur sportivité. Aujourd'hui, être vu en Cadillac, même pour un jeune, n'a rien de péjoratif. À l'autre bout du spectre, Chevrolet peut compter sur plusieurs modèles criants de sportivité ou de technologie (Corvette, Camaro ou Volt). Et Buick dans tout ça ?

Buick fait des efforts louables mais semble hésiter à se renouveler, se retrouvant prise en sandwich entre deux monuments, situation pour le moins inconfortable... Prenons le cas de la Verano, la plus petite Buick.

Entendons-nous bien. La Verano est une excellente voiture. Construite sur le châssis fort réussi de la Chevrolet Cruze, elle possède toutefois sa propre personnalité. Et juste ça, c'est un exploit, considérant le triste passé de General Motors en matière de *badge engineering* (il fut un temps, pas encore tout à fait révolu, hélas, où l'on foutait un insigne Buick ou Cadillac sur une vulgaire Chevrolet et l'on demandait 5 000 $ de plus !). Donc, comme nous le disions, la Verano possède sa propre personnalité. En fait, nous pourrions dire qu'il s'agit d'une Cruze nettement plus intéressante à tous les points de vue.

## DU BEAU ET DU BON
Les lignes extérieures de la Verano sont, à mon humble avis, équilibrées et dynamiques et ne donnent pas l'impression que l'on vieillira de vingt ans dès que l'on prendra place à bord. Toujours à mon humble avis, il y a encore ces inutiles et inconcevablement inesthétiques fausses prises d'air collées sur le capot, mais quand il n'y a que ça qui dérange, ce n'est même pas la peine d'y consacrer une ligne dans un *Guide de l'auto*... Lorsque les portières se referment, l'habitacle semble se transformer en voûte de banque. Qu'est-ce que c'est calme ! Les sièges

sont confortables à souhait, l'instrumentation est jolie, surtout la nuit venue, et le système audio fait un très bon travail. Cependant, les responsables du système multimédia devraient regarder ce qui se fait ailleurs... Bon sang que leur truc est compliqué! S'y retrouver dans les différents menus sans potasser le manuel du propriétaire demande une patience dont la nature ne m'a malheureusement pas gratifié. Les places arrière sont correctes pour deux adultes mais j'imagine qu'après quelques heures, marcher serait agréable. Le coffre, enfin, est de bonnes dimensions mais son ouverture est très petite.

La Verano a droit à deux moteurs. Le premier est un quatre cylindres Ecotec de 2,4 litres qui développe 180 chevaux. On ne parle pas d'une bombe, mais ses performances sont tout à fait correctes pour l'usage qu'on fait habituellement d'une Buick. L'autre moteur est passablement plus «hop la vie!». Turbocompressé, ce 2,0 litres fait dans les 250 chevaux. Sa consommation d'essence est plus élevée que celle du 2,4 mais pas tant que ça puisqu'on parle de moins de 1 litre/100 km. Même s'il s'agit d'un moteur turbo, il peut fonctionner à l'essence ordinaire, ce qui est toujours une bonne nouvelle (la super est recommandée, mais non exigée). Que le moteur soit le 2,0 ou le 2,4 litres, la transmission automatique passe ses six rapports de façon tout à fait transparente et généralement au bon moment, bien que la rapidité d'exécution ne figure pas dans son programme. Une boîte manuelle à six rapports est également offerte sur la Verano Turbo, la plus haut de gamme. Et une manuelle sur une Buick, c'est rare comme de la barbe de patte. Quant au rouage intégral, il brille par son absence, peu importe la livrée. Seules les roues avant s'occupent de faire avancer la voiture.

### SPORTIVE DE SALON

On serait porté à croire que la livrée Turbo, avec le bel emblème T en rouge sur le coffre, transforme la Verano en bête de piste... Disons qu'elle assure à la paisible berline compacte des prestations plus relevées, au prix d'un certain effet de couple (les roues avant tirent de gauche à droite lors d'accélérations vives). N'allez pas croire que la Verano soit une poule mouillée devant une courbe. Que non! Même que personne ne se fera de frayeurs à son volant. La Verano se fait cependant davantage apprécier par son grand silence de roulement, par ses suspensions confortables sans être guimauves ou par la solidité de son châssis qui met le conducteur en confiance.

Quoi qu'en disent les bonzes de Buick, la Verano n'est pas un parangon de sportivité. En tout cas, bien moins qu'une Cadillac ATS, par exemple. Avec la Verano, Buick a accouché d'une excellente voiture, prise en sandwich entre deux marques bien établies. Mais un beau sandwich, plein de bonne viande! La concurrence, elle, offre le buffet complet, que General Motors ne l'oublie jamais...

| Châssis - Turbo | |
| --- | --- |
| Emp / lon / lar / haut | 2685 / 4671 / 1815 / 1476 mm |
| Coffre / Réservoir | 396 litres / 59 litres |
| Nbre coussins sécurité / ceintures | 10 / 5 |
| Suspension avant | ind., jambes force |
| Suspension arrière | semi-ind., poutre torsion |
| Freins avant / arrière | disque / disque |
| Direction | à crémaillère, ass. élect. |
| Diamètre de braquage | 11,0 m |
| Pneus avant / arrière | P235/45R18 / P235/45R18 |
| Poids / Capacité de remorquage | 1610 kg / n.d. |
| Assemblage | Orion, MI |

| Composantes mécaniques | |
| --- | --- |
| **Base, SD, SG, Cuir** | |
| Cylindrée, soupapes, alim. | 4L 2,4 litres 16 s atmos. |
| Puissance / Couple | 180 ch / 171 lb-pi |
| Tr. base (opt) / rouage base (opt) | A6 / Tr |
| 0-100 / 80-120 / V.Max | 8,6 s / n.d. / n.d. |
| 100-0 km/h | n.d. |
| Type / ville / route / $CO_2$ | Ord / 11,1 / 7,4 l/100 km / 4340 kg/an |
| **Turbo** | |
| Cylindrée, soupapes, alim. | 4L 2,0 litres 16 s turbo |
| Puissance / Couple | 250 ch / 260 lb-pi |
| Tr. base (opt) / rouage base (opt) | A6 (M6) / Tr |
| 0-100 / 80-120 / V.Max | 7,0 s / 4,8 s / n.d. |
| 100-0 km/h | 41,6 m |
| Type / ville / route / $CO_2$ | Sup / 11,4 / 7,9 l/100 km / 4520 kg/an |

## Du nouveau en 2016

Aucun changement majeur. Nouveau modèle en préparation.

Photos: Buick Canada

## CADILLAC **ATS**

**Prix :** 37 915 $ à 68 000 $ (2015)
**Catégorie :** Berline, Coupé
**Garanties :**
4 ans/80 000 km, 5 ans/160 000 km
**Transport et prép. :** 2 150 $
**Ventes QC 2014 :** 1 291 unités
**Ventes CAN 2014 :** 3 714 unités

### Cote du Guide de l'auto
# 77 %

Fiabilité
■■■■■■■□□□

Appréciation générale
■■■■■■■■□□

Sécurité
■■■■■■□□□□

Agrément de conduite
■■■■■■■■□□

Consommation
■■■■■■■□□□

Système multimédia
■■■■■■■■□□

### Cote d'assurance
■■■■■□□□□□
$$$        $

présentée par
**KANETIX.CA**

➕ Allure sportive, mais élégamment discrète • Très bonne tenue de route • Excellentes performances pour le prix (ATS-V) • Boîte manuelle disponible • Transmission intégrale optionnelle

➖ Places arrière un peu serrées • Boîte manuelle réservée aux 2,0 L et ATS-V • Interface CUE un peu alambiquée

### Concurrents
Berline : Audi A4, BMW Série 3, Infiniti Q50, Lexus IS, Lincoln MKZ, Mercedes-Benz Classe C, Volvo S60

Coupé : Audi A5, BMW Série 4, Infiniti Q60, Lexus RC

# On la croirait allemande

Costa Mouzouris

**C**adillac a fait tourner bien des têtes depuis quelques années. Autrefois surtout connu pour ses Fleetwood et Coupe DeVille, des modèles particulièrement populaires auprès des retraités floridiens, Cadillac fabrique maintenant des berlines sportives, et des coupés encore plus sportifs. Si bien que la marque américaine séduit désormais des professionnels relativement aisés qui, autrement, auraient peut-être acheté des Audi A4, BMW de Série 3 ou 4 et Mercedes-Benz Classe C.

De plus, question de se distancer encore davantage de son image de fabricant de véhicules « bateaux », Cadillac a même créé une série V, des automobiles à hautes performances qui ont surpris plusieurs propriétaires de voitures importées sur les pistes de course. Cadillac a clairement manifesté son intention d'attaquer ses rivales allemandes de plein front, et l'ATS a livré un solide combat jusqu'ici.

### CONFORT, PERFORMANCE ET LUXE
L'ATS affiche un style élégamment discret, autant en version coupé que berline. Elle reprend la carrosserie angulaire qui est devenue la marque de commerce de la firme, mais sans arborer un profil trop agressif. L'ATS offre un luxe de haut niveau et une tenue de route solide dans un même emballage abordable. C'est la machine d'entrée de gamme de Cadillac, se positionnant juste en dessous de la CTS, un peu plus grosse.

Trois différents moteurs viennent avec les versions à propulsion. L'engin de base est un quatre cylindres de 2,5 litres à la puissance plutôt modeste (202 ch). Il y a aussi un quatre cylindres turbo de 2,0 litres au tempérament plus sportif (272 ch). Et pour plus de puissance encore, optez pour une nouvelle génération du V6 de 3,6 litres (environ 332 ch). Seuls les deux derniers moteurs sont offerts avec les versions à rouage intégral.

Toutes les déclinaisons sont livrées de série avec une nouvelle boîte automatique à huit rapports. On peut aussi choisir une boîte manuelle, à six rapports, mais seulement avec le moteur turbo de 2,0 litres et la propulsion.

L'intérieur très accueillant permet de rouler toute la journée en grand confort. Les places arrière sont un peu serrées, toutefois, surtout pour les passagers de grande taille. Le dispositif CUE avec écran tactile permet de contrôler pratiquement tout, du système de divertissement à la climatisation en passant par le système de navigation. Il fonctionne bien une fois qu'on s'y est habitué, même s'il est parfois lent à réagir ou un peu déroutant.

L'ATS est certainement une concurrente sérieuse dans le segment des voitures de luxe compactes. La version de base à propulsion avec moteur de 2,5 litres est vendue sous la barre des 40 000 $. En version haut de gamme avec V6 et rouage intégral, le prix passe à un peu plus de 57 000 $, ce qui s'apparente plus aux tarifs de ses rivales allemandes.

### V COMME DANS VITAMINÉE

Cadillac a injecté une solide dose de performance à la gamme ATS en lançant l'ATS-V 2016. La V est disponible en versions berline et coupé, à propulsion uniquement. Visuellement, elle se distingue par le style plus agressif de ses parties avant et arrière, son capot galbé en fibre de carbone et son aileron arrière. Mécaniquement, elle est dotée d'une suspension plus ferme et d'un tout nouveau V6 LF4 de 3,6 litres biturbo (ce n'est pas le même moteur que le LF3 de la CTS Vsport). Ce moulin est muni de bielles en titane, de turbines plus légères et de soupapes d'échappement creuses. Il produit 464 chevaux et un couple de 445 lb-pi. Côté boîtes de vitesses, on peut choisir entre la nouvelle automatique à huit rapports ou une manuelle à six rapports. Cette dernière est équipée d'un dispositif de synchronisation automatique du régime lorsqu'on rétrograde.

Sur circuit, l'ATS-V livre des performances tout à fait comparables à celles de ses rivales allemandes, l'Audi RS 5, les BMW M3 et M4 et la Mercedes-AMG C 63. Et en accélération de 0 à 60 mi/h (96 km/h), elle est plus rapide avec un chrono de seulement 3,9 secondes. De plus, avec son prix de base de 65 750 $, elle coûte plusieurs milliers de dollars de moins que ses concurrentes importées.

Comme pour confirmer le sérieux de l'ATS-V en usage sur circuit, elle est pourvue d'un enregistreur de données relié au GPS qui recueille différentes informations en piste et permet de tourner des vidéos haute définition.

Avec toutes les déclinaisons de l'ATS disponibles, vous avez de bonnes chances de trouver le modèle qu'il vous faut, même si ce que vous recherchez, c'est une voiture allemande sportive...

### Du nouveau en 2016

Nouveau moteur V6 et boîte automatique à huit rapports, ajout de l'ATS-V en versions coupé et berline, intégration des technologies Apple CarPlay et Android Auto.

## Châssis - ATS-V berline

| | |
|---|---|
| Emp / lon / lar / haut | 2776 / 4673 / 1811 / 1415 mm |
| Coffre / Réservoir | 295 litres / 61 litres |
| Nbre coussins sécurité / ceintures | 8 / 5 |
| Suspension avant | ind., jambes force |
| Suspension arrière | ind., multibras |
| Freins avant / arrière | disque / disque |
| Direction | à crémaillère, ass. var. élect. |
| Diamètre de braquage | 11,7 m |
| Pneus avant / arrière | P255/35ZR18 / P275/35ZR18 |
| Poids / Capacité de remorquage | 1600 kg / n.d. |
| Assemblage | Lansing, MI |

## Composantes mécaniques

**2.5**

| | |
|---|---|
| Cylindrée, soupapes, alim. | 4L 2,5 litres 16 s atmos. |
| Puissance / Couple | 202 ch / 191 lb-pi |
| Tr. base (opt) / rouage base (opt) | A8 / Prop |
| 0-100 / 80-120 / V.Max | n.d. / n.d. / n.d. |
| Type / ville / route / $CO_2$ | Ord / 11,1 / 7,2 l/100 km / 4299 kg/an |

**2.0 turbo coupé, berline**

| | |
|---|---|
| Cylindrée, soupapes, alim. | 4L 2,0 litres 16 s turbo |
| Puissance / Couple | 272 ch / 295 lb-pi |
| Tr. base (opt) / rouage base (opt) | A8 / Prop (Int) (coupé) |
| Tr. base (opt) / rouage base (opt) | A8 (M6) / Prop (Int) (berline) |
| 0-100 / 80-120 / V.Max | 6,8 s / 4,7 s / n.d. |
| 100-0 km/h | 41,5 m |
| Type / ville / route / $CO_2$ | Ord / 11,5 / 8,5 l/100 km / 4669 kg/an |

**3.6**

| | |
|---|---|
| Cylindrée, soupapes, alim. | V6 3,6 litres 24 s atmos. |
| Puissance / Couple | 321 ch / 275 lb-pi |
| Tr. base (opt) / rouage base (opt) | A8 / Prop (Int) |
| 0-100 / 80-120 / V.Max | 6,3 s / 4,0 s / n.d. |
| 100-0 km/h | 38,8 m |
| Type / ville / route / $CO_2$ | Ord / 12,8 / 8,9 l/100 km / 5081 kg/an |

**ATS-V**

| | |
|---|---|
| Cylindrée, soupapes, alim. | V6 3,6 litres 24 s turbo |
| Puissance / Couple | 464 ch / 445 lb-pi |
| Tr. base (opt) / rouage base (opt) | M6 (A8) / Prop |
| 0-100 / 80-120 / V.Max | 4,0 s (const) / n.d. / 300 km/h |
| 100-0 km/h | n.d. |
| Type / ville / route / $CO_2$ | Sup / n.d. / n.d. / n.d. kg/an |

 CADILLAC **CTS**

**Prix:** 53 250 $ à 80 000 $ (estimé)
**Catégorie:** Berline
**Garanties:**
4 ans/80 000 km, 5 ans/160 000 km
**Transport et prép.:** 2 050 $
**Ventes QC 2014:** 210 unités
**Ventes CAN 2014:** 1 076 unités

## Cote du Guide de l'auto

# 76 %

| Fiabilité | Appréciation générale |
|---|---|
| ■■■■■■□□□□ | ■■■■■■■□□□ |
| Sécurité | Agrément de conduite |
| ■■■■■■□□□□ | ■■■■■■■□□□ |
| Consommation | Système multimédia |
| ■■■■■□□□□□ | ■■■■■■□□□□ |

## Cote d'assurance

■■■■■■■□□□        présentée par
$$$                    $    **KANETIX.CA**

➕ Tenue de route exceptionnelle •
Dégagement arrière généreux • Fabrication et finition sérieuses • Choix de moteurs adéquat • Version V démentielle

➖ Consommation élevée (2.0) •
Consommation très élevée (V) •
Utilisation des touches à effleurement •
Abandon du coupé et de la familiale

## Concurrents

Acura TLX, Audi A6, BMW Série 5, Infiniti Q70, Jaguar XF, Lexus ES, Lincoln MKZ, Mercedes-Benz Classe E, Volvo S80

# Le prodige

Guy Desjardins

**D**ans chaque bonne famille se trouve une vedette. Chez Cadillac, la CTS joue ce rôle. Malgré la présence d'un petit frère très doué nommé ATS, c'est la berline de format supérieur qui mérite le prix du modèle le plus complet, même si elle emprunte plusieurs éléments à l'ATS.

La gamme Cadillac suit une hiérarchie que plusieurs constructeurs allemands ont adoptée depuis longtemps dans le créneau des véhicules de luxe à tendance sportive. Par exemple, une Mercedes Classe E est définitivement plus complète qu'une Classe C alors que la BMW Série 5 propose des dimensions plus imposantes que la Série 3. La CTS n'échappe pas à cette règle en surpassant l'ATS par son gabarit parfait, son choix de moteur épatant et sa tenue de route de haut calibre.

La 3e génération de la CTS, sortie en 2014, a subjugué la junte journalistique. Les éloges vantaient à la fois sa nouvelle apparence extérieure de même que sa mécanique impressionnante. La partie avant repensée se dote d'une immense calandre et la disposition originale des phares à DEL donnent une identité beaucoup plus facile à reconnaître lorsque l'on croise la voiture sur la route. Les rondeurs ont disparu et le design est dorénavant plus ciselé. À l'arrière, on remarque surtout la forme rectangulaire des sorties d'échappement et la présence du feu de marche arrière au centre qui s'inspire des voitures de course. Le raffinement et le prestige font un retour marqué chez Cadillac après de nombreuses années décevantes.

### PURE CADILLAC

À l'intérieur, on a droit à une console centrale disposant d'un immense écran d'affichage dans la portion supérieure, et sous l'écran, des commandes à effleurement qui ne méritent pas d'éloges quant à leur facilité d'utilisation. La principale critique concerne son utilisation en situations de conduite. Il est absolument impossible de repérer facilement les commandes lorsque l'on garde les yeux sur la route. Heureusement, la plupart des fonctionnalités se retrouvent sur les branches du volant.

Autrement, l'espace disponible pour les passagers avant suffit et les sièges proposent un confort jugé plutôt ferme mais tout de même invitant. À l'arrière, rien d'étonnant puisque les 5 mètres de la voiture permettent d'en réserver le quart aux passagers qui profitent d'un espace généreux pour leurs jambes. Quant au coffre, ce n'est pas le plus volumineux de la catégorie mais il a au moins l'avantage d'être profond.

Cadillac améliore son système CUE cette année en offrant les applications CarPlay d'Apple et Android Auto de Google. L'accès aux principales fonctions des téléphones intelligents, notamment la navigation, les contacts et les messages texte mains libres, est simplifié et facilité. Un processeur plus puissant est également ajouté qui permet le démarrage plus rapide du système et une reconnaissance vocale améliorée. L'écran du système CUE se dote de l'option Vision périphérique qui permet une vision à 360 degrés autour du véhicule.

Les dernières années de la gamme CTS ont vu des versions Coupé et familiale. Les informations toutes récentes écartent ces deux modèles de l'offre cette année. Pour l'instant, seule la berline CTS prend place dans le catalogue du constructeur. Elle s'équipe d'un 4 cylindres turbo en version de base alors qu'un plus puissant V6 est offert en option et propose une transmission à 8 rapports. Dans les deux cas, l'intégrale peut être substituée à la propulsion. Bien que le 6 cylindres propose quelque 50 chevaux additionnels, les performances et la consommation montrent des chiffres comparables. Le 2.0 litres turbo s'avère plus nerveux et fougueux que le V6 qui favorise la douceur et la constance en accélération.

### CTS-V DE 640 CHEVAUX

Tout juste lancée, la nouvelle CTS-V étrenne un V8 suralimenté de 6,2 litres couplé à une boîte automatique à huit vitesses avec palettes au volant. Elle offre une puissance de 640 chevaux et un couple de 630 lb-pi permettant d'atteindre une vitesse de pointe de 322 km/h. La puissance sur laquelle repose la nouvelle CTS-V provient d'un tout nouveau V8 qui développe plus de puissance que l'ancien moteur suralimenté de Cadillac. Il est doté d'un surcompresseur de 1,7 litre, plus efficace, de l'injection directe et de la gestion active du carburant qui sert à désactiver les cylindres.

Cadillac redouble d'efforts afin de repositionner ses voitures dans le club sélect des berlines de luxe. L'ATS réussit avec des performances sportives inégalées alors que la CTS propose une voiture très bien équilibrée et extrêmement sportive, surtout lorsqu'elle est badgée d'un «V». Dommage que les coupé et familiale nous ait quittés cependant.

| Châssis - V berline | |
|---|---|
| Emp / lon / lar / haut | 2910 / 5021 / 1833 / 1454 mm |
| Coffre / Réservoir | 388 litres / 72 litres |
| Nbre coussins sécurité / ceintures | 10 / 5 |
| Suspension avant | ind., jambes force |
| Suspension arrière | ind., multibras |
| Freins avant / arrière | disque / disque |
| Direction | à crémaillère, ass. var. élect. |
| Diamètre de braquage | 12,3 m |
| Pneus avant / arrière | P265/35ZR19 / P295/30ZR19 |
| Poids / Capacité de remorquage | 1880 kg / n.d. |
| Assemblage | Lansing, MI |

| Composantes mécaniques | |
|---|---|
| **2.0** | |
| Cylindrée, soupapes, alim. | 4L 2,0 litres 16 s turbo |
| Puissance / Couple | 272 ch / 295 lb-pi |
| Tr. base (opt) / rouage base (opt) | A8 / Prop (Int) |
| 0-100 / 80-120 / V.Max | n.d. / n.d. / n.d. |
| 100-0 km/h | n.d. |
| Type / ville / route / CO$_2$ | Ord / 12,3 / 8,5 l/100 km / 4871 kg/an |
| **3.6** | |
| Cylindrée, soupapes, alim. | V6 3,6 litres 24 s atmos. |
| Puissance / Couple | 321 ch / 275 lb-pi |
| Tr. base (opt) / rouage base (opt) | A8 / Prop (Int) |
| 0-100 / 80-120 / V.Max | 5,1 s / 3,1 s / n.d. |
| 100-0 km/h | 38,0 m |
| Type / ville / route / CO$_2$ | Ord / 12,8 / 8,9 l/100 km / 5081 kg/an |
| **V sport** | |
| Cylindrée, soupapes, alim. | V6 3,6 litres 24 s turbo |
| Puissance / Couple | 420 ch / 430 lb-pi |
| Tr. base (opt) / rouage base (opt) | A8 / Prop |
| 0-100 / 80-120 / V.Max | 4,6 s (const) / n.d. / 275 km/h |
| 100-0 km/h | n.d. |
| Type / ville / route / CO$_2$ | Sup / 15,1 / 9,9 l/100 km / 5870 kg/an |
| **V** | |
| Cylindrée, soupapes, alim. | V8 6,2 litres 16 s surcompressé |
| Puissance / Couple | 640 ch / 630 lb-pi |
| Tr. base (opt) / rouage base (opt) | A8 / Prop |
| 0-100 / 80-120 / V.Max | 3,7 s (const) / n.d. / 322 km/h |
| 100-0 km/h | n.d. |
| Type / ville / route / CO$_2$ | Sup / 15,0 / 10,6 l/100 km / 5989 kg/an |

## Du nouveau en 2016

Nouveau moteur (Version V), améliorations au système CUE

Photos : General Motors Canada

# CADILLAC **ELR**

((SiriusXM))

**Prix:** 81 000 $ (estimé)
**Catégorie:** Coupé
**Garanties:**
4 ans/80 000 km, 6 ans/110 000 km
**Transport et prép.:** 2 050 $
**Ventes QC 2014:** 24 unités
**Ventes CAN 2014:** 44 unités

---

### Cote du Guide de l'auto

# 76 %

| | |
|---|---|
| Fiabilité | Appréciation générale |
| ■■■■■■■□□□ | ■■■■■■■□□□ |
| Sécurité | Agrément de conduite |
| ■■■■■■■□□□ | ■■■■■■□□□□ |
| Consommation | Système multimédia |
| ■■■■■■■□□□ | ■■■■■■□□□□ |

---

### Cote d'assurance

n.b.

présentée par
***KANETIX.CA***

➕ Puissance accrue • Suspensions améliorées • Freins plus performants • Consommation minimale

➖ Places arrière étriquées • Prix encore élevé • Poids élevé • Agrément de conduite mitigé

---

### Concurrents
Aucun concurrent direct. Tesla Model S, à la limite

## Perdue dans la brume

Gabriel Gélinas

---

**C**hez Cadillac, le VUS grand format Escalade est roi et tous les autres véhicules de la gamme peuvent être qualifiés de vassaux. C'est d'autant plus vrai pour la ELR qui est la Cadillac la plus avancée sur le plan technique, mais qui est carrément boudée par les acheteurs au point où les concessionnaires américains de la marque reçoivent un incitatif de 5 000 dollars de la part de General Motors simplement pour garder des véhicules en démonstration dans les concessions.

Il faut dire que la Cadillac ELR a beaucoup souffert de la qualification selon laquelle elle était «une Volt à 80 000 dollars». Pourtant, la ELR et la Chevrolet Volt ne partagent que le bloc-batteries de 17,1 kilowatts/heure ainsi que la motorisation hybride à autonomie prolongée, composée d'un moteur électrique et, agissant comme générateur, du moteur thermique à quatre cylindres de 1,4 litre. De dimensions plus généreuses que la Volt et avec son cachet luxe affirmé, la ELR se distingue au point où toute comparaison entre les deux voitures devient boiteuse.

Afin de corriger le tir pour ce qui est des perceptions et, surtout, pour convaincre les acheteurs potentiels, la puissance de la Cadillac ELR 2016 passe de 217 à 233 chevaux et le couple progresse de 295 à 373 livres-pied grâce à l'optimisation du logiciel de contrôle du moteur. Aussi, les liaisons au sol ont été revues afin de rehausser la dynamique de conduite, et les freins sont plus performants.

Côté style, la ELR 2016 reçoit une nouvelle calandre arborant la version la plus récente du logo de la marque. Concernant la connectivité, on note la présence du système OnStar avec 4G LTE, de même que le point d'accès Wi-Fi intégré. Il est également possible de recharger un téléphone intelligent compatible simplement en le déposant sur le chargeur par induction magnétique localisé dans l'habitacle.

## COMPORTEMENT ROUTIER ASEPTISÉ

Au volant de la ELR, on apprécie immédiatement le grand silence de roulement en mode électrique, avant que la batterie soit complètement déchargée. Ayant pris livraison du véhicule avec une batterie chargée à 100 %, j'ai pu parcourir une distance de 50,5 kilomètres en « carburant » aux électrons avant que le moteur thermique ne s'anime pour poursuivre mon trajet. Cadillac prétend qu'il est possible de rouler sur 60 kilomètres en mode électrique, mais cela dépend évidemment des conditions météo, des habitudes de conduite et de la topographie des routes sur lesquelles on circule.

Pour ce qui est de la recharge, il faut compter de 13 à 18,5 heures si la voiture est branchée sur une prise de 110 volts et 5 heures sur une prise de 220 volts. Quant à la consommation de carburant, j'ai enregistré une moyenne supérieure à 9 litres aux 100 kilomètres lorsque le moteur thermique était en marche, ce qui est plutôt élevé étant donné la faible cylindrée du moteur. C'est à la lecture de la fiche technique que l'on comprend pourquoi, la ELR affichant 1 844 kilos à la pesée et la batterie pesant 197 kilos à elle seule.

Ce poids relativement élevé, compte tenu du gabarit, conditionne également le comportement routier de la ELR. Il peut facilement être qualifié d'aseptisé dans la mesure où les systèmes électroniques d'aide à la conduite interviennent rapidement pour freiner les ardeurs du conducteur qui souhaite exploiter pleinement le potentiel de performance de la voiture en virage. Bref, cette Cadillac vous fait vite comprendre qu'elle n'apprécie pas vraiment être conduite avec enthousiasme en tentant de calmer le jeu.

## TROP, C'EST COMME PAS ASSEZ...

En prenant place à bord, on remarque tout de suite que les concepteurs ont voulu jouer à fond la carte du luxe en dotant l'habitacle de toute une série de matériaux de fort prix dans le but de donner un certain cachet à la voiture, mais ça manque beaucoup d'homogénéité. En choisissant à la fois des appliqués de bois et des pièces réalisées en métal, on a presque l'impression que les designers ont voulu jouer sur tous les tableaux plutôt que de choisir un thème pour la présentation intérieure. La ceinture de caisse est très élevée et les piliers de toit sont très larges, ce qui gêne un peu la visibilité à l'avant, mais la ELR s'avère véritablement caverneuse aux places arrière, claustrophobes s'abstenir...

En 2016, Cadillac bonifie son offre avec les améliorations apportées à la ELR et, surtout, avec une réduction des tarifs, histoire de donner un électrochoc aux ventes décevantes de ce modèle. L'avenir nous dira si cela s'avérera suffisant pour raviver l'intérêt pour cette voiture électrique à autonomie prolongée à notre époque où le prix du pétrole demeure relativement bas.

### CADILLAC ELR

| Châssis - Base | |
| --- | --- |
| Emp / lon / lar / haut | 2695 / 4724 / 1847 / 1420 mm |
| Coffre / Réservoir | 297 litres / 35 litres |
| Nbre coussins sécurité / ceintures | 8 / 4 |
| Suspension avant | ind., jambes force |
| Suspension arrière | semi-ind., poutre torsion |
| Freins avant / arrière | disque / disque |
| Direction | à crémaillère, ass. var. élect. |
| Diamètre de braquage | 11,7 m |
| Pneus avant / arrière | P245/40R20 / P245/40R20 |
| Poids / Capacité de remorquage | 1844 kg / n.d. |
| Assemblage | Hamtramck, MI |

| Composantes mécaniques | |
| --- | --- |
| Cylindrée, soupapes, alim. | 4L 1,4 litre 16 s atmos. |
| Puissance / Couple | 84 ch / n.d. lb-pi |
| Tr. base (opt) / rouage base (opt) | Aucune / Tr |
| 0-100 / 80-120 / V.Max | 9,6 s / 7,9 s / 160 km/h |
| 100-0 km/h | 41,0 m |
| Type / ville / route / $CO_2$ | Sup / 7,6 / 6,7 l/100 km / 3310 kg/an |
| **Moteur électrique** | |
| Base | |
| Puissance / Couple | 233 ch (173 kW) / 373 lb-pi |
| Type de batterie | Lithium-ion (Li-ion) |
| Énergie | 17,1 kWh |
| Temps de charge (120V / 240V) | 15,5 h / 5,0 h |
| Autonomie | 60 km |

### Du nouveau en 2016

Motorisation plus puissante et modifications apportées aux suspensions et aux freins.

# CADILLAC **SRX**

((( **SiriusXM** )))

**Prix:** 43 180 $ à 58 455 $ (2015)
**Catégorie:** VUS
**Garanties:**
4 ans/80 000 km, 5 ans/160 000 km
**Transport et prép.:** 2 050 $
**Ventes QC 2014:** 1 018 unités
**Ventes CAN 2014:** 4 134 unités

## Cote du Guide de l'auto

# 71 %

Fiabilité
■■■■■■■□□□

Appréciation générale
■■■■■■■□□□

Sécurité
■■■■■■■■■□

Agrément de conduite
■■■■■■■□□□

Consommation
■■■■■■■□□□

Système multimédia
■■■■■■■■□□

## Cote d'assurance
■■■■■■■■■□
$$$           $

présentée par
**KANETIX.CA**

➕ Silhouette élégante • Finition soignée • Comportement routier sain • Rouage intégral • Performances adéquates

➖ Visibilité arrière perfectible • Consommation élevée • Modèle en sursis • Système CUE controversé

## Concurrents
Acura MDX, Audi Q7, BMW X3, Infiniti QX70, Lexus RX, Mercedes-Benz GLE, Porsche Cayenne, Volkswagen Touareg, Volvo XC90

# Un vétéran en fin de carrière

Denis Duquet

L e VUS intermédiaire de luxe de Cadillac, le SRX, entame sa sixième année et il est certain que d'ici quelques mois, une nouvelle génération sera proposée. Selon les rumeurs, il s'agirait d'un modèle basé sur une plate-forme entièrement renouvelée, qui devrait porter le nom de CT5 et ferait appel à des moteurs récents. En attendant, le modèle actuel a bénéficié au cours du temps d'une longue succession d'améliorations qui le rendent intéressant.

En tout premier lieu, il faut souligner sa silhouette exclusive qui se démarque essentiellement par une calandre vraiment distincte ainsi que des feux de route montés sur des nacelles verticales à l'extrémité de chaque aile. Ces phares sont de type actif et pivotent en harmonie avec le volant.

On peut aimer ou pas cette silhouette, mais force est d'admettre que les stylistes n'ont pas tenté de copier des designs européens ou japonais. Par contre, la lunette du hayon arrière est fortement inclinée vers l'avant, réduisant ainsi quelque peu la capacité du coffre à bagages qui demeure quand même assez spacieux. Mais cette originalité dans la présentation ne se limite pas à la carrosserie.

### LES OCCUPANTS SONT DORLOTÉS
Une fois qu'on a pris place à bord de cette Cadillac, on est impressionné par la qualité de la finition et des matériaux, sans oublier l'originalité de la présentation de la planche de bord. Auparavant, certaines Cadillac nous donnaient l'impression d'être dans une Chevrolet travestie en version de luxe. Cette fois, ce n'est pas du pipeau alors que les confortables sièges sont recouverts de cuir de qualité. Le nombre d'accessoires et d'éléments de luxe varie en fonction de la version choisie. En effet, même si le SRX est un modèle haut de gamme, vous pouvez choisir entre la version de base et trois groupes d'options: Luxe, Performance et Premium.

Le centre des commandes est un écran qui affiche les différentes composantes du système CUE. Ce dernier est honni par plusieurs en raison de sa complexité. Curieusement, je n'ai eu aucune difficulté à m'adapter à ce bidule, et ce, dès mon premier contact. Immédiatement sous cet écran se trouvent les commandes de la climatisation et du volume audio qui sont des touches par effleurement nécessitant un certain temps d'adaptation.

Si les sièges avant sont confortables, les places arrière le sont seulement pour deux personnes, celle du centre sera plus ou moins à l'aise à cause d'un appui-coude enchâssé dans le dossier et qui vient atténuer le confort. Il est possible de commander en option des écrans reliés au système d'infodivertissement, lesquels seront encastrés dans le dos des sièges avant.

## MOTEUR GOURMAND

Sur le plan technique, la SRX utilise une plate-forme qui lui est exclusive et dotée de suspensions indépendantes à l'avant comme à l'arrière. Un seul moteur est au catalogue, il s'agit d'un V6 de 3,6 litres produisant 308 chevaux. C'est suffisant pour boucler le traditionnel 0-100 km/h en moins de huit secondes.

Il est associé à une boîte automatique à six rapports de type manumatique. Les passages de rapports s'effectuent en douceur, mais il semble que cette transmission prenne parfois son temps pour procéder à un changement de vitesse. Et ce comportement est sans doute responsable de la consommation passablement élevée que nous avons enregistrée lors de notre essai. En effet, même en conduisant de façon économique, nous n'avons jamais pu passer sous la barre des 15,0 l/100 km, soit un peu plus que les données du constructeur.

Par ailleurs, sur la route, le comportement routier est sans surprise. En plus, la direction s'est révélée précise bien qu'on aurait apprécié un *feedback* un peu plus pointu. Il faut souligner que les deux versions les plus luxueuses sont dotées d'une direction ZF Servotronic semblable à ce que les concurrentes allemandes proposent.

Même si elle est en voie d'être remplacée, la SRX est un VUS de luxe qui s'est bonifié au fil des années. De plus, par rapport à ses concurrents les plus directs, son prix compétitif joue en sa faveur.

### Châssis - TA

| | |
|---|---|
| Emp / lon / lar / haut | 2807 / 4834 / 1910 / 1669 mm |
| Coffre / Réservoir | 844 à 1733 litres / 80 litres |
| Nbre coussins sécurité / ceintures | 6 / 5 |
| Suspension avant | ind., jambes force |
| Suspension arrière | ind., multibras |
| Freins avant / arrière | disque / disque |
| Direction | à crémaillère, assistée |
| Diamètre de braquage | 12,2 m |
| Pneus avant / arrière | P235/65R18 / P235/65R18 |
| Poids / Capacité de remorquage | 2480 kg / 1136 kg (2504 lb) |
| Assemblage | Ramos Arizpe, MX |

### Composantes mécaniques

| | |
|---|---|
| Cylindrée, soupapes, alim. | V6 3,6 litres 24 s atmos. |
| Puissance / Couple | 308 ch / 265 lb-pi |
| Tr. base (opt) / rouage base (opt) | A6 / Tr (Int) |
| 0-100 / 80-120 / V.Max | 7,8 s / 6,5 s / n.d. |
| 100-0 km/h | n.d. |
| Type / ville / route / $CO_2$ | Ord / 13,2 / 8,8 l/100 km / 5160 kg/an |

## Du nouveau en 2016

Aucun changement majeur, nouveau modèle prévu

Photos : Cadillac Canada

## CADILLAC **XTS**

**Prix :** 51 465 $ à 68 295 $ (2015)
**Catégorie :** Berline
**Garanties :**
4 ans/80 000 km, 5 ans/160 000 km
**Transport et prép. :** 2 050 $
**Ventes QC 2014 :** 143 unités
**Ventes CAN 2014 :** 743 unités

### Cote du Guide de l'auto

# 65 %

| Fiabilité | Appréciation générale |
|---|---|
| ■■■■■■□□□□ | ■■■■■■■□□□ |
| Sécurité | Agrément de conduite |
| ■■■■■■■□□□ | ■■■■■■□□□□ |
| Consommation | Système multimédia |
| ■■■■■□□□□□ | ■■■■■■■□□□ |

### Cote d'assurance
■■■■■■■■□□
$$$                        $

présentée par
**KANETIX.CA**

➕ Confort assuré • Motorisation adaptée • Habitacle généreux • Puissance du V6 biturbo

➖ Avenir incertain • Style trop classique • Freinage manque de mordant • Consommation élevée

### Concurrents
Acura RLX, Audi A6, BMW Série 5,
Hyundai Genesis, Infiniti Q70, Jaguar XF,
Lexus GS, Lincoln MKS, Mercedes-Benz
Classe E, Volvo S80

# Un vestige du passé

Guy Desjardins

**L**a XTS semble sur ses derniers miles et la commercialisation du modèle pourrait bien s'arrêter avec la version 2016. La colossale restructuration de Cadillac amorcée il y a plusieurs années se poursuit après l'arrivée en scène de l'ATS en 2013 et la refonte de la CTS en 2014. La toute récente présentation du modèle phare CT6 remet toutefois en question la pertinence de garder la XTS dans la gamme.

Cadillac ne le cache pas, elle vise à produire des voitures à la fois luxueuses, mais surtout performantes. Il semble que le douillet confort qui caractérisait les Cadillac du temps soit out et le plan de redressement vise justement le rajeunissement de la clientèle, qui devra se faire en attirant des acheteurs traditionnellement portés sur les produits allemands et japonais.

La présence de l'ATS et de la CTS de nouvelle génération fait mal paraître la XTS pourtant apparue en 2013. Malgré quelques efforts pour rendre son allure plus dynamique et moins encombrante, le résultat ne cadre toujours pas avec l'image que Cadillac a donnée aux deux autres modèles. Il serait également surprenant que le constructeur rallie la grosse berline à la philosophie de la marque en lui greffant des organes mécaniques plus performants que la motorisation V6 biturbo de la version Vsport.

**CONFORTABLE AVANT TOUT**
À l'intérieur, personne ne critiquera la présentation peut-être un peu trop classique, mais qui plaît aux acheteurs traditionnels de la marque. Le tableau de bord très épuré arbore des matériaux nobles et bien agencés qui profitent de différentes textures bien réparties. De nombreux accents viennent ajouter de la richesse à l'habitacle, dont le chrome et les appliques en bois qui parsèment le tableau de bord. Les sièges s'avèrent très confortables et proposent un maintien latéral minimal, mais tout de même convenable pour l'utilisation que le propriétaire fait

de sa voiture. Les places arrière fournissent un large dégagement pour les jambes alors qu'au niveau de la tête, les personnes de grande taille trouveront le plafond un peu juste, gracieuseté d'une ligne de toit fuyante vers l'arrière.

La conduite d'une XTS ne s'inspire manifestement pas de celle des ATS et CTS. Il ne fait cependant aucun doute que l'on ne se procure pas une XTS pour ses qualités sportives, à moins d'opter pour la motorisation V6 biturbo qui dispose de 410 chevaux. Les performances livrées par le moteur V6 atmosphérique s'avèrent toutefois suffisantes dans la plupart des cas. Ses 304 chevaux permettent des accélérations sous les 8 secondes, cependant, chaque fois qu'on le fait, on se rappelle que la XTS consomme plus de 13 l/100 km en situation urbaine. Le freinage et la suspension bénéficient également d'un calibrage axé sur le confort. La pédale de frein spongieuse procure de bons freinages, mais la pesanteur du véhicule occasionne de bonnes plongées lors d'arrêts d'urgence. Quant à la suspension Magnetic Ride, elle assure un confort princier que seules nos «routes printanières» mettront à dure épreuve...

Ceux qui optent pour la motorisation à double turbo ne le feront certainement pas pour les performances pures. Les 410 chevaux de la XTS servent plutôt à déplacer rapidement le véhicule et permettent de mieux exploiter le potentiel de la plate-forme. Outre la puissance accrue qui permet d'atteindre les 100 km/h en moins de 6 secondes, la XTS biturbo se dote d'une suspension magnétique recalibrée et de freins Brembo de haute performance. Ajouté au rouage intégral, ce n'est pas trop mal non plus.

### VERS LA CT6

Cadillac lance cette année le modèle CT6 qui concurrence la BMW Série 7. La production du nouveau véhicule phare de Cadillac débutera tard cet automne. La CT6 se positionne bien au-dessus de la XTS avec un prix de vente avoisinant 100 000 $. Elle adopte une nouvelle architecture et s'offre en propulsion ou en intégrale, contrairement à la XTS qui propose la traction ou le rouage intégral optionnel. Rien ne laisse croire que l'arrivée en scène de la CT6 mettra un terme à la production de la XTS, du moins, GM ne confirme pas ce détail. La XTS pourrait évidemment cohabiter avec la CT6 et conserver un statut de véhicule plus «confortable» alors que les autres, nettement axés sur les performances, iront récolter de jeunes acheteurs.

La nomenclature des futures voitures de Cadillac subira une révision qui permettra de les distinguer plus facilement. On vise à renommer toutes les berlines par le suffixe «CT» auquel s'ajoutera un chiffre afin de les situer dans la hiérarchie. Vous aurez ainsi deviné que plus le chiffre augmente, plus la voiture est dispendieuse!

### Du nouveau en 2016

Aucun changement majeur

| Châssis - Vsport biturbo haut de gamme | |
|---|---|
| Emp / lon / lar / haut | 2837 / 5131 / 1852 / 1510 mm |
| Coffre / Réservoir | 509 litres / 74 litres |
| Nbre coussins sécurité / ceintures | 10 / 5 |
| Suspension avant | ind., jambes force |
| Suspension arrière | ind., multibras |
| Freins avant / arrière | disque / disque |
| Direction | à crémaillère, ass. var. |
| Diamètre de braquage | 11,8 m |
| Pneus avant / arrière | P245/45R20 / P245/45R20 |
| Poids / Capacité de remorquage | 1912 kg / 454 kg (1000 lb) |
| Assemblage | Oshawa, ON |

| Composantes mécaniques | |
|---|---|
| **3.6** | |
| Cylindrée, soupapes, alim. | V6 3,6 litres 24 s atmos. |
| Puissance / Couple | 304 ch / 264 lb-pi |
| Tr. base (opt) / rouage base (opt) | A6 / Tr (Int) |
| 0-100 / 80-120 / V.Max | 7,8 s / 5,7 s / n.d. |
| 100-0 km/h | 42,5 m |
| Type / ville / route / $CO_2$ | Ord / 13,7 / 8,9 l/100 km / 5308 kg/an |
| **Vsport** | |
| Cylindrée, soupapes, alim. | V6 3,6 litres 24 s turbo |
| Puissance / Couple | 410 ch / 369 lb-pi |
| Tr. base (opt) / rouage base (opt) | A6 / Int |
| 0-100 / 80-120 / V.Max | 5,9 s / 3,9 s / n.d. |
| 100-0 km/h | n.d. |
| Type / ville / route / $CO_2$ | Sup / 14,8 / 9,9 l/100 km / 5794 kg/an |

Photos: Cadillac Canada

# CHEVROLET **CAMARO**

**Prix:** 32 500 $ à 44 500 $ (estimé)
**Catégorie:** Coupé / Cabriolet
**Garanties:**
3 ans/60 000 km, 5 ans/160 000 km
**Transport et prép.:** 1 950 $
**Ventes QC 2014:** 289 unités
**Ventes CAN 2014:** 2 880 unités

## Cote du Guide de l'auto

# 63 %

| Fiabilité | Appréciation générale |
|---|---|
| ■■■■■■□□□□ | ■■■■■■■□□□ |
| Sécurité | Agrément de conduite |
| ■■■■■■■□□□ | ■■■■■■■□□□ |
| Consommation | Système multimédia |
| ■■■■■■□□□□ | ■■■■■■■□□□ |

## Cote d'assurance

■■■■■■■■□□
$$$                              $

présentée par
**KANETIX.CA**

➕ Silhouette plus sportive • Bon choix de moteurs • Boîte automatique huit rapports • Tableau de bord plus moderne • Tenue de route améliorée

➖ Silhouette ne fait pas l'unanimité • Piètre visibilité arrière • Places arrière symboliques • Commercialisation tardive • Fenestration minimaliste

## Concurrents
Dodge Challenger, Ford Mustang, Hyundai Genesis Coupe, Nissan Z

# Une sixième génération plus raffinée

Denis Duquet

**L**a Camaro de cinquième génération, qui a été lancée en 2010 après une interruption de plusieurs années, a connu beaucoup de succès. Mais pour General Motors, ce n'était pas une raison pour s'asseoir sur ses lauriers, d'autant plus que la nouvelle Ford Mustang complètement redessinée s'est bonifiée.

Selon Chevrolet, la nouvelle Camaro est totalement transformée et seuls les écussons avant et arrière ont été conservés. Tout ce qui se trouve entre les deux est nouveau ! En fait, j'exagère puisque ce qui est nouveau sur la Camaro 2016 avait des chances d'exister quelque part sur d'autres modèles fabriqués par General Motors. Par exemple, la plate-forme de la Camaro 2016 a été empruntée à la Cadillac ATS. Bonne nouvelle, c'est probablement ce qui se fait de mieux dans la catégorie. Cette plate-forme Alpha a été modifiée pour l'adapter aux besoins du coupé sport. Afin d'alléger la Camaro d'environ 100 kg, on a fait appel à des composantes de suspension en aluminium, et plusieurs composantes en métal ont été perforées. Le capot est lui aussi en aluminium tandis que la carrosserie est en bonne partie réalisée à partir d'acier de haute qualité, plus rigide mais plus léger. Mais il y a plus que la mécanique.

### SILHOUETTE ÉVOLUTIVE
Lorsqu'on produit un modèle aussi populaire et aussi ancré dans le passé, il ne serait pas sage de tout transformer. Ce qui explique pourquoi la silhouette de la Camaro s'est raffinée, certains angles ont été revus, mais on retrouve toujours plus ou moins cette fenestration relativement étroite, un arrière élargi et une section avant constituée d'une grille très étroite superposant une énorme entrée d'air. L'arrière est passablement relevé, ce qui diminue la visibilité mais qui fait des merveilles au plan aérodynamique. On peut déceler quelques influences de la nouvelle Corvette.

Là où la transformation a été plus spectaculaire, c'est au chapitre de la planche de bord qui a été entièrement redessinée. Cette fois-ci, on a abandonné les petits cadrans carrés placés au début de la console centrale. Non seulement les matériaux sont de meilleure qualité, mais le design est plus moderne et mieux réussi en général. Le volant redessiné se prend bien en main. Les cadrans indicateurs sont de type électronique et à affichage multiple. L'écran du milieu, à la fois pratique et esthétique, est un véritable centre de commande.

Si les sièges avant sont confortables et offrent un bon support latéral, oubliez les places arrière qui ne sont que symboliques... Par contre, le dossier du siège arrière se rabat d'une seule pièce, ce qui permet de transporter des objets longs.

### UN MOTEUR QUATRE CYLINDRES!

Les temps changent et nous en avons un bel exemple avec cette Camaro qui offre un quatre cylindres 2,0 litres turbo. Il produit 275 chevaux et 295 lb-pi de couple. Si ce moteur est nouveau pour ce modèle, il est utilisé depuis quelque temps sur les Cadillac ATS et CTS. Ses performances sont à souligner puisqu'il réalise le 0-100 km/h en moins de six secondes.

Par ailleurs, le catalogue s'étoffe d'un V6 de 3,6 litres, 335 chevaux et 284 lb-pi de couple qui est doté de l'injection directe, de la désactivation des cylindres et du calage infiniment variable des soupapes. Mais la Camaro n'aurait pas droit au titre de *muscle car* si un V8 n'était pas offert! Et on n'a pas lésiné puisque la SS est livrée avec le V8 LT1 de 6,2 litres produisant 455 chevaux 455 lb-pi de couple. Il est identique à celui de la Corvette. Tous les moteurs peuvent être couplés à une transmission manuelle Tremec à six vitesses ou à une boîte automatique Hydra-Matic à huit rapports.

La nouvelle génération est plus courte de 57 mm, son empattement a été réduit de 41 mm et sa largeur de 20 mm. Par contre, elle est plus basse de 28 mm. Le fait qu'elle soit un peu plus légère et de dimensions moindres explique sa remarquable agilité tandis que sa direction a gagné en précision.

Cette sixième génération de la Camaro s'est raffinée à tous points de vue et sa tenue de route s'est améliorée. Nul doute que les versions hyper puissantes que sont les ZL1 et Z28 ainsi que les décapotables seront bientôt présentées, question de laisser durer le plaisir!

## Châssis - LT 2.0

| | |
|---|---|
| Emp / lon / lar / haut | 2811 / 4784 / 1897 / 1348 mm |
| Coffre / Réservoir | n.d. / n.d. |
| Nbre coussins sécurité / ceintures | 6 / 4 |
| Suspension avant | ind., jambes force |
| Suspension arrière | ind., multibras |
| Freins avant / arrière | disque / disque |
| Direction | à crémaillère, ass. var. élect. |
| Diamètre de braquage | 11,5 m |
| Pneus avant / arrière | P245/55R18 / P245/55R18 |
| Poids / Capacité de remorquage | 1600 kg / n.d. |
| Assemblage | Lansing, MI |

## Composantes mécaniques

### LT

| | |
|---|---|
| Cylindrée, soupapes, alim. | 4L 2,0 litres 16 s turbo |
| Puissance / Couple | 275 ch / 295 lb-pi |
| Tr. base (opt) / rouage base (opt) | M6 (A8) / Prop |
| 0-100 / 80-120 / V.Max | 7,0 s (est) / n.d. / n.d. |
| 100-0 km/h | n.d. |
| Type / ville / route / $CO_2$ | Sup / 13,5 / 7,8 l/100 km / 5030 kg/an |

### LT V6

| | |
|---|---|
| Cylindrée, soupapes, alim. | V6 3,6 litres 24 s atmos. |
| Puissance / Couple | 335 ch / 284 lb-pi |
| Tr. base (opt) / rouage base (opt) | M6 (A8) / Prop |
| 0-100 / 80-120 / V.Max | 6,0 s (est) / n.d. / n.d. |
| 100-0 km/h | n.d. |
| Type / ville / route / $CO_2$ | Ord / 14,7 / 8,5 l/100 km / 5479 kg/an |

### SS

| | |
|---|---|
| Cylindrée, soupapes, alim. | V8 6,2 litres 16 s atmos. |
| Puissance / Couple | 455 ch / 455 lb-pi |
| Tr. base (opt) / rouage base (opt) | M6 (A8) / Prop |
| 0-100 / 80-120 / V.Max | 5,0 s (est) / n.d. / n.d. |
| 100-0 km/h | n.d. |
| Type / ville / route / $CO_2$ | Sup / 16,0 / 9,3 l/100 km / 5973 kg/an |

## Du nouveau en 2016

Nouveau modèle

Photos: Chevrolet Canada

GMC CANYON

# CHEVROLET **COLORADO** / GMC **CANYON**

**Prix:** 21 945 $ à 38 095 $ (2015)
**Catégorie:** Camionnette
**Garanties:**
3 ans/60 000 km, 5 ans/160 000 km
**Transport et prép.:** n.d.
**Ventes QC 2014:** 113 unités*
**Ventes CAN 2014:** 568 unités**

## Cote du Guide de l'auto

# 78 %

Fiabilité
n.d.

Appréciation générale
■■■■■■■■□□

Sécurité
n.d.

Agrément de conduite
■■■■■■■□□□

Consommation
■■■■■■■□□□

Système multimédia
■■■■■■■■□□

## Cote d'assurance

■■■■■■■■□□
$$$          $

présentée par
**KANETIX.CA**

➕ Dimensions intéressantes •
Groupes propulseurs éprouvés •
Infodivertissement élaboré • Rouage
intégral automatique (GMC Canyon) •
Robustesse assurée

➖ Prix élevé de certains modèles •
Strapontins peu confortables • Cadrans
indicateurs à revoir • Boîte manuelle: faible
disponibilité • Absence de clé intelligente

## Concurrents

Nissan Frontier, Toyota Tacoma

# La résurgence d'une catégorie

Denis Duquet

**L**a catégorie des camionnettes intermédiaires était quasiment moribonde avant que General Motors décide de revenir à la charge avec la nouvelle génération du Chevrolet Colorado et GMC Canyon. Le constructeur américain a jugé qu'il était opportun de renouveler sa présence dans ce secteur, aussi bien en raison des besoins du marché que du désir de figurer dans toutes les catégories possibles. En effet, seuls Toyota avec le Tacoma, Honda avec le Ridgeline et Nissan avec le Frontier tenaient le fort en l'absence de modèles concurrents.

Ce nouveau duo Chevrolet / GMC se veut une proposition intéressante pour les personnes qui ne désirent pas une camionnette plein format, mais qui ont tout de même besoin d'un véhicule doté d'une caisse de chargement afin de déplacer des charges encombrantes ou lourdes.

Il faut cependant souligner que les dimensions des Colorado et Canyon sont plus généreuses que celles de la génération précédente. Cette fois, les ingénieurs ont concocté une camionnette plus grosse, tout en étant quand même sensiblement plus petite que les Chevrolet Silverado ou GMC Sierra, des camionnettes pleine grandeur.

Selon moi, le Canyon est un modèle plus attrayant que son vis-à-vis le Colorado en raison d'une silhouette plus élégante et d'un habitacle un peu mieux exécuté. La planche de bord du GMC est également plus jolie.

### STRAPONTIN OU BANQUETTE?

C'est la question à laquelle vous devrez répondre si jamais vous décidez de choisir l'un ou l'autre de ces modèles qui sont disponibles en deux versions. La première est une cabine allongée qui offre aux occupants arrière des strapontins plus ou moins confortables auxquels on accède par d'étroites portières s'ouvrant dans le sens inverse (les pentures sont à l'arrière), non sans avoir dû ouvrir les portières avant au préalable. Ces sièges servent uniquement pour dépanner, et je ne vois personne envisager un voyage de moindre durée sur ces sièges. La seconde, la version à cabine d'équipage, propose une banquette arrière relativement confortable et un dégagement pour les jambes acceptable, bien que le dossier soit un peu trop droit à mon goût. Cette banquette se relève afin d'obtenir un plus grand espace de chargement.

Les versions à cabine allongée sont dotées d'une caisse de chargement d'une longueur de 6'2'', tandis que celles ayant une cabine d'équipage offrent le choix entre une caisse de 5'2'' ou 6'2'', ce qui permet tout de même de déplacer des objets assez volumineux sans pour autant être au volant d'un véhicule trop encombrant.

## VOCATION URBAINE

Règle générale, lorsque l'on conduit une camionnette dans un environnement urbain, on découvre rapidement qu'elle n'est pas nécessairement à l'aise dans la circulation et que ses dimensions compliquent les manœuvres de stationnement. Au contraire, lors de la prise en main d'un Colorado autant que d'un Canyon, j'avais l'impression qu'ils avaient d'abord été conçus pour une utilisation urbaine. La suspension est plutôt souple et confortable alors que les moteurs et les transmissions se conjuguent pour adopter une conduite bien adaptée à la ville. Le moulin d'entrée de gamme est un quatre cylindres de 2,5 litres produisant 200 chevaux. La version de base des modèles qui en sont équipés peut être livrée avec une transmission manuelle à six rapports. Pour tous les autres, ainsi qu'avec le V6, la boîte automatique à six rapports est de série. Ce V6 de 3,6 litres commande 305 chevaux et peut remorquer jusqu'à 7 000 livres.

La plus importante différence mécanique entre le Colorado et le Canyon se situe au niveau du rouage d'entraînement. Celui du GMC possède un rouage intégral automatique AutoTrac qui gère automatiquement le couple à envoyer à l'avant ou à l'arrière, comme sur un VUS. Pour sa part, le rouage du Chevrolet est plutôt de type manuel et temporaire, c'est-à-dire qu'il ne faut pas l'utiliser sur chaussée sèche, bien qu'on peut passer de deux à quatre roues motrices en mouvement. C'est une différence qui est fort appréciable compte tenu de nos conditions de conduite hivernale et qui donne un avantage au Canyon. Pour les deux modèles, il faut toutefois mettre la transmission au neutre avant de passer à la gamme basse du mode 4RM (« *low range* »).

Mais pour le reste, tant au chapitre de la mécanique que des données essentielles, c'est du pareil au même. Par ailleurs, la revue américaine *Motor Trend* a nommé le Colorado la « Camionnette de l'année ». Ces modèles offrent donc un agrément de conduite intéressant pour la catégorie et représentent une solution de rechange pour les personnes qui n'ont pas besoin d'une grosse camionnette.

### Châssis - Colorado Z71 4x4 cab. multiplace (5.2')

| | |
|---|---|
| Emp / lon / lar / haut | 3259 / 5403 / 1886 / 1794 mm |
| Boîte / Réservoir | 1593 mm (62,7¨) / 80 litres |
| Nbre coussins sécurité / ceintures | 6 / 5 |
| Suspension avant | ind., bras inégaux |
| Suspension arrière | essieu rigide, ress. à lames |
| Freins avant / arrière | disque / disque |
| Direction | à crémaillère, ass. var. élect. |
| Diamètre de braquage | 12,6 m |
| Pneus avant / arrière | P265/60R18 / P265/60R18 |
| Poids / Capacité de remorquage | 1987 kg / 1588 kg (3500 lb) |
| Assemblage | Wentzville, MO |

### Composantes mécaniques

**4L 2,5 litres**

| | |
|---|---|
| Cylindrée, soupapes, alim. | 4L 2,5 litres 16 s atmos. |
| Puissance / Couple | 200 ch / 191 lb-pi |
| Tr. base (opt) / rouage base (opt) | M6 (A6) / Prop (4x4) |
| 0-100 / 80-120 / V.Max | n.d. / n.d. / n.d. |
| 100-0 km/h | n.d. |
| Type / ville / route / $CO_2$ | Ord / 12,9 / 9,1 l/100 km / 5147 kg/an |

**V6 3,6 litres**

| | |
|---|---|
| Cylindrée, soupapes, alim. | V6 3,6 litres 24 s atmos. |
| Puissance / Couple | 305 ch / 269 lb-pi |
| Tr. base (opt) / rouage base (opt) | A6 / Prop (4x4) |
| 0-100 / 80-120 / V.Max | 7,8 s / 4,7 s / n.d. |
| 100-0 km/h | 41,7 m |
| Type / ville / route / $CO_2$ | Ord / 13,8 / 9,8 l/100 km / 5520 kg/an |

### Du nouveau en 2016

Aucun changement majeur. Arrivée probable d'un moteur Duramax turbodiesel de 2,8 litres.

CHEVROLET COLORADO

# CHEVROLET **CORVETTE**

**Prix :** 59 465 $ à 96 895 $ (2015)
**Catégorie :** Coupé, Roadster
**Garanties :**
3 ans/60 000 km, 5 ans/160 000 km
**Transport et prép. :** 2 050 $
**Ventes QC 2014 :** 204 unités
**Ventes CAN 2014 :** 1 181 unités

---

### Cote du Guide de l'auto
# 82 %

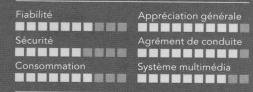

| Fiabilité | Appréciation générale |
|---|---|
| Sécurité | Agrément de conduite |
| Consommation | Système multimédia |

### Cote d'assurance

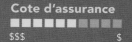

présentée par
**KANETIX.CA**

$$$                          $

**➕** Puissance et son exceptionnels • Tenue de route impressionnante • Freinage remarquable • Prix strictement imbattables • Docilité et raffinement surprenants

**➖** Trop fardée avec les ajouts aérodynamiques • Roulement sensible à la chaussée (Z06) • Pneus Sport Cup 2 allergiques à la pluie • Pénurie de rangements dans l'habitacle

---

### Concurrents
Audi R8, BMW Série 6, Jaguar F-Type, Dodge Viper, Lexus RC, Mercedes-Benz Classe SL, Nissan GT-R, Porsche 911

# Le deuxième étage de la fusée

Marc Lachapelle

**L**a 7e génération de la Corvette a réussi un décollage digne de la NASA dès son lancement. Après avoir volé la vedette au Salon de Detroit et raflé une kyrielle de prix, la Stingray a coiffé deux grandes sportives européennes dans le match des sportives du *Guide 2015* et quadruplé ses ventes pour redevenir le *best-seller* de sa catégorie chez nous. Elle a maintenant passé la prochaine vitesse, littéralement, avec une nouvelle version Z06 carrément époustouflante.

Si tout semble réussir à la Corvette, c'est qu'elle est réussie du tout au tout. La Stingray l'a prouvé en devançant l'an dernier la Porsche 911 Carrera 4 S et la Jaguar F-Type Coupé R au verdict des points autant que du chrono. Au circuit ICAR, elle a même creusé un énorme écart de 2,25 secondes sur ses rivales, grâce à une tenue de route incisive, aux 455 chevaux (460 avec l'échappement optionnel sport) rageurs de son V8 et à des freins d'une puissance et d'une endurance remarquables. Sur la route, l'américaine afficha un confort, une ergonomie et un raffinement inédits. Elle fut même presque aussi frugale que la 911 malgré son moteur de 6,2 litres.

### DE NOUVELLES CIBLES
La Corvette s'attaque maintenant à des proies encore plus onéreuses, puissantes et redoutables sous les traits d'une nouvelle Z06. Développée en parallèle avec la C7.R qui dispute entre autres les 24 Heures du Mans, elle partage le même châssis en aluminium plus rigide de 20 %. Assez pour que la Z06 décapotable n'ait besoin d'aucun renforcement et partage les mêmes tarages de suspension. Sa capote souple se rétracte en 17 secondes, jusqu'à 50 km/h, mais elle n'a toujours pas d'arceaux de sécurité.

Le V8 tout neuf des Z06 produit 650 chevaux et 650 lb-pi de couple. C'est plus que la ZR1 malgré un compresseur plus petit, grâce à l'injection directe et au calage variable des soupapes. La cylindrée variable, qui le transforme littéralement en V4 à vitesse constante, réduit aussi sa consommation. Une boîte manuelle à 7 rapports avec compensation automatique du régime est de série et une automatique à 8 rapports avec manettes au volant est en option. Chevrolet promet un sprint 0-60 mi/h. (96,5 km/h) en 2,95 secondes et le 1/4 de mille en 10,95 secondes à 204 km/h avec l'automatique, ce qui ferait de la Z06 la sportive à moteur avant la plus rapide à ce jour. Avec une vitesse de pointe de 330 km/h en prime !

Il fallait une calandre et des prises d'air plus grandes à cette Z06 plus rapide, question de refroidir moteur et freins. Des ailes plus grandes aussi, pour des pneus plus larges. Pas étonnant que la Z06 ait un air menaçant et génère 1,2 g de force centripète en virage. Et ça lui vient plus facilement avec le groupe Z07 optionnel qui ajoute des freins Brembo à de plus grands disques en carbone, des pneus Michelin Pilot Sport Cup 2 presque lisses, un becquet plus prononcé et une section centrale réglable pour l'aileron arrière. Heureusement amovible, parce qu'elle réduit la visibilité déjà limitée de la mince lunette.

### PERSONNALITÉS MULTIPLES

La Z06 partage les affichages clairs et les contrôles à la fois ergonomiques et précis de la Stingray. Les sièges GT de série sont très corrects. Les baquets « compétition » optionnels ont beaucoup de gueule, mais les costauds se sentiront à l'étroit dans leur dossier non réglable et moins rembourré. Parfaits pour rouler sur un circuit, par contre.

Si en conduite normale la Stingray est un gros chat, la Z06 est un lion au repos en mode Eco (eh oui) ou Touring. Faites pivoter la molette sur la console pour passer en mode Sport, enfoncez l'accélérateur et un fabuleux rugissement s'échappe des quatre échappements à seulement 3 000 tr/min pendant que la nouvelle reine des Corvette vous plaque dans le siège. Sur la route, la Z06 est trahie par ses immenses pneus qui tapotent sur les fentes et la font dévier sur la moindre roulière. Autrement, le confort est très honnête avec les amortisseurs à variation magnétique.

Sur un circuit, en mode Track, accélérateur, direction, amortisseurs, boîte de vitesse et différentiel autobloquant sont à leur stade le plus affûté. Et l'antidérapage permet une part de dérive. La Z06 dévore les lignes droites et enfile les virages avec un équilibre et une facilité qui ont toujours manqué à ses devancières de 6e génération. Et le système d'enregistrement intégré PDR (Performance Data Recorder) vous permet d'en savourer ensuite chaque détail en vidéo HD avec les données de l'excellent affichage tête haute en surimpression.

Le plus remarquable est de constater que cette Z06 qui peut se mesurer sans complexe aux plus grandes sportives, à prix incroyable, nous fait réaliser à quel point sa sœur, la Stingray, est déjà éblouissante.

## Du nouveau en 2016

Z06 Édition C7.R, groupes Style bleu, rouge ou noir, volant plat au bas, amortisseurs Magnetic Ride en option, capot en fibre de carbone, nouvelles jantes, couleurs et surpiqûres

### Châssis - Z06 Coupé

| | |
|---|---|
| Emp / lon / lar / haut | 2710 / 4492 / 1929 / 1235 mm |
| Coffre / Réservoir | 425 litres / 70 litres |
| Nbre coussins sécurité / ceintures | 4 / 2 |
| Suspension avant | ind., bras inégaux |
| Suspension arrière | ind., bras inégaux |
| Freins avant / arrière | disque / disque |
| Direction | à crémaillère, ass. var. élect. |
| Diamètre de braquage | 11,5 m |
| Pneus avant / arrière | P285/30ZR19 / P335/25ZR20 |
| Poids / Capacité de remorquage | 1602 kg / n.d. |
| Assemblage | Bowling Green, KY |

### Composantes mécaniques

**Stingray**

| | |
|---|---|
| Cylindrée, soupapes, alim. | V8 6,2 litres 16 s atmos. |
| Puissance / Couple | 455 ch / 460 lb-pi |
| Tr. base (opt) / rouage base (opt) | M7 (A6) / Prop |
| 0-100 / 80-120 / V.Max | 4,7 s / 3,2 s / n.d. |
| 100-0 km/h | 34,4 m |
| Type / ville / route / $CO_2$ | Sup / 12,2 / 6,9 l/100 km / 4515 kg/an |

**Z06**

| | |
|---|---|
| Cylindrée, soupapes, alim. | V8 6,2 litres 16 s surcompressé |
| Puissance / Couple | 650 ch / 650 lb-pi |
| Tr. base (opt) / rouage base (opt) | M7 (A8) / Prop |
| 0-100 / 80-120 / V.Max | 3,1 s (est) / n.d. / 330 km/h |
| 100-0 km/h | n.d. |
| Type / ville / route / $CO_2$ | Sup / 15,7 / 10,6 l/100 km / 6166 kg/an |

Photos : Marc Lachapelle, Chevrolet Canada

# ⌒ CHEVROLET **CRUZE**

**Prix:** 16 500 $ à 27 500 $ (2015)
**Catégorie:** Berline
**Garanties:**
3 ans/60 000 km, 5 ans/160 000 km
**Transport et prép.:** 1 950 $
**Ventes QC 2014:** 6 886 unités
**Ventes CAN 2014:** 34 421 unités

---

Cote du Guide de l'auto

# 70 %

Fiabilité
■■■■■■■□□□

Appréciation générale
■■■■■■■□□□

Sécurité
■■■■■■■■□□

Agrément de conduite
■■■■■■□□□□

Consommation
■■■■■■■■■□

Système multimédia
■■■■■■■□□□

Cote d'assurance
■■■□□□□□□□

présentée par
**KANETIX.CA**

$$$                    $

➕ Nouvelle silhouette plus dynamique •
Moteur 1,4 l plus sophistiqué • Tableau
de bord moderne • MyLink relié aux
iPhone et Android • Système OnStar 4G
TE (2015) • Fiabilité inconnue

➖ Fiabilité inconnue • Silhouette
relativement anonyme • Interface parfois
complexe (2015) • Fiabilité quelquefois
peu reluisante (2015)

**Concurrents**
Dodge Dart, Ford Focus, Honda Civic,
Hyundai Elantra, Kia Forte, Mazda3,
Mitsubishi Lancer, Nissan Sentra, Subaru
Impreza, Toyota Corolla, Volkswagen Jetta

## La relève arrive

Denis Duquet

------------------------------------------------------------

**L**a Cruze, une berline compacte, a été le premier véhicule
à vocation globale de Chevrolet. Auparavant, il y avait
souvent des voitures qui portaient le même nom, mais
elles étaient si différentes d'un pays à l'autre, que c'était futile
de parler de voiture mondiale. Cette fois, pourtant, c'est
vraiment le cas, car depuis son lancement en 2008, il s'est
vendu plus de 3,5 millions de Cruze partout sur la planète.
Cette année, elle nous revient inchangée, du moins pour
quelques mois encore avant que sa remplaçante lui succède.

La nouvelle génération dévoilée au mois de juin à Detroit est supposée
faire son entrée sur notre marché à la fin de 2015 ou au début de 2016.
Celle-ci reprend là où la première génération s'est arrêtée. La plate-
forme est rigidifiée tout en étant allégée de 113 kg, tandis que la voiture
a été allongée de 68 mm et abaissée d'environ 20 mm. Dans un
premier temps, cette augmentation de la longueur hors tout permet
d'augmenter l'espace pour les jambes des occupants arrière, et le fait
que la voiture soit plus basse améliore son coefficient aérodynamique
qui, à 0,29, est l'un des meilleurs de cette catégorie.

Quant à la silhouette, elle est toujours d'un design équilibré et quelque
peu anonyme, ce qui est normal compte tenu de la vocation mondiale
de ce véhicule. Les angles sont moins obtus qu'avant, des dépressions
dans les parois accentuent le galbe et donnent une allure plus dyna-
mique, tandis que la section avant et sa large prise d'air octroient un
aspect légèrement plus sportif.

Si l'habitacle est plus spacieux, il a également gagné en sophistication
et en raffinement sans oublier une amélioration marquée de la qualité
des matériaux. La planche de bord intègre un écran central de sept ou
huit pouces selon la version, et un second écran d'information est placé
entre les deux cadrans indicateurs. On a repris le positionnement des
buses de ventilation verticales encadrant l'écran principal, alors qu'en
bas de cette unité, les boutons de commande sont faciles d'accès.

On a conservé les mêmes éléments de suspension, mais les moteurs sont tous nouveaux. Celui qui sera le plus populaire sur notre continent est le 4 cylindres turbocompressé de 1,4 litre et 153 chevaux. Doté de la fonction Start/Stop, il est associé à une boîte manuelle à six rapports ou à une automatique à six rapports aussi. Les roues motrices seront toujours situées à l'avant. La consommation moyenne sur la grand-route sera de 5,9 litres aux 100 km selon General Motors. Toujours selon la même source, le 0-96 km/h (0-60 mph) serait l'affaire de 8,0 secondes.

En 2017, un moteur diesel de 1,6 litre viendra s'ajouter. Certaines rumeurs parlent d'un 1,5 litre qui pourrait être offert sur les versions économiques mais rien n'est moins sûr. La Cruze continuera à être assemblée à Lorsdtown, en Ohio.

### LE GROS BON SENS

Au moment d'aller sous presse, la bonne vieille Cruze est toujours en vente. Nul doute que les concessionnaires seront enchantés de se départir des exemplaires restants.

Si cette première génération a connu autant de succès, c'est qu'elle a su vieillir avec élégance. D'ailleurs le modèle qui lui succédera reprend ses formes en les adaptant aux goûts du jour. Son habitabilité l'a toujours fait apprécier en tant que voiture familiale, tandis que l'équipement de base est suffisamment complet pour répondre aux attentes de beaucoup de gens. En fait, peu importe le domaine, la Cruze n'a jamais dominé sa catégorie, mais elle a toujours su répondre aux besoins de beaucoup d'automobilistes.

Son moteur 1,4 litre turbo produit 138 chevaux est associé à une boîte automatique à six rapports qui effectue du bon travail. Un autre moulin est au catalogue, il s'agit d'un quatre cylindres de 1,8 litre qui livre une puissance similaire, mais dont le rendement est infiniment moins intéressant. Et il ne faut pas oublier non plus le moteur diesel de 2,0 litres produisant 151 chevaux et un généreux couple de 264 livres-pied.

La tenue de route de la Cruze est sans histoire. La voiture est confortable lors des longs trajets, sa suspension est suffisamment efficace pour pouvoir négocier avec aplomb la plupart des virages amorcés à haute vitesse, alors que la direction plaira à la majorité, bien qu'on aurait apprécié une plus grande précision et un meilleur feedback. Enfin, la planche de bord est de bonne ergonomie.

La Cruze était une bonne voiture. Nul doute que la future Cruze sera encore meilleure.

## Châssis - LT (auto) (2016)

| | |
|---|---|
| Emp / lon / lar / haut | 2700 / 4666 / 1795 / 1458 mm |
| Coffre / Réservoir | n.d. / 48 litres |
| Nbre coussins sécurité / ceintures | 10 / 5 |
| Suspension avant | ind., jambes force |
| Suspension arrière | semi-ind., poutre torsion |
| Freins avant / arrière | disque / disque |
| Direction | à crémaillère, ass. var. élect. |
| Diamètre de braquage | 10,5 m |
| Pneus avant / arrière | P225/45R17 / P225/45R17 |
| Poids / Capacité de remorquage | 1300 kg / n.d. |
| Assemblage | Lordstown, OH |

## Composantes mécaniques (2016)

**LS, LT, Premier**

| | |
|---|---|
| Cylindrée, soupapes, alim. | 4L 1,4 litre 16 s turbo |
| Puissance / Couple | 153 ch / 177 lb-pi |
| Tr. base (opt) / rouage base (opt) | M6 (A6) / Tr |
| 0-100 / 80-120 / V.Max | n.d. / n.d. / n.d. |
| 100-0 km/h | n.d. |
| Type / ville / route / CO$_2$ | Ord / 8,8 / 5,9 l/100 km / 3448 kg/an |

---

## Du nouveau en 2016

Nouveau modèle arrivera à l'hiver, moteur diesel à venir (2017)

Photos : General Motors Canada

**CHEVROLET EQUINOX**

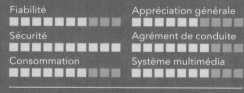

## CHEVROLET **EQUINOX** / GMC **TERRAIN**

(((SiriusXM)))

**Prix :** 28 405 $ à 41 095 $ (2015)
**Catégorie :** VUS
**Garanties :**
3 ans/60 000 km, 5 ans/160 000 km
**Transport et prép. :** 1 950 $
**Ventes QC 2014 :** 3 554 unités*
**Ventes CAN 2014 :** 31 083 unités**

### Cote du Guide de l'auto

# 70 %

Fiabilité
■■■■■■■□□□

Appréciation générale
■■■■■■■□□□

Sécurité
■■■■■■■■□□

Agrément de conduite
■■■■■■□□□□

Consommation
■■■■■■■□□□

Système multimédia
■■■■■■■□□□

### Cote d'assurance
■■■■■■□□□□
$$$                                    $

présentée par
**KANETIX.CA**

**+** Retouches esthétiques • Finition en progrès • Habitacle spacieux • Silence de roulement • Choix de moteurs

**−** Capacité de remorquage (L4) • Consommation du V6 • Long rayon de braquage • Prix élevé (versions huppées) • Trop de plastiques durs dans l'habitacle

### Concurrents
Ford Escape, Honda CR-V, Hyundai Tucson, Jeep Cherokee, Kia Sportage, Mazda CX-5, Mitsubishi RVR, Nissan Rogue, Toyota RAV4, Volkswagen Tiguan

# Des deux bords de la clôture

Jean-François Guay

**D**ans le but de limiter les frais d'exploitation, une pratique courante chez General Motors consiste à utiliser une plate-forme commune pour concevoir plusieurs modèles. Ce n'est un secret pour personne que le Chevrolet Equinox partage son châssis, sa mécanique et plusieurs de ses pièces avec le GMC Terrain. Il fut même une époque où les deux comparses étaient acoquinés à un troisième larron dénommé Vue qui résidait à l'enseigne de la défunte marque Saturn.

Si l'on continue notre survol historique, les plus vieux se rappelleront que l'Equinox avait remplacé les Chevrolet Blazer et GMC Jimmy en 2006. Le Terrain est apparu bien après, soit en 2010. Dix ans plus tard, il y a encore des nostalgiques qui regrettent la disparition des Blazer et Jimmy, lesquels reposaient sur un châssis en échelle et disposaient d'un rouage à quatre roues motrices avec une boîte de transfert. Pourtant, les Equinox et Terrain consomment beaucoup moins de carburant que leurs prédécesseurs, en plus d'offrir un habitacle plus vaste et une conduite plus agréable grâce à leur châssis monocoque.

D'accord, ils n'ont pas les mêmes aptitudes pour s'aventurer en terrain accidenté et leur force de remorquage n'arrive pas à la cheville de leurs ancêtres. Mais le marché a évolué, et chez GM, les tâches utilitaires sont désormais déléguées à des véhicules plus spécialisés comme les camionnettes intermédiaires Chevrolet Colorado et GMC Canyon à quatre portes, par exemple.

Mais n'allez pas croire que l'Equinox et le Terrain sont incapables d'accomplir de menus travaux. Leur coffre à bagages est l'un des plus volumineux de la catégorie. Et pour tracter un bateau, une roulotte ou des motoneiges, les 301 chevaux du V6 de 3,6 litres sont capables de tirer une charge de 1 588 kg — ce qui surclasse la concurrence dont la majorité des modèles sont équipés d'un moteur atmosphérique à quatre cylindres.

* Equinox : 2 367 unités / Terrain : 1 187 unités   ** Equinox : 19 559 unités / Terrain : 11 524 unités

## UNE CURE DE RAJEUNISSEMENT

La carrière des Equinox et Terrain n'a jamais été de tout repos. Année après année, ils doivent affronter des modèles aussi aguerris que les Ford Escape, Honda CR-V, Nissan Rogue, Subaru Forester et Toyota RAV4 — tous des surdoués à leur manière.

Pour conserver ses parts de marché, GM a donné le mandat à ses stylistes de rajeunir l'Equinox et le Terrain qui reçoivent cette année de nouveaux carénages avant et arrière, une nouvelle calandre, un capot surélevé, des feux de jour à DEL, des feux arrière redessinés et des roues d'allure plus contemporaines.

L'habitacle fait partie de ce rafraîchissement, ainsi, au tableau de bord figure une console centrale révisée et une nouvelle radio à écran tactile de sept pouces, qui inclut la téléphonie Bluetooth et une caméra arrière de série dans les versions de base. La décoration intérieure fait aussi des progrès alors qu'on trouve des garnitures chromées et des tissus de recouvrement de meilleure qualité.

Au niveau des dispositifs d'aide à la conduite, les fonctions de sécurité du système de détection des obstacles sur les côtés et d'alerte de circulation transversale arrière sont offertes en option. On trouve également l'alerte de prévention de collision et l'avertisseur de sortie de voie dans le cadre des groupes d'options de sécurité.

## L4 OU V6 ?

Du côté de la mécanique, le moteur de série demeure le quatre cylindres de 2,4 litres à injection directe, lequel est capable de remorquer 680 kilos. Quant au V6 de 3,6 litres à injection directe, il constitue une denrée rare dans la catégorie des multisegments compacts. À l'exception de nos deux compères, seul le Mitsubishi Outlander offre une motorisation V6 dans ce segment. Sinon, il faut regarder en direction des Nissan Murano et Ford Edge lesquels se classent, en théorie, un cran au-dessus. Toutefois, les mensurations de l'Equinox et du Terrain les placent sur les deux bords de la clôture soit: entre un Rogue et un Murano, un Escape et un Edge. Comme quoi, les catégories de multisegments se chevauchent plus que jamais avec la multiplication des modèles.

Si la question de choisir entre la traction ou l'intégrale vous pose un dilemme, sachez que le système antipatinage conjugué au contrôle de la stabilité permet de sortir d'un banc de neige ou de circuler sur une surface glissante sans encombre. Mais avouons que la présence des quatre roues motrices procure une plus grande confiance en hiver ou pour tracter une remorque. On s'accorde pour dire qu'en cochant l'option de l'intégrale, le choix du V6 nous semble plus approprié même si le quatre cylindres Ecotec a du cœur au ventre et qu'il consomme beaucoup moins s'il n'est pas sollicité.

### Du nouveau en 2016

Retouches esthétiques, phares à DEL, nouvelles roues, tableau de bord central révisé, écran tactile de 7 pouces, tissus des sièges, nouvelles fonctions de sécurité.

### Châssis - Equinox LS TA

| | |
|---|---|
| Emp / lon / lar / haut | 2857 / 4770 / 1842 / 1684 mm |
| Coffre / Réservoir | 889 à 1803 litres / 71 litres |
| Nbre coussins sécurité / ceintures | 6 / 5 |
| Suspension avant | ind., jambes force |
| Suspension arrière | ind., multibras |
| Freins avant / arrière | disque / disque |
| Direction | à crémaillère, ass. var. élect. |
| Diamètre de braquage | 12,2 m |
| Pneus avant / arrière | P225/65R17 / P225/65R17 |
| Poids / Capacité de remorquage | 1713 kg / 680 kg (1499 lb) |
| Assemblage | Ingersoll, ON |

### Composantes mécaniques

**LS, LT, LTZ, DENALI, SLE,SLT**

| | |
|---|---|
| Cylindrée, soupapes, alim. | 4L 2,4 litres 16 s atmos. |
| Puissance / Couple | 182 ch / 172 lb-pi |
| Tr. base (opt) / rouage base (opt) | A6 / Tr (Int) |
| 0-100 / 80-120 / V.Max | 9,9 s / 6,9 s / n.d. |
| 100-0 km/h | 42,0 m |
| Type / ville / route / $CO_2$ | Ord / 11,5 / 8,2 l/100 km / 4607 kg/an |

**LT V6, LT2 V6, DENALI, SLT-2**

| | |
|---|---|
| Cylindrée, soupapes, alim. | V6 3,6 litres 24 s atmos. |
| Puissance / Couple | 301 ch / 272 lb-pi |
| Tr. base (opt) / rouage base (opt) | A6 / Tr (Int) |
| 0-100 / 80-120 / V.Max | 7,7 s / 5,5 s / n.d. |
| 100-0 km/h | 42,4 m |
| Type / ville / route / $CO_2$ | Ord / 14,8 / 9,9 l/100 km / 5794 kg/an |

Photos: Chevrolet Canada / GMC Canada

**GMC TERRAIN**

## CHEVROLET **IMPALA**

**(((SiriusXM)))**

**Prix:** 30 645 $ à 41 845 $ (2015)
**Catégorie:** Berline
**Garanties:**
3 ans/60 000 km, 5 ans/160 000 km
**Transport et prép.:** 1 950 $
**Ventes QC 2014:** 373 unités
**Ventes CAN 2014:** 3 406 unités

### Cote du Guide de l'auto

# 71 %

Fiabilité
■■■■■■■□□□

Appréciation générale
■■■■■■■□□□

Sécurité
■■■■■■■■□□

Agrément de conduite
■■■■■■■□□□

Consommation
■■■■■■□□□□

Système multimédia
■■■■■■■□□□

### Cote d'assurance
■■■■■■■□□□

présentée par
**KANETIX.CA**

$$$                    $

➕ Allure inspirée • Tableau de bord réussi • Habitacle confortable et silencieux • Comportement routier sain • V6 en grande forme

➖ Direction pourrait être un peu moins assistée • Pas de rouage intégral offert • Moteur de 2,5 L plus ou moins intéressant • Visibilité arrière atroce

### Concurrents
Chrysler 300, Dodge Charger, Ford Taurus, Nissan Maxima, Toyota Avalon

# De personne alitée à personnalité

Alain Morin

I l y a à peine deux ans, l'Impala voguait allègrement vers la mort ou, à tout le moins, vers les bas-fonds de l'anonymat ce qui, dans le domaine de l'automobile, revient à peu près au même. Or, General Motors, conscient (une fois n'est pas coutume) que le nom Impala avait encore du potentiel, décidait de ranimer cette voiture qui, après tout, s'était vendue, au cours de sa carrière débutée en 1958, à 14 millions d'exemplaires. Respect.

C'est ainsi qu'est apparue, pour l'année-modèle 2014, une Impala entièrement revampée. À tel point qu'on se dit qu'il y a une décennie, General Motors en aurait profité pour changer son nom, aussi populaire eusse-t-il été. La nouvelle Impala, aux lignes aérodynamiques et, surtout, dynamiques, a bénéficié de ce moment béni pour gagner quelques centimètres dans tous les sens. Elle est plus difficile à garer, mais les dimensions de son habitacle compensent allègrement. D'ailleurs, il faut souligner que le coffre est suffisamment grand pour que deux barrages d'Hydro-Québec s'y sentent à l'aise. Ils sont toutefois quelques centimètres cubes plus à l'aise dans le coffre d'une Ford Taurus.

### ÉVOLUTION ? NON, RÉVOLUTION
À l'intérieur, c'est réussi. Certaines versions haut de gamme proposent des cuirs deux tons se mariant avec les boiseries qui parsèment l'habitacle. C'est à la fois beau et chic. Sous les yeux des personnes assises à l'avant se déroule un tableau de bord agréable à regarder et fonctionnel. Et la nuit venue, une belle bande verdâtre vient l'agrémenter sur toute sa largeur. Du bonbon. En outre, chose plutôt rare, on retrouve plusieurs espaces de rangement, ce que l'auteur de ce texte ne peut qu'apprécier au plus haut point. Tout comme il a apprécié la qualité des matériaux et de la finition générale. En plus, il n'a eu aucune difficulté à brancher son cellulaire, ce qui l'a enchanté... et étonné.

Sous le capot, un quatre cylindres de 2,5 litres développant 196 chevaux. De prime abord, on serait porté à croire que cette écurie est insuffisante pour trimballer les quelque 1 700 kilos de l'Impala, mais un départ-arrêté s'effectue en 9,0 secondes, ce qui n'a rien de désastreux. Évidemment, tant qu'à avoir une voiture qui a de la gueule, aussi bien lui donner de quoi en mettre plein la gueule aux autres, se disent les futurs propriétaires d'une Impala. Et ils choisissent le V6 de 3,6 litres de 305 chevaux, ce qui est tout à leur honneur. Ce moteur est doux et possède du couple à revendre. La voiture est une traction (roues avant motrices) et il arrive fréquemment qu'un puissant duo traction/moteur entraîne un effet de couple aux roues avant en accélération vive, ce qui s'avère très désagréable. Cependant, l'Impala résiste fort bien à cette tentation. Bravo GM!

Que le moteur ait quatre ou six pistons, la boîte de vitesses est une automatique à six rapports, ce qui peut paraître complètement dépassé de nos jours. Au moins, elle fait un boulot très honnête. Avec le V6, en conduite normale, c'est-à-dire toujours-un-peu-plus-haut-que-la-limite-mais-pas-assez-pour-se-faire-arrêter, il est possible de consommer aux alentours de 9,0 l/100 km, ce qui n'est pas mal pour la catégorie, mais qui pourrait être un tantinet meilleur. Attendez-vous à environ un litre de moins à tous les 100 km avec le 2,5.

### ROUTE NE SIGNIFIE PLUS DÉROUTE

Il aurait été surprenant que le comportement routier ne se soit pas bonifié avec la nouvelle génération. Quand on tourne un coin de rue à la vitesse limite permise, les poignées de porte ne frottent plus par terre, mais on est encore loin de la vivacité d'une Corvette. Ou même d'une Ford Taurus, l'ennemie jurée. Il n'est point besoin de faire mille kilomètres pour se rendre compte que les suspensions ont été calibrées d'abord pour le confort. Un court slalom (un exercice que bien peu de propriétaires d'Impala font, admettons-le) fait ressortir un certain roulis, néanmoins bien contrôlé. La direction ne pèche pas par excès de sensations ou de fermeté, mais ici aussi, on s'attendrait à bien pire.

Lors de sa refonte il y a deux ans, la Chevrolet Impala s'est transformée du tout au tout, autant physiquement que mentalement. Cependant, au chapitre des ventes, elle demeure en retrait des concurrentes américaines que sont les Chrysler 300, Dodge Charger et Ford Taurus. Nous lui souhaitons de se faire connaître davantage, elle est désormais rayonnante!

| Châssis - LS Ecotec 2.5 | |
|---|---|
| Emp / lon / lar / haut | 2837 / 5113 / 1854 / 1496 mm |
| Coffre / Réservoir | 532 litres / 70 litres |
| Nbre coussins sécurité / ceintures | 10 / 5 |
| Suspension avant | ind., jambes force |
| Suspension arrière | ind., multibras |
| Freins avant / arrière | disque / disque |
| Direction | à crémaillère, ass. var. élect. |
| Diamètre de braquage | 11,8 m |
| Pneus avant / arrière | P235/50R18 / P235/50R18 |
| Poids / Capacité de remorquage | 1661 kg / 454 kg (1000 lb) |
| Assemblage | Oshawa, ON |

### Composantes mécaniques

**LS Ecotec 2.5**

| | |
|---|---|
| Cylindrée, soupapes, alim. | 4L 2,5 litres 16 s atmos. |
| Puissance / Couple | 196 ch / 186 lb-pi |
| Tr. base (opt) / rouage base (opt) | A6 / Tr |
| 0-100 / 80-120 / V.Max | 9,0 s (est) / 8,0 s (est) / n.d. |
| 100-0 km/h | n.d. |
| Type / ville / route / $CO_2$ | Ord / 10,6 / 7,5 l/100 km / 4234 kg/an |

**LT V6, LTZ V6**

| | |
|---|---|
| Cylindrée, soupapes, alim. | V6 3,6 litres 24 s atmos. |
| Puissance / Couple | 305 ch / 264 lb-pi |
| Tr. base (opt) / rouage base (opt) | A6 / Tr |
| 0-100 / 80-120 / V.Max | 7,3 s / 5,2 s / n.d. |
| 100-0 km/h | 41,2 m |
| Type / ville / route / $CO_2$ | Ord / 12,5 / 8,2 l/100 km / 4360 kg/an |

## Du nouveau en 2016

Aucun changement majeur, quelques nouvelles couleurs et quelques révisions dans les groupes d'options

Photos: Chevrolet Canada, Dominic Dubreuil

HYBRIDE

# CHEVROLET **MALIBU**

(((SiriusXm)))

**Prix :** 28 000 $ à 34 000 $ (estimé)
**Catégorie :** Berline
**Garanties :**
3 ans/60 000 km, 5 ans/160 000 km
**Transport et prép. :** 1 950 $
**Ventes QC 2014 :** 1 235 unités
**Ventes CAN 2014 :** 8 246 unités

## Cote du Guide de l'auto

# 77 %

| Fiabilité | Appréciation générale |
|---|---|
| Sécurité | Agrément de conduite |
| Consommation | Système multimédia |

## Cote d'assurance

présentée par
**KANETIX.CA**

$$$                              $

➕ Confort de l'habitacle • Bonne insonorisation • Tenue de route sans surprise • Consommation raisonnable • Modèle excitant anticipé (2016)

➖ Version actuelle en sursis • Direction engourdie • Places arrière moyennes • Silhouette anonyme

## Concurrents

Chrysler 200, Ford Fusion, Honda Accord, Hyundai Sonata, Kia Optima, Mazda6, Nissan Altima, Subaru Legacy, Toyota Camry, Volkswagen CC, Volkswagen Passat

# À la veille d'un renouveau

Denis Duquet

**L**orsqu'une nouvelle génération de la Malibu est arrivée sur le marché en 2008, elle nous a laissés croire que General Motors était en train de changer ses habitudes. Non seulement la voiture proposait un agrément de conduite nettement plus relevé que le modèle qu'elle remplaçait, mais la finition était améliorée, les matériaux de piètre qualité semblaient avoir été abandonnés sur toutes les versions et ses moteurs n'étaient plus antédiluviens. Les ventes ont connu un essor impressionnant et la Malibu a permis de reconsidérer l'opinion que les gens se faisaient de Chevrolet et des autres divisions de General Motors.

Une révision d'une certaine importance est apparue en 2013 mais les modifications n'ont pas tellement plu au grand public, puisque les ventes, au lieu de progresser, ont connu un ralentissement notable, et ce, malgré un moteur semi-hybride combinant les efforts d'un quatre cylindres à une motorisation électrique. Compte tenu de la portée de ce modèle, surtout sur le marché américain, Chevrolet a réagi avec célérité et modifié l'offre l'année suivante.

**SANS SURPRISE**
C'est ainsi qu'on s'est retrouvés avec la Malibu actuelle. En plus de quelques changements à la section avant et à la planche de bord, on s'est limité à deux moulins. Le premier est un quatre cylindres 2,5 litres atmosphérique produisant 196 chevaux et associé à une boîte automatique à six rapports. Sa principale caractéristique est le fait qu'il dispose du système Stop/Start qui coupe le moteur à l'arrêt et le relance dès qu'on relâche la pédale de frein. Pour les amateurs de performances, le quatre cylindres 2,0 litres turbocompressé, livrable, est tout indiqué : ses 259 chevaux sont dirigés par une boîte automatique aux roues avant et permettent de boucler le 0-100 km/h en moins de sept secondes.

Si ce dernier modèle livre des performances plus marquées, le caractère principal de cette berline intermédiaire est surtout le confort de l'habitacle, une tenue de route sans surprise, le tout associé à une consommation de carburant relativement économique. Bref, la Malibu est une voiture qui possède toutes les qualités espérées par un bon père de famille, également à la recherche d'une voiture d'une fiabilité satisfaisante.

Cela n'empêchera pas celle-ci de faire peau neuve et d'être commercialisée d'ici la fin du quatrième trimestre de 2015.

### VRAIMENT NOUVELLE !

C'est au Salon de l'auto de New York que la nouvelle Malibu 2016 a été dévoilée. Malheureusement, elle a été présentée au public en même temps que la nouvelle Cadillac CT6, la Chevrolet Spark et la Volt, ce qui a quelque peu atténué l'enthousiasme des gens envers elle. Une fois le brouhaha passé, on s'est enfin tourné vers ce nouveau modèle dont la silhouette est complètement changée et n'est pas sans nous rappeler certaines berlines allemandes de haut de gamme. Reste à savoir si les gens vont apprécier ses lignes qui rompent avec le modèle actuel.

Parmi les éléments les plus importants, il y a le fait que la voiture soit plus longue de 10 cm tout en étant allégée d'environ 135 kilos. C'est louable, mais c'est surtout au chapitre des groupes propulseurs que cette Chevrolet intermédiaire se démarque. En effet, elle propose d'emblée une version vraiment hybride cette fois, et dont les batteries et le système de gestion sont plus ou moins similaires à ceux de la Volt 2016. Le moteur thermique aura une cylindrée de 1,8 litre, soit un peu plus que le 1,5 litre de la Volt. La Malibu Hybrid devrait pouvoir rouler à des vitesses allant jusqu'à 90 km/h sur son seul moteur électrique.

Cependant, les modèles les plus compétitifs au chapitre du prix se verront dotés de mécaniques plus conventionnelles. Les versions de base seront pourvues d'un quatre cylindres 1,5 litre turbo produisant 160 chevaux et couplé à une transmission automatique à six rapports. Un autre quatre cylindres, un 2,0 litres turbo cette fois, affiche une puissance de 250 chevaux et est associé à une boîte automatique à huit rapports, la première du genre à équiper un véhicule GM à roues motrices avant.

Cette nouvelle génération de la Malibu propose une foule de systèmes originaux tant au chapitre de la sécurité que de l'agrément de conduite. Pour les parents, il existe même un système en mesure de les informer du comportement de leurs enfants derrière le volant. De quoi les rassurer... ou les inquiéter.

En attendant cette Malibu de neuvième génération, le modèle actuel sera vendu jusqu'à la fin de 2015 et il faut s'attendre à ce que son prix soit bradé. Une option intéressante étant donné que la Malibu représente un choix attrayant à défaut d'être excitant.

### Châssis - Hybride

| | |
|---|---|
| Emp / lon / lar / haut | 2830 / 4923 / 1854 / 1466 mm |
| Coffre / Réservoir | 329 litres / 49 litres |
| Nbre coussins sécurité / ceintures | 10 / 5 |
| Suspension avant | ind., jambes force |
| Suspension arrière | ind., multibras |
| Freins avant / arrière | disque / disque |
| Direction | à crémaillère, ass. var. élect. |
| Diamètre de braquage | 11,4 m |
| Pneus avant / arrière | P215/60R16 / P215/60R16 |
| Poids / Capacité de remorquage | 1550 kg / n.d. |
| Assemblage | Kansas City, KS |

### Composantes mécaniques

**Hybride**

| | |
|---|---|
| Cylindrée, soupapes, alim. | 4L 1,8 litre 16 s atmos. |
| Puissance / Couple | 123 ch / n.d. |
| Tr. base (opt) / rouage base (opt) | CVT / Tr |
| 0-100 / 80-120 / V.Max | n.d. / n.d. / n.d. |
| 100-0 km/h | n.d. |
| Type / ville / route / CO₂ | Ord / 4,9 / 5,2 l/100 km / 2316 kg/an |

**Moteur électrique**

| | |
|---|---|
| Puissance / Couple | n.d. ch / n.d. lb-pi |
| Type de batterie | Lithium-ion (Li-ion) |
| Énergie | 1,5 kWh |

**L**

| | |
|---|---|
| Cylindrée, soupapes, alim. | 4L 1,5 litre 16 s turbo |
| Puissance / Couple | 160 ch / 184 lb-pi |
| Tr. base (opt) / rouage base (opt) | A6 / Tr |
| 0-100 / 80-120 / V.Max | n.d. / n.d. / n.d. |
| 100-0 km/h | n.d. |
| Type / ville / route / CO₂ | Sup / 8,7 / 6,4 l/100 km / 3526 kg/an |

**LS 2.0**

| | |
|---|---|
| Cylindrée, soupapes, alim. | 4L 2,0 litres 16 s turbo |
| Puissance / Couple | 250 ch / 258 lb-pi |
| Tr. base (opt) / rouage base (opt) | A8 / Tr |
| 0-100 / 80-120 / V.Max | n.d. / n.d. / n.d. |
| 100-0 km/h | n.d. |
| Type / ville / route / CO₂ | Sup / 10,7 / 7,4 l/100 km / 4239 kg/an |

## Du nouveau en 2016

Nouveau modèle à venir (version hybride sophistiquée, silhouette transformée).

CHEVROLET MALIBU

Photos : Chevrolet Canada

CHEVROLET SILVERADO

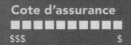 CHEVROLET **SILVERADO** / GMC **SIERRA**

**Prix :** 28 845 $ à 59 545 $ (2015)
**Catégorie :** Camionnette
**Garanties :**
3 ans/60 000 km, 5 ans/160 000 km
**Transport et prép. :** 2 000 $
**Ventes QC 2014 :** 9 869 unités*
**Ventes CAN 2014 :** 90 055 unités**

Cote du Guide de l'auto

# 74 %

| Fiabilité | Appréciation générale |
|---|---|
| ■■■■■■■□□□ | ■■■■■■■□□□ |
| Sécurité | Agrément de conduite |
| ■■■■■■■■□□ | ■■■■■■■□□□ |
| Consommation | Système multimédia |
| ■■■■■□□□□□ | ■■■■■■■□□□ |

Cote d'assurance

■■■■■■■■□□
$$$                    $

présentée par
**KANETIX.CA**

➕ Habitacle confortable • Fiabilité
correcte • Consommation en général
bien contenue • Boîte à 8 rapports •
Bonne finition

➖ Direction plutôt légère • Fiabilité
correcte, sans plus • Moteur de 6,2 litres
peu utile • Pas de repose-pied pour
le conducteur

**Concurrents**
Ford F-150, Nissan Titan, RAM 1500,
Toyota Tundra

# Le diable est aux vaches !

Alain Morin

**A**lors que le Ram 1500 fait parler de lui parce qu'il est le
seul *pick-up* d'une demi-tonne à proposer un moteur
diesel et que le Ford F-150 révolutionne le petit monde
des camionnettes avec sa carrosserie tout aluminium, le duo
Chevrolet Silverado/GMC Sierra a de la difficulté à se
démarquer. Pire, lors de sa plus récente refonte (2014), son
style a peu évolué. Faisons le point...

Depuis déjà plusieurs années, Chevrolet et GMC (si vous le voulez
bien, à partir de maintenant nous ne parlerons que du Chevrolet
Silverado. Le GMC Sierra est une copie conforme, sauf pour quelques
détails de présentation qui, selon mon humble avis, sont du plus bel
effet. D'ailleurs, il s'en vend davantage). Depuis plusieurs années,
disais-je, Chevrolet semble à la traîne face à ses rivaux. Pourtant, le
Silverado est loin d'être un mauvais véhicule.

### DES IDÉES SIMPLES, PEU COÛTEUSES ET EFFICACES
Moins tape-à-l'œil que le Ram et au style moins agressif que le
nouveau F-150, le Silverado n'est quand même pas la Fraisinette des
*pick-up.* Deux détails à souligner : le pare-chocs arrière compte, à ses
encoignures, une ouverture qui permet de mettre le pied pour faciliter
l'accès à la boîte. C'est simple, efficace, peu coûteux à produire et n'a
pas de mécanisme qui risque pas de geler l'hiver... Il y a aussi le
panneau basculant qui, sur certaines versions, possède un ressort qui
retient le poids dudit panneau lorsqu'il s'abaisse, un élément très apprécié.

Dans l'habitacle, outre un système audio complexe à comprendre,
l'absence d'un repose-pieds et une console centrale très grande, mais
pas suffisamment pour contenir mon ordinateur portable, il y a peu à
redire. La bonne qualité des matériaux et le niveau de finition sont à
mentionner. Les sièges avant sont confortables mais, à l'arrière, à
moins de choisir la cabine multiplace, il n'y a pas de quoi se pavaner.
Et encore moins si l'on opte pour la cabine classique qui ne possède
pas de siège arrière.

* Silverado : 3 279 unités / Sierra : 6 590 unités    ** Silverado : 41 959 unités / Sierra : 48 046 unités

## C'EST SOUS LE CAPOT QUE ÇA SE JOUE

Au chapitre de la mécanique, le Silverado compte sur trois moteurs. Tout d'abord, le V6 de 4,3 litres est tout indiqué pour les travaux légers (léger voulant dire une capacité de remorquage de 3 266 kilos – 7 200 livres maximum). Les versions dotées du V8 de 5,3 litres me paraissent nettement plus intéressantes, quoique plus dispendieuses. Ce moteur est amplement puissant et peut remorquer jusqu'à 5 352 kilos (11 800 livres), selon le modèle et l'équipement. Ce dernier moulin est désormais jumelé à une boîte automatique à huit rapports. Éventuel-lement, le moteur 4,3 en sera aussi doté mais, au moment d'aller sous presse, General Motors ne pouvait confirmer quand.

En option, les modèles à cabine allongée et multiplace ont droit à un V8 de 6,2 litres associé, lui aussi, à une boîte à huit rapports. Parfait pour ceux qui doivent remorquer jusqu'à 12 000 livres ou 5 443 kilos (encore une fois, il faut opter pour le bon équipement). Quant à la capacité de charge, le *payload* en bon français, elle est moindre avec le moulin de 6,2 litres (966 kilos – 2 130 livres) qu'avec le 5,3 (1 029 kilos – 2 270 livres), ce qui est normal puisqu'il est plus lourd. En passant, les versions dotées du rouage 4x4 possèdent une gamme basse suffisamment démultipliée pour pouvoir se sortir du pétrin, peu importe le moteur.

Lorsque chargé, le 5,3 litres a plus de difficulté que ses concurrents à garder le rythme. Lors du match comparatif qu'on retrouve dans la première partie de ce Guide, c'est celui dont la consommation a été la plus affectée par la charge (1 180 kilos ou 2 600 livres). C'est lui aussi qui avait le freinage entre 60 km/h et un arrêt complet le plus long. Il faut toutefois avouer que notre exemplaire était un modèle 2014 avec la transmission à six rapports.

Sur la route, on ne peut pas s'attendre qu'une camionnette se comporte comme une sportive. La direction est assez floue, mais elle me semble dans la bonne moyenne de la catégorie. Les suspensions tapent quelquefois dur et lors de passages sur des bosses, la suspension avant peut avoir tendance à réagir horizontalement plutôt que verticalement. Ce n'est jamais dangereux et il suffit de lever le pied. Aussi, la puissance des phares ne m'a pas impressionné outre mesure.

Depuis quelques années, on ne cesse de répéter que General Motors a perdu la touche pour ses camionnettes d'une demi-tonne. Or, les ventes vont en augmentant, suivant ainsi la tendance dans cette catégorie. Le Silverado et le Sierra sont toujours d'excellents véhicules, robustes, bien finis et confortables. Or, la concurrence n'arrête jamais de viser la jugulaire et chez GM, on suit sans aucun doute le marché avec attention. Est-ce qu'on doit s'attendre à un grand coup du Général?

### Du nouveau en 2016

Changements esthétiques pour le Chevrolet Silverado.
Transmission huit rapports pour le V8 5,3 litres.

### Châssis - Silverado WT 4x2 cab. classique (8.0')

| | |
|---|---|
| Emp / lon / lar / haut | 3378 / 5701 / 2032 / 1867 mm |
| Boîte / Réservoir | 2 483 mm (97,8") / 128 litres |
| Nbre coussins sécurité / ceintures | 6 / 3 |
| Suspension avant | ind., bras inégaux |
| Suspension arrière | essieu rigide, ress. à lames |
| Freins avant / arrière | disque / disque |
| Direction | à crémaillère, ass. var. élect. |
| Diamètre de braquage | 13,4 m |
| Pneus avant / arrière | P255/70R17 / P255/70R17 |
| Poids / Capacité de remorquage | 2071 kg / 2858 kg (6300 lb) |
| Assemblage | Fort Wayne, IN; Flint, MI |

### Composantes mécaniques

**V6 4,3 litres**

| | |
|---|---|
| Cylindrée, soupapes, alim. | V6 4,3 litres 12 s atmos. |
| Puissance / Couple | 285 ch / 305 lb-pi |
| Tr. base (opt) / rouage base (opt) | A6 / Prop (4x4) |
| Type / ville / route / $CO_2$ | Ord / 12,6 / 9,0 l/100 km / 5050 kg/an |

**V8 5,3 litres**

| | |
|---|---|
| Cylindrée, soupapes, alim. | V8 5,3 litres 16 s atmos. |
| Puissance / Couple | 355 ch / 383 lb-pi |
| Tr. base (opt) / rouage base (opt) | A8 / Prop (4x4) |
| Type / ville / route / $CO_2$ | Ord / 13,3 / 9,0 l/100 km / 5230 kg/an |

**V8 6,2 litres**

| | |
|---|---|
| Cylindrée, soupapes, alim. | V8 6,2 litres 16 s atmos. |
| Puissance / Couple | 420 ch / 460 lb-pi |
| Tr. base (opt) / rouage base (opt) | A8 / Prop (4x4) |
| Type / ville / route / $CO_2$ | Ord / 16,3 / 11,6 l/100 km / 5230 kg/an |

GMC SIERRA

## CHEVROLET **SONIC**

**Prix :** 14 295 $ à 22 195 $ (2015)
**Catégorie :** Berline, Hatchback
**Garanties :**
3 ans/60 000 km, 5 ans/160 000 km
**Transport et prép. :** 1 900 $
**Ventes QC 2014 :** 2 289 unités
**Ventes CAN 2014 :** 8 036 unités

### Cote du Guide de l'auto
# 65 %

Fiabilité
■■■■■■■□□□

Appréciation générale
■■■■■■■□□□

Sécurité
■■■■■■■□□□

Agrément de conduite
■■■■■■■□□□

Consommation
■■■■■■■□□□

Système multimédia
■■■■■■□□□□

### Cote d'assurance
■■■■■■■□□□
$$$            $

présentée par
**KANETIX.CA**

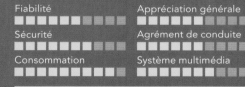 Silhouette moderne • Moteur bien
adapté • Équipement complet • Tenue
de route correcte • Insonorisation réussie

— Options onéreuses • Roulis
en virage • Certaines commandes
agaçantes • Places arrière exiguës

### Concurrents
Fiat 500L, Ford Fiesta, Honda Fit,
Hyundai Accent, Kia Rio, Mitsubishi
Mirage, Nissan Versa Note, Toyota Prius c,
Toyota Yaris

# Les effets secondaires de l'Aveo

Denis Duquet

**T**héoriquement, compte tenu de son équipement, de sa silhouette et de son comportement routier en général, la Sonic devrait livrer une chaude lutte aux Hyundai Accent et Kia Rio qui dominent la catégorie des sous-compactes sur notre marché. Ses chiffres de vente ne sont pas catastrophiques, puisqu'elle lutte presque à parts égales avec les Ford Fiesta, Nissan Versa Note tout en surpassant la Toyota Yaris. Cette timidité des ventes peut s'expliquer en partie par la misérable Aveo qui l'a précédé et qui était d'une fiabilité à faire peur. Aujourd'hui encore, plusieurs personnes sont traumatisées par leur expérience et ne veulent plus rien savoir d'une sous-compacte offerte par General Motors. Des réajustements survenus l'an dernier ont permis de rendre ce modèle plus attrayant.

### DESIGN ORIGINAL

Il est possible de choisir entre deux types de carrosserie, soit un *hatchback* et une berline. Le premier se démarque par son arrière tronqué et sa section avant aux angles équarris. Dans cette catégorie, les berlines ne reçoivent pas de prix d'élégance mais la Sonic s'en tire quand même assez bien. Il faut souligner que le modèle quatre portes possède un coffre assez grand pour la catégorie, puisque sa capacité est de 422 litres, soit presque l'équivalent de ce que propose la Cruze avec 425 litres. Pourtant, celle-ci est une compacte et non une sous-compacte. Par ailleurs, le volume maximal du modèle cinq portes est de 1 351 litres. Cette générosité ne se retrouve pas aux places arrière qui sont relativement exiguës, et ce, pour les deux modèles. Le tableau de bord est moderne et la qualité des matériaux correcte, sans plus. Les cadrans indicateurs sont logés dans une nacelle inspirée d'une moto, c'est innovateur et jeune. L'affichage de la vitesse est numérique tandis que le compte-tours nous informe du régime moteur à l'aide d'une aiguille.

La Sonic n'est pas dépourvue en fait d'infodivertissement : un écran tactile de sept pouces permet de gérer les principales fonctions musicales et téléphoniques en plus d'afficher les images de la caméra de recul. Il ne faut pas ignorer non plus que cette Sonic propose un signal LTE 4G par l'intermédiaire du WiFi, courtoisie du système On Star, lequel nécessite bien entendu qu'on y soit abonné. Au chapitre de la sécurité, cette petite Chevrolet peut être dotée de l'avertisseur de sortie de voie et possède également une alerte de collision frontale imminente.

En revanche, certains détails de finition ainsi que des matériaux qui pourraient être de meilleure qualité sont autant d'éléments qui laissent peut-être les acheteurs potentiels indécis.

### 138 CHEVAUX !

Il n'y a pas si longtemps encore, la puissance moyenne des sous-compactes était d'environ 100 chevaux. D'ailleurs, la Toyota Yaris livre toujours 106 chevaux et la Micra ne fait guère mieux avec trois chevaux de plus. Pour la Sonic, deux moteurs sont au catalogue et leur puissance est identique, soit 138 chevaux. Le premier est un 4 cylindres atmosphérique de 1,8 litre couplé à une boîte manuelle à cinq rapports. Par contre, comparé au moteur 1,4 litre turbo, il doit concéder 23 lb-pi de couple. De plus, le moteur turbocompressé est lié à une boîte manuelle à six rapports alors que le 1,8 litre l'est à une boîte manuelle à cinq rapports seulement. Par ailleurs, une transmission automatique à six rapports est offerte sur les deux moulins.

Quant à ces deux motorisations, les chiffres ne disent pas tout. En effet, lorsqu'on regarde les statistiques, les temps d'accélération sont pratiquement identiques, ils oscillent autour de 10 secondes tandis que les reprises sont correctes sans plus. Il faut un peu plus de sept secondes pour effectuer le 80-120 km/h. Par contre, le moteur turbo a davantage de « pep » en raison de son couple plus élevé. À propos de la transmission, qu'elle soit manuelle ou automatique, elle accomplit bien son travail, sans nécessairement impressionner.

Même si l'on ne se procure pas une sous-compacte pour ses qualités de tenue de route et de sportivité, le modèle cinq portes avec moteur turbo est un choix plus intéressant au chapitre de la conduite puisque ses qualités dynamiques sont légèrement supérieures. Toutefois, berline ou cinq portes, cette Chevrolet sous-vire passablement dans les virages à haute vitesse tandis que le roulis est prononcé.

La Sonic n'est donc pas à ignorer, mais il faut éviter les options trop onéreuses.

## Châssis - LTZ berline

| | |
|---|---|
| Emp / lon / lar / haut | 2685 / 4399 / 1735 / 1517 mm |
| Coffre / Réservoir | 422 litres / 46 litres |
| Nbre coussins sécurité / ceintures | 10 / 5 |
| Suspension avant | ind., jambes force |
| Suspension arrière | semi-ind., poutre torsion |
| Freins avant / arrière | disque / tambour |
| Direction | à crémaillère, ass. élect. |
| Diamètre de braquage | 11,0 m |
| Pneus avant / arrière | P205/50R17 / P205/50R17 |
| Poids / Capacité de remorquage | 1273 kg / n.d. |
| Assemblage | Lake Orion, MI |

## Composantes mécaniques

**LS, LT**

| | |
|---|---|
| Cylindrée, soupapes, alim. | 4L 1,8 litre 16 s atmos. |
| Puissance / Couple | 138 ch / 125 lb-pi |
| Tr. base (opt) / rouage base (opt) | M5 (A6) / Tr |
| 0-100 / 80-120 / V.Max | 10,5 s / 7,6 s / n.d. |
| 100-0 km/h | 41,8 m |
| Type / ville / route / $CO_2$ | Ord / 8,3 / 5,5 l/100 km / 3266 kg/an |

**LTZ, RS**

| | |
|---|---|
| Cylindrée, soupapes, alim. | 4L 1,4 litre 16 s turbo |
| Puissance / Couple | 138 ch / 148 lb-pi |
| Tr. base (opt) / rouage base (opt) | M6 (A6) / Tr |
| 0-100 / 80-120 / V.Max | 9,7 s / 7,3 s / n.d. |
| 100-0 km/h | 40,3 m |
| Type / ville / route / $CO_2$ | Ord / 7,3 / 5,1 l/100 km / 2900 kg/an |

## Du nouveau en 2016

Aucun changement majeur

Photos : Chevrolet Canada

## CHEVROLET **SPARK**

((SiriusXM))

**Prix:** 14 500 $ à 32 345 $ (estimé)
**Catégorie:** Hatchback
**Garanties:**
3 ans/60 000 km, 5 ans/160 000 km
**Transport et prép.:** 1 900 $
**Ventes QC 2014:** 312 unités
**Ventes CAN 2014:** 1 577 unités

### Cote du Guide de l'auto

# 72 %

**Fiabilité**
■■■■■■■■■□□

**Appréciation générale**
■■■■■■■□□□

**Sécurité**
■■■■■■■■■□

**Agrément de conduite**
■■■■■■□□□□

**Consommation**
■■■■■□□□□□

**Système multimédia**
■■■■■■■□□□

### Cote d'assurance
■■■■■■■■□□
$$$                           $

présentée par
**KANETIX.CA**

➕ Beaucoup d'espace à l'intérieur •
Version électrique puissante •
Style amélioré • Disponible en
plusieurs couleurs

➖ Manque de puissance sur l'autoroute •
Tenue de route ordinaire (essence) •
Espace restreint dans le coffre •
Options dispendieuses

### Concurrents
Fiat 500, Mitsubishi i-MIEV, smart Fortwo

# De mieux en mieux

Marc-André Gauthier

**E**n s'approche de plus en plus du but! La Spark 2015 n'était pas une mauvaise petite voiture. En fait, dans son marché, elle offrait quelque chose d'intéressant. Cependant, son petit moteur quatre cylindres de 1,2 litre n'était pas vraiment adapté à la vie sauvage que l'on rencontre sur l'autoroute.

Qu'importe, pour 2016, GM renouvelle son modèle. La silhouette du véhicule, pour l'occasion, change pas mal. On devine l'ancienne Spark à travers l'ensemble, mais l'édition 2016 semble moins «carrée», et pour cause, cette nouvelle version est moins haute d'environ 4 cm. Pour que les passagers aient droit au même dégagement pour la tête, les sièges ont été abaissés dans une proportion égale.

Sous le capot, fini le moteur quatre cylindres de 1,2 litre. À la place, on retrouve dorénavant un moteur de quatre cylindres mais d'une cylindrée de 1,4 litre... Certes, la différence ne semble pas énorme, mais à la fin, la voiture compte désormais sur 98 chevaux pour se mouvoir, une augmentation de 17 % par rapport à l'ancien 84 chevaux. Cette puissance sera acheminée aux roues avant par une transmission manuelle à 5 rapports, et si vous le voulez, vous pourrez opter pour une CVT.

Pour ceux et celles qui désirent mettre le paquet, il sera possible d'équiper la Spark de son propre réseau Wi-Fi LTE. Autrement dit, vos passagers pourront surfer sur la toile à vos frais. L'intérieur de la voiture ne change pas réellement, mais plusieurs nouvelles caractéristiques de sécurité sont disponibles, comme des détecteurs pour couvrir vos angles morts. La voiture se raffine de plus en plus.

### VOITURE DE VILLE, VOITURE DE CAMPAGNE
Comme toute bonne citadine qui se respecte, la Spark a d'abord été imaginée pour la ville. Elle est petite, elle se faufile partout, elle est facile à garer. Pour plusieurs, 98 chevaux ne sont pas suffisants, mais la manière dont ils sont livrés dans la Spark convient tout à fait à la

conduite urbaine. Dans une situation d'achalandage normal, la Spark ne semble pas manquer de puissance pour les manœuvres.

Toutefois, si vous passez les ponts pour aller jeter un coup d'œil aux alentours de la grande ville, le manque de puissance se ressent. Les dépassements sur l'autoroute doivent être calculés, disons. Heureusement, les 14 chevaux de plus disponibles en 2016 corrigent un peu la situation.

La tenue de route de la Spark n'est pas mauvaise, mais comme la voiture vient avec des pneus «éconologiques», on atteint rapidement la limite d'adhérence. À 120 km/h, on ne se sent pas en contrôle. Mais bon, après tout, nous ne sommes pas censés dépasser 100 km/h...

L'habitacle de la Spark est spacieux! Mesurant 6 pieds et pesant 230 livres, j'ai un gabarit qui ne convient pas à toutes les voitures. Pourtant, dans la Spark, je me sens à l'aise, tant dans le siège du conducteur qu'à l'arrière.

### UNE VERSION ÉLECTRIQUE ÉLECTRISANTE

La Spark sera disponible, au Québec, en version 100 % électrique. Pour 32 345 $, vous pourrez vous procurer une Spark 2015 munie d'un moteur futuriste déployant 140 chevaux et 327 livres de couple. Vous avez bien lu, 327 livres de couple.

La Spark électrique est naturellement plus lourde que sa sœur à essence, comme son plancher et son coffre sont remplis de batteries au lithium. Ce faisant, la Spark EV vient avec des roues arrière plus larges que les roues avant, ce qui améliore la tenue de route. À 120 km/h, la Spark EV est confortable.

Mais le plus impressionnant demeure la puissance de la petite. Comme les moteurs électriques déploient leur couple instantanément, peu importe la vitesse à laquelle on roule, on colle rapidement au siège dès que l'on appuie sur l'accélérateur. La Spark 2016 fait le 0-100 km/h en 11,5 secondes, gracieuseté de son nouveau moteur. La Spark EV le fait en 7,5 secondes.

Sur une pleine charge, la voiture est bonne pour environ 131 km. Le temps de recharge varie, dépendamment du type de courant utilisé. Sur du courant domestique «ordinaire», la voiture met 20 heures à se recharger complètement. Si vous avez une prise de sécheuse à l'extérieur, ce temps s'abaisse à 7 heures. Par contre, sur une borne de recharge rapide, votre batterie peut se recharger jusqu'à 80 % en 20 minutes... La magie de l'électricité.

La Spark s'améliore plus le temps passe. La version à essence est intéressante, tandis que la version électrique est une vraie petite bombe écologique.

### Du nouveau en 2016

Aucun changement majeur. Nouvelle version électrique.

## Châssis - EV

| | |
|---|---|
| Emp / lon / lar / haut | 2375 / 3720 / 1627 / 1590 mm |
| Coffre / Réservoir | 272 à 662 litres / n.d. |
| Nbre coussins sécurité / ceintures | 10 / 4 |
| Suspension avant | ind., jambes force |
| Suspension arrière | semi-ind., poutre torsion |
| Freins avant / arrière | disque / disque |
| Direction | à crémaillère, ass. var. élect. |
| Diamètre de braquage | 10,3 m |
| Pneus avant / arrière | P185/55R15 / P195/55R15 |
| Poids / Capacité de remorquage | 1300 kg / non recommandé |
| Assemblage | Changwon, KR |

## Composantes mécaniques

**EV**

| | |
|---|---|
| Tr. base (opt) / rouage base (opt) | Rapport fixe / Tr |
| 0-100 / 80-120 / V.Max | 7,5 s / n.d. / 145 km/h |
| 100-0 km/h | n.d. |
| Type / ville / route / $CO_2$ | Électricité / 0 / 0 l/100 km / 0 kg/an |

**Moteur électrique**

| | |
|---|---|
| Puissance / Couple | 140 ch (104 kW) / 327 lb-pi |
| Type de batterie | Lithium-ion (Li-ion) |
| Énergie | 18,4 kWh |
| Temps de charge (120V / 240V) | 20,0 h / 7,0 h |
| Autonomie | 131 km |

**LS, LT, 2LT**

| | |
|---|---|
| Cylindrée, soupapes, alim. | 4L 1,4 litre 16 s atmos. |
| Puissance / Couple | 98 ch / 94 lb-pi |
| Tr. base (opt) / rouage base (opt) | M5 (CVT) / Tr |
| 0-100 / 80-120 / V.Max | 11,5 s / n.d. / n.d. |
| 100-0 km/h | n.d. |
| Type / ville / route / $CO_2$ | Ord / 7,4 / 5,8 l/100 km / 3073 kg/an |

CHEVROLET TAHOE

# CHEVROLET **TAHOE/SUBURBAN**
# GMC **YUKON** / CADILLAC **ESCALADE**

((( **SiriusXM** )))

**Prix :** 55 495 $ à 71 445 $ (2015)
**Catégorie :** VUS
**Garanties :**
3 ans/60 000 km, 5 ans/160 000 km
**Transport et prép. :** 2 000 $
**Ventes QC 2014 :** 630 unités*
**Ventes CAN 2014 :** 7 537 unités**

### Cote du Guide de l'auto
# 70 %

| Fiabilité | Appréciation générale |
|---|---|
| ■■■■■■■□□□ | ■■■■■■■□□□ |

| Sécurité | Agrément de conduite |
|---|---|
| ■■■■■■■□□□ | ■■■■■■■□□□ |

| Consommation | Système multimédia |
|---|---|
| ■■■■■□□□□□ | ■■■■■■■■□□ |

### Cote d'assurance
■■■■■■■□□□
$$$                               $

présentée par
**KANETIX.CA**

➕ Habitabilité supérieure • Progrès
de finition • Moteurs bien adaptés •
Présence et cachet assurés (Escalade)

➖ Consommation atroce • Gabarit
imposant • Suspension arrière simpliste •
Seuil de chargement élevé • Prix élevés

### Concurrents
Dodge Durango, Ford Expedition, Infiniti
QX80, Land Rover Range Rover, Lexus LX,
Lincoln Navigator, Mercedes-Benz Classe
GL, Nissan Armada, Toyota Sequoia

# La grande démesure

Gabriel Gélinas

**D**ans ce créneau très lucratif qu'est celui des VUS de
pleine grandeur, General Motors propose pas moins
de quatre modèles répartis sur trois marques. Si le
Tahoe et le Suburban ont des vocations que l'on peut qualifier
de plus utilitaires, le Yukon Denali et surtout l'Escalade jouent
à fond la carte du luxe. Portrait d'une gamme qui profite d'un
sursis en raison du relatif faible prix du carburant.

Chez Cadillac, on tente par tous les moyens de se redéfinir et surtout de
convaincre les acheteurs que les voitures peuvent maintenant rivaliser
directement avec les rivales européennes, mais le courant ne passe
toujours pas. Heureusement pour Cadillac, l'Escalade permet à la
marque, et ses concessionnaires, d'engranger des profits faramineux.
Évidemment, le prix actuel du carburant a une incidence directe sur les
chiffres de vente de ce modèle hors normes et Cadillac n'arrive tout
simplement pas à suffire à la demande des acheteurs américains.

Pour toutes ces raisons, l'Escalade est presque devenu une marque à
part entière, au point où ce modèle conservera son nom, même si les
prochains VUS de Cadillac recevront tous la désignation «XT» suivie
d'un chiffre hiérarchique. Être le joueur étoile de la concession pour ce
qui est des ventes signifie qu'on se fait accorder certains privilèges...

### PAS À LA FINE POINTE DE LA TECHNIQUE
Sur le plan technique, l'Escalade de quatrième génération ne réinvente
pas la roue. Malgré le fait que ce VUS de grande taille soit maintenant
animé par un moteur V8 de 6,2 litres à calage variable des soupapes
et à injection directe de carburant, on doit toujours composer avec une
suspension arrière à essieu rigide plutôt simpliste et l'ajout d'amortis-
seurs magnétorhéologiques n'adoucit en rien le roulement assez ferme
du véhicule.

* Tahoe : 87 unités / Suburban : 139 unités      ** Tahoe : 1 979 unités / Suburban : 966 unités
Yukon : 331 unités / Escalade : 73 unités          Yukon : 3 765 unités / Escalade : 827 unités

Au cours d'une semaine d'essai avec un Escalade ESV, je n'ai jamais fait mieux que 16 litres aux 100 kilomètres, ce qui n'est pas surprenant lorsque l'on constate que ce modèle affiche 2 740 kilos à la pesée. J'ai toutefois apprécié au plus haut point la très grande douceur de la boîte automatique, qui sait se faire oublier, ainsi que les 420 chevaux et 460 livres-pied de couple dont j'ai cependant fait un usage parcimonieux. Avec autant de couple, il est étonnant de voir à quelle vitesse ce mastodonte peut se mettre en mouvement. La capacité de remorquage est un autre point fort de l'Escalade ESV puisqu'il peut tracter 7 900 livres – 3 583 kilos (8 100 livres ou 3 674 kilos pour l'Escalade).

L'autre aspect pratique du véhicule est qu'il est possible de replier les dossiers de la troisième rangée avec la commande électrique et de disposer d'un plancher plat en repliant ceux de la deuxième rangée. Il faut par contre composer avec un seuil de chargement très élevé en raison de la présence sous le plancher de la suspension arrière à essieu rigide.

Côté style, l'Escalade en impose avec son immense calandre chromée, ses lignes taillées au couteau et les jantes de 22 pouces en aluminium poli proposées en option. Une chose est certaine, on ne peut pas lui reprocher de manquer de manquer de présence. L'habitacle convient parfaitement aux passagers costauds et l'Escalade fait le plein d'à peu près tous les équipements qui sont optionnels sur d'autres modèles GM, comme les sièges chauffants et ventilés à l'avant et chauffants à la deuxième rangée, toute la panoplie de systèmes électroniques d'aide à la conduite, l'affichage tête haute, une chaîne audio BOSSE à 16 haut-parleurs et j'en passe...

### UN FORMAT PLUS COMPACT...
Tous les VUS pleine grandeur de General Motors partagent leurs origines avec les camionnettes Silverado et Sierra, et c'est ce qui permet à des modèles comme le Tahoe de contribuer largement aux profits de la division Chevrolet. Au volant du Tahoe, on sent très bien toutes les inégalités de la chaussée en raison de sa configuration avec châssis en échelle et de la suspension arrière à pont rigide.

À en juger par les ruades que l'on doit parfois subir sur nos routes dégradées, il faut croire que ces VUS sont faits pour les routes lisses du Sud des États-Unis... La direction à assistance électrique est relativement légère et le freinage s'avère plutôt performant compte tenu du poids et du gabarit de ce véhicule.

Avec un V8 de 5,3 litres sous le capot, le Tahoe se déplace avec un certain aplomb, mais la consommation est loin d'être bonne avec une moyenne observée de 15 litres aux 100 kilomètres. Encore une fois, la capacité de remorquage est excellente puisqu'elle est chiffrée à 8 500 livres (3 855 kilos) pour les modèles à deux roues motrices et presque 8 300 livres (3 765 kilos) pour les versions à quatre roues motrices.

### Du nouveau en 2016

Boîte automatique à huit rapports et système multimédia Cadillac CUE plus performant avec intégration Apple CarPlay et Android Auto (Escalade)

## Châssis - Tahoe LTZ 4x4

| | |
|---|---|
| Emp / lon / lar / haut | 2946 / 5181 / 2044 / 1889 mm |
| Coffre / Réservoir | 433 à 2681 litres / 98 litres |
| Nbre coussins sécurité / ceintures | 7 / 7 |
| Suspension avant | ind., bras inégaux |
| Suspension arrière | essieu rigide, multibras |
| Freins avant / arrière | disque / disque |
| Direction | à crémaillère, ass. var. élect. |
| Diamètre de braquage | 11,9 m |
| Pneus avant / arrière | P265/65R18 / P265/65R18 |
| Poids / Capacité de remorquage | 2577 kg / 3765 kg (8300 lb) |
| Assemblage | Arlington, TX |

## Composantes mécaniques

**Tahoe, Suburban, Yukon, Yukon XL**

| | |
|---|---|
| Cylindrée, soupapes, alim. | V8 5,3 litres 16 s atmos. |
| Puissance / Couple | 355 ch / 383 lb-pi |
| Tr. base (opt) / rouage base (opt) | A6 / 4x4 (Prop) |
| 0-100 / 80-120 / V.Max | 8,0 s / 5,1 s / n.d. |
| 100-0 km/h | 42,1 m |
| Type / ville / route / $CO_2$ | Ord / 15,1 / 10,4 l/100 km / 5973 kg/an |

**Yukon Denali, Yukon XL Denali, Escalade**

| | |
|---|---|
| Cylindrée, soupapes, alim. | V8 6,2 litres 16 s atmos. |
| Puissance / Couple | 420 ch / 460 lb-pi |
| Tr. base (opt) / rouage base (opt) | A8 / 4x4 (Prop) |
| 0-100 / 80-120 / V.Max | n.d. / n.d. / n.d. |
| 100-0 km/h | n.d. |
| Type / ville / route / $CO_2$ | Ord / 16,4 / 11,7 l/100 km / 5973 kg/an |

CHEVROLET TAHOE/SUBURBAN/GMC YUKON/CADILLAC ESCALADE

**CADILLAC ESCALADE**

**GMC YUKON**

**CHEVROLET TRAX**

![Chevrolet logo] CHEVROLET **TRAX** / BUICK **ENCORE**

((SiriusXM))

**Prix:** 20 295 $ à 31 230 $ (2015)
**Catégorie:** VUS
**Garanties:**
3 ans/60 000 km, 5 ans/160 000 km
**Transport et prép.:** 1 950 $
**Ventes QC 2014:** 2 968 unités*
**Ventes CAN 2014:** 14 216 unités**

## Cote du Guide de l'auto

# 70 %

| Fiabilité | Appréciation générale |
|---|---|
| ■■■■■□□□□□ | ■■■■■■■□□□ |
| Sécurité | Agrément de conduite |
| ■■■■■■■□□□ | ■■■■■□□□□□ |
| Consommation | Système multimédia |
| ■■■■■□□□□□ | ■■■■■□□□□□ |

## Cote d'assurance

■■■■■■■■□□
$$$                              $

présentée par
**KANETIX.CA**

➕ Dimensions pratiques en ville •
Plusieurs espaces de rangement • Style
plutôt apprécié • Bonne visibilité tout le
tour • Suspensions confortables

➖ Puissance trop juste • Consommation
élevée • En manque de prestige (Buick) •
Pauvre qualité de certains matériaux •
Certaines versions trop chères

**Concurrents**
Honda HR-V, Mazda CX-3, MINI
Countryman, Mitsubishi RVR, Nissan
Juke, Scion xB, Subaru XV Crosstrek

# Le pire, c'est que
# ça fonctionne…

Alain Morin

**E**n première partie de ce *Guide*, vous retrouverez un
match comparatif mettant aux prises huit VUS sous-
compacts. Aussi bien vous le dire tout de suite, le
Chevrolet Trax a mangé toute une raclée! Mauvaise voiture?
Mais non, rassurez-vous. C'est juste que la concurrence offre
des produits mieux peaufinés et plus sportifs.

En premier lieu, précisons que le Chevrolet Trax et le Buick Encore
sont des jumeaux quasi identiques, construits sur la plate-forme de la
sous-compacte Sonic. Certaines personnes préfèrent la version
Chevrolet, d'autres la mouture Buick. Laissons-les régler ça dans le
stationnement! L'habitacle du Buick Encore est évidemment plus
cossu, hiérarchie oblige. Son tableau de bord est conservateur, mais
recèle davantage de boutons. Celui du Trax est plus éclaté, empruntant
des éléments de style à la Sonic, mais est plus facile à utiliser puisqu'il
compte moins de commandes. On pourrait presque parler de
minimalisme. Dans les deux cas, le système multimédia MyLink
gagnerait à être simplifié. J'entends de méchantes langues raconter
que c'est plutôt l'auteur du texte qui gagnerait à parfaire ses
connaissances technologiques. Ne les écoutez pas, elles ne savent
pas ce qu'elles disent…

La finition et la qualité des matériaux ne sont pas optimales (on
remarque plusieurs plastiques achetés à rabais), toutefois, comme on
peut s'y attendre, le Buick affiche une meilleure note à ce propos
même si ce n'est pas le pactole.

Les avis sur le confort des sièges avant diffèrent d'une personne à
l'autre. Petit conseil, si le Trax ou l'Encore vous intéresse, faites-en un
essai d'au moins dix minutes. La position de conduite se trouve
facilement, le volant se prend bien en main et la visibilité tout le tour
n'est pas mauvaise du tout. À l'arrière, les choses se gâtent. L'espace
y est compté et le confort, moyen. Le coffre n'est pas le plus grand de
la catégorie, ni le plus petit.

* Trax: 1 720 unités / Encore: 1 248 unités      ** Trax: 8 533 unités / Encore: 5 683 unités

## BEAUCOUP DE BRUIT POUR PAS GRAND-CHOSE

Sous le capot, un seul moteur, un quatre cylindres de 1,4 litre développant 138 chevaux. Même pas un dixième d'équidé de plus pour le Buick. C'est le même moulin que l'on retrouve dans la diminutive Sonic. Déjà qu'il n'est pas très déluré dans cette dernière, imaginez lorsqu'il doit traîner une centaine de kilos supplémentaires... Les accélérations sont bruyantes (hurlantes serait peut-être mieux indiqué) et effectuer un 0-100 km/h en moins de 10 secondes demande soit une intervention divine, soit une côte descendante.

La boîte de vitesses est une automatique à six rapports, une agréable surprise quand on sait que la plupart des modèles concurrents ont une boîte CVT qui fait peut-être diminuer la consommation, mais qui fait augmenter dramatiquement le niveau sonore au moment des accélérations. Lors du match comparatif, notre consommation s'est établie à 9,1 l/100 km, résultat décevant s'il en est un. Il faut toutefois ajouter que plusieurs personnes ont conduit le Trax et que chacune a écrasé le champignon au moins une fois. On pourrait aussi ajouter que le Trax était le deuxième plus lourd du lot... On pourrait aussi ajouter que tout le monde a fait la même chose avec les autres véhicules...

Les modèles de base sont des tractions (roues avant motrices). Ceux qui optent pour le rouage intégral, ce que nous ne pouvons que recommander, se sentiront sans aucun doute en meilleure sécurité lorsque la blanche saison sera venue, même si ce rouage n'est pas le plus sophistiqué sur le marché.

### BADGE ENGINEERING

Là où le Trax (et l'Encore bien entendu) pèche, c'est au chapitre du comportement routier. Ses suspensions, axées vers le confort et combinées à son poids élevé, autorisent un roulis notable en virage. La direction n'est pas très bavarde sur le travail des roues avant et s'avère un peu trop assistée pour être agréable. Bref, on est loin du dynamisme d'un Mazda CX-3 ou d'une MINI Countryman. Mais honnêtement, les gens qui optent pour un Trax ou un Encore n'ont sans doute pas besoin de dynamisme au volant...

Durant les quatre ou cinq dernières décennies, General Motors s'était fait une spécialité dans le *badge engineering*. Il s'agissait tout simplement de prendre un produit Chevrolet, par exemple, de lui foutre un badge Buick ou Oldsmobile (ou même Cadillac dans les pires cas), d'augmenter le prix de quelques milliers de dollars et le tour était joué. General Motors refait le coup avec le Trax. On lui a donné une calandre Buick, un tableau de bord différent, un peu plus de matériel insonore, on demande quelques milliers de dollars de plus et voilà! Et vous savez quoi? Des 2 968 Trax et Encore vendus au Québec l'an dernier, 42 % étaient des Buick Encore...

### Du nouveau en 2016

Aucun changement majeur

| Châssis - Chevrolet Trax LTZ TI | |
|---|---|
| Emp / lon / lar / haut | 2555 / 4280 / 2035 / 1674 mm |
| Coffre / Réservoir | 530 à 1371 litres / 53 litres |
| Nbre coussins sécurité / ceintures | 10 / 5 |
| Suspension avant | ind., jambes force |
| Suspension arrière | semi-ind., poutre torsion |
| Freins avant / arrière | disque / disque |
| Direction | à crémaillère, ass. var. élect. |
| Diamètre de braquage | 11,2 m |
| Pneus avant / arrière | P215/55R18 / P215/55R18 |
| Poids / Capacité de remorquage | 1476 kg / non recommandé |
| Assemblage | San Luis Potosi, MX |

| Composantes mécaniques | |
|---|---|
| **LS, LT, LTZ, LTZ TI** | |
| Cylindrée, soupapes, alim. | 4L 1,4 litre 16 s turbo |
| Puissance / Couple | 138 ch / 148 lb-pi |
| Tr. base (opt) / rouage base (opt) | M6 (A6) / Tr (Int) |
| 0-100 / 80-120 / V.Max | 10,3 s / 7,9 s / 195 km/h |
| 100-0 km/h | 41,5 m |
| Type / ville / route / CO$_2$ | Ord / 8,7 / 6,5 l/100 km / 3547 kg/an |

BUICK ENCORE

## CHEVROLET **VOLT**

**Prix :** 40 000 $ (estimé)
**Catégorie :** Berline
**Garanties :**
3 ans/60 000 km, 5 ans/160 000 km
**Transport et prép. :** 1 950 $
**Ventes QC 2014 :** 1 092 unités
**Ventes CAN 2014 :** 1 521 unités

Cote du Guide de l'auto

# 79 %

| Fiabilité | Appréciation générale |
| --- | --- |
| ■■■■■■■■□□ | ■■■■■■■□□□ |
| Sécurité | Agrément de conduite |
| ■■■■■■■■■□ | ■■■■■■□□□□ |
| Consommation | Système multimédia |
| ■■■■■■■■□□ | ■■■■■■□□□□ |

Cote d'assurance

■■■■■■■■□□            présentée par
$$$                  $      **KANETIX.CA**

➕ Groupe propulseur exceptionnel •
Moteur thermique nettement plus
moderne • Meilleure autonomie électrique
promise • Plus grande et plus légère

➖ Cinquième place douteuse •
Prix encore élevé pour une compacte •
Performances hivernales à démontrer •
Volume cargo encore moyen

**Concurrents**
Aucun concurrent

# Deuxième acte prometteur pour une *star* écolo

Marc Lachapelle

**D**e la ruine passagère de GM est sortie, il y a quelques années, une voiture exceptionnelle. Une berline à propulsion électrique «prolongée» qui s'est installée aussitôt aux avant-postes dans le segment bouillonnant des voitures écolos. De conception aussi ingénieuse qu'inédite, la Volt s'est révélée agile, sûre et fiable de surcroît. Réputation aidant, les ventes ont fini par grimper en continu. Chevrolet n'allait certainement pas en rester là.

Malgré un succès critique indiscutable, y compris les titres de Voiture de l'année du *Guide de l'auto* et du jury des prix nord-américains pour 2011, la Volt n'est certes pas devenue instantanément une star des palmarès de ventes. Trop coûteuse pour une compacte, même avec les généreux rabais gouvernementaux consentis aux voitures les plus vertes, elle a dû faire ses preuves comme alternative écolo viable et exceptionnellement frugale à la compacte ou l'intermédiaire classique.

Et ces preuves, elle les a faites à la dure auprès d'acheteurs typiquement exigeants, malgré les limites et lacunes qui se sont révélées au fil des mois et des kilomètres. Surtout dans ce pays longtemps glacial qu'est le Québec. Au point d'y être devenue, l'an dernier, la plus populaire des voitures électriques ou hybrides alors qu'elle en était déjà à sa cinquième année sous sa forme originale. Parce que ses ventes ont doublé, tout simplement.

### AMÉLIORATIONS TOUS AZIMUTS
Dans un segment de plus en plus compétitif, où l'évolution technique est en accélération constante, il était temps de connaître la suite pour cette petite championne qu'est devenue la Volt. Le deuxième acte s'est amorcé au dernier Salon de Detroit avec le dévoilement d'une Volt entièrement redessinée devant quelques milliers de journalistes et une cinquantaine de propriétaires évidemment emballés de la première Volt.

Tous découvrirent une Volt plus svelte dont la silhouette douce et profilée s'est rapprochée grandement du style actuel des voitures Chevrolet grand public. Finis les lignes découpées au scalpel et le profil unique de la pionnière. Cette nouvelle Volt serait malgré tout plus aérodynamique que sa devancière, dotée entre autres d'une calandre dont les volets mobiles se ferment pour laisser l'air glisser plus facilement lorsque les conditions sont favorables.

Cette Volt un peu plus grande (plus longue de 8,4 cm et plus large 2,1 cm) est maintenant une cinq places. Ne comptez pas trop sur cette place centrale arrière vraiment étriquée, par contre... Elle existe surtout pour qu'on cesse de lui reprocher d'en offrir seulement quatre. Mieux vaut noter que cette deuxième Volt est plus légère de 100 kilos, un gain appréciable obtenu surtout grâce à des composantes plus compactes, plus puissantes et plus légères qui ont permis de faire passer l'autonomie électrique de 61 à 80 kilomètres.

Notamment un nouveau bloc de batteries au lithium-ion qui compte 192 cellules, soit près d'une centaine en moins, et qui produit 18,4 kWh au lieu des 16,5 kWh des premiers modèles, passés à 17,1 kWh pour la version 2015. Plus compact et allégé de 9 kilos, il est également monté moins haut, ce qui profitera à l'agilité et à la maniabilité. Les performances seront vraisemblablement meilleures aussi, avec deux nouveaux moteurs électriques plus efficaces de 12 % et allégés de 45 kilos.

### SILENCE ET CONFORT EN HAUSSE

Autre excellent point, la Volt a droit à un nouveau moteur d'appoint thermique de 1,5 litre à injection directe plus puissant (101 vs. 83 ch) et moins énergivore. Il nous débarrassera sûrement aussi du bourdonnement que produisait le moulin de la première Volt. Ce groupe motopropulseur doit porter l'autonomie totale de la voiture à quelque 676 kilomètres.

On pourra aussi maximiser l'autonomie électrique grâce au système de « récupération sur demande » qui permet d'accentuer la récupération de l'énergie cinétique en actionnant les manettes derrière le volant, comme déjà sur la Cadillac ELR. Chevrolet a également conçu un câble de recharge plus compact qu'on peut aisément ranger sur le flanc gauche du coffre à l'arrière.

L'habitacle de la Volt 2016 a d'ailleurs été entièrement redessiné avec tableau de bord au dessin épuré et commandes simplifiées. La carrosserie elle-même serait plus rigide, pour un confort et un silence de roulement bonifiés. On peut s'attendre aussi à un comportement routier et un plaisir de conduite supérieurs.

## Châssis - Volt

| | |
|---|---|
| Emp / lon / lar / haut | 2694 / 4582 / 1809 / 1432 mm |
| Coffre / Réservoir | 301 litres / 34 litres |
| Nbre coussins sécurité / ceintures | 10 / 5 |
| Suspension avant | ind., jambes force |
| Suspension arrière | semi-ind., poutre torsion |
| Freins avant / arrière | disque / disque |
| Direction | à crémaillère, ass. var. élect. |
| Diamètre de braquage | 11,1 m |
| Pneus avant / arrière | P215/50R17 / P215/50R17 |
| Poids / Capacité de remorquage | 1607 kg / non recommandé |
| Assemblage | Hamtramck, MI |

## Composantes mécaniques

**Volt**

| | |
|---|---|
| Cylindrée, soupapes, alim. | 4L 1,5 litre 16 s atmos. |
| Puissance / Couple | 101 ch / n.d. lb-pi |
| Tr. base (opt) / rouage base (opt) | CVT / Tr |
| 0-100 / 80-120 / V.Max | 8,4 s (est) / n.d. / 160 km/h |
| 100-0 km/h | n.d. |
| Type / ville / route / $CO_2$ | Ord / 6,1 / 5,3 l/100 km / 2640 kg/an |

**Moteur électrique**

| | |
|---|---|
| Puissance / Couple | 149 ch (111 kW) / 294 lb-pi |
| Type de batterie | Lithium-ion (Li-ion) |
| Énergie | 18,4 kWh |
| Temps de charge (120V / 240V) | 13,0 h / 4,5 h |
| Autonomie | 80 km |

## Du nouveau en 2016

Voiture entièrement remodelée, carrosserie et habitacle redessinés, autonomie électrique prolongée à 80 km, nouveau moteur thermique d'appoint de 1,5 litre.

Photos: Chevrolet Canada

## CHRYSLER **200**

**Prix:** 21 995 $ à 32 495 $ (2015)
**Catégorie:** Berline
**Garanties:**
3 ans/60 000 km, 5 ans/100 000 km
**Transport et prép.:** 1 795 $
**Ventes QC 2014:** 1 695 unités
**Ventes CAN 2014:** 11 641 unités

### Cote du Guide de l'auto

# 66 %

Fiabilité
■■■■■■■□□□

Appréciation générale
■■■■■■■□□□

Sécurité
■■■■■■■■□□

Agrément de conduite
■■■■■■□□□□

Consommation
■■■■■■■□□□

Système multimédia
■■■■■■■□□□

### Cote d'assurance
■■■■■■■□□□
$$$                              $

présentée par
**KANETIX.CA**

**➕** Design extérieur élégant • Habitacle
de toute beauté • Transmission
intégrale efficace • Système Uconnect
génial • Choix de moteurs adaptés

**➖** Réputation à bâtir • Moteur
Tigershark juste • Rouage intégral
uniquement sur versions S et C •
Boîte mal adaptée (avec le 4 cylindres)

### Concurrents
Chevrolet Malibu, Ford Fusion, Honda
Accord, Hyundai Sonata, Kia Optima,
Mazda6, Nissan Altima, Subaru Legacy,
Toyota Camry, Volkswagen Passat

# Furtive élégance

Guy Desjardins

**L**a Chrysler 200 n'est pas le plus flamboyant véhicule sur le marché. Parmi la panoplie de modèles dans la catégorie des berlines intermédiaires, elle passe même légèrement inaperçue, gracieuseté d'un passé plus ou moins notable. Il reste que la refonte de l'an dernier l'a totalement remise à l'avant-plan, renouvelée à tel point que le constructeur américain aurait pu la renommer!

Avec cette toute récente mise à jour, la 200 ne change rien pour 2016, sinon quelques ajustements dans la palette de couleurs. La silhouette svelte et élancée du véhicule lui confère une allure très aérodynamique, confirmée par un coefficient de traînée de 0,27. La lunette arrière qui s'étire à la manière d'un coupé ajoute une touche européenne à la 200. Mais rien d'étonnant puisque les designers se sont largement inspirés des modèles d'Alfa Romeo pour concevoir cette nouvelle 200. Le résultat n'est pas habituel pour une voiture américaine, surtout à l'avant où l'on remarque une calandre très mince qui contraste avec celle de la 300, beaucoup plus imposante. Les lignes fluides sont agrémentées de phares avant et de feux arrière très stylisés qui adoptent l'éclairage au DEL, procurant un effet très furtif au véhicule lorsque croisé à la pénombre.

**SUPERBE HABITACLE**
Bien que l'extérieur de la 200 soit de toute beauté, c'est l'intérieur qui rafle la palme de l'amélioration la plus notable du modèle. Le résultat est à couper le souffle, se questionnant même sur la nécessité de proposer une finition aussi raffinée pour un véhicule qui ne joue pas dans la talle des modèles de prestige. Néanmoins, la présentation s'avère sublime avec des matériaux de différentes textures et des couleurs très bien agencées. La console centrale en angle de même que la molette de gestion de la transmission permettent de dégager un maximum d'espace pour les passagers avant. Quelle que soit la version, la présentation laisse filtrer une élégante richesse qui nous enveloppe et nous fait oublier qu'il s'agit d'une «simple» 200.

L'immense écran d'affichage de 8,4 pouces propose une panoplie de fonctions où l'ergonomie a manifestement été étudiée avec soin. Le système Uconnect de Chrysler est d'ailleurs l'un des meilleurs sur le marché et sûrement l'un des plus agréables à utiliser.

Chrysler ne s'est pas seulement attardé à confectionner un habitacle cossu pour sa berline intermédiaire. On a doté la 200 des deux motorisations vedettes du groupe, le Pentastar, un V6 puissant, et l'économique 4 cylindres Tigershark doté de la technologie MultiAir de Fiat. Les deux font équipe avec la boîte automatique à 9 rapports qui a éprouvé de petites lacunes de programmation, mais qui ont été rapidement corrigées. Plusieurs versions de la 200 garnissent le catalogue. Celles d'entrée de gamme héritent du 4 cylindres alors que les plus dispendieuses proposent le V6, allant même jusqu'à offrir le rouage intégral sur les modèles 200S et 200C.

### VARIABLE SELON LES VERSIONS

Sur la route, le comportement de la voiture diffère selon les versions. Équipée du 4 cylindres, la voiture livre des performances acceptables, mais évidemment un peu rudimentaires et nous laissant sur notre appétit, même en sélectionnant le mode sport. Ce mode permet toutefois d'exploiter efficacement le 4 cylindres en retardant les changements de rapports qui sont nombreux, puisque la boîte en compte 9. Cette motorisation travaille d'ailleurs fort et ça s'entend, surtout lorsque la voiture transporte plusieurs passagers.

Les versions à moteur V6 offrent évidemment plus de puissance, mais surtout une douceur de roulement supérieure. Les accélérations profitent grandement des 9 rapports de la boîte automatique et les changements se font en douceur. Profitant du mode sport, la 200 se déchaîne et met à profit la totalité des 295 chevaux. La conduite de la 200 ne procure toutefois pas de montées d'adrénaline. Quant aux versions à rouage intégral, l'ajout de poids pénalise les performances mais heureusement, l'efficacité du système compense largement ce handicap, surtout en hiver lorsque la chaussée est enneigée.

Le design extérieur et la présentation intérieure de la 200 lui permettent assurément de remporter la palme face à de nombreuses concurrentes beaucoup trop conservatrices. Malheureusement, la fiabilité et la réputation des modèles japonais lui rendent la vie dure, à laquelle s'ajoutent l'excellent rapport qualité-prix des modèles coréens et l'agrément de conduite des véhicules allemands. Bref, la forte compétition et le grand nombre de choix nuisent à l'épanouissement de la 200, pourtant très accomplie.

### Châssis - LX

| | |
|---|---|
| Emp / lon / lar / haut | 2742 / 4885 / 1871 / 1491 mm |
| Coffre / Réservoir | 453 litres / 60 litres |
| Nbre coussins sécurité / ceintures | 8 / 5 |
| Suspension avant | ind., jambes force |
| Suspension arrière | ind., multibras |
| Freins avant / arrière | disque / disque |
| Direction | à crémaillère, ass. var. élect. |
| Diamètre de braquage | 11,9 m |
| Pneus avant / arrière | P215/55R17 / P215/55R17 |
| Poids / Capacité de remorquage | 1575 kg / non recommandé |
| Assemblage | Sterling Heights, MI |

### Composantes mécaniques

**Limited, LX, S, C**

| | |
|---|---|
| Cylindrée, soupapes, alim. | 4L 2,4 litres 16 s atmos. |
| Puissance / Couple | 184 ch / 173 lb-pi |
| Tr. base (opt) / rouage base (opt) | A9 / Tr |
| 0-100 / 80-120 / V.Max | 9,0 s (est) / 7,5 s (est) / n.d. |
| 100-0 km/h | n.d. |
| Type / ville / route / CO$_2$ | Ord / 8,9 / 5,8 l/100 km / 3452 kg/an |

**S AWD, C AWD**

| | |
|---|---|
| Cylindrée, soupapes, alim. | V6 3,6 litres 24 s atmos. |
| Puissance / Couple | 295 ch / 262 lb-pi |
| Tr. base (opt) / rouage base (opt) | A9 / Int |
| 0-100 / 80-120 / V.Max | 7,1 s / 4,8 s / n.d. |
| 100-0 km/h | 44,5 m |
| Type / ville / route / CO$_2$ | Ord / 10,5 / 6,5 l/100 km / 4002 kg/an |

## Du nouveau en 2016

Changements de couleurs de carrosserie, édition spéciale 90$^e$ anniversaire

Photos : Denis Duquet, Alain Morin

## CHRYSLER 300

**((SiriusXM))**

**Prix :** 37 895 $ à 45 795 $ (2015)
**Catégorie :** Berline
**Garanties :**
3 ans/60 000 km, 5 ans/100 000 km
**Transport et prép. :** 1 795 $
**Ventes QC 2014 :** 135 unités
**Ventes CAN 2014 :** 4 117 unités

### Cote du Guide de l'auto
# 79 %

| Fiabilité | Appréciation générale |
|---|---|
| ■■■■■■□□□□ | ■■■■■■■□□□ |
| **Sécurité** | **Agrément de conduite** |
| ■■■■■■■■■□ | ■■■■■■□□□□ |
| **Consommation** | **Système multimédia** |
| ■■■■■□□□□□ | ■■■■■■■□□□ |

### Cote d'assurance
■■■■■■■□□□
$$$                              $
présentée par
**KANETIX.CA**

**+** Espace intérieur généreux • Moteur V8 en forme • Traction intégrale disponible • Version 300C Platinum très luxueuse • Roulement confortable

**−** Style plutôt conservateur • Dotation un peu générique du modèle de base • Assez gourmande • Traction intégrale non disponible avec le V8 • La 300S n'est pas vraiment sportive

### Concurrents
Chevrolet Impala, Dodge Charger, Ford Taurus, Nissan Maxima, Toyota Avalon

# Grand luxe pour grand public

Benjamin Hunting

La Chrysler 300 a toujours été une grande berline très stylée. Avec la dernière refonte, parue l'hiver dernier, elle devient plus fortement orientée vers le haut de gamme. Grâce à cette approche, FCA espère améliorer sa rentabilité et repositionner Chrysler en tant que marque axée sur le luxe plutôt que sur les performances. Structurellement, cette 300 est très semblable à la précédente, mais on sent qu'une nouvelle philosophie a guidé la réalisation du design intérieur et du style extérieur ainsi que la liste des options et des déclinaisons offertes. La grosse berline à quatre portières est maintenant plus compatible avec sa consœur de format intermédiaire nouvellement redessinée, la Chrysler 200.

**LA DIFFÉRENCE EST DANS LES DÉTAILS**
À première vue, les différences entre la 300 actuelle et le modèle précédent ne semblent pas très prononcées. En regardant de plus près, cependant, on remarque que la calandre a été agrandie (de 30 %), les sorties d'échappement sont rectangulaires, les garnitures en chrome sont moins nombreuses, et les DEL sont présentes sur certains modèles (pour les phares antibrouillard et les feux de position arrière). Les panneaux latéraux costauds sont toujours au poste, mais leur impact visuel a été réduit par le profil plus arrondi de la carrosserie.

Là où la nouvelle 300 fait le plus gros effort pour se distinguer de l'ancienne – et de la Dodge Charger qui partage la même plate-forme – c'est à l'intérieur. La version de base Touring comprend des sièges en tissu, des garnitures similibois et des sièges avant à ajustement manuel. Par contre, dès qu'on passe aux versions 300S (au tempérament plus sportif) et 300C, on obtient une panoplie d'équipements de luxe, notamment des sièges baquets chauffants et ventilés, le système d'infodivertissement sophistiqué uConnect 8.4, et une chaîne stéréo améliorée digne d'un véhicule de catégorie supérieure. Il y a aussi une toute nouvelle déclinaison 300C Platinum qui élève le luxe d'un cran de plus. Elle est dotée de sièges en cuir gaufré exceptionnels, de garnitures en cuir nappa, et son habitacle dégage une impression de distinction authentique qu'on ne retrouvait pas dans les anciennes 300.

Soulignons également que le système uConnect de dernière génération demeure le chef de file de l'industrie avec son écran tactile ACL intuitif, bien organisé et facile d'utilisation. L'interface permet de contrôler la navigation, l'audio et les communications Bluetooth, de même que certaines fonctions de climatisation. Le uConnect est nettement supérieur à la majorité des systèmes concurrents en termes de design et de réalisation.

### SPACIEUSE ET CONFORTABLE

La Chrysler 300 renoue avec le concept qui veut qu'une voiture au tempérament calme et bien contrôlé soit préférable à une qui penche vers le caractère sportif. Ainsi, en dépit du fait que la 300S soit équipée d'une suspension et d'une direction plus fermes, elle est loin d'avoir le comportement enflammé de l'ancienne déclinaison SRT (qui n'est plus sur le marché).

Le moteur de base est un V6 de 3,6 litres qui produit 292 chevaux et un couple de 260 lb-pi ; le V8 de 5,7 litres optionnel livre 363 chevaux et un couple de 394 lb-pi. Même si la puissance est clairement au rendez-vous avec les deux moulins, la voiture favorise la douceur de roulement et l'isolation des imperfections de la route plutôt que l'établissement d'un lien mécanique entre le pilote et sa machine. Dans toutes ses déclinaisons, la 300 est une compagne de route agréable qui, même après cinq heures de conduite, demeure aussi confortable qu'au départ !

L'économie d'essence et la douceur de roulement ont été améliorées grâce à la transmission automatique à huit rapports, livrée avec les deux moteurs. Auparavant installée uniquement avec le V6, cette transmission met également au rancart le bouton de changement de vitesse électronique au profit d'une commande mécanique nettement moins ennuyeuse. La traction intégrale est offerte, mais seulement avec le moteur six cylindres.

La Chrysler 300 est une adaptation moderne intéressante de la voiture américaine classique de grand format. Son immense espace intérieur peut être aménagé de manière étonnamment cossue, elle vient avec la propulsion ou la traction intégrale et les moteurs proposés sont puissants. Ces éléments se combinent pour créer une routière confortable et conçue en fonction de la plupart des conducteurs, qui n'ont pas envie de jouer les pilotes de course en se rendant au travail chaque matin. Voyez-la comme une « voiture de grand luxe pour grand public » et vous aurez une bonne idée de l'angle d'attaque de la 300 dans le segment des grandes berlines.

### Châssis - C AWD

| | |
|---|---|
| Emp / lon / lar / haut | 3052 / 5044 / 1902 / 1504 mm |
| Coffre / Réservoir | 462 litres / 70 litres |
| Nbre coussins sécurité / ceintures | 7 / 5 |
| Suspension avant | ind., bras inégaux |
| Suspension arrière | ind., multibras |
| Freins avant / arrière | disque / disque |
| Direction | à crémaillère, ass. var. élect. |
| Diamètre de braquage | 11,9 m |
| Pneus avant / arrière | P235/55R19 / P235/55R19 |
| Poids / Capacité de remorquage | 1921 kg / 454 kg (1000 lb) |
| Assemblage | Brampton, ON |

### Composantes mécaniques

**Touring, Limited, 300C**

| | |
|---|---|
| Cylindrée, soupapes, alim. | V6 3,6 litres 24 s atmos. |
| Puissance / Couple | 292 ch / 260 lb-pi |
| Tr. base (opt) / rouage base (opt) | A8 / Prop (Int) |
| 0-100 / 80-120 / V.Max | 8,0 s / 7,0 s / n.d. |
| 100-0 km/h | n.d. |
| Type / ville / route / $CO_2$ | Ord / 12,8 / 8,6 l/100 km / 5019 kg/an |

**S**

| | |
|---|---|
| Cylindrée, soupapes, alim. | V6 3,6 litres 24 s atmos. |
| Puissance / Couple | 300 ch / 264 lb-pi |
| Tr. base (opt) / rouage base (opt) | A8 / Prop (Int) |
| 0-100 / 80-120 / V.Max | 8,0 s / 7,0 s / n.d. |
| 100-0 km/h | n.d. |
| Type / ville / route / $CO_2$ | Ord / 12,8 / 8,6 l/100 km / 5019 kg/an |

**Touring, Limited, S, 300C**

| | |
|---|---|
| Cylindrée, soupapes, alim. | V8 5,7 litres 16 s atmos. |
| Puissance / Couple | 363 ch / 394 lb-pi |
| Tr. base (opt) / rouage base (opt) | A8 / Prop |
| 0-100 / 80-120 / V.Max | n.d. / n.d. / n.d. |
| 100-0 km/h | n.d. |
| Type / ville / route / $CO_2$ | Ord / 14,7 / 9,4 l/100 km / 5612 kg/an |

### Du nouveau en 2016

Nouveau look, habitacle amélioré, système d'infodivertissement plus moderne, transmission automatique à huit rapports pour toutes les déclinaisons.

Photos : Marc-André Gauthier, Chrysler Canada

# DODGE **CHALLENGER**

**Prix :** 29 995 $ à 71 890 $ (2015)
**Catégorie :** Coupé
**Garanties :**
3 ans/60 000 km, 5 ans/100 000 km
**Transport et prép. :** 1 795 $
**Ventes QC 2014 :** 127 unités
**Ventes CAN 2014 :** 1 623 unités

Cote du Guide de l'auto

## 68 %

Fiabilité
■■■■■■■□□□

Appréciation générale
■■■■■■■□□□

Sécurité
■■■■■■□□□□

Agrément de conduite
■■■■■■■■□□

Consommation
■■■■■□□□□□

Système multimédia
■■■■■■■□□□

Cote d'assurance
■■■■■■■□□□
$$$                    $

présentée par
**KANETIX.CA**

➕ Silhouette rétro moderne parfaitement réussie • Son et puissance hallucinants (Hellcat) • Comportement très correct, Hellcat incluse • Confortable et pratique pour un *muscle car* • Variété de modèles et moteurs

➖ Consommation substantielle (SRT + Hellcat) • Oubliez ça pour l'hiver (SRT + Hellcat) • Voitures encombrantes et lourdes • Visibilité arrière limitée

**Concurrents**
Chevrolet Camaro, Dodge Charger, Ford Mustang

# Au diable Équiterre, de dire la Hellcat

Marc Lachapelle

**P**rière de ne pas inviter Steven Guilbeault au même *party* que la Hellcat, cette version de la Challenger dans laquelle ces rigolos d'ingénieurs ont installé un V8 surcompressé de 6,2 litres et 707 chevaux. Un coupé lourd et costaud, à l'allure parfaitement rétro, qui devient illico le *muscle car* le plus puissant de l'histoire, titre qu'il partage avec sa sœur, la berline Charger Hellcat, qui abrite le même moteur diabolique. Ces deux-là ont assurément quelque chose de scandaleux, d'inacceptable et d'irrésistible, tout à la fois. Aux antipodes des voitures plus légères, propres et frugales qui sont l'avenir obligé de l'automobile. Et pourtant, elles plaisent. Énormément.

Pour tout dire, la Challenger Hellcat est à une voiture électrique de ce qu'une assiette géante de côtes levées avec une montagne de frites est à une salade au tofu, sans vinaigrette : la célébration presque délirante de plaisirs que plusieurs voudraient voir abolis ou interdits. Y compris certains journalistes automobiles, croyez-le ou non. Une orgie de puissance et de couple produite par un gros V8 à une époque où les grands constructeurs créent de grandes sportives à groupe propulseur hybride avec de petits moteurs turbocompressés, pour vanter ensuite leur faible consommation.

**À LA DEMANDE POPULAIRE**
Bien sûr que les jours de beaux monstres comme les sœurs Hellcat sont comptés et qu'ils disparaîtront plus tôt que tard, bannis pour non-respect des normes de consommation et d'émissions polluantes beaucoup plus sévères qui auront bientôt force de loi. Pour l'instant, toutefois, les Hellcat sont parfaitement conformes aux règles en vigueur. Sauf que le constructeur a dû cesser de prendre les commandes au printemps dernier à cause d'une demande beaucoup plus forte que ce qui était prévu. Les travailleurs de l'usine de Brampton, en Ontario, faisaient des heures supplémentaires pour produire les

milliers de voitures déjà vendues et ils en ont pour quelques mois de rattrapage. On peut difficilement trouver mieux comme illustration de la loi de l'offre et de la demande. Alors que nos gouvernements et ceux de plusieurs pays versent de généreuses ristournes pour encourager la vente de voitures écolo, c'est tout le contraire avec les Hellcat. Certains concessionnaires les vendent même beaucoup plus cher que le prix suggéré...

## LA BÊTE A DE BONNES MANIÈRES

Le plus fascinant est de constater qu'en dépit de ses cotes de puissance et de couple hallucinantes, la Challenger Hellcat n'a rien d'un monstre incontrôlable ou dangereux. Il s'agit, au contraire, d'un gros coupé dans la pure tradition américaine qui sait très bien se tenir, surtout si on laisse toutes les aides à la conduite modernes dont il est pourvu faire leur boulot. Et là encore. Les ingénieurs ont particulièrement fait un excellent travail avec les suspensions. La Hellcat affiche un bel aplomb sur la route, avec un roulement qui n'est jamais sec ni trop mou, malgré un poids trop élevé. L'habitacle a pris un sérieux coup de jeune avec les retouches apportées l'an dernier. La finition est plus soignée, les affichages nets et l'interface Uconnect plutôt surchargée, mais toujours fort efficace. De bons points aussi pour de nouveaux sièges mieux sculptés.

La boîte de vitesses manuelle Tremec à 6 rapports est robuste, une très bonne chose, et exige une main ferme. Rien d'étonnant. On peut aussi opter pour une automatique à 8 rapports. Quelle que soit la boîte choisie, il est ardu de reproduire les chronos d'accélération annoncés, même avec le mode départ-canon intégré. Les 650 lb-pi de couple font patiner les roues arrière trop facilement. Pour freiner vos ardeurs, par contre, la Hellcat a de grands disques de 390 mm pincés par des étriers Brembo à six pistons à l'avant et des disques de 350 mm à l'arrière, avec des étriers à quatre pistons.

Le plus ironique est de constater que la popularité inouïe de la Hellcat jette de l'ombre sur d'autres versions pourtant très puissantes et performantes de la Challenger. Les SRT 392 et R/T Scat Pack, surtout, avec leur V8 HEMI atmosphérique de 6,4 litres et 485 chevaux. Ou alors les versions Shaker, inspirées des Challenger classiques. Bon nombre d'acheteurs seraient sans doute parfaitement heureux au volant d'une Challenger R/T propulsée par le V8 de 5,7 litres et 375 chevaux ou avec le V6 de 3,6 litres et 305 chevaux des SXT. Le style est souvent aussi important que le muscle, dans cette catégorie. Sinon plus. Parions que Dodge aura l'idée de créer des modèles dont la silhouette s'inspirera de la Hellcat, mais dont le moteur sera plus sage et le prix plus abordable.

### Du nouveau en 2016

Versions Scat Pack et Shaker

| Châssis - SRT Hellcat | |
|---|---|
| Emp / lon / lar / haut | 2946 / 5022 / 2179 / 1450 mm |
| Coffre / Réservoir | 459 litres / 70 litres |
| Nbre coussins sécurité / ceintures | 6 / 5 |
| Suspension avant | ind., bras inégaux |
| Suspension arrière | ind., multibras |
| Freins avant / arrière | disque / disque |
| Direction | à crémaillère, ass. var. élect. |
| Diamètre de braquage | 12,2 m |
| Pneus avant / arrière | P275/40ZR20 / P275/40ZR20 |
| Poids / Capacité de remorquage | 1891 kg / non recommandé |
| Assemblage | Brampton, ON |

| Composantes mécaniques | |
|---|---|
| **SXT** | |
| Cylindrée, soupapes, alim. | V6 3,6 litres 24 s atmos. |
| Puissance / Couple | 305 ch / 268 lb-pi |
| Tr. base (opt) / rouage base (opt) | A8 / Prop |
| 0-100 / 80-120 / V.Max | 6,5 s (const) / n.d. / n.d. |
| 100-0 km/h | n.d. |
| Type / ville / route / CO$_2$ | Ord / 12,4 / 7,8 l/100 km / 4752 kg/an |
| **Hemi Scat Pack, SRT 392** | |
| Cylindrée, soupapes, alim. | V8 6,4 litres 16 s atmos. |
| Puissance / Couple | 485 ch / 475 lb-pi |
| Tr. base (opt) / rouage base (opt) | A8 (M6) / Prop |
| 0-100 / 80-120 / V.Max | 4,5 s / n.d. / 292 km/h |
| 100-0 km/h | 36,0 m |
| Type / ville / route / CO$_2$ | Sup / 15,7 / 9,5 l/100 km / 5939 kg/an |
| **SRT Hellcat** | |
| Cylindrée, soupapes, alim. | V8 6,2 litres 16 s surcompressé |
| Puissance / Couple | 707 ch / 650 lb-pi |
| Tr. base (opt) / rouage base (opt) | A8 (M6) / Prop |
| 0-100 / 80-120 / V.Max | 5,2 s / 3,7 / n.d. |
| 100-0 km/h | 41,7 m |
| Type / ville / route / CO$_2$ | Sup / 18,0 / 10,7 l/100 km / 6769 kg/an |

**R/T (auto.)**
V8 - 5,7 l - 372 ch/400 lb-pi - A8 - 0-100: 5,5 s - 14,8/9,3 l/100 km

**R/T (man.)**
V8 - 5,7 l - 375 ch/410 lb-pi - M6 - 0-100: 6,0 s - 15,6/10,0 l/100 km

Photos: Dodge Canada

# ICAR

## DODGE **CHARGER**

(((SiriusXM)))

**Prix :** 33 495 $ à 75 285 $ (2015)
**Catégorie :** Berline
**Garanties :**
3 ans/60 000 km, 5 ans/100 000 km
**Transport et prép. :** 1 795 $
**Ventes QC 2014 :** 385 unités
**Ventes CAN 2014 :** 3 704 unités

### Cote du Guide de l'auto

# 75 %

Fiabilité

Sécurité

Consommation

Appréciation générale

Agrément de conduite

Système multimédia

### Cote d'assurance

présentée par
**KANETIX.CA**

$$$                                    $

➕ La SRT Hellcat est terriblement rapide •
Boîte à huit rapports avec les V8 •
Intérieur spacieux • Bonnes technologies
de sécurité active • Allure dynamique

➖ Consommation élevée des modèles
de performance • Pas de rouage intégral
avec les V8 • Antipatinage toujours
engagé (modèle de base) • Peut-être
trop grosse pour certains conducteurs

### Concurrents
Chevrolet Impala, Chrysler 300, Ford
Taurus, Nissan Maxima, Toyota Avalon

## Jouer la carte de l'agressivité

Benjamin Hunting

**L**a berline grand format Charger a été redessinée en 2015 et, quand on l'aperçoit pour la première fois, on a l'impression qu'elle a été soumise à un rituel vaudou pour lui donner une allure «plus méchante». Alors que d'autres fabricants automobiles tablent de plus en plus sur la conformité stylistique, la Charger poursuit son chemin en accentuant le côté féroce qui lui permet de se distinguer de ses rivales depuis des années. Ajoutez à cela la version ultra-haute performance SRT Hellcat disponible depuis 2015, en plus des versions haute performance plus «raisonnables» comme les Scat Pack et SRT 392, et vous vous retrouvez avec un choix unique et séduisant de véhicules à quatre portières pour trimbaler la famille.

### LA DIFFÉRENCE EST DANS LES DÉTAILS
La nouvelle Dodge Charger conserve le même look d'ensemble, mais en réalité presque tous les panneaux de carrosserie ont été renouvelés (seuls ceux du toit et des portières arrière proviennent de l'édition 2014). On remarque aussi de nombreux détails très réussis, notamment la nouvelle calandre encastrée et les pare-chocs redessinés à l'avant et à l'arrière. Il faut aussi souligner le talent des designers de Dodge pour peindre avec la lumière : grâce à une utilisation généreuse des DEL, les modèles précédents affichaient déjà une présence nocturne distinctive. Sur la Hellcat, l'allure menaçante est renforcée par le capot galbé, l'aileron arrière et les prises d'air qui donnent un style encore plus musclé.

À l'intérieur, les améliorations sont encore plus marquées. On peut opter pour un revêtement en cuir avec coutures spéciales pour ajouter une touche de classe aux sièges extra enveloppants de la Hellcat. Toutes les déclinaisons ont droit à une nouvelle planche de bord, un nouveau bloc d'instrumentation et des matériaux améliorés partout dans le spacieux habitacle. De nombreux dispositifs de sécurité évolués sont disponibles, notamment un avertisseur de collision avant (couplé au régulateur de vitesse adaptatif) et des avertisseurs d'angle mort et de changement de voie. Il y a quelques années seulement, ces dispositifs étaient réservés exclusivement aux voitures de luxe.

### DOUCE, ÉPICÉE OU TRÈS PIQUANTE

La grande majorité des Charger vendues au Canada seront propulsées par le moteur de base, un V6 de 3,6 litres qui produit jusqu'à 300 chevaux (en version Rallye avec double échappement) et jusqu'à 264 lb-pi de couple. Mais ce n'est pas tout. Contrairement aux autres berlines de cette catégorie, la Charger peut aussi être dotée de trois différents V8 pour combler les attentes des amateurs de performances. Avec la R/T, on obtient un moulin de 5,7 litres (370 chevaux, 395 lb-pi). Avec les versions Scat Pack et SRT 392, le V8 passe à 6,4 litres (485 chevaux, 475 lb-pi). Quant à la Hellcat, son moteur de 6,2 litres suralimenté produit pas moins de 707 chevaux, et un couple de 650 lb-pi. Il s'agit du moteur huit cylindres de production le plus puissant au monde. Toutes les Charger sont maintenant livrées de série avec une boîte automatique à huit rapports. La transmission intégrale demeure offerte en option, mais seulement pour les modèles à moteur six cylindres (à cause des faibles volumes de vente, la R/T n'est plus disponible avec le rouage intégral).

Si jamais l'envie vous prenait d'emmener votre Charger sur une piste de course, sachez que les versions SRT 392 et Scat Pack offrent un assortiment d'équipements incluant des freins plus gros, un dispositif de départs-canon et une suspension améliorée. Avec la Hellcat, on obtient un châssis modifié pour encore plus de rigidité, un choix de modes de conduite et une panoplie de dispositifs électroniques d'aide à la conduite. Avec des pneus appropriés, on peut réussir des accélérations de 0 à 100 km/h qui avoisinent les quatre secondes. Mais pour ce faire, vous devrez vous exercer abondamment parce que la puissance est livrée de façon explosive, c'est le moins que l'on puisse dire.

La Charger consolide fermement la position de Dodge en tant que marque de performance chez FCA. Elle crée un mouvement d'intérêt certain pour un modèle qui, l'année précédente, n'aurait peut-être pas été en haut de la liste pour bien des acheteurs. Plus important encore, cette Charger a ce qu'il faut pour soutenir le battage médiatique qu'elle reçoit, même dans le cas des modèles plus abordables. En additionnant les améliorations en matière d'aménagement intérieur, la liste d'équipements et le choix de groupes motopropulseurs, on se retrouve avec une gamme particulièrement intéressante pour ceux qui en ont assez des berlines trop ternes.

| Châssis - Hellcat | |
| --- | --- |
| Emp / lon / lar / haut | 3058 / 5100 / 1905 / 1480 mm |
| Coffre / Réservoir | 467 litres / 70 litres |
| Nbre coussins sécurité / ceintures | 7 / 5 |
| Suspension avant | ind., bras inégaux |
| Suspension arrière | ind., multibras |
| Freins avant / arrière | disque / disque |
| Direction | à crémaillère, ass. var. élect. |
| Diamètre de braquage | 11,6 m |
| Pneus avant / arrière | P275/40ZR20 / P275/40ZR20 |
| Poids / Capacité de remorquage | 2075 kg / non recommandé |
| Assemblage | Brampton, ON |

| Composantes mécaniques | |
| --- | --- |
| **SE, SE AWD, SXT, SXT AWD** | |
| Cylindrée, soupapes, alim. | V6 3,6 litres 24 s atmos. |
| Puissance / Couple | 292 ch / 260 lb-pi |
| Tr. base (opt) / rouage base (opt) | A8 / Prop (Int) |
| 0-100 / 80-120 / V.Max | 7,5 s / 5,9 s / n.d. |
| 100-0 km/h | 42,8 m |
| Type / ville / route / $CO_2$ | Ord / 12,8 / 8,6 l/100 km / 5019 kg/an |
| **R/T, R/T Road & Track** | |
| Cylindrée, soupapes, alim. | V8 5,7 litres 16 s atmos. |
| Puissance / Couple | 370 ch / 395 lb-pi |
| Tr. base (opt) / rouage base (opt) | A8 / Prop |
| 0-100 / 80-120 / V.Max | 6,8 s / 5,0 s / n.d. |
| 100-0 km/h | 41,0 m |
| Type / ville / route / $CO_2$ | Ord / 14,8 / 9,3 l/100 km / 5670 kg/an |
| **SRT 392** | |
| Cylindrée, soupapes, alim. | V8 6,4 litres 16 s atmos. |
| Puissance / Couple | 485 ch / 475 lb-pi |
| Tr. base (opt) / rouage base (opt) | A8 / Prop |
| 0-100 / 80-120 / V.Max | n.d. / n.d. / n.d. |
| 100-0 km/h | n.d. |
| Type / ville / route / $CO_2$ | Sup / 15,7 / 9,5 l/100 km / 5939 kg/an |
| **Hellcat** | |
| Cylindrée, soupapes, alim. | V8 6,2 litres 16 s surcompressé |
| Puissance / Couple | 707 ch / 650 lb-pi |
| Tr. base (opt) / rouage base (opt) | A8 / Prop |
| 0-100 / 80-120 / V.Max | n.d. / n.d. / n.d. |
| 100-0 km/h | n.d. |
| Type / ville / route / $CO_2$ | Sup / 18,0 / 10,7 l/100 km / 6769 kg/an |

### Du nouveau en 2016

Changements de couleurs de carrosserie et de garnitures intérieures

Photos : Dodge Canada, Jeremy Alan Glover

# DODGE **DART**

**Prix :** 16 495 $ à 23 495 $ (2015)
**Catégorie :** Berline
**Garanties :**
3 ans/60 000 km, 5 ans/100 000 km
**Transport et prép. :** 1 795 $
**Ventes QC 2014 :** 1 204 unités
**Ventes CAN 2014 :** 7 623 unités

## Cote du Guide de l'auto

# 64 %

| Fiabilité | Appréciation générale |
|---|---|
| ■■■■■■■□□□ | ■■■■■■■□□□ |

| Sécurité | Agrément de conduite |
|---|---|
| ■■■■■■■■□□ | ■■■■■■■□□□ |

| Consommation | Système multimédia |
|---|---|
| ■■■■■■■□□□ | ■■■■■■■■□□ |

## Cote d'assurance

■■■■■■■■□□
$$$       $

présentée par
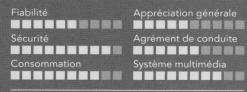

➕ Style agressif • Large sélection de moteurs • Habitacle spacieux • Système Uconnect convivial

➖ Versions équipées dispendieuses • Suspensions molles • Embrayage ordinaire • Pas de caractéristiques marquantes

## Concurrents

Chevrolet Cruze, Ford Focus, Honda Civic, Hyundai Elantra, Kia Forte, Mazda3, Mitsubishi Lancer, Nissan Sentra, Subaru Impreza, Toyota Corolla, Volkswagen Jetta

# Un projectile affûté ratant sa cible

Frédérick Boucher-Gaulin

**D**odge avait placé beaucoup d'espoirs dans sa compacte Dart lancée en 2012. Elle avait pour mission de remplacer la Caliber, une petite compacte à hayon qui, faute d'avoir changé la perception des consommateurs envers la fiabilité des petites voitures de la marque, avait au moins permis d'engranger quelques précieux dollars dans les coffres corporatifs. Avec un style agressif, une large sélection de moteurs et les dernières technologies disponibles chez FCA, la Dart avait tout pour plaire ; aujourd'hui cependant, on remarque que les ventes n'ont pas décollé. Que manque-t-il donc à cette voiture pour qu'elle soit capable de rivaliser avec les meneuses de ce segment, la Honda Civic et la Toyota Corolla ?

### PAS GROSSE, GÉNÉREUSEMENT PROPORTIONNÉE

Avec une longueur de 4 671 mm, une largeur de 1 829 mm et un empattement de 2 703 mm, la Dart est plus grosse que ses rivales ; ses dimensions généreuses la placent très près de certaines berlines intermédiaires. Ceci lui donne un avantage au niveau de l'habitacle, mais la handicape si l'on parle de poids ; à 1 445 kilos, la Dart n'est pas exactement légère, et cela se ressent derrière le volant.

La compacte de Dodge est disponible en plusieurs saveurs. La SE vient de série avec un quatre cylindres de 2,0 litres Tigershark et une boîte manuelle à six rapports ; cette version compte sur des enjoliveurs de plastique par-dessus ses roues en acier de 16 pouces, des sièges en tissu et 10 coussins gonflables. On peut ajouter une boîte automatique en option. En montant de plus en plus haut dans les modèles, on rencontre la SXT et son moteur de 2,4 litres ; avec ses 184 chevaux, celui-ci déplace la Dart assez rapidement (au prix d'une consommation plus élevée).

Vient ensuite l'Aero, qui se veut la moins énergivore de la gamme. Celle-ci a droit à un moulin turbocompressé de 1,4 litre qu'on peut associer à une boîte de vitesses à double embrayage. Grâce à ce petit moteur ainsi qu'à diverses améliorations aérodynamiques, cette version ne consomme que 5,8 litres aux 100 km sur la route, tandis que les autres moteurs ne peuvent faire mieux que 6,5 litres dans les mêmes conditions. Si l'on choisit la sportive GT, on obtient un style agrémenté de roues noircies, une calibration unique du moteur 2,4 litres et des accents intérieurs accordés à la couleur de la carrosserie. La Dart la plus équipée, la Limited, se positionne directement en ligne avec ses compétitrices japonaises.

L'habitacle de la Dart est une nette amélioration par rapport à celui de la Caliber, mais l'on est encore une fois quelque peu en dessous des normes de l'industrie ; s'ils sont très agréables à regarder, certains de ses plastiques sont durs et donnent l'impression qu'ils ne survivront pas aux affres du temps. La position de conduite est correcte, mais les sièges sont quelque peu inconfortables. Par contre, il faut mentionner que les versions mieux équipées (à partir de la Aero) comprennent le système Uconnect et son écran de 8,4 pouces, qui est toujours la référence dans le domaine.

Le châssis de la Dart a des racines italiennes, puisqu'on le retrouve également sous l'Alfa Romeo Giulietta. La suspension a été calibrée pour le continent nord-américain, mais on sent bien que la petite Dodge a un héritage sportif : les mouvements de caisse sont bien contrôlés, peu importe la situation. Comme mentionné plus haut cependant, le poids supérieur de la compacte fait en sorte qu'elle est moins maniable que son style laisserait croire.

### VICTIME DE SON ORIGINALITÉ… ET DE SON NOM

Les résultats de vente de la Dart peuvent se résumer à quelques raisons bien simples : elle n'est ni la moins chère, ni la mieux équipée, ni la plus frugale ; dans le segment des compactes, où les acheteurs magasinent avec leur cerveau plutôt qu'avec leur cœur. Ce sont autant de raisons pour ne pas choisir la Dart. Vient ensuite la fiabilité perçue de Dodge ; si elle s'est améliorée avec les années, certaines expériences passées ont laissé de mauvais souvenirs chez certains, et la simple mention de certaines compactes de la marque suffit à en faire fuir plusieurs.

Par contre, la Dart mérite qu'on s'y intéresse ; elle est spacieuse, elle offre une longue liste d'équipement et elle est plutôt jolie ; parmi toutes les compactes sur la route, ceux qui veulent se démarquer verront les uniques traits de personnalité de la petite Dodge comme un incitatif à l'achat.

## Châssis - GT

| | |
|---|---|
| Emp / lon / lar / haut | 2703 / 4671 / 1829 / 1466 mm |
| Coffre / Réservoir | 371 litres / 60 litres |
| Nbre coussins sécurité / ceintures | 10 / 5 |
| Suspension avant | ind., jambes force |
| Suspension arrière | ind., multibras |
| Freins avant / arrière | disque / disque |
| Direction | à crémaillère, ass. var. élect. |
| Diamètre de braquage | 11,5 m |
| Pneus avant / arrière | P225/40R18 / P225/40R18 |
| Poids / Capacité de remorquage | 1445 kg / non recommandé |
| Assemblage | Belvidere, IL |

## Composantes mécaniques

### SE

| | |
|---|---|
| Cylindrée, soupapes, alim. | 4L 2,0 litres 16 s atmos. |
| Puissance / Couple | 160 ch / 148 lb-pi |
| Tr. base (opt) / rouage base (opt) | M6 (A6) / Tr |
| 0-100 / 80-120 / V.Max | 11,3 s / 8,3 s / n.d. |
| 100-0 km/h | 44,0 m |
| Type / ville / route / $CO_2$ | Ord / 9,4 / 6,5 l/100 km / 3724 kg/an |

### Aero

| | |
|---|---|
| Cylindrée, soupapes, alim. | 4L 1,4 litre 16 s turbo |
| Puissance / Couple | 160 ch / 184 lb-pi |
| Tr. base (opt) / rouage base (opt) | M6 (A6) / Tr |
| 0-100 / 80-120 / V.Max | 8,2 s / 7,0 s / n.d. |
| Type / ville / route / $CO_2$ | Sup / 8,5 / 5,8 l/100 km / 3351 kg/an |

### SXT, GT, Limited

| | |
|---|---|
| Cylindrée, soupapes, alim. | 4L 2,4 litres 16 s atmos. |
| Puissance / Couple | 184 ch / 171 lb-pi |
| Tr. base (opt) / rouage base (opt) | M6 (A6) / Tr |
| 0-100 / 80-120 / V.Max | 7,9 s (est) / 7,0 s (est) / n.d. |
| 100-0 km/h | n.d. |
| Type / ville / route / $CO_2$ | Ord / 10,1 / 6,8 l/100 km / 3963 kg/an |

## Du nouveau en 2016

Quelques changements de couleurs et d'équipement

Photos : Dodge Canada

# DODGE **DURANGO**

**Prix :** 40 895 $ à 53 895 $ (2015)
**Catégorie :** VUS
**Garanties :**
3 ans/60 000 km, 5 ans/100 000 km
**Transport et prép. :** 1 795 $
**Ventes QC 2014 :** 196 unités
**Ventes CAN 2014 :** 2 977 unités

### Cote du Guide de l'auto

# 73 %

| Fiabilité | Appréciation générale |
|---|---|
| ■■■■■■□□□□ | ■■■■■■■□□□ |
| Sécurité | Agrément de conduite |
| ■■■■■■□□□□ | ■■■■■■■■□□ |
| Consommation | Système multimédia |
| ■■■□□□□□□□ | ■■■■■■□□□□ |

### Cote d'assurance

présentée par

■■■■■■■□□□ **KANETIX.CA**

$$$          $

**➕** Gueule d'enfer • Habitacle confortable • Tableau de bord moderne et efficace • Capacités de remorquage élevées • Boîte à huit rapports au point

**➖** Consommation d'autobus (V8) • Prix de certaines versions très élevé • Bien peu sportif • Fiabilité pas encore parfaite

### Concurrents
Chevrolet Suburban, Chevrolet Tahoe, GMC Yukon, Nissan Armada, Toyota Sequoia

# Gueule d'enfer et bonnes manières

Alain Morin

**C**onstruit à partir de la plate-forme du Mercedes-Benz GL, du temps où le fabricant allemand et Chrysler étaient unis pour le moins pire, le Dodge Durango joue la carte du raffinement pour se faire une place au soleil. Raffiné il est. Puissant aussi. Et pas laid du tout, même si des goûts et des couleurs nous ne discuterons pas. Ce VUS de grand format a tout pour réussir et il est en train de le prouver. Voyons-y de plus près.

Tout d'abord, lorsque nous écrivons que le Durango est un VUS grand format, au même titre que les Chevrolet Tahoe ou Nissan Armada, nous n'avons pas tort. Nous pourrions aussi affirmer qu'il est un VUS intermédiaire comme les Nissan Pathfinder ou Ford Explorer et nous n'aurions toujours pas tort. Le Durango se situe entre les deux catégories en termes de dimensions, mais son prix élevé l'amène davantage vers la catégorie supérieure. D'ailleurs, même s'il partage certains éléments avec son cousin, le Jeep Grand Cherokee, il est quand même plus gros et en général plus cher que ce dernier. Cette précision étant apportée, nous comprenons mieux pourquoi son habitacle est si vaste !

Le tableau de bord est, selon mon avis quelquefois humble, l'un des plus beaux du moment et d'une grande facilité d'utilisation. Le grand écran central présente ses informations de façon si claire que même un lent de la technologie comme moi s'y retrouve aisément. Bravo Uconnect (c'est le nom donné au système multimédia de FCA – Fiat Chrysler Automobiles). Le bouton rotatif à-la-Jaguar qui remplace le traditionnel levier de vitesses est un peu déconcertant au début, mais on s'y fait très rapidement.

### VASTE MAIS PAS TANT QUE ÇA
Qui plus est, les matériaux sont de belle qualité, une mention qu'on ne retrouvait pas dans un texte portant sur un produit Dodge il y a à peine quelques années. Un essai hivernal a démontré : a) tant qu'à passer un

hiver avec de gros manteaux sur le dos, aussi bien le faire dans un Durango dans lequel on peut prendre ses aises ; b) que les sièges chauffants ne chauffent pas beaucoup ; c) que le volant chauffant chauffe énormément.

Parlant de sièges, ceux à l'avant s'avèrent très confortables. Ceux de la deuxième rangée aussi, mais comme ils sont placés loin à l'intérieur du véhicule, y accéder n'est pas très facile et si les jeunes adultes ou les ados n'en feront aucun cas, les personnes à mobilité réduite pourraient ne pas apprécier. À ces personnes, je recommande d'éviter à tout prix la troisième rangée plus difficile à atteindre et, surtout, passablement moins confortable même si le dégagement pour la tête et les jambes est très bon. Lorsque ces dossiers sont relevés, ce sont les dimensions du coffre qui écopent.

### PARLONS BOULONS

Deux moteurs sont proposés à l'acquéreur d'un Durango. Le premier, un V6 de 3,6 litres de 290 ou 295 chevaux, selon la finition, qu'on retrouve à peu près partout chez Dodge, Jeep, Chrysler et Ram. J'imagine que les ingénieurs de Fiat doivent chercher un moyen pour le faire entrer dans une 500. C'est une blague. Ce V6 est tout à fait indiqué et est responsable de performances très correctes. En conduite normale, on peut s'en tirer pour environ 12,0 l/100 km. L'autre moteur est un V8 de 5,7 litres HEMI dont les 360 chevaux sont amplement suffisants pour assurer des accélérations et des reprises musclées. Au prix d'une consommation qui gravite autour des 16,0 l/100 km toutefois...

Logiquement, on serait porté à choisir ce moteur si l'on voulait remorquer de lourdes charges – jusqu'à 3 266 kilos (7 200 livres). Or, à moins d'avoir besoin d'autant de capacité, le V6 peut tirer jusqu'à 2 812 kilos (6 200 livres). Entre chacun de ces moteurs et le rouage intégral assez compétent, on retrouve une boîte automatique à huit rapports d'une rare efficacité.

Comme tous les véhicules imposants et au centre de gravité élevé, le Durango n'est pas sportif pour deux sous, même en version R/T possédant une suspension sport qui contre davantage le roulis en virage. La direction est un peu floue au centre mais, dans l'ensemble, on le sent plus petit qu'il ne l'est en réalité, ce qui est tout à son honneur. L'habitacle est silencieux et seul l'agréable grondement du V8 se fait entendre lors des accélérations. Le V6 aussi se fait entendre mais avec quelques décibels en moins.

Au fil des années, le Durango est en train de s'afficher comme une valeur sûre chez Dodge malgré une fiabilité qui gagnerait à s'améliorer. Et quelle gueule !

### Châssis - R/T

| | |
|---|---|
| Emp / lon / lar / haut | 3042 / 5110 / 2172 / 1801 mm |
| Coffre / Réservoir | 490 à 2393 litres / 93 litres |
| Nbre coussins sécurité / ceintures | 7 / 7 |
| Suspension avant | ind., bras inégaux |
| Suspension arrière | ind., pneumatique, multibras |
| Freins avant / arrière | disque / disque |
| Direction | à crémaillère, assistée |
| Diamètre de braquage | 11,2 m |
| Pneus avant / arrière | P265/50R20 / P265/50R20 |
| Poids / Capacité de remorquage | 2418 kg / 3266 kg (7200 lb) |
| Assemblage | Détroit, MI |

### Composantes mécaniques

**SXT, Limited**

| | |
|---|---|
| Cylindrée, soupapes, alim. | V6 3,6 litres 24 s atmos. |
| Puissance / Couple | 290 ch / 260 lb-pi |
| Tr. base (opt) / rouage base (opt) | A8 / Int |
| 0-100 / 80-120 / V.Max | 9,4 s / 7,8 s / n.d. |
| 100-0 km/h | 43,0 m |
| Type / ville / route / CO$_2$ | Ord / 13,9 / 9,8 l/100 km / 5545 kg/an |

**Citadel**

| | |
|---|---|
| Cylindrée, soupapes, alim. | V6 3,6 litres 24 s atmos. |
| Puissance / Couple | 295 ch / 260 lb-pi |
| Tr. base (opt) / rouage base (opt) | A8 / Int |
| 0-100 / 80-120 / V.Max | 9,2 s (est) / 7,8 s (est) / n.d. |
| 100-0 km/h | 43,0 m |
| Type / ville / route / CO$_2$ | Ord / 13,9 / 9,8 l/100 km / 5545 kg/an |

**R/T**

| | |
|---|---|
| Cylindrée, soupapes, alim. | V8 5,7 litres 16 s atmos. |
| Puissance / Couple | 360 ch / 390 lb-pi |
| Tr. base (opt) / rouage base (opt) | A8 / Int |
| 0-100 / 80-120 / V.Max | 9,3 s / 6,7 s / n.d. |
| 100-0 km/h | 45,1 m |
| Type / ville / route / CO$_2$ | Ord / 17,3 / 11,5 l/100 km / 6757 kg/an |

### Du nouveau en 2016

Aucun changement majeur. Fonchon Start / Stop avec V6.
Nouvelle couleurs, certaines discontinuées.

Photos : Dodge Canada

DODGE GRAND CARAVAN

**DODGE GRAND CARAVAN /**
**CHRYSLER TOWN & COUNTRY / RAM CARGO VAN**

((SiriusXM))

**Prix:** 19 895 $ à 34 495 $ (2015)
**Catégorie:** Fourgonnette
**Garanties:**
3 ans/60 000 km, 5 ans/100 000 km
**Transport et prép.:** 1 795 $
**Ventes QC 2014:** 10 368 unités*
**Ventes CAN 2014:** 60 703 unités**

**Cote du Guide de l'auto**

# 64 %

Fiabilité
■■■■■■■□□□

Appréciation générale
■■■■■■■□□□

Sécurité
■■■■■■□□□□

Agrément de conduite
■■■■■□□□□□

Consommation
■■■■□□□□□□

Système multimédia
■■■■■■■□□□

**Cote d'assurance**
■■■■■■■■□□
$$$             $

présentée par
**KANETIX.CA**

➕ Grande polyvalence • Système Stow'n
Go sans égal • Moteur V6 bien adapté •
Prix concurrentiel • Bonne capacité
de remorquage

➖ Modèle en sursis • Consommation
élevée • Fiabilité problématique •
Matériaux de l'habitacle à revoir •
Sensible aux vents latéraux

**Concurrents**
Honda Odyssey, Kia Sedona,
Toyota Sienna

# Décision suicidaire ?

Denis Duquet

**D**ans le cadre d'une réorganisation massive des marques du groupe FCA (Fiat Chrysler Automobiles), il a été annoncé que la fourgonnette proposée par Dodge, la Grand Caravan, ne sera pas de retour lorsque les changements surviendront. En effet, Sergio Marchionne a décidé dans sa grande sagesse de faire de Dodge une marque de performance et de Chrysler une marque centrée sur le confort et le luxe. Bien qu'il s'agisse de l'un des meilleurs vendeurs de cette division, le Grand Caravan ne serait pas de retour mais il se pourrait qu'il continue sa carrière au Canada tout au moins. Si non, seule la marque Chrysler aura droit à une fourgonnette, toute nouvelle.

Lors des derniers salons automobiles de la saison, incluant celui de New York en avril, aucune nouvelle fourgonnette n'a été dévoilée. On peut supposer que la nouvelle génération sera présentée au Salon de Los Angeles en novembre prochain ou encore celui de Detroit en janvier 2016. En attendant, on retrouve les mêmes modèles que ceux proposés l'an dernier et qui ne connaissent que peu de changements puisqu'il s'agit de véhicules en sursis.

**PRATIQUE MAIS PAS TOUJOURS CONFORTABLE**
On s'est habitué au fil des années à cette silhouette dotée d'une section arrière équarrie qui a suscité bien des controverses lors de son arrivée. En effet, les rumeurs avaient été persistantes quant au dévoilement de quelque chose de spectaculaire et d'unique en son genre. Lorsque cette silhouette a été vue pour la première fois, rares étaient les gens qui se sont montrés enthousiastes.

Quoi qu'il en soit, on bénéficie toujours d'un habitacle très pratique en raison de multiples espaces de rangement, d'une console centrale mobile et surtout du fameux système Stow'n Go qui permet de remiser dans le plancher les sièges des deuxième et troisième rangées, et cela en un tournemain. Cependant, même si c'est éminemment pratique et

---

* Dodge Grand Caravan Qc: 9 644 unités
Can: 51 759 unités

** Chrysler town & Country Qc: 724 unités
Can: 8 944 unités

sans équivalent sur aucun autre produit sur le marché, cela a obligé les ingénieurs à concocter des sièges relativement minces qui ne sont pas d'un très grand confort.

La planche de bord, pour sa part et comme la plupart des autres modèles de ce constructeur, est ingénieuse et pratique à la fois. On apprécie entre autres le levier de vitesses monté sur la planche de bord et placé à la portée de la main, à droite du volant. Il faut également souligner le caractère intuitif du système Uconnect qui gère les principales fonctions de ce véhicule. Plusieurs concurrents devraient s'inspirer de ce système qui est la référence au chapitre de la convivialité. Comme il se doit, la version Chrysler (Town & Country) est plus luxueuse et offre un équipement de série plus complet. Toutefois, au chapitre de la plate-forme et de la mécanique, c'est du pareil au même.

### SAVOIR PARTIR

Pendant longtemps, l'un des points faibles de cette fourgonnette était l'absence d'un moteur moderne offrant un bon rendement. Ce problème est résolu depuis que le V6 3,6 litres Pentastar est arrivé sous le capot. Avec ses 283 chevaux, il permet de boucler le 0-100 km/h en moins de neuf secondes et il est associé à une boîte automatique à six rapports qui accomplit un travail adéquat. Cependant, sa consommation de carburant n'est pas la meilleure et il faut conduire de façon très retenue pour pouvoir bénéficier d'une économie de carburant acceptable.

Au chapitre de la conduite, la suspension est confortable et la tenue de route est correcte pour autant qu'on ne s'excite pas derrière le volant. Si vous voulez jouer les conducteurs sportifs, ce qui n'est pas le lot d'une fourgonnette, vous allez découvrir assez rapidement les limites de cette suspension qui comprend à l'arrière une poutre de torsion. Cette configuration privilégie surtout un plancher plat en raison de sa très faible intrusion dans l'habitacle et pas nécessairement la tenue de route.

Reste à savoir maintenant ce que l'avenir nous réserve. Les fourgonnettes ne sont pas considérées comme des véhicules de luxe, et le fait de limiter cette catégorie à la marque Chrysler se révélera peut-être suicidaire pour cette fourgonnette. Ce qui serait une décision coûteuse et dramatique compte tenu des centaines de millions investis dans une nouvelle usine à Windsor en Ontario pour fabriquer cette Chrysler à vocation familiale. L'avenir nous dira quel sort est réservé à la Grand Caravan.

### Châssis - SXT

| | |
|---|---|
| Emp / lon / lar / haut | 3078 / 5151 / 2247 / 1725 mm |
| Coffre / Réservoir | 934 à 4072 litres / 76 litres |
| Nbre coussins sécurité / ceintures | 7 / 7 |
| Suspension avant | ind., jambes force |
| Suspension arrière | semi-ind., poutre torsion |
| Freins avant / arrière | disque / disque |
| Direction | à crémaillère, assistée |
| Diamètre de braquage | 12,0 m |
| Pneus avant / arrière | P225/65R17 / P225/65R17 |
| Poids / Capacité de remorquage | 2050 kg / 1633 kg (3600 lb) |
| Assemblage | Windsor, ON |

### Composantes mécaniques

**Ensemble Valeur Plus, SXT, Crew, R/T**

| | |
|---|---|
| Cylindrée, soupapes, alim. | V6 3,6 litres 24 s atmos. |
| Puissance / Couple | 283 ch / 260 lb-pi |
| Tr. base (opt) / rouage base (opt) | A6 / Tr |
| 0-100 / 80-120 / V.Max | 8,8 s / 7,3 s / n.d. |
| 100-0 km/h | 44,5 m |
| Type / ville / route / $CO_2$ | Ord / 13,7 / 9,4 l/100 km / 5412 kg/an |

### Du nouveau en 2016

Aucun changement majeur. Nouveau modèle prévu. Abandon probable du modèle Dodge. Version Anniversary Edition pour la Town & Country soulignant les 90 ans de la marque.

**CHRYSLER TOWN AND COUNTRY**

DODGE **GRAND CARAVAN** / CHRYSLER **TOWN & COUNTRY** / RAM **CARGO VAN**

# DODGE **JOURNEY**

**Prix :** 19 495 $ à 34 395 $ (2015)
**Catégorie :** VUS
**Garanties :**
3 ans/60 000 km, 5 ans/100 000 km
**Transport et prép. :** 1 795 $
**Ventes QC 2014 :** 3 356 unités
**Ventes CAN 2014 :** 24 715 unités

## Cote du Guide de l'auto

# 62 %

| Fiabilité | Appréciation générale |
|---|---|
| ■■■■■□□□□□ | ■■■■■■□□□□ |
| Sécurité | Agrément de conduite |
| ■■■■■■■■□□ | ■■■■■■□□□□ |
| Consommation | Système multimédia |
| ■■■□□□□□□□ | ■■■■■□□□□□ |

### Cote d'assurance
■■■■■■■■□□
$$$                              $

présentée par
**KANETIX.CA**

➕ Moteur V6 puissant • Beaucoup
d'espace • Trois rangées de siège
utilisables • Infodivertissement
Uconnect efficace

➖ Quatre cylindres anémique •
Une boîte automatique à 4 rapports
en 2015 ? • Certaines versions
dispendieuses • Nouveau modèle
arrivera sous peu

### Concurrents
Kia Rondo, Mazda 5

# Je ne suis pas
# une fourgonnette !

Frédérick Boucher-Gaulin

**E**n 2008, Dodge a lancé la plus récente version de sa
fourgonnette Grand Caravan ; il n'y avait pas de simple
Caravan, signifiant que les versions à empattement
court n'étaient pas reconduites.

Ceci laissait un trou dans la gamme du constructeur américain ; pour le
remplir, Dodge a décidé de construire un multisegment qu'ils ont basé
sur la plate-forme de la berline Avenger. De leurs efforts est née le
Journey, un véhicule à la fois abordable et spacieux.

Nous sommes maintenant en 2015, et le Journey est toujours vendu
sous la forme qu'on lui a donnée il y a 7 ans ; s'il n'est plus exactement
à la fine pointe de la modernité, Dodge l'offre encore, puisqu'il se vend
encore bien.

### BEAU, BON ET PAS CHER
L'un des arguments les plus utilisés par le département marketing du
manufacturier pour vendre ce véhicule est son prix d'entrée, c'est donc
par-là que nous allons débuter : l'ensemble Valeur Plus débute
légèrement au-delà de 20 000 $, ce qui en fait l'un des véhicules
familiaux les moins chers sur le marché. À ce prix, vous obtenez un
moteur à quatre cylindres de 2,4 litres déployant 173 chevaux qui font
uniquement tourner les roues avant. Il y a bien un rouage intégral offert,
mais il n'est disponible que sur les versions plus équipées. Cette
motorisation est carrément anémique, d'autant plus qu'elle est
associée à une antique boîte automatique à 4 rapports. Si l'on décide
de monter dans la gamme de finitions, on peut ajouter une troisième
rangée de sièges à l'arrière, transformant le Journey en un sept
passagers ; par contre, le petit moulin peinera à la simple idée de
transporter autant de gens.

Si vous avez besoin de trimballer de lourdes charges ou si vous
prévoyez être conducteur désigné pour toute votre tribu, il serait peut-être
sage d'opter pour le V6 Pentastar : d'une cylindrée de 3,6 litres, cet

engin moderne vous donnera non seulement droit à 283 chevaux et à une boîte automatique à six rapports beaucoup plus moderne que celle attitrée à l'engin de base, mais il est aussi possible d'ajouter un rouage intégral à l'ensemble, le rendant plus apte à vous amener n'importe où même lorsque la météo se dégrade.

La conduite du Journey n'a rien d'une expérience transcendante, mais là n'est pas la vocation du véhicule : ses sièges sont confortables, son capot plongeant offre une bonne visibilité et il y a de la place pour tout le monde à bord (tant que vous ne condamnez pas des adultes à s'asseoir à la troisième rangée). Le V6 offre suffisamment de *punch* pour dépasser sur une route secondaire en toute sécurité, il peut remorquer jusqu'à 1 134 kilos et consomme à peine un litre de plus au 100 km sur la route par rapport à son homologue à quatre cylindres... selon les données du manufacturier ; dans le vrai monde, on a quelquefois vu des Journey de base beaucoup plus gloutons que leurs homologues V6.

Le Journey regorge de petites attentions que les familles aimeront : des sièges rehausseurs sont camouflés dans la banquette de deuxième rangée (sur certaines versions), les portières arrière s'ouvrent à 90 degrés permettant d'extraire des bambins du véhicule facilement et l'on peut aussi choisir d'ajouter des écrans DVD à l'arrière, permettant aux parents de survivre à un long voyage avec leur santé mentale intacte !

### IL FAUT SAVOIR FAIRE DES CHOIX
En grimpant les échelons des modèles et en ajoutant des ensembles d'option, la facture finit par grimper et l'on se retrouve avec un véhicule de près de 37 000 $. Vrai qu'à ce prix, vous avez droit à un Journey qui a de la gueule avec des roues chromées et tout le tralala, mais il y a des concurrents plus modernes et mieux polis dans cette gamme de prix. Les Journey qui en valent donc le plus la peine sont souvent les versions de base, offrant aux familles un moyen fiable et honnête de transporter les troupes à bas prix.

Mentionnons également que le Journey est appelé à être modifié sous peu (on l'attendait pour 2016, mais il a été repoussé... ça ne saurait tarder). Le futur nous dira dans quelle direction ce multisegment évoluera, mais les exemplaires qui sont actuellement dans les cours de concessionnaire méritent votre attention si vous êtes à la recherche d'un véhicule familial avec énormément d'espace intérieur... Et que vous ne voulez pas une fourgonnette.

### Châssis - Ensemble valeur plus

| | |
|---|---|
| Emp / lon / lar / haut | 2891 / 4887 / 2127 / 1692 mm |
| Coffre / Réservoir | 1121 à 1914 litres / 78 litres |
| Nbre coussins sécurité / ceintures | 7 / 5 |
| Suspension avant | ind., jambes force |
| Suspension arrière | ind., multibras |
| Freins avant / arrière | disque / disque |
| Direction | à crémaillère, ass. var. |
| Diamètre de braquage | 11,6 m |
| Pneus avant / arrière | P225/65R17 / P225/65R17 |
| Poids / Capacité de remorquage | 1735 kg / 454 kg (1000 lb) |
| Assemblage | Toluca, MX |

### Composantes mécaniques

**Ensemble valeur plus, SE Plus, SXT**

| | |
|---|---|
| Cylindrée, soupapes, alim. | 4L 2,4 litres 16 s atmos. |
| Puissance / Couple | 173 ch / 166 lb-pi |
| Tr. base (opt) / rouage base (opt) | A4 / Tr |
| 0-100 / 80-120 / V.Max | 12,5 s / 10,0 s / n.d. |
| 100-0 km/h | 45,6 m |
| Type / ville / route / $CO_2$ | Ord / 12,7 / 9,1 l/100 km / 5097 kg/an |

**Limited, R/T, R/T Rallye, Crossroad TI**

| | |
|---|---|
| Cylindrée, soupapes, alim. | V6 3,6 litres 24 s atmos. |
| Puissance / Couple | 283 ch / 260 lb-pi |
| Tr. base (opt) / rouage base (opt) | A6 / Tr (Int) |
| 0-100 / 80-120 / V.Max | 8,3 s / 5,3 s / n.d. |
| 100-0 km/h | 44,1 m |
| Type / ville / route / $CO_2$ | Ord / 14,5 / 9,9 l/100 km / 5718 kg/an |

### Du nouveau en 2016
Aucun changement majeur, changements de couleurs de carrosserie

Photos : Dodge Canada

# DODGE **VIPER**

**Prix :** 92 995 $ à 114 995 $ (2015)
**Catégorie :** Coupé
**Garanties :**
3 ans/60 000 km, 3 ans/60 000 km
**Transport et prép. :** 2 095 $
**Ventes QC 2014 :** 12 unités
**Ventes CAN 2014 :** 107 unités

## Cote du Guide de l'auto

# 71 %

| Fiabilité | Appréciation générale |
| ■■■■■■■□□ | ■■■■■■■□□□ |
| Sécurité | Agrément de conduite |
| ■■■■■■□□□ | ■■■■■■■■□□ |
| Consommation | Système multimédia |
| ■■■■□□□□□ | ■■■■■□□□□□ |

## Cote d'assurance

■■■□□□□□□                      présentée par
$$$                          **KANETIX.CA**
$$$                              $

**✚** Tenue de route solide sur circuit •
V10 atmosphérique puissant et souple •
Habitacle plus confortable et mieux fini •
Suspension réglable efficace (sauf SRT) •
Prix réduits

**➖** Repose-pied étroit • Course
d'embrayage trop longue • Son
décevant du V10 à bas régime • Coffre
peu spacieux • Visibilité moyenne

## Concurrents

Aston Martin Vantage, Audi R8,
Chevrolet Corvette, Maserati Gran
Turismo, Mercedes-Benz AMG GT,
Nissan GT-R, Porsche 911

# Le serpent sort ses plumes et ses griffes

Marc Lachapelle

**C**omme le reptile redoutable qui lui prête son nom, la Viper a mué pour mieux renaître il y a trois printemps. Contrairement au sombre serpent, toutefois, son cœur et son squelette se sont renouvelés du même coup. Par malchance, la bête rajeunie s'est élancée juste avant une version particulièrement réussie de sa grande rivale américaine, la Chevrolet Corvette. Les créateurs de la Viper ont redoublé d'efforts depuis ce jour pour la rendre plus attrayante et ils comptent certainement aussi sur une version toute nouvelle de leur impitoyable ACR pour défendre l'honneur de la race.

La première Viper a été lancée en 1992. Quatre générations se sont succédé depuis. Malgré un équipement plus complet, la version actuelle est plus légère que sa devancière de 70 kilos, grâce à des panneaux de carrosserie en fibre de carbone de calibre aéronautique et en aluminium, fixés à un châssis en acier plus rigide de 50 % que l'ancien. Et l'on peut encore réduire le poids de 26 kg en cochant l'option Track Pack qui ajoute des jantes et disques de frein plus légers, avec des pneus Pirelli P Zero Corsa plus mordants.

### PAS SI GROSSE QUE ÇA

Avec ses ailes gonflées aux stéroïdes et sa grande calandre noire, on croirait la Viper énorme. Elle est pourtant plus courte, étroite et basse qu'une Porsche 911 Turbo dont on vante toujours la taille raisonnable. Elle est même plus légère d'au moins 70 kilos, mais il faut évidemment considérer que l'allemande profite d'un rouage intégral et que la Viper est une propulsion que vous ne verrez certainement jamais rouler l'hiver.

Elle le pourrait, en théorie, puisque cette cinquième Viper est dotée de freins ABS et d'un système antidérapage. Mais ça n'arrivera pas. D'abord parce qu'il est impossible ou extrêmement coûteux de trouver des pneus d'hiver de cette taille, mais surtout parce qu'il est déjà pour le moins délicat et intimidant de conduire une Viper sur de l'asphalte simplement mouillée.

## JAMAIS DEUX SANS TROIS

Sur la GTS, la mieux équipée, on peut choisir entre cinq modes différents pour l'antidérapage, selon le degré d'intervention souhaité. Dans la SRT, la plus simple et la moins chère, il est soit en fonction, soit désactivé. Entre les deux, il y a maintenant la version GT qui partage l'antidérapage et plusieurs autres éléments de la GTS. Par exemple, des amortisseurs Bilstein dont le réglage Race aiguise vraiment la précision et la stabilité sur un circuit et dont le mode Street bonifie le roulement de manière perceptible.

La GT se présente aussi avec le capot ajouré de la GTS et les mêmes disques de frein rainurés StopTech en deux pièces. Ses sièges sont enveloppés de cuir mais c'est du nappa au lieu du Dakota de la GTS. Les sièges en tissu et «nylon balistique» de la SRT offrent un confort et un maintien au moins égaux et son habitacle est bien fini, même si l'on n'y retrouve pas autant de cuir, d'aluminium et de ce suède de luxe qu'est l'Alcantara.

Dans toutes les Viper, on se glisse dans cette cabine plus cossue en enjambant un seuil large qui peut devenir bouillant avec l'échappement courant juste dessous. On prend aussi garde à son crâne avec la ligne de toit basse et arrondie qui n'aide pas non plus la visibilité. Une fois en place, on se réjouit qu'il y ait enfin un repose-pied, mais on se désole qu'il soit si étroit. La faute d'une console très large.

C'est la rançon à payer pour un moteur placé loin vers l'arrière pour obtenir la sacro-sainte répartition égale des masses entre les essieux avant et arrière. Résultat: un équilibre toujours excellent et des vitesses en courbe impressionnantes sur un circuit pour la Viper. Son immense V10 tout aluminium de 8,4 litres y est évidemment pour quelque chose, avec sa sonorité unique et rageuse à plus haut régime. Sa puissance passe à 645 chevaux cette année. La boîte manuelle à 6 rapports est robuste et exige une main très ferme.

## RETOUR AU RING ET NOUVELLES COULEURS

Pour défendre l'honneur de la Viper aux yeux de sa légion d'adorateurs, Dodge a créé une nouvelle ACR (American Club Racer). Avec un immense becquet avant, un gigantesque aileron et un diffuseur arrière, de grands freins en carbone, des pneus plus larges et une suspension entièrement réglable, cette voiture de course qu'on peut immatriculer ira sûrement fouler l'asphalte du célèbre Nürburgring pour tenter d'y améliorer son chrono record, au nez des européennes et surtout de la nouvelle Corvette Z06. À défaut d'égaler ses ventes.

Pour tous les autres, il y a de nouvelles couleurs de carrosserie délirantes et la possibilité de dessiner et colorer la Viper de ses rêves sur un site Web spécial. Amateurs de discrétion, s'abstenir.

### Châssis - GTS

| | |
|---|---|
| Emp / lon / lar / haut | 2510 / 4463 / 1941 / 1246 mm |
| Coffre / Réservoir | 415 litres / 70 litres |
| Nbre coussins sécurité / ceintures | 4 / 2 |
| Suspension avant | ind., bras inégaux |
| Suspension arrière | ind., bras inégaux |
| Freins avant / arrière | disque / disque |
| Direction | à crémaillère, assistée |
| Diamètre de braquage | 12,4 m |
| Pneus avant / arrière | P295/30ZR18 / P355/30ZR19 |
| Poids / Capacité de remorquage | 1556 kg / n.d. |
| Assemblage | Détroit, MI |

### Composantes mécaniques

**SRT, GT, GTS**

| | |
|---|---|
| Cylindrée, soupapes, alim. | V10 8,4 litres 20 s atmos. |
| Puissance / Couple | 645 ch / 600 lb-pi |
| Tr. base (opt) / rouage base (opt) | M6 / Prop |
| 0-100 / 80-120 / V.Max | 3,5 s (estimé) / n.d. / 330 km/h |
| 100-0 km/h | n.d. |
| Type / ville / route / $CO_2$ | Sup / 19,4 / 11,3 l/100 km / 7247 kg/an |

## Du nouveau en 2016

Versions ACR et TA 2.0 en nombre limité, nouvelles couleurs éclatantes, seuils en aluminium gravé (GTS, GT), site Web pour la personnalisation, prix réduits.

# FERRARI **488 GTB**

**Prix:** 290 000 $ (estimé)
**Catégorie:** Coupé
**Garanties:**
3 ans/illimité, 3 ans/illimité
**Transport et prép.:** n.d.
**Ventes QC 2014:** n.d.
**Ventes CAN 2014:** n.d.

### Cote du Guide de l'auto

# n.d.

| Fiabilité | Appréciation générale |
| --- | --- |
| n.d. | n.d. |
| Sécurité | Agrément de conduite |
| n.d. | n.d. |
| Consommation | Système multimédia |
| n.d. | n.d. |

### Cote d'assurance

présentée par
**KANETIX.CA**

$$$                        $

➕ Incroyablement puissante • Allure très sexy • Le son des échappements est encore menaçant • Stabilité dans les virages

➖ Sonorité pas aussi menaçante que la 458 • Direction moins rapide que celle de la 458 • Système de navigation perfectible • Suspension ferme

### Concurrents

Aston Martin DB9, Audi R8, Lamborghini Huracan, Maserati Gran Turismo, McLaren 650S, Mercedes-AMG GT

# La magie est intacte

David Booth

La suralimentation par turbocompresseur a des avantages: elle permet d'élever la puissance (ce qui plaît aux enthousiastes) tout en réduisant les émissions (ce qui plaît aux législateurs). Par contre, le turbo ne fait rien pour améliorer le «caractère» d'un moteur, notamment parce que l'ajout de turbines dans le système d'échappement étouffe la musique naturelle du moulin. Pour une berline passe-partout, cela peut s'avérer positif, mais pas nécessairement pour une voiture super sport.

Or voilà qu'après la Califonia T, c'est maintenant au tour de la nouvelle 488 à moteur central de passer en mode turbo (avec refroidisseur intermédiaire). Dans la foulée, la cylindrée de son V8 passe de 4,5 à 3,9 litres.

La Ferrari a-t-elle perdu son caractère au passage? Non! À basses vitesses, par exemple, la sonorité presque métallique de l'échappement de la 458 a été remplacée par le sifflement menaçant de la paire de turbines – on dirait une Bugatti. À moyens régimes, la 488 sonne comme une AMG GT en colère. Ensuite, contrairement à la plupart des V8 turbo (sauf peut-être celui de McLaren), le moteur de la Ferrari continue à s'emballer et il monte d'un autre ton à partir de 6 000 tr/min. La note n'est pas aussi aiguë qu'avant, mais la musique est encore clairement Ferrari.

Fait intéressant, quand on roule en septième vitesse, le couple maximal très costaud (561 lb-pi) est disponible dès 3 000 tr/min. Par contre, dans les premiers rapports, Ferrari a volontairement réduit la puissance disponible à bas régimes pour vous encourager à utiliser les hauts régimes, et la sonorité qui s'ensuit. À Maranello, on sait que partout dans le monde il y a des amateurs à l'écoute de la musique des échappements de Ferrari.

Cette réduction ciblée de la pression générée par les turbines semble avoir peu d'effet sur les performances réelles. Avec ses 661 chevaux et sa boîte de vitesses à double embrayage à sept rapports ultrarapide (40 % plus rapide qu'avant), la machine de 1 475 kg accélère de 0 à 100 km/h en seulement 3,0 secondes. C'est à peine un clignement d'œil plus lent que la LaFerrari ainsi que les 918 Spyder et P1 qui trônent en haut de la gamme des super-voitures de Porsche et McLaren (et qui coûtent près d'un million de dollars).

Le recalibrage du comportement des turbos offre d'autres avantages également. Les voitures sport à moteur turbo sont souvent critiquées parce que leur couple abondant à moyen régime engendre une réponse de l'accélérateur trop abrupte dans les situations critiques (quand on est à la limite de l'adhérence au milieu d'un virage, par exemple). En réduisant la livraison du couple, Ferrari recrée la courbe de puissance d'un moteur à aspiration naturelle.

Et ça fonctionne... en partie. Car s'il est vrai que la puissance est livrée de façon plus linéaire, il ne faut pas oublier qu'avec 661 chevaux sous le capot, on ne pourra jamais rendre la bête complètement docile. À ce chapitre, le dispositif amélioré de contrôle des dérapages est le bienvenu, et il faut être téméraire pour le désactiver entièrement.

La 488 GTB se distingue également de la 458 par son approche nettement différente au niveau de la direction. La 458 était réputée pour sa conduite extrêmement précise et rapide, et pour le mordant de ses pneus avant Pirelli. Le mordant est toujours au rendez-vous, mais la direction n'est plus aussi ultrarapide. Raffaele de Simone, pilote d'essai chez Ferrari, expliquait que «la 488 est tellement plus agile de façon naturelle que nous avons pu ralentir un peu la direction tout en conservant la légèreté dans les virages serrés». Sur la piste d'essai de Ferrari à Fiorano, il est vrai que la 488 semblait plus stable dans les virages à haute vitesse (sans doute aussi à cause de la hausse marquée – 50 % – de l'appui aérodynamique) tout en demeurant très maniable dans les virages en épingle.

Les faiblesses de la 488 sont peu nombreuses. Ferrari avait promis qu'en passant de Magnetti Marelli à HARMAN, le système de navigation capricieux de la 458 serait chose du passé. Faux ! Avec le nouveau système, vous vous égarerez encore plus vite.

Ferrari a aussi affirmé que les amortisseurs magnétorhéologiques avaient été recalibrés pour plus de confort mais, même en version GTB (il y aura très probablement aussi une Speciale), la suspension est terriblement ferme.

Cela dit, les irritants au niveau du système de navigation et de la fermeté de la suspension ne refroidiront pas les ardeurs des amateurs de Ferrari. La seule chose qui compte, c'est la musique des échappements, et même si la nouvelle 488 chante un peu plus bas, la magie est intacte. Comme toujours. Pour toujours.

### Châssis - GTB

| | |
|---|---|
| Emp / lon / lar / haut | 2650 / 4568 / 1952 / 1213 mm |
| Coffre / Réservoir | 230 litres / 78 litres |
| Nbre coussins sécurité / ceintures | 4 / 2 |
| Suspension avant | ind., double triangulation |
| Suspension arrière | ind., multibras |
| Freins avant / arrière | disque / disque |
| Direction | à crémaillère, assistée |
| Diamètre de braquage | n.d. |
| Pneus avant / arrière | P245/35ZR20 / P305/30ZR20 |
| Poids / Capacité de remorquage | 1475 kg / n.d. |
| Assemblage | Maranello, IT |

### Composantes mécaniques

**GTB**

| | |
|---|---|
| Cylindrée, soupapes, alim. | V8 3,9 litres 32 s turbo |
| Puissance / Couple | 661 ch / 561 lb-pi |
| Tr. base (opt) / rouage base (opt) | A7 / Prop |
| 0-100 / 80-120 / V.Max | 3,0 s (const) / n.d. / 330 km/h |
| 100-0 km/h | n.d. |
| Type / ville / route / $CO_2$ | Sup / n.d. / n.d. / 5200 kg/an |

## Du nouveau en 2016

Nouveau modèle

Photos : David Booth

## FERRARI **CALIFORNIA T**

**Prix :** 231 606 $ (2015)
**Catégorie :** Roadster
**Garanties :**
3 ans/illimité, 3 ans/illimité
**Transport et prép. :** n.d.
**Ventes QC 2014 :** n.d.
**Ventes CAN 2014 :** n.d.

### Cote du Guide de l'auto

# 69 %

| Fiabilité | Appréciation générale |
|---|---|
| ■■■■■■□□□□ | ■■■■■■■□□□ |
| Sécurité | Agrément de conduite |
| ■■■■■■□□□□ | ■■■■■■■□□□ |
| Consommation | Système multimédia |
| ■■□□□□□□□□ | ■■■■■■■□□□ |

### Cote d'assurance

présentée par

■■■□□□□□□□

**KANETIX.CA**

$$$                      $

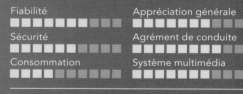 Silhouette élégante • Moteur
d'anthologie • Prestige assuré •
Performances spectaculaires •
Toit rigide rétractable

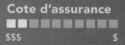 Prix élevé • Certaines commandes
complexes • Toit rigide empiète dans
le coffre • Entretien coûteux

### Concurrents
Aston Martin Vantage, Audi R8,
Jaguar F-Type, Lamborghini Huracán,
McLaren 650S, Mercedes-Benz Classe SL,
Porsche 911

# Plus désirable que jamais

Denis Duquet

**M**algré son nom qui s'associait aux plages et au soleil de la côte ouest des États-Unis, la réception de ce cabriolet lors de son lancement en 2009 a été assez froide. On critiquait sa silhouette, son toit rigide rétractable et même son prix que l'on jugeait trop modeste pour une voiture affichant le logo au cheval cabré. Même si les chiffres de vente ne sont pas dévoilés par ce constructeur, il suffit de naviguer sur l'Internet pour trouver des California usagées en vente à des prix réduits, ce qui permet de croire que les changements apportés l'an dernier n'étaient pas superflus.

En fait, la réaction initiale pour ce modèle a été telle que plusieurs soulignaient qu'on avait dû la commercialiser en tant que Maserati, ce qui aurait permis de relever le panache de cette marque, alors qu'il contribuait à affecter celui de Ferrari. Bref, les débats ont été clos lors de l'arrivée en 2014 d'une version requinquée (année-modèle 2015) tant sur le plan visuel que mécanique.

### SILHOUETTE PLUS ACCENTUÉE
Cette seconde génération s'identifie par la lettre T – pour turbo –, le nouveau moteur étant suralimenté par l'intermédiaire d'une paire de turbocompresseurs. Mais avant de parler mécanique, l'autre changement digne de mention est cette silhouette redessinée qui la rapproche de très près de la F12berlinetta. Et c'est loin d'être un reproche puisque cette dernière est un modèle du genre. La nouvelle California adopte donc des angles plus aigus, des prises d'air plus accentuées tandis que la partie arrière a été révisée. Il faut également souligner une section inférieure de la caisse qui ressemble à un petit marchepied mais qui est un appendice aérodynamique. Dans l'ensemble, le résultat est beaucoup plus sophistiqué. L'habitacle a également connu une révision qui s'imposait. On retrouve donc, sous les buses de ventilation centrales, un écran d'information tactile qui est relativement simple à opérer. Sur le volant, on retrouve les touches permettant de passer les rapports. Parlant de boîte de vitesses, elle

est contrôlée par des boutons d'engagement placés sur la console centrale. Enfin, la plupart des commandes de la voiture sont regroupées sur le volant, notamment le « manettino » qui permet de gérer différents réglages : confort, sport et ultra sport.

La California T propose toujours ce toit rigide rétractable qui se replie dans le coffre en 14 secondes, rien de moins. Toutefois, contrairement à plusieurs autres modèles concurrents, il est impossible d'effectuer son remisage ou son déploiement lorsque la voiture roule.

Les sièges sont inévitablement garnis de cuir fin et offrent un excellent support latéral. Quant aux places arrière, elles sont purement symboliques. Cependant, le dossier se rabat pour permettre d'accéder au coffre et ainsi pouvoir transporter des objets plus longs.

### PLUS LONGUE QU'UNE CORVETTE !

Les ingénieurs ont réussi à réduire le poids de la California T d'environ 27 kg par rapport à la version précédente. Toutefois, avec un poids de 1 733 kg, il est plus lourd de 208 kilos par rapport à la Corvette. Il est aussi plus long de 7,6 cm que celle-ci. Par contre, l'arrivée d'un nouveau moteur turbocompressé de 3,9 litres sous le capot permet de gagner en puissance et en couple. Ses 553 chevaux permettent de boucler le 0–100 km/h en 3,6 secondes, selon les données de Ferrari.

Il ne faut pas en conclure que cette Ferrari n'est efficace que pour accélérer en ligne droite. Grâce à la position du moteur central avant qui permet d'obtenir 47 % du poids à l'avant et 53 % à l'arrière arrière, son comportement routier est à la hauteur de la réputation de la marque. Et il faut parler de la sonorité de ce V8 qui respecte la tradition de Ferrari, de la musique aux oreilles des amateurs de belles mécaniques. On a l'impression d'entendre un félin enragé. Soulignons que des clapets permettent d'atténuer ou d'augmenter le niveau de décibels à la sortie des silencieux. Il est également possible de commander en option la suspension magnétique Magnaride qui adapte la suspension selon les conditions de conduite et de la route.

Toutes ces améliorations et révisions en font une voiture d'exception qui n'est plus la mal-aimée des Ferraristi.

### Châssis - T

| | |
|---|---|
| Emp / lon / lar / haut | 2670 / 4570 / 1910 / 1322 mm |
| Coffre / Réservoir | 240 à 340 litres / 78 litres |
| Nbre coussins sécurité / ceintures | 4 / 4 |
| Suspension avant | ind., double triangulation |
| Suspension arrière | ind., multibras |
| Freins avant / arrière | disque / disque |
| Direction | à crémaillère, ass. var. |
| Diamètre de braquage | n.d. |
| Pneus avant / arrière | 245/40ZR19 / 285/40ZR19 |
| Poids / Capacité de remorquage | 1730 kg / n.d. |
| Assemblage | Maranello, IT |

### Composantes mécaniques

**T**

| | |
|---|---|
| Cylindrée, soupapes, alim. | V8 3,9 litres 32 s turbo |
| Puissance / Couple | 560 ch / 557 lb-pi |
| Tr. base (opt) / rouage base (opt) | A7 (M6) / Prop |
| 0-100 / 80-120 / V.Max | 3,6 s (const) / n.d. / 316 km/h |
| 100-0 km/h | 34,0 m |
| Type / ville / route / $CO_2$ | Sup / n.d. / n.d. / 5000 kg/an |

### Du nouveau en 2016

Aucun changement majeur. Clé intelligente disponible.

Photos: Ferrari Canada

# FERRARI **F12BERLINETTA**

**Prix:** 379 866 $ (2015)
**Catégorie:** Coupé
**Garanties:**
3 ans/illimité, 3 ans/illimité
**Transport et prép.:** n.d.
**Ventes QC 2014:** n.d.
**Ventes CAN 2014:** n.d.

### Cote du Guide de l'auto

# 72%

| | |
|---|---|
| Fiabilité n.d. | Appréciation générale ■■■■■■□□□□ |
| Sécurité ■■■■■■□□□□ | Agrément de conduite ■■■■■■■□□□ |
| Consommation ■■■□□□□□□□ | Système multimédia ■■■■■■□□□□ |

### Cote d'assurance

■■■■□□□□□□

$$$              $

présentée par
**KANETIX.CA**

➕ Style ravageur • Puissance phénoménale • Exclusivité assurée • Systèmes avancés d'aide au pilotage

➖ Prix stratosphérique • Options nombreuses et chères • Coûts d'entretien élevés • Délais de livraison

### Concurrents

Aston Martin Vanquish,
Bentley Continental,
Lamborghini Aventador,
McLaren 650S

# Un art qui se perd

Gabriel Gélinas

**R**acée et radicale, la F12berlinetta de Ferrari appartient presque à une espèce en voie de disparition, celle des exotiques animées par un gros moteur atmosphérique. À l'heure où à peu près tous les constructeurs se tournent vers la turbocompression pour répondre à des impératifs de conformité aux normes de consommation et d'émissions polluantes, la F12 persiste et signe avec son V12 de 6,3 litres et 730 chevaux.

Sera-t-elle la dernière d'une prestigieuse lignée? Lorsqu'on constate que même Ferrari adopte la suralimentation par turbocompresseur greffée à un V8 pour la nouvelle 488 GTB, il y a peut-être lieu de s'inquiéter...

La F12berlinetta s'inscrit dans la lignée des 599 GTB et 575 Maranello en adoptant une configuration avec moteur avant, tout comme ses devancières. Le châssis de type «space frame» est réalisé en aluminium et la carrosserie est faite de matières composites. Les formes de la F12berlinetta sont le résultat de 250 heures d'essais en soufflerie, ce qui permet à la voiture de générer un appui aérodynamique de 123 kilos à 200 kilomètres/heure et d'afficher un coefficient aérodynamique chiffré à 0,29. La F12 est même dotée d'un système de refroidissement actif des freins composé d'aubes directrices qui ne s'ouvrent que lorsque les températures de freinage sont suffisamment élevées.

Quant au style, on peut facilement le qualifier de ravageur et la F12berlinetta adopte les proportions classiques d'une voiture grand tourisme comme en témoignent le très long capot avant et la partie arrière très courte. Sous ce long capot loge le V12 qui permet à la voiture d'exprimer pleinement son potentiel de performance, grâce à la contribution des systèmes électroniques d'aide à la conduite qui sont presque essentiels lorsqu'on tient compte du fait que les 730 chevaux sont livrés aux seules deux roues arrière...

## L'ÉLECTRONIQUE EMBARQUÉE AU CŒUR DES PERFORMANCES

Le conducteur peut donc compter sur l'électronique qui prend la forme du système de contrôle de la traction F1-Trac, du système de contrôle de la stabilité, d'un différentiel piloté électroniquement, de suspensions adaptatives et d'un système de freinage ABS calibré en fonction des caractéristiques de performance des pneus Michelin Pilot Super Sport qui équipent la voiture.

Comme sur les autres modèles de la marque, ces systèmes sont paramétrables via le *manettino* localisé sur le volant, qui permet de régler le degré d'intervention de l'électronique embarquée selon plusieurs modes de conduite ou de désactiver complètement ces anges gardiens électroniques. Avec une zone rouge qui débute à 8 700 tours/minute, on peut dire que le moteur V12 aime la haute voltige et, selon Ferrari, la F12berlinetta accélère de 0 à 100 km/h en 3,1 secondes, de 0 à 200 en 8,5 secondes, et sa vitesse de pointe est de 340 km/h.

La F12berlinetta est très spacieuse, la qualité de la finition intérieure impressionne et la voiture est truffée de dispositifs visant à rendre la vie plus facile pour le conducteur de cette voiture d'exception. Par exemple, le système qui applique automatiquement les freins pour le démarrage lors de la montée d'une côte ou encore celui qui permet d'augmenter la garde au sol du train avant afin de franchir certaines dénivellations sans endommager le déflecteur avant.

## UNE OFFRE DE PERSONNALISATION UNIQUE

Comme toujours chez Ferrari, l'acheteur devra composer avec des délais de livraison chiffrés en mois, voire même en années, et peut-être même devoir acquérir une Ferrari d'occasion entre-temps, histoire de montrer patte blanche et de faire la preuve du sérieux de sa démarche. Quand l'offre est très nettement en deçà de la demande, c'est le genre de concessions qu'il faut parfois faire.

Pour ceux et celles qui ont franchi les étapes, il devient ensuite possible d'accéder à une offre de personnalisation très poussée comme en témoigne la création, pour un riche collectionneur qui préfère conserver l'anonymat, d'un modèle unique élaboré sur la base de la F12 et appelé F12 TRS afin de rendre hommage à l'une des plus célèbres Ferrari, soit la Testa Rossa de 1957.

Dépourvu de toit et doté d'une sautevent en guise de pare-brise, ce modèle unique représente bien la volonté du constructeur d'accéder aux désirs de sa clientèle, pourvu qu'elle en ait les moyens. Voilà ce qu'on appelle l'exclusivité ultime...

### Châssis - Base

| | |
|---|---|
| Emp / lon / lar / haut | 2720 / 4618 / 1942 / 1273 mm |
| Coffre / Réservoir | 320 à 500 litres / 92 litres |
| Nbre coussins sécurité / ceintures | 4 / 2 |
| Suspension avant | ind., double triangulation |
| Suspension arrière | ind., multibras |
| Freins avant / arrière | disque / disque |
| Direction | à crémaillère, assistée |
| Diamètre de braquage | n.d. |
| Pneus avant / arrière | 255/35ZR20 / 315/35ZR20 |
| Poids / Capacité de remorquage | 1630 kg / n.d. |
| Assemblage | Maranello, IT |

### Composantes mécaniques

**Base**

| | |
|---|---|
| Cylindrée, soupapes, alim. | V12 6,3 litres 48 s atmos. |
| Puissance / Couple | 725 ch / 509 lb-pi |
| Tr. base (opt) / rouage base (opt) | A7 / Prop |
| 0-100 / 80-120 / V.Max | 3,1 s (const) / n.d. / 340 km/h |
| 100-0 km/h | n.d. |
| Type / ville / route / $CO_2$ | Sup / 22,9 / 10,4 l/100 km / 7950 kg/an |

## Du nouveau en 2016

Aucun changement majeur

Photos : Ferrari Canada

# FERRARI **FF**

**Prix :** 334 800 $ (2015)
**Catégorie :** Hatchback
**Garanties :**
3 ans/illimité, 3 ans/illimité
**Transport et prép. :** n.d.
**Ventes QC 2014 :** n.d.
**Ventes CAN 2014 :** n.d.

## Cote du Guide de l'auto

# 74 %

Fiabilité

Sécurité

Consommation

Appréciation générale

Agrément de conduite

Système multimédia

## Cote d'assurance

$$$                         $

présentée par
**KANETIX.CA**

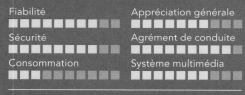 Un autre V12 Ferrari d'anthologie •
Rouage à quatre roues motrices ingénieux •
Habitacle étonnamment pratique •
Finition opulente • Exclusivité assurée

— Moteur franchement glouton • Profil
atypique pour une Ferrari • Garde au
sol réduite • Prix substantiel • Visibilité
arrière limitée

## Concurrents
Aston Martin Rapide, Bentley
Continental GT, Porsche Panamera

# Le quatre par quatre de la résistance

Marc Lachapelle

**F**errari est la seule marque de prestige qui n'ait pas succombé à la tentation d'encombrer les routes et sentiers de cette planète d'un autre utilitaire sport pour gonfler ses profits. Maranello jure qu'on ne verra jamais sortir de ses usines un rival frappé du légendaire écusson jaune à l'étalon cabré pour les Bentley Bentayga, Porsche Cayenne et autres Jaguar F-Pace de ce monde. Ce qui n'empêche aucunement ces petits malins de produire, depuis cinq ans, une quatre roues motrices avec un grand hayon qui offre assez d'espace pour transporter quatre adultes, avec armes et bagages, en tout luxe et tout confort !

Cinq ans déjà, en effet, pour celle dont les initiales FF signifient simplement Ferrari Four, pour ses quatre places et ses quatre roues motrices. La FF succédait à la 612 Scaglietti qui avait elle-même pris le relais de la belle 456. Comme ses deux devancières et tant d'autres Ferrari parmi les plus précieuses et célèbres, la FF est propulsée par un V12 installé à l'avant, sous un capot incroyablement long.

Elle fut la première à recevoir ce moteur tout aluminium de 6,3 litres dont les rangées de cylindres sont espacées à 65 degrés, pour des harmoniques à peu près parfaites. Chacune de ses culasses est évidemment coiffée d'une paire d'arbres à cames et ses 48 soupapes s'ouvrent sur des cylindres alimentés par injection directe. On retrouve maintenant des versions plus poussées de ce V12 dans la F12berlinetta et la délirante LaFerrari. Celui de la FF produit un modeste 652 chevaux que Ferrari s'apprêterait à gonfler légèrement, tout en réduisant la consommation qui se chiffre actuellement à 15,4 l/100 km, selon les normes européennes. Malgré les bienfaits de la coupure automatique à l'arrêt.

**SUFFISAIT D'Y PENSER**
Chose certaine, la FF a permis aux voitures grand tourisme de Ferrari d'accéder à un autre créneau et d'explorer de nouveaux territoires, au

propre et au figuré, grâce à un rouage à quatre roues motrices inédit. Un système à la fois simple, ingénieux et original qui permet d'éliminer l'arbre de transmission et le différentiel pour les roues avant. Ce qui réduit d'un trait le poids du rouage de 50 %. Les ingénieurs de Ferrari ont branché quelques engrenages sur le vilebrequin à l'avant du moteur, dans un boîtier qui fait seulement 170 mm. Ils y ont ensuite relié deux embrayages multidisques en bain d'huile pour les roues avant.

Chacune reçoit donc exactement le couple nécessaire, en accélération et en virage, selon l'adhérence disponible, sur les quatre premiers rapports de la boîte de vitesses à double embrayage qui en compte sept en tout. Le reste du temps, la FF se comporte comme une propulsion, ce qui convient parfaitement à un grand coupé dont 53 % du poids est placé sur les roues arrière. Il ne s'agit donc pas d'un rouage intégral mais d'un système qui permet à la FF de se débrouiller sur toutes les surfaces imaginables. De la glace vive à l'asphalte sec. Le tout, géré par des systèmes électroniques ultrarapides et raffinés que Ferrari a développés en F1 et que l'on commande avec cette molette magique, le manettino que l'on retrouve sur le volant. Comme sur les sportives de la marque. Suffit de choisir le mode de conduite voulu. Approprié ou pas. Que la fête commence !

### DES AIRS DE FAMILLE ?
Côté style, la FF ressemble indéniablement à la 612 Scaglietti ou la F12berlinetta, mais seulement de l'avant. On prépare d'ailleurs quelques retouches à sa grande calandre pour la rafraîchir. Son profil est certainement unique, pour une Ferrari, avec une ligne de toit qui décline doucement vers une partie arrière tronquée sur laquelle se pose un grand hayon vitré. Dessinée chez Pininfarina, le complice de toujours, la plus costaude et polyvalente des Ferrari s'inspire de la longue tradition du *shooting brake* anglais, interprétée avec l'élégance et la grâce habituelles des créations du grand carrossier turinois.

L'habitacle est présenté et fini avec une opulence réjouissante, quand on considère le prix demandé. Les sièges sont bardés de cuir épais et le tableau de bord est un mélange tout à fait réussi de style et de fonctionnalité pure, avec des cadrans magnifiques et des commandes simples et bien placées. La FF est plus qu'une 2+2 puisque les places arrière peuvent accueillir un adulte de 6'1'' (1 m 85) dans un confort acceptable. On peut également faire passer le volume du coffre de 450 à 800 litres en repliant les dossiers arrière.

Vous aurez compris que cette Ferrari FF n'est rien de moins que le *hatchback* absolu et un pied de nez magistral à l'engouement planétaire pour les utilitaires de tout acabit. On ne peut qu'attendre la suite avec délectation.

## Du nouveau en 2016
Calandre et carrosserie retouchées, habitacle rafraîchi, moteur plus puissant et frugal, boîte de vitesses à huit rapports, interface de contrôle plus moderne.

### Châssis - Base

| | |
|---|---|
| Emp / lon / lar / haut | 2990 / 4907 / 1953 / 1379 mm |
| Coffre / Réservoir | 450 à 800 litres / 91 litres |
| Nbre coussins sécurité / ceintures | 4 / 4 |
| Suspension avant | ind., double triangulation |
| Suspension arrière | ind., multibras |
| Freins avant / arrière | disque / disque |
| Direction | à crémaillère, assistée |
| Diamètre de braquage | n.d. |
| Pneus avant / arrière | 245/35ZR20 / 295/35ZR20 |
| Poids / Capacité de remorquage | 1880 kg / n.d. |
| Assemblage | Maranello, IT |

### Composantes mécaniques

**Base**

| | |
|---|---|
| Cylindrée, soupapes, alim. | V12 6,3 litres 48 s atmos. |
| Puissance / Couple | 652 ch / 504 lb-pi |
| Tr. base (opt) / rouage base (opt) | A8 / Int |
| 0-100 / 80-120 / V.Max | 3,7 s / n.d. / 335 km/h |
| 100-0 km/h | 35,0 m |
| Type / ville / route / $CO_2$ | Sup / 21,4 / 14,7 l/100 km / 8457 kg/an |

# FIAT **500**

((SiriusXM))

**Prix:** 13 495 $ à 28 995 $ (2015)
**Catégorie:** Cabriolet, Hatchback
**Garanties:**
3 ans/60 000 km, 5 ans/100 000 km
**Transport et prép.:** 1 795 $
**Ventes QC 2014:** 1 524 unités
**Ventes CAN 2014:** 5 566 unités

## Cote du Guide de l'auto

# 67 %

Fiabilité
■■■■■■■□□□

Appréciation générale
n.d.

Sécurité
■■■■■■■□□□

Agrément de conduite
■■■■■■■□□□

Consommation
n.d.

Système multimédia
n.d.

## Cote d'assurance

■■■■■■■□□□
$$$                    $

présentée par
**KANETIX.CA**

➕ Un look rétro impossible à trouver ailleurs • Faible consommation d'essence • Facile à stationner • Versions hautes performances disponibles

➖ Habitacle petit et peu pratique • Roulement rugueux • Chère par rapport à des rivales plus pratiques • Fiabilité médiocre

## Concurrents

BMW i3, Chevrolet Spark, smart Fortwo

# Le prix à payer pour le style

Benjamin Hunting

**L**'achat d'une automobile est souvent une décision émotive autant que rationnelle. La famille des sous-compactes Fiat 500 à hayon illustre parfaitement cette affirmation, car les acheteurs potentiels séduits par son style accrocheur devront aussi évaluer les aspects fonctionnels. La structure de prix des Fiat 500 les place dans la même catégorie que d'autres voitures nettement plus spacieuses et plus pratiques. Mais avec son design italien, et quelques modèles axés sur les performances pour faire bonne mesure, la Fiat 500 agite une belle carotte devant les yeux des automobilistes qui se laissent guider par leurs émotions.

### LE STYLE AVANT LA FONCTION

Il est important de mettre tout de suite une chose au clair: avec sa très petite taille, la Fiat 500 est dotée de places arrière encore moins fonctionnelles que celles d'une Porsche 911. Voyez-la comme une deux places avec un espace de chargement raisonnable une fois les dossiers des sièges arrière rabattus. Ainsi, vous ne serez pas déçus de constater qu'on ne peut pas faire entrer toute la famille à l'arrière quand vous irez la voir en personne chez un concessionnaire. Dans la même gamme de prix, il y a plusieurs autres sous-compactes, et même des compactes, qui ne vous obligeront pas à laisser vos amis sur le bord du trottoir.

Parlant de prix, faisons une autre mise au point: avec un prix de départ d'un peu moins de 17 000 $, et qui grimpe jusqu'à 25 000 $ pour les modèles tout équipés, la Fiat 500 est loin d'être une aubaine. Jetez un coup d'œil du côté de la 500c décapotable (avec capote souple rétractable) et des déclinaisons hautes performances Turbo et Abarth, et vous serez sans doute surpris de découvrir qu'on peut débourser jusqu'à 35 000 $ pour cette minuscule automobile.

Fiat suit les traces des MINI en mettant de l'avant le concept d'une voiture d'entrée de gamme vendue à prix élevé. Cela pourrait aller si au moins on obtenait un ensemble d'équipements de haut niveau. Mais les plastiques à l'intérieur de l'habitacle ne dégagent pas une impression de qualité ni d'élégance particulière, et l'aménagement intérieur ne réussit pas à égaler le niveau d'emballement créé par les lignes rétro de la carrosserie. En ce qui concerne les dispositifs électroniques, les Fiat 500 ont eu droit à une mise à jour pour l'an dernier, alors que de nouveaux systèmes d'infodivertissement apparaîtront pour 2016.

## ÉCONOME EN CARBURANT

Outre son look, c'est par son excellente économie d'essence que la Fiat 500 se rachète. Le quatre cylindres de 1,4 litre du modèle de base avale seulement 7,6 litres par tranche de 100 kilomètres en ville, et 5,9 l/100 km sur la grande route, avec la boîte manuelle à cinq rapports livrée de série. C'est la transmission à privilégier car l'automatique à six rapports offerte en option fait augmenter la consommation d'un litre aux 100 km dans les deux cas. De plus, elle ne réussit pas à tirer le meilleur parti des 101 chevaux et du couple de 97 lb-pi livrées par le petit moulin.

Si vous souhaitez plus de puissance, la 500 Turbo vous donne accès à 135 chevaux et 150 lb-pi de couple grâce à son moteur suralimenté par turbocompresseur. Pour encore plus de pep, la version Abarth livre 160 chevaux et 170 lb-pi de couple. Le choix de boîtes de vitesses demeure le même pour ces versions vitaminées. Par contre, assurez-vous d'essayer l'Abarth avant de prendre votre décision, question de voir si vous pourrez vivre avec sa suspension très ferme pour la ville et son échappement extrêmement bruyant. Le modèle de base est nettement plus souple, mais il n'offre pas une tenue de route aussi précise, et les conducteurs remarqueront sûrement le niveau de bruit plus élevé à l'intérieur (surtout sur mauvais revêtement).

Ultimement, plusieurs acheteurs de petites voitures ne se laisseront pas décourager par le fait qu'ils pourraient en obtenir plus pour moins d'argent en passant chez un concessionnaire Hyundai, Ford ou Nissan. La Fiat 500 a le don de jouer sur les bonnes cordes sensibles et d'activer le cerveau gauche de manière à éclipser des considérations comme les aspects pratiques ou une feuille de route préoccupante en matière de fiabilité. Si vous êtes tombé en amour avec le style rétro de la 500, vous ne trouverez rien qui lui ressemble ailleurs, sauf peut-être du côté de la MINI Cooper, plus chère encore. Mais si vous n'avez pas de coup de cœur certain pour l'allure de la Fiat 500, vous pouvez certainement faire une meilleure affaire chez les concurrents.

### Châssis - TURBO

| | |
|---|---|
| Emp / lon / lar / haut | 2300 / 3667 / 1627 / 1519 mm |
| Coffre / Réservoir | 268 à 759 litres / 40 litres |
| Nbre coussins sécurité / ceintures | 7 / 4 |
| Suspension avant | ind., jambes force |
| Suspension arrière | semi-ind., poutre torsion |
| Freins avant / arrière | disque / disque |
| Direction | à crémaillère, ass. var. élect. |
| Diamètre de braquage | 9,3 m |
| Pneus avant / arrière | P195/45R16 / P195/45R16 |
| Poids / Capacité de remorquage | 1224 kg / n.d. |
| Assemblage | Toluca, MX |

### Composantes mécaniques

**POP, SPORT, LOUNGE**

| | |
|---|---|
| Cylindrée, soupapes, alim. | 4L 1,4 litre 16 s atmos. |
| Puissance / Couple | 101 ch / 97 lb-pi |
| Tr. base (opt) / rouage base (opt) | M5 (A6) / Tr |
| 0-100 / 80-120 / V.Max | 12,3 s / 9,7 s / 182 km/h |
| 100-0 km/h | 42,0 m |
| Type / ville / route / CO$_2$ | Ord / 7,4 / 5,7 l/100 km / 3082 kg/an |

**TURBO**

| | |
|---|---|
| Cylindrée, soupapes, alim. | 4L 1,4 litre 16 s turbo |
| Puissance / Couple | 135 ch / 150 lb-pi |
| Tr. base (opt) / rouage base (opt) | M5 (A6) / Tr |
| 0-100 / 80-120 / V.Max | 9,7 s / 7,3 s / n.d. |
| 100-0 km/h | 42,5 m |
| Type / ville / route / CO$_2$ | Sup / 7,1 / 5,7 l/100 km / 2990 kg/an |

**Abarth, Abarth cabriolet**

| | |
|---|---|
| Cylindrée, soupapes, alim. | 4L 1,4 litre 16 s turbo |
| Puissance / Couple | 160 ch / 170 lb-pi |
| Tr. base (opt) / rouage base (opt) | M5 (A6) / Tr |
| 0-100 / 80-120 / V.Max | 8,0 s / 5,2 s / 211 km/h |
| 100-0 km/h | 42,3 m |
| Type / ville / route / CO$_2$ | Sup / 7,4 / 6,0 l/100 km / 3110 kg/an |

### Du nouveau en 2016

Boîte automatique optionnelle pour Abarth et Turbo. Console centrale et instrumentation redessinées, nouvelles couleurs de carrosserie.

500 X

# FIAT **500L / 500 X**

**Prix :** 20 495 $ à 26 495 $ (2015)
**Catégorie :** Hatchback
**Garanties :**
3 ans/60 000 km, 5 ans/100 000 km
**Transport et prép. :** 1 795 $
**Ventes QC 2014 :** 566 unités (500 L)
**Ventes CAN 2014 :** 2 461 unités (500 L)

## Cote du Guide de l'auto
# 62 %

| Fiabilité | Appréciation générale |
|---|---|
| ■■■■■□□□□□ | ■■■■■■□□□□ |
| **Sécurité** | **Agrément de conduite** |
| ■■■■■□□□□□ | ■■■■■□□□□□ |
| **Consommation** | **Système multimédia** |
| ■■■■■■■□□□ | ■■■■□□□□□□ |

### Cote d'assurance
■■■■■■■□□□
$$$                              $

*présentée par*
**KANETIX.CA**

**+** Habitacle vaste (500L) • Tenue
de route amusante • À l'aise en milieu
urbain • Moteurs relativement sobres •
Certains agencements de couleur superbes

**−** Moteurs manquent de punch • Fiabilité
de la boîte automatique à 9 rapports •
Suspensions un peu fermes pour certains •
Valeur de revente à confirmer

### Concurrents
Chevrolet Trax, Honda HR-V,
Mazda CX-3, MINI Countryman,
Mitsubishi RVR, Nissan Juke, Kia Soul,
Subaru XV Crosstrek

# Des idées de grandeur

*Alain Morin*

**L**ancée en Italie en 2007 pour commémorer le cinquantième anniversaire de sa création, la Fiat 500 moderne, si l'on peut l'appeler ainsi, se voulait un rappel assez fidèle de l'originale, autant au niveau du style que de la philosophie. En 2011, cette belle italienne débarquait en Amérique.

C'est connu. Les constructeurs qui donnent dans la grosse bagnole ont tendance à diversifier leur offre vers le bas, question d'attirer plus d'acheteurs et ceux qui se spécialisent dans la petite voiture ou la voiture peu dispendieuse font le chemin inverse. Inévitablement, on allait un jour se retrouver avec une Hyundai plus imposante qu'une Mercedes-Benz et c'est fait depuis déjà plusieurs années. Même Fiat s'amuse à créer des voitures de plus en plus grosses !

### L'UNANIMITÉ ? QUE NON
C'est ainsi qu'est née la 500L (L pour Large). Je ne me prononcerai pas sur ses lignes que d'aucuns trouvent superbes et d'autres parfaitement laides. Je me contenterai d'ajouter que la première fois que je l'ai aperçue, j'y ai vu une interprétation moderne de l'AMC Pacer... L'habitacle est typiquement Fiat, avec un tableau de bord tout en rondeurs qui sied bien au style de la carrosserie. Les diverses commandes sont bien placées et faciles à utiliser, mais je mets quiconque au défi de faire fonctionner l'ordinateur de bord sans avoir recours au manuel du propriétaire.

Les personnes assises à l'arrière bénéficient de dégagements nettement plus intéressants que dans la 500 régulière. Le coffre aussi hérite de dimensions beaucoup plus généreuses que la petite 500. En passant, soulignons que la 500L possède son propre châssis. Il ne s'agit donc pas simplement d'une 500 étirée dans tous les sens.

Pour entraîner les roues avant de la 500L, les ingénieurs ont fait appel au moteur de la dégourdie 500 Abarth. Cependant, ce 1,4 litre turbocompressé de 160 chevaux en a plein les bras et il ne faut que quelques kilomètres pour se demander comment il peut être si en verve dans l'Abarth et si ordinaire dans la L. La réponse réside dans le poids de cette dernière, plus élevé de plus de 300 kilos. Entre ce moteur et les roues avant, trois boîtes de vitesses, au choix. Une manuelle à six rapports détestable au possible avec son embrayage mou, son point de friction à peu près introuvable et un levier à la course longue et imprécise. Une boîte à six rapports avec double embrayage est optionnelle dans la finition Pop de base. Dans les autres versions, une automatique à six rapports est à recommander même si son fonctionnement n'est pas toujours parfait.

### ET LE 500X?

Nouveau venu dans la famille Fiat, le 500X se veut davantage un VUS sous-compact qu'une citadine, un titre réservé à la 500. Cousin très germain du Jeep Renegade, ce 500X compte sur des dimensions légèrement inférieures à celles de la 500L. Son système d'infodivertissement m'est apparu mieux conçu que celui de la L.

Puisque les différents 500X essayés lors du lancement ont été conduits sur les routes parfaites de la Californie, il est difficile de se prononcer sur le confort, mais il serait important de rappeler que tous les modèles 500, sauf l'Abarth, n'ont pas à rougir à ce chapitre.

Encore ici, Fiat fait confiance au 1,4 litre turbocompressé de 160 chevaux et à un 2,4 litres de 180 chevaux. Si l'on se fiait (et non si l'on se Fiat...) aux chiffres uniquement, nous recommanderions le 2,4 sans l'ombre d'une hésitation. Mais ce n'est pas aussi simple que ça... Jouant à fond sur l'appellation X, si populaire de nos jours (comptez le nombre de nomenclatures de voitures avec X, vous serez surpris!), Fiat laisse sous-entendre que son 500X possède, d'emblée, un rouage intégral. À la base, il s'agit d'une traction (roues avant motrices) et les deux moteurs sont alors offerts. Le 1,4 ne peut être jumelé qu'à une manuelle à six rapports qui ne s'attire pas de bêtises ni de louanges. Pourtant, il s'agit de la même que dans la 500L! Le 2,4, lui, est plus puissant mais il est acoquiné à une automatique à neuf rapports qui a déjà connu son lot de problèmes au niveau de sa programmation. Avant de recommander cette boîte, nous attendrons un peu... Les versions à rouage intégral n'ont droit qu'au 2,4 et à l'automatique.

Il ne serait pas surprenant que dans un avenir plus ou moins rapproché, le 500X sonne le glas de la 500L. Les deux voitures sont de gabarit similaire et une seule offre le rouage intégral.

### Châssis - 500L SPORT

| | |
|---|---|
| Emp / lon / lar / haut | 2612 / 4249 / 2036 / 1670 mm |
| Coffre / Réservoir | 343 à 1310 litres / 50 litres |
| Nbre coussins sécurité / ceintures | 7 / 5 |
| Suspension avant | ind., jambes force |
| Suspension arrière | semi-ind., poutre torsion |
| Freins avant / arrière | disque / disque |
| Direction | à crémaillère, ass. élect. |
| Diamètre de braquage | 10,7 m |
| Pneus avant / arrière | P225/45R17 / P225/45R17 |
| Poids / Capacité de remorquage | 1453 kg / non recommandé |
| Assemblage | Kragujevac, RS |

### Composantes mécaniques

**500L, 500X**

| | |
|---|---|
| Cylindrée, soupapes, alim. | 4L 1,4 litre 16 s turbo |
| Puissance / Couple | 160 ch / 184 lb-pi |
| Tr. base (opt) / rouage base (opt) | M6 (A6) / Tr |
| 0-100 / 80-120 / V.Max | 10,1 s / 7,0 s / n.d. |
| 100-0 km/h | 45,2 m |
| Type / ville / route / $CO_2$ | Sup / 8,0 / 6,0 l/100 km / 3266 kg/an |

**500X**

| | |
|---|---|
| Cylindrée, soupapes, alim. | 4L 2,4 litre 16 s atmos. |
| Puissance / Couple | 180 ch / 175 lb-pi |
| Tr. base (opt) / rouage base (opt) | A6 / Tr (Int) |
| 0-100 / 80-120 / V.Max | 9,5 s (est) / 6,5 s (est) / n.d. |
| 100-0 km/h | n.d. |
| Type / ville / route / $CO_2$ | Sup / 11,2 / 8,0 l/100 km / 4400 kg/an (est) |

## Du nouveau en 2016

Ajout du modèle 500X

500 L

# FORD **C-MAX**

((( SiriusXM )))

**Prix :** 26 449 $ à 35 949 $ (2015)
**Catégorie :** Familiale
**Garanties :**
3 ans/60 000 km, 5 ans/100 000 km
**Transport et prép. :** 1 700 $
**Ventes QC 2014 :** 478 unités
**Ventes CAN 2014 :** 1 411 unités

## Cote du Guide de l'auto
# 69 %

Fiabilité
■■■■■□□□□□

Appréciation générale
■■■■■□□□□□

Sécurité
■■■■■□□□□□

Agrément de conduite
■■■■■□□□□□

Consommation
■■■■■■■□□□

Système multimédia
■■■■■■□□□□

## Cote d'assurance
■■■■■■■□□□
$$$          $

présentée par
**KANETIX.CA**

➕ Faible consommation • Bonne
accélération • Silence de roulement •
Construction solide • Position
de conduite

➖ Poids important • Pédale de freins
sensible • Ergonomie perfectible •
Coffre à bagages réduit (Energi) •
Tarif élevé (Energi)

**Concurrents**
Kia Rondo, Mazda5

# Conventionnelle ou branchable ?

Jean-François Guay

**L**ors de son lancement, le mandat du Ford C-MAX était de concurrencer les Mazda5, Kia Rondo et Dodge Journey des multisegments à vocation familiale dont le prix de départ commence sous la barre des 22 000 $. Pour se distinguer de la concurrence et attirer un autre genre de clientèle, Ford a pris le pari de ratisser plus large en boulonnant une motorisation hybride dans le C-MAX. Conséquemment, la gamme des tarifs a monté en flèche et la cible s'est déplacée vers Toyota où loge la Prius v.

Le C-MAX et ses semblables sont populaires en Europe où ils portent la désignation de monospace. À cause du prix de l'essence et notre attrait envers les multisegments familiaux à caractère économique, ils ont aussi une bonne cote d'amour au Québec. Aux États-Unis, c'est tout le contraire. On connaît l'aversion des Américains pour les petits véhicules, et encore plus quand ils sont pourvus d'un hayon ; ajoutez à cela une motorisation hybride et vous réunissez trois éléments pour déclencher une crise d'urticaire à la grandeur du pays.

**UN LANCEMENT CONFUS**
Curieusement, le C-MAX et sa bande sont mal aimés au pays de l'Oncle Sam et le manque d'intérêt à leur endroit a presque signé l'arrêt de mort du Kia Rondo et de la Mazda5 en 2010 et 2011. Ces difficultés avaient coïncidé à l'époque avec les préparatifs visant à mettre en marché le C-MAX. Ce qui explique en partie pourquoi son dévoilement avait causé une certaine confusion en 2013. À l'époque, on s'attendait à voir débarquer le modèle Grand C-MAX à sept places muni de portes arrière coulissantes comme la Mazda5. Finalement, Ford nous a imposé le modèle à empattement régulier pourvu d'un moteur hybride. Le choix d'une motorisation essence/électrique s'explique aussi par le fait que Ford ne voulait pas cannibaliser les ventes de la Focus.

Ce lancement raté a eu des répercussions sur les ventes. Encore aujourd'hui, il y a beaucoup de consommateurs qui ignorent que le

C-MAX offre uniquement des motorisations de type hybride : l'une conventionnelle et l'autre branchable. Par contre, le dévoilement des nouveaux C-MAX et Grand C-MAX en Europe au cours de la dernière année laisse supposer que Ford pourrait corriger le tir dans un avenir rapproché. Surtout que les nouvelles générations européennes sont animées par les moteurs EcoBoost à essence de 1,0 et 1,5 litre. Pour l'instant, aucune transformation esthétique ni mécanique ne sera apportée à notre C-MAX. D'ailleurs, le fait qu'il soit construit dans une usine du Michigan lui assure une certaine indépendance.

La motorisation de la variante Hybride est constituée d'un quatre cylindres à essence de 2,0 litres et 141 chevaux, jumelé à un moteur électrique de 88 kW (118 chevaux) et une batterie au lithium-ion de 1,4 kWh. La boîte automatique CVT dirige le couple vers les roues avant motrices. Quant à la version Energi, elle possède la même motorisation à la différence que la batterie de 7,6 kWh emmagasine davantage d'énergie. La puissance de cette pile permet au C-MAX Energi de parcourir jusqu'à 31 kilomètres en mode tout électrique. Le système de batteries conçu par les ingénieurs de Ford est extrêmement efficace puisque la recharge s'effectue en seulement deux heures et demie sur une prise de 240 V, alors qu'une prise domestique de 120 V exige un temps de sept heures.

### SOLIDE ET SILENCIEUX

Facile d'accès, l'habitacle accueille cinq occupants dans un décor européen. Le tableau de bord, le volant et le levier de vitesses ressemblent à ceux des Fiesta, Focus et Escape. Quant aux matériaux utilisés, ils transcendent la qualité, mais l'assemblage perd quelques plumes. Comme la plupart des véhicules Ford, les sièges sont confortables et conviennent à presque toutes les statures : petit, grand ou gros. Toutefois, s'il y a un aspect où le C-MAX se démarque, c'est au niveau de l'insonorisation. Pour comprendre le travail accompli, il suffit d'ouvrir une portière pour mesurer l'épaisseur des tôles et la taille des charnières. Rien de comparable avec les Rondo, Journey, Mazda5 et Prius v ; il faut plutôt regarder du côté de la Mercedes-Benz Classe B pour trouver pareille robustesse.

En ce qui a trait à la configuration des sièges et du coffre à bagages, la modularité n'a rien d'innovatrice. C'est une approche traditionnelle avec une banquette arrière divisée 60/40. À cause de la présence des batteries sous le plancher de chargement, le volume de la version Energi est 20 % moins généreux.

Sur la route, le C-MAX Energi est moins agile que l'Hybride à cause du poids des batteries. Mais peu importe la version, le C-MAX offre un comportement routier supérieur à la concurrence.

## Châssis - Energi

| | |
|---|---|
| Emp / lon / lar / haut | 2648 / 4410 / 2086 / 1620 mm |
| Coffre / Réservoir | 545 à 1211 litres / 53 litres |
| Nbre coussins sécurité / ceintures | 7 / 5 |
| Suspension avant | ind., jambes force |
| Suspension arrière | ind., multibras |
| Freins avant / arrière | disque / disque |
| Direction | à crémaillère, ass. var. élect. |
| Diamètre de braquage | 11,6 m |
| Pneus avant / arrière | P225/55R17 / P225/55R17 |
| Poids / Capacité de remorquage | 1750 kg / n.d. |
| Assemblage | Wayne, MI |

## Composantes mécaniques

**Hybrid**

| | |
|---|---|
| Cylindrée, soupapes, alim. | 4L 2,0 litres 16 s atmos. |
| Puissance / Couple | 141 ch / 129 lb-pi |
| Tr. base (opt) / rouage base (opt) | CVT / Tr |
| 0-100 / 80-120 / V.Max | 8,7 s / 5,7 s / 185 km/h |
| 100-0 km/h | 42,7 m |
| Type / ville / route / CO$_2$ | Ord / 5,6 / 6,4 l/100 km / 2742 kg/an |

**Moteur électrique**

| | |
|---|---|
| Puissance / Couple | 118 ch (88 kW) / 177 lb-pi |
| Type de batterie | Lithium-ion (Li-ion) |
| Énergie | 1,4 kWh |

**Energi**

| | |
|---|---|
| Cylindrée, soupapes, alim. | 4L 2,0 litres 16 s atmos. |
| Puissance / Couple | 141 ch / 129 lb-pi |
| Tr. base (opt) / rouage base (opt) | CVT / Tr |
| 0-100 / 80-120 / V.Max | 8,9 s / 6,5 s / 185 km/h |
| 100-0 km/h | 43,0 m |
| Type / ville / route / CO$_2$ | Ord / 5,9 / 6,5 l/100 km / 2838 kg/an |

**Moteur électrique**

| | |
|---|---|
| Puissance / Couple | 118 ch (88 kW) / 177 lb-pi |
| Type de batterie | Lithium-ion (Li-ion) |
| Énergie | 7,6 kWh |
| Temps de charge (120V / 240V) | 7,0 h / 2,5 h |
| Autonomie | 31 km |

## Du nouveau en 2016

Aucun changement majeur

Photos : Daniel Beaulieu, Alain Morin

# FORD **EDGE**

**Prix:** 31 999 $ à 45 199 $ (2015)
**Catégorie:** VUS
**Garanties:**
3 ans/60 000 km, 5 ans/100 000 km
**Transport et prép.:** 1 790 $
**Ventes QC 2014:** 2 272 unités
**Ventes CAN 2014:** 17 940 unités

## Cote du Guide de l'auto

# 77 %

| Fiabilité | Appréciation générale |
|---|---|
| ■■■■■■■□□□ | ■■■■■■■■□□ |
| Sécurité | Agrément de conduite |
| ■■■■■■■■□□ | ■■■■■■■■□□ |
| Consommation | Système multimédia |
| ■■■■■■□□□□ | ■■■■■■■■□□ |

## Cote d'assurance

■■■■■■■■□□
$$$                                    $

présentée par
***KANETIX.CA***

➕ Bon choix de moteurs • Commandes
plus faciles à utiliser • Nombreuses techno-
logies intéressantes • Confort sur route •
Conduite emballante (version Sport)

➖ Certaines versions plus dispen-
dieuses • Consommation à surveiller •
Version Sport qui ne peut remorquer •
Style moins original qu'avant

## Concurrents

Hyundai Santa Fe, Kia Sorento,
Nissan Murano, Toyota Highlander

# Plus techno mais pas pour toutes les bourses

Sylvain Raymond

**D**epuis son introduction en 2006, on a toujours apprécié le Edge en raison de son style trapu et dynamique, incarnant parfaitement la transition entre les VUS purs et durs et les modèles s'apparentant un peu plus à une voiture, les multisegments. Non seulement il était beau, mais il était agréable à conduire en plus d'être spacieux. Toutefois, le Edge n'a jamais été le VUS de M. Tout-le-Monde car lorsqu'il était bien équipé, la facture faisait souvent grincer des dents.

Remodelé en 2015, le Edge demeure fidèle à ses racines et s'adresse à une clientèle plus sélective. Ford a poussé son niveau de raffinement et ajouté plusieurs technologies novatrices. Curieusement, il a toujours été la vitrine technologique de Ford et c'est encore le cas avec cette seconde génération. Dans la liste des nouveaux gadgets, on retrouve notamment des obturateurs actifs de calandre, une caméra avant de 180 degrés, une autre à l'arrière — constamment propre grâce à un jet de lave-glace — et un système de stationnement actif qui assiste le stationnement du véhicule en parallèle mais aussi de manière perpendiculaire.

### DES LIGNES MOINS ORIGINALES

Côté style, l'Edge dispose de lignes un peu plus anonymes que par le passé. Alors qu'on le reconnaissait immédiatement à son imposante grille avant qui reliait les phares, il se fond maintenant davantage dans la circulation. Il est certes d'aspect plus moderne, mais l'audace n'est pas au rendez-vous. La grille avant est plus discrète tandis que l'arrière est inspiré des Lincoln avec une barre de lumières aux DEL qui relie les feux et qui traverse le véhicule de bord en bord. Les roues placées aux extrémités maintiennent la filiation avec l'ancienne génération et contribuent au dynamisme de l'ensemble.

La finition et la qualité supérieure des matériaux donnent l'impression d'être à bord d'un modèle haut de gamme, surtout dans le cas du Edge Titanium. L'attention aux détails est marquée (éclairage ambiant, accents métallisés...) et le confort des sièges rehaussé. L'instrumentation est ultramoderne et peut aussi être personnalisée. Le fameux système multimédia MyFord Touch a été remanié, rendant son opération plus simple en réintroduisant certains contrôles conventionnels comme le volume du système audio et la sélection des stations. L'espace de chargement est roi à bord, Ford pourrait pratiquement ajouter une troisième banquette.

## TURBO OU ATMOSPHÉRIQUE ?

Jadis optionnel, le quatre cylindres de 2,0 litres suralimenté a été entièrement revu et, contrairement à son prédécesseur, peut maintenant être couplé à un rouage intégral — ce qui est à privilégier dans le cas d'un VUS — et peut tracter jusqu'à 3 500 lb (1 588 kg). Les ingénieurs en ont aussi profité pour rehausser sa puissance à 245 chevaux et 275 lb-pi de couple grâce notamment à l'adoption d'une conception à deux volutes (*twin scroll*) qui réduit le délai de réponse du turbo. Cela ajoute un peu pep au moteur, surtout en accélération initiale. La transmission automatique à six rapports le sert également bien, même si l'on sent qu'elle a fort à faire pour maintenir le rapport optimal et extirper les moindres chevaux. Côté consommation, ce moteur permet les chiffres les plus favorables, mais il faut demeurer posé pour ne pas les voir exploser !

Malgré une plate-forme d'une rigidité supérieure, on a l'impression que le nouveau Edge est plus axé sur le confort que sur la sportivité. Certains apprécieront, d'autres s'ennuieront de sa suspension plus ferme d'autrefois. Peu importe, tous seront heureux de découvrir un habitacle mieux insonorisé. La direction électrique est tout de même légère et rapide, ce qui ajoute au sentiment de contrôle. On n'a pas l'impression de conduire un gros VUS.

Si vous n'êtes pas amateur de «turbo», vous pourrez vous tourner vers le V6 de 3,5 litres qui reste au catalogue à titre de mécanique optionnelle. Sa puissance est la même qu'avant, 285 chevaux pour un couple de 253 lb-pi.

Quant au Edge Sport, il tient toujours le haut du pavé en matière de performance mais aussi de prix. Il est maintenant servi à la sauce EcoBoost avec, sous le capot, un V6 de 2,7 litres qui développe 315 chevaux pour un couple de 350 lb-pi. Pour ceux qui peuvent se le permettre, c'est incontestablement la version la plus intéressante, tant au chapitre de l'esthétique que du plaisir de conduire. Le moteur émet une sonorité digne d'un V8 et les reprises sont beaucoup plus vigoureuses. La tenue de route est supérieure et le roulis mieux maîtrisé grâce notamment à sa suspension et ses ressorts hélicoïdaux rigidifiés et à ses roues de 20 pouces. Le seul hic, son prix !

### Châssis - SE V6 TI

| | |
|---|---|
| Emp / lon / lar / haut | 2849 / 4779 / 2179 / 1742 mm |
| Coffre / Réservoir | 1111 à 2078 litres / 73 litres |
| Nbre coussins sécurité / ceintures | 8 / 5 |
| Suspension avant | ind., jambes force |
| Suspension arrière | ind., multibras |
| Freins avant / arrière | disque / disque |
| Direction | à crémaillère, ass. var. élect. |
| Diamètre de braquage | 11,8 m |
| Pneus avant / arrière | P245/60R18 / P245/60R18 |
| Poids / Capacité de remorquage | 1854 kg / 909 kg (2004 lb) |
| Assemblage | Oakville, ON |

### Composantes mécaniques

**SE, SEL, Titanium**

| | |
|---|---|
| Cylindrée, soupapes, alim. | 4L 2,0 litres 16 s turbo |
| Puissance / Couple | 245 ch / 275 lb-pi |
| Tr. base (opt) / rouage base (opt) | A6 / Tr (Int) |
| 0-100 / 80-120 / V.Max | n.d. / n.d. / n.d. |
| 100-0 km/h | n.d. |
| Type / ville / route / $CO_2$ | Sup / 11,8 / 8,4 l/100 km / 4724 kg/an |

**SE V6**

| | |
|---|---|
| Cylindrée, soupapes, alim. | V6 3,5 litres 24 s atmos. |
| Puissance / Couple | 280 ch / 250 lb-pi |
| Tr. base (opt) / rouage base (opt) | A6 / Tr (Int) |
| 0-100 / 80-120 / V.Max | n.d. / n.d. / n.d. |
| 100-0 km/h | n.d. |
| Type / ville / route / $CO_2$ | Ord / 13,7 / 9,6 l/100 km / 5453 kg/an |

**Sport TI**

| | |
|---|---|
| Cylindrée, soupapes, alim. | V6 2,7 litres 24 s turbo |
| Puissance / Couple | 315 ch / 350 lb-pi |
| Tr. base (opt) / rouage base (opt) | A6 / Int |
| 0-100 / 80-120 / V.Max | n.d. / n.d. / n.d. |
| 100-0 km/h | n.d. |
| Type / ville / route / $CO_2$ | Sup / 13,6 / 9,8 l/100 km / 5469 kg/an |

## Du nouveau en 2016

Nouveau modèle lancé au printemps 2015.

Photos : Sylvain Raymond

# FORD **ESCAPE**

((( SiriusXM )))

**Prix :** 25 249 $ à 35 949 $ (2015)
**Catégorie :** VUS
**Garanties :**
3 ans/60 000 km, 5 ans/100 000 km
**Transport et prép. :** 1 665 $
**Ventes QC 2014 :** 10 079 unités
**Ventes CAN 2014 :** 52 198 unités

---

Cote du Guide de l'auto

# 68 %

| Fiabilité | Appréciation générale |
|---|---|
| ■■■■■□□□ | ■■■■■■□□ |
| **Sécurité** | **Agrément de conduite** |
| ■■■■■□□□ | ■■■■■■□□ |
| **Consommation** | **Système multimédia** |
| ■■■■□□□□ | ■■■■■■□□ |

---

Cote d'assurance

■■■■■■■■■□

$$$                                $

présentée par
**KANETIX.CA**

---

 Style actuel • Gamme variée • Bonne tenue de route • Disponibilité du rouage intégral • Ouverture ingénieuse du hayon

— Poids important • Consommation plutôt élevée • Prix des modèles plus équipés • Suspension parfois ferme sur routes dégradées

---

**Concurrents**
Chevrolet Equinox, GMC Terrain, Honda CR-V, Hyundai Tucson, Jeep Cherokee, Kia Sportage, Mazda CX-5, Mitsubishi Outlander, Nissan Rogue, Subaru Forester, Toyota RAV4, Volkswagen Tiguan

# Toujours dans la course

*Gabriel Gélinas*

**D**ans le créneau des VUS de taille compacte, le Mazda CX-5 est la référence de la catégorie, le CR-V de Honda et le RAV4 de Toyota sont d'excellentes valeurs sûres, et l'Escape de Ford est le champion des ventes. Voilà le portrait des forces en présence dans ce créneau où la concurrence fait rage, plusieurs automobilistes ayant délaissé les berlines au profit de ces véhicules misant sur la polyvalence et l'aspect pratique, sans parler de la transmission intégrale.

Comme plusieurs véhicules concurrents, l'Escape est élaboré sur la plate-forme d'une voiture conventionnelle qui est la Focus dans le cas présent. Côté style, l'Escape fait preuve de dynamisme, mais on remarque aussi quelques similitudes avec la Focus, notamment les lignes sur le capot ainsi que l'arête qui relie les poignées des portières. Le look est moderne et typé plus sport qu'utilitaire, ce qui assure une partie de son charme.

La présentation intérieure est de facture moderne et les sièges avant du modèle Titanium mis à l'essai se sont avérés confortables et bien moulés. L'Escape souligne sa spécificité de véhicule à vocation familiale avec une fonctionnalité très pratique, soit celle qui permet d'ouvrir le hayon en glissant le pied sous le bouclier arrière lorsqu'on a les bras chargés. Dans la vie de tous les jours, on apprécie au plus haut point cette charmante attention. L'Escape a été le premier véhicule à l'offrir et d'autres marques, comme BMW, ont choisi de l'intégrer par la suite.

### LA NOUVELLE INTERFACE SYNC 3
La grande nouvelle pour 2016 est que le Ford Escape devient l'un des premiers véhicules de la marque (l'autre étant la Fiesta) à recevoir la nouvelle interface Sync 3, beaucoup plus conviviale que le système MyFord Touch qui sévissait précédemment à bord. En quelques mots, Sync 3 regroupe les principales fonctionnalités que sont la chaîne audio, le chauffage et la climatisation, le téléphone, la navigation, les applications et les réglages en six pavés apparaissant au bas de

l'écran couleur tactile, ce qui rend l'interaction plus facile. Aussi, il est possible de modifier la taille du rendu de la carte de navigation en pinçant l'écran ou en ouvrant les doigts comme sur une tablette électronique.

Avec son moteur 2,0 litres turbocompressé, l'Escape est assez vif en accélération franche, mais on note une légère hésitation lors des reprises ce qui vient parfois compliquer les manœuvres de dépassement sur routes secondaires. La consommation moyenne observée ? Tout juste en dessous des 11 litres aux 100 kilomètres et, comme le réservoir de carburant ne contient que 57 litres, les visites à la pompe étaient fréquentes.

Quant aux deux autres moteurs proposés, précisons qu'ils sont nettement moins performants et que la consommation n'est pas tellement meilleure. La tenue de route est bonne et l'Escape inspire confiance, mais il ne s'accroche pas dans les virages avec autant d'aplomb que le Mazda CX-5, la référence de la catégorie pour ce qui est de la dynamique.

En fait, le handicap majeur de l'Escape est son poids très élevé qui affecte à la fois sa dynamique et sa consommation. Un régime minceur serait le bienvenue. On peut également souligner que le prix des modèles plus équipés grimpe rapidement si l'on fait le plein d'équipements offerts en option.

### UN *LIFTING* POUR 2017 ?

Face à une concurrence plus actuelle, l'Escape commence à dater un peu et c'est pourquoi Ford fera subir un lifting à son *best-seller* afin que son style soit plus en phase avec le nouveau Edge et le récent Explorer. Comme de nombreuses photos espion de prototypes camouflés ont été saisies sur le vif récemment, les paris sont ouverts quant à la date du dévoilement et il est possible que l'Escape 2017 soit présenté aussi tôt que le Salon de l'auto de Los Angeles en novembre 2015, Ford ayant justement choisi ce salon dans le passé pour le lancement du modèle actuel.

On ne s'attend pas nécessairement à des modifications pour ce qui est de la mécanique, les moteurs connus devraient reprendre du service, mais il n'est pas impossible qu'une nouvelle boîte automatique soit proposée, Ford développant actuellement des boîtes à neuf et dix rapports et l'Escape serait le candidat tout désigné pour recevoir l'une d'entre elles. Histoire à suivre…

### Châssis - SE 1.6 EcoBoost TI

| | |
|---|---|
| Emp / lon / lar / haut | 2690 / 4524 / 2078 / 1684 mm |
| Coffre / Réservoir | 971 à 1928 litres / 57 litres |
| Nbre coussins sécurité / ceintures | 7 / 5 |
| Suspension avant | ind., jambes force |
| Suspension arrière | ind., multibras |
| Freins avant / arrière | disque / disque |
| Direction | à crémaillère, ass. var. élect. |
| Diamètre de braquage | 11,8 m |
| Pneus avant / arrière | P235/55R17 / P235/55R17 |
| Poids / Capacité de remorquage | 1657 kg / 907 kg (1999 lb) |
| Assemblage | Louiseville, KY |

### Composantes mécaniques

**S**

| | |
|---|---|
| Cylindrée, soupapes, alim. | 4L 2,5 litres 16 s atmos. |
| Puissance / Couple | 169 ch / 170 lb-pi |
| Tr. base (opt) / rouage base (opt) | A6 / Tr |
| 0-100 / 80-120 / V.Max | 10,5 s / 8,0 s / n.d. |
| 100-0 km/h | n.d. |
| Type / ville / route / $CO_2$ | Ord / 10,9 / 7,6 l/100 km / 4331 kg/an |

**SE**

| | |
|---|---|
| Cylindrée, soupapes, alim. | 4L 1,6 litre 16 s turbo |
| Puissance / Couple | 178 ch / 184 lb-pi |
| Tr. base (opt) / rouage base (opt) | A6 / Tr (Int) |
| 0-100 / 80-120 / V.Max | 9,9 s / 7,1 s / n.d. |
| 100-0 km/h | 39,6 m |
| Type / ville / route / $CO_2$ | Sup / 10,6 / 8 l/100 km / 4338 kg/an |

**Titanium**

| | |
|---|---|
| Cylindrée, soupapes, alim. | 4L 2,0 litres 16 s turbo |
| Puissance / Couple | 240 ch / 270 lb-pi |
| Tr. base (opt) / rouage base (opt) | A6 / Int |
| 0-100 / 80-120 / V.Max | 7,8 s / 5,2 s / n.d. |
| 100-0 km/h | 42,5 m |
| Type / ville / route / $CO_2$ | Sup / 11,4 / 8,4 l/100 km / 4623 kg/an |

## Du nouveau en 2016

Aucun changement majeur. Interface Sync 3 remplace le système MyFord Touch.

Photos : Dominic Dubreuil, Ford Canada

FORD EXPEDITION

# FORD **EXPEDITION** / LINCOLN **NAVIGATOR**

**Prix :** 51 049 $ à 75 014 $ (2015)
**Catégorie :** VUS
**Garanties :**
3 ans/60 000 km, 5 ans/100 000 km
**Transport et prép. :** 1 665 $
**Ventes QC 2014 :** 122 unités*
**Ventes CAN 2014 :** 1 987 unités**

Cote du Guide de l'auto

## 67 %

Fiabilité
n.d.

Sécurité
■■■■■■■□□□

Consommation
■■■□□□□□□□

Appréciation générale
■■■■■■□□□□

Agrément de conduite
■■■■■■□□□□

Système multimédia
■■■■■□□□□□

Cote d'assurance
■■■■■■■□□□
$$$                    $

présentée par
**KANETIX.CA**

**+** Moteur plus économe • Accélération
musclée • Capacité de chargement gargan-
tuesque • Confortable à toutes les places

**–** Consommation encore élevée •
Difficile à stationner au centre-ville… •
Système Ford SYNC à parfaire •
Certains plastiques bas de gamme

**Concurrents**
Expedition : Chevrolet Suburban,
Chevrolet Tahoe, Dodge Durango, GMC
Yukon, Nissan Armada, Toyota Sequoia

Navigator : Cadillac Escalade, Infiniti QX80,
Lexus LX, Lincoln MKT

# Si vous en avez besoin...

Frédérick Boucher-Gaulin

**S**i vous entrez chez un concessionnaire Ford avec une seule exigence, par exemple pouvoir transporter au moins cinq adultes et leurs bagages en tout confort, le vendeur qui vous servira aura quelques options à vous proposer. Si vous ajoutez à cela qu'il vous faut le rouage intégral, ses choix diminuent un peu, mais il aura quand même différents modèles à vous présenter. Par contre, si l'on devient de plus en plus sélectif en préférant une bonne hauteur de caisse, des aptitudes hors route et la capacité de tracter une remorque pesant 4 000 kilos (8 800 livres), notre intrépide commerçant risque de commencer à suer à grosses gouttes, puisqu'il y a de moins en moins de véhicules capables de remplir vos critères. Il n'y en aura que deux en fait ; pour vous diriger vers l'un ou l'autre, l'ami vendeur vous posera une seule question : vous voulez une boîte à l'arrière de votre camion ou non ?

**L'OPTION FERMÉE**
Si vous avez répondu qu'une caisse ne vous serait d'aucune utilité, félicitations : vous venez d'être qualifié pour l'essai d'un Ford Expedition (ou un Lincoln Navigator ; ces deux véhicules sont pratiquement identiques à l'exception de quelques détails esthétiques et d'une poignée d'options. Pour alléger le texte, nous ne parlerons donc que de l'Expedition… désolé, Lincoln). La plus récente génération du gros mastodonte que Ford produit depuis des temps immémoriaux remonte à 2007 plus précisément. Mais on lui a apporté plusieurs modifications pour le rendre aussi moderne que possible encore aujourd'hui : depuis l'an dernier, l'antique V8 Triton de 5,4 litres a été mis à la retraite et remplacé par un V6 EcoBoost de 3,5 litres.

Ce moulin est non seulement plus moderne et puissant que son aïeul, mais il est également plus frugal, enregistrant une consommation de 16,2 litres aux 100 km en ville et 11,8 sur la route. Ça peut sembler beaucoup au premier abord, mais gardez en tête que l'Expedition pèse au bas mot 2 600 kg et possède l'aérodynamique d'un château fort. Si vous êtes du genre à apprécier les accélérations prestes, vous serez servi par l'EcoBoost avec ses 365 chevaux et son couple de 420 livres-pied. La vitesse à laquelle ce mastodonte passe d'un arrêt complet à une vitesse réprimandable par la Sûreté du Québec est très impressionnante, mais vous en paierez le prix à la pompe; comme avec n'importe quel autre moteur turbocompressé de Ford, vous pouvez avoir l'*Eco*, ou vous pouvez avoir le *Boost*... mais pas les deux en même temps!

### COMME CONDUIRE UNE FORTERESSE

Prendre le volant d'un Expedition, c'est un peu comme monter au sommet d'une tour pour regarder tout votre voisinage : on a l'impression de dominer la situation, d'être supérieur à tout le monde (ce qui est vrai, du moins physiquement, à moins de croiser une semi-remorque, personne ne vous regardera de haut!). Comme sur une camionnette, la direction est légère et déconnectée. La boîte automatique à six rapports est docile et bien optimisée pour pousser le moteur à être le plus économe possible. La visibilité à bord est étonnamment bonne – causée en partie par le fait que les fenêtres sont plus larges que celles de mon appartement, mais dû à la taille du camion, les angles morts sont assez grands. Pour y remédier, je recommande le système BLIS, qui vous avertit si une voiture se trouve dans cette zone.

À bord, le mot d'ordre est confort; les sièges sont éminemment confortables et larges, l'insonorisation est impressionnante grâce, entre autres, à du verre laminé et chacune des huit places du camion accueillera un adulte, même celles de la troisième rangée.

Quel que soit l'état de la météo, vous pouvez être assuré que l'Expedition ne sera pas intimidé; il vient d'office avec un vrai rouage 4x4 (pas d'intégral ici, on a une vraie boîte de transfert signée Borg-Warner derrière la transmission!), une garde au sol de 204 millimètres et des plaques de protection optionnelles sous son châssis. Ce Ford vous amènera à bon port même dans les pires blizzards.

Aujourd'hui, l'économie d'essence est de plus en plus primordiale et le modernisme est mis de l'avant; dans cette optique, le Ford Expedition et le Lincoln Navigator font quelque peu figure d'anachronismes. Cependant, il y a encore un marché pour ce type de véhicule, comme le prouvent les ventes de ces modèles (et de leurs rivaux chez GM).

Il est possible que dans un futur rapproché, le monde moderne ait raison de ces reliques d'un autre âge. Pour l'instant cependant, ils remplissent un rôle bien spécifique... et ils le font avec brio.

| Châssis - Expedition Max Limited 4x4 | |
|---|---|
| Emp / lon / lar / haut | 3327 / 5608 / 2332 / 1974 mm |
| Coffre / Réservoir | 1206 à 3704 litres / 127 litres |
| Nbre coussins sécurité / ceintures | 6 / 8 |
| Suspension avant | ind., double triangulation |
| Suspension arrière | ind., multibras |
| Freins avant / arrière | disque / disque |
| Direction | à crémaillère, ass. var. élect. |
| Diamètre de braquage | 13,4 m |
| Pneus avant / arrière | P275/65R18 / P275/65R18 |
| Poids / Capacité de remorquage | 2768 kg / 4136 kg (9118 lb) |
| Assemblage | Louisville, KY |

### Composantes mécaniques

**Ford Expedition**

| | |
|---|---|
| Cylindrée, soupapes, alim. | V6 3,5 litres 24 s turbo |
| Puissance / Couple | 365 ch / 420 lb-pi |
| Tr. base (opt) / rouage base (opt) | A6 / 4x4 |
| 0-100 / 80-120 / V.Max | 6,7 s (est) / 6,0 s (est) / n.d. |
| 100-0 km/h | n.d. |
| Type / ville / route / CO$_2$ | Sup / 16,4 / 12,0 l/100 km / 6633 kg/an |

**Lincoln Navigator**

| | |
|---|---|
| Cylindrée, soupapes, alim. | V6 3,5 litres 24 s turbo |
| Puissance / Couple | 380 ch / 460 lb-pi |
| Tr. base (opt) / rouage base (opt) | A6 / 4x4 |
| 0-100 / 80-120 / V.Max | 6,5 s (est) / 6,0 s (est) / n.d. |
| 100-0 km/h | n.d. |
| Type / ville / route / CO$_2$ | Sup / 16,4 / 12,0 l/100 km / 6633 kg/an |

## Du nouveau en 2016

Aucun changement majeur

Photos : Dominic Dubreuil, Lincoln Canada

**LINCOLN NAVIGATOR**

# FORD **EXPLORER**

(((SiriusXM)))

**Prix :** 32 969 $ à 55 093 $ (2015)
**Catégorie :** VUS
**Garanties :**
3 ans/60 000 km, 5 ans/100 000 km
**Transport et prép. :** 1 790 $
**Ventes QC 2014 :** 1 835 unités
**Ventes CAN 2014 :** 12 677 unités

---

Cote du Guide de l'auto

# 70 %

Fiabilité
■■■■■■■□□□

Appréciation générale
■■■■■■■□□□

Sécurité
■■■■■■□□□□

Agrément de conduite
■■■■■■■□□□

Consommation
■■■■■□□□□□

Système multimédia
■■■■■■■■□□

---

Cote d'assurance
■■■■■■■■■□
$$$                    $

présentée par
**KANETIX.CA**

 Choix de moteurs • Bonne
habitabilité • Rouage intégral efficace •
Planche de bord améliorée • Modèle
de base concurrentiel

— Certains groupes d'options onéreux •
Visibilité arrière perfectible • Manque
d'agilité en ville • Moteurs V6 de
base rugueux

---

**Concurrents**
Buick Enclave, Chevrolet Traverse,
GMC Acadia, Honda Pilot, Jeep
Grand Cherokee, Kia Sorento,
Nissan Pathfinder, Toyota 4Runner

# 26 ans plus tard…

Denis Duquet

**L**e Ford Explorer n'a pas toujours été le véhicule raffiné que nous connaissons de nos jours. Celui de la première génération (1990-1994) empruntait ni plus ni moins la plate-forme de la camionnette Ranger, et inutile de dire que le comportement routier n'était pas la raison première de son immense popularité. À cette époque, ces VUS à châssis autonome étaient très populaires.

Avec le temps et l'arrivée de plusieurs nouveaux modèles concurrents dotés d'une plate-forme monocoque, Ford s'est adapté et, en 2011, a présenté une autre mouture de l'Explorer. Les caractéristiques pures et dures ont été abandonnées, alors que le raffinement était présent non seulement au chapitre du rouage intégral, mais aussi de la tenue de route et de l'habitabilité. Pour 2016, sans que ce soit un changement radical, l'Explorer subit des retouches esthétiques à l'avant et à l'arrière tandis que l'habitacle fait également l'objet d'améliorations. Ainsi, l'Explorer continue d'être l'un des meilleurs de sa catégorie, et ce, à tous les points de vue.

### MON EXPLORER A DES BOUTONS !
L'une des raisons de sa grande diffusion est le fait que l'habitacle soit non seulement spacieux pour cette catégorie, mais également confortable. Les matériaux sont de qualité, l'aménagement est pratique et les espaces de rangement ne font pas défaut. Enfin, la troisième rangée de sièges est un peu plus confortable et spacieuse que ce que la concurrence peut fournir. La présentation de la planche de bord est moderne, toutefois, la grande nouveauté est l'ajout de boutons et de pavés au système MyFord Touch, ce qui rend ce dernier beaucoup plus convivial et certainement moins dangereux : auparavant, il fallait quitter la route des yeux trop longtemps. D'autres constructeurs devraient prendre exemple sur Ford…

Cette année, Ford ajoute à la gamme Explorer la version Platinum qui tient vraiment lieu de haut de gamme. Son équipement est complet et ferait rougir bien des berlines! On y retrouve, de série, un toit panoramique double, un volant en bois, un système de stationnement automatique, des ceintures de sécurité arrière gonflables et j'en passe, faute d'espace. Tout ce luxe se paie : il s'agit du premier Explorer dont le prix dépasse 50 000 $ avant les options, le transport et la préparation et les taxes.

Il est livré de série avec le V6 EcoBoost de 3,5 litres et assure une capacité de remorquage de 5 000 livres (2 268 kg). Il s'agit du même moteur qui gronde dans le modèle Sport, la version la plus agréable à conduire.

### NOUVEAU QUATRE CYLINDRES

Cette année, le quatre cylindres 2,0 litres EcoBoost est remplacé par le 2,3 litres EcoBoost qui a fait ses débuts sur la nouvelle Mustang. Sa puissance est de 280 chevaux, un gain de 40 équidés par rapport à la version antérieure. Il faut souligner que tous ces moulins sont associés à une boîte automatique à six rapports.

À la base, l'Explorer se déplace grâce aux roues avant motrices. Cependant, le rouage intégral est nettement plus intéressant. Les modèles qui en sont équipés font appel au Terrain Management System, un système qui permet de choisir entre quatre types de chaussée, à l'aide d'un bouton rotatif : normal, neige, sable et boue.

En outre, comme pour tous les autres modèles de la catégorie, le système de contrôle de vitesse en descente fait partie de l'équipement. Il faut ajouter qu'il est plus efficace que la moyenne. Un autre système a été développé au début des années 2000 alors que Ford faisait face à d'innombrables poursuites concernant le capotage de plusieurs Explorer durant les années 90. On se rappellera que ces Explorer étaient tous dotés de pneus Firestone sous-gonflés. C'est à ce moment que les ingénieurs de Ford ont élaboré un dispositif de contrôle de vitesse dans les virages qui intervient lorsque la stabilité verticale est inquiétante. Avec les années, ce système a été raffiné. Il est maintenant transparent et fonctionne très bien, faisant de l'Explorer moderne un véhicule très sécuritaire.

L'Explorer est l'un des meilleurs vendeurs de sa catégorie. Ce n'est d'ailleurs pas surprenant quand on regarde l'ensemble : variété de modèles, qualité générale du véhicule, polyvalence de l'habitacle, conduite sans histoire et de nombreuses et intéressantes options offertes.

### Châssis - Base EcoBoost TI

| | |
|---|---|
| Emp / lon / lar / haut | 2866 / 5037 / 2292 / 1803 mm |
| Coffre / Réservoir | 1115 à 2314 litres / 70 litres |
| Nbre coussins sécurité / ceintures | 8 / 5 |
| Suspension avant | ind., jambes force |
| Suspension arrière | ind., multibras |
| Freins avant / arrière | disque / disque |
| Direction | à crémaillère, ass. var. élect. |
| Diamètre de braquage | 12,0 m |
| Pneus avant / arrière | P245/60R18 / P245/60R18 |
| Poids / Capacité de remorquage | 2078 kg / 908 kg (2001 lb) |
| Assemblage | Chicago, IL |

### Composantes mécaniques

**Base EcoBoost, XLT EcoBoost**

| | |
|---|---|
| Cylindrée, soupapes, alim. | 4L 2,3 litres 16 s turbo |
| Puissance / Couple | 280 ch / 310 lb-pi |
| Tr. base (opt) / rouage base (opt) | A6 / Tr (Int) |
| 0-100 / 80-120 / V.Max | n.d. / n.d. / n.d. |
| 100-0 km/h | n.d. |
| Type / ville / route / $CO_2$ | Sup / 12,6 / 8,5 l/100 km / 4947 kg/an |

**Base V6, XLT V6, Limited V6**

| | |
|---|---|
| Cylindrée, soupapes, alim. | V6 3,5 litres 24 s atmos. |
| Puissance / Couple | 290 ch / 255 lb-pi |
| Tr. base (opt) / rouage base (opt) | A6 / Tr (Int) |
| 0-100 / 80-120 / V.Max | 8,8 s / 7,2 s / n.d. |
| 100-0 km/h | 42,0 m |
| Type / ville / route / $CO_2$ | Ord / 14,4 / 10,4 l/100 km / 5796 kg/an |

**Sport, Platinum**

| | |
|---|---|
| Cylindrée, soupapes, alim. | V6 3,5 litres 24 s turbo |
| Puissance / Couple | 365 ch / 350 lb-pi |
| Tr. base (opt) / rouage base (opt) | A6 / Int |
| 0-100 / 80-120 / V.Max | 6,0 s / n.d. / n.d. |
| 100-0 km/h | n.d. |
| Type / ville / route / $CO_2$ | Sup / 14,9 / 10,7 l/100 km / 5985 kg/an |

### Du nouveau en 2016

Changements esthétiques extérieurs et intérieurs, moteur 2,3 litres EcoBoost

Photos : Ford Canada

# FORD **F-150**

**Prix :** 21 399 $ à 66 999 $ (2015)
**Catégorie :** Camionnette
**Garanties :**
3 ans/60 000 km, 5 ans/100 000 km
**Transport et prép. :** 1 800 $
**Ventes QC 2014 :** 17 181 unités
**Ventes CAN 2014 :** 122 325 unités

**(((SiriusXM)))**

## Cote du Guide de l'auto

# 77 %

| | |
|---|---|
| Fiabilité | Appréciation générale |
| ■■■■■■■□□□ | ■■■■■■■□□□ |
| Sécurité | Agrément de conduite |
| ■■■■■■■□□□ | ■■■■■■■□□□ |
| Consommation | Système multimédia |
| ■■■■■□□□□□ | ■■■■■■□□□□ |

## Cote d'assurance

■■■■■■■□□□

$$$        $

présentée par
**KANETIX.CA**

➕ Puissance abordable du V6 EcoBoost de 2,7 L • La carrosserie en aluminium réduit le poids • Capacité de remorquage élevée • Très fonctionnel

➖ Réduction de la consommation peu spectaculaire • Pas de Raptor avant 2017 • Pas de boîte automatique à huit rapport • Portes à pentures arrière sur le SuperCab

## Concurrents
Chevrolet Silverado, GMC Sierra, Nissan Titan, RAM 1500, Toyota Tundra

# Évoluer dans un monde ultra compétitif

Benjamin Hunting

**Q**uand la marée monte, tous les bateaux s'élèvent. Cette image est particulièrement vraie dans un contexte technologique. En acquittant les droits de licence appropriés, une entreprise peut profiter instantanément de technologies de pointe qui, autrement, auraient exigé des efforts de recherche et développement colossaux.

Ford a lancé le F-150 dans la bataille avec comme arme de haute technologie sa construction légère en aluminium. Cette décision a engendré des dizaines de campagnes de marketing chez le constructeur, et des ripostes correspondantes chez Chevrolet, Ram et GMC. Quand on examine le travail réalisé par Ford pour redessiner le F-150 afin de garder sa place en tête des ventes, on réalise à quel point il est difficile de dominer dans un monde où tous les concurrents sont des géants.

### DES CONFIGURATIONS POUR TOUS LES GOÛTS
Le Ford F-150 continue d'être proposé en une vaste gamme de configurations. Côté cabines, en plus des aménagements classiques à deux portières, on peut obtenir les SuperCab et SuperCrew à quatre portes. Les SuperCab n'ont toutefois pas encore fait la transition vers un accès aux places arrière avec pentures à l'avant comme le reste de l'industrie, ce qui rend l'embarquement plus difficile dans un stationnement bondé. Une fois à bord, par contre, il y a beaucoup d'espace à l'avant et à l'arrière, et le volume disponible est carrément énorme dans le cas du SuperCrew. Et si vous avez des envies de luxe, vous pouvez passer aux déclinaisons Lariat, King Ranch ou Platinum (les versions XL et XLT sont toujours offertes).

Concernant l'espace de chargement, le plateau le plus court mesure 5 pi 7 po. On peut aussi opter pour des plateaux de 6 pi 6 po et de 8 pi 1 po. La capacité de remorquage maximale, avec l'équipement approprié, est de 5 488 kg (12 100 livres), un bond de plus de 200 kg par rapport à l'ancienne génération. Même les modèles d'entrée de gamme peuvent tirer 3 447 kg, soit plus du double de la charge moyenne des remorques en Amérique du Nord.

### LA FIN DE L'ÈRE DES V8?

Ford se distancie des moteurs à huit cylindres pour son F-150. La firme explique que les technologies EcoBoost et les économies de poids engendrées par la carrosserie en aluminium permettent de réduire la cylindrée du V6 d'entrée de gamme (et de carrément supprimer le V8 de 6,2 litres qui trônait au sommet des modèles précédents). Le Raptor a également été éliminé ; il sera de retour seulement en 2017, en déclinaison EcoBoost.

Cela dit, les moulins de l'alignement actuel sont intéressants. Le V6 de base à la cylindrée légèrement réduite (3,5 litres au lieu de 3,7) produit 282 chevaux et un couple de 253 lb-pi. On peut faire un bon pas en avant en prenant le V6 EcoBoost biturbo de 2,7 litres (325 chevaux, 375 lb-pi). Le V8 de 5,0 litres, qui continue de s'attirer les éloges des utilisateurs et des journalistes, est toujours disponible (385 chevaux, 387 lb-pi). Il en va de même pour le V6 EcoBoost biturbo de 3,5 litres ; c'est maintenant lui qui figure en haut de la liste des options avec ses 365 chevaux et son couple de 420 lb-pi. Le rouage à quatre roues motrices demeure livrable avec tous les modèles.

Même si les F-150 ont perdu du poids, on ne peut pas dire que leur consommation d'essence a radicalement diminué. Le moteur de base affiche une cote combinée de 11,6 l/100 km. On passe à un respectable 10,9 l/100 km avec le 2,7 litres EcoBoost, tout en bénéficiant d'une solide augmentation de couple et de puissance. Dans le cas du V8 de 5,0 litres, la diminution est de seulement 0,5 litre par rapport à l'ancienne génération. Avec le 3,5 litres EcoBoost, la consommation combinée reste identique même si l'on enregistre de légères diminutions quand on examine séparément les cotes route et ville. La boîte automatique à six rapports est sans doute à blâmer en partie dans un contexte où l'on voit de plus en plus de boîtes à huit, neuf, et 10 rapports sur le marché. Ajoutons qu'en situation réelle, les moteurs EcoBoost se révèlent plus gourmands quand on les sollicite énergiquement.

Le Ford F-150 est un bon *pick-up*, cela ne fait pas de doute, mais il est entouré de concurrents tout aussi impressionnants. Si l'on fait exception des retardataires de Toyota (le Tundra) et de Nissan (le Titan, qui sera bientôt remplacé), il est difficile de trouver une mauvaise camionnette de nos jours. Il s'agit bien sûr d'une bonne nouvelle pour les consommateurs, car ils devront simplement se demander à quelles innovations ils donneront la priorité lors du choix de leur prochain modèle : l'excellente suspension et la technologie turbodiesel des Ram, les performances globales des GM ou le jeu de puissance de Ford avec l'aluminium ?

| Châssis - Lariat 4x2 cab. double (6.5') | |
|---|---|
| Emp / lon / lar / haut | 3683 / 5890 / 2459 / 1910 mm |
| Coffre / Réservoir | n.d. / 98 litres |
| Nbre coussins sécurité / ceintures | 6 / 5 |
| Suspension avant | ind., double triangulation |
| Suspension arrière | essieu rigide, ress. à lames |
| Freins avant / arrière | disque / disque |
| Direction | à crémaillère, ass. var. élect. |
| Diamètre de braquage | 14,4 m |
| Pneus avant / arrière | P265/60R18 / P265/60R18 |
| Poids / Capacité de remorquage | 2025 kg / 3454 kg (7614 lb) |
| Assemblage | Dearborn, MI; Kansas City, MO |

### Composantes mécaniques

**V6 3,5 litres**

| | |
|---|---|
| Cylindrée, soupapes, alim. | V6 3,5 litres 24 s atmos. |
| Puissance / Couple | 282 ch / 253 lb-pi |
| Tr. base (opt) / rouage base (opt) | A6 / Prop (4x4) |
| Type / ville / route / $CO_2$ | Ord / 13,9 / 10,5 l/100 km / 5690 kg/an |

**V6 2,7 litres EcoBoost**

| | |
|---|---|
| Cylindrée, soupapes, alim. | V6 2,7 litres 24 s turbo |
| Puissance / Couple | 325 ch / 375 lb-pi |
| Tr. base (opt) / rouage base (opt) | A6 / Prop |
| Type / ville / route / $CO_2$ | Ord / 12,2 / 9,2 l/100 km / 4991 kg/an |

**V6 3,5 litres EcoBoost**

| | |
|---|---|
| Cylindrée, soupapes, alim. | V6 3,5 litres 24 s turbo |
| Puissance / Couple | 365 ch / 420 lb-pi |
| Tr. base (opt) / rouage base (opt) | A6 / Prop (4x4, Int) |
| Type / ville / route / $CO_2$ | Sup / 14,2 / 10,4 l/100 km / 5745 kg/an |

**V8 5,0 litres**

| | |
|---|---|
| Cylindrée, soupapes, alim. | V8 5,0 litres 32 s atmos. |
| Puissance / Couple | 385 ch / 387 lb-pi |
| Tr. base (opt) / rouage base (opt) | A6 / Prop (4x4, Int) |
| Type / ville / route / $CO_2$ | Ord / 16 / 11,3 l/100 km / 6387 kg/an |

### Du nouveau en 2016

Aucun changement majeur, nouveau système SYNC 3 et assistance au recul d'attelage de remorque

## FORD **FIESTA**

**Prix:** 16 159 $ à 24 403 $ (2015)
**Catégorie:** Berline, Hatchback
**Garanties:**
3 ans/60 000 km, 5 ans/100 000 km
**Transport et prép.:** 1 665 $
**Ventes QC 2014:** 3 108 unités
**Ventes CAN 2014:** 9 312 unités

### Cote du Guide de l'auto

# 80 %

Fiabilité

Appréciation générale

Sécurité

Agrément de conduite

Consommation

Système multimédia

### Cote d'assurance

présentée par
**KANETIX.CA**

$$$                                  $

➕ Style réussi (5 portes) • Faible
consommation (3 cylindres EcoBoost) •
Performances relevées (ST) •
Châssis rigide

➖ Manque de couple (moteur 1,6 litre) •
Confort relatif (ST) • Ergonomie
perfectible • Prix élevé (EcoBoost et ST)

### Concurrents
Chevrolet Sonic, Honda Fit, Hyundai
Accent, Kia Rio, Nissan Versa Note,
Toyota Yaris

# Dans l'ombre de sa grande sœur

Gabriel Gélinas

**À l'échelle mondiale, la Fiesta se classe juste derrière la Focus au chapitre des ventes de Ford. Chez nous, c'est plutôt la Focus et l'Escape qui cartonnent, alors que la Fiesta vit un peu dans l'ombre de sa grande sœur, une situation semblable à celle de la Fit et de la Civic chez Honda. En fait, le principal problème de la Fiesta, et des autres sous-compactes, c'est que les acheteurs se tournent souvent vers un modèle de la catégorie des compactes qui ne coûte pas nécessairement plus cher par mois.**

Déclinée en modèles berline et 5 portes, la Fiesta est livrable avec trois moteurs, soit un atmosphérique et deux suralimentés par turbo-compression. La finition de base reçoit le moins puissant des trois, alors que les variantes EcoBoost et ST sont plus en verve avec leurs moteurs turbo, offrant plus de puissance et de couple.

### MOINS DE CYLINDRES, PLUS D'ÉCONOMIE
La Fiesta EcoBoost se démarque aussi par son moteur trois cylindres de 1,0 litre, un véritable tour de force sur le plan technique, puisqu'il mise à la fois sur la turbocompression, l'injection directe de carburant et le calage variable des soupapes. C'est sans doute pourquoi ce moteur s'est mérité le prix International *Engine of the Year* dans sa catégorie encore une fois cette année. Pour réduire la friction interne, de même que les vibrations typiques d'un moteur comptant un nombre impair de cylindres, les ingénieurs de Ford ont décidé de ne pas retenir la configuration d'arbre d'équilibrage interne, mais plutôt d'opter pour un équilibrage externe assuré par la poulie du vilebrequin et le volant moteur.

Sur la route, la Fiesta EcoBoost est plutôt agréable à conduire, pourvu qu'on aime jouer du levier de vitesses. La boîte manuelle compte cinq rapports et leur étagement est très long, histoire de bonifier la consommation. C'est ce qui explique pourquoi on peut atteindre 100 km/h en deuxième vitesse et aussi pourquoi il faut obligatoirement rétrograder en quatrième, voire même en troisième pour effectuer un dépassement.

Règle générale, les vibrations du moteur trois cylindres sont bien contrôlées, sauf à bas régime où elles sont plus présentes, mais il faut apprendre à composer avec un vrombissement bien senti lorsque le moteur atteint des régimes plus élevés.

Plus que l'étagement de la boîte, le prix nettement plus élevé de la Fiesta EcoBoost est son principal handicap et cela vient effectivement gommer toutes les économies subséquentes que l'on fera à la pompe. Parlant de consommation, la moyenne joue près du 6 litres aux 100 kilomètres, ce qui est excellent.

### UNE PETITE BOMBE

Quant à la Fiesta ST, son moteur livre 197 chevaux. La direction est à la fois plus rapide et plus ferme, et les suspensions sont calibrées afin d'optimiser la tenue de route au détriment du confort qui devient tout à fait relatif. Côté style, la Fiesta ST se démarque par sa calandre plus typée, son aileron de toit ainsi que son diffuseur arrière, mais l'habitacle adopte une présentation beaucoup plus conventionnelle rehaussée par un volant et un levier de vitesses sport.

Pour le reste, les Fiesta sont moins spacieuses que des rivales directes comme les Honda Fit, Hyundai Accent et Kia Rio, entre autres, mais elles se distinguent par un équipement assez complet et un look branché en phase avec les goûts d'aujourd'hui.

Pour 2016, la Ford Fiesta devient aussi l'un des premiers véhicules de la marque (l'autre étant l'Escape) à recevoir la nouvelle interface Sync 3, beaucoup plus conviviale que le système MyFord Touch qui sévissait précédemment à bord. En quelques mots, Sync 3 dispose d'un écran tactile sur lequel apparaissent six pavés servent à régler la chaîne audio, le système de chauffage et de climatisation, le téléphone, la navigation et les applications. Aussi, comme sur une tablette électronique, il est possible de modifier la taille de la carte de navigation en pinçant l'écran ou en ouvrant les doigts.

Avec une gamme étendue et des variantes turbocompressées, portées sur l'économie de carburant d'un côté et la performance de l'autre, la Fiesta ratisse large. Il est toutefois dommage que les modèles les plus équipés soient aussi chers et que l'écart avec la Focus devienne alors plus facile à combler.

| Châssis - ST | |
|---|---|
| Emp / lon / lar / haut | 2489 / 4067 / 1977 / 1454 mm |
| Coffre / Réservoir | 285 à 720 litres / 47 litres |
| Nbre coussins sécurité / ceintures | 7 / 5 |
| Suspension avant | ind., jambes force |
| Suspension arrière | semi-ind., poutre torsion |
| Freins avant / arrière | disque / disque |
| Direction | à crémaillère, ass. var. élect. |
| Diamètre de braquage | 10,8 m |
| Pneus avant / arrière | P205/40R17 / P205/40R17 |
| Poids / Capacité de remorquage | 1244 kg / non recommandé |
| Assemblage | Cuautitlán Izcalli, MX |

| Composantes mécaniques | |
|---|---|
| **S, SE / Hatchback, Titanium / Hatchback** | |
| Cylindrée, soupapes, alim. | 4L 1,6 litre 16 s atmos. |
| Puissance / Couple | 120 ch / 112 lb-pi |
| Tr. base (opt) / rouage base (opt) | M5 (A6) / Tr |
| 0-100 / 80-120 / V.Max | 10,7 s / 9,2 s / n.d. |
| 100-0 km/h | 43,2 m |
| Type / ville / route / $CO_2$ | Ord / 8,5 / 6,5 l /100 km / 3496 kg/an |
| **SE Berline SFE** | |
| Cylindrée, soupapes, alim. | 3L 1,0 litre 12 s turbo |
| Puissance / Couple | 123 ch / 148 lb-pi |
| Tr. base (opt) / rouage base (opt) | M5 / Tr |
| 0-100 / 80-120 / V.Max | n.d. / n.d. / 196 km/h |
| 100-0 km/h | 43,2 m |
| Type / ville / route / $CO_2$ | Ord / 6,2 / 4,3 l /100 km / 2445 kg/an |
| **1.0 EcoBoost Hatchback** | |
| Cylindrée, soupapes, alim. | 3L 1,0 litre 12 s turbo |
| Puissance / Couple | 123 ch / 125 lb-pi |
| Tr. base (opt) / rouage base (opt) | M5 / Tr |
| 0-100 / 80-120 / V.Max | 9,4 s / n.d. / 196 km/h |
| 100-0 km/h | 43,2 m |
| Type / ville / route / $CO_2$ | Sup / 7,5 / 5,6 l /100 km / 3057 kg/an |
| **ST** | |
| Cylindrée, soupapes, alim. | 4L 1,6 litre 16 s turbo |
| Puissance / Couple | 197 ch / 202 lb-pi |
| Tr. base (opt) / rouage base (opt) | M6 / Tr |
| 0-100 / 80-120 / V.Max | 7,6 s / 5,0 s / 220 km/h |
| 100-0 km/h | 40,5 m |
| Type / ville / route / $CO_2$ | Sup / 8,9 / 6,8 l /100 km / 3659 kg/an |

### Du nouveau en 2016

Aucun changement majeur, nouveau système télématique Sync 3

Photos : Ford Canada

## FORD **FLEX**

**Prix :** 30 499 $ à 51 199 $ (2015)
**Catégorie :** VUS
**Garanties :**
3 ans/60 000 km, 5 ans/100 000 km
**Transport et prép. :** 1 750 $
**Ventes QC 2014 :** 213 unités
**Ventes CAN 2014 :** 2 365 unités

### Cote du Guide de l'auto

# 75 %

| Fiabilité | Appréciation générale |
|---|---|
| ■■■■■■■□□□ | ■■■■■■■□□□ |
| **Sécurité** | **Agrément de conduite** |
| ■■■■■■■■□□ | ■■■■■■□□□□ |
| **Consommation** | **Système multimédia** |
| ■■■■■□□□□□ | ■■■■■■■□□□ |

### Cote d'assurance

■■■■■■■■□□

$$$        $

présentée par
**KANETIX.CA**

➕ Habitabilité très généreuse •
Polyvalence assurée • Comportement
routier surprenant • Moteurs bien
adaptés • Rouage intégral efficace

➖ Diffusion limitée • Consommation
décevante • Sensible au vent latéral •
Faible visibilité arrière

### Concurrents
Buick Enclave, Chevrolet Traverse,
GMC Acadia, Honda Pilot,
Hyundai Santa Fe XL

# VUS, fourgonnette et plus encore

Denis Duquet

**D**epuis ses débuts sur le marché il y a maintenant huit ans, le Flex a toujours été un véhicule qui a fait bande à part aussi bien en raison de son apparence pour le moins particulière que de ses caractéristiques générales. Il possède en même temps les qualités d'un VUS et d'une fourgonnette tout en proposant une conduite semblable à celle d'une grosse voiture. En fait, il ne ressemble à aucun autre véhicule sur le marché et encore moins à tout ce que Ford peut produire de nos jours. Et curieusement, l'écusson bleu ovale de la marque n'apparaît pas sur le capot. À sa place figure tout simplement l'appellation Flex. Et si l'on cherche bien, on va retrouver l'écusson Ford en bas à droite du hayon et en tout petit.

Décidément, Ford veut faire de ce véhicule quelque chose de différent. Et cette différence n'est pas uniquement le fait de sa forme carrée, de sa calandre avec poutre transversale en aluminium brossé ou encore de la possibilité de commander le toit d'une couleur distincte. Ce Ford à tout faire propose également de multiples caractéristiques qui seront particulièrement prises des familles actives qui effectuent de longs voyages.

### DE L'ESPACE, ON EN A !
Si jamais vous rencontrez quelqu'un qui se plaint que le Flex n'a pas une bonne habitabilité, je vous donne le droit de douter de son jugement. En effet, aussi bien aux places avant, intermédiaires et tout à l'arrière, l'espace ne fait pas défaut. C'est justement le véhicule idéal pour effectuer de longs trajets alors que l'on peut prendre ses aises, s'installer confortablement et apprécier le voyage. La troisième rangée de sièges peut être rabattue électriquement (en option) pour agrandir un coffre déjà immense. Et depuis ses tout débuts, ce modèle possède une glacière — en option aussi — placée entre les deux sièges de la rangée médiane. Enfin, pour égayer les longues randonnées, il est

possible de commander des écrans vidéo ancrés dans l'appuie-tête des sièges avant. En fait, la liste des gadgets et des accessoires est pratiquement interminable. Parmi les options les plus appréciées, on peut mentionner le toit panoramique à triple rangée et l'ensemble de remorquage de classe III (jusqu'à 4 500 livres – 2 041 kilos).

Depuis longtemps, Ford fait confiance à Sony pour la sonorisation de ses véhicules et le système embarqué sur le Flex est vraiment digne de mention. Bien entendu, il est possible de commander certaines variantes afin d'optimiser votre écoute musicale. Par contre, le dispositif MyFord Touch à commandes tactiles et parlées est un irritant majeur pour la plupart des gens. Mais à part cela, l'intérieur est vraiment convivial.

### D'UNE SURPRENANTE AGILITÉ

À voir les dimensions extérieures du Flex et lorsque l'on découvre son vaste habitacle, on conclut immédiatement que la promenade ne sera pas de tout repos avec un véhicule encombrant et supposément peu intéressant à conduire. Cette impression est rapidement dissipée toutefois puisqu'après quelques kilomètres seulement, on est surpris par l'excellente tenue de route du Flex. Il faut bien s'entendre, ce n'est pas une Mustang, mais c'est un véhicule qui est passablement neutre en virage, et qui n'est pas affecté par un roulis exagéré malgré un centre de gravité élevé. En outre, sa direction est précise pour la catégorie.

Le V6 de 3,5 litres est utilisé sur la plupart des modèles et sa puissance de 287 chevaux est adéquate, mais c'est quand même peu juste une fois que le véhicule est lourdement chargé. Dans ces conditions, l'économie de carburant pourrait être meilleure.

Le modèle le plus luxueux, le Limited, offre l'option d'un V6 de même cylindrée, mais bénéficiant de la technologie EcoBoost, portant ainsi la puissance à 365 chevaux. Ses performances sont supérieures, mais il ne faut pas oublier de mentionner que le prix d'achat est nettement plus élevé puisque c'est le seul Flex à bénéficier de ce moteur.

Finalement, il ne faut pas se fier aux apparences, le Flex est un véhicule qui a les qualités d'une fourgonnette sans en avoir les inconvénients majeurs, tout en étant capable d'affronter des conditions routières intimidantes en hiver en raison de son rouage intégral optionnel.

| Châssis - Limited TI EcoBoost | |
| --- | --- |
| Emp / lon / lar / haut | 2995 / 5126 / 2256 / 1727 mm |
| Coffre / Réservoir | 566 à 2356 litres / 70 litres |
| Nbre coussins sécurité / ceintures | 6 / 7 |
| Suspension avant | ind., jambes force |
| Suspension arrière | ind., multibras |
| Freins avant / arrière | disque / disque |
| Direction | à crémaillère, ass. var. élect. |
| Diamètre de braquage | 12,4 m |
| Pneus avant / arrière | P255/45R20 / P255/45R20 |
| Poids / Capacité de remorquage | 2195 kg / 907 kg (1999 lb) |
| Assemblage | Oakville, ON |

| Composantes mécaniques | |
| --- | --- |
| **SE, SEL, Limited** | |
| Cylindrée, soupapes, alim. | V6 3,5 litres 24 s atmos. |
| Puissance / Couple | 287 ch / 254 lb-pi |
| Tr. base (opt) / rouage base (opt) | A6 / Tr (Int) |
| 0-100 / 80-120 / V.Max | 9,0 s / n.d. / n.d. |
| 100-0 km/h | n.d. |
| Type / ville / route / $CO_2$ | Ord / 13,7 / 10 l/100 km / 5557 kg/an |
| **Limited TI EcoBoost** | |
| Cylindrée, soupapes, alim. | V6 3,5 litres 24 s turbo |
| Puissance / Couple | 365 ch / 350 lb-pi |
| Tr. base (opt) / rouage base (opt) | A6 / Int |
| 0-100 / 80-120 / V.Max | 7,2 s / 5,9 s / n.d. |
| 100-0 km/h | 40,9 m |
| Type / ville / route / $CO_2$ | Sup / 14,6 / 10,4 l/100 km / 5847 kg/an |

## Du nouveau en 2016

Révision esthétique intérieure et extérieure, nouveau modèle prévu pour 2017.

Photos : Ford Canada

# FORD **FOCUS**

((( SiriusXM )))

**Prix:** 16 799 $ à 48 000 $ (2015)
**Catégorie:** Berline, Hatchback
**Garanties:**
3 ans/60 000 km, 5 ans/100 000 km
**Transport et prép.:** 1 695 $
**Ventes QC 2014:** 5 302 unités
**Ventes CAN 2014:** 22 392 unités

## Cote du Guide de l'auto

# 79 %

| Fiabilité | Appréciation générale |
|---|---|
| ■■■■■■■□□□ | ■■■■■■■□□□ |
| **Sécurité** | **Agrément de conduite** |
| ■■■■■■■■□□ | ■■■■■■■■□□ |
| **Consommation** | **Système multimédia** |
| ■■■■■□□□□□ | ■■■■■■■■□□ |

## Cote d'assurance
présentée par
■■■■■■■■□□ **KANETIX.CA**
$$$                    $

 Nombreuses configurations •
Versions performantes (ST et RS) •
EcoBoost 3 cylindres dynamique •
Version Focus électrique

— Consommation décevante (1,0 litre) •
Design extérieur fade (sauf ST et RS) •
Option Drift superflue en ville •
Rayon de braquage

## Concurrents
Chevrolet Cruze, Dodge Dart, Honda Civic,
Hyundai Elantra, Kia Forte, Mazda3,
Mitsubishi Lancer, Nissan Sentra, Subaru
Impreza, Toyota Corolla, Volkswagen
Beetle, Volkswagen Golf, Volkswagen Jetta

# Pour tous les goûts

Guy Desjardins

**L**a mondialisation de la Focus s'est effectuée sur de nombreuses années et atteint un point culminant aujourd'hui avec l'arrivée en scène de la fougueuse version RS en sol canadien. En versions *hatchback* ou berline, la Focus propose plusieurs niveaux d'équipement, beaucoup de technologie et un excellent choix de motorisations.

Au chapitre du design extérieur, la voiture s'est démarquée depuis quelques années. La refonte de 2011 lui a donné la forme qu'on lui connaît actuellement et depuis l'an dernier, elle adopte la calandre rendue si célèbre par la Fusion. Malheureusement, durant cet exercice, le style de la Focus s'est légèrement adouci (un peu trop pour certains), faisant place à une image plus conservatrice ; à moins d'opter bien sûr pour les bestiales variantes ST et RS.

### MÉCANIQUE COMPLÈTE
La famille Focus mise sur cinq moteurs à la vocation très ciblée. Le modèle d'entrée de gamme compte sur un 4 cylindres de 2,0 litres, développant 160 chevaux et livrant des performances honnêtes tout en limitant sa soif à environ 8 litres aux 100 kilomètres. Depuis l'an dernier, un petit 3 cylindres EcoBoost de 1 litre, heureusement doté d'un turbocompresseur, est en option. Le résultat surprend par sa fougue plutôt que par sa consommation d'essence dérisoire. Évidemment, 123 chevaux ne riment pas avec puissance démentielle, mais quand ils sont jumelés à la boîte manuelle à six rapports, cette Focus se déplace plus nerveusement que lorsqu'équipée du quatre cylindres de base.

Faisant toujours partie de la gamme pour 2016, la Focus électrique propose une motorisation qui développe 143 chevaux et 184 lb-pi de couple, assortie d'une boîte automatique à un seul rapport. Avec une batterie pleinement chargée, la voiture peut parcourir 122 km sous des conditions optimales. Elle accélère rapidement grâce au couple généreux du moteur tandis que l'habitacle est silencieux. La conduite se compare à celle du modèle à essence sauf l'adhérence limitée des pneus à faible résistance de roulement.

Les deux autres motorisations s'adressent à un public averti : des moteurs 4 cylindres EcoBoost qui prennent place sous le capot des versions *hatchback* ST et RS. La première tire sa puissance d'un 2,0 litres de 252 chevaux qui engendre 270 lb-pi de couple. La conduite de ce bolide est étonnante (mais pas autant que celle de la Fiesta ST) malgré l'absence d'un rouage intégral. Évidemment, ce type de voiture entraîne un pilotage nécessairement sportif avec les habituelles conséquences : consommation élevée, usure prématurée des pneus... et contraventions assurées !

À l'intérieur, la Focus profite des technologies Ford, dont la connectivité via le système de reconnaissance vocale SYNC et l'interface multimédia MyFord Touch à écran tactile. La position de conduite se trouve via plusieurs ajustements simples et efficaces. Sur les ST et RS, de fabuleux sièges très enveloppants procurent un soutien digne d'une voiture de course.

### ENFIN LA RS
La nouvelle version RS, qui débarque finalement en Amérique du Nord, est la plus puissante Focus à ce jour et n'était vendue jusqu'à maintenant qu'en Europe. Elle s'inscrit dans la lignée sportive de la ST, mais ajoute la transmission intégrale, un moteur nettement plus puissant et un contrôle de vecteur de couple. Elle propose également quatre modes de conduite et un système de départ-canon. Les choix normaux, sport, piste et drift permettent de modifier les paramètres relatifs au rouage intégral, à la suspension, au contrôle électronique de stabilité, à la direction, au moteur et au son de l'échappement.

Sous le capot de cette bête, Ford place un moteur EcoBoost de 2,3 litres qui développe une puissance de 345 chevaux. Elle bénéficie également d'un système de freinage doté de disques ventilés avant de 350 mm et d'étriers Brembo en aluminium léger à quatre pistons.

Quelle que soit la version, la Focus s'avère équilibrée et abordable. Les modèles offerts comblent la plupart des besoins. Reste à savoir si les acheteurs tomberont sous leur charme, ce qui n'a pas toujours été le cas ces dernières années avec la concurrence qui se démène, elle aussi, pour attirer les clients.

### Châssis - ST

| | |
|---|---|
| Emp / lon / lar / haut | 2648 / 4362 / 2044 / 1472 mm |
| Coffre / Réservoir | 674 à 1268 litres / 47 litres |
| Nbre coussins sécurité / ceintures | 7 / 5 |
| Suspension avant | ind., jambes force |
| Suspension arrière | ind., multibras |
| Freins avant / arrière | disque / disque |
| Direction | à crémaillère, ass. var. élect. |
| Diamètre de braquage | 12,0 m |
| Pneus avant / arrière | P235/40R18 / P235/40R18 |
| Poids / Capacité de remorquage | 1458 kg / non recommandé |
| Assemblage | Wayne, MI |

### Composantes mécaniques

**S, SE /hatchback, Titanium / hatchback**

| | |
|---|---|
| Cylindrée, soupapes, alim. | 4L 2,0 litres 16 s atmos. |
| Puissance / Couple | 160 ch / 146 lb-pi |
| Tr. base (opt) / rouage base (opt) | M5 (A6) / Tr |
| 0-100 / 80-120 / V.Max | 9,3 s / 6,3 s / n.d. |
| 100-0 km/h | 44,4 m |
| Type / ville / route / $CO_2$ | Ord / 9,1 / 6,3 l/100 km / 3606 kg/an |

**ST**

| | |
|---|---|
| Cylindrée, soupapes, alim. | 4L 2,0 litres 16 s turbo |
| Puissance / Couple | 252 ch / 270 lb-pi |
| Tr. base (opt) / rouage base (opt) | M6 / Tr |
| 0-100 / 80-120 / V.Max | 6,9 s / 4,1 s / 248 km/h |
| 100-0 km/h | 40,3 m |
| Type / ville / route / $CO_2$ | Sup / 10,2 / 7,3 l/100 km / 4092 kg/an |

**RS**

| | |
|---|---|
| Cylindrée, soupapes, alim. | 4L 2,3 litres 16 s turbo |
| Puissance / Couple | 345 ch / 324 lb-pi |
| Tr. base (opt) / rouage base (opt) | M6 / Int |
| 0-100 / 80-120 / V.Max | 5,0 s (estimé) / n.d. / n.d. |
| 100-0 km/h | n.d. |
| Type / ville / route / $CO_2$ | Sup / n.d. / n.d. / n.d. /an |

**Électrique**

143 ch / 184 lb-pi - rapport fixe - batterie Lithium-ion, 23 kW - autonomie 122 km (const)

**SE berline 1.0 EcoBoost**

3L - 1,0 litre - 123 ch / 125 lb-pi - A6 - 0-100: 11,2 s - 8,1 / 5,9 l/100 km

## Du nouveau en 2016

Arrivée de la version RS

Photos : Ford Canada

## FORD **FUSION**

((SiriusXM))

**Prix:** 23 159$ à 36 915$ (2015)
**Catégorie:** Berline
**Garanties:**
3 ans/60 000 km, 5 ans/100 000 km
**Transport et prép.:** 1 665$
**Ventes QC 2014:** 2 631 unités
**Ventes CAN 2014:** 18 472 unités

### Cote du Guide de l'auto

# 71%

Fiabilité ■■■■■■■□□□

Appréciation générale ■■■■■■■□□□

Sécurité ■■■■■■■■□□

Agrément de conduite ■■■■■■■□□□

Consommation ■■■■■■□□□□

Système multimédia ■■■■■■■□□□

### Cote d'assurance
■■■■■■■■□□
$$$                    $

présentée par
**KANETIX.CA**

➕ Conduite à l'européenne •
Équipement complet • Consommation
peu élevée (Hybride et Energi) •
Moteur 2,0 litres EcoBoost performant

➖ Coffre étroit (Hybride et Energi) •
Boîte CVT perfectible (Hybride et Energi) •
SYNC et MyFord Touch compliqués •
Tarif du moteur 2,0 litres EcoBoost

### Concurrents

Chevrolet Malibu, Chrysler 200, Honda
Accord, Hyundai Sonata, Kia Optima,
Mazda6, Nissan Altima, Subaru Legacy,
Toyota Camry, Volkswagen Passat

# La préférée des Américains

Jean-François Guay

**D**e toutes les nouveautés lancées par Ford au cours des dernières années, la Fusion a été le modèle qui a permis au constructeur américain de se bâtir une réputation en matière de véhicules hybrides et électriques. À cet égard, la Fusion a remporté de nombreux titres et récompenses à saveur écologique en annonçant le début d'une nouvelle ère chez Ford. Mais, les succès de la Fusion ne se limitent pas à sa motorisation essence/électrique. Elle dispose de plusieurs autres caractéristiques qui lui permettent de tirer son épingle du jeu dans le segment des voitures les plus populaires aux États-Unis, soit celui des berlines intermédiaires.

Au dernier recensement des ventes aux États-Unis pour une année complète, la Fusion se classait dans le top 10 des véhicules les plus vendus derrière ses rivales Toyota Camry, Honda Accord et Nissan Altima. En plus des populaires camionnettes Ford Série F, Chevrolet Silverado et Ram qui ont terminé respectivement du premier au troisième rang, la Fusion a été le seul autre véhicule américain à se classer dans les dix premières places.

### DÉJÀ 10 ANS

Apparue en 2006, la Fusion avait comblé le vide laissé chez Ford suite à la disparition de la Contour en 2000. À l'époque, Ford ne misait que sur des camionnettes et VUS pour engranger des profits. Même si la Focus et la Taurus connaissaient un certain succès, Ford n'a jamais eu la main heureuse dans le segment des berlines intermédiaires. Frileux à l'idée de vivre un autre échec, Ford avait laissé mûrir son projet pendant de nombreuses années avant d'accoucher de la Fusion.

Si la première génération paraissait sobre et discrète, la seconde mouture dévoilée il y a trois ans se plaît à jouer les «Bond Cars». Avec sa gueule d'Aston Martin, la dernière Fusion dégage beaucoup d'assurance et une certaine élégance. Il suffit de voir la version Vignale de la Mondeo, sa jumelle vendue en Europe, pour apprécier tout son classicisme lorsqu'elle s'habille en costume trois-pièces. On peut juste espérer que Ford introduira chez nous cette Fusion de luxe qui se distingue par sa calandre en treillis, sa teinte de carrosserie exclusive, ses rétroviseurs extérieurs chromés et sa sellerie matelassée en cuir. Mais Ford doit hésiter, car elle ferait des ravages dans les plates-bandes de sa cousine Lincoln MKZ.

Si l'information vous a échappé, la Fusion est plus longue, plus large, plus haute et plus lourde que l'ancienne génération. Néanmoins, l'espace intérieur est pratiquement identique alors que le coffre a perdu un peu de volume.

### CINQ MOTORISATIONS

Sous le capot, on trouve un choix de cinq motorisations. De base, le vaillant quatre cylindres de 2,5 litres et 175 chevaux s'avère un choix judicieux pour se déplacer du point A au point B. Si la technologie vous intéresse, le quatre cylindres turbo de 1,5 litre ne vous laissera pas indifférent. Doté d'une puissance de 181 chevaux, ce moteur peut être équipé en option d'un système de coupure automatique à l'arrêt afin d'économiser du carburant. Si l'on ne tient pas compte des voitures de luxe comme les Acura TLX, Audi A4 et cie, la Fusion est la seule voiture de sa catégorie — avec la Subaru Legacy — à proposer la transmission intégrale. Ce mécanisme est offert en option avec le quatre cylindres turbo de 2,0 litres. Développant 240 chevaux, le 2,0 EcoBoost demeure le propulseur le plus intéressant de la gamme. Toutefois, il est aussi le plus dispendieux à l'achat. Les trois moteurs sont couplés de série à une boîte automatique à six rapports. Quant à la boîte manuelle, elle a été supprimée en même temps que le moteur de 1,6 litre, il y a deux ans.

Pour faire des économies à la pompe, la Fusion Hybride est mue par un quatre cylindres à cycle Atkinson de 2,0 litres (141 chevaux) et un moteur électrique (118 chevaux) pour une puissance combinée de 188 chevaux. La Fusion Energi est équipée du même groupe motopropulseur à la différence que la puissance de la batterie au lithium-ion est de 7,6 kWh (au lieu de 1,4 kWh) et rechargeable sur une prise de courant domestique. Si la version Hybride peut parcourir entre 1 et 2 kilomètres en mode tout électrique, l'Energi est en mesure de franchir une distance de 32 kilomètres selon les conditions d'utilisation.

Peu importe la motorisation, la Fusion freine avec efficacité et aborde les virages avec confiance. Elle doit son aplomb à la précision de sa direction, la rigidité de son châssis et la fermeté de ses éléments suspenseurs. Au niveau du confort, l'insonorisation pourrait être meilleure et les amortisseurs plus souples.

### Du nouveau en 2016

Aucun changement majeur

| Châssis - Titanium AWD | |
|---|---|
| Emp / lon / lar / haut | 2850 / 4869 / 2121 / 1478 mm |
| Coffre / Réservoir | 453 litres / 66 litres |
| Nbre coussins sécurité / ceintures | 8 / 5 |
| Suspension avant | ind., jambes force |
| Suspension arrière | ind., multibras |
| Freins avant / arrière | disque / disque |
| Direction | à crémaillère, ass. var. élect. |
| Diamètre de braquage | 11,4 m |
| Pneus avant / arrière | P235/45R18 / P235/45R18 |
| Poids / Capacité de remorquage | 1554 kg / n.d. |
| Assemblage | Hermosillo, MX |

| Composantes mécaniques | |
|---|---|
| **S, SE** | |
| Cylindrée, soupapes, alim. | 4L 2,5 litres 16 s atmos. |
| Puissance / Couple | 175 ch / 175 lb-pi |
| Tr. base (opt) / rouage base (opt) | A6 / Tr |
| 0-100 / 80-120 / V.Max | 9,2 s / n.d. / n.d. |
| 100-0 km/h | n.d. |
| Type / ville / route / $CO_2$ | Ord / 10,6 / 7 l/100 km / 4131 kg/an |
| **SE TA 1.5 EcoBoost** | |
| Cylindrée, soupapes, alim. | 4L 1,5 litre 16 s turbo |
| Puissance / Couple | 181 ch / 185 lb-pi |
| Tr. base (opt) / rouage base (opt) | A6 (M6) / Tr |
| 0-100 / 80-120 / V.Max | n.d. / n.d. / n.d. |
| Type / ville / route / $CO_2$ | Ord / 9,9 / 6,5 l/100 km / 3850 kg/an |
| **SE TI, Titanium AWD** | |
| Cylindrée, soupapes, alim. | 4L 2,0 litres 16 s turbo |
| Puissance / Couple | 240 ch / 270 lb-pi |
| Tr. base (opt) / rouage base (opt) | A6 / Int |
| 0-100 / 80-120 / V.Max | 7,5 s / 6,5 s / n.d. |
| 100-0 km/h | n.d. |
| Type / ville / route / $CO_2$ | Sup / 9,5 / 6,3 l/100 km / 3708 kg/an |

**Hybride**
4L - 2,0 litres - 141 ch / 129 lb-pi - CVT - 0-100 : 8,9 s - 5,4 / 5,8 l/100 km

**Moteur électrique**
118 ch / 117 lb-pi - batterie : Li-ion - 1,4 kWh

**SE Energi**
4L - 2,0 litres - 141 ch/129 lb-pi - CVT - 0-100 : n.d. - 5,9 / 6,3 l/100 km

**Moteur électrique**
118 ch / 177 lb-pi - Li-ion - 7,6 kWh - autonomie : 30 km

Photos : Ford Canada

# FORD **MUSTANG**

**Prix:** 24 999 $ à 49 699 $ (2015)
**Catégorie:** Cabriolet, Coupé
**Garanties:**
3 ans/60 000 km, 5 ans/100 000 km
**Transport et prép.:** 1 665 $
**Ventes QC 2014:** 817 unités
**Ventes CAN 2014:** 5 605 unités

---

Cote du Guide de l'auto

# 77 %

| Fiabilité | Appréciation générale |
|---|---|
| ■■■■■■□□□□ | ■■■■■■■□□□ |
| Sécurité | Agrément de conduite |
| ■■■■■■□□□□ | ■■■■■■■■□□ |
| Consommation | Système multimédia |
| ■■■■■■■□□□ | ■■■■■■□□□□ |

Cote d'assurance                    présentée par
■■■■■■■□□□                    **KANETIX.CA**
$$$                          $

➕ Refonte réussie • Agrément de
conduite en hausse • Très bons moteurs •
Moins allergique à l'hiver

➖ Certaines commandes illisibles •
Banquette arrière pour petits gabarits •
Prix substantiel (GT) • Qualité des
matériaux de l'habitacle

**Concurrents**
Chevrolet Camaro, Dodge Challenger,
Hyundai Genesis Coupe, Scion FR-S,
Subaru BRZ

# Vitesse au sol
# ou supersonique ?

Jacques Duval

**À** part sans doute dans leurs versions sans prétention, un grand nombre des Ford Mustang les plus ambitieuses passent la majeure partie de l'hiver bien au chaud, loin de la neige et de tout ce qu'elle comporte d'irritants pour des voitures à propulsion gonflées de chevaux-vapeur. Je me demande toujours d'où vient cette vilaine habitude quand on sait que nos grands-pères, il y a moult années, roulaient hiver comme été avec des propulsions sans en faire un drame pour la simple raison qu'il n'y avait rien d'autre sur le marché. Ce n'est pourtant pas si dramatique, surtout depuis l'avènement de toute cette panoplie d'anti ceci et cela qui vous oblige pratiquement à faire exprès de sortir de la route.

Je viens d'en avoir la preuve en ayant à faire l'essai d'une Ford Mustang GT de dernière génération, d'un jaune flamboyant, juste après une solide chute de neige. Je mentirais si je vous disais que la voiture se comportait tel un chasse-neige. Elle exige évidemment une adaptation aux conditions du moment, mais on est loin de la voiture suicide.

### GROUND SPEED
Cela dit, je m'empresse de féliciter Ford pour le sens de l'humour dont elle a fait preuve en inscrivant au bas de l'indicateur de vitesse les mots *ground speed* (vitesse au sol), comme pour laisser entendre que la voiture passe ensuite en mode supersonique. Cela rappelle le mode *Insane* de la Tesla Model S P85D. J'en profite pour préciser que le jeu de mots de Ford ne s'applique pas aux Mustang d'entrée de gamme, comme la version à moteur 4 cylindres turbo de 2,3 litres ou celle dotée d'un V6 de 3,7 litres, développant respectivement 310 et 300 chevaux. Ces deux groupes propulseurs n'en donnent pas moins du tonus à la Mustang pour ceux qui ne passent pas leur fin de semaine sur la piste d'accélération. Autre petite attention au département des gadgets, cette projection lumineuse d'un pur-sang au sol quand on ouvre la portière.

Pour les adorateurs de la Mustang, le V8 de la version GT est un incontournable tandis que les plus endurcis resteront aux aguets en attente des versions Shelby dont l'une est coiffée d'un V8 de 5,2 litres de 526 chevaux. Mais laissez-moi vous dire tout de suite que les 435 chevaux qui s'abritent sous le capot de la GT sont d'un commerce agréable, même en hiver. Je m'attendais d'avoir à me battre avec un engin furieux incapable de rester en ligne droite.

Or, Ford a mis au point une Mustang civilisée, d'un raffinement certain, et ce, à tous paliers de son comportement. Elle étrenne notamment une suspension arrière à roues indépendantes qui a d'heureuses répercussions, tant sur la tenue de route que le confort. Même la boîte de vitesses manuelle à 6 rapports est d'un maniement moins ardu qu'auparavant. J'ai même pu la comparer à la Porsche 911 essayée la semaine précédente et elle devance sa rivale allemande en matière de facilité d'utilisation, ce qui n'est pas peu dire. Seule la proximité des rapports intermédiaires (3e et 4e) est quelquefois délicate.

**UN MOTEUR EN FEU**
Sur de rares portions de route non enneigées, le moteur ne vous emporte peut-être pas à une vitesse supersonique, mais il donne l'impression d'être en feu avec un punch délectable. La réponse à l'accélérateur est immédiate à tous les régimes. Quatre modes de réglage peuvent être programmés: Normal, Sport, Track (piste) et Snow-wet (neige-pluie).

Qu'en est-il du confort, un rayon où la Mustang GT n'a jamais fait de conquêtes? Disons qu'il est en progrès et que les sièges Recaro contribuent grandement à faire oublier la fatigue des longs parcours, tout comme la baisse du niveau sonore dans le coupé. Les places arrière sont le royaume d'enfants pas trop précoces tandis que le mécanisme servant à rabattre le dossier est une horreur à manipuler.

Le tableau de bord brille par son originalité, mais hélas, pas par la qualité des matériaux employés. La similifibre de carbone se détecte facilement. L'écran central recèle un tas de fonctions dont l'utilisation a été simplifiée.

Il y aurait encore beaucoup à dire sur cette nouvelle génération de Mustang, mais, faute d'espace, je me contenterai de souligner qu'étant l'un des seuls à avoir vu toutes les versions passer, c'est de loin la mieux réussie. Le prix d'une GT raisonnablement équipée n'est pas si loin de celui de la nouvelle Corvette, ce qui pourrait bien lui valoir quelques infidélités. Mais comme le voulait une ancienne publicité, «c'est plus cher, mais c'est plus que du bonbon».

| Châssis - GT 5.0 cabriolet | |
|---|---|
| Emp / lon / lar / haut | 2720 / 4783 / 1915 / 1395 mm |
| Coffre / Réservoir | 323 litres / 61 litres |
| Nbre coussins sécurité / ceintures | 4 / 4 |
| Suspension avant | ind., jambes force |
| Suspension arrière | ind., multibras |
| Freins avant / arrière | disque / disque |
| Direction | à crémaillère, ass. var. élect. |
| Diamètre de braquage | 11,5 m |
| Pneus avant / arrière | P235/50R18 / P235/50R18 |
| Poids / Capacité de remorquage | 1608 kg / n.d. |
| Assemblage | Flat Rock, MI |

## Composantes mécaniques

**V6 3.7**

| | |
|---|---|
| Cylindrée, soupapes, alim. | V6 3,7 litres 24 s atmos. |
| Puissance / Couple | 300 ch / 270 lb-pi |
| Tr. base (opt) / rouage base (opt) | M6 (A6) / Prop |
| 0-100 / 80-120 / V.Max | 6,9 s (est) / n.d. / n.d. |
| 100-0 km/h | n.d. |
| Type / ville / route / $CO_2$ | Ord / 11,1 / 6,9 l/100 km / 4240 kg/an |

**2.3 Turbo**

| | |
|---|---|
| Cylindrée, soupapes, alim. | 4L 2,3 litres 16 s turbo |
| Puissance / Couple | 310 ch / 320 lb-pi |
| Tr. base (opt) / rouage base (opt) | M6 (A6) / Prop |
| 0-100 / 80-120 / V.Max | 6,6 s / 3,8 s / n.d. |
| 100-0 km/h | 39,2 m |
| Type / ville / route / $CO_2$ | Ord / 10 / 6,2 l/100 km / 3860 kg/an |

**GT 5.0**

| | |
|---|---|
| Cylindrée, soupapes, alim. | V8 5,0 litres 32 s atmos. |
| Puissance / Couple | 435 ch / 400 lb-pi |
| Tr. base (opt) / rouage base (opt) | M6 (A6) / Prop |
| 0-100 / 80-120 / V.Max | 6,2 s / 3,4 s / n.d. |
| 100-0 km/h | 39,5 m |
| Type / ville / route / $CO_2$ | Sup / 12,2 / 7,6 l/100 km / 4690 kg/an |

### Du nouveau en 2016

Arrivée des versions Shelby GT350 et GT350R, clignotants intégrés au capot de la Mustang GT et retour d'ensembles décoratifs California Special et Pony Package.

Photos: Ford Canada

![Ford] FORD **TAURUS**

**Prix:** 29 811 $ à 44 881 $ (2015)
**Catégorie:** Berline
**Garanties:**
3 ans/60 000 km, 5 ans/100 000 km
**Transport et prép.:** 1 700 $
**Ventes QC 2014:** 528 unités
**Ventes CAN 2014:** 3 505 unités

---

Cote du Guide de l'auto

# 71 %

| Fiabilité | Appréciation générale |
| --- | --- |
| ■■■■■■■□□□ | ■■■■■■■□□□ |
| Sécurité | Agrément de conduite |
| ■■■■■■■□□□ | ■■■■■■■□□□ |
| Consommation | Système multimédia |
| ■■■■□□□□□□ | ■■■■■■□□□□ |

---

Cote d'assurance

■■■■■■■■□□

$$$                          $

➕ Habitacle spacieux • Coffre gigantesque • Transmission intégrale (3,5 L et SHO) • Moteur 2,0 litres bien adapté • Confort de roulement

➖ Visibilité moyenne • Dimensions importantes • Conduite aseptisée • Transmission intégrale non offerte (2,0 L) • MyFord Touch à améliorer

**Concurrents**
Chevrolet Impala, Chrysler 300, Dodge Charger, Nissan Maxima, Toyota Avalon

# Bonjour la police

Jean-François Guay

**A**u Québec, notre goût pour les voitures est différent de celui de nos voisins américains, lesquels aiment les grosses berlines traditionnelles alors que nous préférons les petites voitures économiques. Statistiquement parlant, les voitures compactes représentent plus ou moins 55 % des ventes de véhicules neufs au Québec, tandis que les voitures sous-compactes s'accaparent d'environ 21 % du marché. Si les voitures intermédiaires occupent 12 % de notre parc automobile, il ne reste que des miettes pour les berlines grand format qui se disputent moins de 1 % des parts de marché. Dans cette catégorie, composée notamment des Chevrolet Impala, Chrysler 300, Dodge Charger, Nissan Maxima et Toyota Avalon, il ressort que la Ford Taurus est la plus populaire au registre des ventes.

Le confort, la fiabilité et les capacités utilitaires sont les points forts de la Taurus. Étiquetée de bonne à tout faire, elle reste une voiture de prédilection pour les compagnies de location automobile, les agences gouvernementales et les services de police. À ce propos, la version Interceptor destinée aux policiers n'est pas piquée des vers. Un récent match comparatif organisé par les corps de police américains du Michigan, réunissant tous les véhicules de police disponibles sur le marché, a permis de conclure que la Taurus Interceptor était la plus rapide grâce à son moteur V6 EcoBoost de 3,5 litres et son rouage intégral. Si cela vous intéresse, on trouve la même mécanique dans la Taurus SHO vendue aux particuliers.

**UNE CHAUDE SHO**
Les plus vieux se rappelleront que la Taurus SHO (Super High Output) avait fait la pluie et le beau temps dans les années 1990 avec son petit V8 de 3,4 litres d'origine Yamaha. À l'époque, la SHO était moins lourde et légèrement plus petite que le modèle actuel. D'ailleurs, les 235 chevaux de ce défunt V8 paraissent aujourd'hui peu nombreux par

rapport aux 365 chevaux développés par l'EcoBoost de 3,5 litres. Comme son ancêtre, l'actuelle SHO cache bien son caractère explosif sous ses traits de « sleeper ». Elle n'arbore aucun élément aérodynamique ni de prise d'air qui laissent entrevoir ses talents de sprinter. Seules les lettres SHO, les deux sorties d'échappement et le becquet arrière permettent de la reconnaître. Avec un temps de 5,9 secondes pour passer de 0 à 100 km/h, la SHO est capable de décoiffer plusieurs voitures sport de renom.

Le moteur de base est un V6 de 3,5 litres. Développant 288 chevaux, il procure des accélérations honnêtes et peut être couplé à un rouage intégral optionnel. Pour réduire la consommation, mieux vaut opter pour le quatre cylindres turbo de 2,0 litres. Étonnamment, les 240 chevaux et le couple de 270 livres-pied de ce moteur à technologie EcoBoost suffisent amplement pour déplacer cette grosse voiture américaine de près de deux tonnes. Pour épargner des sous à la pompe, l'acheteur devra cependant payer sa Taurus 2.0 un peu plus cher qu'avec le V6 de 3,5 litres. Il devra également renoncer à la transmission intégrale. Concernant la boîte de vitesses, la Taurus s'en remet à une automatique à six rapports qui a fait ses preuves. La version SHO a droit à des palettes de changement de vitesses au volant.

Le châssis, la direction et la suspension ont été conçus pour un maximum de confort. Pour obtenir un silence de roulement aussi absolu, la conduite a été aseptisée et coupe l'envie de s'amuser sur une route sinueuse. Mais, si vous osez mettre au défi vos talents de conducteur, les nombreux systèmes d'aide à la conduite veilleront au grain. Quant au comportement de la SHO, il est plus dynamique dans les virages grâce à la fermeté de ses amortisseurs et l'efficacité de son rouage intégral.

### MADE IN CHINA

Sans surprise, les quatre portières s'ouvrent sur un vaste habitacle aéré. La qualité des matériaux et la finition intérieure rivalisent sans peine avec la concurrence. Les places avant conviennent tant aux passagers tout en jambes que ceux qui font de la bedaine !

À l'arrière, on aurait cru qu'une voiture mesurant presque 5,2 mètres étalerait un peu plus d'espace. Ce n'est pas pour rien que la Taurus est offerte avec un empattement allongé de 8,1 centimètres en Chine, un pays où prendre place sur la banquette arrière et se faire conduire est une preuve de réussite sociale. À propos de cette nouvelle Taurus chinoise, elle arbore une nouvelle calandre trapézoïdale à cinq barres, ainsi que de nouveaux phares à DEL ; sous le capot, on trouve le nouveau V6 EcoBoost de 2,7 litres inauguré dans les Edge et F-150. Reste à savoir si la Taurus nord-américaine bénéficiera de ces changements d'ici l'an prochain.

| Châssis - SE EcoBoost TA | |
|---|---|
| Emp / lon / lar / haut | 2868 / 5154 / 2177 / 1542 mm |
| Coffre / Réservoir | 569 litres / 72 litres |
| Nbre coussins sécurité / ceintures | 6 / 5 |
| Suspension avant | ind., jambes force |
| Suspension arrière | ind., multibras |
| Freins avant / arrière | disque / disque |
| Direction | à crémaillère, ass. var. élect. |
| Diamètre de braquage | 12,0 m |
| Pneus avant / arrière | P235/60R17 / P235/60R17 |
| Poids / Capacité de remorquage | 1754 kg / 454 kg (1000 lb) |
| Assemblage | Chicago, IL |

### Composantes mécaniques

**SE EcoBoost**

| | |
|---|---|
| Cylindrée, soupapes, alim. | 4L 2,0 litres 16 s turbo |
| Puissance / Couple | 240 ch / 270 lb-pi |
| Tr. base (opt) / rouage base (opt) | A6 / Tr |
| 0-100 / 80-120 / V.Max | 8,4 s / n.d. / n.d. |
| 100-0 km/h | n.d. |
| Type / ville / route / $CO_2$ | Sup / 10,5 / 7,4 l/100 km / 4188 kg/an |

**SE, SEL, Limited**

| | |
|---|---|
| Cylindrée, soupapes, alim. | V6 3,5 litres 24 s atmos. |
| Puissance / Couple | 288 ch / 254 lb-pi |
| Tr. base (opt) / rouage base (opt) | A6 / Tr (Int) |
| 0-100 / 80-120 / V.Max | 6,7 s / n.d. / n.d. |
| 100-0 km/h | n.d. |
| Type / ville / route / $CO_2$ | Ord / 13 / 9,1 l/100 km / 5173 kg/an |

**SHO**

| | |
|---|---|
| Cylindrée, soupapes, alim. | V6 3,5 litres 24 s turbo |
| Puissance / Couple | 365 ch / 350 lb-pi |
| Tr. base (opt) / rouage base (opt) | A6 / Int |
| 0-100 / 80-120 / V.Max | 5,9 s / 4,3 s / 215 km/h |
| 100-0 km/h | 40,3 m |
| Type / ville / route / $CO_2$ | Sup / 13,9 / 9,5 l/100 km / 5483 kg/an |

### Du nouveau en 2016

Aucun changement majeur

# FORD **TRANSIT CONNECT**

(((SiriusXM)))

**Prix :** 28 599 $ à 35 599 $ (2015)
**Catégorie :** Fourgonnette
**Garanties :**
3 ans/60 000 km, 5 ans/100 000 km
**Transport et prép. :** 1 665 $
**Ventes QC 2014 :** 577 unités
**Ventes CAN 2014 :** 2 862 unités

## Cote du Guide de l'auto

# 68 %

| Fiabilité | Appréciation générale |
|---|---|
| ■■■■■■■□□□ | ■■■■■■■□□□ |

| Sécurité | Agrément de conduite |
|---|---|
| ■■■■■■□□□□ | ■■■■■■■□□□ |

| Consommation | Système multimédia |
|---|---|
| ■■■■■■■■□□ | ■■■■■■■□□□ |

## Cote d'assurance

■■■■■■■■□□
$$$      $

présentée par
**KANETIX.CA**

➕ Équipement optionnel intéressant •
Moteurs bien adaptés • Polyvalence
garantie • Comportement routier
correct • Conduite urbaine inspirante

➖ Cadrans difficiles à consulter •
Sensible au vent latéral • Visibilité
arrière réduite (battants arrière) •
Certains matériaux à revoir

**Concurrents**
Chevrolet City Express, Nissan NV200

# Polyvalence urbaine

Denis Duquet

**F**ord est un constructeur qui ne craint pas d'innover et d'oser. Au fil du temps, il n'a jamais eu peur d'offrir des véhicules uniques en leur genre. C'est ainsi que le premier Transit Connect, apparu il y a quelques années, était un fourgon compact utilitaire commercialisé depuis déjà un bon moment sur le marché européen. Ce faisant, Ford voulait créer une nouvelle catégorie en Amérique, soit celle des véhicules urbains à vocation utilitaire capables de répondre aux désirs d'entrepreneurs qui n'ont pas besoin d'un gros véhicule tels les Ford Série E, GMC Savana, etc.

Les dimensions songées du Transit Connect, sa motorisation de petite cylindrée — signifiant une bonne économie de carburant — et une grande agilité en conduite urbaine ont conquis plusieurs acheteurs, en grande majorité des compagnies. Tant et si bien que Nissan a répliqué avec un modèle plus ou moins similaire, le NV200, tandis que Chevrolet s'approvisionne chez Nissan pour offrir le City Express. Ram propose maintenant son ProMaster City et Mercedes-Benz s'apprête à commercialiser le Metris. Pour soutenir la comparaison, Ford a mis au point, depuis l'an dernier, une nouvelle génération de son Transit Connect.

### COMMERCE OU FAMILLE ?
La première édition de ce véhicule à tout faire en était une dont les parois étaient exemptes de garniture et qui était essentiellement vouée à des déplacements commerciaux. La planche de bord était en plastique industriel, plus robuste qu'élégant. S'il était possible de commander une banquette arrière pour accueillir des passagers, c'était plutôt sommaire en fait de transport.

La seconde génération se rattrape de belle façon. La motorisation a évolué alors que la version de base est propulsée par un moteur quatre cylindres de 2,5 litres et 169 chevaux. C'est beaucoup mieux que les malingres 136 équidés précédents. Aussi, la boîte de vitesses compte six rapports, en hausse de deux. On peut également commander en option un moteur EcoBoost de 1,6 litre et 178 chevaux.

Même si la plate-forme a été modernisée et rigidifiée, la fiche technique des suspensions est identique au modèle antérieur. On retrouve donc à l'avant les incontournables jambes de force McPherson tandis que la suspension arrière est l'affaire d'une poutre déformante. Ce dernier choix s'explique par la robustesse de cette configuration qui, en plus, n'entrave pas le plancher du coffre à bagages et facilite le chargement de celui-ci. Et compte tenu de la vocation principalement urbaine de ce fourgon, qu'il soit commercial ou destiné à transporter des passagers, les freins arrière sont à tambour.

La grande nouveauté de cette seconde génération est la possibilité de commander une version Tourisme qui propose un habitacle conventionnel doté de sièges confortables à l'avant comme à l'arrière, une présentation nettement plus sophistiquée et la liberté de pouvoir commander de nombreux accessoires pour plus de luxe et de confort.

Malgré ses dimensions plus modestes qu'une fourgonnette conventionnelle, il est difficile de trouver un modèle compact capable de transporter davantage de bagages ou de passagers.

## TOUJOURS RUSTIQUE

En dépit de ses nombreuses améliorations, la conduite d'un Transit Connect n'est pas inspirante. Le moteur de 2,5 litres est plus puissant que sur l'ancien se tromper en soulignant que celui-ci a d'abord été choisi en fonction d'une vocation commerciale. D'autre part, nonobstant la bonne volonté des ingénieurs, la suspension arrière n'arrive toujours pas à maîtriser les imperfections de la chaussée.

Quant au moteur 1,6 litre EcoBoost, son rendement est meilleur, mais sa consommation de carburant n'est pas impressionnante. Toutefois, sur de courts trajets et en conduite urbaine, ce petit véhicule multifonction se débrouille passablement bien, tandis que sa polyvalence est appréciée bien que la présentation de l'habitacle et les matériaux ne soient pas toujours à la hauteur. Sans vouloir enfoncer le clou, il faut préciser qu'en comparaison avec une fourgonnette traditionnelle, le Transit Connect ne possède pas de portières latérales motorisées ni de système d'infodivertissement pour les places arrière et autres gadgets du genre.

Il faut cependant féliciter Ford d'avoir eu l'audace de continuer cette aventure qui mérite notre attention et qui a des chances de répondre aux besoins de plusieurs.

### Châssis - Fourgon XL

| | |
|---|---|
| Emp / lon / lar / haut | 2662 / 4417 / 2136 / 1844 mm |
| Coffre / Réservoir | 1416 à 2832 litres / 60 litres |
| Nbre coussins sécurité / ceintures | 6 / 7 |
| Suspension avant | ind., jambes force |
| Suspension arrière | semi-ind., poutre torsion |
| Freins avant / arrière | disque / tambour |
| Direction | à crémaillère, ass. élect. |
| Diamètre de braquage | 11,7 m |
| Pneus avant / arrière | P215/55R16 / P215/55R16 |
| Poids / Capacité de remorquage | 1799 kg / 907 kg (1999 lb) |
| Assemblage | Valencia, ES |

### Composantes mécaniques

**Fourgon XL**

| | |
|---|---|
| Cylindrée, soupapes, alim. | 4L 2,5 litres 16 s atmos. |
| Puissance / Couple | 169 ch / 170 lb-pi |
| Tr. base (opt) / rouage base (opt) | A6 / Tr |
| 0-100 / 80-120 / V.Max | 10,4 s / n.d. / n.d. |
| 100-0 km/h | n.d. |
| Type / ville / route / $CO_2$ | Ord / 10,8 / 5,9 l/100 km / 3950 kg/an |

**Fourgonnette XL, Fourgon XLT, Fourgon Titanium**

| | |
|---|---|
| Cylindrée, soupapes, alim. | 4L 1,6 litre 16 s turbo |
| Puissance / Couple | 178 ch / 184 lb-pi |
| Tr. base (opt) / rouage base (opt) | A6 / Tr |
| 0-100 / 80-120 / V.Max | 10,2 s / n.d. / n.d. |
| 100-0 km/h | n.d. |
| Type / ville / route / $CO_2$ | Sup / 10,9 / 6,3 l/100 km / 4060 kg/an |

## Du nouveau en 2016

Aucun changement majeur, modification de certains groupes d'options

Photos : Ford Canada

# HONDA **ACCORD**

**Prix:** 25 901 $ à 37 851 $ (2015)
**Catégorie:** Berline, Coupé
**Garanties:**
3 ans/60 000 km, 5 ans/100 000 km
**Transport et prép.:** 1 851 $
**Ventes QC 2014:** 3 355 unités
**Ventes CAN 2014:** 16 962 unités

## Cote du Guide de l'auto

# 80%

Fiabilité

Appréciation générale

Sécurité

Agrément de conduite

Consommation

Système multimédia

## Cote d'assurance

présentée par
**KANETIX.CA**

$$$                    $

➕ Comportement fin, équilibré, fluide •
Groupes propulseurs exemplaires •
Excellent siège et position de conduite •
Frugalité, qualité, fiabilité

➖ Menus éclatés, fonctions éparpillées •
Dossier arrière repliable d'un seul pan •
Direction légère (coupé V6) • Accélérateur
vif, réaction de couple (V6 manuel)

## Concurrents

Chevrolet Malibu, Chrysler 200,
Ford Fusion, Hyundai Sonata, Kia Optima,
Mazda6, Nissan Altima, Subaru Legacy,
Toyota Camry, Volkswagen Passat

# Personnalités multiples

Marc Lachapelle

I l y a maintenant quarante ans, donc quatre décennies entières, que la Honda Accord est un excellent choix. La plupart du temps, le meilleur que l'on puisse faire si l'on cherche une voiture à vocation familiale à la fois pratique, impeccablement fiable et plutôt agréable à conduire. Chose certaine, elle avait suffisamment de ces qualités pour être à nouveau le *best-seller* québécois chez les intermédiaires, l'an dernier. Honda lui apporte quand même cette année des retouches pour qu'elle le demeure.

Il fut un temps où un chroniqueur automobile pouvait fournir la même réponse à la question classique «quelle est la meilleure voiture qu'on puisse acheter en ce moment?», sans avoir à y réfléchir pendant plus d'une fraction de seconde. Parce qu'aucune autre série n'a réuni toutes les qualités qui font une bonne voiture avec autant de constance que l'Accord depuis le lancement de la toute première, en 1976.

Honda s'est bien sûr égarée par moments. Surtout avec la huitième génération, produite de 2008 à 2012, dont elle avait gonflé la taille pour qu'elle concurrence directement la Toyota Camry, sa plus sérieuse rivale en Amérique du Nord. Le constructeur nippon a sagement corrigé le tir avec la neuvième génération. Le modèle actuel a effectivement renoué avec les valeurs et les principes qui ont fait la réussite de l'Accord: agilité, équilibre, frugalité et plaisir de conduite. Et sans être parfaite — parce qu'elle ne l'est jamais dans le monde de l'automobile —, la fiabilité est toujours allée de soi pour cette série.

### DANS LA CONSTELLATION DE L'ACCORD

Ces remarques valent surtout pour la berline qui est le cœur et les poumons de cette série et génère la majorité des ventes. La familiale est passée en comète, il y a fort longtemps. Et la costaude version Crosstour, qui défiait toute description, n'est maintenant plus qu'un souvenir. À défaut de succès et de pertinence. Le coupé persiste et séduit quand même le quart des clients, grosso modo. Des gens qui recherchent essentiellement les vertus pragmatiques de l'Accord avec une pointe d'élégance supplémentaire, deux portières en moins et des qualités sportives plus aiguisées. Un peu, à tout le moins.

Honda pèche toutefois par excès d'enthousiasme dans ce registre avec le coupé V6 à boîte manuelle à 6 rapports. En conduite énergique, il s'inscrit très facilement en virage et s'y accroche avec force. Le volant sport gainé de cuir est superbe, mais la direction légère et surassistée, la suspension un peu trop souple. Surtout, l'accélérateur est trop vif en amorce pour un moteur aussi puissant qui entraîne d'ailleurs le coupé de 0 à 100 km/h en 6,4 secondes. En outre, l'embrayage est léger, mais il mord très sec. Il faut donc y mettre l'effort pour conduire en douceur ce coupé musclé, quel que soit le rythme choisi. Il lui manque franchement le synchronisme et les réactions fluides qui font les bonnes sportives. Tant pis pour les puristes, il est préférable d'opter pour la boîte automatique avec ce moteur fringant dans une voiture qui est plus grand-tourisme que vraie sportive.

### OPPOSÉES OU COMPLÉMENTAIRES?

À l'autre extrémité de cette échelle, les versions Touring de la berline offrent virtuellement tout ce qui fait une voiture de luxe, à part la griffe et les écussons d'une marque de prestige. À des prix évidemment plus raisonnables. La version dotée du quatre cylindres de 2,4 litres est exclusive au marché canadien. On peut se payer le luxe de la puissance et de la sonorité avec le V6 de 278 chevaux, jumelé à une boîte automatique à 6 rapports. Ou alors, celui de la frugalité et de la conduite écolo avec la Touring Hybride qui affiche des cotes de consommation exceptionnelles et un chrono de 8,2 secondes pour le sprint 0-100 km/h, au prix d'une part du volume de son coffre et du dossier repliable des autres modèles.

Cependant, de toutes les versions de l'Accord, la plus équilibrée, la plus amusante et la plus réussie est sans contredit la berline Sport. Elle est également la plus légère et la moins chère de toutes, après la modeste LX de base. Son quatre cylindres de 2,4 litres est un peu plus puissant que les autres avec ses 189 chevaux. La boîte manuelle à 6 rapports de série est une joie, néanmoins, la boîte optionnelle à variation continue n'étouffe aucunement le plaisir et permet un 0-100 km/h très honnête de 9,02 secondes. Les pneus de taille 235/45 montés sur des jantes d'alliage grises de 18 pouces affinent sa conduite juste ce qu'il faut. La berline Sport, c'est la quintessence de l'Accord. Rien de moins. Honda devrait s'en inspirer davantage.

## Châssis - Sport

| | |
|---|---|
| Emp / lon / lar / haut | 2775 / 4862 / 1849 / 1465 mm |
| Coffre / Réservoir | 447 litres / 65 litres |
| Nbre coussins sécurité / ceintures | 6 / 5 |
| Suspension avant | ind., jambes force |
| Suspension arrière | ind., multibras |
| Freins avant / arrière | disque / disque |
| Direction | à crémaillère, ass. var. élect. |
| Diamètre de braquage | 11,8 m |
| Pneus avant / arrière | P235/45R18 / P235/45R18 |
| Poids / Capacité de remorquage | 1496 kg / n.d. |
| Assemblage | Marysville, OH |

## Composantes mécaniques

**Hybride**
4L - 2,0 litres - 141 ch / 122 lb-pi - CVT - 0-100: 8,2 s - 3,7 / 4,0 l/100 km

**Moteur électrique**
166 ch / 226 lb-pi - batterie: Li-ion - 1,3 kWh

**LX, EX, EX-L, Touring**

| | |
|---|---|
| Cylindrée, soupapes, alim. | 4L 2,4 litres 16 s atmos. |
| Puissance / Couple | 185 ch / 181 lb-pi |
| Tr. base (opt) / rouage base (opt) | M6 (CVT) / Tr |
| 0-100 / 80-120 / V.Max | 8,7 s / 5,8 s / n.d. |
| 100-0 km/h | 46,6 m |
| Type / ville / route / CO$_2$ | Ord / 8,8 / 5,8 l/100 km / 3427 kg/an |

**Sport**

| | |
|---|---|
| Cylindrée, soupapes, alim. | 4L 2,4 litres 16 s atmos. |
| Puissance / Couple | 189 ch / 182 lb-pi |
| Tr. base (opt) / rouage base (opt) | M6 (CVT) / Tr |
| 0-100 / 80-120 / V.Max | 8,7 s / 5,8 s / n.d. |
| 100-0 km/h | 46,6 m |
| Type / ville / route / CO$_2$ | Ord / 8,8 / 5,8 l/100 km / 3427 kg/an |

**EX-L V6, Touring V6**

| | |
|---|---|
| Cylindrée, soupapes, alim. | V6 3,5 litres 24 s atmos. |
| Puissance / Couple | 278 ch / 252 lb-pi |
| Tr. base (opt) / rouage base (opt) | A6 / Tr |
| 0-100 / 80-120 / V.Max | 6,7 s / 4,1 s / n.d. |
| 100-0 km/h | 47,3 m |
| Type / ville / route / CO$_2$ | Ord / 11,5 / 7,1 l/100 km / 4455 kg/an |

### Du nouveau en 2016

Carrosserie plus rigide et suspensions retouchées, parties avant et arrière redessinées, DEL plus nombreuses, systèmes de sécurité et d'aide à la conduite ajoutés.

Photos: Frédérick Boucher-Gaulin, Honda Canada

**HONDA CIVIC CONCEPT**

## HONDA **CIVIC**

((SiriusXM))

**Prix :** 15 750 $ à 27 200 $ (2015)
**Catégorie :** Berline, Coupé
**Garanties :**
3 ans/60 000 km, 5 ans/100 000 km
**Transport et prép. :** 1 651 $
**Ventes QC 2014 :** 20 013 unités
**Ventes CAN 2014 :** 66 057 unités

### Cote du Guide de l'auto

# 74 %

Fiabilité
Appréciation générale

Sécurité
Agrément de conduite

Consommation
Système multimédia

### Cote d'assurance

présentée par
**KANETIX.CA**

$$$                         $

➕ Mécanique fiable • Bonne habitabilité • Caméra de droite (LaneWatch) • Finition sérieuse • Modèle SI enjoué

➖ Commande de la radio à revoir • Version hybride peu convaincante • Silhouette anonyme • Modèle en sursis

### Concurrents
Chevrolet Cruze, Dodge Dart, Ford Focus, Hyundai Elantra, Kia Forte, Mazda3, Mitsubishi Lancer, Nissan Sentra, Subaru Impreza, Toyota Corolla, Volkswagen Jetta

# En attendant la révolution

Denis Duquet

**L**a Civic est la voiture la plus vendue au Canada depuis les 17 dernières années. Ce succès est impressionnant et permet à Honda d'afficher des chiffres de vente corporatifs impressionnants. Cependant, c'est un peu un cadeau empoisonné, car au moindre déclin des ventes, la perception du public pourrait être négative. Il faut donc à tout prix conserver ce titre année après année, ce qui doit certainement limiter les prises de décisions quant à certains changements sur les plans technique, esthétique et de mise en marché.

Cependant, Honda osera si on se fie au concept de la future Civic qui a été dévoilé au salon de l'auto de New York au printemps dernier. En effet, non seulement sa silhouette est spectaculaire, mais plusieurs groupes propulseurs innovateurs sont promis. Lorsque toute la gamme sera dévoilée, elle comprendra une berline, un coupé et le modèle cinq portes qui est offert depuis longtemps sur plusieurs marchés autres que le nôtre.

Cette 10e génération marquera le retour de la version *hatchback*, au grand plaisir des Québécois qui aiment ce genre de véhicule. La future Civic, qu'elle soit de configuration coupé, berline ou *hatchback*, aura droit à un empattement plus long et à une hauteur moins élevée, ce qui lui donne une présence plus dynamique. La version Coupé promet encore davantage de prestance. En passant, la berline et le coupé ont été dessinés et développés aux États-Unis.

La plate-forme ACE de nouvelle génération, accueillera, selon la rumeur, un nouveau quatre cylindres 2,0 litres de 165 chevaux et un tout aussi nouveau moteur de 1,5 litre VTEC turbocompressé à injection directe dont la puissance serait dans les mêmes eaux mais dont le couple serait plus élevé. Au chapitre des transmissions, on parle d'une manuelle à six rapports ou d'une CVT.

La berline sera en vente dès cet automne, suivie du coupé et du *hatchback*. Une version plus sportive dont le nom sonnera comme de la musique aux oreilles des amateurs de voitures performantes, la Type-R s'ajoutera par la suite. La Civic berline et coupé, version régulière ou Si seront assemblées dans deux usines, soit Alliston en Ontario et Greenburg en Indiana tandis que le hatchback le sera à Swindon, Royaume-Uni.

L'hybride n'est pas de retour en 2016, ce qui n'a rien de surprenant compte tenu du manque de popularité de ce modèle.

### QUANT À LA GÉNÉRATION ACTUELLE...

Lors de la refonte de la neuvième génération de la Civic en 2012, ce fut totalement raté ou presque. Honda a heureusement réagi rapidement l'année suivante en modifiant les irritants majeurs (esthétique, qualité des plastiques de la planche de bord, suspension avant et freins). Il en a résulté une voiture équilibrée qui est toujours avec nous aujourd'hui.

La planche de bord continue de proposer un affichage à deux étages qui était controversé, surtout au début. Le plus grand inconvénient de cette présentation est l'écran d'affichage et surtout la commande de volume audio par affleurement qui sont vraiment désagréables à utiliser.

Pour le reste, rien à redire. La finition est bonne, le confort des sièges excelle et même les places arrière sont spacieuses pour une voiture de cette catégorie.

Le moteur de base, un quatre cylindres de 1,8 litre produisant 143 chevaux et ne rechigne pas devant les régimes élevés. La boîte manuelle à cinq rapports est un délice à utiliser avec une course de levier précis et un embrayage qui collabore. On aurait apprécié par contre un rapport de plus. La boîte automatique est également à cinq rapports et son fonctionnement ne se prête à aucune critique. Certaines versions ont plutôt une CVT.

Les conducteurs plus sportifs peuvent toujours se procurer la version Si dont le moteur 2,4 litres produit 205 chevaux. Non seulement les accélérations sont vives mais la boîte manuelle à six rapports, la seule disponible, est un exemple que plusieurs autres constructeurs devraient suivre.

La Civic n'a rien perdu de ses qualités et elle s'est bonifiée avec le temps. Cependant, il ne faut pas oublier une concurrence très affûtée qui continue de proposer des modèles souvent mieux équipés, aussi performants et même plus agréables à conduire. I n'est donc pas surprenant que le constructeur japonais ait décidé de frapper un grand coup avec une toute nouvelle génération qui sera complètement transformée.

### Châssis - LX Coupé (Données 2015)

| | |
|---|---|
| Emp / lon / lar / haut | 2620 / 4519 / 1752 / 1397 mm |
| Coffre / Réservoir | 331 litres / 50 litres |
| Nbre coussins sécurité / ceintures | 6 / 5 |
| Suspension avant | ind., jambes force |
| Suspension arrière | ind., multibras |
| Freins avant / arrière | disque / tambour |
| Direction | à crémaillère, ass. var. élect. |
| Diamètre de braquage | 10,8 m |
| Pneus avant / arrière | P205/55R16 / P205/55R16 |
| Poids / Capacité de remorquage | 1262 kg / n.d. |
| Assemblage | Alliston, ON |

### Composantes mécaniques

**Hybride (2015)**

| | |
|---|---|
| Cylindrée, soupapes, alim. | 4L 1,5 litre 8 s atmos. |
| Puissance / Couple | 110 ch / 127 lb-pi |
| Tr. base (opt) / rouage base (opt) | CVT / Tr |
| 0-100 / 80-120 / V.Max | 12,5 s (est) / n.d. / n.d. |
| 100-0 km/h | 45,0 m (est) |
| Type / ville / route / $CO_2$ | Ord / 4,4 / 4,2 l/100 km / 1978 kg/an |

**Moteur électrique**

| | |
|---|---|
| Puissance / Couple | 27 ch (20 kW) / 78 lb-pi |
| Type de batterie | Lithium-ion (Li-ion) |
| Énergie | 20 kWh |

**Berline, coupé (2015)**

| | |
|---|---|
| Cylindrée, soupapes, alim. | 4L 1,8 litre 16 s atmos. |
| Puissance / Couple | 143 ch / 129 lb-pi |
| Tr. base (opt) / rouage base (opt) | M5 (CVT) / Tr |
| 0-100 / 80-120 / V.Max | 9,9 s / 7,1 s / 180 km/h |
| 100-0 km/h | 45,0 m |
| Type / ville / route / $CO_2$ | Ord / 8,1 / 6,2 l/100 km / 3333 kg/an |

**Si (2015)**

| | |
|---|---|
| Cylindrée, soupapes, alim. | 4L 2,4 litres 16 s atmos. |
| Puissance / Couple | 205 ch / 174 lb-pi |
| Tr. base (opt) / rouage base (opt) | M6 / Tr |
| 0-100 / 80-120 / V.Max | 7,4 s / 4,8 s / 180 km/h |
| 100-0 km/h | 43,3 m |
| Type / ville / route / $CO_2$ | Sup / 10,8 / 7,6 l/100 km / 4306 kg/an |

### Du nouveau en 2016

Nouvelle génération sera présentée durant l'hiver.

MODÈLE 2015

Photos : Honda Canada

# HONDA **CR-V**

((SiriusXM))

**Prix:** 25 990 $ à 35 790 $ (2015)
**Catégorie:** VUS
**Garanties:**
3 ans/60 000 km, 5 ans/100 000 km
**Transport et prép.:** 1 851 $
**Ventes QC 2014:** 8 772 unités
**Ventes CAN 2014:** 37 684 unités

## Cote du Guide de l'auto

# 70 %

Fiabilité
■■■■■■■□□□

Appréciation générale
■■■■■■■□□□

Sécurité
■■■■■■□□□□

Agrément de conduite
■■■■■■□□□□

Consommation
■■■■■■■□□□

Système multimédia
■■■■■■■□□□

## Cote d'assurance
■■■■■■■□□□
$$$                              $

présentée par
**KANETIX.CA**

➕ Puissance adéquate • Bonne habitabilité • Boîte CVT efficace • Équipement complet • Rouage intégral transparent

➖ Suspension sèche • Certaines vibrations du moteur • Plastiques durs • Écran double portant à confusion

## Concurrents
Chevrolet Equinox, Ford Escape, GMC Terrain, Hyundai Tucson, Jeep Cherokee, Kia Sportage, Mazda CX-5, Mitsubishi Outlander, Nissan Rogue, Subaru Forester, Toyota RAV4, Volkswagen Tiguan

# Plus homogène que jamais

Denis Duquet

L'automne dernier, Honda effectuait des changements de milieu de cycle sur son très populaire CR-V et il ne s'est pas contenté de demi-mesure. En effet, il s'agit de la transformation la plus importante dans l'histoire de ce modèle, du moins en ce qui concerne une révision intermédiaire. La silhouette a été remaniée de façon à ce qu'elle soit plus agressive et plus facile à remarquer dans la circulation. On note entre autres les feux arrière verticaux placés de chaque côté de la lunette du hayon. En outre, le tableau de bord est rendu plus ergonomique.

Le travail n'a pas été bâclé, de sorte que cette nouvelle mouture a remporté le titre de «Véhicule utilitaire sport de l'année» décerné par la revue américaine *Motor Trend*. Il faut se souvenir que ce prix n'est pas nécessairement remis au meilleur de sa catégorie, mais au nouveau véhicule qui est le plus significatif chez les utilitaires. Et même si ce modèle n'est pas aussi *glamour* qu'une Mazda CX-5, il figure facilement dans le premier tiers de sa catégorie. Par ailleurs, la réputation de Honda en fait de fiabilité et de durabilité influence les acheteurs.

### UNE BONNE IDÉE DISTRAYANTE
La planche de bord a été remaniée et la présentation est intéressante. Intrigante même. En effet, les stylistes n'ont pas craint de sortir des sentiers battus en faisant appel, comme sur certaines autres de leurs créations, à deux écrans d'affichage. Le premier — au milieu — mesure sept pouces et permet de gérer toutes les fonctions de télématique, de climatisation, de navigation et autres systèmes du genre. Juste au-dessus, on retrouve un autre écran, plus petit celui-là, avec fond bleu et lettres blanches. Il affiche les renseignements nécessaires quant au système audio ou celles sur la prise USB. On bénéficie donc de beaucoup d'informations, mais cette dualité est un peu difficile d'adaptation au début.

Par contre, le gros indicateur de vitesse placé au centre de la nacelle des instruments est élégant et pratique à la fois. De plus, il est cerclé de bandes dont la couleur varie selon le mode de conduite : vertes lorsque votre conduite est écologique et elles passent progressivement au rouge si vous accélérez de façon vigoureuse. Le volant est parsemé de multiples commandes qui tombent facilement sous le pouce. Une solution plus intéressante que les mille boutons et pavés répartis un peu partout.

Il faut souligner que la position de conduite est bonne et que l'habitabilité est sans reproche pour un véhicule de cette catégorie.

### TECHNOLOGIES À GOGO

Auparavant, il fallait se procurer un véhicule haut de gamme pour bénéficier de technologies sophistiquées. Ce n'est certainement plus le cas aujourd'hui, le Honda CR-V en est la preuve. En tout premier lieu, le moteur 2,4 litres est doté depuis l'an dernier de l'injection directe qui a permis d'obtenir une augmentation de 11 % du couple, soit 181 livres-pied de couple par rapport aux 163 livres-pied précédemment. En revanche, la puissance demeure la même à 185 chevaux. Ce moteur plus léger que celui qu'il remplace est associé à une boîte automatique à variation continue (CVT). Celle-ci mérite nos éloges car bien des personnes ne sachant pas qu'il y a une CVT sur ce modèle pourraient très bien ne pas faire la différence avec une boîte de vitesses conventionnelle.

La version Touring est la plus luxueuse de la famille et comprend plusieurs systèmes favorisant la sécurité : l'alerte de risque de collision frontale, le système de prévention des collisions par freinage, l'aide au maintien de voies et l'alerte de changement de voie.

Quant à la conduite, on peut souligner un comportement routier sans surprise tandis que le rouage intégral, de série sur toutes les versions à l'exception du LX de base, ne s'attire aucun commentaire négatif. Par contre, la direction pourrait offrir plus de *feedback* et être un peu moins assistée, alors que le moteur est en verve bien qu'il accuse des temps d'hésitation à certains régimes.

Cette version revue et corrigée depuis l'automne 2014 est une sérieuse concurrente à la suprématie de cette catégorie, la Mazda CX-5. On peut reprocher au CR-V sa direction engourdie, ses plastiques durs et certaines commandes énigmatiques mais, dans l'ensemble, c'est un produit fiable et efficace qui devrait être apprécié par ses propriétaires.

| Châssis - LX 2RM | |
|---|---|
| Emp / lon / lar / haut | 2620 / 4557 / 1820 / 1642 mm |
| Coffre / Réservoir | 1054 à 2007 litres / 58 litres |
| Nbre coussins sécurité / ceintures | 6 / 5 |
| Suspension avant | ind., jambes force |
| Suspension arrière | ind., multibras |
| Freins avant / arrière | disque / disque |
| Direction | à crémaillère, ass. var. élect. |
| Diamètre de braquage | 11,4 m |
| Pneus avant / arrière | P215/70R16 / P215/70R16 |
| Poids / Capacité de remorquage | 1531 kg / 680 kg (1499 lb) |
| Assemblage | Alliston, ON |

| Composantes mécaniques | |
|---|---|
| Cylindrée, soupapes, alim. | 4L 2,4 litres 16 s atmos. |
| Puissance / Couple | 185 ch / 181 lb-pi |
| Tr. base (opt) / rouage base (opt) | CVT / Tr (Int) |
| 0-100 / 80-120 / V.Max | 8,5 s (est) / 8,0 s (est) / n.d. |
| 100-0 km/h | 41,4 m |
| Type / ville / route / $CO_2$ | Ord / 9,1 / 7,2 l/100 km / 3793 kg/an |

### Du nouveau en 2016

Aucun changement majeur. Révision importante effectuée à l'automne 2014.

Photos : Dominic Dubreuil

# HONDA **CR-Z**

**(((SiriusXM)))**

**Prix :** 22 890 $ à 24 190 $ (2015)
**Catégorie :** Coupé
**Garanties :**
3 ans/60 000 km, 5 ans/100 000 km
**Transport et prép. :** 1 610 $
**Ventes QC 2014 :** 37 unités
**Ventes CAN 2014 :** 100 unités

### Cote du Guide de l'auto

# 68 %

| Fiabilité | Appréciation générale |
|---|---|
| ■■■■■■■□□□ | ■■■■■■■□□□ |
| Sécurité | Agrément de conduite |
| ■■■■■■■□□□ | ■■■■■□□□□□ |
| Consommation | Système multimédia |
| ■■■■■■■□□□ | ■■■■■■□□□□ |

### Cote d'assurance

■■■■■■□□□□                présentée par
**KANETIX.CA**

$$$                            $

➕ Beau design • Boîte manuelle
précise • Habitacle et coffre spacieux •
Mécanique fiable • Faible consommation

➖ Visibilité vers l'arrière • Absence
d'une caméra de recul • Manque de
puissance du moteur • Prix élevé •
Avenir incertain du modèle

**Concurrents**
Aucun concurrent

# La fibre écolo

Jean-François Guay

**L**ors de l'introduction de la CR-Z, Honda était convaincue que les jeunes automobilistes écolos en quête de sensations se tourneraient inexorablement vers son coupé deux places à motorisation hybride. Au début, Honda espérait en vendre plusieurs centaines d'unités par année au Québec. Or, les prévisions ont été trop optimistes. À sa première année de commercialisation en 2011, la CR-Z avait trouvé 190 preneurs. Puis, les ventes ont dégringolé à 81 unités en 2012 et à seulement 27 unités en 2013. Suite à des changements esthétiques apportés en 2014, les ventes ont connu une légère hausse pour un total de 37 CR-Z.

En comparaison, Hyundai a vendu pendant ce temps au Québec : 583 Veloster en 2012, 1 417 en 2013 et 1 102 en 2014. Or, il y a lieu de croire que les jeunes Québécoises et Québécois n'ont pas la fibre environnementaliste si développée que cela ? Pour expliquer le désintéressement des acheteurs envers la CR-Z, il faut mentionner le prix de départ qui débute à 23 000 $ tandis que celui de la Veloster commence à 18 000 $. Admettons que la différence de prix est importante pour celui ou celle qui achète sa première voiture neuve. De même, il faut tenir compte du coût des assurances, des taux d'intérêt offerts par le constructeur et l'ensemble de la garantie ; trois domaines où la Veloster l'emporte haut la main.

D'ailleurs, il est inconcevable que l'achat d'un véhicule hybride ou électrique oblige parfois de payer un taux d'intérêt plus élevé que pour un véhicule conventionnel. C'est à croire que certains constructeurs comme Honda misent uniquement sur les rabais gouvernementaux pour stimuler les ventes. Tous les constructeurs œuvrant dans les groupes électrogènes ont le devoir de diminuer leurs taux d'intérêt s'ils veulent qu'on les prenne au sérieux. Cela dit, allons faire un tour de CR-Z...

## DES GÈNES DE SPORTIVE

La CR-Z est la dernière d'une longue lignée de voitures Honda comme la S600 Coupé des années 1960, la CRX des années 1980 et la Del Sol des années 1990. Comme ses ancêtres, le style de la CR-Z ne passe pas inaperçu avec son long capot plongeant et son arrière tronqué. Pour accentuer son petit côté sportif, la CR-Z est le seul véhicule hybride sur le marché à proposer une boîte manuelle, laquelle compte six rapports à étagement court et serré comme les motoristes de Honda aiment nous les concocter. Pour ceux qui préfèrent une conduite plus pépère et relaxante dans les bouchons de la circulation, la boîte CVT est équipée de manettes au volant.

La motorisation hybride est composée d'un quatre cylindres de 1,5 litre (113 chevaux) d'un moteur électrique de 15 kW (20 chevaux) et de batteries au lithium-ion. Après de savants calculs (!), la combinaison des deux moteurs produit une puissance nette de 130 chevaux – au lieu de 133 (si l'on additionne 113 + 20) à cause d'une légère perte au niveau de la gestion. Pour de meilleures accélérations et reprises, il est mieux d'opter pour la boîte manuelle qui permet d'exploiter davantage le couple du moteur qui atteint 140 livres-pied à partir de 1 000 tours/minute au lieu de 127 livres-pied avec la CVT.

## LES DEUX EXTRÊMES

Selon les préférences de chacun, la CR-Z permet de choisir entre trois modes de conduite : Sport, Normal ou ECON (pour économique). Pour diminuer la consommation d'essence, la sélection ECON est à privilégier. En appuyant sur la commande Sport, la consommation grimpera, mais la puissance aussi! Peu importe le mode choisi ou la boîte de vitesses, la CR-Z n'a rien d'une voiture de course. Sa tenue de route permet de s'amuser dans les virages, mais les temps d'accélération se classent sous la moyenne. Si l'idée vous vient de l'essayer sur un circuit, prenez garde de ne pas trop solliciter les freins, lesquels sont reliés à un dispositif de régénération d'énergie pour les batteries. Un excès de zèle pourrait coûter cher en réparation !

Assis au volant d'une CR-Z, on apprécie le contour des sièges, la poigne du volant et du levier de vitesses. L'habitacle et le coffre s'avèrent spacieux. Parmi les irritants : les bruits de roulement et la mauvaise visibilité vers l'arrière.

Si votre fibre écolo se desserre, il est possible de contourner vos principes en rehaussant la puissance du moteur à 197 chevaux grâce à l'installation d'un kit développé par la division HPD (Honda Performance Development) de Honda. Cet ensemble comprend aussi un différentiel à glissement limité, des jantes de 18 pouces (au lieu de 16), une suspension et des freins de compétition. Mais avant de vous réjouir trop vite, sachez qu'il est offert uniquement chez les concessionnaires américains.

### Châssis - Base CVT

| | |
|---|---|
| Emp / lon / lar / haut | 2435 / 4076 / 1740 / 1395 mm |
| Coffre / Réservoir | 286 à 710 litres / 40 litres |
| Nbre coussins sécurité / ceintures | 6 / 2 |
| Suspension avant | ind., jambes force |
| Suspension arrière | semi-ind., poutre torsion |
| Freins avant / arrière | disque / disque |
| Direction | à crémaillère, ass. var. élect. |
| Diamètre de braquage | 10,0 m |
| Pneus avant / arrière | P195/55R16 / P195/55R16 |
| Poids / Capacité de remorquage | 1229 kg / n.d. |
| Assemblage | Suzuka, JP |

### Composantes mécaniques

**Base CVT**

| | |
|---|---|
| Cylindrée, soupapes, alim. | 4L 1,5 litre 16 s atmos. |
| Puissance / Couple | 113 ch / 127 lb-pi |
| Tr. base (opt) / rouage base (opt) | CVT / Tr |
| 0-100 / 80-120 / V.Max | 9,5 s (est) / n.d. / n.d. |
| 100-0 km/h | n.d. |
| Type / ville / route / $CO_2$ | Ord / 5,4 / 5,0 l/100 km / 2401 kg/an |

**Base**

| | |
|---|---|
| Cylindrée, soupapes, alim. | 4L 1,5 litre 16 s atmos. |
| Puissance / Couple | 113 ch / 140 lb-pi |
| Tr. base (opt) / rouage base (opt) | M6 / Tr |
| 0-100 / 80-120 / V.Max | 8,8 s (est) / 6,9 s (est) / n.d. |
| 100-0 km/h | n.d. |
| Type / ville / route / $CO_2$ | Ord / 6,4 / 5,1 l/100 km / 2675 kg/an |

**Moteur électrique**

Base et CVT

| | |
|---|---|
| Puissance / Couple | 20 ch (15 kW) / n.d. lb-pi |
| Type de batterie | Lithium-ion (Li-ion) |
| Énergie | n.d. |

## Du nouveau en 2016

Aucun changement majeur

# HONDA **FIT**

((**SiriusXM**))

**Prix :** 14 495 $ à 21 295 $ (2015)
**Catégorie :** Hatchback
**Garanties :**
3 ans/60 000 km, 5 ans/100 000 km
**Transport et prép. :** 1 651 $
**Ventes QC 2014 :** 4 291 unités
**Ventes CAN 2014 :** 11 732 unités

## Cote du Guide de l'auto

# 83 %

| Fiabilité | Appréciation générale |
| --- | --- |
| Sécurité | Agrément de conduite |
| Consommation | Système multimédia |

## Cote d'assurance

présentée par
**KANETIX.CA**

$$$                    $

**➕** Polyvalence assurée • Allure sympa • Format compact • Dotation plus relevée d'équipements

**➖** Consommation plus élevée avec manuelle que CVT • Manque de feedback de la direction • Cache-bagages en option sur finitions de base • Sensible au vent latéral

## Concurrents

Chevrolet Sonic, Ford Fiesta, Hyundai Accent, Kia Rio, Nissan Versa Note, Toyota Prius c, Toyota Yaris

# Polyvalence au top

Gabriel Gélinas

**L**a nouvelle Fit est élaborée sur une toute nouvelle plate-forme, qui sert également de base au HR-V. Elle présente un aspect plus affirmé, est animée par un moteur plus évolué sur le plan technique, est équipée de nouvelles boîtes de vitesses et ne partage aucune pièce avec le modèle précédent. On peut donc parler ici d'une refonte complète. Côté style, les formes sont plus dynamiques, la calandre est plus imposante, les rétroviseurs latéraux sont très grands et les feux arrière sont d'inspiration Volvo.

### LA POLYVALENCE FAITE AUTOMOBILE

La nouvelle Fit est un peu plus courte que sa devancière, mais l'empattement a progressé de 30 millimètres, se traduisant par un dégagement pour les jambes des passagers arrière qui est aussi généreux que celui de la Honda Accord. Voilà pour les places arrière, et maintenant quelques mots au sujet des places avant. Comme je mesure 5 pieds 10 pouces et que j'ai dû reculer le siège du conducteur au maximum pour être confortable au volant de la Fit, je me demande comment un conducteur de six pieds et plus fera pour la conduire...

Évidemment, la Fit conserve son ingénieuse banquette arrière modulable appelée Magic Seat qui permet d'adopter quatre configurations différentes et qui confère à la Fit une polyvalence absolument inégalée pour sa catégorie. À présent, on retrouve des matériaux de meilleure qualité sur certaines surfaces de la planche de bord et les versions les plus équipées possèdent un écran couleur tactile de sept pouces qui est parfois lent à réagir aux commandes. La dotation de série est très relevée sur l'ensemble de la gamme, car même la finition de base DX reçoit une caméra de recul en équipement de série.

Toutefois, Honda Canada est très chiche lorsqu'elle n'offre le cache-bagage en équipement de série que sur les déclinaisons haut de gamme EX et EX-L, forçant la clientèle qui a choisi une autre version

de gamme EX et EX-L, forçant la clientèle qui a choisi une autre version à acheter un cache-bagage auprès du concessionnaire, à un coût de 150 dollars, c'est cher payé pour un panneau de carton avec deux ficelles... En fin de compte, tous les véhicules dont l'espace de chargement fait partie de l'habitacle devraient avoir le cache-bagage en équipement de série, point final. C'est une question de sécurité pour prévenir le vol de contenu et c'est une question de gros bon sens...

### SIXIÈME... QUELLE SIXIÈME?

Sur la route, le nouveau moteur quatre cylindres de 1,5 litre à injection directe répond présent à chaque sollicitation avec ses 130 chevaux et 114 livres-pied de couple. La nouvelle Fit n'éprouve aucune difficulté à atteindre la barre des 100 kilomètres/heure juste au-dessus de huit secondes grâce à l'étagement revu de sa boîte manuelle qui compte désormais six rapports plutôt que cinq.

On note cependant un irritant majeur, puisque le moteur vibre un peu trop à 120 kilomètres/heure en sixième, alors qu'il tourne à un régime de 3 600 tours-minute. Un rapport plus long, voire surmultiplié, pour la sixième vitesse aurait pourtant eu pour effet de réduire le bruit et les vibrations à vitesse d'autoroute tout en bonifiant la consommation. Dommage...

De plus, le point de friction de la pédale d'embrayage se trouve plus haut dans sa course et l'engagement est moins direct, ce qui gomme un peu le feedback perçu par le conducteur. Quant à la consommation, nous avons enregistré une moyenne de 6,8 litres aux 100 kilomètres avec une Fit à boîte manuelle sur un trajet mixte comportant des zones urbaines, des autoroutes et des routes secondaires. Une nouvelle boîte à variation continue (CVT) remplace l'automatique conventionnelle et elle fait un bon boulot, l'effet d'étirement de l'élastique étant moins présent lors de l'accélération initiale sur la Fit que sur d'autres modèles japonais équipés de boîtes CVT, tout en réduisant la consommation par rapport à la boîte manuelle. En plus, le moteur de la Fit équipée d'une CVT tourne à 2 600 tours-minute à 120 kilomètres/heure, ce qui le rend nettement moins bruyant.

Au sujet de la tenue de route, la nouvelle Fit n'adopte pas un comportement aussi typé kart que celui du modèle précédent, ayant échangé une parcelle de ses qualités dynamiques pour un niveau de confort amélioré. La nouvelle direction à assistance électrique n'offre pas autant de sensations que celle du modèle antérieur, mais la Fit demeure agréable à conduire. Elle vit dans l'ombre de la Civic, laquelle ne coûte souvent que quelques dollars de plus par mois. Cependant, elle propose une polyvalence inégalée par rapport à sa grande sœur, et c'est précisément pour ça qu'on choisit d'abord et avant tout la Fit!

### Châssis - EX-L Navi

| | |
|---|---|
| Emp / lon / lar / haut | 2530 / 4064 / 1702 / 1524 mm |
| Coffre / Réservoir | 470 à 1492 litres / 40 litres |
| Nbre coussins sécurité / ceintures | 6 / 5 |
| Suspension avant | ind., jambes force |
| Suspension arrière | semi-ind., poutre torsion |
| Freins avant / arrière | disque / tambour |
| Direction | à crémaillère, ass. var. élect. |
| Diamètre de braquage | 10,4 m |
| Pneus avant / arrière | P185/55R16 / P185/55R16 |
| Poids / Capacité de remorquage | 1177 kg / n.d. |
| Assemblage | Celaya, MX |

### Composantes mécaniques

| | |
|---|---|
| Cylindrée, soupapes, alim. | 4L 1,5 litre 16 s atmos. |
| Puissance / Couple | 130 ch / 114 lb-pi |
| Tr. base (opt) / rouage base (opt) | M6 (CVT, Aucune) / Tr |
| 0-100 / 80-120 / V.Max | 10,2 s / 7,2 s / n.d. |
| 100-0 km/h | 43,6 m |
| Type / ville / route / $CO_2$ | Ord / 8,1 / 6,4 l/100 km / 3374 kg/an |

## Du nouveau en 2016

Aucun changement majeur

## HONDA **HR-V**

((SiriusXM))

**Prix :** 20 690 $ à 29 990 $
**Catégorie :** VUS
**Garanties :**
3 ans/60 000 km, 5 ans/100 000 km
**Transport et prép. :** 1 651 $
**Ventes QC 2014 :** n.d.
**Ventes CAN 2014 :** n.d.

### Cote du Guide de l'auto

## 68 %

| | |
|---|---|
| Fiabilité n.d. | Appréciation générale ■■■■■■□□□□ |
| Sécurité n.d. | Agrément de conduite ■■■■■□□□□□ |
| Consommation ■■■■■■■■□□ | Système multimédia ■■■■■■□□□□ |

### Cote d'assurance

n.d.                    présentée par
**KANETIX.CA**

➕ Polyvalence au top • Consommation intéressante • Disponibilité du rouage intégral • Format compact

➖ Agrément de conduite limité • Puissance un peu juste • Boîte manuelle non offert avec l'intégrale • Consomme plus avec boîte manuelle qu'avec CVT

### Concurrents

Buick Encore, Chevrolet Trax, Fiat 500X, Jeep Renegade, Kia Soul, Mazda CX-3, Mitsubishi RVR, Nissan Juke, Subaru XV Crosstrek

# Une Fit surélevée

Gabriel Gélinas

**A**vec le HR-V 2016, Honda propose essentiellement une Fit surdimensionnée et surélevée à laquelle on a greffé un moteur plus puissant ainsi qu'un rouage intégral, sur certains modèles, afin de pallier aux rigueurs de notre climat. Une chose est certaine, cette recette devrait s'avérer gagnante pour Honda au Québec. Tout comme la Fit, le HR-V est élaboré sur la plate-forme Global Small de Honda, sur laquelle le réservoir de carburant est localisé sous les sièges avant, mais le HR-V est plus long de 20 centimètres et est aussi un peu plus large que la Fit.

Côté style, le HR-V reprend des éléments associés à trois catégories de véhicules, soit celles des coupés, des minifourgonnettes et des véhicules sport utilitaires, selon Honda, qui a mené des études de marketing auprès de la clientèle avant de concevoir ce nouveau véhicule. Au premier coup d'œil, on constate que la ligne de toit est très fuyante vers l'arrière et que les poignées des portières arrière sont moins apparentes, comme sur le Nissan Juke ou le Hyundai Veloster, justement afin de donner cette impression qui rappelle un coupé.

Toutefois, dans l'ensemble, le design manque d'homogénéité et certains éléments comme la ligne qui relie le pare-chocs avant au pilier C, ou encore la disposition en H de la calandre ne sont pas particulièrement réussis. Le HR-V n'est pas « le vilain petit canard » de la catégorie, titre que l'on accorde plutôt au duo Chevrolet Trax/ Buick Encore. Ce n'est certainement pas le plus réussi côté design, et il nous rappelle que ce n'est pas nécessairement une bonne idée que de suivre toutes les recommandations des forums de discussion, puisque tout le monde sait qu'un chameau est en fait un cheval qui a été dessiné par un comité...

### POLYVALENCE AU RENDEZ-VOUS

Comme le HR-V partage sa plate-forme avec la Fit, et que le réservoir de carburant est localisé sous les sièges avant, l'ingénieuse banquette arrière modulable Magic Seat de Honda se retrouve dans l'habitacle, ce qui offre une polyvalence décuplée par rapport à la concurrence ainsi qu'un volume d'espace impressionnant qui est même supérieur à celui d'un Volkswagen Tiguan, un véhicule qui appartient pourtant à la catégorie des VUS compacts.

La console centrale du HR-V est dotée de ports USB et HDMI ainsi que d'un espace prévu pour y loger un téléphone intelligent. L'écran couleur tactile qui équipe également la Fit reprend du service ici. Heureusement, le volant du HR-V comporte un bouton de contrôle du volume de la chaîne audio, car il n'est pas facile d'ajuster le son au moyen de l'écran tactile tout en roulant...

## LE MOTEUR DE LA CIVIC

Au Japon, le HR-V est animé par le moteur 4 cylindres de 1,5 litre que l'on retrouve sous le capot de la Fit, mais ce n'est pas le cas en Amérique du Nord car c'est plutôt le moteur 1,8 litre de la Civic qui a été retenu. La puissance est chiffrée à 141 chevaux et le couple est de 127 livres-pied, le moteur peut être jumelé à une boîte manuelle à six rapports ou à une boîte CVT pour les versions à traction, alors que les versions à rouage intégral ne sont livrables qu'avec la boîte CVT.

Au cours d'une première prise en mains, le HR-V s'est montré à la hauteur des attentes en livrant des performances tout à fait honnêtes, sans briller par son comportement routier. Il est clair que le HR-V à boîte manuelle est plus amusant à conduire, mais il consomme plus qu'un HR-V équipé de la boîte CVT. À titre d'exemple, le moteur tourne à 2 500 tours/minute à 100 kilomètres/heure avec la manuelle en sixième vitesse, alors qu'il tourne à 1 900 tours/minute à la même vitesse avec la CVT. Pour ce qui est de la consommation, nous avons obtenu une moyenne de 7,6 litres aux 100 kilomètres avec la CVT sur un parcours composé majoritairement d'autoroutes tandis que notre moyenne avec la boîte manuelle pour un parcours équivalent a été de 8,3 litres aux 100 kilomètres.

Les liaisons au sol sont assurées par une suspension indépendante à l'avant et une poutre de torsion à l'arrière. Tous les amortisseurs sont dotés de deux pistons, le premier faisant tout le travail en conduite normale alors que le second entre en action lors de la conduite plus sportive afin de mieux maîtriser les mouvements de la caisse. Pour ce qui est du comportement routier, on ne peut pas qualifier le HR-V de véhicule à vocation sportive, il faut plutôt se contenter d'un comportement neutre et sans histoires. En fin de compte, le HR-V est un véhicule polyvalent et pratique, mais l'agrément de conduite n'est clairement pas au sommet de ses priorités.

### Châssis - EX CVT

| | |
|---|---|
| Emp / lon / lar / haut | 2610 / 4294 / 1772 / 1605 mm |
| Coffre / Réservoir | 688 à 1665 litres / 50 litres |
| Nbre coussins sécurité / ceintures | 6 / 5 |
| Suspension avant | ind., jambes force |
| Suspension arrière | semi-ind., poutre torsion |
| Freins avant / arrière | disque / disque |
| Direction | à crémaillère, ass. élect. |
| Diamètre de braquage | 11,4 m |
| Pneus avant / arrière | P215/55R17 / P215/55R17 |
| Poids / Capacité de remorquage | 1332 kg / non recommandé |
| Assemblage | Celaya, MX |

### Composantes mécaniques

| | |
|---|---|
| Cylindrée, soupapes, alim. | 4L 1,8 litre 16 s atmos. |
| Puissance / Couple | 141 ch / 127 lb-pi |
| Tr. base (opt) / rouage base (opt) | M6 (CVT) / Tr (Int) |
| 0-100 / 80-120 / V.Max | 10,1 s / 8,2 s / n.d. |
| 100-0 km/h | 43,9 m |
| Type / ville / route / $CO_2$ | Ord / 8,8 / 7,2 l/100 km / 3717 kg/an |

## Du nouveau en 2016

Nouveau modèle

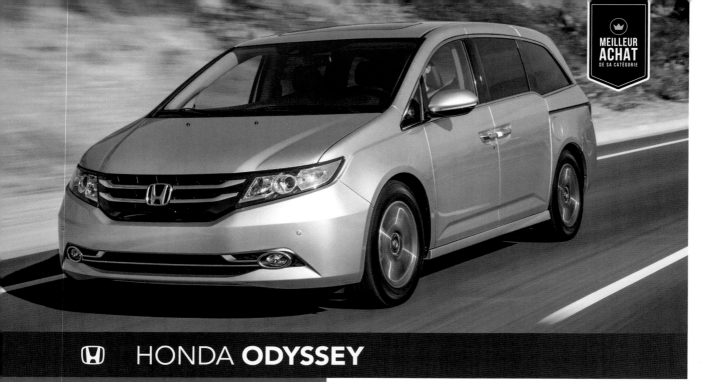

# HONDA **ODYSSEY**

((SiriusXM))

**Prix :** 30 250 $ à 48 310 $ (2015)
**Catégorie :** Fourgonnette
**Garanties :**
3 ans/60 000 km, 5 ans/100 000 km
**Transport et prép. :** 1 851 $
**Ventes QC 2014 :** 1 731 unités
**Ventes CAN 2014 :** 11 480 unités

### Cote du Guide de l'auto

## 74 %

Fiabilité

Appréciation générale

Sécurité

Agrément de conduite

Consommation

Système multimédia

### Cote d'assurance

présentée par
**KANETIX.CA**

$$$　　　　　$

**➕** Fiabilité reconnue • Suspension confortable • Consommation intéressante • Aménagement intérieur réussi

**➖** Prix grimpent rapidement • Poids élevé • Rangements exigus • Confort de la 3ᵉ banquette

### Concurrents

Chrysler Town & Country, Dodge Grand Caravan, Kia Sedona, Toyota Sienna

# Solide joueur

Guy Desjardins

**C**'est un secret de Polichinelle, Honda s'apprête à remodeler totalement sa fourgonnette. On croyait bien que ce serait pour cette année, mais selon nos sources les plus sûres, Honda viserait 2017, soit 6 ans après la dernière refonte de 2011. Le *lifting* apporté en 2014 aura cependant permis à l'Odyssey de suivre la parade.

Cette année, Honda reconduit donc sa fourgonnette sans le moindre changement. Le design extérieur trapu que lui procurent son toit bas, sa large voie et sa surface vitrée étroite lui donne un style moderne, à la fois conservateur et dynamique.

### SA PLUS GRANDE QUALITÉ

Honda vogue sur une réputation de fiabilité depuis de nombreuses années. La mécanique de ses véhicules n'est pas la plus flamboyante sur le marché, mais elle a l'avantage d'être efficace et extrêmement durable. Toutes les versions de l'Odyssey profitent d'ailleurs d'une motorisation V6 à gestion variable des cylindres. Ce système permet d'économiser du carburant en désactivant de 2 à 3 cylindres lorsque la fourgonnette roule à vitesse de croisière et que la demande en puissance demeure constante. Dans les faits, ce principe très ingénieux pourrait laisser croire que l'Odyssey peut consommer aussi peu qu'une Mitsubishi Mirage (qui n'a que trois cylindres), néanmoins, sur la route, le constat n'est pas aussi exaltant... Rarement le moteur ne fonctionnera que sous 3 cylindres. Conditions climatiques extrêmes, relief routier désavantageux, charge au-dessus de la normale et conducteur un peu trop enjoué réussiront à contrecarrer les bonnes volontés du système. Bref, même si l'économie de carburant n'est pas celle dont on rêve, elle s'avère malgré tout intéressante puisque la lourde fourgonnette réussit à limiter sa soif à 8,5 litres/100 km sur l'autoroute.

La motorisation de l'Odyssey n'est cependant pas la seule sur la liste des éléments mécaniques durables. Le châssis dispose d'une rigidité exemplaire qui vieillit extrêmement bien. Les traditionnels bruits de craquements souvent observés sur certains modèles concurrents ne viennent aucunement hanter la fourgonnette nippone. L'ouverture béante des deux portières coulissantes et le poids de plus de 2 tonnes mettent pourtant durement à l'épreuve la plate-forme. Heureusement, l'Odyssey compte également sur une suspension solide et agréablement bien calibrée. Le débattement ne se compare pas à celui du Pilot, un VUS intermédiaire, mais sa capacité à absorber les aspérités du bitume lui permet de livrer une tenue de route à la fois confortable et rassurante. Peu importe la version, l'Odyssey a droit à une transmission automatique à 6 rapports assez bien étagée.

## MAIS L'ESSENTIEL...

Comme le disait si bien Ginette Reno (celle qui chante les hymnes nationaux au Centre Bell durant les séries de la LNH) dans l'une de ses chansons, l'essentiel, c'est d'être aimé. Voilà pourquoi Honda a créé un aménagement intérieur sobre où les extravagances ne viennent pas effrayer les acheteurs qui désirent avant tout un habitacle fonctionnel et accueillant. On remarque donc un tableau de bord concis et épuré, mais qui propose encore un peu trop de boutons à notre goût. On prend un certain temps à s'habituer à l'affichage sur les deux écrans et plusieurs jours à déchiffrer les fonctionnalités qu'offre le gros bouton rotatif en plein centre de la console. Quelques éléments innovateurs parsèment l'intérieur de la fourgonnette, dont la célèbre balayeuse intégrée et l'immense écran de divertissement au format 16:9, deux éléments qu'on retrouve dans la version Touring.

Le vaste habitacle de l'Odyssey regorge de rangements, souvent un peu trop exigus, mis à part le coffre entre les deux sièges avant. Les passagers des première et deuxième rangées trouveront un confort adéquat où le soutien latéral ne semble pas avoir été considéré dans l'équation... Évidemment, l'Odyssey n'est pas le véhicule tout indiqué pour faire du slalom sur une piste, mais un léger sentiment de soutien aurait été grandement apprécié du conducteur qui tente de faire passer ses soudains élans de coureur automobile. Les heureux élus de la troisième rangée devront faire avec une assise bien dure et un dégagement à la tête plutôt juste.

L'Odyssey demeure la championne de la catégorie. Elle se fait talonner de très près par la Toyota Sienna, toutes deux prisées pour leur fiabilité à long terme. Ces deux fourgonnettes restent cependant dispendieuses pour les familles à revenu modeste, ce qui force ces dernières à se tourner vers des alternatives moins coûteuses que sont les Kia Sedona et le duo Dodge Grand Caravan / Chrysler Town & Country.

### Châssis - LX

| | |
|---|---|
| Emp / lon / lar / haut | 3000 / 5153 / 2011 / 1737 mm |
| Coffre / Réservoir | 846 à 4205 litres / 80 litres |
| Nbre coussins sécurité / ceintures | 6 / 7 |
| Suspension avant | ind., jambes force |
| Suspension arrière | ind., double triangulation |
| Freins avant / arrière | disque / disque |
| Direction | à crémaillère, ass. var. |
| Diamètre de braquage | 11,2 m |
| Pneus avant / arrière | P235/65R17 / P235/65R17 |
| Poids / Capacité de remorquage | 1996 kg / 1588 kg (3500 lb) |
| Assemblage | Lincoln, AL |

### Composantes mécaniques

| | |
|---|---|
| Cylindrée, soupapes, alim. | V6 3,5 litres 24 s atmos. |
| Puissance / Couple | 248 ch / 250 lb-pi |
| Tr. base (opt) / rouage base (opt) | A6 / Tr |
| 0-100 / 80-120 / V.Max | 9,2 s / 6,3 s / n.d. |
| 100-0 km/h | 43,1 m |
| Type / ville / route / $CO_2$ | Ord / 12,3 / 8,5 l/100 km / 4871 kg/an |

### Du nouveau en 2016

Aucun changement. À l'aube d'une refonte complète.

Photos : Honda Canada

# HONDA **PILOT**

**Prix :** 37 341 $ à 52 341 $
**Catégorie :** VUS
**Garanties :**
3 ans/60 000 km, 5 ans/100 000 km
**Transport et prép. :** 1 851 $
**Ventes QC 2014 :** 794 unités
**Ventes CAN 2014 :** 6 113 unités

## Cote du Guide de l'auto

# 72 %

| Fiabilité | Appréciation générale |
|---|---|
| ■■■■■■■□□□ | ■■■■■■■□□□ |
| Sécurité | Agrément de conduite |
| ■■■■■■■■□□ | ■■■■■■■□□□ |
| Consommation | Système multimédia |
| ■■■■■□□□□□ | ■■■■■■□□□□ |

## Cote d'assurance

■■■■■■□□□□
présentée par
**KANETIX.CA**

$$$                                    $

➕ Silhouette équilibrée • Habitacle confortable • Bonne tenue de route • Équipement complet • Moteur moins gourmand qu'avant

➖ Dimensions imposantes • Visibilité arrière moyenne • Troisième rangée peu confortable • Commandes de la climatisation peu intuitives • Version Touring onéreuse

## Concurrents

Chevrolet Traverse, Dodge Durango, Ford Explorer, Kia Sorento, Mazda CX-9, Nissan Murano, Toyota Highlander

# Enfin moderne !

Denis Duquet

**L**e Honda Pilot de seconde génération est sur le marché depuis six ans et a de plus en plus de difficultés à se faire valoir face à une concurrence croissante et nettement plus sophistiquée tant sur le plan esthétique que technique. Honda en était certainement conscient et procède cette année à une révision de son VUS qui bénéficie d'une transformation complète.

Sans repousser les limites de la créativité, les designers ont modernisé et allégé la silhouette même si cette nouvelle version est plus longue, plus large que précédemment. Les lignes sont nettement plus fluides qu'auparavant. Il faut dire qu'il aurait été difficile pour les designers d'accoucher d'un Pilot plus carré que celui qu'il remplace ! Parmi les éléments de style qui caractérisent le nouveau Pilot, il faut mentionner l'utilisation de DEL pour les phares avant et les feux arrière. Les designers ont résisté à l'envie d'incliner le rayon arrière vers l'avant, ce qui aurait accru l'effet de dynamisme mais qui aurait en même temps réduit l'espace de chargement. Soulignons que cet espace, lorsque les dossiers des sièges de deuxième et troisième rangées sont abaissés, est passablement plus important (2464 litres pour le modèle sortant contre 3087 pour le nouveau).

## POLYVALENCE ET CONFORT

Sur l'ancien Pilot, on était impressionné par la qualité de la finition mais on était aussi intimidé par la planche de bord qui était parsemée de multiples boutons et commandes, lesquels nécessitaient un certain temps d'acclimatation. Cette fois, la planche de bord, sans être un modèle d'innovation, est ergonomique puisque tout est à la bonne place, à la portée de la main. Parmi les innovations intéressantes, il y a le système de navigation Garmin de la toute dernière génération capable de modifier votre itinéraire en fonction de la circulation, tandis qu'un nouveau radio satellite Sirius XM permet de bénéficier d'un retour automatique en arrière des émissions, de l'établissement d'une liste de stations mixte en alternance et de bulletins de sport à intervalles fixes.

Alors que les sièges avant font preuve d'un grand confort, la seconde rangée peut être constituée d'une banquette ou encore de deux sièges capitaines. Quant à la troisième rangée, peu accueillante, on y accède en faisant glisser la banquette ou les sièges capitaines à l'aide d'un bouton poussoir. On ne peut passer sous silence la console centrale très large entre les sièges avant assurant une excellente capacité de rangement. Deux toits panoramiques sont disponibles. Le premier s'ouvre alors que le second n'est en fait qu'un puits de lumière.

### ÉQUIPEMENT COMPLET

En étudiant la fiche technique, on se rend compte que la cylindrée du V6 est la même que celle utilisée précédemment. Toutefois, ce moteur de 3,5 litres est différent car on a remanié son architecture interne, installé un système d'injection directe tout en adoptant le mécanisme arrêt-départ qui coupe le moteur lorsque le véhicule est immobilisé. Aussi, on a conservé la désactivation des cylindres lorsque le moteur n'est pas en charge. La transmission automatique à cinq rapports a été remplacée par une autre possédant une vitesse supplémentaire. Quant au modèle Touring, le plus luxueux, il bénéficie d'une transmission à neuf rapports. Soulignons au passage que, selon le modèle, le Pilot est équipé de jantes en alliage de 18 ou 20 pouces.

Toujours sur le plan technique, les ingénieurs de chez Honda n'ont pas lésiné et le Pilot n'a rien à envier à la concurrence à ce chapitre. Si la version la plus économique vient avec deux roues motrices seulement, toutes les autres sont dotées d'un rouage intégral plus sophistiqué offrant des réglages en fonction des conditions et d'un système de stabilisation latérale à vecteur de couple. Ajoutez à cela un système de détection de présence latérale, un régulateur de croisière adaptatif, un système d'immobilisation en cas d'obstacle... et ce n'est qu'une liste partielle!

La conduite du nouveau Pilot permet de découvrir un comportement routier sain, une bonne neutralité en virage et une insonorisation poussée. De plus, la suspension indépendante aux quatre roues s'avère un bon compromis entre le confort et la tenue de route.

Cette fois, le Pilot est en mesure de tenir la dragée haute tant au chapitre de la technologie que de la conduite.

### Châssis - LX 4RM

| | |
|---|---|
| Emp / lon / lar / haut | 2820 / 4941 / 2296 / 1773 mm |
| Coffre / Réservoir | 524 à 3092 litres / 74 litres |
| Nbre coussins sécurité / ceintures | 6 / 8 |
| Suspension avant | ind., jambes force |
| Suspension arrière | ind., multibras |
| Freins avant / arrière | disque / disque |
| Direction | à crémaillère, ass. var. élect. |
| Diamètre de braquage | 11,5 m |
| Pneus avant / arrière | P245/60R18 / P245/60R18 |
| Poids / Capacité de remorquage | 1927 kg / 1590 kg (3505 lb) |
| Assemblage | Lincoln, AL |

### Composantes mécaniques

| | |
|---|---|
| Cylindrée, soupapes, alim. | V6 3,5 litres 24 s atmos. |
| Puissance / Couple | 280 ch / 262 lb-pi |
| Tr. base (opt) / rouage base (opt) | A6 / Tr (Int) |
| 0-100 / 80-120 / V.Max | n.d. / n.d. / n.d. |
| 100-0 km/h | n.d. |
| Type / ville / route / $CO_2$ | Ord / 12,4 / 9,3 l/100 km / 5062 kg/an |

## Du nouveau en 2016

Nouveau modèle

Photos: Denis Duquet

# HYUNDAI **ACCENT**

**(((SiriusXM)))**

**Prix:** 13 599 $ à 19 799 $ (2015)
**Catégorie:** Berline, Hatchback
**Garanties:**
5 ans/100 000 km, 5 ans/100 000 km
**Transport et prép.:** 1 550 $
**Ventes QC 2014:** 11 185 unités
**Ventes CAN 2014:** 23 173 unités

## Cote du Guide de l'auto

# 77 %

| Fiabilité | Appréciation générale |
|---|---|
| ■■■■■□□□□□ | ■■■■■■■□□□ |

| Sécurité | Agrément de conduite |
|---|---|
| ■■■■■■□□□□ | ■■■■■□□□□□ |

| Consommation | Système multimédia |
|---|---|
| ■■■■■■□□□□ | ■■■■□□□□□□ |

## Cote d'assurance

■■■■■■■■□□

$$$                               $

présentée par
**KANETIX.CA**

➕ Équipement facile à utiliser •
Boîtes de vitesses efficaces • Puissance
adéquate • Consommation attrayante

➖ Silhouette vieillissante • Visibilité
arrière (5 portes) • Places arrière exiguës •
Peu d'équipement technologique
de pointe

## Concurrents

Chevrolet Sonic, Ford Fiesta,
Honda Fit, Kia Rio, Nissan Versa Note,
Toyota Prius c, Toyota Yaris

# Simplicité volontaire

Frédérick Boucher-Gaulin

**D**epuis son arrivée chez nous, la Hyundai Accent a toujours eu beaucoup de succès auprès des Québécois. La petite bagnole coréenne était l'une des autos neuves les moins chères sur le marché, ce qui en a convaincu plus d'un de tenter sa chance avec elle. Une fois derrière le volant, les gens ont bien vu que même si la sous-compacte n'était pas exactement confortable, luxueuse ou puissante, elle se révélait être un moyen de transport efficace, accumulant les kilomètres sans rechigner.

Lors de la dernière refonte de l'Accent, Hyundai a judicieusement choisi de doter ce modèle d'un style et d'une personnalité plus en phase avec le reste de sa gamme. Fini l'habitacle déprimant et les « motorisations agricoles », l'Accent est maintenant une voiture à part entière !

Pour 2016, deux carrosseries sont disponibles : une berline et une 5 portes à hayon. L'Accent telle qu'on la connaît actuellement date déjà de 2011, et cela commence à se voir dans son style ; elle est encore bien jolie, mais lorsque placée à côté de modèles plus récents du manufacturier, sa bouille sympathique trahit quelques rides. Qu'importe, son apparence est toujours fort appréciée des acheteurs ! Hyundai lui offre de nouvelles couleurs tous les ans dans un effort pour la rajeunir.

Avec un prix de départ sous les 14 000 $, cette sous-compacte vient d'office avec un moteur quatre cylindres de 1,6 litre produisant 138 chevaux, une boîte manuelle à 6 rapports ainsi que certaines caractéristiques essentielles, comme des serrures de portière électriques, des freins à disque aux 4 roues et des coussins gonflables latéraux. On peut ensuite se payer quelques luxes, tels le climatiseur, le régulateur de vitesse, les sièges avant chauffants et la téléphonie Bluetooth dans la version GL. Au sommet de la gamme, on retrouve la GLS dont le niveau d'équipement s'approche drôlement de celui d'une compacte, avec des roues en alliage de 16 pouces, des phares à allumage automatique, des commandes audio au volant, une climatisation automatique, des phares antibrouillards et même un toit ouvrant !

## SIMPLE ET EFFICACE

À bord, la Hyundai Accent n'est pas un exemple de modernité ; bien que ses formes soient fluides et que ses plastiques ne soient pas bon marché (ce qui est un atout dans ce segment), la voiture n'offre pas de gigantesque écran d'infodivertissement, de sièges en cuir — véritable ou non — ou encore de navigation par satellite. Ceci lui donne néanmoins un avantage auprès de ceux qui ne sont pas férus de technologies : ses cadrans sont faciles à lire, le petit écran ACL entre le compte-tours et l'indicateur de vitesse ne déroutera personne et les commandes de la radio et de la climatisation fonctionnent encore avec des molettes que l'on tourne.

Conduire l'Accent est aussi simple qu'ajuster le volume de sa radio : la petite voiture est maniable, sa direction à assistance électrique est très légère (ce qui l'aide à se stationner en ville) et la visibilité à bord est plus que correcte – à part vers l'arrière dans les versions à hayon ; la lunette arrière est minuscule et il faut connaître les dimensions de son auto pour se stationner avec confiance. La boîte automatique est superbement efficace ; elle n'a peut-être pas la rapidité de la PDK d'une Porsche, mais là n'est pas sa vocation. Elle passe les rapports de façon transparente, garde les révolutions du moteur basses et fait oublier qu'elle existe. De plus, elle n'augmente presque pas la consommation d'essence par rapport à la boîte manuelle (7,7 l/100 km combiné ville/route contre 7,6 pour la manuelle).

## VESTIGE D'UNE ÉPOQUE PLUS SIMPLE

La Hyundai Accent est une des dernières petites voitures sans prétention sur le marché ; elle ne se targue pas d'offrir un gros moteur, des technologies qui ont leurs places dans un avion de chasse ou des caractéristiques dignes d'une limousine. Il s'agit d'une bagnole capable de transporter des passagers (ou même une quantité impressionnante de matériel, dans le cas de la version 5 portes) dans un confort relatif tout en ne vous ruinant ni à la pompe ni à la signature du contrat et qui, de surcroît, vous apportera la tranquillité d'esprit avec une mécanique éprouvée et une garantie complète 5 ans/100 000 km. Pour certains, c'est tout ce qu'il faut pour être heureux.

### Châssis - L berline

| | |
|---|---|
| Emp / lon / lar / haut | 2570 / 4370 / 1700 / 1450 mm |
| Coffre / Réservoir | 389 litres / 43 litres |
| Nbre coussins sécurité / ceintures | 6 / 5 |
| Suspension avant | ind., jambes force |
| Suspension arrière | semi-ind., poutre torsion |
| Freins avant / arrière | disque / disque |
| Direction | à crémaillère, ass. var. élect. |
| Diamètre de braquage | 10,4 m |
| Pneus avant / arrière | P175/70R14 / P175/70R14 |
| Poids / Capacité de remorquage | 1087 kg / n.d. |
| Assemblage | Ulsan, KR |

### Composantes mécaniques

| | |
|---|---|
| Cylindrée, soupapes, alim. | 4L 1,6 litre 16 s atmos. |
| Puissance / Couple | 138 ch / 123 lb-pi |
| Tr. base (opt) / rouage base (opt) | M6 (A6) / Tr |
| 0-100 / 80-120 / V.Max | 10,4 s / 7,6 s / n.d. |
| 100-0 km/h | 44,7 m |
| Type / ville / route / $CO_2$ | Ord / 8,9 / 6,3 l/100 km / 3556 kg/an |

## Du nouveau en 2016

Aucun changement majeur

Photos : Hyundai Canada

# HYUNDAI **ELANTRA**

**(((SiriusXM)))**

**Prix :** 15 749 $ à 27 099 $
**Catégorie :** Berline, Hatchback
**Garanties :**
5 ans/100 000 km, 5 ans/100 000 km
**Transport et prép. :** 1 960 $
**Ventes QC 2014 :** 17 272 unités
**Ventes CAN 2014 :** 50 420 unités

## Cote du Guide de l'auto

# 74 %

| Fiabilité | Appréciation générale |
|---|---|
| ■■■■■■■□□□ | ■■■■■■■□□□ |

| Sécurité | Agrément de conduite |
|---|---|
| ■■■■■■■□□□ | ■■■■■■□□□□ |

| Consommation | Système multimédia |
|---|---|
| ■■■■■■□□□□ | ■■■■■■□□□□ |

## Cote d'assurance

■■■■■■■■■□
$$$        $

présentée par
**KANETIX.CA**

**➕** Silhouettes élégantes • Version GT légèrement revue • Équipement complet • Choix multiples de modèles et de versions

**➖** Suspension sèche • Moteur 1,8 litre un peu juste • Insonorisation perfectible (GT) • DSS (assistance de la direction) inutile

## Concurrents

Chevrolet Cruze, Dodge Dart, Ford Focus, Honda Civic, Kia Forte, Mazda3, Mitsubishi Lancer, Nissan Sentra, Subaru Impreza, Toyota Corolla, Volkswagen Golf, Volkswagen Jetta

# Entre deux générations

Denis Duquet

**L**a révision d'un modèle jouissant d'une grande popularité est toujours délicate. Trop peu de changements risquent de décevoir les acheteurs potentiels tandis qu'une transformation trop radicale a le même effet. Le plus bel exemple d'une refonte ratée est celui de la Honda Civic 2012 dont la silhouette avait si peu changé que le travail a dû être repris une année plus tard. Quant à l'Elantra, la Hyundai la plus vendue au Canada, il est plus que probable que la nouvelle génération sera dévoilée au Salon de l'auto de Los Angeles en novembre 2015.

Il est donc impératif pour le constructeur coréen de continuer à maintenir l'intérêt des gens jusqu'à la grande transformation. C'est pour cette raison que plusieurs modèles identifiés comme étant du millésime 2016 sont commercialisés depuis le mois de juin. Sans être transformés, ils sont dotés d'équipements spéciaux et sont souvent vendus à prix promotionnels. Pour nous faire patienter et pour nous donner un avant-goût de ce qui est à venir, le *hatchback* GT connaît des changements esthétiques plus importants.

### LA GT ANNONCE LA DONNE

La nouvelle version de la GT, du moins en attendant la refonte complète de toute la gamme, se démarque par une grille passablement modifiée. Elle est beaucoup plus grande, ses formes sont quasiment équarries, ce qui n'est pas sans nous rappeler un modèle Audi. Le nouveau bouclier avant ainsi que les quatre barres transversales de la calandre distinguent ce modèle de la berline tout en accentuant son caractère sportif. Mais il s'agit du seul changement majeur apporté à la carrosserie. À première vue, on serait porté à croire que les passages d'aile avant sont plus gros, mais c'est d'une illusion d'optique. Un coup d'œil à l'arrière permet de confirmer le statu quo. Il en est de même pour la planche de bord : tout est resté tel quel.

C'est loin d'être un point faible, car cette version *hatchback* de la compacte de Hyundai se caractérise avantageusement de la concurrence par une présentation moderne et une ergonomie de bon aloi. L'indicateur de vitesse et le compte-tours sont de lecture facile et sont séparés par un minicentre d'information qui s'avère fort pratique. Cette disposition est reprise dans toutes les Elantra.

La GT est le modèle le plus attrayant de la gamme tant en fait d'élégance que de polyvalence, son hayon permettant de transporter des objets encombrants. Toutefois, sa suspension est particulièrement sèche tandis que l'insonorisation est moins efficace que dans la berline. La GT n'est livrée qu'avec le moteur quatre cylindres 2,0 litres de 173 chevaux associé à une boîte manuelle à six rapports tandis que l'automatique optionnelle compte le même nombre de vitesses.

### LE RESTE DE LA FAMILLE

Il est certain que la très grande popularité de l'Elantra sur notre marché s'explique en bonne partie par l'élégance de sa silhouette. D'ailleurs, plusieurs personnes ont avoué avoir craqué pour ce modèle au premier coup d'œil. Pour 2016, le coupé ne sera pas reconduit. Personne ne s'en plaindra puisque sa seule différence par rapport à la berline était l'absence de deux portières et des lignes plus fluides. Par ailleurs, le moteur 1,8 litre de 145 chevaux se cache dans les versions les plus économiques de la berline et sa puissance, non négligeable malgré tout, rappelle qu'il est plus vigoureux que celui de la Toyota Corolla.

Toutes les Elantra sont équipées du système de réglage de l'assistance de la direction. Le conducteur peut choisir entre trois modes : confort, normal ou sport. Ce gadget est plus ou moins utile, d'autant plus que le mode confort élimine pratiquement tout *feedback* de la route. On peut parier que la majorité des gens sélectionneront le mode sport et ne plus y penser par la suite. Quant au comportement routier de ce trio, la GT adopte une conduite un peu plus inspirante sans toutefois que cela inquiète les Mazda3 et VW Golf, les meilleures de leur catégorie à ce chapitre. Cependant, c'est plus que correct et l'Elantra, GT ou berline, propose un bon équilibre entre le confort et la tenue de route.

Le duo d'Elantra présentement sur le marché a suffisamment d'arguments pour convaincre beaucoup d'acheteurs. D'autant plus qu'il faut s'attendre à de nombreuses promotions d'ici l'arrivée de la prochaine génération.

## Châssis - GT GL

| | |
|---|---|
| Emp / lon / lar / haut | 2650 / 4300 / 1780 / 1470 mm |
| Coffre / Réservoir | 651 à 1444 litres / 50 litres |
| Nbre coussins sécurité / ceintures | 7 / 5 |
| Suspension avant | ind., jambes force |
| Suspension arrière | semi-ind., poutre torsion |
| Freins avant / arrière | disque / disque |
| Direction | à crémaillère, ass. var. élect. |
| Diamètre de braquage | 10,6 m |
| Pneus avant / arrière | P205/55R16 / P205/55R16 |
| Poids / Capacité de remorquage | 1295 kg / n.d. |
| Assemblage | Ulsan, KR |

## Composantes mécaniques

**Berline**

| | |
|---|---|
| Cylindrée, soupapes, alim. | 4L 1,8 litre 16 s atmos. |
| Puissance / Couple | 145 ch / 131 lb-pi |
| Tr. base (opt) / rouage base (opt) | M6 (A6) / Tr |
| 0-100 / 80-120 / V.Max | 10,6 s / 7,5 s / n.d. |
| 100-0 km/h | 44,6 m |
| Type / ville / route / $CO_2$ | Ord / 8,5 / 6,3 l/100 km / 3455 kg/an |

**Berline, GT**

| | |
|---|---|
| Cylindrée, soupapes, alim. | 4L 2,0 litres 16 s atmos. |
| Puissance / Couple | 173 ch / 154 lb-pi |
| Tr. base (opt) / rouage base (opt) | M6 (A6) / Tr |
| 0-100 / 80-120 / V.Max | 10,0 s / 7,0 s / n.d. |
| 100-0 km/h | 43,2 m |
| Type / ville / route / $CO_2$ | Ord / 9,8 / 7,2 l/100 km / 3970 kg/an |

## Du nouveau en 2016

Aucun changement majeur. Modèle GT légèrement remanié, abandon du coupé. Nouvelle génération prévue bientôt.

Photos : Hyundai Canada

# HYUNDAI **EQUUS**

((SiriusXM))

**Prix :** 63 900 $ à 71 000 $ (2015)
**Catégorie :** Berline
**Garanties :**
5 ans/100 000 km, 5 ans/100 000 km
**Transport et prép. :** 1 760 $
**Ventes QC 2014 :** 8 unités
**Ventes CAN 2014 :** 65 unités

Cote du Guide de l'auto

# 68 %

Fiabilité
■■■■■■■□□□

Appréciation générale
■■■■■■■□□□

Sécurité
■■■■■■■□□□

Agrément de conduite
■■■■■■□□□□

Consommation
■■■■■■□□□□

Système multimédia
■■■■■■■□□□

Cote d'assurance
■■■■■■■□□□

présentée par
**KANETIX.CA**

$$$                                    $

➕ Confort tous azimuts • Luxe
omniprésent • Rapport qualité/
équipement/prix imbattable • Moteur
puissant à souhait • Très grand coffre

➖ Prestige d'un pissenlit • Absence
d'un rouage intégral • Dépréciation
impressionnante • Niveau de
passion = 0 • Direction trop assistée

**Concurrents**
Audi A8, BMW Série 7,
Cadillac XTS, Kia K900, Lexus LS,
Mercedes-Benz Classe S

# Ça force l'admiration

Alain Morin

**A**u beau milieu de la chaussée, dans une craquelure de l'asphalte, un pissenlit. Tout petit, tout rabougri, qui vacille au gré des voitures qui passent. Le lendemain, il est encore là, plus étiolé mais toujours en vie. Le surlendemain aussi. Puis la journée d'après...

Au beau milieu du *Guide de l'auto*, entre l'Elantra et la Genesis, une Equus. Qui vacille au gré des pages tournées rapidement, sans s'arrêter sur elle. Elle était là l'an passé. Elle y est cette année. Elle y sera peut-être l'an prochain... Des fois, il faut simplement cesser de prédire la mort et admirer la force de ceux qui se battent pour leur survie.

L'Equus, c'est le ballon d'essai de Hyundai dans le créneau des voitures de prestige. Et voitures de prestige, ça veut dire Audi, Mercedes-Benz, BMW, Cadillac, Lexus... Quand on a commencé, il y a à peine 30 ans en vendant une voiture qui ne se démarquait que par son prix très bas et une qualité atroce (c'était la Pony), la partie n'était pas gagnée d'avance pour la marque coréenne. Que non !

La voiture, pourtant, est loin d'être mauvaise. Kia en a même tiré une version, la K900. Un tantinet revue pour 2014, la Hyundai Equus affiche une partie avant qui n'est pas sans rappeler une Mercedes-Benz Classe S d'il y a dix ans. L'habitacle est plus distinctif et arbore un tableau de bord classique à souhait, mais bien dessiné, recouvert de beaux cuirs et de boiseries chics. Si les sièges avant font preuve d'un grand confort, que dire de ceux à l'arrière qui rappellent quasiment ceux d'une Maybach.

**DEUX TONNES D'ÉQUIPEMENT**
La liste de l'équipement standard impressionne : suspension avec contrôle en continu de l'amortissement, sièges avant chauffants et ventilés et sièges arrière chauffants, chaîne audio ambiophonique, écran central de 9,2 pouces, tout ce que l'on peut imaginer de connectivité, tapis de première qualité, climatiseur triple zone,

régulateur de vitesse adaptatif, avertisseur de changement de voie, écran solaire rétractable pour la lunette arrière, etc. Ça, c'était pour la livrée Signature.

La version Ultimate en rajoute une couche : sièges arrière ventilés, système d'infodivertissement aux places arrière, instrumentation du conducteur avec écran ACL de 12,3 pouces, caméra 360 degrés, écrans aux places arrière reliés au système de divertissement, ouverture et fermeture du coffre électrique... Fait à noter, il n'y a aucune option. Tout au plus quelques accessoires vendus en concession. Ce qui avait fait la réputation des Coréens dans les années 80 — et assuré en quelque sorte leur survie en Amérique —, c'était le rapport équipement / prix. Trente ans plus tard et dans le haut de gamme, c'est encore vrai.

### ON SE CONCENTRE SUR LE MOTEUR
Faisant osciller la balance au-delà de 2 100 kilos, la Hyundai Equus a besoin d'un gros moteur pour assurer des déplacements dignes d'une voiture haut de gamme. Là non plus, la marque au H aplati n'a pas lésiné. Avez-vous remarqué qu'on ne le voit que sur le coffre ? Ailleurs, les designers ont préféré mettre une sorte d'oiseau prenant son envol, ou atterrissant, c'est selon. Mais nous nous éloignons du sujet de ce paragraphe, le moteur. Il s'agit d'un V8 de 5,0 litres à injection directe et d'une puissance tout à fait acceptable, soit 429 chevaux. Sa sonorité en accélération vive est tout aussi acceptable bien qu'elle soit étouffée par des centaines de kilos de matériel insonore.

La boîte de vitesses est une automatique, est-il besoin de le préciser, à huit rapports. Les roues motrices sont situées à l'arrière. Un rouage intégral aurait été bienvenu, mais il aurait fait monter le prix. L'Equus étant déjà à peu près impossible à vendre, s'il fallait augmenter son prix...

D'ailleurs, pour encourager un tant soit peu les acheteurs indécis, Hyundai propose un service personnalisé qui comprend un essai routier à domicile puis, une fois l'achat complété, qui vient chercher votre Equus pour les entretiens réguliers sans frais pour 3 ans ou 60 000 km.

Avec des ventes ultra-confidentielles, il aurait été tout à fait excusable que l'Equus nous quitte cette année. Ce n'est pas le cas. Les dirigeants de Hyundai ne sont pas fous et la patience est leur grande vertu. La première incursion dans le haut de gamme n'a pas fonctionné ? Je ne serais pas surpris que ça ait été prévu. La deuxième pourrait être plus sérieuse. La troisième arrachera des larmes à Audi, Mercedes-Benz, BMW, Cadillac, Lexus. On s'en reparle dans 10 ans...

| Châssis - Signature | |
|---|---|
| Emp / lon / lar / haut | 3045 / 5160 / 1890 / 1490 mm |
| Coffre / Réservoir | 473 litres / 77 litres |
| Nbre coussins sécurité / ceintures | 9 / 5 |
| Suspension avant | ind., pneumatique, multibras |
| Suspension arrière | ind., pneumatique, multibras |
| Freins avant / arrière | disque / disque |
| Direction | à crémaillère, ass. var. électro. |
| Diamètre de braquage | 12,1 m |
| Pneus avant / arrière | P245/45R19 / P275/40R19 |
| Poids / Capacité de remorquage | 2089 kg / n.d. |
| Assemblage | Ulsan, KR |

| Composantes mécaniques | |
|---|---|
| Cylindrée, soupapes, alim. | V8 5,0 litres 32 s atmos. |
| Puissance / Couple | 429 ch / 376 lb-pi |
| Tr. base (opt) / rouage base (opt) | A8 / Prop |
| 0-100 / 80-120 / V.Max | 6,1 s / 3,5 s / n.d. |
| 100-0 km/h | 43,4 m |
| Type / ville / route / $CO_2$ | Sup / 13,7 / 8,6 l/100 km / 5244 kg/an |

### Du nouveau en 2016
Aucun changement majeur

Photos : Hyundai Canada

# HYUNDAI **GENESIS**

((SiriusXM))

**Prix:** 43 000 $ à 62 000 $ (2015)
**Catégorie:** Berline
**Garanties:**
5 ans/100 000 km, 5 ans/100 000 km
**Transport et prép.:** 1 760 $
**Ventes QC 2014:** 309 unités
**Ventes CAN 2014:** 1 513 unités

**Cote du Guide de l'auto**

**74 %**

| | |
|---|---|
| Fiabilité ■■■■■■■■□□ | Appréciation générale ■■■■■■■□□□ |
| Sécurité ■■■■■■■■■■ | Agrément de conduite ■■■■■■■□□□ |
| Consommation ■■■■■■□□□□ | Système multimédia ■■■■■■■■□□ |

**Cote d'assurance** — présentée par KANETIX.CA

■■■■■■■■□□
$$$ … $

➕ Rapport qualité/prix • Matériaux de qualité • Assemblage soigné • Équilibre performance/consommation (V6)

➖ Lignes génériques • Boîte de vitesses lente • Direction floue • V8 superflu

**Concurrents**
Audi A6, BMW Série 5, Cadillac CTS, Jaguar XF, lLexus GS, Mercedes-Benz Classe E, Volvo S80

## De Lada à Mercedes

Jacques Duval

**Il s'en est brûlé de l'essence depuis l'apparition des premiers véhicules Hyundai chez nous. C'est en 1983 qu'on m'invita à Toronto afin de faire la connaissance d'une petite voiture bien spartiate du nom de Pony. À cette époque, elle semblait prête à faire la guerre aux produits Lada, ces véhicules russes d'une fiabilité quelconque, assemblés presque aléatoirement par des ouvriers qui noyaient leur mal de vivre dans la vodka. Je sais, j'y suis allé. Bref, face à ces sous-produits de l'automobile, la Hyundai Pony était déjà beaucoup plus sérieuse. À 6 000 dollars, elle devenait une bonne affaire et allait chambouler la catégorie. Tout comme la Genesis aujourd'hui.**

Si la Pony a réussi grâce à son prix, malgré des freins à tambour à l'arrière, une direction à billes non assistée et un essieu arrière rigide, la Genesis jouit au contraire d'un équipement étoffé, mais d'un prix toujours compétitif. À la différence près que la compétition ne s'appelle plus Lada, mais plutôt Mercedes-Benz, Lexus et compagnie.

À sa sortie, la berline Genesis a permis à Hyundai de montrer son savoir-faire et surtout, de prouver que la firme coréenne pouvait fabriquer autre chose que du beau, bon, pas cher. Ça, c'était en 2008. On en est maintenant à la deuxième mouture et on se perfectionne. La concurrence devrait regarder dans ses rétroviseurs avant qu'il ne soit trop tard. Après tout, Hyundai aspire à devenir le constructeur numéro un d'ici quelques années.

**DES AIRS CONNUS**
Au premier regard, selon l'angle, on peut se méprendre à tenter d'identifier la Genesis. À s'inspirer de ce qui se fait de mieux autour, on se retrouve à n'avoir que très peu de particularités. Ainsi, les flancs arrière «à la Lexus» font dans le sérieux, les phares «à la Benz» en imposent, tandis que la calandre façon Aston Martin est résolument chic. Certains traits plus musclés rappellent aussi les berlines

bavaroises. Le résultat n'est pas vilain, mais quelque peu impersonnel. En revanche, l'exécution est rigoureuse et les joints entre les panneaux de carrosserie sont étroits et constants.

Le meilleur se trouve à l'intérieur. Si l'on veut affronter les grandes berlines de luxe, il faut bien sûr offrir tous les accessoires en vogue, mais également les présenter dans une ambiance cossue. Les gadgets c'est bien beau, mais ce n'est pas tout. Ainsi, non seulement les matériaux utilisés pour l'habillage de l'habitacle ne portent pas flanc à la critique, mais l'attention au détail y est aussi. Au toucher, on a donné cette petite sensation feutrée aux boutons, à la manière Audi. Pourquoi ne pas s'inspirer autour, si l'on ne prend que le meilleur de chacun?

### LE CONFORT D'ABORD

Il va sans dire qu'avec sa taille, la Genesis regorge d'espace intérieur. Les sièges, ou devrait-on dire fauteuils, sont d'un confort inouï grâce à leurs coussins réglables, sans compter qu'ils sont chauffants et climatisés avec ventilation à trois intensités. Rien de moins! Remarquez, ceux qui prennent place à l'arrière ne sont pas laissés pour compte et le dégagement y est généreux. En fait, les enfants se croiront presque en limousine lorsqu'ils se feront déposer à l'école! Au passage, il faut souligner que le coffre peut engloutir sans broncher les bagages de tous les occupants.

Sous le capot, on a le choix entre deux moteurs; un V6 ou un V8, tous deux jumelés à une boîte automatique à huit rapports et à un rouage intégral. Le moteur V6 et ses 311 chevaux suffisent amplement. Ainsi, on a droit à un équilibre intéressant avec un sprint 0-100 km/h bouclé en 7,1 secondes, et une consommation moyenne de 12 litres aux 100 km. Le tout à un tarif alléchant qui rend le plus gros moteur superflu. Petit bémol au groupe propulseur : la transmission est parfois lente à réagir, mieux vaut préalablement sélectionner le rapport désiré au moment de dépasser sur une route à contresens, sans quoi ces quelques fractions de seconde peuvent nous sembler une éternité lorsqu'un véhicule arrive face à nous et qu'on attend encore la montée dans les tours et la poussée d'accélération.

La Genesis est de fréquentation agréable. Sa suspension absorbe les innombrables défauts de notre réseau routier, tout comme la direction d'ailleurs, qu'on souhaiterait un brin plus communicative. Spacieuse, confortable, relativement performante et pas trop gourmande, la Hyundai Genesis est de surcroît proposée à un prix compétitif. Après tout, c'était également l'esprit de la Pony; en offrir beaucoup pour chacun des dollars dépensés.

| Châssis - 5.0 Ultimate | |
|---|---|
| Emp / lon / lar / haut | 3010 / 4990 / 1890 / 1480 mm |
| Coffre / Réservoir | 433 litres / 73 litres |
| Nbre coussins sécurité / ceintures | 9 / 5 |
| Suspension avant | ind., multibras |
| Suspension arrière | ind., multibras |
| Freins avant / arrière | disque / disque |
| Direction | à crémaillère, ass. var. élect. |
| Diamètre de braquage | 11,4 m |
| Pneus avant / arrière | P245/40R19 / P275/35R19 |
| Poids / Capacité de remorquage | 2143 kg / n.d. |
| Assemblage | Ulsan, KR |

| Composantes mécaniques | |
|---|---|
| **3.8** | |
| Cylindrée, soupapes, alim. | V6 3,8 litres 24 s atmos. |
| Puissance / Couple | 311 ch / 293 lb-pi |
| Tr. base (opt) / rouage base (opt) | A8 / Int |
| 0-100 / 80-120 / V.Max | 7,1 s / 4,7 s / n.d. |
| 100-0 km/h | 44,1 m |
| Type / ville / route / $CO_2$ | Ord / 14,4 / 9,4 l/100 km / 5589 kg/an |

| **5.0 Ultimate** | |
|---|---|
| Cylindrée, soupapes, alim. | V8 5,0 litres 2 s atmos. |
| Puissance / Couple | 420 ch / 383 lb-pi |
| Tr. base (opt) / rouage base (opt) | A8 / Int |
| 0-100 / 80-120 / V.Max | 5,8 s / 4,2 s / n.d. |
| 100-0 km/h | n.d. |
| Type / ville / route / $CO_2$ | Sup / 17,3 / 10,5 l/100 km / 6550 kg/an |

## Du nouveau en 2016

Aucun changement majeur

Photos : Dominic Dubreuil

# HYUNDAI **GENESIS COUPE**

((SiriusXM))

**Prix:** 37 199 $ à 38 999 $ (2015)
**Catégorie:** Coupé
**Garanties:**
5 ans/100 000 km, 5 ans/100 000 km
**Transport et prép.:** 1 650 $
**Ventes QC 2014:** 282 unités
**Ventes CAN 2014:** 1 514 unités

## Cote du Guide de l'auto

# 73 %

| Fiabilité | Appréciation générale |
|---|---|
| ■■■■■■■□□□ | ■■■■■■■□□□ |
| Sécurité | Agrément de conduite |
| ■■■■■■■■■□ | ■■■■■■■□□□ |
| Consommation | Système multimédia |
| ■■■■■■□□□□ | ■■■■■■■□□□ |

## Cote d'assurance

n.d.

présentée par
***KANETIX.CA***

➕ Comportement résolument sportif •
Bonnes performances du moteur V6 •
Version R-Spec très intéressante •
Tenue de route impressionnante

➖ Suspension très ferme •
Places arrière difficiles d'accès •
Version Premium plus bourgeoise •
Version GT dispendieuse

## Concurrents

Chevrolet Camaro, Dodge Challenger,
Ford Mustang, Nissan Z, Scion FR-S,
Subaru BRZ

# Presque la Mustang coréenne

Marc-André Gauthier

**O**n parlait, il y a quelques années, de la Mitsubishi Eclipse comme étant la Mustang japonaise. Voilà un bien grand compliment pour une voiture aussi humble. Mais bon, si l'Eclipse a été la Mustang japonaise, la Hyundai Genesis Coupe doit être ce qu'il y a de plus proche d'une Mustang coréenne!

Cela dit, la voiture n'est pas encore tout à fait là. Qui plus est, une nouvelle génération devrait se pointer le bout du nez fin 2016 — début 2017. Autrement dit, la Genesis Coupe 2016 devrait être la dernière représentante de sa génération. Apparue il y a près de 7 ans, elle a connu plusieurs versions et motorisations. Pour 2016, il n'y a qu'un moteur proposé, et trois groupes d'options. Selon les rumeurs, la prochaine génération serait plus mature et plus grosse, offrant même la disponibilité d'un V8. Pour l'instant, voici le petit guide de la Genesis Coupe 2016.

### CHOISIR SA VERSION

Comme dit plus haut, la Genesis Coupe ne roule qu'avec un seul moteur. Il s'agit du V6 de 3,8 litres que l'on retrouve, entre autres, dans la Genesis berline, où il figure comme moteur de base. Certains s'ennuient peut-être du quatre cylindres turbocompressé de 2,0 litres, mais il était logique qu'il disparaisse. Avec sa Genesis, Hyundai vise le prestige, et pour cela, il faut au moins 300 chevaux, ce que la mécanique turbo de l'époque ne permettait pas. Pour le futur, on verra.

Quoi qu'il en soit, la Genesis est disponible en trois versions: R-Spec, Premium et GT. Si vous craquez pour les versions Premium ou GT, vous pouvez choisir entre la boîte manuelle à 6 rapports et l'automatique à 8 vitesses, que l'on retrouve également dans l'autre Genesis.

La version R-Spec est la moins dispendieuse, et pourtant, elle est équipée de sièges sport, de freins Brembo, de roues de 19 pouces avec pneus sport, une suspension sport ainsi que d'un différentiel à glissement limité de type Torsen. La version Premium laisse tomber le côté sportif quelque peu pour offrir du luxe comme des sièges chauffants en cuir, un écran multimédia de 7 pouces, etc. Quant à la version GT, elle combine les éléments mécaniques de la R-Spec et les caractéristiques de la Premium.

La version R-Spec est la plus intéressante. À 29 499 $, elle offre toutes les caractéristiques que l'on veut d'une auto sport. La version Premium est moins attrayante, car elle mise plutôt sur le luxe en laissant de côté les composantes hautes performances des autres finitions, en plus d'être chaussée sur des roues de plus petite dimension. Pour finir, la version GT se positionne davantage comme une véritable GT, mais à 40 000 $, c'est un peu cher, d'autant plus qu'elle n'est pas plus performante ni plus excitante que la R-Spec.

### QUANT À LA MÉCANIQUE

Il faut bien en parler, de cette mécanique. Tout d'abord, le V6 de 3,8 litres qui niche sous le capot développe 348 chevaux et 295 lb-pi de couple. Sachez, cependant, que cette puissance est atteinte lorsque le moteur s'abreuve au super.

Ce qui me consterne le plus est de voir comment, d'une auto à une autre, un moteur peut sembler différent. Dans la Genesis berline, je ne l'avais pas particulièrement apprécié, et sa consommation d'essence était bien trop élevée. Pourtant, dans la version Coupe, il semble si réveillé, si émancipé ! Il révolutionne assez haut pour fournir de bonnes accélérations. La voiture fait le 0-100 km/h aux alentours de 6 secondes, tout en offrant une économie d'essence pas trop mal, avec environ 12 l/100 km en moyenne.

La boîte manuelle n'est pas impeccable, avec son premier rapport trop long et sa course du levier imprécise, mais on s'y habitue rapidement. L'automatique, pour sa part, présente une belle conception, mais ne laisse pas le moteur s'exprimer assez librement.

La tenue de route des versions R-Spec ou GT est remarquable. La suspension fait des merveilles pour nous tenir en piste, et permet d'accélérer un plein virage sans se ramasser dans le décor. Les freins Brembo, en plus de contribuer au style de la voiture, freinent fort.

Pourtant, il manque un petit quelque chose à la Genesis Coupe pour devenir la Mustang coréenne. C'est une bonne bagnole, mais on ne peut pas la qualifier de remarquable. Mais bon, Hyundai démontre qu'elle sait fabriquer des voitures sportives, et ce que je vois là me laisse présager quelque chose de très positif quant à la prochaine génération.

| Châssis - 3.8 GT (auto.) | |
|---|---|
| Emp / lon / lar / haut | 2820 / 4630 / 1865 / 1385 mm |
| Coffre / Réservoir | 332 litres / 65 litres |
| Nbre coussins sécurité / ceintures | 6 / 4 |
| Suspension avant | ind., jambes force |
| Suspension arrière | ind., multibras |
| Freins avant / arrière | disque / disque |
| Direction | à crémaillère, ass. var. |
| Diamètre de braquage | 11,4 m |
| Pneus avant / arrière | P225/40R19 / P245/40R19 |
| Poids / Capacité de remorquage | 1580 kg / n.d. |
| Assemblage | Ulsan, KR |

| Composantes mécaniques | |
|---|---|
| Cylindrée, soupapes, alim. | V6 3,8 litres 24 s atmos. |
| Puissance / Couple | 348 ch / 295 lb-pi |
| Tr. base (opt) / rouage base (opt) | M6 (A8) / Prop |
| 0-100 / 80-120 / V.Max | 5,5 s / 4,5 s / 240 km/h |
| 100-0 km/h | 36,7 m |
| Type / ville / route / $CO_2$ | Sup / 14,6 / 9,6 l/100 km / 5681 kg/an |

## Du nouveau en 2016

Aucun changement majeur, refonte prévue pour 2017.

# HYUNDAI **SANTA FE**

**Prix :** 28 799 $ à 43 599 $ (2015)
**Catégorie :** VUS
**Garanties :**
5 ans/100 000 km, 5 ans/100 000 km
**Transport et prép. :** n.d.
**Ventes QC 2014 :** 6 470 unités
**Ventes CAN 2014 :** 32 474 unités

### Cote du Guide de l'auto

# 74 %

| Fiabilité | Appréciation générale |
|---|---|
| ■■■■□ | ■■■■□ |
| Sécurité | Agrément de conduite |
| ■■■■■ | ■■■■□ |
| Consommation | Système multimédia |
| ■■■■□ | ■■■□□ |

### Cote d'assurance
■■■■■■□
$$$                    $

**✚** Moteur V6 puissant et animé (XL) • Ergonomie impeccable • Design général très réussi • Rangements nombreux et pratiques • Comportement routier équilibré

**➖** Repose-pied étroit vers le haut • Tenue de cap flottante (Sport) • Caprices occasionnels de l'écran de contrôle • Visibilité arrière directe limitée • Troisième banquette étriquée (XL)

### Concurrents
Santa Fe : Ford Edge, Kia Sorento,
Santa Fe XL : Ford Explorer, Honda Pilot, Jeep Grand Cherokee, Nissan Murano, Toyota Highlander

# La classe sans la prétention

Marc Lachapelle

L e Santa Fe est entré en scène discrètement, il y a quinze ans déjà, pour ensuite grimper lentement mais sûrement les échelons vers le sommet de sa catégorie. Au point d'être maintenant devenu, sans tambour ni trompette et sans contredit, l'un des utilitaires sport les plus intéressants et les mieux réussis, toutes catégories confondues. Un jugement qui se rapporte surtout à la version XL.

La série Santa Fe s'est en fait dédoublée à son plus récent remodelage, il y a quatre ans. Cette troisième génération allait se présenter en deux tailles distinctes. Le Santa Fe Sport est arrivé le premier. C'est toujours un cinq places qu'on peut équiper d'un quatre cylindres atmosphérique à injection directe de 2,4 litres et 190 chevaux ou d'un 2,0 litres turbocompressé qui promet 265 chevaux mais surtout 269 lb-pi de couple à 1 750 tr/min. Assez pour tracter jusqu'à 1 588 kg (3 500 lb).

### LA TAILLE AU-DESSUS
Le Santa Fe XL est arrivé quelques mois après son frère. Il venait lui prêter main-forte au cœur de la gamme du premier constructeur coréen en prenant le relais du Veracruz. Le XL est surtout plus long que le Sport de 21,5 cm sur un empattement qui a lui-même gagné 10 cm. Il est plus large et haut de 5 et 10 millimètres, exactement. Tout ça pour installer une banquette escamotable à la troisième rangée et faire passer le nombre de places à 6 ou 7, selon qu'on opte pour des sièges individuels ou une banquette en deuxième rangée. Le confort à la troisième ? Limité, comme d'habitude. Ses deux moitiés de dossier passeront le plus clair de leur temps repliées.

Puisque le Santa Fe XL est plus grand et qu'il a pris 200 kilos par rapport au modèle Sport 2,4L à quatre roues motrices, on lui a greffé un V6 à injection directe de 3,3 litres qui peut faire caracoler jusqu'à 290 chevaux en santé avec 252 lb-pi de couple qui haussent la capacité de remorquage à 2 268 kg (5 000 lb) avec un frein de remorque. Ce moteur, exclusif au XL, est toujours en verve et produit une belle sonorité en le propulsant vers 100 km/h en 8,14 secondes. Ses quatre grands freins à disque peuvent l'immobiliser ensuite sur 40,4 mètres en moyenne. Excellent résultat pour un utilitaire qui pèse quand même près de 2 000 kg.

Entre ces deux moments, le XL vous traite aux petits oignons et se montre solide, stable, confortable et silencieux. Les cadrans, commandes et contrôles sont superbement clairs, simples, efficaces et bien placés. En fait, la conception et l'aménagement de l'habitacle témoignent d'une attention remarquable aux détails pratiques et aux besoins réels du conducteur (très souvent une conductrice) et des passagers. Sans oublier la texture agréable des tissus, la qualité des matériaux et le soin apporté à l'assemblage et à la finition.

On dispose, dans les Santa Fe, d'une abondance de rangements accessibles et pratiques. Y compris de grands bacs sous le plancher du coffre. Seul agacement noté : un siège du conducteur qui n'est pas assez sculpté et manque de maintien latéral. Parce que les Santa Fe se débrouillent très correctement en virage. Là encore, le XL se démarque, malgré sa taille, par l'équilibre de son comportement et son confort de roulement. À l'inverse, les versions Sport déçoivent et agacent avec une direction plutôt floue au centre et une tenue de cap légèrement flottante.

## VALEURS DE BASE
On peut s'offrir un Santa Fe Sport avec le moteur de 2,4 litres en version traction pour payer un peu moins cher et consommer 0,7 l/100 km de moins. Mais pourquoi se priver des vertus et avantages multiples de quatre roues motrices avec un véhicule au centre de gravité relativement haut, dans un pays comme le nôtre ? Surtout que le rouage 4RM automatique des Santa Fe est très efficace sur une chaussée enneigée. Quelle que soit la version choisie, elle pourra tracter jusqu'à 907 kg (2 000 lb).

Cela dit, la plus sage de toutes ces options est de se tourner vers un Santa Fe XL à quatre roues motrices en version Premium. On profite alors des vertus nombreuses et indiscutables de cette série en termes d'espace, de confort, d'ergonomie, de performance et de comportement, en plus d'un équipement déjà pléthorique et parfaitement digne d'un modèle de luxe. Le fait que les Santa Fe jouissent d'excellentes cotes de fiabilité et de qualité à neuf ne fait que renforcer leur attrait. Sans parler de la garantie solide des grands constructeurs coréens.

Pour l'ensemble de son œuvre, le Santa Fe XL est l'un de ces choix pragmatiques que l'on savoure et dont on se félicite à chaque journée de conduite. Dans les menus détails et en toute discrétion, bien entendu.

### Châssis - Sport 2.4 Premium TI

| | |
|---|---|
| Emp / lon / lar / haut | 2700 / 4690 / 1880 / 1690 mm |
| Coffre / Réservoir | 1003 à 2025 litres / 66 litres |
| Nbre coussins sécurité / ceintures | 7 / 5 |
| Suspension avant | ind., jambes force |
| Suspension arrière | ind., multibras |
| Freins avant / arrière | disque / disque |
| Direction | à crémaillère, ass. var. élect. |
| Diamètre de braquage | 10,9 m |
| Pneus avant / arrière | P235/65R17 / P235/65R17 |
| Poids / Capacité de remorquage | 1711 kg / 907 kg (1999 lb) |
| Assemblage | West Point, GA |

### Composantes mécaniques

**Sport 2.4**

| | |
|---|---|
| Cylindrée, soupapes, alim. | 4L 2,4 litres 16 s atmos. |
| Puissance / Couple | 190 ch / 181 lb-pi |
| Tr. base (opt) / rouage base (opt) | A6 / Tr (Int) |
| 0-100 / 80-120 / V.Max | 10,1 s / 7,4 s / n.d. |
| 100-0 km/h | 40,8 m |
| Type / ville / route / $CO_2$ | Ord / 12,5 / 9,3 l/100 km / 5088 kg/an |

**Sport 2.0T**

| | |
|---|---|
| Cylindrée, soupapes, alim. | 4L 2,0 litres 16 s turbo |
| Puissance / Couple | 265 ch / 269 lb-pi |
| Tr. base (opt) / rouage base (opt) | A6 / Int |
| 0-100 / 80-120 / V.Max | 9,2 s / 5,1 s / n.d. |
| 100-0 km/h | 43,7 m |
| Type / ville / route / $CO_2$ | Sup / 12,9 / 9,7 l/100 km / 5272 kg/an |

**XL**

| | |
|---|---|
| Cylindrée, soupapes, alim. | V6 3,3 litres 24 s atmos. |
| Puissance / Couple | 290 ch / 252 lb-pi |
| Tr. base (opt) / rouage base (opt) | A6 / Tr (Int) |
| 0-100 / 80-120 / V.Max | 8,4 s / 6,6 s / n.d. |
| 100-0 km/h | 42,7 m |
| Type / ville / route / $CO_2$ | Ord / 13,9 / 10,8 l/100 km / 5752 kg/an |

## Du nouveau en 2016

Aucun changement majeur

Photos : Hyundai Canada

**HYUNDAI SANTA FE XL**

# HYUNDAI **SONATA**

((SiriusXM))

**Prix:** 23 999 $ à 39 500 $ (2015)
**Catégorie:** Berline
**Garanties:**
5 ans/100 000 km, 5 ans/100 000 km
**Transport et prép.:** 1 760 $
**Ventes QC 2014:** 3 521 unités
**Ventes CAN 2014:** 13 645 unités

## Cote du Guide de l'auto

# 75 %

| Fiabilité | Appréciation générale |
| --- | --- |
| Sécurité | Agrément de conduite |
| Consommation | Système multimédia |

## Cote d'assurance

présentée par
**KANETIX.CA**

$$$                                    $

➕ Superbe habitabilité • Présentation intérieure soignée • Excellente visibilité • Moteur turbo en forme • Versions hybrides sérieuses

➖ Direction peu éloquente • Ordinateur de bord perfectible • Sonnerie d'angle mort dérangeante • 2,4 litres en manque de puissance • Coffre de l'hybride rechargeable très réduit

## Concurrents

Chevrolet Malibu, Chrysler 200, Ford Fusion, Honda Accord, Kia Optima, Mazda6, Nissan Altima, Subaru Legacy, Toyota Camry, Volkswagen Passat

# Dans la cour des grands

**D**ans sa dernière mouture, la Hyundai Sonata a pris du coffre, d'autres diront de l'embonpoint. Considérée en début de carrière comme une compacte, ses dimensions l'ont fait grimper lentement, mais sûrement dans la famille des intermédiaires où elle doit affronter des valeurs aussi solides que la Ford Fusion ou la Honda Accord. Rude concurrence. Son nom n'est pas encore au sommet de la hiérarchie, mais la dynamique firme coréenne ne ménage rien pour s'installer parmi le grand monde.

Ainsi, cette Sonata dernier cri est avantagée par un moteur toujours vif à répondre aux sollicitations de l'accélérateur malgré un léger creux à régime moyen. Dynamisé par la présence d'un turbocompresseur, ce 2,0 litres se démarque par ses 245 chevaux, par son faible niveau sonore et l'assistance d'une boîte automatique dont les changements de vitesse sont pratiquement imperceptibles. L'étiquette Sport qui accompagne cette voiture n'est pas de la frime et on peut même régler le train de roulement pour une conduite sport ou économique. Révisé dans sa dernière évolution, ce 2,0 litres vous emmène à 100 km/h en 8,5 secondes sans consommer plus de 8,4 litres aux 100 km au combiné.

D'autres versions de la Sonata doivent se contenter d'un 2,4 litres nettement moins en verve, même s'il n'est pas à la traîne grâce, surtout, à un bon couple à bas régime. Ce moteur, on l'aura deviné, consomme le précieux liquide avec encore plus de retenue que le 2,0 litres turbocompressé, soit environ 1 litre de moins tous les 100 km en conduite de tous les jours.

**TENDANCE LUXE**
Dommage toutefois que la direction soit aussi détachée des conditions de la route avec très peu de *feedback* de ce qui se passe sous les roues de cette traction. Le freinage mordant et une tenue de route relativement neutre viennent cependant compenser cette légère incartade.

Si le comportement routier de cette Sonata n'a rien de très répréhensible, c'est la présentation intérieure qui séduira la bonne majorité des acheteurs. Cela confère à cette voiture une première perception très favorable, un incitatif très marqué au moment de la décision ultime. L'équipement est celui d'une auto de grand luxe avec une caméra de recul, un volant chauffant et les derniers accessoires électroniques. Notez bien cependant que l'écran qui gère tout cela n'est pas simple et qu'il est facile de composer un numéro de téléphone en cherchant autre chose.

Ce qui surprend agréablement dans cette Sonata, c'est l'habitabilité des places arrière. L'espace pour les jambes est vraiment inouï, à tel point que l'on se croirait dans une salle de conférence. Même le coffre est gigantesque. Quand je disais au début que la Sonata a grandi, je pense qu'il n'y a pas de plus belle preuve.

– Jacques Duval

### L'HYBRIDE ET L'HYBRIDE RECHARGEABLE

Pour bonifier la consommation au maximum, les deux nouvelles versions hybrides de la Sonata ont une carrosserie légèrement modifiée, ce qui leur vaut un coefficient aérodynamique de 0,24, égal à celui de la Tesla Model S. Ces deux Sonata sont animées par un moteur thermique 4 cylindres de 2,0 litres, développant 154 chevaux et 140 livres-pied de couple, jumelé à un moteur électrique. Une puissance totale combinée de 193 chevaux pour la Sonata Hybrid et de 202 chevaux pour la Sonata Plug-in Hybrid ou, si vous préférez, hybride rechargeable.

Au prix d'une conduite totalement axée sur l'économie de carburant, l'hybride rechargeable nous a permis de réaliser une consommation de 3,4 litres aux 100 kilomètres après avoir parcouru une partie de trajet en mode purement électrique, pour ensuite rouler en mode hybride conventionnel et finalement terminer le trajet en mode hybride conventionnel, tout en rechargeant la batterie sur les derniers kilomètres. En plus de pouvoir recharger la batterie en roulant en mode thermique, la Sonata hybride rechargeable dispose aussi d'une prise permettant une recharge complète en 3 heures sur un courant de 240 volts et de 9 heures sur un courant de 120 volts.

Au volant de la Sonata Hybrid, nous avons obtenu une consommation chiffrée à 5,0 litres aux 100 kilomètres. Pour ce qui est de la dynamique, il n'y a rien de transcendant à signaler. Nous avons cependant noté que le freinage régénératif était très graduel et pas du tout déroutant. Tout comme les Sonata conventionnelles, l'habitacle offre beaucoup d'espace pour accueillir conducteur et passagers, mais le volume du coffre du modèle hybride rechargeable est réduit à 280 litres, soit 100 de moins que celui de la Sonata Hybrid et 182 de moins que celui de la Sonata tout court.

– Gabriel Gélinas

## Châssis - Hybride

| | |
|---|---|
| Emp / lon / lar / haut | 2805 / 4855 / 1865 / 1421 mm |
| Coffre / Réservoir | 377 litres / 60 litres |
| Nbre coussins sécurité / ceintures | 7 / 5 |
| Suspension avant | ind., jambes force |
| Suspension arrière | ind., multibras |
| Freins avant / arrière | disque / disque |
| Direction | à crémaillère, ass. var. élect. |
| Diamètre de braquage | 10,9 m |
| Pneus avant / arrière | P205/65R16 / P205/65R16 |
| Poids / Capacité de remorquage | 1590 kg / n.d. |
| Assemblage | Asan, KR |

## Composantes mécaniques

**GL, GLS, Sport, Limited**

| | |
|---|---|
| Cylindrée, soupapes, alim. | 4L 2,4 litres 16 s atmos. |
| Puissance / Couple | 185 ch / 178 lb-pi |
| Tr. base (opt) / rouage base (opt) | A6 / Tr |
| 0-100 / 80-120 / V.Max | 8,8 s / 6,0 s / n.d. |
| 100-0 km/h | 42,9 m |
| Type / ville / route / $CO_2$ | Ord / 9,8 / 6,7 l/100 km / 3866 kg/an |

**Sport 2.0T, Ultimate 2.0T**

| | |
|---|---|
| Cylindrée, soupapes, alim. | 4L 2,0 litres 16 s turbo |
| Puissance / Couple | 245 ch / 260 lb-pi |
| Tr. base (opt) / rouage base (opt) | A6 / Tr |
| 0-100 / 80-120 / V.Max | 6,7 s (est) / 5,0 s (est) / n.d. |
| 100-0 km/h | n.d. |
| Type / ville / route / $CO_2$ | Ord / 10,4 / 7,4 l/100 km / 4163 kg/an |

**Hybride**

4L - 2,0 litres - 154 ch / 140 lb-pi - A6 - 0-100: n.d. -5,7 / 5,3 l/100km

**Moteur électrique**

51 ch/151 lb-pi - Batterie Li-ion - 1,6 kWh

**Hybride branchable**

4L - 2,0 litres - 154 ch/140 lb-pi - A6 - 0-100: n.d. - 6,2 / 5,5 l/100 km

**Moteur électrique**

67 ch/151 lb-pi - Batterie Li-ion - 9,8 kWh - Temps de charge 120V / 240V: 9,0 h / 3,0 h - Automonie: 35 km

### Du nouveau en 2016

Versions hybride et hybride rechargeable. Aucun changement majeur pour les modèles à motorisation régulière.

Photos: Marc-André Gauthier, Gabriel Gélinas

# HYUNDAI **TUCSON**

**Prix :** 24 000 $ à 34 000 $ (estimé)
**Catégorie :** VUS
**Garanties :**
5 ans/100 000 km, 5 ans/100 000 km
**Transport et prép. :** 1 760 $
**Ventes QC 2014 :** 3 239 unités
**Ventes CAN 2014 :** 11 856 unités

**Cote du Guide de l'auto**

# 73 %

| Fiabilité | Appréciation générale |
| --- | --- |
| ■■■■■■■□□□ | ■■■■■■■□□□ |
| Sécurité | Agrément de conduite |
| ■■■■■■■□□□ | ■■■■■■□□□□ |
| Consommation | Système multimédia |
| ■■■■■■■□□□ | ■■■■■■■□□□ |

**Cote d'assurance**

présentée par
**KANETIX.CA**

■■■■■■■□□□
$$$                    $

➕ Style plus moderne • Équipement de série relevé • Moteurs bien adaptés • Consommation correcte (2015)

➖ Véhicule beaucoup mieux adapté à la ville qu'aux champs • Suspension assez ferme (2015) • Tenue de route ordinaire (2015) • Visibilité arrière pauvre (2015)

**Concurrents**
Chevrolet Equinox, Ford Escape, GMC Terrain, Honda CR-V, Jeep Cherokee, Kia Sportage, Mazda CX-5, Mitsubishi Outlander, Nissan Rogue, Subaru Outback, Toyota RAV4, Volkswagen Tiguan

# Dans la continuité de la marque

Marc-André Gauthier

**L**es compagnies coréennes sont sur une lancée, c'est indéniable. Prétendre autrement équivaudrait à se mettre la tête dans le sable. La firme J.D. Power, dans le cadre de son étude sur la qualité initiale des produits 2015, a déclaré Kia 2ᵉ meilleure marque, et Hyundai, 4ᵉ meilleure marque, toutes les deux loin devant les constructeurs généralistes japonais.

Si Kia semble vouloir se diriger du côté des designs agressifs et sportifs, Hyundai semble vouloir jouer à la marque haut de gamme. La majorité de ses véhicules affichent dorénavant des airs bourgeois, caractérisés par de grosses grilles et par un style carré et affirmé.

C'était au tour du VUS compact de Hyundai, le Tucson, de subir une refonte. Cependant, on devrait davantage parler d'une mise à jour, puisque le modèle 2016 ne présente pas de nouvelles caractéristiques renversantes, mais plutôt améliorations.

**PRÊT POUR LE BAL**
La première chose qui frappe quant à ce Tucson est sans nul doute son apparence générale.

En effet, le VUS intermédiaire qui arborait jusqu'à récemment des formes plutôt arrondies est dorénavant plus carré, particulièrement lorsqu'il est observé de profil. La direction stylistique que prend Hyundai n'a rien d'emprunté. En fait, les nouveaux véhicules de la marque se différencient même du lot. Désormais, on reconnaît les Hyundai par leur joli style !

À l'intérieur, c'est pareil. On délaisse les tableaux de bord au design vieillot pour des éléments plus élégants. Toutefois, certains pourront reprocher à la Hyundai de manquer d'audace, puisque la console et le tableau de bord du Tucson 2016 ressemblent à ceux de tous les autres véhicules Hyundai, particulièrement dans le coin de l'écran d'infodivertissement.

Globalement, on peut tout de même dire que cette refonte, côté esthétique, est réussie. Le Tucson 2016 est plus beau que bien des véhicules de cette catégorie, mais bon, la beauté est derrière les yeux de celui qui regarde, n'est-ce pas?

## MÉCANIQUE DES PLUS MODERNES

Comme la plupart des VUS compacts, le Hyundai Tucson vient de série avec un système de traction (roues avant motrices), tandis que la traction intégrale est optionnelle. Sous le capot, deux choix s'offriront à vous. Le premier est assez classique, puisqu'il s'agit d'un quatre cylindres de 2,0 litres développant 164 chevaux, jumelé à une boîte automatique à 6 rapports.

Le second moulin en sera un de performance écologique. Il s'agit d'un quatre cylindres de 1,6 litre turbocompressé livrant 175 chevaux, marié à une boîte automatique à double embrayage de 7 rapports. Comme ces deux moteurs et ces deux transmissions sont déjà amplement utilisées dans la gamme Hyundai, on peut supposer que les acheteurs des premiers Tucson 2016 n'auront rien à craindre au chapitre de la fiabilité.

## PLUSIEURS TECHNOLOGIES DISPONIBLES

Il sera possible d'équiper votre Tucson 2016 de plusieurs technologies intéressantes. L'une d'entre elles démontre bien l'esprit dans lequel les concepteurs étaient lors de la planification du produit. Dans le but d'offrir plus de commodités aux propriétaires, le hayon s'ouvrira automatiquement si quelqu'un se tient à moins de trois pieds de lui, avec la clé dans ses poches pendant au moins trois secondes. Pratique, certes, parce que l'opération ne nécessite pas de faire des signaux à des capteurs qui se bloquent souvent à cause de la neige, mais trois secondes semblent tout de même un peu longues, surtout les bras chargés.

Le Tucson demeure-t-il un véhicule «utilitaire» et pratique? Il n'y a pas de troisième banquette à l'arrière, alors pour les familles nombreuses, il faudra aller du côté du Santa Fe XL. Le Tucson est disponible avec les fameux sièges Hyundai résistants aux tâches (pratique si un enfant renverse son jus), mais seulement sur les versions équipées des sièges en tissu beige.

Décidément, les VUS compacts ont perdu leurs allures aventureuses qui les caractérisaient autrement. Ils s'embourgeoisent tous, mais leurs beaux vêtements ne donnent plus envie d'aller jouer dans un sentier boueux pour trouver une piste de vélo de montagne. Il ne faudrait tout de même pas salir le cuir!

Mais bon, il faut savoir être de son temps, et Hyundai en fait preuve avec son Tucson 2016, en offrant un produit remis au goût du jour, et qui saura être des plus compétitifs.

Hyundai offre aussi un Tucson Hydrogen EV. Cependant, avec une seule borne au Canada (à Vancouver!), on se doute que sa diffusion sera nulle au Québec.

## Du nouveau en 2016

Nouveau modèle

| Châssis - Limited TI | |
|---|---|
| Emp / lon / lar / haut | 2670 / 4475 / 1850 / 1646 mm |
| Coffre / Réservoir | 877 à 1753 litres / 62 litres |
| Nbre coussins sécurité / ceintures | 6 / 5 |
| Suspension avant | ind., jambes force |
| Suspension arrière | ind., multibras |
| Freins avant / arrière | disque / disque |
| Direction | à crémaillère, ass. var. élect. |
| Diamètre de braquage | 10,6 m |
| Pneus avant / arrière | P245/45R19 / P245/45R19 |
| Poids / Capacité de remorquage | 1686 kg / 454 kg (1000 lb) |
| Assemblage | Ulsan, KR |

### Composantes mécaniques

**GL**

| | |
|---|---|
| Cylindrée, soupapes, alim. | 4L 2,0 litres 16 s atmos. |
| Puissance / Couple | 164 ch / 151 lb-pi |
| Tr. base (opt) / rouage base (opt) | A6 / Tr (Int) |
| 0-100 / 80-120 / V.Max | n.d. / n.d. / n.d. |
| 100-0 km/h | n.d. |
| Type / ville / route / $CO_2$ | Ord / 10,7 / 9,0 l/100 km / 4570 kg/an |

**GLS, Sport, Limited**

| | |
|---|---|
| Cylindrée, soupapes, alim. | 4L 1,6 litre 16 s turbo |
| Puissance / Couple | 175 ch / 195 lb-pi |
| Tr. base (opt) / rouage base (opt) | A7 / Tr (Int) |
| 0-100 / 80-120 / V.Max | n.d. / n.d. / n.d. |
| 100-0 km/h | n.d. |
| Type / ville / route / $CO_2$ | Sup / 9,8 / 8,4 l/100 km / 4218 kg/an |

Photos : Hyundai

# HYUNDAI **VELOSTER**

((( SiriusXM )))

**Prix :** 18 299 $ à 26 749 $ (2015)
**Catégorie :** Coupé
**Garanties :**
5 ans/100 000 km, 5 ans/100 000 km
**Transport et prép. :** 1 695 $
**Ventes QC 2014 :** 1 102 unités
**Ventes CAN 2014 :** 3 444 unités

## Cote du Guide de l'auto

# 69 %

| Fiabilité | Appréciation générale |
|---|---|
| ▪▪▪▪▪▪▫▫▫▫ | ▪▪▪▪▪▪▪▫▫▫ |
| **Sécurité** | **Agrément de conduite** |
| ▪▪▪▪▪▪▪▫▫▫ | ▪▪▪▪▪▪▪▫▫▫ |
| **Consommation** | **Système multimédia** |
| ▪▪▪▪▪▪▫▫▫▫ | ▪▪▪▪▪▫▫▫▫▫ |

## Cote d'assurance

▪▪▪▪▪▪▪▫▫▫                   présentée par
$$$                    $      **KANETIX.CA**

➕ Silhouette originale • Version turbo
performante • Édition Rallye superbe •
Consommation décente

➖ Version R-Spec réservée aux USA •
Puissance modeste (Veloster de base) •
Places arrière symboliques • Sonorité du
moteur de base décevante

## Concurrents
Honda CR-Z, MINI Cooper, Scion tC

# Une offre plus sportive

Guy Desjardins

**A**u dernier Salon de l'auto de Chicago, Hyundai présentait la version 2016 de sa Veloster, le modèle actuel le plus audacieux de la marque coréenne. Plusieurs changements ont été apportés au coupé 3 portes, la plupart n'ayant aucun impact sur le design extérieur de la voiture.

Au moment d'écrire ces lignes, les toutes dernières informations canadiennes ne s'étaient pas rendues jusqu'à notre équipe. Par contre, il ne fait aucun doute que l'allure générale du véhicule ne différera pas du modèle présenté en sol américain et que la version la plus intéressante du coupé, la Turbo R-Spec ne foulera pas le sol canadien. Seule l'édition spéciale « Rallye » débarquera de notre côté de la frontière, à notre plus grand bonheur.

Cette édition, de production très limitée (seulement 1 200 exemplaires pour les États-Unis), se base sur la version Turbo. Elle est munie de roues de 18 pouces en alliage ultra-léger et d'une suspension avant recalibrée avec barres stabilisatrices, ressorts et amortisseurs plus sportifs que ceux du modèle Turbo déjà très performants. De plus, l'édition Rallye propose des sièges noirs avec des accents bleus, des tapis de planchers brodés et ne s'offre qu'en bleu mat unique et décoré d'accents à l'apparence de fibre de carbone.

### TROIS VERSIONS, UN MOTEUR
La bonne nouvelle c'est que, quelle que soit la version de Veloster, les groupes motopropulseurs demeurent inchangés pour 2016. Sous le capot du modèle de base, on trouve un moteur atmosphérique de 1,6 litre à quatre cylindres jumelé à une boîte manuelle à six rapports ou à une boîte automatique à double embrayage dotée de six vitesses. Le modèle Turbo profite de la même motorisation à quatre cylindres mais dispose d'un turbo lui permettant de développer plus de 200 chevaux et de produire un couple de 195 lb-pi. Cette puissance est transmise aux roues avant via une manuelle à

six vitesses ou par la toute nouvelle boîte à double embrayage à sept rapports disposant de leviers de commande installés sur le volant. Cette nouvelle boîte a pour unique but de dompter l'augmentation de couple que livre le turbo alors que la motorisation atmosphérique de base mise avant tout sur l'économie d'essence.

Hyundai a frappé dans le mille en proposant ces trois versions. Évidemment, les acheteurs seront avant tout attirés par le look original de la voiture, mais une fois passé ce critère, le modèle d'entrée de gamme conviendra parfaitement à ceux dont le budget est plus serré. Un prix de vente abordable et une consommation d'essence très raisonnable permettront aux jeunes de se pavaner aisément sur la Ste-Catherine au volant du bolide, à condition de ne pas prendre place à l'arrière où l'espace convient nettement plus à de jeunes enfants qu'à des adultes.

## PEU PUISSANTE OU TRÈS PUISSANTE

Malgré son look de brute assoiffée de bitume, le comportement routier de la version de base ne génère aucun frisson lorsque l'on appuie sur l'accélérateur. La sonorité du moteur ne laisse échapper qu'un très léger grondement, rien pour faire monter l'adrénaline du conducteur. Évidemment, 138 chevaux, ce n'est pas de la grosse cavalerie. N'oublions pas qu'il s'agit tout de même du même moteur qui équipe la très frugale et modeste Accent.

Si la performance est votre principal critère d'achat, n'hésitez pas une seule seconde et sautez sur une Genesis Coupe. Pour environ 3 000 $ de plus qu'une Veloster Turbo, vous obtiendrez une voiture purement sportive. Évidemment, la somme additionnelle exigée n'étant pas à la portée de tous, plusieurs se rabattront sur la Veloster. Le modèle Turbo met tout de même à profit toute sa puissance afin de livrer des performances soutenues. Et bien que la boîte manuelle soit très ludique et facile d'utilisation, c'est plutôt la nouvelle boîte à double embrayage qui retient l'attention, surtout lorsqu'on utilise les palettes installées derrière le volant. Pour la conduite de l'édition Rallye, il faudra attendre son lancement.

La Veloster ne rafle pas la palme de la voiture la plus performante, ce n'est pas le but visé. Hyundai a d'abord tenté de produire un véhicule compact sportif basé sur le châssis de l'Accent puis de le rendre plus puissant par l'ajout d'un turbo et plus attrayant avec l'édition Rallye. Les trois versions ciblent une clientèle bien différente mais qui se rejoint sur un point, la silhouette originale du véhicule.

| Châssis - Base | |
|---|---|
| Emp / lon / lar / haut | 2650 / 4220 / 1790 / 1399 mm |
| Coffre / Réservoir | 440 litres / 50 litres |
| Nbre coussins sécurité / ceintures | 6 / 4 |
| Suspension avant | ind., jambes force |
| Suspension arrière | semi-ind., poutre torsion |
| Freins avant / arrière | disque / disque |
| Direction | à crémaillère, ass. var. élect. |
| Diamètre de braquage | 10,4 m |
| Pneus avant / arrière | P215/45R17 / P215/45R17 |
| Poids / Capacité de remorquage | 1172 kg / n.d. |
| Assemblage | Ulsan, Corée du Sud |

| Composantes mécaniques | |
|---|---|
| **Base, TDE EcoShift, Ens. technologie** | |
| Cylindrée, soupapes, alim. | 4L 1,6 litre 16 s atmos. |
| Puissance / Couple | 138 ch / 123 lb-pi |
| Tr. base (opt) / rouage base (opt) | M6 (A6) / Tr |
| 0-100 / 80-120 / V.Max | 9,7 s / 7,0 s / n.d. |
| 100-0 km/h | 42,0 m |
| Type / ville / route / CO$_2$ | Ord / 7,5 / 5,3 l/100 km / 2990 kg/an |
| | |
| **Turbo** | |
| Cylindrée, soupapes, alim. | 4L 1,6 litre 16 s turbo |
| Puissance / Couple | 201 ch / 195 lb-pi |
| Tr. base (opt) / rouage base (opt) | A7 (M6) / Tr |
| 0-100 / 80-120 / V.Max | 8,1 s (estimé) / 5,6 s (estimé) / n.d. |
| 100-0 km/h | 43,1 m |
| Type / ville / route / CO$_2$ | Sup / 8,7 / 7,1 l/100 km / 3671 kg/an |

## Du nouveau en 2016

Version Rallye. Boîte automatique à double embrayage à 7 rapports pour moteur turbo. Nouvelles jantes de 18 pouces.

Photos : Hyundai Canada

## INFINITI **Q50**

((SiriusXm))

**Prix:** 37 500 $ à 56 450 $ (2015)
**Catégorie:** Berline
**Garanties:**
4 ans/100 000 km, 6 ans/110 000 km
**Transport et prép.:** 1 995 $
**Ventes QC 2014:** 855 unités*
**Ventes CAN 2014:** 3 666 unités*

### Cote du Guide de l'auto

# 67 %

| Fiabilité | Appréciation générale |
|---|---|
| Sécurité | Agrément de conduite |
| Consommation | Système multimédia |

### Cote d'assurance

présentée par
**KANETIX.CA**

$$$         $

➕ Moteur qui a fait ses preuves • Connectivité étudiée • Systèmes de sécurité active avancés • Bonne visibilité

➖ Agrément de conduite mitigé • Faible volume du coffre • Boîte automatique peu réactive • Manque de personnalité

### Concurrents
Acura TLX, Audi A4, BMW Série 3, Cadillac ATS, Lexus IS, Lincoln MKZ, Mercedes-Benz Classe C, Volvo S60

# La raison, pas la passion

Gabriel Gélinas

**A**vec une gamme composée de modèles à propulsion ainsi qu'à rouage intégral, de modèles sport et à motorisation hybride, on constate que la Q50 cherche à plaire au plus vaste auditoire possible et tente par tous les moyens de conquérir les acheteurs du créneau des berlines sport en proposant une alternative aux références établies. Mais en misant d'abord et avant tout sur l'électronique embarquée et les systèmes d'aides à la conduite, elle échoue un peu dans sa mission de rivaliser directement avec les rivales allemandes qui mettent l'accent sur la dynamique et l'agrément de conduite.

Prendre le volant d'une Infiniti Q50 vous laisse avec une forte impression d'ambivalence. La voiture est compétente, confortable et plutôt jolie à regarder. Elle est sécuritaire aussi, parce que littéralement truffée des derniers anges gardiens électroniques, mais elle manque cruellement de personnalité et on attend toujours cette étincelle ou ce coup de foudre qui ne viendra jamais.

Et pourtant, on attendait de belles choses de la part de cette marque japonaise qui claironnait haut et fort que le Champion du monde de Formule Un Sebastian Vettel occupait le rôle de «Directeur de la performance». Il a même collaboré au développement d'un prototype ultra-performant de la Q50 appelé Eau Rouge, une référence au mythique virage du circuit de Spa-Francorchamps. Quelques mois plus tard, Vettel quittait l'équipe Infiniti Red Bull pour Ferrari en F1 alors que le chef de la direction de la marque Infiniti passait chez Cadillac. Fin de la récréation...

### UN VQ QUI A DU VÉCU
Chez Nissan/Infiniti, on apprête les versions évoluées du moteur VQ à toutes les sauces. C'est pourquoi le modèle hybride est animé par un V6 de 3,5 litres secondé par un moteur électrique, et que tous les autres modèles de la gamme Q50 reçoivent un V6 de 3,7 litres

\* Ventes combinées avec Infiniti Q60.

développant 328 chevaux, peu importe qu'il s'agisse du modèle de base ou de la version Sport. Ce moteur a fait ses preuves, on le retrouve même sous le capot de la Nissan 370Z, mais on éprouve un peu de difficulté à en exploiter le plein potentiel de performance en raison du fait qu'il est jumelé à la boîte automatique peu réactive de la Q50.

Aussi, les paliers de changement de vitesses au volant brillaient par leur absence sur le modèle d'essai à rouage intégral mis à notre disposition, ceux-ci n'étant disponibles que sur les versions Sport et non sur l'ensemble de la gamme. Sur une route sinueuse, on n'a jamais l'impression de faire corps avec la voiture. Oui, la voiture s'accroche bien en virages et le freinage est performant, mais on peine à bien sentir la route.

### L'APPORT DE L'ÉLECTRONIQUE

Avec sa direction adaptative paramétrable sur trois modes, son système de prévention de sortie de voie comportant un contrôle actif du volant et son détecteur prédictif de collision frontale qui freine automatiquement la voiture, la Q50 d'Infiniti s'approche de la conduite autonome et ces aides électroniques peuvent vous sauver la mise en cas de distraction. Il est d'ailleurs assez étonnant de constater que la voiture freine et s'arrête derrière une voiture qui s'est immobilisée devant vous, même lorsque vous conservez le pied sur l'accélérateur, et cette fonctionnalité s'avère efficace et plutôt relaxante dans la circulation dense où l'on avance à pas de tortue.

La Q50 est également dotée de deux écrans couleur superposés et celui du bas permet d'interagir avec les applications InTouch d'Infiniti. Le menu est plutôt complet et comprend la lecture de courriels, la consultation de votre agenda ainsi que la recherche en ligne sur Google, de même que des fonctionnalités permettant au conducteur d'accéder aux données de performance de sa Q50 et de savoir combien de forces G il génère en virages, à l'accélération et au freinage. Pour le *geek* qui sommeille en vous, la Q50 est tout à fait indiquée. Pour le reste, la finition intérieure est soignée, la visibilité est bonne, surtout vers l'avant en raison du capot plongeant, mais on s'étonne un peu du fait que le volume du coffre est plutôt limité.

Somme toute, la Q50 fait la démonstration qu'elle est très avancée sur le plan de la sécurité et de la connectivité, mais la communication entre elle et son conducteur s'avère toujours plus virtuelle que viscérale.

## Châssis - Berline TI

| | |
|---|---|
| Emp / lon / lar / haut | 2850 / 4783 / 1824 / 1443 mm |
| Coffre / Réservoir | 382 litres / 76 litres |
| Nbre coussins sécurité / ceintures | 6 / 5 |
| Suspension avant | ind., bras inégaux |
| Suspension arrière | ind., multibras |
| Freins avant / arrière | disque / disque |
| Direction | à crémaillère, ass. var. |
| Diamètre de braquage | 11,4 m |
| Pneus avant / arrière | P225/55R17 / P225/55R17 |
| Poids / Capacité de remorquage | 1721 kg / n.d. |
| Assemblage | Tochigi, JP |

## Composantes mécaniques

**Hybride**

| | |
|---|---|
| Cylindrée, soupapes, alim. | V6 3,5 litres 24 s atmos. |
| Puissance / Couple | 302 ch / 258 lb-pi |
| Tr. base (opt) / rouage base (opt) | A7 / Int |
| 0-100 / 80-120 / V.Max | 5,8 s / 3,9 s / n.d. |
| 100-0 km/h | 42,4 m |
| Type / ville / route / $CO_2$ | Sup / 8,7 / 7,6 l/100 km / 3770 kg/an |

**Moteur électrique**

| | |
|---|---|
| Puissance / Couple | 67 ch (50 kW) / 214 lb-pi |
| Type de batterie | Lithium-ion (Li-ion) |
| Énergie | n.d. |

**Sport**

| | |
|---|---|
| Cylindrée, soupapes, alim. | V6 3,7 litres 24 s atmos. |
| Puissance / Couple | 328 ch / 269 lb-pi |
| Tr. base (opt) / rouage base (opt) | A7 / Prop (Int) |
| 0-100 / 80-120 / V.Max | 5,5 s (est) / n.d. / n.d. |
| 100-0 km/h | 37,8 m |
| Type / ville / route / $CO_2$ | Sup / 11,8 / 8,1 l/100 km / 4660 kg/an |

## Du nouveau en 2016

Aucun changement majeur

Photos : Frédérick Boucher-Gaulin

# INFINITI Q60

**Prix:** 49 300 $ à 67 300 $ (2015)
**Catégorie:** Cabriolet, Coupé
**Garanties:**
4 ans/100 000 km, 6 ans/110 000 km
**Transport et prép.:** 1 995 $
**Ventes QC 2014:** 855 unités*
**Ventes CAN 2014:** 3 666 unités*

---

Cote du Guide de l'auto

## 66 %

| | |
|---|---|
| Fiabilité | Appréciation générale |
| ■■■■■■■□□□ | ■■■■■■■□□□ |
| Sécurité | Agrément de conduite |
| ■■■■■■■□□□ | ■■■■■■■□□□ |
| Consommation | Système multimédia |
| ■■■■■□□□□□ | ■■■■■■■□□□ |

---

Cote d'assurance                    présentée par

■■■■■□□□□□                        **KANETIX.CA**
$$$                        $

**+** V6 exceptionnel • Sonorité de
l'échappement • Équipement complet •
Mécanique fiable • Design qui vieillit bien

**–** Places arrière étriquées •
Coffre étroit • Version IPL superflue •
Boîte manuelle pour les puristes
seulement • Génération en fin de carrière

---

**Concurrents**
Audi A5, BMW Série 4, Cadillac ATS,
Lexus RC

# Ne laisse pas
# ta flamme s'éteindre

Jean-François Guay

**T**omber en amour avec la nouveauté, voilà ce qui attire principalement les acheteurs en quête d'une voiture sport. Mais, dans ce segment où le coup de foudre est souvent éphémère, le plus grand des passionnés finira toujours par croire que l'herbe est plus verte dans la cour du voisin. Et la Q60 n'échappe pas à cette dure réalité qui l'oblige à se renouveler constamment pour demeurer belle et attrayante. Or, il y a longtemps que la voiture sport d'Infiniti ne s'est pas fait faire un lifting... Même si la Q60 demeure aussi envoûtante qu'au premier jour avec ses courbes et la sonorité de son V6, cette paresse pourrait lui jouer un vilain tour.

Malgré ses charmes, il n'est pas facile pour la Q60 de défendre sa place au soleil dans un créneau où logent les Audi A5, BMW Série 4 et Mercedes-Benz Classe C. Surtout que deux autres modèles se joignent à ce groupe sélect cette année, soit les Cadillac ATS Coupé et Lexus RC. Face à ce déferlement de nouveautés, la Q60 n'a guère le choix que de garder la tête haute en attendant sa refonte. Une refonte qui ne devrait pas tarder si l'on se fie au Concept Q60 qui a défilé dans les salons automobiles de la dernière année.

### LA PROCHAINE GÉNÉRATION
Comme l'ont déclaré les représentants d'Infiniti lors de la présentation de ce concept, il ne s'agit pas d'un simple exercice de style, mais d'une illustration: «*du concept car-à-la-production*», pour reprendre leur expression. Ce qui laisse supposer que la prochaine génération de la Q60 pourrait ressembler comme deux gouttes d'eau au concept. Cette nouvelle mouture devrait en principe être légèrement plus longue, plus large et moins haute, et ce, afin d'accentuer l'effet visuel que la caisse semble être en mouvement malgré qu'elle soit à l'arrêt. Sous le capot, il est vraisemblable qu'un nouveau V6 biturbo de 3,0 litres à injection directe fasse son apparition. Ce V6 fera partie d'une nouvelle famille de moteurs plus légers, plus petits, plus efficients et plus puissants.

*\* Ventes combinées avec Infiniti Q50.*

La prochaine Q60 étrennera également de nouveaux dispositifs comme une direction adaptative, laquelle a été inaugurée dans la berline Q50. Ce système permet de personnaliser la conduite selon trois modes : ferme, standard ou souple en fonction du profil de la route ou de l'humeur du conducteur. Parmi les autres gadgets, le nouveau système InTuition fonctionnera avec un système de clé intelligente qui peut reconnaître les goûts de quatre conducteurs différents dont : la position de conduite, les réglages personnalisés de la ventilation, l'audio, la télématique et de nombreuses autres fonctions.

En attendant le dévoilement de cette deuxième génération, voyons ce que nous offre l'actuelle Q60.

### UNE SONORITÉ UNIQUE

La Q60 est une version endimanchée de la Nissan 370Z avec laquelle elle partage son moteur V6 de 3,7 litres et sa boîte manuelle à six rapports. Toutefois, précisons qu'il s'agit de deux voitures au caractère diamétralement opposé l'une de l'autre ; l'Infiniti privilégie le confort et la douceur de roulement tandis que la Nissan vise essentiellement les performances.

Pour apprécier la conduite de la Q60, la boîte automatique à sept rapports est un choix judicieux. Quant à la boîte manuelle, elle manque parfois de précision et requiert une certaine dextérité, surtout que l'enclenchement de la marche arrière ne se fait pas toujours du premier coup.

Doux et suave, la souplesse du V6 de 3,7 litres se compare à un six cylindres de BMW. À la différence que les pots d'échappement ont un timbre caverneux et encore plus distinctif qu'une oreille attentive et entraînée pourra reconnaître à cent lieues à la ronde. Selon le modèle et la version, la puissance varie. Ainsi, le coupé propose une puissance de 330 chevaux alors que le cabriolet dispose de 325 chevaux et sa version IPL de 343 chevaux. Par rapport aux versions régulières, l'IPL se démarque par une conduite plus sportive grâce à une suspension plus rigide et des freins plus efficaces.

Il est dommage que le cabriolet ne puisse pas être équipé de la transmission intégrale, et ce, pour rivaliser avec l'A5 et la Série 4, lesquelles sont des décapotables quatre saisons. Espérons que la prochaine Q60 offrira ce type de rouage pour diversifier l'offre dans ce segment. Quant au coupé, l'intégrale est de série avec la boîte automatique tandis que le choix de la boîte manuelle impose le mode propulsion à deux roues motrices.

Même si l'habitacle a été rafraîchi au fil des ans et que la finition est impeccable, le mobilier intérieur commence à dater et le temps est venu de le remplacer par celui ornant la berline Q50 dont ses deux grands écrans tactiles.

### Châssis - Cabriolet 6MT sport

| | |
|---|---|
| Emp / lon / lar / haut | 2850 / 4674 / 1852 / 1400 mm |
| Coffre / Réservoir | 71 à 334 litres / 76 litres |
| Nbre coussins sécurité / ceintures | 6 / 4 |
| Suspension avant | ind., bras inégaux |
| Suspension arrière | ind., multibras |
| Freins avant / arrière | disque / disque |
| Direction | à crémaillère, ass. var. |
| Diamètre de braquage | 11,0 m |
| Pneus avant / arrière | P225/45R19 / P245/40R19 |
| Poids / Capacité de remorquage | 1882 kg / n.d. |
| Assemblage | Tochigi, JP |

### Composantes mécaniques

**Cabriolet**

| | |
|---|---|
| Cylindrée, soupapes, alim. | V6 3,7 litres 24 s atmos. |
| Puissance / Couple | 325 ch / 267 lb-pi |
| Tr. base (opt) / rouage base (opt) | A7 / Prop |
| 0-100 / 80-120 / V.Max | 6,3 s / 5,2 s / n.d. |
| 100-0 km/h | 41,1 m |
| Type / ville / route / $CO_2$ | Sup / 14,3 / 9,8 l/100 km / 5647 kg/an |

**Coupé**

| | |
|---|---|
| Cylindrée, soupapes, alim. | V6 3,7 litres 24 s atmos. |
| Puissance / Couple | 330 ch / 270 lb-pi |
| Tr. base (opt) / rouage base (opt) | M6 / Prop (Int) |
| 0-100 / 80-120 / V.Max | 5,8 s / 4,8 s / n.d. |
| 100-0 km/h | 38,2 m |
| Type / ville / route / $CO_2$ | Sup / 13,3 / 9,4 l/100 km / 5311 kg/an |

**Cabriolet IPL**

| | |
|---|---|
| Cylindrée, soupapes, alim. | V6 3,7 litres 24 s atmos. |
| Puissance / Couple | 343 ch / n.d. lb-pi |
| Tr. base (opt) / rouage base (opt) | A7 / Prop |
| 0-100 / 80-120 / V.Max | 5,6 s (est) / 4,7 s (est) / n.d. |
| 100-0 km/h | n.d. |
| Type / ville / route / $CO_2$ | Sup / 13,1 / 9,0 l/100 km / 5177 kg/an |

### Du nouveau en 2016

Aucun changement majeur. Nouvelle génération en préparation.

Photos : Infiniti Canada

# INFINITI Q70

**Prix:** 56 900 $ à 68 400 $ (2015)
**Catégorie:** Berline
**Garanties:**
4 ans/100 000 km, 6 ans/110 000 km
**Transport et prép.:** 1 995 $
**Ventes QC 2014:** 19 unités
**Ventes CAN 2014:** 128 unités

## Cote du Guide de l'auto

# 67 %

| Fiabilité | Appréciation générale |
|---|---|
| ■■■■■■■□□□ | ■■■■■■□□□□ |
| Sécurité | Agrément de conduite |
| ■■■■■■■□□□ | ■■■■■□□□□□ |
| Consommation | Système multimédia |
| ■■■■□□□□□□ | ■■■■■■■□□□ |

## Cote d'assurance

■■■■■■□□□□         présentée par
$$$            $    **KANETIX.CA**

➕ Silhouette originale • Très bon niveau de confort • Équipement très complet • Tarifs attractifs

➖ Cruel manque de personnalité • Dynamique à revoir • Version hybride peu convaincante • Consommation élevée

## Concurrents

Acura RLX, Audi A6, BMW Série 5, Cadillac CTS, Hyundai Genesis, Kia K900, Lexus GS, Lexus LS, Lincoln MKS, Mercedes-Benz Classe E, Volvo S80

# Être ou ne pas être

Gabriel Gélinas

L'Infiniti Q70 fait partie de ce petit groupe de voitures dont la diffusion est à ce point confidentielle chez nous que l'on ne remarquerait absolument pas leur disparition du paysage automobile. Avec 128 unités vendues au Canada en 2014, dont 19 au Québec, apercevoir une Q70 sur la route est un événement aussi rarissime que de croiser une super-sportive exotique comme la Audi R8 sur son chemin.

Pourtant, la Q70 n'est pas dépourvue d'attraits. Restylée l'an dernier, elle partage maintenant un air de famille avec la Q50 grâce à ses blocs optiques redessinés et une calandre en nid d'abeilles. La gamme est aussi variée que complète, avec une version hybride qui n'est cependant proposée qu'en propulsion, des modèles sport dotés de la transmission intégrale, et même une version à empattement allongé qui a d'abord été développée pour répondre à la demande des acheteurs en Chine, où la clientèle fortunée préfère se faire conduire que de prendre le volant.

La dotation de série est très complète, la voiture se classe parmi les meilleures en ce qui a trait à la protection des passagers en cas d'impact, la Q70 est truffée des systèmes d'aide électronique à la conduite si chers à la marque japonaise, et le confort est souverain. Alors, quel est le problème?

### CONDUITE FADE ET ASEPTISÉE
Le problème, à mon humble avis, c'est que la Q70 manque cruellement de personnalité et de cachet qu'elle ne fait qu'exister dans l'ombre de ses rivales directes. Lorsque la marque Infiniti a été lancée en Amérique du Nord, sa toute première voiture était la Q45, laquelle a rapidement mérité des éloges pour son comportement routier très typé et qui a été qualifiée à l'époque de «BMW japonaise». Pendant plusieurs années, on pouvait d'ailleurs à juste titre considérer que si Lexus avait Mercedes-Benz dans sa mire, Infiniti avait BMW dans son collimateur.

Mais aujourd'hui, lorsqu'on prend le volant de la Q70, on ne ressent absolument pas les mêmes sensations qu'en roulant à bord d'une Série 5. Alors que la bavaroise vous fait sentir la route au travers de ses suspensions finement calibrées et de sa direction ultra-précise, la japonaise se contente de vous en isoler par son insonorisation et par son comportement routier clairement axé sur le confort des passagers.

D'accord, les motorisations V6, V6 hybride et V8 sont puissantes et les accélérations peuvent s'avérer toniques, mais ça se limite vraiment à ça pour ce qui est de la dynamique. Il est possible de personnaliser le comportement de la voiture grâce à un sélecteur de modes de conduite comprenant les modes Normal, Sport, Eco et Neige. Toutefois, il faut savoir que ceux-ci ne paramètrent que la sensibilité de l'accélérateur et le passage des sept rapports de la boîte automatique, mais pas la direction ni la suspension.

Bref, ça décolle en ligne droite, mais le plaisir de conduire s'arrête là, même dans le cas du modèle essayé, la version Sport avec freins surdimensionnés et calibrations plus fermes des liaisons au sol. Quant au modèle à motorisation hybride, précisons que son prix est beaucoup plus élevé et que la présence de la batterie servant à alimenter le moteur électrique réduit considérablement le volume d'espace du coffre.

### SILENCE! ON ROULE...

Si l'on fait abstraction des accélérations à plein régime, alors que le V6 de 3,7 litres donne sa pleine mesure, le niveau sonore perçu dans l'habitacle est assez faible pour rendre la vie à bord très agréable. La finition soignée et la qualité des matériaux utilisés dans l'habitacle contribuent à cette impression de luxe et de confort que l'on ressent en prenant place derrière le volant qui se prend bien en main.

L'écran couleur de 7 pouces trônant au sommet et au centre de la planche de bord est facile à lire, tout comme les cadrans analogiques du bloc d'instruments mais, même si le clavier incliné du système multimédia ajoute une touche d'originalité à l'ensemble, la présentation intérieure de la Q70 se contente d'émuler plutôt que d'innover.

Somme toute, la Q70 c'est un peu mi-figue, mi-raisin. Elle est compétente, confortable et silencieuse, mais elle n'arrive tout simplement pas à se démarquer du peloton. C'est ce qui explique pourquoi elle continuera d'évoluer dans un certain anonymat malgré son échelle de prix attrayante par rapport à sa concurrence directe.

### Du nouveau en 2016

Aucun changement majeur

| Châssis - L 5.6 TI | |
|---|---|
| Emp / lon / lar / haut | 3051 / 5131 / 1845 / 1515 mm |
| Coffre / Réservoir | 422 litres / 76 litres |
| Nbre coussins sécurité / ceintures | 6 / 5 |
| Suspension avant | ind., double triangulation |
| Suspension arrière | ind., multibras |
| Freins avant / arrière | disque / disque |
| Direction | à crémaillère, ass. var. élect. |
| Diamètre de braquage | 11,4 m |
| Pneus avant / arrière | P245/40R20 / P245/40R20 |
| Poids / Capacité de remorquage | 1978 kg / n.d. |
| Assemblage | Tochigi, JP |

### Composantes mécaniques

**Hybride**

| | |
|---|---|
| Cylindrée, soupapes, alim. | V6 3,5 litres 24 s atmos. |
| Puissance / Couple | 302 ch / 258 lb-pi |
| Tr. base (opt) / rouage base (opt) | A7 / Prop |
| 0-100 / 80-120 / V.Max | 5,9 s / 3,6 s / n.d. |
| 100-0 km/h | 43,5 m |
| Type / ville / route / $CO_2$ | Sup / 8,0 / 6,9 l/100 km / 3452 kg/an |

**Moteur électrique**

| | |
|---|---|
| Puissance / Couple | 67 ch (49 kW) / 199 lb-pi |
| Type de batterie | Lithium-ion (Li-ion) |
| Énergie | 50 kWh |
| Temps de charge (120V / 240V) | n.d. |
| Autonomie | n.d. |

**3.7 TI**

| | |
|---|---|
| Cylindrée, soupapes, alim. | V6 3,7 litres 24 s atmos. |
| Puissance / Couple | 330 ch / 270 lb-pi |
| Tr. base (opt) / rouage base (opt) | A7 / Int |
| 0-100 / 80-120 / V.Max | 6,7 s / 4,7 s / n.d. |
| 100-0 km/h | 39,8 m |
| Type / ville / route / $CO_2$ | Sup / 13,2 / 9,6 l/100 km / 5327 kg/an |

**L 5.6 TI**

| | |
|---|---|
| Cylindrée, soupapes, alim. | V8 5,6 litres 24 s atmos. |
| Puissance / Couple | 416 ch / 414 lb-pi |
| Tr. base (opt) / rouage base (opt) | A7 / Int |
| 0-100 / 80-120 / V.Max | 6,0 s / 4,0 s / n.d. |
| 100-0 km/h | n.d. |
| Type / ville / route / $CO_2$ | Ord / 15,0 / 10,2 l/100 km / 5906 kg/an |

Photos : Dominic Dubreuil, Infiniti Canada

# INFINITI **QX50**

**Prix :** 34 950 $ (2015)
**Catégorie :** VUS
**Garanties :**
4 ans/100 000 km, 6 ans/110 000 km
**Transport et prép. :** 1 995 $
**Ventes QC 2014 :** 458 unités
**Ventes CAN 2014 :** 1 897 unités

---

Cote du Guide de l'auto

# 69 %

Fiabilité
■■■■■■■□□□

Appréciation générale
■■■■■■■□□□

Sécurité
■■■■■■■■□□

Agrément de conduite
■■■■■■■■□□

Consommation
■■■■■■□□□□

Système multimédia
■■■■■■■■□□

---

Cote d'assurance
■■■■■■■■□□

présentée par
**KANETIX.CA**

$$$        $

---

➕ Silhouette rajeunie • Habitabilité
améliorée • Excellent moteur V6 • Bonne
tenue de route • Agréable à conduire

➖ Visibilité arrière toujours mauvaise •
Coffre à bagages toujours modeste •
Certaines commandes à revoir • Alarme
irritante du système de contrôle de voie

---

**Concurrents**
Acura RDX, Audi Q5, BMW X3,
Mercedes-Benz GLC, Volvo XC60

# Sportif un jour…

Denis Duquet

-------------------------------------------------------------

**D**epuis quelque temps, Infiniti, la marque de prestige de Nissan, fait flèche de tout bois en proposant plusieurs véhicules-concepts très prometteurs. Mais, si l'avenir lointain est digne d'intérêt, il ne faut pas oublier le marché à court terme. C'est pourquoi on a décidé de requinquer le QX50 qui avait de plus en plus de difficultés à émerger d'une foule de concurrents forts bien affûtés. Et si les changements de nomenclature de la marque vous laissent toujours perplexe, depuis deux ans, le EX37, autrefois EX35, est devenu le QX50.

Quoi qu'il en soit, ce modèle s'apparentait davantage à une berline cinq portes qu'à un authentique VUS compte tenu de ses dimensions réduites et de sa silhouette sportive. Le nouveau QX50 conserve ces caractéristiques, comme on a été en mesure de le constater lors de son dévoilement au Salon de l'auto de New York en avril dernier. Étant donné que ce modèle était sur le marché sans avoir connu de modifications majeures depuis 2007, cette révision esthétique n'est certainement pas superflue.

### EMPATTEMENT ALLONGÉ, SILHOUETTE MODIFIÉE
Ainsi, les boucliers avant et arrière ont été modifiés tandis que la plate-forme a été révisée afin d'allonger l'empattement de 30 mm. Du coup, l'espace pour les jambes des passagers arrière est meilleur, et l'une des principales lacunes de ce véhicule – soit une habitabilité très moyenne – a été corrigée. Il ne faudrait surtout pas croire que le QX50 puisse un jour faire concurrence à l'immense QX80 !

L'ancienne calandre constituée de baguettes longitudinales a été remplacée par une grille alvéolée, plus moderne et plus esthétique. Elle surplombe une imposante prise d'air cerclée d'aluminium brossé tandis que les phares sont redessinés et utilisent des diodes électroluminescentes (DEL) comme le veut la tendance actuelle. Les jantes sont d'un nouveau design et les rayons sont courbés afin de donner une impression de vitesse.

La section arrière garde sa lunette fortement inclinée vers l'avant et ses feux arrière horizontaux, qui sont cependant plus longs, intègrent eux aussi des DEL. On retrouve en partie inférieure un panneau de couleur aluminium garni de deux tuyaux d'échappement, lesquels contribuent à accentuer le caractère sportif de ce nouveau QX50.

La planche de bord est également nouvelle. Mais comme il s'agit d'un modèle de transition, on n'a pas nécessairement remanié toutes les composantes. Il y a toujours, au centre, l'écran encadré de buses de ventilation et l'imposant bouton de contrôle placé immédiatement en dessous. Pour le reste, on a droit aux principales commandes auxquelles on était habitué sur la version antérieure, sans oublier la pendulette analogique. Le volant n'a pas vraiment changé et on aurait apprécié un effort notable à ce sujet. Il faut ajouter qu'on a gardé les matériaux utilisés précédemment, ce qui constitue une excellente nouvelle puisqu'ils étaient de belle qualité. Précisons que le QX50 a été le premier véhicule (dans sa période EX) à proposer des caméras couvrant 360° et Infiniti a bien entendu conservé cette brillante caractéristique sur la nouvelle génération.

Dans l'ensemble, Infiniti a réussi à moderniser un modèle qui en avait fortement besoin et à l'harmoniser avec les canons esthétiques en vigueur sur ses récents produits.

### TOUJOURS LE V6 3,7 LITRES

Sur le plan mécanique, aucun changement n'a été effectué, l'incontournable V6 de 3,7 litres si cher à Nissan et Infiniti demeure. Ses 325 chevaux sont couplés à une boîte automatique à sept rapports tandis que la transmission intégrale est de série. On ne saurait reprocher au constructeur d'utiliser un tel moteur, et ce, à pratiquement toutes les sauces, puisqu'il s'agit de l'un des meilleurs V6 sur le marché, toutes catégories confondues. Son rendement est excellent, sa fiabilité pratiquement proverbiale, et son économie de carburant n'est pas vilaine non plus. Ce moulin s'harmonise à une plate-forme qui a été bonifiée et déjà reconnue pour sa remarquable tenue de route ainsi qu'à un agrément de conduite apprécié. Le fait d'avoir allongé l'empattement ajoute non seulement à l'habitabilité, mais au confort et à la stabilité en ligne droite.

Le QX50 était le plus sportif des VUS Infiniti. La version allongée poursuit dans cette voie.

| Châssis - TI | |
|---|---|
| Emp / lon / lar / haut | 2880 / 4744 / 1803 / 1614 mm |
| Coffre / Réservoir | 527 à 1342 litres / 76 litres |
| Nbre coussins sécurité / ceintures | 6 / 5 |
| Suspension avant | ind., bras inégaux |
| Suspension arrière | ind., multibras |
| Freins avant / arrière | disque / disque |
| Direction | à crémaillère, ass. var. |
| Diamètre de braquage | 11,8 m |
| Pneus avant / arrière | P225/55R18 / P225/55R18 |
| Poids / Capacité de remorquage | 1850 kg / n.d. |
| Assemblage | Tochigi, JP |

| Composantes mécaniques | |
|---|---|
| Cylindrée, soupapes, alim. | V6 3,7 litres 24 s atmos. |
| Puissance / Couple | 325 ch / 267 lb-pi |
| Tr. base (opt) / rouage base (opt) | A7 / Int |
| 0-100 / 80-120 / V.Max | 6,8 s (est) / 5,0 s (est) / n.d. |
| 100-0 km/h | n.d. |
| Type / ville / route / $CO_2$ | Sup / 13,7 / 9,7 l/100 km / 5474 kg/an |

## Du nouveau en 2016

Carrosserie modernisée, empattement allongé, habitacle plus spacieux

# INFINITI **QX60**

(((SiriusXM)))

**Prix:** 43 400 $ à 54 900 $ (2015)
**Catégorie:** VUS
**Garanties:**
4 ans/100 000 km, 6 ans/110 000 km
**Transport et prép.:** 1 995 $
**Ventes QC 2014:** 628 unités
**Ventes CAN 2014:** 3 613 unités

Cote du Guide de l'auto

## 69 %

| Fiabilité | Appréciation générale |
|---|---|
| ■■■■■■□□□□ | ■■■■■■■□□□ |
| Sécurité | Agrément de conduite |
| ■■■■■■■□□□ | ■■■■■□□□□□ |
| Consommation | Système multimédia |
| ■■■■■□□□□□ | ■■■■■■□□□□ |

Cote d'assurance

■■■□□□□□□□          présentée par
$$$                          $          **KANETIX.CA**

➕ Esthétique plaisante • Habitacle invitant • Sièges fort confortables (1ʳᵉ et 2ᵉ rangées) • V6 bien adapté • Fiabilité appréciée

➖ Sportivité à peu près nulle • Version hybride chère et peu crédible • Livrée de base offerte en traction uniquement • Faible capacité de remorquage (Hybride)

**Concurrents**
Acura MDX, Audi Q7, BMW X5, Buick Enclave, Ford Explorer, GMC Acadia, Land Rover LR4, Lexus RX, Mercedes-Benz Classe M, Volkswagen Touareg, Volvo XC90

# Ni l'un ni l'autre et tout à la fois

Alain Morin

**I**l y avait les familiales, ces *station wagon* dans lesquels on empilait les enfants pour aller à Old Orchard. Une fois les enfants devenus grands, ils ne voulurent plus des *station wagon*. Les fourgonnettes sont alors apparues, donnant une nouvelle dimension à la famille des années 80. Une fois ces enfants devenus grands eux aussi, ils ne voulurent plus des fourgonnettes. Ça tombait bien, la mode des VUS arrivait. Les «marketteux» ont toujours eu tout plein d'idées pour amener le public à acheter des produits... Récemment, ils se sont dits: «Puisque les VUS sont toujours d'actualité mais qu'ils n'offrent pas la polyvalence des fourgonnettes, pourquoi ne pas créer une fourgonnette que les gens prendront pour un VUS?»

Cette mi-fourgonnette mi-VUS, c'est l'Infiniti QX60. Et curieusement, ce mélange fonctionne! Pas parfaitement, convenons-en, mais il marche quand même. Et puis, il n'est pas laid, ce QX60, autrefois connu sous le vocable J35. Même que le pilier D (celui qui sépare les vitres latérales arrière de la lunette arrière) affiche une zébrure fort jolie. La partie avant s'avère tout aussi réussie. En tout cas, elle est moins controversée que celle de l'imposant QX80.

### LUXE DE SÉRIE
Dès qu'on pénètre à l'intérieur du QX60, on est happé par l'immensité de l'habitacle. Le tableau de bord, fidèle au design Infiniti, recèle de matériaux de qualité, assemblés avec soin et les principes de base de l'ergonomie sont respectés. Le système multimédia, sans être parmi les meilleurs, est relativement simple à comprendre.

Comme on est en droit de s'y attendre dans un produit Nissan, oups, Infiniti (c'est que, voyez-vous, le QX60 est, en fait, un Nissan Pathfinder de luxe. Mais ça reste entre nous). Comme on est en droit de s'y attendre, donc, les sièges avant sont d'un confort irréprochable et l'assise élevée rappelle celle d'une fourgonnette. Les sièges de la deuxième rangée sont tout aussi accueillants. Ceux de la troisième rangée sont certes

moins agréables, car assez restreints, mais certains constructeurs font bien pire. Bonne note pour le siège droit de la deuxième rangée qui coulisse vers l'avant pour permettre un meilleur accès à la banquette arrière. Les parents de jeunes enfants seront heureux d'apprendre que ce siège avance sans devoir enlever le siège de bébé.

Comme le QX60 est une fourgonnette qui ne s'accepte pas, on a remplacé les portes coulissantes par des portes à charnière. Heureusement, elles ne causent pas de problème pour l'entrée ou la sortie des passagers.

Deux QX60 sont offerts. Le premier est doté d'un V6 de 3,5 litres qui a la lourde tâche de déplacer plus de 2 000 kilos. Ce qu'il fait de façon plutôt convenable, tout en douceur et en souplesse. La boîte automatique est de type infiniment variable, ou CVT. Le principal défaut de ces boîtes est d'amener très haut les révolutions du moteur lors d'accélérations vives. Dans le cas du QX60, il y a tellement de matériel insonore que plusieurs personnes ne remarqueront jamais le comportement de cette transmission.

### L'HYBRIDE OUI, MAIS PAS À N'IMPORTE QUEL PRIX

L'autre moulin est un quatre cylindres de 2,5 litres associé à un moteur électrique de 15 kW et d'une batterie au lithium-ion. Cette version hybride est presque aussi puissante que le V6 de 3,5 litres, mais l'on sent que son petit 2,5 litres doit travailler davantage pour garder la cadence. Il faut dire qu'il a approximativement 90 kilos de plus à trimballer. Un essai hivernal fut très décevant, se terminant avec une consommation moyenne de 12,3 l/100 km. Bref, il est difficile de justifier la différence de prix d'environ 7 000 $.

Le QX60 doté du 3,5 litres vient d'office avec les roues motrices à l'avant. Si vous désirez acheter ce véhicule, nous vous implorons de payer les 2 500 $ supplémentaires pour le rouage intégral. Cette différence vous sera remboursée lors de la revente dans quelques années. Et quand vous conduirez en pleine tempête de neige dans un petit rang de campagne, vous nous remercierez. Le problème ne se pose pas avec l'hybride qui ne vient qu'avec le «quatre pattes».

La conduite d'un QX60 est tout ce qu'il y a de plus placide. L'habitacle est silencieux et confortable, la direction est légère et offre bien peu de retour d'information, et un coin de rue pris avec le moindrement de vélocité fait ressortir un roulis bien senti.

Bref, si vous comptiez inscrire votre QX60 comme voiture de tête au prochain Grand Prix du Canada, nous vous conseillons de changer d'idée. Par contre, tant qu'à être pris dans le trafic pour aller ou pour partir du circuit Gilles-Villeneuve cette journée-là, aussi bien l'être dans un QX60!

### Du nouveau en 2016

Aucun changement majeur. En cours d'année, pourrait recevoir quelques modifications de détail dans l'habitacle et une batterie un peu plus puissante (Hybride).

**INFINITI QX60**

### Châssis - 3.5 TA

| | |
|---|---|
| Emp / lon / lar / haut | 2900 / 4989 / 1960 / 1742 mm |
| Coffre / Réservoir | 447 à 2500 litres / 74 litres |
| Nbre coussins sécurité / ceintures | 6 / 7 |
| Suspension avant | ind., jambes force |
| Suspension arrière | ind., multibras |
| Freins avant / arrière | disque / disque |
| Direction | à crémaillère, ass. var. |
| Diamètre de braquage | 11,8 m |
| Pneus avant / arrière | P235/65R18 / P235/65R18 |
| Poids / Capacité de remorquage | 2013 kg / 2268 kg (5000 lb) |
| Assemblage | Smyrna, TN |

### Composantes mécaniques

**Hybride**

| | |
|---|---|
| Cylindrée, soupapes, alim. | 4L 2,5 litres 16 s surcompressé |
| Puissance / Couple | 230 ch / 243 lb-pi |
| Tr. base (opt) / rouage base (opt) | CVT / Int |
| 0-100 / 80-120 / V.Max | 8,5 s (est) / 6,0 s (est) / n.d. |
| 100-0 km/h | n.d. |
| Type / ville / route / $CO_2$ | Ord / 8,9 / 8,4 l/100 km / 3991 kg/an |

**Moteur électrique**

| | |
|---|---|
| Hybride | |
| Puissance / Couple | 20 ch (15 kW) / 29 lb-pi |
| Type de batterie | Lithium-ion (Li-ion) |
| Énergie | n.d. |
| Temps de charge (120V / 240V) | n.d. |
| Autonomie | n.d. |

**3.5 TA, 3.5 TI**

| | |
|---|---|
| Cylindrée, soupapes, alim. | V6 3,5 litres 24 s atmos. |
| Puissance / Couple | 265 ch / 248 lb-pi |
| Tr. base (opt) / rouage base (opt) | CVT / Tr (Int) |
| 0-100 / 80-120 / V.Max | 9,0 s / 6,1 s / n.d. |
| 100-0 km/h | 40,8 m |
| Type / ville / route / $CO_2$ | Sup / 12,2 / 8,9 l/100 km / 4929 kg/an |

## INFINITI **QX70**

**Prix:** 53 500 $ (2015)
**Catégorie:** VUS
**Garanties:**
4 ans/100 000 km, 6 ans/110 000 km
**Transport et prép.:** 1 995 $
**Ventes QC 2014:** 94 unités
**Ventes CAN 2014:** 466 unités

### Cote du Guide de l'auto

# 73 %

Fiabilité

Appréciation générale

Sécurité

Agrément de conduite

Consommation

Système multimédia

### Cote d'assurance

présentée par
**KANETIX.CA**

$$$                    $

➕ V6 adéquat • Bonne tenue
de route • Transmission efficace •
Silhouette sportive • Planche
de bord toujours moderne

➖ Piètre visibilité arrière • Espace
de chargement moyen • Suspension
ferme • Faible diffusion • Moteur bruyant

### Concurrents
BMW X6, Cadillac SRX, Jeep Grand
Cherokee, Land Rover LR4, Lexus RX,
Lincoln MKX, Mercedes-Benz Classe M,
Porsche Cayenne, Volvo XC90

# Bientôt dans un Salon près de chez vous

Denis Duquet

**Q**uelques semaines avant le Salon de l'auto de New York tenu en avril 2015, plusieurs rumeurs circulaient quant au dévoilement par Infiniti de plusieurs nouveautés, dont une nouvelle génération du QX70. Il est vrai que la marque de luxe de Nissan a présenté d'intéressantes créations à New York, notamment le QX30 concept qui est fort élégant et qui cible la catégorie des véhicules utilitaires sport compacts de luxe. Cette catégorie se développe fortement et il serait logique que cette marque y soit présente.

Une autre nouveauté a été le QX50 qui a pour sa part bénéficié d'une mise à jour esthétique tout en conservant les organes mécaniques du modèle précédent. Cette révision n'était pas superflue car, comme le QX70, il commençait à prendre de l'âge.

Quant au QX70, justement, ce sera pour une prochaine fois. D'ailleurs, s'il n'a pas été révisé de façon substantielle depuis plusieurs années, c'est que ses caractéristiques l'ont réservé à un marché de niche, donc très restreint.

### SILHOUETTE SPORTIVE
Lorsque la première version du QX70 a été dévoilée en 2004 (à cette époque, il s'appelait FX35 ou FX45 selon le moteur), le design était vraiment spectaculaire. Ce véhicule ne ressemblait nullement à VUS, mais plutôt à une grosse voiture sport haute sur patte et dotée d'un hayon. En effet, la partie avant allongée, l'arrière tronqué, le toit fuyant ainsi que la petite lunette arrière étaient autant de caractéristiques visuelles qui le démarquaient des autres modèles de la catégorie. Dans son enthousiasme, le grand patron de Nissan, Carlos Ghosn, parlait même parlé de «guépard bionique» pour souligner le caractère très sportif et affûté du FX. Et parlant de caractéristiques sportives, en plus d'une version à moteur V6 (FX35), on avait également fait appel à un tonitruant V8 de 4,5 litres (FX45) qui le transformait pratiquement en sportive à transmission intégrale.

Cette silhouette axée sur le style et la sportivité n'était pas sans inconvénient et il ne l'est toujours pas douze ans plus tard : la visibilité arrière est médiocre et le coffre à bagages est relativement petit pour un véhicule de cette catégorie. En outre, les places arrière ne sont pas des plus confortables et y accéder nécessite une certaine agilité en raison de la ligne du toit très fuyante.

Aujourd'hui, il va de soi qu'un VUS soit doté d'une planche de bord qui ressemble davantage à celle d'une berline mais c'était loin d'être le cas en 2004. Il s'agissait d'une innovation et c'est le FX qui avait été le pionnier. Comme «dans le temps», la qualité des matériaux et de l'assemblage est très relevée. Dans la colonne des moins, mentionnons que les commandes sont parfois déroutantes. Comme il se doit pour la catégorie, une pendulette analogique trône au centre de la console verticale.

### L'AGRÉMENT DE CONDUITE AVANT LE CONFORT

De nos jours, depuis l'abandon du V8 5,0 litres l'an dernier en fait, la seule motorisation disponible est l'incontournable V6 de 3,7 litres produisant 325 chevaux et associé à une transmission automatique à sept rapports gérés par des palettes montées sur le volant. Le rouage intégral est de série et permet de tirer profit de toute cette puissance. Soulignons au passage que l'équipement de sécurité s'est étoffé au fil des années : freinage autonome, caméra circulaire affichant une image 360° autour de la voiture ainsi qu'un avertisseur de collision avant sont maintenant offerts.

La personne désirant un QX70 devra être attirée par les prestations routières et l'agrément de conduite plutôt que par la possibilité de s'amuser dans des sentiers impraticables. En plus d'une bonne tenue de route, la direction offre un bon feed-back tandis que le roulis en virage est bien contrôlé sans oublier des performances quand même assez sportives pour la catégorie alors qu'il faut environ 6,5 secondes pour boucler le 0-100 km/h.

Si ce moteur assure un bon rendement, il devient bruyant lorsque poussé à haut régime tandis que la suspension s'accommode assez mal de nos routes défoncées. L'ensemble Sport est livré avec des jantes de 21 pouces, ce qui ne fait rien pour augmenter le confort mais qui autorise une tenue de route bonifiée. Toutefois, il s'agit d'un cadeau empoisonné car en plus de réduire le confort, ces jantes et les pneus qui les entourent seront coûteux à remplacer.

Finalement, le QX70 n'est pas le VUS le plus extraordinaire qui existe, mais il saura combler le conducteur sportif qui aime se démarquer. Souhaitons qu'Infiniti nous présente bientôt un QX70 aussi révolutionnaire que le fut le FX.

### Châssis - 3.7

| | |
|---|---|
| Emp / lon / lar / haut | 2885 / 4859 / 1928 / 1680 mm |
| Coffre / Réservoir | 702 à 1756 litres / 90 litres |
| Nbre coussins sécurité / ceintures | 6 / 5 |
| Suspension avant | ind., double triangulation |
| Suspension arrière | ind., multibras |
| Freins avant / arrière | disque / disque |
| Direction | à crémaillère, ass. var. |
| Diamètre de braquage | 11,2 m |
| Pneus avant / arrière | P265/60R18 / P265/60R18 |
| Poids / Capacité de remorquage | 1943 kg / 1588 kg (3500 lb) |
| Assemblage | Tochigi, JP |

### Composantes mécaniques

**3.7**

| | |
|---|---|
| Cylindrée, soupapes, alim. | V6 3,7 litres 24 s atmos. |
| Puissance / Couple | 325 ch / 267 lb-pi |
| Tr. base (opt) / rouage base (opt) | A7 / Int |
| 0-100 / 80-120 / V.Max | 6,5 s (est) / 5,5 s (est) / n.d. |
| 100-0 km/h | n.d. |
| Type / ville / route / $CO_2$ | Sup / 13,4 / 9,3 l/100 km / 5315 kg/an |

## Du nouveau en 2016

Aucun changement majeur

INFINITI QX70

# INFINITI **QX80**

**Prix :** 73 650 $ à 73 650 $ (2015)
**Catégorie :** VUS
**Garanties :**
4 ans/100 000 km, 6 ans/110 000 km
**Transport et prép. :** 1 995 $
**Ventes QC 2014 :** 48 unités
**Ventes CAN 2014 :** n.d.

### Cote du Guide de l'auto

# 68 %

| Fiabilité | Appréciation générale |
|---|---|
| ■■■■■■□□□□ | ■■■■■■■□□□ |
| Sécurité | Agrément de conduite |
| ■■■■■■■□□□ | ■■■■■■□□□□ |
| Consommation | Système multimédia |
| ■■■■■□□□□□ | ■■■■■■■□□□ |

### Cote d'assurance

■■■■■■■□□□

présentée par
***KANETIX.CA***

$$$                           $

➕ Confort garanti • Habitabilité
impressionnante • Matériaux de grande
qualité • Moteur silencieux • Rouage
intégral efficace

➖ Consommation élevée •
Dimensions encombrantes • Roulis
prononcé en virage • Visibilité arrière
précaire • Dépréciation rapide

### Concurrents
Cadillac Escalade, Lexus LX, Lincoln
MKT, Lincoln Navigator, Mercedes-Benz
Classe GL

# Le luxe XXL

Denis Duquet

**M**ême s'ils n'ont pas bonne presse, les gros VUS de luxe sont toujours commercialisés et leur popularité semble même avoir grandi depuis quelque temps. S'ils ne sont pas très réclamés sur nos terres, sachez que leur existence s'explique en bonne partie par la forte demande pour ce type de mastodontes sur les marchés orientaux, de l'Amérique du Sud et d'autres pays émergents. Comme Infiniti se pique de faire partie du groupe sélect des marques de luxe, il se doit de proposer lui aussi un gros utilitaire débordant de luxe et d'accessoires.

Si certains constructeurs préfèrent jouer la carte de la subtilité en ce qui a trait à l'apparence extérieure de leurs véhicules, ce n'est pas le cas chez cet industriel nippon. Au contraire, il a décidé d'attirer les gens charmés par le *bling-bling*. En effet, le chrome est omniprésent à l'extérieur : jantes, calandre, prise d'air avant, sans compter quelques bandes chromées ici et là. Bref, le QX80 affiche ses couleurs !

Mais comme les gens riches ont le privilège de pouvoir afficher leur mauvais goût, on ne saurait critiquer cette présentation pour le moins tarabiscotée qui ne doit pas vraiment intéresser les richards qui désirent passer inaperçus. C'est un véhicule qui semble réservé aux gagnants du gros lot qui veulent épater leurs voisins.

### QUE D'ESPACE !
Compte tenu des dimensions extérieures du QX80, il ne faut pas se surprendre de s'installer à bord d'un habitacle vaste, très vaste. À tel point, qu'il faut pratiquement un GPS pour s'y retrouver ! Toutefois, il faut lever la jambe assez haut pour y accéder et le geste n'est pas très élégant.

Dès qu'on est assis, on ne peut s'empêcher de constater le moelleux des sièges, la qualité et la finesse des cuirs et la panoplie de commandes de toutes sortes. Si l'extérieur annonce votre opulence aux gens, l'intérieur vous dorlote comme dans un vieux club anglais. Bien entendu, les places de la seconde rangée sont également spacieuses et confortables. Il s'agit de sièges capitaines qui sont chauffants et dans lesquels on peut visionner un film sur l'un des deux écrans disponibles en option. Pour atteindre la troisième rangée de sièges, il faut être d'une certaine souplesse. Une fois ces sièges remisés dans le plancher, on bénéficie d'un espace de chargement de 2 694 litres. Ça permet de transporter beaucoup de bagages !

## POLYVALENCE MAXIMALE

D'ailleurs, à ce propos, la multitude d'espaces de rangement ajoute au caractère polyvalent de ce véhicule de luxe. Rien n'y manque ou presque ! Pour ce qui est de l'écran principal, il est contrôlé par les commandes traditionnelles de cette marque et il est relativement facile de s'y dépatouiller.

Saviez-vous que la marque Infiniti a été l'une des premières à proposer des caméras affichant le pourtour du véhicule ? Par contre, ce qui au départ peut sembler être un avantage incommensurable devient pratiquement un casse-tête alors qu'il est compliqué de s'y retrouver avec toutes ces images. Mais une fois qu'on s'y est acclimaté, ce n'est pas trop mal.

## GROSSE POINTURE, CONSOMMATION ÉLEVÉE

Malgré ses appliques en bois, ses sièges en cuir fin, sa sophistication électronique au chapitre de la sécurité active et passive, il est difficile de contourner les lois de la physique. Celles-ci veulent qu'un moteur de grosse cylindrée tentant de déplacer une masse de plus de 2 tonnes et demie consommera nécessairement beaucoup. Lors de notre essai qui s'est déroulé en hiver, il nous a été impossible de descendre sous la barre des 17,0 l/100 km. Bref, je suis prêt à parier qu'à Noël, les propriétaires d'un QX80 doivent recevoir une carte des pétrolières pour leur souhaiter une autre excellente année ! Par contre, ce gros V8 de 5,6 litres associé à une boîte automatique à sept rapports est très silencieux et d'une grande douceur.

Compte tenu de ses dimensions, de sa suspension relativement souple et d'une direction qui n'est pas des plus nerveuses, il est recommandé de s'en tenir à une conduite respectant les limites de vitesse affichées. Il ne faut pas oublier de mentionner que le rouage intégral de série est très efficace. En mode Auto, il s'agit d'une intégrale tandis que le mode 4H est plus performant quand les conditions se détériorent. Et quand elles sont vraiment mauvaises, dans la boue épaisse par exemple, le mode 4L est requis. Enfin, soulignons que la capacité de remorquage est élevée, soit 3 855 kilos (8 500 livres). C'est un solide, ce QX80.

### Châssis - 5.6 (8 pass.)

| | |
|---|---|
| Emp / lon / lar / haut | 3075 / 5305 / 2030 / 1925 mm |
| Coffre / Réservoir | 470 à 2694 litres / 98 litres |
| Nbre coussins sécurité / ceintures | 6 / 8 |
| Suspension avant | ind., double triangulation |
| Suspension arrière | ind., double triangulation |
| Freins avant / arrière | disque / disque |
| Direction | à crémaillère, ass. var. |
| Diamètre de braquage | 12,7 m |
| Pneus avant / arrière | P275/60R20 / P275/60R20 |
| Poids / Capacité de remorquage | 2672 kg / 3864 kg (8518 lb) |
| Assemblage | Kyushu, JP |

### Composantes mécaniques

**5.6 (7 pass.), 5.6 (8 pass.)**

| | |
|---|---|
| Cylindrée, soupapes, alim. | V8 5,6 litres 32 s atmos. |
| Puissance / Couple | 400 ch / 413 lb-pi |
| Tr. base (opt) / rouage base (opt) | A7 / Int |
| 0-100 / 80-120 / V.Max | 7,5 s / 6,0 s / n.d. |
| 100-0 km/h | 44,0 m |
| Type / ville / route / $CO_2$ | Sup / 16,9 / 11,9 l/100 km / 6739 kg/an |

## Du nouveau en 2016

Aucun changement majeur

Photos : Dominic Dubreuil

# JAGUAR **F-TYPE**

((SiriusXM))

**Prix :** 77 500 $ à 120 500 $
**Catégorie :** Coupé, Roadster
**Garanties :**
4 ans/80 000 km, 5 ans/80 000 km
**Transport et prép. :** 1 350 $
**Ventes QC 2014 :** 85 unités
**Ventes CAN 2014 :** 457 unités

## Cote du Guide de l'auto
# 78 %

| | |
|---|---|
| Fiabilité n.d. | Appréciation générale ■■■■■■□□ |
| Sécurité ■■■■■■■□□ | Agrément de conduite ■■■■■■□□ |
| Consommation ■■■■■■□□ | Système multimédia ■■■■■■■□□ |

## Cote d'assurance
■■■■■□□□□
$$$                    $

présentée par
**KANETIX.CA**

➕ Style très réussi • Rouage intégral en option • Boîte manuelle disponible (V6) • Moteur V8 performant

➖ Visibilité limitée • Volume du coffre • Pétarades au démarrage • Fiabilité à démontrer

## Concurrents
Alfa Romeo 4C, Audi TT, BMW Z4, Lotus Evora, Mercedes-Benz Classe SLK, Porsche Boxster, Porsche Cayman

# L'intégrale et la manuelle en renfort

Gabriel Gélinas

**A**vec l'ajout d'un rouage intégral, proposé en option sur les éditions S et de série sur les éditions R, et d'une boîte manuelle disponible sur les versions à motorisation V6, on peut parler d'évolution pour la gamme F-Type

Ainsi, cette gamme est passée de six à quatorze versions déclinées en roadsters ainsi qu'en coupés. Et si la marque anglaise a choisi d'ajouter la transmission intégrale à ses sportives, c'est surtout afin d'affiner leur motricité et leur stabilité lorsque les conditions météo se dégradent, sans toutefois en faire des voitures capables d'affronter l'hiver québécois.

Au volant d'un roadster F-Type S à moteur V6 suralimenté par compresseur, j'avais hâte de voir de quelle façon le rouage intégral offert en option affecterait le comportement de la voiture. La bonne nouvelle, c'est que le degré de sportivité de la F-Type n'est pas trop gommé puisqu'il s'agit d'un système basé sur la répartition du couple à la demande et que cette répartition reste 100 % sur le train arrière en temps normal. Ce n'est que lorsque le train arrière perd de l'adhérence qu'une partie du couple est transférée sur le train avant par le biais d'un couplage central électronique. En fin de compte, la F-Type AWD demeure joueuse et la contribution de l'intégrale permet aussi de réduire efficacement le survirage lors de la sortie de courbe en accélération franche.

## DANS LA BONNE DIRECTION
Pour 2016, les F-Type adoptent une direction à assistance électrique plutôt qu'hydraulique et cette direction se veut à la fois précise et directe, tout en envoyant beaucoup de sensations au conducteur. En sélectionnant le mode Dynamique, on réduit le temps de réponse à la commande des gaz et on raffermit la suspension et la direction, pour optimiser la tenue de route.

Les seuls bémols que l'on peut émettre au sujet du comportement routier sont que la calibration des suspensions s'avère parfois trop ferme pour nos routes dégradées et que le poids assez élevé de la F-Type handicape sa dynamique. Avec le V6 suralimenté par compresseur, les accélérations sont toniques, mais pas foudroyantes et il est préférable de choisir le V8 pour faire le plein de sensations en ligne droite.

## UN RÉVEIL TONITRUANT

J'ai bien apprécié le tempérament sportif de la F-Type S, mais s'il y a une chose que je déteste souverainement à propos de cette voiture, c'est le fait que son moteur rugit fortement et parfaitement inutilement à chaque démarrage alors que les aiguilles des compteurs font un balayage complet. Démarrer la F-Type très tôt par un petit matin de fin de semaine tranquille équivaut presque à faire un doigt d'honneur à vos voisins et vous fait passer pour le premier des imbéciles… Cela dit, je n'ai rien contre les échappements qui permettent au moteur d'exprimer pleinement sa personnalité sur l'autoroute, bien au contraire, et il très plaisant d'appuyer sur le bouton de l'échappement sport pour profiter des vocalises du V6 suralimenté de la Jaguar F-Type S roadster en roulant dans un tunnel, mais les pétarades indues au démarrage, on s'en passerait volontiers !

La vie à bord est rendue agréable par les nombreuses touches de luxe que l'on retrouve dans l'habitacle et son cachet indéniablement *british*. J'émets quand même quelques réserves pour ce qui est de la chaîne audio Meridian qui est franchement décevante, ainsi que le mouvement des buses de ventilation qui s'élèvent automatiquement de la planche de bord lorsque le système de chauffage/climatisation se met en marche. Ça épate la galerie mais, compte tenu de la fiabilité aléatoire de la marque, on peut se demander si ça continuera de fonctionner au fil des ans et des kilomètres.

## REINE DE BEAUTÉ

La F-Type Roadster séduit par l'élégance de ses lignes, mais je trouve que le Coupé est encore plus réussi pour ce qui est du style. D'ailleurs, chaque fois que j'ai le plaisir d'en conduire un, je me souviens pourquoi nous avons plébiscité ce modèle du prix de «Design de l'année» dans l'édition 2015 du *Guide de l'auto*. Les designers de la marque ont frappé un grand coup avec cette sportive qui ne manque pas d'attirer l'attention et qui devrait bien traverser l'épreuve du temps.

### Châssis - Coupé

| | |
|---|---|
| Emp / lon / lar / haut | 2622 / 4470 / 1923 / 1311 mm |
| Coffre / Réservoir | 324 litres / 70 litres |
| Nbre coussins sécurité / ceintures | 4 / 2 |
| Suspension avant | ind., double triangulation |
| Suspension arrière | ind., double triangulation |
| Freins avant / arrière | disque / disque |
| Direction | à crémaillère, ass. var. élect. |
| Diamètre de braquage | 10,7 m |
| Pneus avant / arrière | P245/45R18 / P275/40R18 |
| Poids / Capacité de remorquage | 1577 kg / n.d. |
| Assemblage | Birmingham, GB |

### Composantes mécaniques

**Coupé, Décapotable**

| | |
|---|---|
| Cylindrée, soupapes, alim. | V6 3,0 litres 24 s surcompressé |
| Puissance / Couple | 340 ch / 332 lb-pi |
| Tr. base (opt) / rouage base (opt) | A8 (M6) / Prop |
| 0-100 / 80-120 / V.Max | 5,3 s / 4,0 s / 260 km/h |
| 100-0 km/h | 36,9 m |
| Type / ville / route / CO$_2$ | Sup / 11,8 / 8,4 l/100 km / 4724 kg/an |

**S**

| | |
|---|---|
| Cylindrée, soupapes, alim. | V6 3,0 litres 24 s surcompressé |
| Puissance / Couple | 380 ch / 339 lb-pi |
| Tr. base (opt) / rouage base (opt) | A8 (M6) / Prop (Int) |
| 0-100 / 80-120 / V.Max | 4,9 s / 3,6 s / 275 km/h |
| 100-0 km/h | 37,9 m |
| Type / ville / route / CO$_2$ | Sup / 12,4 / 6,9 l/100 km / 4566 kg/an |

**R**

| | |
|---|---|
| Cylindrée, soupapes, alim. | V8 5,0 litres 32 s surcompressé |
| Puissance / Couple | 550 ch / 502 lb-pi |
| Tr. base (opt) / rouage base (opt) | A8 / Int |
| 0-100 / 80-120 / V.Max | 4,1 s / 2,4 s / 300 km/h |
| 100-0 km/h | n.d. |
| Type / ville / route / CO$_2$ | Sup / 16,2 / 8,5 l/100 km / 5858 kg/an |

### Du nouveau en 2016

Ajout du rouage intégral en option et disponibilité de la boîte manuelle avec moteurs V6

# JAGUAR XF

**(((SiriusXM)))**

**Prix:** 62 000$ à 70 000$ (estimé)
**Catégorie:** Berline
**Garanties:**
4 ans/80 000 km, 5 ans/80 000 km
**Transport et prép.:** 1 350$
**Ventes QC 2014:** 110 unités
**Ventes CAN 2014:** 567 unités

## Cote du Guide de l'auto

# 70%

Fiabilité

Appréciation générale

Sécurité

Agrément de conduite

Consommation

Système multimédia

## Cote d'assurance

présentée par
**KANETIX.CA**

$$$                    $

**+** Structure en aluminium rigide
et légère • Moteurs bien adaptés •
Rouage intégral de série • Habitacle
un peu plus spacieux

**—** Fiabilité à démontrer • Valeur
de revente aléatoire • Accès au
coffre difficile • Ressemble un
peu trop à sa devancière

## Concurrents

Acura RLX, Audi A6, BMW Série 5,
Cadillac CTS, Hyundai Genesis,
Infiniti Q70, Lexus GS, Maserati Ghibli,
Mercedes-Benz Classe E, Volvo S80

# Une entrée remarquée

Gabriel Gélinas

**S**igne des temps, la grande première de la Jaguar XF de deuxième génération au Salon de l'Auto de New York a été précédée d'un véritable stunt publicitaire alors que le cascadeur Jim Dowdall l'a «pilotée» sur deux câbles de fibre de carbone tendus au-dessus des eaux du Canary Wharf à Londres, établissant ainsi un quelconque record mondial. Le constructeur britannique a mérité sa part de visionnements sur YouTube avec cet exploit qui a mis en lumière le fait que la nouvelle XF est composée à 75% d'aluminium, donc plus légère que sa devancière.

Lorsqu'elle est apparue au Salon de l'auto de Francfort en septembre 2007, la première génération de la XF a marqué un clivage avec le style néo-rétro de la S-Type en adoptant une allure beaucoup plus moderne afin de rivaliser directement avec les valeurs sûres de la catégorie développées par les constructeurs allemands.

De prime abord, la nouvelle XF peut donner l'impression qu'elle ne présente qu'une légère évolution stylistique par rapport à sa devancière, mais c'est plutôt une refonte en profondeur qui s'est opérée, puisque la voiture a troqué l'acier pour l'aluminium, émulant ainsi la grande Jaguar XJ. Le choix de ce matériau plus léger a permis une considérable réduction de poids en plus de rigidifier la structure même de la voiture, ce qui devrait bonifier la consommation et la dynamique.

Toujours sur le plan technique, les proportions du nouveau modèle sont sensiblement les mêmes, mais elle est légèrement plus courte alors que son empattement a progressé de cinq centimètres. La répartition des masses est idéale, puisqu'elle se chiffre à 50% sur le train avant et 50% sur le train arrière. Côté style, les éléments qui permettent de différencier plus facilement le nouveau modèle de l'ancien sont les phares, le vitrage plus étendu ainsi que les feux arrière inspirés de ceux de la sportive F-Type.

## MOTORISATIONS V6 EN EXCLUSIVITÉ

En Europe, cette XF aura bien sûr droit à des moteurs diesel à quatre et six cylindres, mais la motorisation des modèles destinés à l'Amérique du Nord consiste exclusivement du même V6 gavé par un compresseur volumétrique qui équipait le modèle précédent et qui développe 340 chevaux. Également au programme, une version plus performante de ce même moteur qui régit 380 chevaux se retrouve sous le capot de la XF S.

Tous les modèles de la gamme XF sont dotés de la boîte automatique à huit rapports, contrôlée par le sélecteur de vitesse rotatif propre à la marque et le rouage intégral est proposé de série au Canada. Cela signifie également que le V8 de 5,0 litres surcompressé qui était disponible sur les modèles R et RS ne sera pas de retour sous le capot de la nouvelle XF.

Par ailleurs, le rouage intégral de la XF présente les mêmes caractéristiques que celui de la F-Type puisqu'il permet de freiner sélectivement la roue intérieure en virage, laissant ainsi la voiture s'inscrire plus facilement sur la trajectoire. La fermeté de la direction, la réponse à la commande des gaz ainsi que les points de passage de la boîte automatique sont paramétrables sur trois modes de conduite et l'amortissement piloté est également disponible.

## L'ÉLECTRONIQUE RÉPOND PRÉSENT

Avec la nouvelle XF, Jaguar se met à la page pour ce qui est de la connectivité et des systèmes électroniques d'aide à la conduite. Ainsi, la XF est dotée d'un écran central de 10,2 pouces qui sert d'interface avec le téléphone, le système de navigation ou la chaîne audio Meridian. De plus, le traditionnel bloc d'instruments cède sa place à un écran de 12,3 pouces présentant un affichage numérique, tout comme sur la Jaguar XJ. Le conducteur peut donc personnaliser les informations affichées.

L'affichage tête haute, l'avertissement en cas de collision avec freinage automatique ainsi que le régulateur de vitesse adaptatif sont au programme, tout comme un système appelé Intelligent Speed Limiter qui est capable de faire la lecture des panneaux de limites de vitesse et d'ajuster le régulateur automatiquement afin de les respecter. Un système de stationnement automatique fait également partie du menu.

La Jaguar XF n'a jamais obtenu un succès comparable à celui des berlines allemandes de la même catégorie. Toutefois, avec la nouvelle XF, la marque anglaise a bon espoir d'augmenter ses ventes dans ce créneau très concurrentiel.

### Châssis - Premium

| | |
|---|---|
| Emp / lon / lar / haut | 2960 / 4954 / 2091 / 1457 mm |
| Coffre / Réservoir | 540 litres / 74 litres |
| Nbre coussins sécurité / ceintures | 6 / 5 |
| Suspension avant | ind., double triangulation |
| Suspension arrière | ind., multibras |
| Freins avant / arrière | disque / disque |
| Direction | à crémaillère, ass. var. élect. |
| Diamètre de braquage | 11,6 m |
| Pneus avant / arrière | P245/45R18 / P245/45R18 |
| Poids / Capacité de remorquage | 1760 kg / n.d. |
| Assemblage | Birmingham, GB |

### Composantes mécaniques

**Premium**

| | |
|---|---|
| Cylindrée, soupapes, alim. | V6 3,0 litres 24 s surcompressé |
| Puissance / Couple | 340 ch / 332 lb-pi |
| Tr. base (opt) / rouage base (opt) | A8 / Int |
| 0-100 / 80-120 / V.Max | 5,4 s / n.d. / 250 km/h |
| 100-0 km/h | n.d. |
| Type / ville / route / $CO_2$ | Sup / 11,7 / 6,3 l/100 km / 4264 kg/an |

**S**

| | |
|---|---|
| Cylindrée, soupapes, alim. | V6 3,0 litres 24 s surcompressé |
| Puissance / Couple | 380 ch / 332 lb-pi |
| Tr. base (opt) / rouage base (opt) | A8 / Int |
| 0-100 / 80-120 / V.Max | 5,3 s / n.d. / 250 km/h |
| 100-0 km/h | n.d. |
| Type / ville / route / $CO_2$ | Sup / 12,0 / 6,7 l/100 km / 4423 kg/an |

## Du nouveau en 2016

Tout nouveau modèle

Photos: Jaguar Canada

# JAGUAR **XJ**

**Prix:** 89 400$ à 122 990$ (2015)
**Catégorie:** Berline
**Garanties:**
4 ans/80 000 km, 5 ans/80 000 km
**Transport et prép.:** 1 350$
**Ventes QC 2014:** 78 unités
**Ventes CAN 2014:** 351 unités

## Cote du Guide de l'auto

# 73%

| Fiabilité | Appréciation générale |
|---|---|
| ■■■■■□□□□□ | ■■■■■■■□□□ |
| Sécurité | Agrément de conduite |
| ■■■■■■■□□□ | ■■■■■■■□□□ |
| Consommation | Système multimédia |
| ■■■■□□□□□□ | ■■■■■■□□□□ |

## Cote d'assurance

■■■■■□□□□□    présentée par
**KANETIX.CA**
$$$                    $

➕ Style original • Versions XJR dynamiques et performantes • Rouage intégral efficace • Insonorisation réussie

➖ Fiabilité à démontrer • Visibilité limitée vers l'arrière • Réactivité de la boîte automatique • Qualité de finition inégale

## Concurrents

Audi A8, BMW Série 7, Lexus LS, Maserati Quattroporte, Mercedes-Benz Classe CLS, Mercedes-Benz Classe S, Porsche Panamera, Tesla Model S

# Une certaine vision du style

Gabriel Gélinas

**D**ans ce créneau des grandes berlines de luxe, la Jaguar XJ se démarque par son allure et son caractère qui n'ont rien en commun avec les valeurs sûres de la catégorie que sont ses rivales allemandes. Dessinée par Ian Callum, directeur du design de la marque anglaise, la XJ actuelle, lancée en 2011, représente sa vision de ce à quoi une voiture de luxe du 21e siècle devait ressembler.

Elle demeure encore bien contemporaine en ayant un indéniable cachet, surtout lorsqu'il s'agit du modèle XJL à empattement allongé dont la mission première est de faire voyager ses passagers avec luxe et confort.

Difficile de rester de glace devant cette berline à la calandre imposante et à la ligne de toit fuyante qui sait provoquer une réaction émotive chez ceux qui la contemplent. Peinte en noire, la XJ affiche une présence affirmée qui ne laisse personne indifférent. Sur le plan technique, la XJ actuelle, tout comme sa devancière, est construite entièrement en aluminium afin d'optimiser la dynamique et amenuiser la consommation d'essence. À bord, on tombe sous le charme de la vue d'ensemble, mais un examen attentif révèle que la qualité de la finition intérieure n'est pas égale à celle de la concurrence germanique.

### COMMENT IMPRESSIONNER LES BEAUX-PÈRES

La XJ offre beaucoup d'espace à l'avant et le modèle XJL à empattement allongé propose un excellent dégagement pour les jambes des passagers arrière. Assis derrière le volant, on a véritablement l'impression d'être dans un cockpit, un effet créé par le tunnel de la transmission très élevé ainsi que par le volume de la console centrale. À l'instar de la défunte XK et de la XF, le contrôleur rotatif de la boîte automatique de la XJ s'élève lui aussi de la console au démarrage de la voiture, ce qui épate toujours la galerie. Précisons toutefois que l'écran central tactile affiche un certain retard sur le plan technique par rapport aux rivales allemandes qui sont nettement plus évoluées à ce chapitre.

### TROIS NIVEAUX DE PUISSANCE

Les XJ sont toutes animées par des moteurs V6 ou V8 dotés d'un compresseur volumétrique. La puissance est chiffrée à 340 chevaux dans le cas du V6 et à 470 chevaux pour le V8, alors que la version R gonflée aux stéroïdes en revendique 550. Au volant de la XJL à motorisation V6 et rouage intégral, on apprécie la belle poussée du moteur et la souplesse de la boîte automatique qui compte huit rapports. Cette dernière s'acquitte généralement bien de sa tâche en passant rapidement les rapports en conduite normale afin de minimiser la consommation.

Cette boîte présente cependant deux défauts majeurs. Primo, elle ne répond pas assez vite pour rétrograder lorsque l'on enfonce l'accélérateur. Secundo, les paliers de changement de vitesse au volant sont désactivés quand la boîte est engagée à Drive et ne fonctionnent que si elle est engagée à Sport. Il serait préférable de pouvoir commander soi-même le rétrogradage au moyen des paliers en mode Drive et que la boîte repasse aux rapports supérieurs par elle-même une fois la manœuvre effectuée.

### UN COMPORTEMENT ROUTIER SÛR ET ÉQUILIBRÉ

En dépit de ses deux tonnes, ou presque, la XJ fait preuve d'un aplomb remarquable et ne nous donne jamais l'impression d'être au volant d'une voiture aussi lourde. Le freinage est très performant, même si la pédale paraît un peu souple, et la direction est vive et précise, quoiqu'elle soit parfois un peu légère. Les mouvements de la caisse sont bien maîtrisés et la voiture est capable d'enchaîner les virages en faisant preuve d'un comportement routier sûr et équilibré.

Le confort des sièges? Correct, sans plus. Heureusement qu'il est possible d'activer la fonction de massage lors des longs trajets et de chauffer ou ventiler les sièges avant. La chaîne audio haut de gamme Meridian est plutôt décevante, ce qui est fort dommage. Quant aux technologies de pointe, précisons que la XJ accuse un certain retard face à la concurrence alors que des équipements comme un régulateur de vitesse adaptatif brillent par leur absence...

En conclusion, les modèles de la gamme XJ représentent une alternative *old school* aux berlines allemandes qui étalent leur arsenal technologique et proposent une conception plus avancée du luxe.

## Châssis - XJ L 3.0 TI

| | |
|---|---|
| Emp / lon / lar / haut | 3157 / 5252 / 2105 / 1456 mm |
| Coffre / Réservoir | 430 litres / 82 litres |
| Nbre coussins sécurité / ceintures | 6 / 5 |
| Suspension avant | ind., double triangulation |
| Suspension arrière | ind., multibras |
| Freins avant / arrière | disque / disque |
| Direction | à crémaillère, ass. var. |
| Diamètre de braquage | 13,1 m |
| Pneus avant / arrière | P245/45R19 / P275/40R19 |
| Poids / Capacité de remorquage | 1878 kg / n.d. |
| Assemblage | Birmingham, GB |

## Composantes mécaniques

### XJ 3.0 TI

| | |
|---|---|
| Cylindrée, soupapes, alim. | V6 3,0 litres 24 s surcompressé |
| Puissance / Couple | 340 ch / 332 lb-pi |
| Tr. base (opt) / rouage base (opt) | A8 / Int |
| 0-100 / 80-120 / V.Max | 6,4 s (const) / n.d. / 195 km/h |
| 100-0 km/h | n.d. |
| Type / ville / route / $CO_2$ | Sup / 11,7 / 7,6 l/100 km / 4540 kg/an |

### XJ Supercharged

| | |
|---|---|
| Cylindrée, soupapes, alim. | V8 5,0 litres 32 s surcompressé |
| Puissance / Couple | 470 ch / 424 lb-pi |
| Tr. base (opt) / rouage base (opt) | A8 / Prop |
| 0-100 / 80-120 / V.Max | 5,2 s (const) / 3,6 s / 250 km/h |
| 100-0 km/h | 37,7 m |
| Type / ville / route / $CO_2$ | Sup / 16,9 / 7,9 l/100 km / 5910 kg/an |

### R

| | |
|---|---|
| Cylindrée, soupapes, alim. | V8 5,0 litres 32 s surcompressé |
| Puissance / Couple | 550 ch / 502 lb-pi |
| Tr. base (opt) / rouage base (opt) | A8 / Prop |
| 0-100 / 80-120 / V.Max | 4,4 s (const) / n.d. / 280 km/h |
| 100-0 km/h | 35,4 m |
| Type / ville / route / $CO_2$ | Sup / 14,2 / 8,6 l/100 km / 5370 kg/an |

## Du nouveau en 2016

Retouches esthétiques, ajout de phares de type DEL, direction à assistance électrique, ajout de la version Autobiography.

Photos : Jaguar Canada

# Jeep JEEP **CHEROKEE**

(((SiriusXM)))

**Prix:** 23 695 $ à 32 895 $ (2015)
**Catégorie:** VUS
**Garanties:**
3 ans/60 000 km, 5 ans/100 000 km
**Transport et prép.:** 1 795 $
**Ventes QC 2014:** 5 410 unités
**Ventes CAN 2014:** 22 529 unités

## Cote du Guide de l'auto

# 71 %

| Fiabilité | Appréciation générale |
|---|---|
| ■■■■■□□□□□ | ■■■■■■□□□□ |
| Sécurité | Agrément de conduite |
| ■■■■■□□□□□ | ■■■■■■□□□□ |
| Consommation | Système multimédia |
| ■■■■■□□□□□ | ■■■■■■□□□□ |

## Cote d'assurance

■■■■■■■□□□     présentée par
$$$        $     **KANETIX.CA**

**➕** Moteur V6 performant • Interface
de contrôle efficace • Version Trailhawk
douée pour le tout-terrain • Équipement
abondant • Gamme variée

**➖** Sensible au vent latéral •
Présentation intérieure clinquante •
Boîte automatique à 9 rapports inquié-
tante • Bruits et craquements divers

## Concurrents

Chevrolet Equinox, Ford Escape, GMC
Terrain, Honda CR-V, Hyundai Tucson, Jeep
Compass, Jeep Patriot, Kia Sportage, Mazda
CX-5, Nissan Rogue, Subaru Outback,
Toyota RAV4, Volkswagen Tiguan

# Chassez le naturel

*Marc Lachapelle*

**L**e nom Cherokee est mythique pour une marque qui l'est encore plus. Il a marqué son époque en devenant le premier utilitaire sport compact à quatre portières, il y a plus de trois décennies. De retour pour une troisième année, après un hiatus de douze ans, le Cherokee cherche toujours à offrir plus que ses rivaux en termes de muscle, d'équipement et de capacités passe-partout. Parce qu'il faut qu'un Jeep soit un Jeep.

On a fait grand cas du fait que le Cherokee est construit sur une architecture développée par Fiat pour des compactes à traction ou quatre roues motrices. Une plate-forme d'abord utilisée pour l'Alfa Romeo Giulietta lancée en 2010. Or, les amateurs de belles italiennes seront déçus parce qu'il est impossible de voir ou sentir la moindre trace de cette parenté dans le Cherokee. Surtout dans la version Trailhawk, la mieux armée pour la conduite tout-terrain, qui est pur Jeep d'un pare-chocs à l'autre.

## PAS VRAIMENT UN GRAND FAUVE

Évidemment, il y aura toujours un ou une petite futée qui soulèvera le capot pour pointer le quatre cylindres Tigershark de 2,4 litres et 184 chevaux qui peut équiper toutes les versions du Cherokee. Parce que ce moteur profite effectivement d'une version du système MultiAir, créé par Fiat, qui assure le calage variable des soupapes d'admission en continu. Mais c'est tout.

Ce moteur est assez vif et s'accorde plutôt bien avec la boîte de vitesses automatique à 9 rapports que partagent tous les modèles. Par contre, il se révèle assez vite un peu débordé par la tâche de mouvoir ce véhicule soi-disant compact, même en version traction sur les modèles Sport, North et Limited. Imaginez avec le rouage à quatre roues motrices qui est offert en option, et intégré de série au Trailhawk, le spécialiste du tout-terrain de la famille. Parce que cette mécanique ajoute plus de 185 kilos au poids total.

Les modèles à roues avant motrices sont équilibrés et interprètent honnêtement le rôle du Jeep urbain, avec un bon confort de suspension et une ergonomie générale très correcte. Je ne vois cependant toujours aucune utilité ou logique à conduire un utilitaire sport assez haut et lourd sans un rouage à quatre roues motrices, dans un pays comme le nôtre.

La personnalité du Cherokee se transforme de manière assez nette avec le V6 Pentastar de 3,2 litres et 271 chevaux. Surtout la version Trailhawk dont la suspension adaptée au tout-terrain augmente la garde au sol et relève la carrosserie de 40 mm, aidée par des pneus plus hauts et rainurés. Ils n'ont pas peur de la boue, mais allongent la distance en freinage d'urgence de 100 km/h à 46,4 mètres sur l'asphalte, ce qui est nettement au-dessus de la moyenne. Ce V6 est bien en vie et les performances acceptables avec un sprint 0-100 km/h bouclé en 8,5 secondes, le quart de mille en 16,2 secondes, avec une pointe de 140,1 km/h, et la reprise 80-120 km/h en 6,5 secondes. La boîte automatique a souvent des réactions hésitantes et incertaines en accélération normale. On sent parfois de bonnes secousses en passant la marche arrière. De quoi s'inquiéter pour la fiabilité et la durabilité de cette boîte qui a déjà connu son lot de rappels et d'ennuis.

Le Cherokee en met plein la vue dès les premières secondes, avec une kyrielle d'accessoires et une surabondance de boutons un peu dispersés et déroutants dont la logique et l'utilité ne sont pas toujours évidentes. L'interface de contrôle Uconnect qui loge dans le grand écran tactile de 21,4 cm (8,4 po) au centre du tableau de bord est la meilleure actuellement sur le marché, malgré une surenchère de menus et de sélections. Là aussi.

Les sièges se révèlent moyennement confortables au fil des jours, avec une assise et un dossier un peu bombés. À l'arrière, le coffre n'est ni très haut, ni très profond. Sous le plancher, on trouve une roue de rechange pleine taille dans le Trailhawk, sécurité en tout-terrain oblige. Cette version y excelle d'ailleurs, avec son rouage à quatre roues motrices Active Drive Lock, doté d'une plage de rapports courts et d'un différentiel arrière verrouillable. Tout ça, protégé par de solides boucliers sous le véhicule.

C'est donc encore en pleine nature que ce Jeep est le plus à l'aise, agréable et utile, lui aussi. Ou alors en escaladant les bancs de neige d'une rue mal déblayée, un soir de tempête, au centre-ville.

## Châssis - Sport TA

| | |
|---|---|
| Emp / lon / lar / haut | 2700 / 4623 / 1859 / 1669 mm |
| Coffre / Réservoir | 702 à 1555 litres / 60 litres |
| Nbre coussins sécurité / ceintures | 10 / 5 |
| Suspension avant | ind., jambes force |
| Suspension arrière | ind., multibras |
| Freins avant / arrière | disque / disque |
| Direction | à crémaillère, ass. élect. |
| Diamètre de braquage | 11,4 m |
| Pneus avant / arrière | P225/60R17 / P225/60R17 |
| Poids / Capacité de remorquage | 1650 kg / 907 kg (1999 lb) |
| Assemblage | Toledo, OH |

## Composantes mécaniques

**Sport, North, Limited**

| | |
|---|---|
| Cylindrée, soupapes, alim. | 4L 2,4 litres 16 s atmos. |
| Puissance / Couple | 184 ch / 171 lb-pi |
| Tr. base (opt) / rouage base (opt) | A9 / Tr (Int) |
| 0-100 / 80-120 / V.Max | 10,5 s (est) / n.d. / n.d. |
| 100-0 km/h | n.d. |
| Type / ville / route / CO$_2$ | Ord / 8,4 / 5,8 l/100 km / 3230 kg/an |

**Trailhawk**

| | |
|---|---|
| Cylindrée, soupapes, alim. | V6 3,2 litres 24 s atmos. |
| Puissance / Couple | 271 ch / 239 lb-pi |
| Tr. base (opt) / rouage base (opt) | A9 / 4RM différentiel vérouillable |
| 0-100 / 80-120 / V.Max | 8,5 s / 6,5 s / n.d. |
| 100-0 km/h | 46,4 m |
| Type / ville / route / CO$_2$ | Ord / 10,8 / 7,5 l/100 km / 4285 kg/an |

## Du nouveau en 2016

Décalcomanie noire sur le capot maintenant de série sur le Trailhawk

JEEP COMPASS

# Jeep — JEEP **COMPASS/PATRIOT**

**Prix:** 18 995 $ à 30 690 $ (2015)
**Catégorie:** VUS
**Garanties:**
3 ans/60 000 km, 5 ans/100 000 km
**Transport et prép.:** 1 795 $
**Ventes QC 2014:** 11 767 unités*
**Ventes CAN 2014:** 1 558 unités**

Cote du Guide de l'auto

## 62 %

Fiabilité

Appréciation générale

Sécurité

Agrément de conduite

Consommation

Système multimédia

Cote d'assurance

présentée par
**KANETIX.CA**

$$$                               $

➕ Dimensions correctes • Consomma-
tion frugale • Boîte automatique à six
rapports • Peu dispendieux à l'achat •
Rouage intégral efficace

➖ Moteur 2,0 litres anémique • Trans-
mission CVT atroce • Banquette arrière
inconfortable • Insonorisation nettement
perfectible • Fiabilité désastreuse

**Concurrents**
Chevrolet Equinox, Ford Escape, GMC
Terrain, Honda CR-V, Hyundai Tucson,
Jeep Cherokee, Jeep Patriot, Kia Sportage,
Mazda CX-5, Subaru Outback, Toyota
RAV4, Volkswagen Tiguan

# Adieu !

Denis Duquet

**B**ien que les Jeep Compass et Patriot jouissent toujours
d'une popularité en mesure de les maintenir sur le marché,
ils vont bientôt sombrer dans le plan de réorganisation
du groupe Fiat Chrysler présenté en 2014. Il avait alors été
décidé que ces deux véhicules nous quitteraient au cours de
2016 et que l'usine de Belvidere dans l'Illinois serait transformée
pour y produire autre chose que de petits VUS.

Ce duo est assez particulier car dès le lancement, les critiques ont été
virulentes à leur égard. Les spécialistes accusaient une finition bâclée,
une motorisation déficiente ainsi qu'une boîte automatique CVT peu
performante. Pourtant, même si les gens étaient au courant d'un tel
verdict, ils en faisaient fi et ces deux petits Jeep ont été très populaires.
La raison est bien simple, l'attrait de la marque Jeep demeure très fort,
et le prix de ces véhicules était compétitif. Sans oublier une consom-
mation de carburant plutôt frugale. Autant d'éléments qui ont incité les
gens à adopter ces Jeep.

On croyait leur carrière terminée il y a une couple d'années déjà, mais
à la surprise générale, des versions modifiées et plus élégantes de ces
deux modèles ont été présentées. En outre, sur la plupart des motori-
sations, les boîtes CVT ont été remplacées par une automatique à six
rapports nettement plus convaincante à tous les chapitres.

**CLAUSTROPHOBES S'ABSTENIR**
Il faut admettre que les révisions esthétiques effectuées il y a deux ans
ont été positives. Ainsi, le Jeep Compass affiche une allure un peu plus
citadine avec sa calandre qui reprend le style général de celle du
Grand Cherokee et qui associe son utilisation à une conduite urbaine.
Quant au Patriot, les designers l'ont rapproché visuellement du Jeep
Wrangler dont il partage plus ou moins la même calandre.

Mais peu importe le style, l'habitacle est dépassé malgré tous les efforts
déployés pour en faire quelque chose de valable. En effet, si l'on peut

* Compass: 752 unités / Patriot: 806 unités     ** Compass: 5 808 unités / Patriot: 5 959 unités

qualifier la planche de bord comme étant attrayante et moderne, on est aux prises avec des matériaux d'une qualité douteuse et d'un assemblage quelconque.

D'autre part, les sièges avant sont peu confortables sur les modèles de base et leur support latéral est pratiquement inexistant. Les occupants des places arrière, eux, doivent s'accommoder d'une banquette qui fait piètre figure en matière de confort. Finalement, la visibilité arrière ne fait certainement pas partie des points positifs de ces modèles.

Aussi, il faut souligner que l'insonorisation n'est pas le point fort de ces Jeep. Les propriétaires d'un modèle doté du moteur 2,0 litres associé à la transmission à rapport continuellement variable savent de quoi je parle !

### C'EST SI FACILE D'ÊTRE COMPLIQUÉ...

Règle générale, dans la catégorie des véhicules à vocation économique, on ne s'embarrasse pas de deux ou trois groupes propulseurs. On tente de limiter les choses au plus simple, question d'inventaire et de coûts. Il est donc difficile de comprendre pourquoi Jeep a compliqué les choses en faisant appel à deux moteurs, trois transmissions en plus deux rouages 4x4.

On retrouve sur la version plus économique, le quatre cylindres 2,0 litres de 158 chevaux qui est associé de série à une boîte manuelle à cinq rapports, tandis que l'automatique à six rapports est optionnelle. Ce choix se justifie si votre budget est vraiment limité et que vous conduisez surtout en ville. D'ailleurs, aucun rouage intégral ne peut être jumelé à ce moteur.

Il est plus sage de se tourner vers le quatre cylindres de 2,4 litres de 172 chevaux et 165 livres-pied de couple qui est beaucoup plus en verve que la simple différence de 14 chevaux peut laisser croire. S'il est à roues motrices avant seulement, il est couplé à une transmission automatique à six rapports. Commandez le rouage intégral et vous obtiendrez la boîte CVT. Dans ce cas, vous avez le choix entre deux rouages. Le premier est le système Freedom Drive I. Il réagit au patinage des roues avant en transférant la puissance aux roues arrière. Plus sophistiqué, le système hors route Freedom Drive II optionnel, combiné à la transmission CVT2 avec mode tout terrain et rapport à très forte démultiplication de 19 à 1, permet au véhicule qui en est doté d'obtenir la cote Trail Rated, donc de très bien se débrouiller en hors route.

Mais même le choix le plus avisé en fait de groupes propulseurs et de rouage intégral ne peut compenser le fait que le Compass et le Patriot sont dépassés par une concurrence nettement plus affûtée et personne ne regrettera leur disparition.

### Châssis - Compass Limited 4RM

| | |
|---|---|
| Emp / lon / lar / haut | 2634 / 4448 / 1811 / 1651 mm |
| Coffre / Réservoir | 643 à 1519 litres / 51 litres |
| Nbre coussins sécurité / ceintures | 4 / 5 |
| Suspension avant | ind., jambes force |
| Suspension arrière | ind., multibras |
| Freins avant / arrière | disque / disque |
| Direction | à crémaillère, assistée |
| Diamètre de braquage | 11,3 m |
| Pneus avant / arrière | P215/55R18 / P215/55R18 |
| Poids / Capacité de remorquage | 1543 kg / 454 kg (1000 lb) |
| Assemblage | Belvidere, IL |

### Composantes mécaniques

**Sport 2RM (2.0)**

| | |
|---|---|
| Cylindrée, soupapes, alim. | 4L 2,0 litres 16 s atmos. |
| Puissance / Couple | 158 ch / 141 lb-pi |
| Tr. base (opt) / rouage base (opt) | M5 (A6) / Tr |
| 0-100 / 80-120 / V.Max | 11,2 s / 9,8 s / n.d. |
| 100-0 km/h | 45,6 m |
| Type / ville / route / $CO_2$ | Ord / 9,1 / 6,8 l/100 km / 3726 kg/an |

**Sport, Limited, North**

| | |
|---|---|
| Cylindrée, soupapes, alim. | 4L 2,4 litres 16 s atmos. |
| Puissance / Couple | 172 ch / 165 lb-pi |
| Tr. base (opt) / rouage base (opt) | M5 (CVT) / Int (Tr) |
| 0-100 / 80-120 / V.Max | 11,8 s / 8,0 s / n.d. |
| 100-0 km/h | 46,9 m |
| Type / ville / route / $CO_2$ | Ord / 10,0 / 7,4 l/100 km / 4060 kg/an |

## Du nouveau en 2016

Aucun changement majeur. Dernière année de commercialisation.
Disparition du Patriot Limited.

Photos : Jeep Canada

**JEEP PATRIOT**

## Jeep  JEEP **GRAND CHEROKEE**

((( SiriusXm )))

**Prix :** 39 995 $ à 64 895 $ (2015)
**Catégorie :** VUS
**Garanties :**
3 ans/60 000 km, 5 ans/100 000 km
**Transport et prép. :** 1 795 $
**Ventes QC 2014 :** 1 819 unités
**Ventes CAN 2014 :** 13 150 unités

### Cote du Guide de l'auto

# 76 %

| Fiabilité | Appréciation générale |
|---|---|
| Sécurité | Agrément de conduite |
| Consommation | Système multimédia |

### Cote d'assurance

présentée par
**KANETIX.CA**

$$$                    $

➕ Style unique • Couple abondant (moteurs turbodiesel et V8) • Bonnes aptitudes en conduite hors route • Performances relevées (SRT)

➖ Consommation importante (V8 et SRT) • Poids élevé • Relatif manque de raffinement • Direction peu communicative

### Concurrents

Acura MDX, Audi Q7, BMW X5, Ford Explorer, Hyundai Santa Fe, Infiniti QX70, Kia Sorento, Lexus RX, Mercedes-Benz Classe M, Nissan Pathfinder, Toyota 4Runner, Volkswagen Touareg, Volvo XC90

# Il était une fois dans l'Ouest

Gabriel Gélinas

**L**a seule mention du nom Jeep évoque pour plusieurs les immenses panoramas de l'Ouest américain ou encore l'ascension des sommets de Moab dans l'Utah, véritable mecque des accros de la conduite hors route. Mais pour la très grande majorité des automobilistes québécois, Jeep représente plutôt une alternative aux VUS de marques importées, particulièrement dans le cas du Grand Cherokee dont l'offre s'est bonifiée, il y a deux ans, avec le retour d'une version à motorisation diesel.

Ça faisait longtemps que je n'avais pas conduit le Grand Cherokee, puisque mon dernier contact remontait à 2011, année de la refonte pour la génération actuelle. En 2014, le vaisseau amiral de la marque subissait un *lifting* et, surtout, inaugurait un nouveau design de la planche de bord plus en phase avec les goûts du jour, mais je n'ai eu aucun problème à retrouver mes repères au volant de la version Overland à moteur turbodiesel, testé en plein cœur de l'hiver québécois. J'ai cependant noté que les sièges avant s'avèrent durs sur de longs trajets et que la qualité de certains plastiques laissait à désirer.

### MOTORE ITALIANO...

Alors que Nissan adopte une mécanique américaine Cummins pour son Titan à motorisation diesel, Jeep est plutôt allé repêcher un V6 turbo de 3,0 litres chez l'équipementier italien VM Motori qui appartient en partie à Fiat et qui fournissait déjà des moteurs diesel pour les modèles européens de Chrysler.

Au démarrage, le V6 carburant au gazole s'exprime avec la sonorité caractéristique d'un diesel et fait preuve d'un certain manque de raffinement par rapport aux moulins des marques européennes. Une fois en route, on apprécie le couple abondant de 420 livres-pied, typique d'un moteur diesel, et la poussée que l'on ressent en accélération franche. La boîte automatique à huit rapports fait un bon boulot pour accélérer cette version du Grand Cherokee, qui est beaucoup plus lourde que celles animées par le V6 Pentastar de 3,6 litres ou le V8 de 5,7 litres. Par ailleurs, le couple abondant du V6 turbodiesel autorise une capacité de remorquage égale à celle du V8, soit 7 200 livres (3 265 kilos). Quant au moteur V6 à essence, il permet tout de même une capacité de 6 200 livres (2 812 kilos).

Pour les maniaques de l'accélération à l'emporte-pièce et les départs-canon sur les chapeaux de roues, Jeep propose depuis quelques années une version SRT de son Grand Cherokee, équipé d'un puissant V8 de 6,4 litres développant 475 chevaux et 470 livres-pied de couple. La désignation SRT est désormais réservée aux véhicules de Dodge, mais la direction de FCA fait une exception dans le cas du Grand Cherokee, demande de la clientèle oblige. Selon les rumeurs courantes, il est également possible que Jeep décide d'ajouter une version Hellcat de son Grand Cherokee, qui recevrait le nom Trackhawk et qui serait animé par le fameux moteur V8 suralimenté de 6,2 litres de 707 chevaux.

Une chose est certaine, avec un prix de départ supérieur à 65 000 $, le modèle SRT constitue une bonne source de profits pour le constructeur et représente une alternative plus abordable aux VUS européens aux performances comparables.

Au sujet du comportement routier, le Grand Cherokee est plutôt stable dans les grandes courbes rapides, ou les bretelles d'accès à l'autoroute, mais peut parfois faire preuve d'un roulis plus prononcé que les rivaux d'outre-Atlantique. La direction est précise mais ne livre cependant pas beaucoup de sensations de la route.

### IL Y A DE L'EAU DANS LE GAZ...
Côté fiabilité à long terme, Jeep se classe au 29e rang sur 31 marques dans le sondage *Vehicle Dependability Study* (VDS) 2015 de la firme spécialisée J.D. Power and Associates, qui mesure la satisfaction de la clientèle après trois ans d'usage du véhicule. Dire que l'on pourrait faire mieux relève donc de l'euphémisme.

Avec une gamme étendue de finitions et de motorisations, incluant une variété de systèmes à quatre roues motrices et une liste d'équipements comparable à celles de ses rivaux chez les marques de luxe, le Grand Cherokee est capable de jouer sur plusieurs tableaux et son style indéniablement américain comble les attentes de plusieurs. On attend juste que Jeep améliore sa fiabilité...

## Du nouveau en 2016
Ajout possible d'un modèle Trackhawk

### Châssis - Overland D

| | |
|---|---|
| Emp / lon / lar / haut | 2916 / 4821 / 2154 / 1761 mm |
| Coffre / Réservoir | 994 à 1945 litres / 93 litres |
| Nbre coussins sécurité / ceintures | 6 / 5 |
| Suspension avant | ind., bras inégaux |
| Suspension arrière | ind., multibras |
| Freins avant / arrière | disque / disque |
| Direction | à crémaillère, ass. var. |
| Diamètre de braquage | 11,4 m |
| Pneus avant / arrière | P265/50R20 / P265/50R20 |
| Poids / Capacité de remorquage | 2393 kg / 3265 kg (7198 lb) |
| Assemblage | Détroit, MI |

### Composantes mécaniques

**Overland D**

| | |
|---|---|
| Cylindrée, soupapes, alim. | V6 3,0 litres 24 s turbo |
| Puissance / Couple | 240 ch / 420 lb-pi |
| Tr. base (opt) / rouage base (opt) | A8 / Int |
| 0-100 / 80-120 / V.Max | 9,3 s / 7,6 s / n.d. |
| 100-0 km/h | 43,4 m |
| Type / ville / route / CO$_2$ | Dié / 10,3 / 7,1 l/100 km / 4785 kg/an |

**Laredo, Limited, Overland, Summit**

| | |
|---|---|
| Cylindrée, soupapes, alim. | V6 3,6 litres 24 s atmos. |
| Puissance / Couple | 290 ch / 260 lb-pi |
| Tr. base (opt) / rouage base (opt) | A8 / Int |
| 0-100 / 80-120 / V.Max | 8,8 s / 6,8 s / n.d. |
| 100-0 km/h | 44,4 m |
| Type / ville / route / CO$_2$ | Ord / 12,4 / 8,3 l/100 km / 4860 kg/an |

**Summit V8**

| | |
|---|---|
| Cylindrée, soupapes, alim. | V8 5,7 litres 16 s atmos. |
| Puissance / Couple | 360 ch / 390 lb-pi |
| Tr. base (opt) / rouage base (opt) | A8 / Int |
| 0-100 / 80-120 / V.Max | 8,0 s (est) / n.d. / n.d. |
| 100-0 km/h | n.d. |
| Type / ville / route / CO$_2$ | Ord / 15,6 / 9,9 l/100 km / 6000 kg/an |

**SRT**

| | |
|---|---|
| Cylindrée, soupapes, alim. | V8 6,4 litres 16 s atmos. |
| Puissance / Couple | 470 ch / 465 lb-pi |
| Tr. base (opt) / rouage base (opt) | A8 / Int |
| 0-100 / 80-120 / V.Max | 5,0 s / 3,8 s (est) / n.d. |
| 100-0 km/h | 35,4 m |
| Type / ville / route / CO$_2$ | Sup / 16,6 / 10,7 l/100 km / 6420 kg/an |

Photos : Jeep Canada

# Jeep JEEP **RENEGADE**

((SiriusXM))

**Prix:** 19 995 $ à 31 995 $ (2015)
**Catégorie:** VUS
**Garanties:**
3 ans/60 000 km, 5 ans/100 000 km
**Transport et prép.:** n.d.
**Ventes QC 2014:** n.d.
**Ventes CAN 2014:** n.d.

## Cote du Guide de l'auto

# 77%

| Fiabilité | Appréciation générale |
|---|---|
| ■■■■■□□□ | ■■■■■■□□ |
| Sécurité | Agrément de conduite |
| nouveau modèle | ■■■■■■□□ |
| Consommation | Système multimédia |
| ■■■■■■□□ | ■■■■□□□□ |

## Cote d'assurance

n.d.

présentée par
**KANETIX.CA**

➕ Choix intéressant de motorisations • Habitacle spacieux • Bon volume de chargement • Compétent en hors route • Présentation réussie

➖ Prix peu compétitif • Assise haute (siège du passager) • Boîte à neuf rapports pas au point

## Concurrents

Buick Encore, Chevrolet Trax, Fiat 500X, Honda HR-V, Kia Soul, Mazda CX-3, Mitsubishi RVR, Nissan Juke, Subaru XV Crosstrek

# Le surqualifié

Sylvain Raymond

**V**ous voulez savoir quel créneau connaîtra une forte croissance au cours des prochaines années? Ne cherchez pas, c'est celui des VUS ultracompacts dans lequel s'inscrit le Jeep Renegade. La marque peut se vanter d'avoir réagi rapidement et surtout, de commercialiser un produit au style amusant, une bonne chose dans un marché qui sera vite envahi par la concurrence. Le nom de famille qu'il porte dicte sa compétence hors route, une qualité qu'aucun rival ne possède.

L'attrait du Renegade, c'est d'abord son style. Alors que ses concurrents sont beaucoup plus en rondeurs, le Renegade est fidèle à l'héritage de Jeep en étant très... carré! Il bénéficie des composantes visuelles typiques à la marque, dont la grille à sept barres et des phares ronds. Son pare-brise est pratiquement à angle droit, son toit est plat, et les feux arrière carrés s'étirent à l'extérieur de la carrosserie, créant un effet de largeur supplémentaire.

Le plus intéressant, ce sont toutes les petites attentions intégrées un peu partout. Jeep en a fait une véritable chasse aux œufs de Pâques. On a notamment gravé à plusieurs endroits (vitres, phares et grilles de haut-parleurs) des icônes représentant la calandre signature de la marque alors que les feux arrière comportent un motif en X qui reprend celui apposé sur les bidons d'essence accrochés à l'arrière des 4x4 militaires. Certaines couleurs de carrosserie plus éclatées ajoutent aussi au style du véhicule et renforcissent son image de petit jouet.

**MADE IN ITALY**
On pourrait croire que le Renegade est issu de l'Amérique du Nord, mais en fait, il est le fruit d'un mariage multiculturel entre Chrysler et Fiat, ces derniers ayant convolé en justes noces récemment. Basé sur la plate-forme de la Fiat 500L, le Renegade est donc à moitié italien, tout comme son demi-frère, le Fiat 500X. Les deux rejetons sortent tout droit de l'usine située à Melfi en Italie.

Côté mécanique, on nous propose un duo déjà connu. Les versions Sport et North héritent du quatre cylindres turbocompressé de 1,4 litre qui livre une puissance de 160 chevaux et un couple de 184 lb-pi. Cela peut sembler modeste, mais il faut se rappeler que le Renegade n'est pas très imposant. De plus, ce moteur est marié à une boîte manuelle à six rapports qui, même si elle paraît d'abord rébarbative, nous a agréablement surpris. Malgré un pommeau un peu gros compliquant sa prise en main, elle demeure efficace et extirpe bien la puissance disponible. Il est également possible de l'associer au rouage à quatre roues motrices optionnel, permettant de profiter au maximum des capacités de ce petit VUS. Un Renegade à traction? Non merci.

L'autre moteur, c'est le quatre-cylindres de 2,4 litres qui livre un peu plus de puissance avec ses 180 chevaux, mais son couple de 175 lb-pi est légèrement moins élevé. Il est toutefois déployé à plus bas régime, rendant ce moteur un peu plus efficace en général. Dans ce cas-ci, on a droit à une boîte automatique à neuf rapports, celle déjà offerte notamment à bord Jeep Cherokee. Eh oui, celle-là même qui cause des maux de tête au constructeur et qui ne semble toujours pas au point. Ne négligez pas l'essai avant l'achat!

Drôlement efficaces, les deux systèmes à quatre roues motrices comprennent une fonction de découplage qui transmet la puissance uniquement aux roues avant lorsque la motricité 4x4 n'est pas requise. Cela ajoute à l'économie de carburant. Le système de gestion de la motricité Selec-Terrain vous propose le choix entre les modes Auto, Snow, Sand et Mud en plus du mode Rock sur le Trailhawk.

### TRAILHAWK, UN MINI WRANGLER

Tout comme dans le cas du Cherokee, la livrée Trailhawk hérite de composantes supplémentaires rehaussant ses aptitudes hors du bitume. On lui a ajouté des plaques de protection, son bouclier permet un meilleur angle d'attaque, et enfin, pour enjamber un peu mieux les roches, son débattement est relevé de 205 mm. En fait, il est surqualifié pour ce que 99,9% des utilisateurs en feront, mais on l'achète davantage pour son style que pour ses habiletés.

À bord, la forme carrée a permis aux concepteurs de rendre l'habitacle spacieux et confortable. On a l'impression d'être assis dans un véhicule beaucoup plus grand. Si la version de base nous semble légèrement dégarnie, c'est mieux dès que l'on monte à bord de la livrée North. L'écran tactile de cinq pouces, les matériaux souples et le volant gainé de cuir accentuent le style. On aime bien l'instrumentation optionnelle qui dispose d'un écran de sept pouces personnalisable.

Le Renegade sait plaire en raison de son style unique et de la notoriété de la marque. Le seul hic? Son prix assez corsé.

| Châssis - Trailhawk 4x4 | |
|---|---|
| Emp / lon / lar / haut | 2570 / 4232 / 2023 / 1739 mm |
| Coffre / Réservoir | 525 à 1440 litres / 48 litres |
| Nbre coussins sécurité / ceintures | 7 / 5 |
| Suspension avant | ind., jambes force |
| Suspension arrière | ind., jambes force |
| Freins avant / arrière | disque / disque |
| Direction | à crémaillère, ass. var. élect. |
| Diamètre de braquage | 10,8 m |
| Pneus avant / arrière | P215/65R17 / P215/65R17 |
| Poids / Capacité de remorquage | 1621 kg / 907 kg (1999 lb) |
| Assemblage | Melfi, IT |

| Composantes mécaniques | |
|---|---|
| **Sport, North** | |
| Cylindrée, soupapes, alim. | 4L 1,4 litre 16 s turbo |
| Puissance / Couple | 160 ch / 184 lb-pi |
| Tr. base (opt) / rouage base (opt) | M6 (A9) / Tr (Int) |
| 0-100 / 80-120 / V.Max | 9,5 s (est) / 8,0 s (est) / n.d. |
| 100-0 km/h | n.d. |
| Type / ville / route / $CO_2$ | Sup / 10,0 / 7,8 l/100 km / 4145 kg/an |
| **Trailhawk, Limited** | |
| Cylindrée, soupapes, alim. | 4L 2,4 litres 16 s atmos. |
| Puissance / Couple | 180 ch / 175 lb-pi |
| Tr. base (opt) / rouage base (opt) | A9 / 4x4 (Int) |
| 0-100 / 80-120 / V.Max | 9,0 s (est) / n.d. / n.d. |
| 100-0 km/h | n.d. |
| Type / ville / route / $CO_2$ | Ord / 10,0 / 7,8 l/100 km / 4145 kg/an |

## Du nouveau en 2016

Nouveau modèle

Photos: Sylvain Raymond, Jeep Canada

# Jeep  JEEP **WRANGLER**

**Prix:** 21 495 $ à 39 165 $ (2015)
**Catégorie:** VUS
**Garanties:**
3 ans/60 000 km, 5 ans/100 000 km
**Transport et prép.:** 1 795 $
**Ventes QC 2014:** 3 677 unités
**Ventes CAN 2014:** 23 057 unités

### Cote du Guide de l'auto

# 62 %

| Fiabilité | Appréciation générale |
|-----------|----------------------|
| ■■■■■□□□□□ | ■■■■■■□□□□ |
| Sécurité | Agrément de conduite |
| ■■■■□□□□□□ | ■■■■■■■□□□ |
| Consommation | Système multimédia |
| ■■■■□□□□□□ | ■■■■■□□□□□ |

### Cote d'assurance
■■■■■■■□□□
$$$         $

présentée par
***KANETIX.CA***

➕ Style indémodable • Capacités hors route phénoménales • Habitacle mieux habillé que jamais • Une décapotable 4x4, c'est rare !

➖ Confort primitif • Consommation élevée • Toit mou perméable • Direction floue

### Concurrents
Land Rover LR4, Nissan Xterra

# Conjuguer l'aventure au passé, au présent et au futur

Frédérick Boucher-Gaulin

Le Jeep Wrangler est l'un de ces véhicules iconiques que tous – même les plus néophytes de l'automobile – reconnaîtront. Bien sûr, tout le monde n'est pas au courant de ses origines qu'on peut retracer jusqu'à la Deuxième Guerre mondiale, et rares sont les gens qui pourraient vous nommer toutes les générations du camion (CJ, YJ, TJ et JK, au cas où vous vous poseriez la question!). Toutefois, même ceux qui ne font pas la différence entre une Toyota Camry et une Mercedes-Benz Classe S pourront immédiatement discerner la silhouette si caractéristique du Wrangler dans la circulation, et vous diront qu'absolument rien ne peut arrêter un Jeep.

### CONSERVER L'ADN INTACT

Voilà le plus grand dilemme de son manufacturier : chaque refonte, chaque modification doivent être longuement réfléchies pour ne pas nuire à l'image du Wrangler (on se rappelle lorsque la variante à quatre portières avait été lancée, plusieurs avaient crié au sacrilège). Voilà pourquoi, pour le meilleur et pour le pire, ce Jeep est carrément vétuste sur certains points : il est l'un des derniers à faire usage d'essieux rigides à l'avant et à l'arrière, par exemple ; une technologie datant de l'époque des charrettes. Vrai que celle-ci permet au véhicule de grimper un flanc montagneux facilement, mais elle ne fait rien pour dorloter ses occupants...

Sur d'autres points cependant, le JK (le nom de la génération actuelle du Wrangler) fait preuve de modernité : depuis quelques années, il a droit à un moteur V6 Pentastar de 3,6 litres générant 285 chevaux et 260 livres-pied de couple. Cette motorisation (couplée à une boîte manuelle à six rapports ou à une automatique à cinq rapports) peut propulser le Wrangler avec autorité ; en revanche, elle le fera au coût d'une consommation élevée — 14,1 litres aux 100 km en ville, selon le constructeur.

## UN JEEP, ÇA DÉCOIFFE

Lorsque la température le permet, le Wrangler vous démontrera l'un de ses meilleurs atouts : il vient de série avec un toit amovible (mou sur les versions d'entrée de gamme, rigide sur les versions plus équipées), vous permettant de profiter du soleil et du vent sans obstructions. Comme à la belle époque, il est aussi possible d'enlever les portières et de rabattre le pare-brise, quoique cette opération demande plus de temps. Le Jeep Wrangler est d'ailleurs le seul de sa catégorie — mieux, le seul véhicule sur le marché — à offrir le plaisir d'une déca-potable allié à la praticité d'un 4x4 et l'espace d'un quatre portes.

Quatre versions sont proposées, chacune en variante 2 ou 4 portes : la finition Sport se veut le Jeep dénudé, offrant l'expérience Wrangler à sa plus simple expression. Ici, pas de climatiseur et des roues de 16 pouces sont au programme. Si vous avez peur d'avoir trop chaud, il est possible de vous tourner vers le Sport S, qui ajoute la climatisation ainsi que des roues chromées et un volant garni de cuir. Vient ensuite le modèle Sahara, qui vous donne droit à des sièges en cuir, un système audio Alpine, des roues de 18 pouces et des ailes assorties à la couleur de la carrosserie, entre autres choses. Finalement, les fanatiques de conduite hors route craqueront pour le Rubicon, qui offre un rapport de pont plus approprié pour grimper une montagne, un essieu Dana 44 à l'avant, des protections supplémentaires sous le châssis ainsi qu'un dispositif déconnectant la barre stabilisatrice avant, donnant plus d'articulation à votre suspension. Par contre, ce modèle compromet considérablement l'économie d'essence et le confort.

Conduire un Wrangler est une expérience différente des autres véhicules qu'il m'a été donné d'essayer : on s'y sent puissant et en contrôle, dominant la circu-lation. La direction n'est pas très communicative et présente un flou assez notoire au centre, mais ce sont là des caractéristiques qui sont positives pour un véhicule hors route. La visibilité est bonne puisque toutes les surfaces vitrées sont rectangulaires et à angles droits, mais il faut noter que la vue arrière est handicapée par le pneu de secours. Finalement, on ne peut taire le fait que le toit en tissu n'est pas parfaitement étanche, ce qui peut surprendre lorsqu'on passe au lave-auto...

## LE MEILLEUR EST À VENIR... ?

Le Wrangler est appelé à changer sous peu ; victime des temps modernes, il pourrait perdre son châssis de type échelle, son moteur V6 et peut-être même passer à l'aluminium pour sa carrosserie. Rien n'est confirmé pour l'instant, mais si ces rumeurs s'avèrent exactes, le monde de l'automobile perdrait une de ses reliques... et ce serait bien dommage, puisque les défauts du Jeep Wrangler ne font qu'exacerber ses qualités.

### Châssis - Sport

| | |
|---|---|
| Emp / lon / lar / haut | 2423 / 4161 / 1872 / 1801 mm |
| Coffre / Réservoir | 340 à 1557 litres / 70 litres |
| Nbre coussins sécurité / ceintures | 2 / 4 |
| Suspension avant | essieu rigide, multibras |
| Suspension arrière | essieu rigide, multibras |
| Freins avant / arrière | disque / disque |
| Direction | à billes, assistée |
| Diamètre de braquage | 10,6 m |
| Pneus avant / arrière | P225/75R16 / P225/75R16 |
| Poids / Capacité de remorquage | 1759 kg / 907 kg (1999 lb) |
| Assemblage | Toledo, OH |

### Composantes mécaniques

| | |
|---|---|
| Cylindrée, soupapes, alim. | V6 3,6 litres 24 s atmos. |
| Puissance / Couple | 285 ch / 260 lb-pi |
| Tr. base (opt) / rouage base (opt) | M6 (A5) / 4x4 |
| 0-100 / 80-120 / V.Max | 7,9 s / 6,6 s / n.d. |
| 100-0 km/h | 45,8 m |
| Type / ville / route / $CO_2$ | Ord / 15,0 / 11,4 l/100 km / 6155 kg/an |

### Du nouveau en 2016

Modifications esthétiques pour le Sahara, version Unlimited maintenant renommée 4 portes, retrait des couleurs Orange crépuscule et Jaune baja, entre autres ; ajout de Hypergreen.

Photos : Jeep Canada

## KIA **CADENZA**

**Prix :** 38 195 $ à 45 595 $ (2015)
**Catégorie :** Berline
**Garanties :**
5 ans/100 000 km, 5 ans/100 000 km
**Transport et prép. :** 1 485 $
**Ventes QC 2014 :** 39 unités
**Ventes CAN 2014 :** 160 unités

### Cote du Guide de l'auto

# 70 %

| Fiabilité | Appréciation générale |
|---|---|
| ■■■■■■■□□□ | ■■■■■■■□□□ |
| Sécurité | Agrément de conduite |
| ■■■■■■□□□□ | ■■■■■■□□□□ |
| Consommation | Système multimédia |
| ■■■■■□□□□□ | ■■■■■■■□□□ |

### Cote d'assurance

■■■■■■■■□□
$$$        $

présentée par

**KANETIX.CA**

 Style moderne et raffiné •
Équipement sans faille • Confort relevé •
Habitacle vaste • Prix de base intéressant

➖ Direction sans âme • Pas de rouage
intégral • Bonne garantie • Valeur de
revente devrait être pauvre

### Concurrents
Acura TLX, Audi A4, BMW Série 3,
Cadillac ATS, Hyundai Genesis, Lexus
ES, Mercedes-Benz Classe C, Volvo S60

# En manque de
# propriétaires

Alain Morin

**E**n à peine deux ans, Kia a dévoilé deux grandes berlines. *Le Guide de l'auto 2014* présentait la Cadenza (déjà en vente depuis quelques années en Corée sous le nom K7) puis, l'année passée, la K900. Si cette dernière est loin d'être à la hauteur de la concurrence, la Cadenza, plus petite, est nettement plus intéressante. Pourtant, on en voit bien peu sur nos routes. Pourquoi ?

Ce n'est assurément pas une question de prix. Kia est reconnu depuis son arrivée sur notre marché pour offrir un rapport prix/équipement imbattable. Certainement pas pour des raisons de qualité douteuse. Kia a abandonné les plastiques Fisher-Price depuis belle lurette ! L'espace dans l'habitacle ? Le confort des sièges ? La qualité de la finition ? La puissance du moteur ? Rien à redire. Alors pourquoi ?

**POUR LES 20 ANS ET PLUS... BEAUCOUP PLUS**
La Cadenza est fort joliment tournée. Personnellement, je trouve qu'elle ne se démarque pas suffisamment de l'intermédiaire Optima malgré plusieurs petites différences ici et là, la plus importante étant ses dimensions, plus imposantes. Malheureusement, le coup de crayon des designers a été moins heureux quand est venu le temps de dessiner le tableau de bord. Il n'est pas vilain, mais il lui manque cette fluidité qu'on retrouve dans l'Optima, par exemple.

L'assemblage est réussi et les matériaux utilisés ne s'attirent aucun commentaire négatif. Les appliques en bois, qui auraient l'air dépareillées dans une sportive, sont ici tout à fait dans le ton. Car, voyez-vous, la Cadenza ne s'adresse pas à un jeune de 20 ans. On peut tripler ce chiffre sans avoir peur de se tromper... Le gros compteur de vitesse, en plein devant les yeux, se lit facilement tout comme l'écran central. Et que dire de la chaîne audio Infinity qui, grâce à sa qualité sonore, fera sourire les tympans. Même s'il s'agit d'un rigodon.

Les sièges avant sont étonnamment confortables et m'ont quasiment fait oublier ma longue et pénible aventure avec plusieurs sièges de véhicules coréens. L'espace est généreux, qu'on soit assis à l'avant ou à l'arrière. Curieusement, l'assise de la banquette est basse et l'on tombe pratiquement dessus quand on y prend place. Pas sûr que les personnes âgées apprécieront. Tout juste derrière cette banquette, il y a un coffre de bonnes dimensions au seuil assez élevé. L'ouverture n'est pas des plus grandes, ce qui lui enlève un peu de sa polyvalence.

## SAGE PERSONNALITÉ

Au chapitre de la motorisation, un seul moteur, soit un V6 de 3,3 litres. Ce moulin, qu'on retrouve dans d'autres créations sud-coréennes, m'a paru moins à l'aise qu'ailleurs. N'allez pas croire qu'il ne performe pas. Les accélérations et les reprises sont vives mais il semble manquer de volonté. Chanceux, il est épaulé par une boîte automatique à six rapports qui fait son boulot tout en douceur. Fait à noter, il est possible de rétrograder en utilisant la palette gauche derrière le volant même quand le levier est placé sur le D. Ne souriez pas, c'est plus rare que l'on pense !

Les roues motrices sont situées à l'avant, ce qui pourrait entraîner un effet de couple dans la direction si le conducteur réveille les 293 chevaux d'un coup (la sensation des roues avant semble vouloir aller à gauche et à droite en même temps). Mais dans la Cadenza, cet effet de couple est très bien maîtrisé.

C'est en conduisant une voiture qu'on découvre sa personnalité et c'est particulièrement vrai avec la Cadenza. Le volant en partie recouvert de bois ne nous amène pas à imaginer des réactions propres à une Porsche Cayman… Et effectivement, la direction est plutôt vague et ne démontre aucune aptitude pour retourner les informations. Le silence de roulement impressionne, dérangé seulement par le grondement, au demeurant fort agréable, du moteur en accélération. Les suspensions font tout en leur pouvoir pour préserver le confort des occupants mais, à vitesse élevée sur mauvaise chaussée, elles n'inspirent pas parfaitement confiance. La levée du pied droit se fait d'elle-même.

Si la Kia Cadenza se vend peu, en tout cas beaucoup moins que ses rivales, ce n'est pas faute de qualités. Dans ce créneau, dominé au chapitre des ventes par la dynamique Chrysler 300, la Cadenza doit affronter une clientèle souvent fidèle depuis des décennies à une marque en particulier. Et demander aux gens qui pourraient être intéressés par cette Kia de changer à la fois de marque et de continent d'origine, c'est peut-être trop demander. Si ce n'est pas ça, c'est quoi ?

| Châssis - Base | |
|---|---|
| Emp / lon / lar / haut | 2845 / 4970 / 1850 / 1475 mm |
| Coffre / Réservoir | 451 litres / 70 litres |
| Nbre coussins sécurité / ceintures | 8 / 5 |
| Suspension avant | ind., jambes force |
| Suspension arrière | ind., multibras |
| Freins avant / arrière | disque / disque |
| Direction | à crémaillère, ass. élect. |
| Diamètre de braquage | 11,1 m |
| Pneus avant / arrière | P245/45R18 / P245/45R18 |
| Poids / Capacité de remorquage | 1660 kg / n.d. |
| Assemblage | Hwasung, KR |

| Composantes mécaniques | |
|---|---|
| **Base, Premium** | |
| Cylindrée, soupapes, alim. | V6 3,3 litres 24 s atmos. |
| Puissance / Couple | 293 ch / 255 lb-pi |
| Tr. base (opt) / rouage base (opt) | A6 / Tr |
| 0-100 / 80-120 / V.Max | 7,3 s / 5,0 s / n.d. |
| 100-0 km/h | 43,2 m |
| Type / ville / route / $CO_2$ | Ord / 11,2 / 7,4 l/100 km / 4360 kg/an |

## Du nouveau en 2016

Aucun changement majeur, nouvelle version de milieu de gamme

Photos: Kia Canada

## KIA **FORTE**

**Prix :** 17 480 $ à 30 280 $ (2015)
**Catégorie :** Berline, Coupé, Hatchback
**Garanties :**
5 ans/100 000 km, 5 ans/100 000 km
**Transport et prép. :** 1 485 $
**Ventes QC 2014 :** 4 791 unités
**Ventes CAN 2014 :** 11 867 unités

### Cote du Guide de l'auto

# 72 %

Fiabilité                    Appréciation générale
■■■■■■■□□□        ■■■■■■■□□□

Sécurité                     Agrément de conduite
■■■■■■□□□□        ■■■■■■■□□□

Consommation                 Système multimédia
■■■■■■■■□□        ■■■■■■■□□□

### Cote d'assurance
■■■■■■■□□□                présentée par
$$$                    $    **KANETIX.CA**

➕ Construction solide, finition soignée •
Équipement surabondant • Commandes
et contrôles efficaces • Fiabilité et
garantie solide • Silhouettes agréables

➖ Motorisation plutôt timide • Roule-
ment sautillant • Visibilité de ¾ arrière
(Forte5, Koup) • Ambitions sportives à
démontrer

### Concurrents
Chevrolet Cruze, Dodge Dart, Ford Focus,
Honda Civic, Hyundai Elantra, Mazda3,
Mitsubishi Lancer, Nissan Sentra, Scion
tC, Subaru Impreza, Toyota Corolla,
Volkswagen Golf, Volkswagen Jetta

# Les trois côtés de la médaille

Marc Lachapelle

**L**es Forte sont pleines de qualités et certainement parmi les meilleures des compactes. C'est ce qu'a démontré la berline qui s'est classée 4ᵉ au terme du match qui en regroupait douze dans l'édition précédente du *Guide*. Il est donc étonnant et intrigant de constater que cette série est moins populaire que la Hyundai Elantra, sa presque jumelle, qui joue des coudes avec la Civic au sommet des palmarès. La version Kia est peut-être, tout simplement, le choix des connaisseurs.

À vrai dire, l'écart entre les cousines Elantra et Forte tient sans doute au fait que les marques coréennes n'attirent pas la même clientèle que les européennes et japonaises. Le style résolument européen et le comportement plus affûté de la Forte, surtout en version Forte5, ne séduisent peut-être pas autant l'acheteur habituel des coréennes que la silhouette fluide et la conduite sans histoire de l'Elantra. À équipement égal, bien entendu. Et les deux sont plus que généreuses à cet égard.

### PASSEPORT EUROPÉEN
Les Forte affichent toutes une silhouette élégante et moderne, mais des trois, la Forte5 est indéniablement la plus européenne. Sans doute parce que la compacte avec hayon est une spécialité grandement appréciée sur le Vieux Continent. C'est d'ailleurs là que la Forte5 a pris forme, en toute logique, alors que la berline Forte et le coupé Forte Koup ont été dessinés dans les ateliers californiens du constructeur coréen.

La Forte5 n'est pas seulement belle. Ses glaces latérales très décou-pées et ses rétroviseurs montés très bas offrent une excellente visibilité vers l'avant et les côtés. Son habitacle est parfaitement moderne, confortable et bien équipé. La position de conduite est dégagée, les sièges bien taillés et confortables, mais il leur manque un soupçon de maintien latéral. Le dessin du tableau de bord est superbe, les cadrans clairs, les commandes précises et les rangements nombreux. Mais ça, on peut le dire tout autant des autres Forte.

Qu'à cela ne tienne, la Forte5 est également plus courte que ses deux sœurs d'au moins 18 cm et offre 657 litres de volume de chargement en repliant les pans asymétriques de ses dossiers arrière (selon la proportion classique 60/40). Elle est donc à la fois moins encombrante, plus maniable et plus pratique. Une *hatchback* comme on les aime, quoi ! Pour le reste, les versions de base de la Forte5 et du Forte Koup partagent un quatre cylindres à injection directe de 2,0 litres et 173 chevaux.

On retrouve ce même moteur sous le capot des versions EX et SX plus huppées de la berline. Il propulse cette dernière de 0 à 100 km/h en 9,3 secondes avec la boîte automatique à 6 rapports, ce qui n'est effectivement pas fulgurant. Une boîte manuelle à 6 rapports est également offerte dans la version EX. Le comportement et la qualité de roulement de la berline Forte se sont grandement améliorés avec la dernière refonte. Il faut dire qu'elle revenait de loin. Les réactions de la suspension sont toujours fermes sur les fentes et saillies, mais elles sont mieux amorties et filtrées. Chose étrange, on a malgré tout l'impression de conduire une voiture plus lourde.

La version de base LX de la berline persiste avec le vénérable quatre cylindres de 1,8 litre qui n'a rien de foudroyant avec ses 145 chevaux, pour un poids quasi égal et une consommation à peine moindre. Il n'existe que pour permettre d'annoncer un modèle à moins de 18 000 $. Stratégie commerciale oblige.

### UN PEU PLUS D'ÉPICES, S'IL VOUS PLAÎT

Les choses deviennent plus intéressantes, en termes de conduite et de performance, avec les versions SX de la Forte5 et du Forte Koup. Les deux profitent d'abord d'une suspension sport bien réglée et de freins dont le diamètre des disques avant passe de 280 à 300 mm. Les deux sont animés par un quatre cylindres turbocompressé à injection directe de 1,6 litre et 201 chevaux qui permet à la Forte5 SX de boucler le 0-100 km/h en 8,5 secondes avec la boîte automatique à 6 rapports. Honnête, sans plus. Ce moteur turbo se rachète un peu en se contentant d'essence ordinaire.

La boîte automatique est douce et précise en conduite normale, mais n'ajuste pas le régime du moteur lorsqu'on rétrograde en mode manuel avec les manettes au volant. Décevant pour une *hatchback* qui aimerait qu'on la prenne pour une sportive. Parce que la tenue de route de la Forte5 est très saine et la Koup franchement amusante à conduire. On attend donc encore les premières compactes ouvertement sportives de Kia. Pour l'instant, les Forte se contentent d'offrir une surabondance d'équipement pour le prix, appuyée sur une fiabilité et une qualité toujours en hausse. Rien de mal à ça.

## Châssis - 5 EX

| | |
|---|---|
| Emp / lon / lar / haut | 2700 / 4350 / 1780 / 1450 mm |
| Coffre / Réservoir | 657 litres / 50 litres |
| Nbre coussins sécurité / ceintures | 6 / 5 |
| Suspension avant | ind., jambes force |
| Suspension arrière | semi-ind., poutre torsion |
| Freins avant / arrière | disque / disque |
| Direction | à crémaillère, ass. var. élect. |
| Diamètre de braquage | 10,6 m |
| Pneus avant / arrière | P215/45R17 / P215/45R17 |
| Poids / Capacité de remorquage | 1321 kg / n.d. |
| Assemblage | Hwasung, KR |

## Composantes mécaniques

**Berline LX**

| | |
|---|---|
| Cylindrée, soupapes, alim. | 4L 1,8 litre 16 s atmos. |
| Puissance / Couple | 145 ch / 130 lb-pi |
| Tr. base (opt) / rouage base (opt) | M6 (A6) / Tr |
| 0-100 / 80-120 / V.Max | 10,0 s / 6,9 s / n.d. |
| 100-0 km/h | 42,8 m |
| Type / ville / route / $CO_2$ | Ord / 9,3 / 6,3 l/100 km / 3657 kg/an |

**5 LX+, Berline EX, Koup EX, 5 EX, Berline SX**

| | |
|---|---|
| Cylindrée, soupapes, alim. | 4L 2,0 litres 16 s atmos. |
| Puissance / Couple | 173 ch / 154 lb-pi |
| Tr. base (opt) / rouage base (opt) | M6 (A6) / Tr |
| 0-100 / 80-120 / V.Max | 9,0 s / 5,9 s / n.d. |
| 100-0 km/h | 42,8 m |
| Type / ville / route / $CO_2$ | Ord / 9,7 / 6,7 l/100 km / 3841 kg/an |

**Koup SX, 5 SX, Koup SX Luxe, 5 SX Luxe**

| | |
|---|---|
| Cylindrée, soupapes, alim. | 4L 1,6 litre 16 s turbo |
| Puissance / Couple | 201 ch / 195 lb-pi |
| Tr. base (opt) / rouage base (opt) | M6 (A6, Aucune) / Tr |
| 0-100 / 80-120 / V.Max | 7,4 s / 4,4 s / n.d. |
| 100-0 km/h | 42,2 s |
| Type / ville / route / $CO_2$ | Ord / 11,1 / 8,0 l/100 km / 4464 kg/an |

## Du nouveau en 2016

Aucun changement majeur

KIA FORTE5

MODÈLE 2015

## KIA **K900**

**Prix:** 51 480$ à 71 480$ (2015)
**Catégorie:** Berline
**Garanties:**
5 ans/100 000 km, 5 ans/100 000 km
**Transport et prép.:** 1 485$
**Ventes QC 2014:** 4 unités
**Ventes CAN 2014:** 23 unités

### Cote du Guide de l'auto

# 62%

Fiabilité
n.d.

Appréciation générale
■■■■■■■□□□

Sécurité
■■■■■■■□□□

Agrément de conduite
■■■■■■□□□□

Consommation
■■■■■□□□□□

Système multimédia
■■■■■■■□□□

### Cote d'assurance
■■■■■■□□□□
$$$                    $

présentée par
**KANETIX.CA**

➕ Design extérieur réussi • Confort de roulement • Habitacle luxueux • Équipement complet • Rapport prix/ équipement (de base)

➖ Direction floue • Tenue de route • Tableau de bord suranné • Prix exagéré (V8 Elite) • Faible valeur de revente

### Concurrents
Audi A8, BMW Série 7, Cadillac XTS, Hyundai Equus Lexus LS, Mercedes-Benz Classe S

# Le prénom

Jean-François Guay

**Q**uand on regarde les prénoms attribués aux modèles Kia, on constate assez rapidement que celui de la K900 détonne par rapport à ses sœurs Rio, Forte, Optima et Cadenza. On peut se demander pourquoi la marque sud-coréenne a choisi une désignation alphanumérique pour son vaisseau amiral en Amérique du Nord puisqu'ailleurs dans le monde, la K900 s'appelle Quoris. Un nom qui nous semble plus approprié et somptueux pour une berline de luxe qui tente de se mesurer à de grandes pointures comme les BMW Série 7 et Mercedes-Benz Classe S.

Introduite l'an dernier sur notre marché, la K900 est devenue le véhicule porte-étendard de Kia, mais aussi le plus dispendieux. Pour démontrer que sa K900 n'est pas un pétard mouillé, Kia apporte plusieurs retouches en 2016. Dans le but d'accentuer le caractère de son design, les stylistes ont revu la calandre, les garnitures extérieures, les feux et le pare-chocs arrière.

Pour que son ramage se rapporte à son plumage, l'habitacle regorge de nouveautés comme un système de navigation avec écran tactile et un coffre à commande électrique de série. Les versions Premium et Elite sont encore plus gâtées et incluent de nouveaux sièges en cuir nappa matelassé, un nouvel accoudoir central, des appliques en bois aux places arrière et un meilleur soutien lombaire pour le passager avant.

### PAR RAPPORT À SA COUSINE EQUUS
Même si Kia tente de nous faire accroire que la K900 a dans sa mire les grandes berlines de luxe allemandes, c'est plutôt sa cousine Hyundai Equus qui s'est vue confier ce mandat. Certes, les dimensions de la K900 sont similaires à l'Equus mais la présentation, le choix des motorisations et la gamme des tarifs sont nettement différents.

Tout d'abord, l'Equus n'offre pas de moteur V6 qui demeure l'apanage de la K900. Cette exclusivité permet à la Kia de débuter son échelle de prix sous la barre des 50 000 $ alors que la moins chère des Equus se négocie pour environ 65 000 $ — à cause de son équipement de série plus complet et d'un V8. Peu importe la version, à équipement égal, la somme demandée bonifiera toujours la K900 par rapport à la Hyundai.

Au jeu des comparaisons, il faut admettre que la carrosserie et le mobilier intérieur de l'Equus paraissent plus luxueux et ressemblent davantage à une grande berline allemande. De son côté, le style et l'habitacle de la K900 s'assimilent à une voiture de luxe plus modeste. Elle trouve sur son chemin des modèles comme les Buick LaCrosse, Chrysler 300 et Lincoln MKS — pour ne nommer que ceux-là.

Au niveau mécanique, le V6 de 3,8 litres développe 311 chevaux. Malgré l'injection directe de carburant, ce moteur est plutôt gourmand en essence. À sa défense, il consomme de l'essence ordinaire. Quant au V8 de 5,0 litres qui rugit dans l'Equus, les 420 chevaux s'alimentent à l'essence super. Les deux motorisations sont jumelées à une boîte automatique à huit rapports aux passages doux et rapides.

## PAS DE TRANSMISSION INTÉGRALE

Qu'on se le dise, tant la K900 que l'Equus n'ont pas été conçues pour les marchés occidentaux. Ces deux modèles ont été élaborés à l'origine pour contrer l'importation des grandes berlines allemandes en Corée du Sud. Or, le rouage intégral ne fait pas partie des mœurs des propriétaires de voitures de luxe résidant au pays du Matin calme. Ce qui explique pourquoi la K900 et sa cousine ne sont pas pourvues d'une transmission à quatre roues motrices. Conscient que l'absence de ce dispositif nuit considérablement à la diffusion de son modèle dans les pays nordiques, Kia a déjà assuré que la descendance de la K900 comptera sur cette aide à la conduite.

Homogène et apaisante, la K900 s'avère une routière agréable. Les suspensions sont douces et extrêmement douées pour lisser les imperfections de la chaussée, et la conduite ressemble à celle d'une voiture américaine. Non, la tenue de route et la direction n'offrent pas la précision d'une berline allemande ni sa finesse.

Qui s'en soucie? On n'achète pas une K900 pour épater la galerie, mais pour épargner des milliers de dollars et se démarquer de ses collègues ou voisins. Mais pas n'importe quelle version! Oubliez la livrée V8 Elite jugée beaucoup trop chère pour un produit portant une étiquette sud-coréenne. Pour en avoir pour votre argent, il est préférable de choisir la version d'entrée de gamme à moteur V6 dont l'équipement de série est passablement relevé. Il est juste dommage qu'il faille se tourner vers la trop dispendieuse version V6 Elite pour obtenir des petites gâteries comme le toit ouvrant panoramique, les garnitures en bois et le volant chauffant.

### Du nouveau en 2016

Retouches esthétiques, coffre à commande électrique intelligent, système de navigation avec écran tactile, système de freinage autonome, sièges en cuir nappa matelassé

### Châssis - V6

| | |
|---|---|
| Emp / lon / lar / haut | 3046 / 5095 / 1890 / 1486 mm |
| Coffre / Réservoir | 450 litres / 75 litres |
| Nbre coussins sécurité / ceintures | 8 / 5 |
| Suspension avant | ind., multibras |
| Suspension arrière | ind., multibras |
| Freins avant / arrière | disque / disque |
| Direction | à crémaillère, ass. var. élect. |
| Diamètre de braquage | 11,4 m |
| Pneus avant / arrière | P245/50R18 / P245/50R18 |
| Poids / Capacité de remorquage | 1944 kg / n.d. |
| Assemblage | Sohari, KR |

### Composantes mécaniques

**V6**

| | |
|---|---|
| Cylindrée, soupapes, alim. | V6 3,8 litres 24 s atmos. |
| Puissance / Couple | 311 ch / 293 lb-pi |
| Tr. base (opt) / rouage base (opt) | A8 / Prop |
| 0-100 / 80-120 / V.Max | n.d. / n.d. / n.d. |
| 100-0 km/h | n.d. |
| Type / ville / route / $CO_2$ | Ord / 13,1 / 8,7 l/100 km / 5115 kg/an |

**V8**

| | |
|---|---|
| Cylindrée, soupapes, alim. | V8 5,0 litres 32 s atmos. |
| Puissance / Couple | 420 ch / 376 lb-pi |
| Tr. base (opt) / rouage base (opt) | A8 / Prop |
| 0-100 / 80-120 / V.Max | 6,8 s / 4,6 s / n.d. |
| 100-0 km/h | 45,4 m |
| Type / ville / route / $CO_2$ | Sup / 15,7 / 10,2 l/100 km / 6080 kg/an |

MODÈLE 2015

Photos : Alain Morin

## KIA **OPTIMA**

**Prix:** 27 000 $ à 37 000 $ (estimé)
**Catégorie:** Berline
**Garanties:**
5 ans/100 000 km, 5 ans/100 000 km
**Transport et prép.:** 1 485 $
**Ventes QC 2014:** 2 162 unités
**Ventes CAN 2014:** 7 408 unités

### Cote du Guide de l'auto

# 80 %

| Fiabilité | Appréciation générale |
|---|---|
| ■■■■■■■□□□ | ■■■■■■■■□□ |
| Sécurité | Agrément de conduite |
| ■■■■■■■□□□ | ■■■■■■□□□□ |
| Consommation | Système multimédia |
| ■■■■■■■■□□ | ■■■■■■■□□□ |

### Cote d'assurance

présentée par
**KANETIX.CA**

■■■■■■■■□□
$$$                    $

➕ Silhouette très élégante • Bon comportement routier • Bon choix de moteur • Finition sérieuse • Sièges avant confortables

➖ Places arrière difficiles d'accès • Visibilité à revoir • Diffusion modeste au Canada • Réputation pas encore au niveau des Japonais

### Concurrents

Buick Regal, Chevrolet Malibu, Chrysler 200, Dodge Avenger, Ford Fusion, Honda Accord, Hyundai Sonata, Mazda6, Nissan Altima, Subaru Legacy, Toyota Camry, Volkswagen CC, Volkswagen Passat

# Un autre pas en avant

Denis Duquet

**A**utrefois ridiculisé pour ses véhicules quasiment primitifs au chapitre de la tenue de route et de la motorisation, Kia ne cesse de faire des progrès à tous les points de vue. Non seulement le nombre de véhicules vendus progresse de façon régulière et impressionnante, mais chaque nouveau modèle marque un pas en avant vers l'élégance, la sophistication et l'agrément de conduite. Cette fois, c'est au tour de l'Optima de connaître une révision.

Le dévoilement s'est effectué au Salon de l'auto de New York en avril dernier. Détail à souligner, c'est à ce même événement qu'on avait présenté la précédente Optima en Amérique il y a cinq ans et c'était pour Kia une façon de rendre hommage à cette pionnière qui est devenue le modèle Kia le plus vendu aux États-Unis. Autre pays, autres mœurs, direz-vous, car au Canada, cette berline intermédiaire est populaire mais elle n'est pas la plus vendue de la marque.

C'est justement cette grande popularité au pays de l'Oncle Sam qui a incité les stylistes à conserver en bonne partie la même silhouette que celle de la version précédente. Quand une voiture connaît du succès, c'est avec prudence que l'on révise son apparence.

### PLUS LONG, PLUS LARGE

Chaque fois qu'un modèle est renouvelé, on entend toujours les mêmes qualificatifs: plus long, plus large, plus puissant, plus luxueux. C'est en bonne partie le cas de cette nouvelle Kia dont l'empattement a progressé de 10 mm tandis que la largeur a gagné 25 mm. Cela peut sembler peu, mais en réalité, dans l'habitacle, cela se traduit par un meilleur dégagement pour la tête et les épaules et davantage d'espace pour les jambes à l'arrière. La capacité de chargement du coffre en a aussi profité.

Par contre, les stylistes — sous la direction du désormais légendaire Peter Schreyer — n'ont pas tellement modifié la silhouette de type coupé quatre portes adoptée précédemment. En fait, ils ont raffiné les formes pour accentuer l'impression de sportivité. À l'avant, la calandre de certains modèles plus luxueux est pareille à celle de la K900, la berline la plus prestigieuse de Kia. Étant donné que l'Optima a conservé la même silhouette, il est toujours difficile d'y prendre place à l'arrière... Soulignons que les jantes en alliage de 18 pouces proposent de nouveaux designs.

Étant donné que l'habitacle était un peu plus ringard que ce que la plupart des concurrents proposaient, il n'est guère surprenant d'y observer les changements les plus impressionnants. Ainsi, la qualité des matériaux est meilleure et la présentation générale est à la fois plus sobre et plus moderne. En outre, le nombre de commandes et de boutons a été réduit; excellente idée! Le système de connectivité et de gestion UVO est plus sophistiqué et plus performant. L'écran tactile de huit pouces affiche la même interface que votre téléphone cellulaire qu'il soit Android ou Apple.

## PLATE-FORME ALLÉGÉE

Comme le veut la tendance actuelle, les ingénieurs ont développé une plateforme plus rigide tout en étant plus légère grâce à l'utilisation d'acier de meilleure qualité. La carrosserie a été rigidifiée elle aussi, toujours en raison d'un acier offrant une plus grande résistance à la traction et de méthodes d'assemblage plus efficaces.

Les suspensions avant et arrière ont vu leur géométrie révisée tandis que des coussinets plus fermes assurent un meilleur comportement routier et une réduction des bruits dans l'habitacle.

Trois moteurs sont offerts sur la nouvelle Optima. Deux d'entre eux sont issus de la génération précédente. Il s'agit du quatre cylindres 2,4 litres et du 2,0 litres turbo. Le premier produit 185 chevaux alors que le second génère 60 équidés supplémentaires. Les deux sont associés à une boîte automatique à six rapports tandis que Kia souligne que l'économie de carburant anticipée de ces deux moteurs a été améliorée. Finalement, un 4 cylindres 1,6 litre turbo compressé est tout nouveau. Il sera disponible sur le modèle LX de base et propose une boîte automatique à sept rapports à double embrayage, une première pour cette marque.

Quant au modèle hybride, il sera reconduit sans modifications mécaniques importantes et sera commercialisé presque en même temps que les autres modèles. Plus tard, une version «Plug-in» viendra s'ajouter.

Ces changements progressifs et une amélioration de l'habitacle et de l'insonorisation devraient permettre à l'Optima de continuer d'être la Kia la plus vendue chez nos voisins du Sud.

## Du nouveau en 2016

Nouveau modèle

Photos : Kia Canada

### Châssis - LX Turbo

| | |
|---|---|
| Emp / lon / lar / haut | 2805 / 4855 / 1860 / 1465 mm |
| Coffre / Réservoir | n.d. / 70 litres |
| Nbre coussins sécurité / ceintures | 6 / 5 |
| Suspension avant | ind., jambes force |
| Suspension arrière | ind., multibras |
| Freins avant / arrière | disque / disque |
| Direction | à crémaillère, ass. élect. |
| Diamètre de braquage | 10,9 m |
| Pneus avant / arrière | P205/65R16 / P205/65R16 |
| Poids / Capacité de remorquage | 1460 kg / n.d. |
| Assemblage | West Point, GA |

### Composantes mécaniques

**Hybride LX, Hybride EX**

| | |
|---|---|
| Cylindrée, soupapes, alim. | 4L 2,4 litres 16 s atmos. |
| Puissance / Couple | 159 ch / 154 lb-pi |
| Tr. base (opt) / rouage base (opt) | A6 / Tr |
| 0-100 / 80-120 / V.Max | 8,9 s / 6,3 s / n.d. |
| 100-0 km/h | 45,5 m |
| Type / ville / route / $CO_2$ | Ord / 6,7 / 6,1 l/100 km / 2958 kg/an |

**LX Turbo**

| | |
|---|---|
| Cylindrée, soupapes, alim. | 4L 1,6 litre 16 s turbo |
| Puissance / Couple | 178 ch / 195 lb-pi |
| Tr. base (opt) / rouage base (opt) | A7 / Tr |
| 0-100 / 80-120 / V.Max | n.d. / n.d. / n.d. |
| 100-0 km/h | n.d. |
| Type / ville / route / $CO_2$ | Ord / n.d. / n.d. / n.d. |

**LX, EX**

| | |
|---|---|
| Cylindrée, soupapes, alim. | 4L 2,4 litres 16 s atmos. |
| Puissance / Couple | 185 ch / 178 lb-pi |
| Tr. base (opt) / rouage base (opt) | A6 / Tr |
| 0-100 / 80-120 / V.Max | n.d. / n.d. / n.d. |
| 100-0 km/h | n.d. |
| Type / ville / route / $CO_2$ | Ord / 10,2 / 6,9 l/100 km / 4009 kg/an |

**SX Turbo**

| | |
|---|---|
| Cylindrée, soupapes, alim. | 4L 2,0 litres 16 s turbo |
| Puissance / Couple | 245 ch / 260 lb-pi |
| Tr. base (opt) / rouage base (opt) | A6 / Tr |
| 0-100 / 80-120 / V.Max | n.d. / n.d. / n.d. |
| 100-0 km/h | n.d. |
| Type / ville / route / $CO_2$ | Ord / 11,7 / 7,7 l/100 km / 4554 kg/an |

## KIA **RIO**

**Prix :** 14 295 $ à 20 395 $
**Catégorie :** Berline, Hatchback
**Garanties :**
5 ans/100 000 km, 5 ans/100 000 km
**Transport et prép. :** 1 535 $
**Ventes QC 2014 :** 6 801 unités
**Ventes CAN 2014 :** 14 458 unités

### Cote du Guide de l'auto
# 77 %

Fiabilité ▪▪▪▪▪▪▪▫▫▫

Appréciation générale ▪▪▪▪▪▪▪▪▫▫

Sécurité ▪▪▪▪▪▪▫▫▫▫

Agrément de conduite ▪▪▪▪▪▪▫▫▫▫

Consommation ▪▪▪▪▪▪▪▪▫▫

Système multimédia ▪▪▪▪▪▪▫▫▫▫

### Cote d'assurance
▪▪▪▪▪▪▪▪▫▫
$$$                    $

présentée par
**KANETIX.CA**

➕ Conduite et performances très correctes • Silhouette toujours attrayante • Pratiques et spacieuses • Bien finies, solides, fiables • Très bien équipées

➖ Roulement assez ferme • Tenue de cap perfectible • Angles morts vers l'arrière (Rio5) • Un peu bruyantes sur l'autoroute • En fin de cycle

### Concurrents
Chevrolet Sonic, Ford Fiesta, Honda Fit, Hyundai Accent, Nissan Versa, Toyota Prius c, Toyota Yaris

# Développement durable

Marc Lachapelle

**Q**uelles que soient ses qualités, le temps ne s'arrête jamais pour une sous-compacte. Et la concurrence encore moins. Pour leur cinquième tournée annuelle, les Rio et Rio5 actuelles ont droit à un simple rafraîchissement : calandre et partie arrière redessinées, tableau de bord retouché, interfaces rajeunies et autres détails. Face à leurs rivales plus récentes, les forces des Rio sont toutefois connues et bien établies. Dans leur cas, il est plus que jamais sage d'y regarder de plus près, au-delà des chiffres les plus tapageurs.

La bataille fait toujours rage dans la catégorie des sous-compactes et les ventes ont encore gagné quelques points l'an dernier. Les jumelles non identiques que sont la Rio et la Rio5 sont encore à la poursuite de leurs cousines et rivales, les Hyundai Accent, qui caracolent toujours joyeusement au sommet du palmarès.

La domination actuelle des autos coréennes pourrait cependant être mise à mal, sinon compromise, par le tir groupé du redoutable trio de ninjas que forment les nouvelles Honda Fit, Mazda2 et Nissan Micra. Ces trois nipponnes jouent vraiment dur dans les coins, surtout en termes de prix. Et ça, les sœurs ennemies que sont les deux grandes marques coréennes le savent assurément très bien.

### IL FAUT BIEN REGARDER
Chez Kia, on joue entre autres la carte du style, question d'aligner les Rio et Rio5 sur les modèles le plus récemment redessinés de la marque. Notamment les Optima, Sedona et Soul. On ne parle pas ici de révolution, remarquez. En plus d'une grille en alvéoles pour la calandre, toujours cintrée au milieu, les stylistes ont simplement greffé des lamelles horizontales à la partie inférieure pour accentuer l'effet de largeur et donner un peu plus de muscle à la posture, devant comme derrière.

Ajoutez à ça des phares d'appoint et projecteurs déplacés légèrement vers l'intérieur à l'avant et vers l'extérieur à l'arrière, pour les mêmes raisons. Comptez aussi de nouvelles jantes et au moins deux nouvelles couleurs assez joyeuses : « bleu urbain » et « jaune numérique ». Ça, c'est bien Kia !

Certaines des retouches et modifications dans l'habitacle sont également d'ordre esthétique mais d'autres sont invisibles et touchent l'aspect fonctionnel. C'est la moindre des choses. À l'usine, on injecte par exemple plus de mousse à haute densité dans les montants avant et centraux des Rio pour réduire le bruit et les vibrations. Une excellente initiative, puisqu'elles avaient besoin d'une meilleure insonorisation. Surtout sur l'autoroute.

Les retouches au tableau de bord incluent de nouvelles bagues au fini satiné pour les buses d'aération et une grande moulure noire laquée autour de la chaîne audio et des contrôles principaux. Pour le reste, on parle essentiellement de contre-portes grises matelassées, de surfaces plus souples et douces là où on pose les doigts et de nouvelles surpiqûres grises pour la gaine du volant, l'accoudoir central et le manchon du levier de vitesses.

### POURVU QUE ÇA DURE

L'important, c'est que le reste soit intact. Parce que les Rio et Rio5 sont de petites voitures très confortables, spacieuses et pratiques pour leur taille. Elles proposent aussi une ergonomie, une qualité de finition et un niveau d'équipement sans égal, en concurrence directe avec leurs cousines, les Accent, au niveau du menu détail. Elles sont enfin très raisonnablement performantes, agiles, sûres et frugales, pour cette catégorie où chaque dollar compte.

Nous allons présumer que les cotes de puissance n'ont pas la même importance puisque le sympathique quatre cylindres à injection directe de 1,6 litre qui les propulse a perdu un cheval-vapeur depuis un an. Pour une raison inconnue, probablement une simple question de calcul, il produit désormais 137 chevaux à 6 300 tr/min. Ce qui ne devrait pas l'empêcher d'exécuter le sprint 0-100 km/h en 10,3 secondes avec la boîte manuelle à 6 rapports et en quelques dixièmes de plus avec la boîte automatique qui compte le même nombre de rapports.

Pour tout dire, face à la cohorte des ambitieuses petites japonaises, les Rio et Rio5 et leurs cousines semblent appartenir à une catégorie supérieure à maints égards. En termes de raffinement, de style, de qualité et de fiabilité. Leur rivale la plus sérieuse est sans doute la nouvelle Mazda2 qui proposera le même brio que la Mazda3 actuelle, une taille plus bas, chez les sous-compactes. Elle pourra même affronter les coréennes à propos de la garantie. Qu'à cela ne tienne, les Rio demeurent des choix franchement excellents. Avec un léger avantage à la Rio5 qui est plus pratique avec son hayon et un poil plus agile que sa sœur, la berline.

| Châssis - Berline SX | |
|---|---|
| Emp / lon / lar / haut | 2570 / 4370 / 1720 / 1455 mm |
| Coffre / Réservoir | 389 à 1374 litres / 43 litres |
| Nbre coussins sécurité / ceintures | 6 / 5 |
| Suspension avant | ind., jambes force |
| Suspension arrière | semi-ind., poutre torsion |
| Freins avant / arrière | disque / disque |
| Direction | à crémaillère, ass. élect. |
| Diamètre de braquage | 10,5 m |
| Pneus avant / arrière | P205/45R17 / P205/45R17 |
| Poids / Capacité de remorquage | 1185 kg / n.d. |
| Assemblage | Sohari, KR |

| Composantes mécaniques | |
|---|---|
| Cylindrée, soupapes, alim. | 4L 1,6 litre 16 s atmos. |
| Puissance / Couple | 137 ch / 123 lb-pi |
| Tr. base (opt) / rouage base (opt) | M6 (A6) / Tr |
| 0-100 / 80-120 / V.Max | 10,3 s / 7,4 s / n.d. |
| 100-0 km/h | 44,7 m |
| Type / ville / route / $CO_2$ | Ord / 8,7 / 6,3 l/100 km / 3505 kg/an |

### Du nouveau en 2016

Calandre et partie arrière redessinées, tableau de bord et console redessinés, insonorisation plus poussée, interface connectique UVO mise à niveau.

RIO5

# KIA **RONDO**

((( SiriusXM )))

**Prix :** 21 495 $ à 32 595 $ (2015)
**Catégorie :** Familiale
**Garanties :**
5 ans/100 000 km, 5 ans/100 000 km
**Transport et prép. :** 1 715 $
**Ventes QC 2014 :** 2 118 unités
**Ventes CAN 2014 :** 5 432 unités

## Cote du Guide de l'auto

# 68 %

| Fiabilité | Appréciation générale |
|---|---|
| ■■■■■■■□□□ | ■■■■■■■□□□ |
| **Sécurité** | **Agrément de conduite** |
| ■■■■■■■□□□ | ■■■■■■□□□□ |
| **Consommation** | **Système multimédia** |
| ■■■■■□□□□□ | ■■■■■■■□□□ |

## Cote d'assurance

■■■■■■■■□□    présentée par
$$$                        $    **KANETIX.CA**

➕ Design extérieur accrocheur •
Consommation décente • Habitacle
généreux • Finition soignée

➖ Puissance anémique • Troisième
banquette étroite • Capacité du coffre
(7 passagers) • Prix élevé des
versions huppées

## Concurrents
Ford C-Max, Mazda5

# Toujours présent !

Guy Desjardins

**C**onnaissant le potentiel des stylistes de Kia, on n'espérait rien de moins qu'un Rondo au design spectaculaire lors de la refonte de 2014. Le résultat n'a pas été à la hauteur de nos attentes, mais repositionne tout de même le véhicule dans les meilleurs de la catégorie. Aucun changement ne lui est apporté pour 2016, si ce n'est que le retrait de trois versions de la gamme.

Le nouveau style du Rondo lui va à ravir et cette métamorphose lui a permis de s'approprier les lignes sculpturales définissant tous les modèles Kia. Un museau discret, des phares avant surdimensionnés et de grandes jantes permettent de dynamiser ce bolide à vocation plutôt familiale. Autant à l'intérieur qu'à l'extérieur, le véhicule présente un raffinement qui n'existait pas sur la précédente génération. La qualité de fabrication s'est nettement améliorée et le soin apporté au choix de matériaux prouve le sérieux du constructeur.

### AVEC CLASSE
Dans l'habitacle, la finition ne suscite aucun reproche. L'agencement des différentes textures et la présentation épurée de la planche de bord rappellent le style d'Audi. Ce constat est plutôt flatteur pour Kia puisque la comparaison avec le constructeur allemand confère au modèle coréen un prestige inespéré (serait-ce voulu ?). Les similitudes ne s'arrêtent pas là, car les sièges adoptent également des qualités germaniques : une assise ferme et un soutien latéral généreux.

Quelle que soit la nature ou l'envergure d'une refonte, elle apporte souvent les ajustements nécessaires pour que le produit redevienne concurrentiel. Dans le cas du Rondo, on l'a muni d'un démarrage par bouton-poussoir, d'un écran de navigation plus grand et de toutes les connectivités exigées par la prise en charge des nouvelles technologies. Kia est passé maître dans l'art de doter ses véhicules de base d'un maximum d'équipement et le Rondo n'y échappe pas.

Assis au volant, on remarque immédiatement la sobriété du design et l'agencement épuré des commandes. La présentation peut sembler fade pour certains puisqu'il manque de couleurs, mais à long terme, ce choix permettra au Rondo de bien vieillir dans le temps. La console centrale propose un minimum de boutons, tout ce qu'il y a de plus ergonomique cependant. La position de conduite haute et facilement ajustable s'agrémente d'un volant au boudin assez large pour insuffler un léger sentiment de sportivité au véhicule.

À l'arrière, les passagers bénéficient d'un dégagement très généreux, autant pour les jambes que pour la tête. La disposition des sièges permet une modularité suffisante dans la plupart des situations. En version à 7 passagers, l'ajout d'une troisième rangée offre 2 places de plus, surtout en dépannage puisque le confort n'est pas le qualificatif qui nous vient immédiatement en tête lorsque l'on s'y assoit. Évidemment, cette troisième banquette relevée empiète largement sur la capacité du coffre, même un sac de golf n'y tient plus. Pour davantage d'espace, la Sedona devra être considérée.

## MÉCANIQUE ANÉMIQUE

Sous cette magnifique et aguichante carrosserie se cache un quatre cylindres agréable, mais légèrement anémique. Chez Kia, on a évidemment voulu limiter la consommation de carburant en troquant le V6 pour un quatre cylindres, d'une cylindrée de 2,0 litres. Dans la plupart des cas, les prestations s'avèrent nettement suffisantes, mais le moteur reste bruyant en accélération. Et ça se gâte lorsque le Rondo trimballe des passagers additionnels ou du chargement. Ajoutez à cela une route parsemée de montées vertigineuses et vous constaterez par vous-même que les 164 chevaux peinent à accomplir leur boulot.

En version de base, le Rondo dispose d'une boîte manuelle à 6 rapports qui n'a l'avantage que de permettre une flexibilité dans le changement de rapports, car la consommation de carburant ne diffère pas tellement de celle observée avec le Rondo à boîte automatique, à 6 rapports elle aussi. Un rouage intégral en option? Selon certains dirigeants du constructeur coréen, cette option n'est pas exclue définitivement, mais pour l'instant, on s'en tient à la traction qui répond parfaitement aux besoins de la clientèle.

Malgré l'absence de portes coulissantes à l'arrière, caractéristique que possède sa principale rivale la Mazda5, le multisegment de Kia peut compter sur un style dynamique, une mécanique fiable et une garantie très avantageuse. Attention cependant au prix qui grimpe très rapidement avec l'ajout d'options, ciblez donc bien vos besoins.

### Châssis - LX (auto)

| | |
|---|---|
| Emp / lon / lar / haut | 2750 / 4525 / 1805 / 1610 mm |
| Coffre / Réservoir | 912 à 1840 litres / 58 litres |
| Nbre coussins sécurité / ceintures | 6 / 5 |
| Suspension avant | ind., jambes force |
| Suspension arrière | semi-ind., poutre torsion |
| Freins avant / arrière | disque / disque |
| Direction | à crémaillère, ass. élect. |
| Diamètre de braquage | 11,0 m |
| Pneus avant / arrière | P205/55R16 / P205/55R16 |
| Poids / Capacité de remorquage | 1477 kg / n.d. |
| Assemblage | Gwangju-Si, KR |

### Composantes mécaniques

| | |
|---|---|
| Cylindrée, soupapes, alim. | 4L 2,0 litres 16 s atmos. |
| Puissance / Couple | 164 ch / 156 lb-pi |
| Tr. base (opt) / rouage base (opt) | M6 (A6) / Tr |
| 0-100 / 80-120 / V.Max | 10,0 s / 6,9 s / n.d. |
| 100-0 km/h | 43,7 m |
| Type / ville / route / $CO_2$ | Ord / 10,1 / 7,6 l/100 km / 4129 kg/an |

## Du nouveau en 2016

Aucun changement majeur, ajustement dans les finitions offertes

Photos : Kia Canada

# KIA **SEDONA**


((SiriusXM))

**Prix :** 29 160 $ à 42 660 $ (2015)
**Catégorie :** Fourgonnette
**Garanties :**
5 ans/100 000 km, 5 ans/100 000 km
**Transport et prép. :** 1 650 $
**Ventes QC 2014 :** 146 unités
**Ventes CAN 2014 :** 708 unités

---

## Cote du Guide de l'auto

# 72 %

| Fiabilité | Appréciation générale |
|---|---|
| ■■■■■■■□□□ | ■■■■■■■□□□ |

| Sécurité | Agrément de conduite |
|---|---|
| ■■■■■■■□□□ | ■■■■■■□□□□ |

| Consommation | Système multimédia |
|---|---|
| ■■■■■■□□□□ | ■■■■■■■□□□ |

---

## Cote d'assurance

■■■■■■■□□□
$$$                                    $

présentée par
***KANETIX.CA***

➕ Silhouette séduisante • Motorisation dynamique • Suspension solide • Consommation raisonnable • Présentation intérieure réussie

➖ Sièges médians n'entrent pas dans le plancher • Freins manquent de puissance • Absence de rouage intégral • Poids en hausse

## Concurrents
Chrysler Town & Country, Dodge Grand Caravan, Honda Odyssey, Toyota Sienna

# Retour remarquable

Guy Desjardins

---

**O**n croyait bien voir Kia abandonner le marché de la fourgonnette en 2013. La catégorie semblait alors sur un déclin avec le retrait des modèles chez Ford, GM et Hyundai tandis que la Quest de Nissan peinait à s'écouler. Pas facile de se démarquer face aux vétérans Grand Caravan, Sienna et Odyssey !

Mais coup de théâtre, la Sedona réapparaît l'an dernier sous une toute nouvelle apparence. On remarque de nombreux éléments s'inspirant fortement du Rondo, qualifié par plusieurs de réussite sur le plan visuel. Les concepteurs se sont également surpassés en donnant une allure dynamique au véhicule, nous faisant même oublier un léger embonpoint. Les phares avant et la calandre surdimensionnés, sans compter d'immenses jantes de 19 pouces entourées d'ouvertures d'ailes proéminentes permettent d'alléger visuellement les parois latérales. Une vaste surface vitrée, un toit légèrement abaissé et une voie élargie viennent «écraser» au sol la grosse fourgonnette !

## MÉCANIQUE ÉPROUVÉE
Le rafraîchissement de la Sedona ne s'est pas limité à sa robe. Sous la carrosserie, on retrouve depuis l'an dernier le moteur qui équipe la grande berline Cadenza et le VUS Sorento. Un V6 de 3,3 litres livrant 276 chevaux, en hausse de 7 chevaux par rapport au modèle qu'il remplace. Cette puissance passe aux roues avant via une boîte automatique à 6 rapports, efficacement répartis, évitant l'erreur d'avoir trop de changements à basse vitesse. On trouve donc un sixième rapport qui permet au moteur de la Sedona de tourner sous 2 300 tr/min à 100 km/h, enregistrant une respectable consommation d'essence de 9,5 litres/100 km.

Autour de cette motorisation viennent se greffer de nombreux éléments mécaniques éprouvés depuis plusieurs années. Une direction électronique bien dosée à des années-lumière de la traditionnelle mollesse des fourgonnettes d'autrefois. Il ne faut cependant pas s'attendre à une réaction directe avec la route puisque ce type de véhicule est avant tout voué au confort des passagers. La suspension proposée s'avère bien calibrée et solide, quant aux freins, ils disposent d'une puissance suffisante, mais perdent rapidement de leur efficacité après quelques arrêts d'urgence.

## OPULENCE ET CONFORT

Bien que la mécanique de la Sedona montre un bulletin exemplaire, c'est plutôt l'intérieur qui retient l'attention. La planche de bord affiche désormais une allure beaucoup plus classique et sobre. Sa présentation s'axe dorénavant à l'horizontale, gravitant autour de l'immense écran tactile du système de navigation. Kia a profité de cette refonte afin de repositionner le levier de vitesses au plancher, entre les deux baquets avant. Une impression de richesse enveloppe le conducteur et nous fait oublier que l'on conduit une fourgonnette. La version SXL prend d'ailleurs des allures de K900, la plus cossue des voitures du constructeur, ce qui est très flatteur pour un véhicule de cette catégorie. D'ailleurs, le célèbre site Ward's a récompensé l'aménagement de la Sedona en l'insérant dans sa liste des 10 plus beaux intérieurs.

Cette Kia se démarque toutefois au niveau de ses sièges de 2e rangée qui proposent un confort princier. Les baquets offrent de nombreux ajustements, dont un déplacement avant-arrière extrêmement généreux et la possibilité de les bouger de gauche à droite. Quand ils sont déplacés vers le centre et repoussés au maximum vers l'arrière, il est alors possible de déployer efficacement les repose-pieds qui équipent les sièges de la version SXL, de se camper vers l'arrière et d'admirer les étoiles par le 2e toit ouvrant. Un confort digne d'un wagon panoramique de VIA Rail! Cette option empêche cependant les sièges de s'engouffrer dans le plancher mais, heureusement, ils se replient astucieusement contre le dossier des sièges avant.

Sur la route, la Sedona s'est nettement améliorée. Sa lourdeur n'est plus aussi perceptible que sur le modèle de précédente génération. Les accélérations sont dynamiques, la suspension solide et l'insonorisation très poussée. Elle rejoint sans contredit la concurrence qui avait déjà renouvelé ses modèles et proposé des véhicules plus athlétiques. La conduite d'une fourgonnette reste évidemment une expérience peu excitante, mais cette Kia et sa motorisation nous font oublier ce léger détail.

La Sedona ne révolutionnera pas le marché de la fourgonnette. Elle possède quelques atouts innovateurs, une mécanique éprouvée, un équipement complet et une garantie avantageuse. C'est un produit fiable et bien ficelé qui rivalise avec les japonaises, à des prix se situant entre l'américaine Grand Caravan et les plus huppées Sienna et Odyssey.

### Châssis - SX

| | |
|---|---|
| Emp / lon / lar / haut | 3060 / 5115 / 1985 / 1755 mm |
| Coffre / Réservoir | 960 à 4022 litres / 80 litres |
| Nbre coussins sécurité / ceintures | 6 / 8 |
| Suspension avant | ind., jambes force |
| Suspension arrière | ind., multibras |
| Freins avant / arrière | disque / disque |
| Direction | à crémaillère, ass. var. élect. |
| Diamètre de braquage | 11,2 m |
| Pneus avant / arrière | P235/60R18 / P235/60R18 |
| Poids / Capacité de remorquage | 2052 kg / 1590 kg (3505 lb) |
| Assemblage | Sohari, KR |

### Composantes mécaniques

| | |
|---|---|
| Cylindrée, soupapes, alim. | V6 3,3 litres 24 s atmos. |
| Puissance / Couple | 276 ch / 248 lb-pi |
| Tr. base (opt) / rouage base (opt) | A6 / Tr |
| 0-100 / 80-120 / V.Max | 8,8 s / 6,3 s / n.d. |
| 100-0 km/h | 45,3 m |
| Type / ville / route / $CO_2$ | Ord / 14,2 / 10,5 l/100 km / 5766 kg/an |

## Du nouveau en 2016

Aucun changement majeur

Photos : Costa Mouzouris, Kia Canada

# KIA **SORENTO**

**Prix :** 27 495 $ à 46 695 $
**Catégorie :** VUS
**Garanties :**
5 ans/100 000 km, 5 ans/100 000 km
**Transport et prép. :** 1 780 $
**Ventes QC 2014 :** 4 239 unités
**Ventes CAN 2014 :** 13 982 unités

---

### Cote du Guide de l'auto

# 78 %

Fiabilité
■■■■■■■□□□

Appréciation générale
■■■■■■■□□□

Sécurité
■■■■■■■■□□

Agrément de conduite
■■■■■■□□□□

Consommation
■■■■■□□□□□

Système multimédia
■■■■■■■□□□

---

### Cote d'assurance
■■■■■■■■□□

$$$                    $

présentée par
**KANETIX.CA**

---

➕ Silhouette plus élégante qu'avant •
Habitacle raffiné • Moteur turbo
2,0 litres pertinent • Large choix
d'options • Garantie rassurante

➖ Moteur 2,4 litres moyen • Troisième
rangée peu pratique • Direction trop
assistée • Multiplication des versions

---

### Concurrents
Ford Edge / Explorer, Honda Pilot,
Hyundai Santa Fe, Nissan Pathfinder,
Jeep Grand Cherokee, Toyota 4Runner

# Le raffinement passe par le turbo

Denis Duquet

**C**hez Kia, la course au raffinement est incessante. En effet, les modèles se succèdent et bénéficient de modifications et d'améliorations dans des délais généralement plus courts que ceux adoptés par l'industrie en général. Cette fois, le Sorento profite de plusieurs retouches ainsi que de l'arrivée d'un nouveau moteur pour lui permettre d'être encore plus compétitif que précédemment. Et ce, malgré le fait qu'il a été sérieusement modifié en 2014.

Au premier coup d'œil, la différence sur le plan esthétique est subtile. Les changements sont effectués au niveau des phares qui sont quelque peu retouchés tandis que le renflement sur la partie inférieure de la caisse donne l'impression que les parois sont cintrées, ce n'est toutefois qu'une illusion d'optique et aide à alléger la silhouette. Cette année, le Sorento est plus large de 5 mm, plus long de 75 mm, et est légèrement plus bas, affichant ainsi une allure un peu plus sportive, alors que l'habitabilité a considérablement progressé. Soulignons au passage que certaines versions proposent une troisième rangée de sièges, un élément que plusieurs familles recherchent mais peu pratique dans le cas présent tellement l'espace est restreint.

**INSONORISATION ET CONFORT**
L'utilisation d'une quantité plus importante de matériaux insonores et d'acier plus rigide de haute qualité contribue à améliorer l'insonorisation de l'habitacle. Il faut également préciser que la qualité des matériaux et de l'assemblage est supérieure à ce qu'elle était sur le modèle antérieur tandis que la planche de bord a été modernisée.

Les versions de base possèdent un écran d'infodivertissement relativement petit, tandis que les plus luxueuses sont dotées d'un écran rectangulaire plus imposant bordé de pavés de commande. C'est élégant et pratique à la fois. Parmi les autres astuces techniques, il faut souligner le hayon arrière à ouverture automatique dès qu'on s'approche à 1 mètre du véhicule lorsque le transpondeur est sur nous. Soulignons au passage que ce Kia tout usage est assemblé à l'usine de West Point en Géorgie.

### VIVA EL TURBO !

Deux des trois groupes propulseurs sont de retour pour 2016, soit le quatre cylindres de 2,4 litres d'une puissance de 185 chevaux et le V6 de 3,3 litres produisant 290 chevaux. D'ailleurs, ce V6 peut tracter une charge de 5 000 livres (2 268 kilos), une progression de 1 500 livres par rapport au modèle précédent pourtant propulsé par le même V6. Les responsables de la compagnie expliquent cette différence en raison de la plus grande rigidité de la plate-forme.

Cette année, ce duo est rejoint par un tout nouveau moteur. Il s'agit d'un quatre cylindres 2,0 litres turbocompressé doté de l'injection directe. Sa puissance est de 240 chevaux et, comme les deux autres moteurs, il est associé à une transmission automatique à six rapports. Compte tenu de la tendance actuelle dans ce secteur, Kia aurait pu en offrir une à huit rapports par exemple, histoire d'avoir davantage à proposer au chapitre du marketing. Par contre, la transmission à six rapports fonctionne très bien et elle n'est pas affligée des hésitations de certaines boîtes ayant plusieurs rapports supplémentaires mais qui ne semblent pas toujours être au point...

### UN BON ROUAGE INTÉGRAL

Si le V6 n'est livré qu'avec le rouage intégral, les modèles équipés d'un quatre cylindres proposent les roues motrices avant ou, en option, aux quatre roues. Ce rouage intégral a été développé conjointement avec l'équipementier canadien Magna. En usage normal, la répartition du couple est de l'ordre de 95 % à l'avant et 5 % à l'arrière pour se placer en mode 50-50 lorsque les roues avant perdent de la motricité. Il est également possible de verrouiller la répartition du couple en mode 50-50.

Peu importe le moulin choisi, ce véhicule se conduit au doigt et à l'œil tandis que la direction, qui pourrait être un peu moins assistée, est suffisamment précise pour nous faire apprécier les routes en lacets. Quant au choix du moteur, le nouveau 2,0 litres turbo semble être l'option la plus intéressante. Il est suffisamment puissant tout en étant léger, ce qui n'alourdit pas le train avant, générant de meilleures sensations de conduite.

## Châssis - SX V6 TI (7 places)

| | |
|---|---|
| Emp / lon / lar / haut | 2780 / 4760 / 1890 / 1690 mm |
| Coffre / Réservoir | 320 à 2066 litres / 71 litres |
| Nbre coussins sécurité / ceintures | 6 / 7 |
| Suspension avant | ind., jambes force |
| Suspension arrière | ind., multibras |
| Freins avant / arrière | disque / disque |
| Direction | à crémaillère, ass. var. élect. |
| Diamètre de braquage | 11,2 m |
| Pneus avant / arrière | P235/55R19 / P235/55R19 |
| Poids / Capacité de remorquage | 1864 kg / 2268 kg (5000 lb) |
| Assemblage | West Point, GA |

## Composantes mécaniques

### LX, LX TI

| | |
|---|---|
| Cylindrée, soupapes, alim. | 4L 2,4 litres 16 s atmos. |
| Puissance / Couple | 185 ch / 178 lb-pi |
| Tr. base (opt) / rouage base (opt) | A6 / Tr (Int) |
| 0-100 / 80-120 / V.Max | 10,0 s (est) / 8,5 s (est) / n.d. |
| 100-0 km/h | n.d. |
| Type / ville / route / CO$_2$ | Ord / 11,4 / 9,2 l/100 km / 4789 kg/an |

### LX+ turbo, EX turbo TI, SX turbo TI

| | |
|---|---|
| Cylindrée, soupapes, alim. | 4L 2,0 litres 16 s turbo |
| Puissance / Couple | 240 ch / 260 lb-pi |
| Tr. base (opt) / rouage base (opt) | A6 / Tr (Int) |
| 0-100 / 80-120 / V.Max | n.d. / n.d. / n.d. |
| 100-0 km/h | n.d. |
| Type / ville / route / CO$_2$ | Ord / 12,3 / 9,3 l/100 km / 5087 kg/an |

### EX TI V6, SX V6 TI, SX+ V6 TI (7 places)

| | |
|---|---|
| Cylindrée, soupapes, alim. | V6 3,3 litres 24 s atmos. |
| Puissance / Couple | 290 ch / 252 lb-pi |
| Tr. base (opt) / rouage base (opt) | A6 / Int |
| 0-100 / 80-120 / V.Max | 7,7 s / 5,4 s / n.d. |
| 100-0 km/h | 41,2 m |
| Type / ville / route / CO$_2$ | Ord / 13,4 / 9,4 l/100 km / 5336 kg/an |

## Du nouveau en 2016

Nouveau modèle

Photos : Denis Duquet, Kia Canada

## KIA **SOUL**

**Prix :** 18 660 $ à 36 775 $ (2015)
**Catégorie :** VUS
**Garanties :**
5 ans/100 000 km, 5 ans/100 000 km
**Transport et prép. :** 1 665 $
**Ventes QC 2014 :** 2 811 unités
**Ventes CAN 2014 :** 9 944 unités

### Cote du Guide de l'auto

# 78 %

Fiabilité
■■■■■■■■□□

Appréciation générale
■■■■■■■■□□

Sécurité
■■■■■■■■□□

Agrément de conduite
■■■■■■■□□□

Consommation
■■■■■■□□□□

Système multimédia
■■■■■■■□□□

### Cote d'assurance
■■■■■■■■□□
$$$                    $

présentée par
**KANETIX.CA**

➕ Comportement sûr • Construction solide, finition soignée (EV) • Contrôles simples et efficaces • Coffre arrière bien conçu et pratique • Cabine spacieuse, bonne visibilité

➖ Roulement encore trop ferme • Autonomie décevante (EV) • Dossiers avant trop durs (pas la EV) • Sensible au vent sur l'autoroute

### Concurrents
Chevrolet Trax, Fiat 500X, Honda HR-V, Jeep Renegade, Mazda CX-3, MINI Countryman, Mitsubishi RVR, Nissan Juke, Subaru XV Crosstrek

# Intéressante au carré

Marc Lachapelle

**A**vec la Soul, Kia peut se vanter d'avoir réussi là où plusieurs rivales japonaises se sont cassé les dents. Cette compacte inclassable s'est effectivement imposée dès son lancement, malgré un profil joyeusement anguleux qui n'a pas souri à d'autres. Et ces diables de Coréens ont maintenant le culot de se lancer dans le créneau sélect des voitures électriques avec une Soul EV qui affiche un aplomb et une maîtrise impressionnantes.

La première Soul était irrésistible, avec sa bouille monochrome, sa cabine spacieuse, ses contrôles simples et un comportement très correct. L'opération charme passait également par certains détails ludiques comme des haut-parleurs qui suivent le rythme de la musique en lumière, dans la teinte de votre choix. La recette a plu immédiatement et les ventes ont grimpé, malgré les quelques lacunes qui ressortaient au fil des kilomètres. Des moteurs vétustes, par exemple, qui n'étaient ni très performants, ni vraiment raffinés et pas tellement frugaux. Aussi, une suspension ferme et mal amortie dont l'essieu arrière à poutre déformable provoquait son lot de ruades.

### UNE RELANCE RÉUSSIE
Kia eut la sagesse de renouveler sérieusement la Soul il y a deux ans, avant que sa popularité ne s'effrite de manière irréversible. Sa silhouette fut rafraîchie soigneusement, en conservant sa précieuse ligne de toit, et virtuellement tout le reste fut mis à jour et à niveau de façon pertinente. Construite sur une architecture modernisée, elle est un peu plus grande et spacieuse. Sa coque autoporteuse rigidifiée a permis aux ingénieurs de tirer un meilleur parti du débattement un peu plus généreux des suspensions. Le roulement est nettement meilleur, mais la Soul prend plus de roulis en virage, ce qui émousse la tenue de cap. Elle est également sensible au vent et sa nouvelle servodirection électrique pourrait gagner en sensibilité et en précision.

À l'intérieur, la qualité des matériaux et la finition ont progressé de manière appréciable. Le dessin et la présentation du tableau de bord sont plus modernes et les commandes et contrôles toujours clairs, précis et bien placés. Y compris d'excellents boutons et touches de contrôle pour la chaîne audio, le régulateur de vitesse, la téléphonie mains libres, les affichages et tutti quanti qui sont montés sur les branches horizontales et sous le grand moyeu du volant. La Soul intègre les prises de branchement, de connexion et d'alimentation les plus récentes, selon les bonnes habitudes de la maison.

La version LX de base dotée du quatre cylindres de 1,6 litre est toujours la seule à offrir une boîte manuelle, au prix le plus bas, en simple appât à client. Le quatre cylindres de 2,0 litres s'est modernisé et l'injection directe a porté sa puissance à 164 chevaux en bonifiant son couple. Si le chrono 0-100 km/h de la Soul a chuté à 8,8 secondes et que sa consommation s'est améliorée, c'est aussi grâce à la boîte de vitesses automatique à 6 rapports qui a remplacé la boîte à 4 rapports vétuste des débuts. C'est la combinaison qu'on retrouve sur tous les autres modèles sauf un.

### SOUL EV: RECHARGÉE À BLOC

Kia a effectivement tenu promesse et livré une version électrique de la Soul, produite en petite série. Il n'en viendra en fait qu'une centaine pour tout le pays la première année. La Soul EV se reconnaît facilement – un peu trop d'ailleurs – à sa calandre pleine derrière laquelle se cachent les prises de recharge, à ses jantes d'alliage blanches et à sa carrosserie en deux couleurs : blanc avec toit bleu poudre ou bleu avec le toit blanc.

De toute manière, l'essentiel se trouve sous le capot : un moteur électrique de 81,4 kW qui produit un couple instantané de 210 lb-pi. Assez pour boucler le sprint 0-100 km/h en 10,6 secondes. Mieux que la Nissan Leaf, sa rivale directe. La Soul EV est plus lourde que la version à moteur 2,0 litres de près de 200 kg, avec les 192 cellules de sa batterie au lithium-ion polymère de 27 kWh. Ce surpoids ne semble toutefois qu'améliorer le roulement et sa direction est plus nette et mieux filtrée.

L'autonomie n'a pas atteint les 150 km promis, par contre. Une première recharge annonçait 110 km et la deuxième 135 km de parcours, mais la EV livrait toujours mieux en conduite. Le temps de recharge est long sur une prise de 120 V, mais passe à 5 heures en moyenne sur 240 V. Cette première coréenne branchée offre aussi une prise de recharge rapide CHAdeMO sur 480 V qui réduirait le «plein» d'électrons à moins d'une heure. La Soul EV est solidement construite, pratique et plutôt amusante à conduire. Mais de grâce, qu'on nous l'habille avec d'autres couleurs !

### Châssis - SX Luxe

| | |
|---|---|
| Emp / lon / lar / haut | 2570 / 4140 / 1800 / 1600 mm |
| Coffre / Réservoir | 532 à 1402 litres / 54 litres |
| Nbre coussins sécurité / ceintures | 6 / 5 |
| Suspension avant | ind., jambes force |
| Suspension arrière | semi-ind., poutre torsion |
| Freins avant / arrière | disque / disque |
| Direction | à crémaillère, ass. élect. |
| Diamètre de braquage | 10,6 m |
| Pneus avant / arrière | P235/45R18 / P235/45R18 |
| Poids / Capacité de remorquage | 1406 kg / n.d. |
| Assemblage | Gwangju-Si, KR |

### Composantes mécaniques

**EV**

| | |
|---|---|
| Tr. base (opt) / rouage base (opt) | Rapport fixe / Tr |
| 0-100 / 80-120 / V.Max | 10,5 s / 8,6 s / 145 km/h |
| 100-0 km/h | 44,1 m |
| **Moteur électrique** | |
| Puissance / Couple | 109 ch (81 kW) / 210 lb-pi |
| Type de batterie | Lithium-ion polymère (Li-Po) |
| Énergie | 27 kWh |
| Temps de charge (120V / 240V) | 24,0 h / 5,0 h |
| Autonomie | 150 km |

**LX (man), LX (auto)**

| | |
|---|---|
| Cylindrée, soupapes, alim. | 4L 1,6 litre 16 s atmos. |
| Puissance / Couple | 130 ch / 118 lb-pi |
| Tr. base (opt) / rouage base (opt) | M6 (A6) / Tr |
| 0-100 / 80-120 / V.Max | 10,5 s / 8,5 s / n.d. |
| 100-0 km/h | n.d. |
| Type / ville / route / CO$_2$ | Ord / 7,8 / 9,8 l/100 km / 4002 kg/an |

**EX, SX, SX Luxe**

| | |
|---|---|
| Cylindrée, soupapes, alim. | 4L 2,0 litres 16 s atmos. |
| Puissance / Couple | 164 ch / 151 lb-pi |
| Tr. base (opt) / rouage base (opt) | A6 / Tr |
| 0-100 / 80-120 / V.Max | 8,8 s / n.d. / n.d. |
| 100-0 km/h | 41,9 m |
| Type / ville / route / CO$_2$ | Ord / 7,7 / 10,1 l/100 km / 4039 kg/an |

## Du nouveau en 2016

Version EV à propulsion électrique, en nombre limité

Photos : Benjamin Hunting, Kia Canada

# KIA **SPORTAGE**

**Prix :** 22 995 $ à 38 495 $
**Catégorie :** VUS
**Garanties :**
5 ans/100 000 km, 5 ans/100 000 km
**Transport et prép. :** 1 715 $
**Ventes QC 2014 :** 2 022 unités
**Ventes CAN 2014 :** 6 025 unités

---

Cote du Guide de l'auto

## 73 %

Fiabilité ■■■■■■■□□□

Appréciation générale ■■■■■■■□□□

Sécurité ■■■■■■□□□□

Agrément de conduite ■■■■■□□□□□

Consommation ■■■■■■■■□□

Système multimédia ■■■■■□□□□□

---

Cote d'assurance
■■■■■■■■□□
$$$       $

présentée par
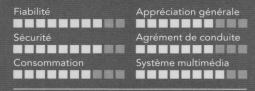

---

➕ Design réussi • Mécanique variée •
Rouage intégral efficace • Capacité
de remorquage • Excellente garantie

➖ Direction imprécise • Suspension
trop ferme • Plastiques durs dans
l'habitacle • Insonorisation perfectible •
Dégagement serré pour la tête
à l'arrière

---

**Concurrents**
Chevrolet Equinox, Ford Escape, GMC
Terrain, Honda CR-V, Hyundai Tucson,
Jeep Cherokee, Mazda CX-5, Nissan
Rogue, Toyota RAV4, Volkswagen Tiguan

# Aux deux tiers du prix

Jean-François Guay

**Il n'y a pas si longtemps, la gamme Kia était le souffre-douleur de Hyundai. Mais la vie a évolué pour Kia dont les véhicules ne sont plus dans l'ombre de son mentor. Les mauvaises plaisanteries qui circulaient sur le dos de la marque sud-coréenne font maintenant partie de l'histoire ancienne. On ne cessera de le répéter, mais l'arrivée du styliste Peter Schreyer en 2006 a changé le destin de Kia pour qui l'avenir semblait plutôt sombre il y a une dizaine d'années.**

Le VUS compact Sportage fut l'un des deux premiers véhicules lancés par Kia au Canada en 2000, l'autre étant de triste mémoire la voiture compacte Sephia. Seize ans plus tard, l'écart technologique entre la première et la troisième génération du Sportage semble être d'un demi-siècle tellement les deux modèles sont à l'opposé. Autant le premier Sportage était moribond et sans âme, autant le style de l'actuel Sportage dégage de la fraîcheur et la joie de vivre. On retrouve également ce petit côté «Hop la vie !» du côté de ses frères et sœurs Rondo, Soul, Sedona et Forte Koup !

Dans un marché où tous les véhicules ont tendance à se ressembler, le Sportage se reconnaît facilement avec ses porte-à-faux courts, sa fenestration étroite et ses larges moulures de bas de caisse qui accentuent son style de petit baraqué. Depuis sa dernière refonte en 2011, le Sportage n'a pas vieilli d'un iota.

Malgré son air de jeunesse, on est déjà assuré que sa silhouette sera révisée d'ici un an ou deux puisque son cousin Hyundai Tucson adopte une nouvelle apparence en 2016. Ce n'est un secret pour personne que les deux modèles partagent leur châssis et plusieurs éléments mécaniques. Et si l'on se fie à la philosophie des deux marques sud-coréennes où l'une ne va pas sans l'autre, le futur Sportage devrait arborer une allure similaire à son grand frère Sorento, comme le nouveau Tucson est une copie miniaturisée du Santa Fe.

## DEUX MOTEURS, DEUX BOÎTES ET DEUX MODES

Au choix, le Sportage est proposé en mode traction ou intégral. Dans les deux cas, il est possible de mouvoir les roues motrices par la force d'un quatre-cylindres atmosphérique à injection directe de 2,4 litres. Pour sa part, le quatre-cylindres turbocompressé à injection directe de 2,0 litres est couplé uniquement au rouage intégral. Une boîte manuelle à six rapports et une automatique à six rapports sont offertes dans la livrée LX de base, alors que l'automatique équipe de série les EX, EX Luxe, SX et SX Luxe.

Il est indéniable que le moteur suralimenté procure le meilleur agrément de conduite. Développant 260 chevaux comparativement à 182 chevaux pour le 2,4-litres, le 2,0-litres turbo permet aux versions SX et SX Luxe de livrer bataille à des VUS compacts allemands de renom, et ce, sans aucun complexe. Toutefois, cette option fait augmenter la facture de plusieurs milliers de dollars et il n'est pas sûr que le propriétaire pourra récupérer cet argent lors de la revente du véhicule... Même si la confiance et la satisfaction des acheteurs envers Kia sont à la hausse, il faut savoir que la valeur des véhicules sud-coréens sur le marché de l'occasion ne suit pas la même tendance. Tout acheteur diligent devra être conscient qu'un Sportage trop garni en accessoires n'est pas un investissement en soi. Mais, pourquoi vous priver si le Sportage SX à moteur turbo vous plaît ? Après tout, il performe autant qu'un Audi Q5 ou un BMW X3, et ce, au deux tiers du prix à équipement égal.

## POUR LE CAMPING ?

Par rapport à ses rivaux naturels que sont les Honda CR-V, Ford Escape, Toyota RAV4 et cie, le Sportage ne souffre d'aucun complexe. Le volume du coffre à bagages est suffisant tandis que la capacité de remorquage de 907 kilos dépasse celle de la plupart de ses concurrents.

Même s'il n'a pas la dextérité d'un Jeep Cherokee en terrain accidenté, la transmission intégrale Dynamax s'avère efficace sur les surfaces glissantes. En prime, le mécanisme de verrouillage du différentiel répartit le couple dans l'ordre de 50:50 entre les essieux avant et arrière jusqu'à une vitesse de 40 km/h. On trouve également un système de contrôle de la motricité en pente et d'assistance de démarrage en côte.

Si vous êtes un mordu du camping, l'un des accessoires les plus inusités est une tente pour VUS qui s'installe autour de l'ouverture du coffre arrière, permettant un accès total à l'espace de chargement.

Sur la route, la stabilité et le confort du Sportage s'assimilent à la conduite atypique d'un multisegment. Cependant, il existe quelques irritants comme la lenteur de la direction et le manque de souplesse de la suspension.

### Du nouveau en 2016

Aucun changement majeur

| Châssis - LX TI | |
|---|---|
| Emp / lon / lar / haut | 2640 / 4440 / 1855 / 1635 mm |
| Coffre / Réservoir | 740 à 1547 litres / 58 litres |
| Nbre coussins sécurité / ceintures | 6 / 5 |
| Suspension avant | ind., jambes force |
| Suspension arrière | ind., multibras |
| Freins avant / arrière | disque / disque |
| Direction | à crémaillère, ass. var. élect. |
| Diamètre de braquage | 10,6 m |
| Pneus avant / arrière | P215/70R16 / P215/70R16 |
| Poids / Capacité de remorquage | 1620 kg / 907 kg (1999 lb) |
| Assemblage | Gwangju-Si, KR |

| Composantes mécaniques | |
|---|---|
| **LX, EX** | |
| Cylindrée, soupapes, alim. | 4L 2,4 litres 16 s atmos. |
| Puissance / Couple | 182 ch / 177 lb-pi |
| Tr. base (opt) / rouage base (opt) | M6 (A6) / Tr (Int) |
| 0-100 / 80-120 / V.Max | 10,5 s (est) / n.d. / n.d. |
| 100-0 km/h | 41,7 m |
| Type / ville / route / $CO_2$ | Ord / 12,0 / 9,3 l/100 km / 4961 kg/an |
| **SX TI** | |
| Cylindrée, soupapes, alim. | 4L 2,0 litres 16 s turbo |
| Puissance / Couple | 260 ch / 269 lb-pi |
| Tr. base (opt) / rouage base (opt) | A6 / Int |
| 0-100 / 80-120 / V.Max | 8,5 s (est) / n.d. / n.d. |
| 100-0 km/h | n.d. |
| Type / ville / route / $CO_2$ | Ord / 12,6 / 9,7 l/100 km / 5196 kg/an |

Photos : Kia Canada

# LAMBORGHINI **AVENTADOR**

**Prix :** 443 804 $ à 532 927 $ (2015)
**Catégorie :** Coupé, Roadster
**Garanties :**
3 ans/illimité, 3 ans/illimité
**Transport et prép. :** n.d.
**Ventes QC 2014 :** n.d.
**Ventes CAN 2014 :** n.d.

## Cote du Guide de l'auto

# 76 %

| Fiabilité | Appréciation générale |
|---|---|
| n.d. | ■■■■■■■□□□ |
| Sécurité | Agrément de conduite |
| ■■■■■■■■□□ | ■■■■■■■■□□ |
| Consommation | Système multimédia |
| ■■■□□□□□□□ | n.d. |

## Cote d'assurance

■■□■■□□□□□            présentée par
$$$                      $         **KANETIX.CA**

➕ Facile à piloter (pour une super-voiture !) • LP750-4 Beaucoup plus précise que la LP700-4 • Exclusivité assurée • Sonorité du V12 atmosphérique

➖ Visibilité arrière nulle • Fermeté de la suspension • Voiture caractérielle et capricieuse • Je n'ai pas les 500 000 $ requis...

## Concurrents
Aston Martin DB9, Ferrari F12 Berlinetta, McLaren 650S

# Une bête domptable

**P**arlons chiffres. Car ceux qui se rapportent à l'Aventador LP750-4 Superveloce ont de quoi impressionner. Prenons la puissance, par exemple : 750 chevaux, soit 50 de plus que la LP700-4. Le poids ? Ce nouveau modèle, qui trône au sommet de la gamme de Lamborghini, a perdu 50 kilos. L'accélération ? Oh, là, là... incroyable ! Moins de 2,8 secondes pour passer de 0 à 100 km/h. Et si vous ajoutez 5,8 secondes, vous atteignez la barre des 200 km/h. La vitesse de pointe ? Folle : 350 km/h !

Mais il y a un chiffre encore plus impressionnant que tous ceux-là : 6 : 59.73. C'est le temps, au tour de la nouvelle LP750-4 sur le célèbre circuit de Nürburgring, en Allemagne. Même pour un *supercar*, il s'agit là d'un temps extrêmement rapide. Une seule autre véritable voiture de tourisme – une Porsche 918 Spyder équipée de l'ensemble compétition Weissach – a déjà réalisé un tour plus rapide.

Sur une plus petite piste, comme le Circuit de Barcelona-Catalunya, la vélocité de la nouvelle LP750-4 étonne à chaque virage et à chaque section droite Même solidement appuyé au fond du siège, les forces g vous bousculent férocement, et quand l'aiguille du compte-tours passe 7 000 tr/min, on arrive à peine à atteindre les palettes au volant pour passer le rapport suivant. Peu importe à quel point on se prépare à vivre cette expérience, l'accélération fulgurante du V12 surprend chaque fois qu'on enclenche le troisième rapport à 8 500 tr/min.

### UNE BÊTE DOMPTABLE
Ce qui distingue l'Aventador des autres supervoitures, par contre, c'est que les surprises ne se métamorphosent pas en catastrophes. En fait, comme toutes les très bonnes automobiles (conventionnelles ou *supercar*), cette grosse Lamborghini a le don de vous transformer en un pilote meilleur que vous ne l'êtes vraiment. Alors que d'autres supervoitures à moteur central vous réprimandent sévèrement lorsque votre enthousiasme dépasse votre talent, l'Aventador opte pour une

discussion posée. Elle pardonnera avec autant de grâce vos enfoncements trop intempestifs du pied droit que vos coups de volant trop optimistes, même à haute vitesse. Si vous devez faire quelque chose de fou au volant d'une machine de 750 chevaux, c'est celle-là qu'il faut choisir.

Maurizio Reggiani, l'ingénieur en chef de Lamborghini, explique que ce contrôle supérieur provient du nouveau système de rouage intégral Haldex régi par ordinateur. Bien sûr, la nouvelle suspension à amortisseurs magnétorhéologiques, la direction à assistance variable et le gain de 170 % en appui aérodynamique y sont aussi pour quelque chose. Mais c'est surtout le fait que le système détermine exactement le niveau de couple à appliquer à chaque roue qui rend la conduite tellement plus facile, ajoute Reggiani, et c'est également ce qui explique que la Superveloce a gagné 25 secondes au tour – c'est énorme – par rapport à la LP700-4 sur le Nürburgring.

Cela dit, certaines surprises demeurent. Par exemple, Lamborghini a décidé d'appliquer plus de couple aux roues arrière (jusqu'à 90 %) en mode de conduite routière Sport qu'en mode Corsa pour circuit (80 %). La raison, précise la firme, c'est que personne, pas même les pilotes de course, ne veut se retrouver avec 750 chevaux débridés aux roues arrière quand on roule aux limites de l'adhérence sur une piste de course.

### TOUJOURS PAS DE TURBOS

Là où la Superveloce exhibe un tempérament plus spectaculaire, toutefois, c'est sous le capot. Les moteurs turbo, plus sages, sont en vogue dans les *supercar*, et même Ferrari a succombé à la tentation. De son côté, Lamborghini reste résolument attachée à son V12 à aspiration naturelle. L'engin de 6,5 litres produit maintenant sa puissance maximale à 8 400 tr/min et il émet un son plus intense que jamais. Quand on laisse ce moteur s'emballer, on peut revivre un peu l'époque où Ferruccio Lamborghini et Enzo Ferrari régnaient sur la planète automobile.

Les LP700-4 et LP700-4 Roadster n'ont pas à rougir non plus, avec seulement quelques chevaux de moins, un rouage intégral, la même boîte de vitesses à sept rapports avec double embrayage et un temps de chrono 0-100 de 2,9 secondes.

En fait, ce qui rend la LP750-4 si sensationnelle, c'est la façon dont elle mène le spectacle. Elle est passionnée, mais elle livre ses effets saisissants avec une certaine retenue. Pour éviter le métal froissé (et les os cassés), le châssis est d'une sagesse et d'une efficacité redoutables. Mais le moteur aux accents symphoniques, lui, se laisse aller furieusement et sans modération. C'est la rencontre de l'excès et du contrôle dans une irrésistible supervoiture italienne. Suffit de débourser les quelque 535 000 $.

### Du nouveau en 2016

Ajout de la version LP750-4 Superveloce

| Châssis - LP 750-4 SV | |
|---|---|
| Emp / lon / lar / haut | 2700 / 4835 / 2030 / 1136 mm |
| Coffre / Réservoir | 150 litres / 90 litres |
| Nbre coussins sécurité / ceintures | 4 / 2 |
| Suspension avant | ind., leviers triangulés |
| Suspension arrière | ind., leviers triangulés |
| Freins avant / arrière | disque / disque |
| Direction | à crémaillère, ass. var. |
| Diamètre de braquage | 12,5 m |
| Pneus avant / arrière | P255/30ZR20 / P355/25ZR21 |
| Poids / Capacité de remorquage | 1525 kg / n.d. |
| Assemblage | Sant'Agata, IT |

| Composantes mécaniques | |
|---|---|
| **LP 700-4** | |
| Cylindrée, soupapes, alim. | V12 6,5 litres 48 s atmos. |
| Puissance / Couple | 700 ch / 509 lb-pi |
| Tr. base (opt) / rouage base (opt) | A7 / Int |
| 0-100 / 80-120 / V.Max | 2,9 s (const) / n.d. / 350 km/h |
| 100-0 km/h | n.d. |
| Type / ville / route / $CO_2$ | Sup / 24,7 / 10,7 l/100 km / 8464 kg/an |
| **LP 750-4 SV** | |
| Cylindrée, soupapes, alim. | V12 6,5 litres 48 s atmos. |
| Puissance / Couple | 750 ch / 507 lb-pi |
| Tr. base (opt) / rouage base (opt) | A7 / Int |
| 0-100 / 80-120 / V.Max | 2,8 s (const) / n.d. / 350 km/h |
| 100-0 km/h | 30,0 m |
| Type / ville / route / $CO_2$ | Sup / 24,7 / 10,7 l/100 km / 8464 kg/an |

Photos : Lamborghini

# LAMBORGHINI **HURACÁN**

**Prix:** 262 947 $ (2015)
**Catégorie:** Coupé
**Garanties:**
3 ans/illimité, 3 ans/illimité
**Transport et prép.:** n.d.
**Ventes QC 2014:** n.d.
**Ventes CAN 2014:** n.d.

Cote du Guide de l'auto

# 77%

| Fiabilité | Appréciation générale |
|---|---|
| ■■■■■□□□□□ | ■■■■■■□□□□ |
| Sécurité | Agrément de conduite |
| ■■■■■■■□□□ | ■■■■■■■■□□ |
| Consommation | Système multimédia |
| ■■■■□□□□□□ | n.d. |

Cote d'assurance

n.d.

présentée par
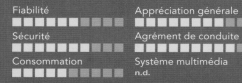

➕ Son, puissance et souplesse du V10 fabuleux • Boîte de vitesses et rouage superbes • Ergonomie et position de conduite • Finition et assemblage soignés

➖ Dessin des commandes un peu caricatural • Visibilité arrière quasiment nulle • Coffre minuscule à l'avant • Pas de régulateur de vitesse

**Concurrents**
Audi R8, Dodge Viper, Ferrari 458, McLaren 650S, Mercedes-Benz AMG GT, Nissan GT-R, Porsche 911

## Une belle tempête

Marc Lachapelle

**C**omme toutes les Lamborghini à moteur central depuis la fabuleuse Miura, la Huracán porte le nom d'un taureau de combat. Le sien fut célèbre pour sa combativité au 19e siècle. Mais le mot *huracán* signifie également «ouragan» en espagnol. Et c'est effectivement un puissant vent de changement qui est passé chez Lamborghini pendant la création de cette nouvelle diva italienne dont le code génétique recèle une poignée de chromosomes germaniques. Pour le mieux, assurément.

Ce vent a soufflé du Nord, par-delà les Alpes, apportant de précieux éléments techniques façonnés chez Audi, la marque avec laquelle Lamborghini est jumelée dans le groupe Volkswagen. Ces éléments et composantes ont fait de la Huracán une grande sportive nettement meilleure que sa devancière, entre les mains des sorciers de Sant'Agata. Le vent a soufflé aussi en sens contraire et apporté chez Audi des astuces et trouvailles imaginées chez Lamborghini, dans ce fief mondial des supervoitures qu'est la région de Modène.

Si la Gallardo a été, de loin, le *best-seller* de l'histoire de Lamborghini avec ses 14 022 exemplaires vendus sur une décennie, la Huracán devrait fracasser ce record sans difficulté. Parce que c'est une voiture nettement plus moderne, raffinée, agréable et puissante dont la métamorphose commence avec une nouvelle structure combinant de l'aluminium et des polymères renforcés de fibre de carbone.

Ce nouveau châssis, dont la Huracán partage l'essentiel avec la nouvelle Audi R8, est plus rigide que celui de la Gallardo de 50% et pèse malgré tout moins de 200 kilos. Les panneaux de sa carrosserie sont en aluminium et en matériaux composites, eux aussi. En version de série, son moteur central est blotti sous trois minces lames noires, un hommage subtil à la Miura. En option: un hayon vitré qui permet de voir le moteur qui niche sous une grande entretoise en X, dans un berceau en fibre de carbone.

Le V10 de 5,2 litres de la Huracán partage les mêmes bases mécaniques que celui de la nouvelle R8. Ses cotes sont identiques à celles de la version la plus puissante de sa cousine allemande, soit 602 chevaux à 8 250 tr/min et 413 lb-pi de couple à 6 500 tr/min. Les deux partagent une excellente boîte de vitesses robotisée à double embrayage qui passe ses 7 rapports avec une rapidité et une précision irréprochables. Elle est dotée aussi d'un mode départ-canon qui laisse le régime grimper à 4 200 tr/min avant de débrayer. Lamborghini promet le 0-100 km/h en 3,2 secondes, mais des collègues américains ont atteint 60 mi/h (96,5 km/h) en 2,5 secondes. Comme avec une Bugatti Veyron de 1 001 chevaux.

## QUELLE SYMPHONIE!

Pour le son, rien à voir, surtout avec l'échappement optionnel qui augmente légèrement puissance et couple pour 10 000 $. Son rugissement rauque est du pur Lamborghini et il grimpe encore d'un cran si l'on passe du mode Strada au mode Sport avec le bouton ANIMA, monté au volant. La différence entre les deux est énorme. Les rapports passent à des régimes plus élevés et la boîte rétrograde au moindre ralentissement. Les grands freins au carbone de série sont très puissants et offrent une excellente modulation en tout temps. Le mode Corsa est vraiment pour les circuits. Sur la route, il vous fait seulement sentir la moindre aspérité de l'asphalte que vous foulez.

L'accès à bord est facile pour une sportive aussi basse et les portières se referment avec un claquement net et sourd. Les sièges sont bien sculptés et la position de conduite sans reproche. Sur le volant, on s'habitue vite aux boutons pour les clignotants et les essuie-glaces. Le thème de l'hexagone est peut-être un peu trop poussé pour le reste des commandes, par contre. L'affichage des cadrans et des données sur le grand écran de 12,3 cm, droit devant, est modulable et superbement clair.

De l'extérieur, la Huracán est plus élégante et jolie que la Gallardo, vous ne trouvez pas? Presque trop, pour une Lamborghini. On dirait qu'il lui manque un aileron à la Countach pour cette partie arrière qui semble tronquée de certains angles. Même si la Huracán est à la fois plus aérodynamique que la Gallardo et profite d'un appui supérieur de 50 %, sans aileron. Pour ça il vous faut une Huracán LP620 Super Trofeo qui promène un immense aileron en fibre de carbone. L'ennui, c'est qu'il s'agit d'une propulsion que vous ne pourrez conduire que sur un circuit.

Ou alors, vous roulez peinard au volant d'une simple Huracán LP610-4, dans un confort plus qu'acceptable, avec la furie et le hurlement rageur de quelques centaines d'étalons (ou taureaux) au bout des doigts et du pied droit. Vous ne risquez guère de passer inaperçu, de toute manière.

| Châssis - LP 610-4 | |
|---|---|
| Emp / lon / lar / haut | 2620 / 4459 / 2236 / 1165 mm |
| Coffre / Réservoir | n.d. / 90 litres |
| Nbre coussins sécurité / ceintures | 4 / 2 |
| Suspension avant | ind., double triangulation |
| Suspension arrière | ind., double triangulation |
| Freins avant / arrière | disque / disque |
| Direction | à crémaillère, ass. élect. |
| Diamètre de braquage | 11,5 m |
| Pneus avant / arrière | P245/30R20 / P305/30R20 |
| Poids / Capacité de remorquage | 1422 kg / n.d. |
| Assemblage | Sant'Agata, IT |

| Composantes mécaniques | |
|---|---|
| **LP 610-4** | |
| Cylindrée, soupapes, alim. | V10 5,2 litres 40 s atmos. |
| Puissance / Couple | 602 ch / 413 lb-pi |
| Tr. base (opt) / rouage base (opt) | A7 / Int |
| 0-100 / 80-120 / V.Max | 3,2 s (const) / n.d. / 325 km/h |
| 100-0 km/h | n.d. |
| Type / ville / route / $CO_2$ | Sup / 17,8 / 9,4 l/100 km / 6449 kg/an |

## Du nouveau en 2016

Modèle LP620-2 Super Trofeo, version course à propulsion

Photos: Marc Lachapelle

DISCOVERY SPORT

# LAND ROVER **DISCOVERY SPORT/LR4**

((SiriusXM))

**Prix :** 41 490 $ à 49 990 $
**Catégorie :** VUS
**Garanties :**
4 ans/80 000 km, 4 ans/80 000 km
**Transport et prép. :** 1 675 $
**Ventes QC 2014 :** 63 unités (LR4)
**Ventes CAN 2014 :** 446 unités (LR4)

## Cote du Guide de l'auto

# n.d.

| | |
|---|---|
| Fiabilité | Appréciation générale |
| n.d. | n.d. |
| Sécurité | Agrément de conduite |
| n.d. | n.d. |
| Consommation | Système multimédia |
| n.d. | n.d. |

## Cote d'assurance

n.d.                                    présentée par
**KANETIX.CA**

➕ Polyvalence assurée • Très bonnes aptitudes en conduite hors route • Tarifs attractifs (Discovery Sport) • Style classique

➖ Fiabilité perfectible • Petite taille de l'écran central • Espace très limité à la troisième rangée • Poids élevé

## Concurrents
Audi Q5, BMW X3, Lexus NX, Mercedes-Benz Classe GLK, Porsche Macan, Volvo XC60

# Un nouveau départ

**A**près une refonte amorcée avec le Range Rover Evoque puis relancée par le Range Rover et le Range Rover Sport, Land Rover poursuit sa démarche de renouvellement complet de sa gamme avec le Discovery Sport qui remplace désormais le LR2 au Canada. Pour Land Rover, l'avenir se décline selon trois axes. La famille Range Rover joue à fond la carte du luxe et du prestige, celle du Defender assurera la réputation de la marque en ce qui a trait aux aptitudes en conduite hors route et celle du Discovery a comme mission d'incarner la polyvalence pour le constructeur britannique.

Côté style, le nouveau Discovery Sport se situe à la croisée des chemins entre l'Evoque et le Range Rover avec un style résolument sobre, mais qui évoque, sans mauvais jeu de mots, la modernité du Range Rover Evoque et les éléments de facture plus classique que l'on retrouve sur le Range Rover.

Par rapport à l'Evoque, le porte-à-faux arrière a été augmenté, l'empattement a progressé et la suspension arrière a été modifiée afin que le Discovery Sport puisse recevoir en option, à un coût de 1 900 $, une troisième banquette composée de deux strapontins, permettant à Land Rover de qualifier sa configuration, non pas de 7 passagers, mais bien de «cinq plus deux passagers», polyvalence oblige. Il convient cependant de préciser que l'espace est sérieusement limité à ces deux places supplémentaires. Aussi la deuxième banquette, coulissante, assure un dégagement plus qu'adéquat pour les jambes des passagers y prenant place lorsque les strapontins de la troisième rangée sont repliés.

### QUALITÉ DE FINITION EN PROGRÈS
À l'intérieur, on remarque la qualité de finition de la planche de bord, supérieure à celle du modèle précédent, ainsi qu'un classicisme de bon aloi pour ce qui est du design et de la disposition des principales commandes. La connectivité est assurée par le système multimédia intégrant toutes les fonctionnalités classiques. Le Discovery Sport trouve le moyen de se démarquer, côté connectivité, en offrant sept ports USB, soit un par passager !

Au cours d'un essai sur des routes enneigées et glacées, ainsi que sur des sentiers rocailleux, le Discovery Sport n'a jamais été pris en défaut, même lors de la traversée d'un gué d'une profondeur de 75 centimètres. Avec le système Terrain Response permettant de paramétrer la conduite en fonction des conditions d'adhérence en temps réel et le système de retenue en pente réglant la vitesse du véhicule dans les descentes abruptes, le Discovery Sport s'est montré d'attaque.

### LE MOTEUR DE L'EVOQUE REPREND DU SERVICE

Côté motorisation, le quatre cylindres turbocompressé de 2,0 litres développant 240 chevaux et un couple de 250 livres-pied permet au Discovery Sport d'accélérer avec aplomb malgré son poids de 1 744 kilos (1 841 kilos avec la configuration 5+2). La boîte automatique ZF à neuf rapports est très efficace et le Discovery Sport passe très rapidement du premier au second rapport, puisque le premier est relativement court pour faciliter la conduite hors route.

Avec une échelle de prix très attractive, Land Rover annonce clairement ses intentions de rivaliser directement non seulement avec les modèles «premium» comme le Audi Q5, le BMW X3 et le Mercedes-Benz GLK, mais également avec des marques et des véhicules qui n'appartiennent pas à cette catégorie comme les versions plus équipées des Honda CR-V et Kia Sorento ou encore de certains véhicules produits par Subaru ou Jeep.

Land Rover fait donc preuve de beaucoup d'audace et le Discovery Sport ne manque pas d'arguments pour convaincre. Seule ombre au tableau, la fiabilité à long terme demeure problématique pour Land Rover, même si les plus récents modèles semblent plus fiables. Une chose est certaine, il y a place à amélioration de ce côté.

– Gabriel Gélinas

### QUANT AU LR4...

L'arrivée du Discovery Sport a sonné le glas du LR2. Le LR4 demeure donc le seul Land Rover conservant le style «brique». Sa carrosserie haute aux angles droits assure sans nul doute une excellente visibilité tout le tour mais, malgré de nombreuses retouches au fil des années, elle ne répond plus aux critères modernes de la mode automobile.

L'an dernier, ce véritable passe-partout a reçu un nouveau V6 de 3,0 litres surcompressé. Ce moteur est nettement moins assoiffé que le V8 5,0 litres qu'il a remplacé mais avec un peu de mauvaise volonté, on peut lui faire engloutir quand même pas mal de pétrole!

Dans le but de moderniser sa gamme, il ne serait pas surprenant que Land Rover laisse bientôt tomber son LR4 au profit d'autres modèles de la famille Discovery ou Defender. Suivez la suite sur www.guideautoweb.com.

– Alain Morin

### Du nouveau en 2016

Discovery Sport : Nouveau modèle
LR4 : Aucun changement majeur

| Châssis - Discovery Sport SE | |
|---|---|
| Emp / lon / lar / haut | 2741 / 4599 / 2173 / 1724 mm |
| Coffre / Réservoir | 981 à 1698 litres / 70 litres |
| Nbre coussins sécurité / ceintures | 7 / 5 |
| Suspension avant | ind., jambes force |
| Suspension arrière | ind., multibras |
| Freins avant / arrière | disque / disque |
| Direction | à crémaillère, ass. var. élect. |
| Diamètre de braquage | 11,6 m |
| Pneus avant / arrière | P225/65R17 / P225/65R17 |
| Poids / Capacité de remorquage | 1744 kg / 2000 kg (4409 lb) |
| Assemblage | Halewood, GB |

| Composantes mécaniques | |
|---|---|
| **Discovery Sport** | |
| Cylindrée, soupapes, alim. | 4L 2,0 litres 16 s turbo |
| Puissance / Couple | 240 ch / 250 lb-pi |
| Tr. base (opt) / rouage base (opt) | A9 / Int |
| 0-100 / 80-120 / V.Max | 8,2 s (const) / n.d. / 200 km/h |
| 100-0 km/h | n.d. |
| Type / ville / route / $CO_2$ | Sup / 10,6 / 6,5 l/100 km / 4027 kg/an |
| | |
| **LR4** | |
| Cylindrée, soupapes, alim. | V6 3,0 litres 24 s surcomp |
| Puissance / Couple | 340 ch / 332 lb-pi |
| Tr. base (opt) / rouage base (opt) | A8 / Int |
| 0-100 / 80-120 / V.Max | 7,0 s / 7,0 s / 195 km/h |
| 100-0 km/h | 42,0 m |
| Type / ville / route / $CO_2$ | Sup / 14,5 / 9,9 l/100 km / 5720 kg/an |

Photos : Land Rover, Gabriel Gélinas

LR4                    DISCOVERY SPORT

# LAND ROVER **RANGE ROVER**

**Prix:** 100 590 $ à 120 590 $ (2015)
**Catégorie:** VUS
**Garanties:**
4 ans/80 000 km, 4 ans/80 000 km
**Transport et prép.:** 1 470 $
**Ventes QC 2014:** 136 unités
**Ventes CAN 2014:** 896 unités

---

### Cote du Guide de l'auto

# 78 %

| Fiabilité | Appréciation générale |
|---|---|
| ■■■■■□□□□□ | ■■■■■■■□□□ |
| Sécurité | Agrément de conduite |
| ■■■■■■■□□□ | ■■■■■■■□□□ |
| Consommation | Système multimédia |
| ■■■■■□□□□□ | ■■■■■■■□□□ |

---

### Cote d'assurance

■■■■■■■□□□
$$$        $

présentée par
**KANETIX.CA**

➕ Style intemporel • Aptitudes en conduite hors route • Confort souverain • Luxe assuré • Performances étonnantes (V8)

➖ Fiabilité aléatoire • Consommation importante (V8) • Prix élevés • Roulis en virage

---

### Concurrents

Cadillac Escalade, Infiniti QX80, Lexus LX, Lincoln Navigator, Mercedes-Benz Classe GL

---

# Luxe tous azimuts

Gabriel Gélinas

**Véritable symbole d'une conception tout à fait britannique du luxe, le Range Rover poursuit sa route et reçoit une série de modifications pour l'année-modèle 2016. Ainsi, la gamme s'enrichit d'une version HSE Td6 à motorisation diesel, le HSE à moteur V6 surcompressé à essence voit sa puissance portée à 380 chevaux, le SVAutobiography dispose maintenant d'une cavalerie chiffrée à 550 chevaux pour devenir le plus puissant de l'histoire du modèle, et une série d'innovations technologiques ont été apportées pour faciliter la vie des acheteurs.**

Un Range Rover à moteur diesel? Vraiment? Oui, et pourquoi pas? Après tout, ce type de moulin génère un couple important, ce qui est tout à fait indiqué dans le cas d'un VUS de luxe de grande taille, en plus de bonifier la consommation. Pour le Range Rover HSE Td6, ce moteur diesel est un six cylindres turbocompressé qui produit 254 chevaux, mais surtout 440 livres-pied de couple. Sa consommation se chiffre à une moyenne inférieure à 10 litres aux 100 kilomètres, soit une amélioration de 32 % par rapport à la version HSE animée par le V6 surcompressé à essence, selon Land Rover.

Quant au SVAutobiography qui trône au sommet de la pyramide, la puissance de son V8 surcompressé est majorée de 40 chevaux, la carrosserie reçoit une peinture deux tons et l'habitacle regorge de nombreuses touches de luxe, comme en témoigne la chaîne audio de 1 700 watts à 29 haut-parleurs, les sièges arrière à commande électrique, les tapis en laine mohair, le petit réfrigérateur et les tablettes intégrées à commande électrique pour le plus grand confort des passagers.

### UN CAS DE DISSONANCE COGNITIVE

Prendre le volant du Range Rover, c'est faire l'expérience d'une certaine forme de dissonance cognitive dans la mesure où l'on a de la difficulté à croire qu'un tel mastodonte peut se conduire avec autant de facilité et d'aplomb. Malgré son poids de plus de deux tonnes métriques et son gabarit imposant, il se met en marche avec autorité et le paysage défile rapidement. Pourtant, on a l'impression que tout se déroule au ralenti tellement le confort est souverain. Ce n'est que lorsque l'on se prend à enchaîner une série de virages serrés que le Range Rover nous rappelle à l'ordre avec sa direction à assistance électrique trop légère et peu communicative ainsi que l'intervention plutôt directe de son système de contrôle électronique de la stabilité.

Quant à la conduite hors route, précisons que le Range Rover possède des aptitudes exceptionnelles grâce, en partie, à son système Terrain Response qui permet de paramétrer les réglages du moteur, de la boîte automatique, des freins et de la suspension sur plusieurs modes en fonction du type de terrain sur lequel on circule. Chaque fois que j'ai amené des passagers faire une balade en conduite hors route à bord d'un Range Rover, ils n'en croyaient pas leurs yeux. Un autre beau cas de dissonance cognitive...

Côté style, le Range Rover fait preuve d'un classicisme presque intemporel et on ne le confondra jamais avec un véhicule d'une autre marque, puisqu'il est devenu une icône pour ce qui est du design. Par ailleurs, les acheteurs peuvent compter sur l'application InControl Remote téléchargée sur leur téléphone intelligent, permettant d'activer le klaxon ou les feux de leur véhicule pour le repérer dans le stationnement, ou même le démarrer à distance. Parmi les points faibles, on doit encore et toujours relever que le Range Rover fait malheureusement preuve d'une fiabilité aléatoire qui ne cadre absolument pas avec le prix demandé.

### DE NOUVEAUX LOUPS DANS LA BERGERIE

La concurrence du Range Rover, et surtout de sa version SVAutobiography, s'enrichit pour 2016 d'un tout nouveau concurrent développé par la marque anglaise Bentley. Le Bentayga sera construit sur une plate-forme qui sert également de base à l'Audi Q7 et au Porsche Cayenne, il sera d'abord animé par un moteur W12 et des versions à motorisation hybride branchable et diesel suivront. Parions qu'il deviendra le véhicule de choix pour la clientèle qui trouve que le Range Rover est soudainement devenu un peu trop plébéien...

Même Rolls-Royce se lancera dans la mêlée en 2018 avec un VUS de grand luxe partageant ses origines avec le futur BMW X7. Il faut croire que les hautes directions des marques allemandes qui contrôlent les destinées de Bentley et de Rolls-Royce ont décidé de se tailler une plus grande part du gâteau.

### Châssis - HSE Td6

| | |
|---|---|
| Emp / lon / lar / haut | 2922 / 4999 / 2220 / 1835 mm |
| Coffre / Réservoir | 549 à 2030 litres / 89 litres |
| Nbre coussins sécurité / ceintures | 6 / 5 |
| Suspension avant | ind., pneumatique, double triangulation |
| Suspension arrière | ind., pneumatique, multibras |
| Freins avant / arrière | disque / disque |
| Direction | à crémaillère, ass. var. élect. |
| Diamètre de braquage | 12,1 m |
| Pneus avant / arrière | P255/55R20 / P255/55R20 |
| Poids / Capacité de remorquage | 2215 kg / 3500 kg (7716 lb) |
| Assemblage | Solihull, GB |

### Composantes mécaniques

**HSE**

| | |
|---|---|
| Cylindrée, soupapes, alim. | V6 3,0 litres 24 s turbo |
| Puissance / Couple | 254 ch / 440 lb-pi |
| Tr. base (opt) / rouage base (opt) | A8 / Int |
| 0-100 / 80-120 / V.Max | 7,4 s (const) / n.d. / 209 km/h |
| 100-0 km/h | n.d. |
| Type / ville / route / $CO_2$ | Dié / 12,6 / 8,6 l/100 km / 4968 kg/an |

**Supercharged V6**

| | |
|---|---|
| Cylindrée, soupapes, alim. | V6 3,0 litres 24 s surcompressé |
| Puissance / Couple | 380 ch / 332 lb-pi |
| Tr. base (opt) / rouage base (opt) | A8 / Int |
| 0-100 / 80-120 / V.Max | 7,3 s (const) / n.d. / 209 km/h |
| 100-0 km/h | n.d. |
| Type / ville / route / $CO_2$ | Sup / 12,6 / 8,6 l/100 km / 4968 kg/an |

**Supercharged V8**

| | |
|---|---|
| Cylindrée, soupapes, alim. | V8 5,0 litres 32 s surcompressé |
| Puissance / Couple | 550 ch / 502 lb-pi |
| Tr. base (opt) / rouage base (opt) | A8 / Int |
| 0-100 / 80-120 / V.Max | n.d. / n.d. / 225 km/h |
| 100-0 km/h | n.d. |
| Type / ville / route / $CO_2$ | Sup / 15,4 / 10,0 l/100 km / 5966 kg/an |

### Du nouveau en 2016

Moteur diesel disponible sur la version HSE, puissance de 550 chevaux et retouches apportées à l'habitacle de la version SVAutobiography.

Photos : Land Rover Canada

# LAND ROVER **RANGE ROVER EVOQUE**

**Prix:** 47 695 $ à 66 695 $ (2015)
**Catégorie:** VUS
**Garanties:**
4 ans/80 000 km, 4 ans/80 000 km
**Transport et prép.:** 1 470 $
**Ventes QC 2014:** 317 unités
**Ventes CAN 2014:** 1 706 unités

## Cote du Guide de l'auto
# 72 %

| Fiabilité | Appréciation générale |
| --- | --- |
| ■■■■■■■□□□ | ■■■■■■■■□□ |
| Sécurité | Agrément de conduite |
| ■■■■■■■□□□ | ■■■■■■■□□□ |
| Consommation | Système multimédia |
| ■■■■■□□□□□ | ■■■■■■■□□□ |

## Cote d'assurance
■■■■■■■■□□
$$$                              $

présentée par
**KANETIX.CA**

➕ Style encore d'actualité • Sièges accueillants • Matériaux de qualité • Moteur assez nerveux • Agrément de conduite relevé

➖ Visibilité arrière décourageante • Places arrière tout aussi décourageantes • Version Coupé plus ou moins intéressante • Fiabilité quelquefois inquiétante

**Concurrents**
Audi Q5, BMW X3, Lexus NX,
Mercedes-Benz Classe GLK,
Volvo XC60

# Le futur a-t-il un toit?

Alain Morin

**L**a marque Range Rover est à Land Rover ce que Lexus est à Toyota, c'est-à-dire la contrepartie haut de gamme d'une marque populaire. Sauf que dans le cas présent, la marque populaire est déjà passablement élitiste. Quoi qu'il en soit, la Range Rover a toujours conçu des véhicules gros, lourds, aussi aérodynamiques qu'une brique, capables d'amener les souverains en tout confort au chalet — peu importe l'état du sentier —, et terriblement chers.

Au Salon de l'auto de Detroit, en janvier 2008, Range Rover présentait un concept drôlement joli, le LRX. Ce multisegment entrait en totale contradiction avec le passé de la marque. Selon l'auteur de ce texte, les chances de voir ce concept mis en production étaient quasi nulles. Une carrière dans la divination étant à éviter pour l'auteur, le Range Rover Evoque est apparu sur le marché à l'automne 2011, tranchant avec le style Range Rover... et avec celui de toutes les marques à bien y penser!

Quatre années plus tard, l'Evoque n'a rien perdu de sa superbe. Ses immenses roues de 18, 19 ou 20 pouces en option, sa partie vitrée réduite au maximum, ses longs et minces phares, tout concourt pour le rendre spectaculaire à regarder. L'habitacle ne fait pas dans l'indigence esthétique non plus. Toutes les versions conduites au fil des ans débordaient de cuirs fins aux couleurs joliment contrastantes qui dégageaient un doux parfum de richesse. Les matériaux sont inévitablement de belle qualité et le design est réussi. Qu'est-ce qu'on a hâte de prendre la route!

### ÇA SE GÂTE À L'ARRIÈRE
Les sièges avant s'avèrent aussi confortables que beaux et si la console centrale était un tantinet moins large, l'espace pour les personnes assises à l'avant serait parfait. À l'arrière, les sièges sont pratiquement aussi douillets. C'est juste que pour les atteindre, il est préférable de ne pas souffrir de rhumatismes... Et ça, c'est pour la livrée cinq portes.

Imaginez-vous qu'il existe une version coupé trois portes de l'Evoque, agréable à l'œil mais pénible à vivre au quotidien. Qu'il s'agisse de la version trois ou cinq portes, le coffre n'est pas démesurément grand, gracieuseté d'un hayon incliné. En corollaire, une visibilité arrière pourrie.

Malgré un style extérieur qui ne semble pas près de se faner, l'habitacle recèle de petits anachronismes que l'on découvre peu à peu. Comme l'écran de navigation qui n'est pas très grand, du moins selon les standards de 2016. Quelques commandes, comme celles des sièges chauffants, me laissent perplexe par leur complexité. Peut-être n'ai-je pas bien saisi leurs subtilités... Aussi, les avertisseurs de trafic transversal, à l'arrière ou à l'avant sont beaucoup trop sensibles et se font entendre à la moindre occasion. Il faut cependant ajouter que l'Evoque a été développé du temps où Ford était encore propriétaire de Jaguar / Land Rover. La grande majorité des produits Ford présente exactement le même problème.

### DE L'ORDINAIRE ET DU CHIC

Un seul moteur pour l'Evoque, soit un quatre cylindres 2,0 litres turbocompressé que l'on retrouve dans certains véhicules Ford (là-bas, on les appelle Eco-Boost). Ce 2,0 litres crache 240 chevaux, une puissance qui s'aligne sur celle de la concurrence. Les performances sont respectables, le 0-100 km/h s'effectuant en 7 secondes et des poussières. Lors de la dernière prise en main, notre Evoque a bu 13,0 l/100 km, une moyenne plutôt décevante. Même si les moteurs EcoBoost de Ford peuvent fonctionner à l'essence ordinaire, Range Rover exige du super. Sans doute que les ordinateurs sont programmés différemment. Ou que ça fait plus chic.

Pour sauver quelques gouttes du précieux liquide, il y a le mode Eco qui fait s'arrêter le moteur quand le véhicule est immobile. Mais dès que le moteur se remet en marche (après avoir relâché le frein par exemple), on sent une vibration agaçante qui s'accorde bien peu avec le caractère noble de la marque. Heureusement, on peut désactiver ce mode. La boîte de vitesses est une automatique à 9 rapports au comportement généralement très acceptable. Fidèle à la réputation de Range Rover, le rouage intégral est assez sophistiqué et nul ne doute qu'il répond aux besoins de 99 % des utilisateurs.

La rumeur d'un Evoque cabriolet est de plus en plus persistante. Lubie de designer, besoin irrépressible chez les consommateurs, gageure perdue par le président de Range Rover, allez savoir! Mais comme dans le domaine de l'inutilité l'automobile a souvent accouché de perles, je ne serais pas surpris de voir cet Evoque sans toit se pointer. En fait, je ne suis plus surpris de rien...

| Châssis - Dynamic | |
|---|---|
| Emp / lon / lar / haut | 2660 / 4355 / 2125 / 1635 mm |
| Coffre / Réservoir | 550 à 1350 litres / 70 litres |
| Nbre coussins sécurité / ceintures | 7 / 5 |
| Suspension avant | ind., jambes force |
| Suspension arrière | ind., jambes force |
| Freins avant / arrière | disque / disque |
| Direction | à crémaillère, ass. var. élect. |
| Diamètre de braquage | 11,3 m |
| Pneus avant / arrière | P235/55R19 / P235/55R19 |
| Poids / Capacité de remorquage | 1670 kg / 750 kg (1653 lb) |
| Assemblage | Halewood, GB |

| Composantes mécaniques | |
|---|---|
| Cylindrée, soupapes, alim. | 4L 2,0 litres 16 s turbo |
| Puissance / Couple | 240 ch / 250 lb-pi |
| Tr. base (opt) / rouage base (opt) | A9 / Int |
| 0-100 / 80-120 / V.Max | 7,2 s / 5,9 s / 217 km/h |
| 100-0 km/h | 41,0 m |
| Type / ville / route / $CO_2$ | Sup / 9,9 / 6,6 l/100 km / 3860 kg/an |

### Du nouveau en 2016

Aucun changement majeur

Photos : Land Rover Canada, Benjamin Hunting

# LAND ROVER **RANGE ROVER SPORT**

((SiriusXM))

**Prix:** 75 500 $ à 124 990 $ (estimé)
**Catégorie:** VUS
**Garanties:**
4 ans/80 000 km, 4 ans/80 000 km
**Transport et prép.:** 1 470 $
**Ventes QC 2014:** 439 unités
**Ventes CAN 2014:** 2 580 unités

## Cote du Guide de l'auto

# 77 %

| | |
|---|---|
| Fiabilité | Appréciation générale |
| Sécurité | Agrément de conduite |
| Consommation | Système multimédia |

**Cote d'assurance**

présentée par
**KANETIX.CA**

$$$                      $

➕ Performances et comportement relevés • Moteur impressionnant (SVR) • Douceur et silence sur la route • Habitacle spacieux et confortable • Luxe et qualité

➖ Poids substantiel malgré l'aluminium • Les trois appuie-tête arrière gênent la vue • Le rétroviseur gauche aussi • Encore en probation pour la fiabilité

### Concurrents
Cadillac Escalade, Infiniti QX80, Lincoln Navigator, Mercedes-Benz Classe GL

## Le *Rule Britannia* en version 4x4

Marc Lachapelle

**M**algré son prix substantiel, le Range Rover Sport est le plus populaire chez Land Rover. Même plus que le joli Evoque. Son rang a toutes les chances de se consolider avec l'apparition du SVR, le modèle le plus puissant et sportif qui n'ait jamais porté ce nom mythique, et la venue du nouveau HST. Des bolides musclés et raffinés qui viennent défier les champions allemands de la spécialité. Avec ou sans asphalte sous les roues.

Cette offensive performance de la marque indo-britannique se prépare depuis des années. Le Range Rover Sport s'est d'abord transformé de pied en cap et d'un pare-chocs à l'autre il y a deux ans. Plus long de 6,7 cm, plus étroit de 8,5 cm, un poil plus bas et posé sur un empattement allongé de 17,8 cm, il était surtout plus léger de 345 kilos, grâce à une nouvelle coque autoporteuse en aluminium.

Cette première mouture était propulsée par un V6 de 3,0 litres et 340 chevaux ou un V8 de 5,0 litres et 510 chevaux. S'y sont invités, depuis, le V8 de 5,0 litres et 550 chevaux de la version SVR — développée par la division de performance SVO (Special Vehicle Operations), et le V6 3,0 litres et 380 chevaux du modèle HST.

Il s'agit, dans tous les cas, de groupes à essence suralimentés par compresseur. Land Rover en remet une couche cette année en ajoutant à la motorisation du Range Rover Sport un V6 diesel turbocompressé de 3,0 litres qui produit 254 chevaux et 440 lb-pi de couple, promettant une consommation mixte de 9,8 l/100 km.

### COSTAUDS ET RACÉS
La série Sport a la carrure familière des Range Rover, avec un hayon incliné pour signe distinctif. Son style moins guindé rappelle plutôt l'Evoque, avec de grands blocs optiques étroits à l'horizontale qui se terminent en pointe sur les ailes, à l'avant comme à l'arrière. Sans toutefois les ailes arrondies et la ligne de toit fuyante du petit frère.

Le SVR se distingue par de plus grandes prises d'air à l'avant, des évents plus prononcés sur les ailes avant, un grand aileron au sommet du hayon et un bouclier en forme d'extracteur sous le pare-chocs arrière. En plus de ces éléments, la calandre, les moulures et les lettrages sont peints en noir. Devant et derrière, on retrouve des écussons SVR et, sous le pare-chocs arrière, deux paires d'embouts d'échappement. Les ailes en aluminium couvrent bien les jantes de 21 pouces qui sont de série pour ce modèle et même les jantes optionnelles de 22 pouces, chaussées d'immenses pneus de performance en taille 295/40.

Il s'agit, somme toute, de modifications discrètes et raisonnables pour ce créneau sélect des utilitaires ultrasportifs, si l'on compare avec les excès vaguement baroques de certains rivaux allemands. Le groupe SVO a soigné aussi l'habitacle du SVR en y installant des sièges style course à l'avant et une banquette arrière dont les places extérieures sont très sculptées, pour un bon maintien latéral. Logique, si l'on considère les prouesses dont ce modèle est capable, y compris en courbe sur l'asphalte. Cette fois, on s'approche du baroque avec une présentation en deux couleurs contrastantes et même des lisérés blancs sur les sièges dans le modèle essayé.

### TOUT EN MUSCLE, SANS EXCÈS

Quel plaisir de humer chaque fois cette riche odeur de cuir en prenant place à bord. Opération facilitée grandement par une suspension pneumatique qui offre trois niveaux: accès, normal et tout-terrain. Sinon, la marche est haute. On retrouve le même cuir souple, soigneusement cousu, sur le volant, les contreportes et un tableau de bord assez opulent, au dessin épuré. Au centre, une large console où voisinent des surfaces d'aluminium lisse et ouvré. S'y retrouvent: le sélecteur électronique de la boîte automatique à 8 rapports, la molette pour les six modes de conduite et les touches pour différents systèmes. Efficaces.

Les commandes, cadrans et boutons sont simples et clairs. Les menus, par contre, nombreux et pas toujours explicites sur l'écran tactile. La position de conduite est juste et le siège superbe de confort et de maintien. En conduite, le Range Rover Sport impressionne déjà dans sa version la plus accessible, avec une carrosserie solide et un roulement maîtrisé. Son V6 n'a pas le charme et le coffre des V8. Celui du HST y verra sans doute.

Le SVR affiche la même solidité et hausse les niveaux de performance et de comportement de quelques crans. Un sprint 0-100 en 4,8 secondes c'est épatant pour un camion de plus de deux tonnes, mais moins que le son de ce fabuleux V8 en pleine accélération. Adieu frugalité, par contre. Telle est la règle pour ce type de véhicule, qu'on approuve ou pas.

### Du nouveau en 2016

Version HST avec V6 de 3,0L et 380 ch, V6 turbodiesel de 3,0 litres et 255 ch, hayon «mains libres» ouvert par un mouvement du pied sous le pare-chocs.

## Châssis - SVR

| | |
|---|---|
| Emp / lon / lar / haut | 2923 / 4856 / 2220 / 1780 mm |
| Coffre / Réservoir | 874 à 1761 litres / 105 litres |
| Nbre coussins sécurité / ceintures | 6 / 5 |
| Suspension avant | ind., pneumatique, double triangulation |
| Suspension arrière | ind., pneumatique, multibras |
| Freins avant / arrière | disque / disque |
| Direction | à crémaillère, ass. var. élect. |
| Diamètre de braquage | 12,3 m |
| Pneus avant / arrière | P275/45R21 / P275/45R21 |
| Poids / Capacité de remorquage | 2335 kg / 3000 kg (6613 lb) |
| Assemblage | Solihull, GB |

## Composantes mécaniques

### Td6

| | |
|---|---|
| Cylindrée, soupapes, alim. | V6 3,0 litres 24 s turbo |
| Puissance / Couple | 254 ch / 440 lb-pi |
| Tr. base (opt) / rouage base (opt) | A8 / Int |
| 0-100 / 80-120 / V.Max | 7,6 s (const) / n.d. / 210 km/h |
| 100-0 km/h | n.d. |
| Type / ville / route / $CO_2$ | Dié / 10,7 / 8,4 l/100 km / 5219 kg/an |

### HSE V6

| | |
|---|---|
| Cylindrée, soupapes, alim. | V6 3,0 litres 24 s surcompressé |
| Puissance / Couple | 380 ch / 332 lb-pi |
| Tr. base (opt) / rouage base (opt) | A8 / Int |
| 0-100 / 80-120 / V.Max | 7,1 s (const) / n.d. / 210 km/h |
| 100-0 km/h | n.d. |
| Type / ville / route / $CO_2$ | Sup / 13,8 / 10,2 l/100 km / 5603 kg/an |

### V8 suralimenté

| | |
|---|---|
| Cylindrée, soupapes, alim. | V8 5,0 litres 32 s surcompressé |
| Puissance / Couple | 510 ch / 461 lb-pi |
| Tr. base (opt) / rouage base (opt) | A8 / Int |
| 0-100 / 80-120 / V.Max | 5,3 s (const) / n.d. / 225 km/h |
| 100-0 km/h | n.d. |
| Type / ville / route / $CO_2$ | Sup / 16,6 / 12,3 l/100 km / 6746 kg/an |

### SVR

| | |
|---|---|
| Cylindrée, soupapes, alim. | V8 5,0 litres 32 s surcompressé |
| Puissance / Couple | 550 ch / 502 lb-pi |
| Tr. base (opt) / rouage base (opt) | A8 / Int |
| 0-100 / 80-120 / V.Max | 4,7 s (const) / n.d. / 260 km/h |
| 100-0 km/h | n.d. |
| Type / ville / route / $CO_2$ | Sup / 17,3 / 12,2 l/100 km / 6902 kg/an |

# ⊕ LEXUS **CT**

**Prix :** 33 194 $ à 42 194 $ (2015)
**Catégorie :** Hatchback
**Garanties :**
4 ans/80 000 km, 6 ans/110 000 km
**Transport et prép. :** 2 095 $
**Ventes QC 2014 :** 204 unités
**Ventes CAN 2014 :** 1 035 unités

---

**Cote du Guide de l'auto**

# 74 %

| Fiabilité | Appréciation générale |
| ■■■■■■■□□□ | ■■■■■■■□□□ |
| **Sécurité** | **Agrément de conduite** |
| ■■■■■■■■□□ | ■■■■■□□□□□ |
| **Consommation** | **Système multimédia** |
| ■■■■■■■□□□ | ■■■■■■■■□□ |

---

**Cote d'assurance**

■■■■■■■□□□

présentée par

**KANETIX.CA**

$$$                    $

**➕** Consommation adéquate pour une hybride • Habitacle silencieux (sauf en accélération vive) • Fiabilité engageante • « Souris » agréable à utiliser selon certains

**➖** Coffre peu logeable • Sportivité à peu près nulle • Mode ECO trop éco • Poids plutôt élevé • « Souris » désagréable à utiliser selon certains

**Concurrents**
Chevrolet Volt, Nissan LEAF, Toyota Prius, Toyota Prius branchable

# Le cœur à l'environnement plutôt qu'au plaisir

Alain Morin

**L**'an passé, lors d'un match comparatif entre compactes de luxe, la Lexus CT s'était passablement fait malmener, terminant en cinquième position sur six. Et cette avant-dernière position, elle la devait davantage à une Acura ILX déclassée qu'à ses propres qualités. C'est là le drame des matchs comparatifs. Car quand on conduit cette Lexus sans la comparer, elle paraît beaucoup mieux.

Tout d'abord, mentionnons que même si nous l'avions incluse dans un comparatif de six voitures, seule la Chevrolet Volt est sa concurrente directe, bien que les solutions techniques qu'elles préconisent soient très différentes. Alors que la Chevrolet est une voiture électrique dotée d'un moteur à essence qui sert de génératrice, la Lexus hérite de la mécanique de la prolétaire Toyota Prius. Dans la Lexus, le moteur électrique de 80 chevaux et 153 lb-pi de couple seconde le quatre cylindres de 1,8 litre de 98 chevaux, amenant la puissance combinée à 134 chevaux. Dans le monde des hybrides, on ne peut pas simplement additionner les deux chiffres. Pourquoi faire simple...

La boîte automatique est de type CVT (à variation continue), un classique pour une hybride, et elle relaie la puissance aux roues avant. Remarquez que le terme « puissance » est plutôt optimiste. Avec un 0-100 km/h atteint en plus de 11 secondes et une reprise entre 80 et 120 km/h en 9 secondes, on ne parle pas d'une bombe. Si, au moins, le moteur ne se lamentait pas tant sur son sort lorsqu'il est sollicité... Lexus a beau avoir mis des tonnes de matériel insonore, ça en aurait pris bien davantage. Cependant, une fois l'accélérateur relâché, le silence de roulement est impressionnant.

### CONSOMMER AVEC MODÉRATION

Même si la CT 200h est relativement lourde pour une compacte à 1 420 kilos, la consommation d'essence est plutôt impressionnante. Lexus annonce une consommation moyenne combinée ville/route de 5,7 l/100 km et cette cote me semble tout à fait atteignable. Pendant une semaine d'essai, j'ai obtenu 6,2 l/100 km sans faire attention outre mesure à la consommation. Lors du match comparatif de l'année dernière, nous avions enregistré 7,1, une moyenne élevée que l'on peut expliquer par les conditions plus difficiles d'un match comparatif (prise de données de performance, tours de piste, etc.). Toutefois, on est encore loin de la consommation vraiment minime de la Chevrolet Volt. Pour économiser davantage, il y a la possibilité d'activer le mode ECO, mais il rend l'accélérateur tellement inactif qu'il est plus frustrant qu'autre chose et on le désactive rapidement.

Sur la route, le comportement placide de la CT 200h laisse l'amateur de performances sur sa faim. En revanche, il s'accorde parfaitement avec sa vocation de voiture écologique. La direction est étonnamment vive mais pas très «parlante» sur le travail des roues avant, les suspensions sont plus calibrées pour le confort (même si, heureusement, le roulis en courbe est bien maîtrisé) et la pédale de frein, en situation de freinage d'urgence, est très dure. Cependant, cela n'a pas d'incidence sur les distances de freinage qui sont dans la bonne moyenne.

### ROLLS-ROYCE, SOURIS ET COFFRE

Extérieurement, la Lexus CT 200h présente une jolie bouille, à l'image du tableau de bord, assemblé avec une minutie maniaque et recouvert de matériaux qui pourraient quasiment composer l'intérieur d'une Rolls-Royce tant ils sont haut de gamme. Difficile de croire qu'à la base, il s'agit d'une Prius! Les sièges sont d'un confort royal à l'avant et d'un confort princier à l'arrière.

En option, entre les sièges avant, on retrouve le Remote Touch, cette espèce de souris qui permet de naviguer dans les différents menus de l'écran central. Certains s'habituent rapidement à cette manette, d'autres jamais. Parmi les bémols, mentionnons les dimensions restreintes de l'ouverture du coffre et du coffre lui-même. Merci aux designers d'avoir pensé à inclure des bacs de rangement sous le plancher.

Il y a fort à parier que les gens qui font l'achat d'une Lexus hybride ne le font pas par passion pour l'automobile. Il s'agit de l'achat rationnel d'une personne qui désire une voiture consommant peu et qui ne laisse pas trop d'empreintes nocives dans l'atmosphère, et dont les ressources financières lui permettent de posséder une voiture plus luxueuse qu'une Prius. Dommage que le nom Chevrolet ne soit pas aussi porteur d'exclusivité que Lexus... La Volt serait alors mieux appréciée.

| Châssis - 200h | |
|---|---|
| Emp / lon / lar / haut | 2600 / 4320 / 1765 / 1440 mm |
| Coffre / Réservoir | 405 à 900 litres / 45 litres |
| Nbre coussins sécurité / ceintures | 8 / 5 |
| Suspension avant | ind., jambes force |
| Suspension arrière | ind., double triangulation |
| Freins avant / arrière | disque / disque |
| Direction | à crémaillère, ass. var. élect. |
| Diamètre de braquage | 11,2 m |
| Pneus avant / arrière | P215/45R17 / P215/45R17 |
| Poids / Capacité de remorquage | 1420 kg / n.d. |
| Assemblage | Kyushu, Japon |

| Composantes mécaniques | |
|---|---|
| Cylindrée, soupapes, alim. | 4L 1,8 litre 16 s atmos. |
| Puissance / Couple | 98 ch / 105 lb-pi |
| Tr. base (opt) / rouage base (opt) | CVT / Tr |
| 0-100 / 80-120 / V.Max | 11,4 s / 9,0 s / 182 km/h |
| 100-0 km/h | 41,1 m |
| Type / ville / route / $CO_2$ | Ord / 5,5 / 5,9 l/100 km / 2613 kg/an |

| Moteur électrique | |
|---|---|
| Puissance / Couple | 80 ch (59 kW) / 153 lb-pi |
| Type de batterie | Nickel-hydrure métallique (NiMH) |
| Énergie | 1,3 kWh |
| Temps de charge (120V / 240V) | n.d. |
| Autonomie | n.d. |

### Du nouveau en 2016

Aucun changement majeur, une version Édition spéciale sera ajoutée au catalogue.

# LEXUS **ES**

**Prix:** 43 694 $ à 46 094 $ (2015)
**Catégorie:** Berline
**Garanties:**
4 ans/80 000 km, 6 ans/110 000 km
**Transport et prép.:** 2 095 $
**Ventes QC 2014:** 388 unités
**Ventes CAN 2014:** 2 726 unités

## Cote du Guide de l'auto

# 69 %

| | |
|---|---|
| Fiabilité | Appréciation générale |
| ■■■■■■■□□□ | ■■■■■■□□□□ |
| Sécurité | Agrément de conduite |
| ■■■■■■■□□□ | ■■■■■□□□□□ |
| Consommation | Système multimédia |
| ■■■■■■□□□□ | ■■■■■■□□□□ |

## Cote d'assurance

■■■■■■■□□□     présentée par
$$$              $     **KANETIX.CA**

**+** Confort de première classe •
Moteurs bien adaptés • Version
hybride au point • Fiabilité heureuse •
Insonorisation poussée

**–** Nouvelle calandre peut ne pas plaire à
tous • Comportement routier sans passion •
Pas de modèle à rouage intégral • Disposi-
tif Remote Touch plus ou moins apprécié

## Concurrents

Acura TLX, Cadillac CTS, Infiniti Q70,
Lincoln MKS, Mercedes-Benz Classe E,
Volvo S80

# L'arbre qui cache la forêt

Alain Morin

**L**'an passé, la Toyota Camry a subi une cure de rajeunis-
sement. Rien de majeur du côté de la mécanique ou du
châssis, mais une carrosserie désormais au goût du
jour. Il allait de soi que la Lexus ES, dérivée de la populaire
berline de Toyota, connaisse aussi des changements. C'est au
Salon de Shanghai, en avril dernier, qu'on a pu voir la Lexus
ES 2016.

Bien que Lexus donne du « nouveau » gros comme le bras à cette
création, il ne faudrait pas se méprendre. Les designers ont redessiné
la partie avant (à l'arrière, les changements sont plus que discrets),
revu quelques combinaisons de couleurs dans l'habitacle et ajouté des
roues de 20 pouces pour la version ES 350 et... c'est tout.

### CAMRY OU AVALON?
Même si l'on compare toujours la Lexus ES à la Toyota Camry, il faudrait
plutôt la comparer à l'Avalon avec qui elle partage ses dimensions.
Mais comme l'Avalon est une Camry allongée... Quoi qu'il en soit,
tout comme la Camry et l'Avalon, la ES a toujours respecté son enga-
gement initial, soit celui d'être une berline confortable, luxueuse,
fiable et abordable. Et d'une présentation plutôt anonyme, pourrait-on
préciser. Or, avec cette nouvelle itération, l'anonymat en prend pour
son rhume. Est-ce que la clientèle typique acceptera cette calandre
agressive? Souhaitons-le. Car derrière cette calandre en forme de
sablier, on retrouve l'une des meilleures berlines sur le marché.

Tout d'abord, que ce soit à l'extérieur ou à l'intérieur, la qualité de la
finition ne peut être prise en défaut. Mieux, la peinture extérieure s'au-
torépare en cas d'égratignures peu profondes! Dans l'habitacle, les
matériaux ainsi que le mariage des coloris sont choisis avec soin dans
le but de créer un environnement chaleureux et de bon goût. Le tableau
de bord est aussi agréable à regarder qu'à utiliser et bien malin qui
pourrait y voir une faute ergonomique grave quelque part.

Les sièges font preuve d'un grand confort. La banquette arrière, au dossier trop droit au goût de l'auteur de cet essai, dorlote un peu moins ses occupants. Alors que la Camry possède des dossiers arrière se rabattant, augmentant ainsi la capacité déjà importante du coffre, la ES ne le fait pas. On retrouve seulement un passe-ski au centre. Ou un passe 2x4. Comme sur l'Avalon.

## HYBRIDE RÉUSSIE

L'ES 350 reçoit un V6 de 3,5 litres utilisé à toutes les sauces chez Toyota/Lexus. Dans le cas présent, il livre 268 chevaux et 248 livres-pied de couple. Il est puissant, souple et économique. Conduit dans le respect des limites de vitesse, ce moteur, même s'il n'est pas doté des toutes dernières technologies comme l'injection directe, est très économique et obtient une moyenne de 8,5 l/100 km n'est pas impossible. Un essai hivernal à la fin janvier 2015, alors que le thermomètre numérique dans la fenêtre de mon bureau indiquait «Error» tellement il faisait froid, s'est soldé par une moyenne de 9,5 l/100 km, ce qui n'est pas mal du tout compte tenu du climat. La boîte de vitesses automatique à six rapports relaie la puissance aux roues avant et est d'une douceur, mais d'une douceur...

La ES 300h, elle, hérite d'une motorisation hybride composée d'un quatre cylindres de 2,5 litres développant 154 chevaux qui, combiné à un moteur électrique de 67 chevaux, déballe 200 chevaux au total. D'aucuns pestent contre la boîte automatique de type infiniment variable (CVT), surtout à cause de l'impression d'élasticité qu'elle amène, mais il y a fort à parier que bien des propriétaires de ES 300h (ou de n'importe quelle voiture munie de ce type de transmission, en fait) n'y voient que du feu. Cette version hybride ne se démarque pas par des performances à tout crin, même si les accélérations et reprises ne sont pas mauvaises, mais elle brille au chapitre de la consommation d'essence. Avec un peu de retenue du pied droit, on peut facilement chatouiller les 7,0 voire les 6,5 l/100 km. Pour une berline de cette taille et, surtout, de ce poids, c'est digne de mention.

Bien que nous n'ayons pas pu prendre le volant d'un modèle 2016 à temps pour ce *Guide*, les changements à la mécanique ou à la structure sont si légers qu'on peut d'ores et déjà affirmer que la conduite d'une ES, hybride ou pas, ne constitue pas l'expérience d'une vie. Cependant, fidèle à elle-même, cette Lexus assure des voyages en toute quiétude, dans un silence presque religieux.

Si le caractère de la ES est préservé dans sa livrée 2016, souhaitons que la nouvelle calandre ne rebute pas les acheteurs. Il serait dommage de perdre la forêt de vue à cause d'un arbre un zeste trop imposant...

### Châssis - 300h

| | |
|---|---|
| Emp / lon / lar / haut | 2819 / 4895 / 1821 / 1450 mm |
| Coffre / Réservoir | 343 litres / 65 litres |
| Nbre coussins sécurité / ceintures | 10 / 5 |
| Suspension avant | ind., jambes force |
| Suspension arrière | ind., jambes force |
| Freins avant / arrière | disque / disque |
| Direction | à crémaillère, ass. var. élect. |
| Diamètre de braquage | 11,4 m |
| Pneus avant / arrière | P215/55R17 / P215/55R17 |
| Poids / Capacité de remorquage | 1664 kg / n.d. |
| Assemblage | Kyushu, Japon |

### Composantes mécaniques

**300h**

| | |
|---|---|
| Cylindrée, soupapes, alim. | 4L 2,5 litres 16 s atmos. |
| Puissance / Couple | 154 ch / 152 lb-pi |
| Tr. base (opt) / rouage base (opt) | CVT / Tr |
| 0-100 / 80-120 / V.Max | 8,1 s / n.d. / 180 km/h |
| 100-0 km/h | n.d. |
| Type / ville / route / $CO_2$ | Ord / 5,8 / 6,1 l/100 km / 2730 kg/an |

**Moteur électrique**

| | |
|---|---|
| Puissance / Couple | 67 ch (49 kW) / n.d. lb-pi |
| Type de batterie | Nickel-hydrure métallique (NiMH) |
| Énergie | 1,3 kWh |
| Temps de charge (120V / 240V) | n.d. |
| Autonomie | n.d. |

**350**

| | |
|---|---|
| Cylindrée, soupapes, alim. | V6 3,5 litres 24 s atmos. |
| Puissance / Couple | 268 ch / 248 lb-pi |
| Tr. base (opt) / rouage base (opt) | A6 / Tr |
| 0-100 / 80-120 / V.Max | 7,1 s / n.d. / 209 km/h |
| 100-0 km/h | n.d. |
| Type / ville / route / $CO_2$ | Ord / 11,3 / 7,5 l/100 km / 4411 kg/an |

### Du nouveau en 2016

Partie avant redessinée, nouvelles couleurs, nouvelles combinaisons de couleurs pour l'habitacle, nouveau volant, roues de 20 pouces optionnelles

Photos : Lexus Canada

## LEXUS **GS**

((SiriusXM))

**Prix:** 60 000 $ à 78 500 $ (estimé)
**Catégorie:** Berline
**Garanties:**
4 ans/80 000 km, 6 ans/110 000 km
**Transport et prép.:** 2 045 $
**Ventes QC 2014:** 66 unités
**Ventes CAN 2014:** 480 unités

### Cote du Guide de l'auto

# 75 %

| Fiabilité | Appréciation générale |
|---|---|
| ■■■■■■■□□□ | ■■■■■■■□□□ |
| Sécurité | Agrément de conduite |
| ■■■■■■■□□□ | ■■■■■■■□□□ |
| Consommation | Système multimédia |
| ■■■■■■□□□□ | ■■■■■■■■□□ |

### Cote d'assurance

■■■■■□□□□□               présentée par
$$$                 $          **KANETIX.CA**

➕ Version GS F • Silhouette élégante •
Version hybride bien ficelée • Finition
superlative • Fiabilité garantie

➖ Manque de *feedback* de la
direction • Visibilité arrière très
moyenne • Certaines commandes
rébarbatives • Groupes d'options onéreux

### Concurrents
Acura RLX, Audi A6, BMW Série 5,
Cadillac CTS, Infiniti Q70, Jaguar XF,
Lincoln MKS, Mercedes-Benz Classe E,
Volvo S80

# « F » comme dans « fantastique »

Denis Duquet

**D**ès les débuts de la marque, les créations de Lexus attiraient les gens non pas en raison de leur sportivité ou de leurs lignes audacieuses, mais plutôt pour le confort de leurs suspensions, leur finition et leur fiabilité à toute épreuve. Sans oublier que les concessionnaires Lexus traitaient leurs clients aux petits oignons. Au fil des années, ces caractéristiques sont demeurées, à une exception près ou presque. Il s'agit de la GS, une berline aux lignes un peu plus inspirées qui a été dérivée d'une voiture-concept dessinée par le légendaire Giugiaro.

En plus d'avoir fière allure, cette première génération proposait un agrément de conduite supérieur à la moyenne de la marque. Puis, les modèles se sont succédé et la GS a toujours été la préférée des amateurs de conduite. La voiture a été redessinée avec succès en 2013 et par la même occasion, la version F Sport d'apparence plus pointue a été commercialisée. Cependant, plusieurs ont déploré le fait que celle-ci conservait le V6 de 3,5 litres de 306 chevaux de la version « ordinaire ». Mais cette année, on a droit à une authentique sportive, la GS F.

### EN VEDETTE À DETROIT
En janvier dernier, au Salon de l'auto de Detroit, l'une des grandes vedettes à être dévoilées a été la Lexus GS F. En tout premier lieu, son apparence est assez frappante et l'imposante calandre en forme de sablier, dont la grille alvéolée est toute noire, lance un message clair: cette voiture a été conçue pour la vitesse. Ajoutez à cela d'énormes jantes en alliage au design très sportif, sans oublier les échappements doubles à l'arrière et vous savez immédiatement que vous avez affaire à une bagnole aux prétentions sportives.

Mais il faut plus qu'une belle allure pour se qualifier comme berline sport. Les ingénieurs ont donc installé un moteur V8 de 5,0 litres produisant 467 chevaux, associé à une boîte automatique à huit rapports gérés par des manettes placées au volant. Cela est impressionnant certes, mais il faut se souvenir que la Cadillac CTS-V compte sur 640 chevaux. Chez Toyota, Lexus pardon, on souligne que l'agilité de la GS F compensera une certaine déficience en fait de puissance. Cette fois, la raison a eu le dessus sur la passion.

### LES MODÈLES DE LA RAISON

Si la GS F est le modèle de la démesure à presque tous les points de vue, il ne faut pas oublier qu'il s'agira d'une voiture d'exception produite en petite série. Ce sont les versions ordinaires qui seront le choix du public. De leur côté, les GS 350 F Sport ou GS 350 sont passablement similaires en fait de conduite sauf que la F Sport permet de choisir entre trois modes: Normal, Sport ou Sport +. Il est possible d'être plus agressif dans sa conduite lorsque les deux derniers modes sont choisis. Quant aux performances elles-mêmes, on demeure sur notre appétit bien que la plupart du temps, les 306 chevaux du moteur V6 suffisent amplement. Une boîte automatique à six rapports relaie cette écurie aux quatre roues, le rouage intégral étant désormais de série pour la GS 350.

Bien entendu, comme toute Lexus qui se respecte, l'habitacle est d'un confort superlatif et la finition est à la hauteur de la réputation de la marque, soit impeccable. Cependant, la présentation de la planche de bord n'est pas tellement inspirante. On retrouve la pendulette analogique qui semble un impératif pour les voitures de luxe, tandis que le pavé de commande mobile Remote Touch placé sur la console semble avoir été dessiné juste pour faire enrager le pilote.

Pour les écolos ne voulant pas se priver de luxe et de style, la GS 450h avec son V6 hybride associé à deux moteurs électriques délivre une puissance de 338 chevaux tout en bénéficiant d'une consommation de carburant inférieure à 7,0 l/100 km, ce qui est assez exceptionnel pour une voiture de cette catégorie. Cette version compte sur une boîte de type CVT. Alors que la GS F se veut pratiquement une bête de circuit, la 450h adopte un comportement beaucoup plus placide.

Avec l'arrivée de la GS F, cette gamme ratisse un public plutôt large, allant de la personne qui veut économiser de l'essence à celle qui aime conduire agressivement en passant par ceux qui désirent une berline de luxe fiable, tout simplement.

## Châssis - F

| | |
|---|---|
| Emp / lon / lar / haut | 2850 / 4915 / 1845 / 1440 mm |
| Coffre / Réservoir | 400 litres / 66 litres |
| Nbre coussins sécurité / ceintures | 10 / 5 |
| Suspension avant | ind., double triangulation |
| Suspension arrière | ind., multibras |
| Freins avant / arrière | disque / disque |
| Direction | à crémaillère, ass. var. élect. |
| Diamètre de braquage | 10,6 m |
| Pneus avant / arrière | P255/35R19 / P275/35R19 |
| Poids / Capacité de remorquage | 1830 kg / n.d. |
| Assemblage | Tahara, JP |

## Composantes mécaniques

### 450h

| | |
|---|---|
| Cylindrée, soupapes, alim. | V6 3,5 litres 24 s atmos. |
| Puissance / Couple | 288 ch / 260 lb-pi |
| Tr. base (opt) / rouage base (opt) | CVT / Prop |
| 0-100 / 80-120 / V.Max | 5,6 s / n.d. / 220 km/h |
| 100-0 km/h | n.d. |
| Type / ville / route / $CO_2$ | Sup / 8,0 / 6,9 l/100 km / 3452 kg/an |

**Moteur électrique**

| | |
|---|---|
| Puissance / Couple | 197 ch (146 kW) / 203 lb-pi |
| Type de batterie | Nickel-hydrure métallique (NiMH) |
| Énergie | 1,35 kWh |
| Temps de charge (120V / 240V) | n.d. |
| Autonomie | n.d. |

### 350 TI, 350 TI F sport

| | |
|---|---|
| Cylindrée, soupapes, alim. | V6 3,5 litres 24 s atmos. |
| Puissance / Couple | 306 ch / 277 lb-pi |
| Tr. base (opt) / rouage base (opt) | A6 / Int |
| 0-100 / 80-120 / V.Max | 5,7 s / n.d. / 210 km/h |
| 100-0 km/h | n.d. |
| Type / ville / route / $CO_2$ | Sup / 12,6 / 9,1 l/100 km / 5072 kg/an |

### F

| | |
|---|---|
| Cylindrée, soupapes, alim. | V8 5,0 litres 32 s atmos. |
| Puissance / Couple | 467 ch / 389 lb-pi |
| Tr. base (opt) / rouage base (opt) | A8 / Prop |
| 0-100 / 80-120 / V.Max | n.d. / n.d. / n.d. |
| 100-0 km/h | n.d. |
| Type / ville / route / $CO_2$ | Sup / 16,0 / 10,5 l/100 km / 6222 kg/an |

## Du nouveau en 2016

Nouvelle version GS F avec moteur V8 de 5,0 litres

## LEXUS **GX**

**Prix:** 61 394 $ à 69 294 $ (2015)
**Catégorie:** VUS
**Garanties:**
4 ans/80 000 km, 6 ans/110 000 km
**Transport et prép.:** 2 095 $
**Ventes QC 2014:** 32 unités
**Ventes CAN 2014:** 582 unités

### Cote du Guide de l'auto

# 66 %

| Fiabilité | Appréciation générale |
|---|---|
| Sécurité | Agrément de conduite |
| Consommation | Système multimédia |

### Cote d'assurance

présentée par
**KANETIX.CA**

$$$                    $

➕ Belle qualité de finition • Bonnes aptitudes en conduite hors route • Bonne capacité de remorquage • Silence de roulement

➖ Consommation élevée • Absence de dynamique • Direction peu communicative • Gabarit imposant

### Concurrents
Acura MDX, Audi Q7, BMW X5,
Land Rover LR4, Lexus RX,
Mercedes-Benz Classe M, Volvo XC90

# Fidèle au poste

Gabriel Gélinas

É laboré sur un bon vieux châssis en échelle partagé avec le Toyota 4Runner, le GX de Lexus appartient presque à une autre époque lorsqu'on le compare aux VUS à caisse autoporteuse plus récents. Cela dit, ce type d'architecture n'a pas que des défauts puisqu'il est parfaitement adapté au remorquage et plutôt à l'aise en conduite hors route. Pour 2016, le GX poursuit son chemin en étant essentiellement inchangé par rapport à l'édition de l'année dernière.

Même si le concept de base du véhicule date un peu et que le GX conserve une silhouette imposante, le style est devenu plus contemporain il y a deux ans, alors que le GX adoptait les codes stylistiques propres aux autres modèles de la marque.

L'élément le plus frappant est sans contredit la calandre trapézoïdale ornée de touches de chrome, marque haut de gamme oblige. Chez Lexus, cette touche de design s'avère polarisante: on aime ou on n'aime pas, choisissez votre camp. Les ailes avant et arrière demeurent musclées et la partie arrière a également fait l'objet d'une révision esthétique l'an dernier.

La carrosserie a donc été modernisée, mais le design de l'habitacle vous fait faire un petit voyage dans le temps avec son aspect ultra-conservateur, malgré la présence d'éléments actuels comme les cadrans électroluminescents. Il suffit d'un coup d'œil sur la console centrale taillée à la tronçonneuse pour vous croire à bord d'une camionnette pleine grandeur, mais d'un modèle hyperluxueux, bien sûr.

Avec ses appliques en bois, sa chaîne audio Mark Levinson et ses sièges chauffants et ventilés recouverts de cuir d'une grande souplesse, le GX joue le grand jeu. La banquette arrière est de configuration 40/20/40 et, comme toujours, la troisième rangée ne conviendra que pour le dépannage sur de courts trajets.

## UN COMPORTEMENT ROUTIER GUIMAUVE

Au volant du GX, on apprécie le grand confort et l'on se sent presque totalement isolé de la route en raison d'une insonorisation supérieure. Au freinage, la pédale plonge profondément et on a presque l'impression d'appuyer sur de la guimauve, ce qui n'inspire pas nécessairement confiance. Pourtant, le véhicule décélère et s'immobilise sans problème.

Même constat concernant de la direction. On est bien sûr conscient du fait qu'il y a un lien entre le volant et les roues avant, puisque le GX change effectivement de direction, mais l'on ne ressent aucune communication de la direction.

À la lecture de ce qui précède, vous êtes peut-être en train de vous dire que c'est le véhicule parfait pour s'endormir au volant et vous n'aurez pas tort! La suspension pneumatique est réglable sur trois hauteurs, permettant au GX de s'abaisser pour faciliter l'accès à bord ou le chargement de bagage, ou de se soulever pour la conduite hors route, alors que la position mitoyenne est la plus courante.

## UN V8 ASSOIFFÉ

Le seul moteur livrable sur le GX est le V8 de 4,6 litres de 301 chevaux et 329 livres-pied de couple, lequel est jumelé au rouage intégral par le biais d'une boîte automatique à six rapports exemplaire par sa douceur, les changements de vitesse étant presque imperceptibles. Comme le GX affiche plus de 2 300 kilos à la pesée, la consommation est conséquente et une moyenne de 15 litres aux 100 kilomètres sera la norme la plupart du temps.

Bien que la grande majorité des conducteurs de GX ne s'aventureront jamais sur les sentiers, sa transmission à quatre roues motrices avec différentiel central verrouillable et sa garde au sol surélevée l'autorisent à quitter l'asphalte sans problème. Quant à la capacité de remorquage, elle est chiffrée à 2 948 kilos ou 6 500 livres, ce qui convient pour tracter facilement un bateau ou une grosse roulotte.

Dans la gamme Lexus, le GX ne figure pas parmi les priorités en matière de développement. On se contente plutôt de prendre un 4Runner et de le convertir en véhicule de luxe pour répondre aux demandes de la clientèle pour qui l'agrément de conduite signifie rouler en silence avec un bon niveau de confort.

| Châssis - 460 Premium | |
|---|---|
| Emp / lon / lar / haut | 2790 / 4805 / 1885 / 1875 mm |
| Coffre / Réservoir | 692 à 1833 litres / 87 litres |
| Nbre coussins sécurité / ceintures | 10 / 7 |
| Suspension avant | ind., double triangulation |
| Suspension arrière | essieu rigide, ress. hélicoïdaux et pneumatiques |
| Freins avant / arrière | disque / disque |
| Direction | à crémaillère, assistée |
| Diamètre de braquage | 11,6 m |
| Pneus avant / arrière | P265/60R18 / P265/60R18 |
| Poids / Capacité de remorquage | 2349 kg / 2948 kg (6499 lb) |
| Assemblage | Tahara, Japon |

| Composantes mécaniques | |
|---|---|
| **460, 460 Premium** | |
| Cylindrée, soupapes, alim. | V8 4,6 litres 32 s atmos. |
| Puissance / Couple | 301 ch / 329 lb-pi |
| Tr. base (opt) / rouage base (opt) | A6 / Int |
| 0-100 / 80-120 / V.Max | 9,2 s / 7,1 s / 177 km/h |
| 100-0 km/h | 42,0 m |
| Type / ville / route / $CO_2$ | Ord / 15,7 / 11,7 l/100 km / 6394 kg/an |

## Du nouveau en 2016

Aucun changement majeur

## LEXUS **IS**

**Prix :** 39 694 $ à 52 144 $ (2015)
**Catégorie :** Berline
**Garanties :**
4 ans/80 000 km, 6 ans/110 000 km
**Transport et prép. :** 2 095 $
**Ventes QC 2014 :** 777 unités
**Ventes CAN 2014 :** 3 945 unités

### Cote du Guide de l'auto

# 74 %

| Fiabilité | Appréciation générale |
|---|---|
| ■■■■■■□□□□ | ■■■■■■■□□□ |
| Sécurité | Agrément de conduite |
| ■■■■■■□□□□ | ■■■■■■□□□□ |
| Consommation | Système multimédia |
| ■■■■■■□□□□ | ■■■■■■□□□□ |

### Cote d'assurance

■■■■■□□□□□
$$$       $

présentée par
**KANETIX.CA**

➕ Belle qualité d'assemblage et de finition • Habitacle spacieux • Silence de roulement • Disponibilité du rouage intégral

➖ Absence de boîte manuelle • Puissance juste (IS 250) • Systèmes de sécurité intrusifs • Contrôleur Remote Touch difficile à manipuler

**Concurrents**
Acura TLX, Audi A4, BMW Série 3, Cadillac ATS, Infiniti Q50, Lincoln MKZ, Mercedes-Benz Classe C, Volvo S60

# Plus luxe que sport

Gabriel Gélinas

**C**hez la marque Lexus, la toute première IS, lancée au Japon en 1998 et en Amérique du Nord en 2001, a eu un parcours semblable à celui d'une comète. Elle est arrivée sans crier gare, prenant un peu tout le monde par surprise et faisant preuve de performances insoupçonnées. Lexus avait décidé d'émuler parfaitement la BMW Série 3, la référence de la catégorie à l'époque, en poussant même l'audace de développer un moteur six cylindres en ligne, configuration typique des moteurs du constructeur bavarois.

Le problème c'est que, toujours comme une comète, ce modèle est disparu dans l'espace intersidéral pour être remplacé par une voiture de deuxième génération plus conventionnelle dont la vocation sportive était nettement diluée.

Aujourd'hui, la marque Lexus est reconnue pour sa fiabilité, sa qualité d'assemblage, sa valeur de revente et son cachet luxe, mais pas vraiment pour l'agrément de conduite, la dynamique ou les performances. Des critères où les modèles de la marque accusent souvent un retrait marqué par rapport aux rivales allemandes établies. Afin de contrer cette perception, et surtout afin de faire des conquêtes auprès d'automobilistes qui ne jurent que par les Audi, BMW, Mercedes-Benz et autres taillées sur mesure pour l'*Autobahn*, Lexus se doit d'insuffler un peu de passion et d'âme dans ses voitures, ce qui s'avère toutefois plus facile à dire qu'à faire.

**UN LOOK AUDACIEUX**
Avec sa calandre surdimensionnée en forme de sablier, la troisième génération de cette berline sport de Lexus annonce clairement ses intentions sportives, mais cet élément de design s'avère aussi très polarisant. Certaines personnes l'aiment beaucoup, d'autres pas du tout. En prenant place à bord, on constate rapidement que c'est le look « cockpit » qui a été privilégié par les concepteurs, particulièrement dans le cas des modèles F Sport, avec l'adoption d'un volant sport

bien dessiné, de sièges moulants et d'un pédalier en alu. Ajoutez une sellerie de cuir rouge et l'effet est probant.

La console centrale est large, séparant le conducteur et le passager, et c'est à cet endroit que l'on retrouve le contrôleur Remote Touch qui permet d'interagir avec le système d'infodivertissement en reprenant le principe d'une souris d'ordinateur. Le problème c'est qu'une souris d'ordinateur est plus facile à manipuler sur un bureau que le pavé surélevé de Lexus peut l'être lorsque le véhicule est en mouvement, ce qui est vraiment déroutant et frustrant.

### EN ENTRÉE DE GAMME...
Le modèle IS F animé par un V8 de 5,0 litres et 416 chevaux ayant été retiré du catalogue, c'est l'IS 350 F Sport qui reprend le flambeau de la performance en configuration propulsion ou intégrale. Le premier problème c'est que l'IS n'est pas livrable avec une boîte manuelle, l'automatique étant la seule transmission disponible ce qui ne cadre pas parfaitement avec la vocation de berline sport. Le second problème c'est que la boîte automatique est parfois peu réactive et que les systèmes électroniques d'aide à la conduite réagissent un peu trop rapidement, ce qui vient gommer un peu les sensations en conduite sportive.

### ENFIN SPORTIVE?
La IS250 et son moteur V6 de 2,5 litres et 204 chevaux disparaît de la gamme pour 2016, ce modèle étant remplacé par la IS200t qui est animée par le moteur quatre cylindres de 2,0 litres turbocompressé qui a fait ses débuts sous le capot du multisegment NX200t. La IS est bien évidemment une candidate toute désignée pour adopter ce moteur suralimenté qui permet à Lexus d'établir une certaine parité avec les marques Audi, BMW, Cadillac, et plusieurs autres dont l'offre comprend des moteurs quatre cylindres turbocompressés pour les modèles concurrents à la IS.

De plus, l'adoption du moteur quatre cylindres suralimenté assure une certaine réduction de la consommation et des émissions polluantes, ce qui demeure un enjeu crucial pour tous les constructeurs devant se conformer à des normes qui sont toujours de plus en plus strictes sur ces deux fronts. Et puis, le poids d'un quatre cylindres étant généralement moins élevé que celui d'un V6, les dynamiques de conduite devraient s'en retrouver améliorées d'autant. Peut-être qu'ainsi motorisée, la IS aura enfin accès à la sportivité tant désirée...

LEXUS IS

### Châssis - 350

| | |
|---|---|
| Emp / lon / lar / haut | 2800 / 4665 / 1810 / 1430 mm |
| Coffre / Réservoir | 310 litres / 66 litres |
| Nbre coussins sécurité / ceintures | 8 / 5 |
| Suspension avant | ind., double triangulation |
| Suspension arrière | ind., multibras |
| Freins avant / arrière | disque / disque |
| Direction | à crémaillère, ass. var. élect. |
| Diamètre de braquage | 10,4 m |
| Pneus avant / arrière | P225/40R18 / P255/35R18 |
| Poids / Capacité de remorquage | 1630 kg / n.d. |
| Assemblage | Tahara, JP |

### Composantes mécaniques

**200t**

| | |
|---|---|
| Cylindrée, soupapes, alim. | 4L 2,0 litres 16 s turbo |
| Puissance / Couple | 241 ch / 258 lb-pi |
| Tr. base (opt) / rouage base (opt) | A8 / Prop |
| 0-100 / 80-120 / V.Max | n.d / n.d. / 210 km/h |
| 100-0 km/h | n.d. |
| Type / ville / route / $CO_2$ | Sup / n.d. / n.d. / n.d. |

**300 TI**

| | |
|---|---|
| Cylindrée, soupapes, alim. | V6 3,5 litres 24 s atmos. |
| Puissance / Couple | 255 ch / 236 lb-pi |
| Tr. base (opt) / rouage base (opt) | A6 / Int (Prop) |
| 0-100 / 80-120 / V.Max | n.d. / n.d. / 230 km/h |
| 100-0 km/h | n.d. |
| Type / ville / route / $CO_2$ | Sup / n.d. / n.d. / n.d. |

**350 TI, 350, F Sport**

| | |
|---|---|
| Cylindrée, soupapes, alim. | V6 3,5 litres 24 s atmos. |
| Puissance / Couple | 306 ch / 277 lb-pi |
| Tr. base (opt) / rouage base (opt) | A6 / Int (Prop) |
| 0-100 / 80-120 / V.Max | 6,5 s / 4,7 s / 230 km/h |
| 100-0 km/h | 40,7 m |
| Type / ville / route / $CO_2$ | Sup / 10,8 / 7,3 l/100 km / 4244 kg/an |

## Du nouveau en 2016

Ajout des versions 200t et 300 TI, retrait des modèles 250, IS, FS et cabriolet 15 C

# LEXUS **LS**

**Prix :** 90 144 $ à 127 944 $ (2015)
**Catégorie :** Berline
**Garanties :**
4 ans/80 000 km, 6 ans/110 000 km
**Transport et prép. :** 2 095 $
**Ventes QC 2014 :** 21 unités
**Ventes CAN 2014 :** 167 unités

**Cote du Guide de l'auto**

**71 %**

Fiabilité
■■■■■■■■■□

Sécurité
■■■■■■■■■□

Consommation
n.d.

Appréciation générale
n.d.

Agrément de conduite
■■■■■■■□□□

Système multimédia
n.d.

**Cote d'assurance** présentée par ***KANETIX.CA***
■■■■□□□□□□
$$$ $

➕ Fiabilité garantie • Confort suprême • Places arrière indescriptibles • Mécanique soyeuse • Discrétion parfaite

➖ Voiture à la recherche d'une âme • Direction de nuage • Agrément de conduite peu relevé • Version hybride très chère

**Concurrents**
Audi A8, BMW Série 7, Cadillac XTS, Jaguar XJ, Mercedes-Benz Classe S, Tesla Model S

## *Le blues du businessman*

Alain Morin

**« J'passe la moitié de ma vie en l'air, entre New York et Singapour, je voyage toujours en première ». Cet homme dont Luc Plamondon parle, ne conduit pas une Ferrari, ni une Rolls-Royce. Il conduit une Lexus LS. Pourquoi ? Aucune idée, c'est comme ça. Je ne l'ai jamais imaginé conduire autre chose.**

La LS est la voiture la plus remarquable de Lexus, la marque de prestige de Toyota. Son principal mérite est de se faire oublier. Qu'on la conduise ou qu'on la regarde, rien ne s'en dégage, rien ne transpire. Elle est un nuage dans un ciel nuageux, un arbre dans la forêt. Et pour plusieurs, c'est parfait comme ça. Il y a deux ans, dans le but de lui donner un début de personnalité, les designers lui ont greffé la calandre en forme de sablier propre aux produits Lexus et contre toute attente, elle lui va à ravir. Remarquez qu'il s'agit d'un commentaire purement subjectif.

### COURT OU LONG, POUR LES LONGS TRAJETS

L'habitacle donne davantage dans le monacal que dans l'automobile. Une fois les portières refermées, le silence est impressionnant et nul n'a envie de le troubler. Le tableau de bord est une œuvre d'art, tant les pièces s'insèrent bien les unes dans les autres et la qualité des matériaux est relevée. Il faut voir et toucher pour apprécier véritablement. Aucune folie ne vient perturber l'œil, aucune faute n'entraîne de commentaires négatifs. Toutes les commandes tombent parfaitement sous la main et sont faciles à utiliser. Curieusement, il se dégage tout de même une certaine chaleur de cet ensemble, sans doute grâce aux boiseries chics.

Les sièges avant offrent un confort quasiment extrême. La banquette arrière, elle, offre un confort extrême, point à la ligne. Et ça, c'est pour la version de base. Car imaginez-vous qu'un empattement de 2 970 mm, ce n'est quelquefois pas suffisant. Alors il y a la version allongée (L) qui l'amène à 3 090. Ces 120 mm de plus bénéficient aux passagers arrière qui peuvent prendre toutes leurs aises.

Comme on s'en doute, l'équipement de série ne fait pas défaut, mais c'est surtout les versions L qui dorlotent leurs occupants, surtout ceux à l'arrière, comme bien peu de limousines savent le faire. Imaginez: système de contrôle de la température à quatre zones, capteur infrarouge de température corporelle (eh oui), sièges arrière à action de massage et bien davantage. Ce type de voiture aux places arrière démesurément luxueuses connaît un succès fou dans certains pays comme la Chine. Nul doute que Lexus y fait des affaires d'or.

Sous le capot, deux motorisations sont proposées. La LS 460 – ou LS 460 L – compte sur un V8 de 4,6 litres (d'où le 460 du nom de la voiture). Il déballe ses 360 chevaux avec une douceur et une souplesse quasiment infinies. Une boîte automatique à huit rapports s'occupe de les diriger aux quatre roues avec tout autant de délicatesse. C'est à se demander s'il y a des organes mécaniques! Évidemment, un gros moteur ça prend de l'essence. Avec un peu de bonne volonté, on peut s'en tirer avec une consommation moyenne de 11,0 ou 11,5 l/100 km, ce qui est quand même très respectable pour une voiture aussi lourde et puissante.

## POUR L'ENVIRONNEMENTALISTE AISÉ

On peut avoir du fric et une conscience sociale, les deux n'étant pas indissociables. Lexus a pensé à ces rares personnes et a concocté la LS 600h L dotée d'un V8 de 5,0 litres qui, associé à deux moteurs électriques, développe la bagatelle de 438 chevaux. La transmission est à rapports continuellement variables – CVT – et si ce type de boîte offre un rendement habituellement frustrant dans des compactes et sous-compactes, il n'en est rien dans la LS 600h L. Elle répond avec rapidité et, surtout, avec une onctuosité toute Lexus.

On se doute bien qu'un tel monument de luxe et de technologie ne soit pas un monstre prêt à dévorer les pistes de course. Hybride ou pas, la LS est plutôt faite pour les autoroutes, où elle peut rouler des heures et des heures sans que son conducteur soit le moindrement fatigué. Les courbes prises trop rapidement ne sont pas sa tasse de thé, même lorsque le mode Sport est engagé et même si son propriétaire a pris soin d'opter pour le groupe optionnel F Sport, disponible uniquement sur la LS 460 à empattement court. Ça en dit long sur la vocation des deux autres versions.

On est loin, très loin du comportement routier incisif des créations allemandes. Ce qu'elle perd en plaisir de conduire, la gamme LS le gagne en fiabilité, ce qui sied superbement bien à son caractère placide, effacé même.

Le *businessman* aurait voulu être un artiste pour pouvoir crier qui il est… mais il n'est pas un artiste. On le voit mal en Ferrari ou en Rolls-Royce…

### Châssis - 600h L

| | |
|---|---|
| Emp / lon / lar / haut | 3090 / 5210 / 1875 / 1480 mm |
| Coffre / Réservoir | 368 litres / 84 litres |
| Nbre coussins sécurité / ceintures | 10 / 5 |
| Suspension avant | ind., pneumatique, multibras |
| Suspension arrière | ind., pneumatique, multibras |
| Freins avant / arrière | disque / disque |
| Direction | à crémaillère, ass. élect. |
| Diamètre de braquage | 12,6 m |
| Pneus avant / arrière | P245/45R19 / P245/45R19 |
| Poids / Capacité de remorquage | 2370 kg / n.d. |
| Assemblage | Tahara, JP |

### Composantes mécaniques

**460, 460L**

| | |
|---|---|
| Cylindrée, soupapes, alim. | V8 4,6 litres 32 s atmos. |
| Puissance / Couple | 386 ch / 367 lb-pi |
| Tr. base (opt) / rouage base (opt) | A8 / Int |
| 0-100 / 80-120 / V.Max | 5,9 s / n.d. / 210 km/h |
| 100-0 km/h | 42,6 m |
| Type / ville / route / $CO_2$ | Sup / 13,5 / 8,7 l/100 km / 5216 kg/an |

**600h L**

| | |
|---|---|
| Cylindrée, soupapes, alim. | V8 5,0 litres 32 s atmos. |
| Puissance / Couple | 389 ch / 385 lb-pi |
| Tr. base (opt) / rouage base (opt) | CVT / Int |
| 0-100 / 80-120 / V.Max | 5,6 s (const) / 4,7 s / 210 km/h |
| 100-0 km/h | 46,5 m |
| Type / ville / route / $CO_2$ | Sup / 10,6 / 9,1 l/100 km / 4566 kg/an |
| **Moteur électrique** | |
| Puissance / Couple | 221 ch (165 kW) / 221 lb-pi |
| Type de batterie | Nickel-hydrure métallique (NiMH) |
| Énergie | n.d. |

## Du nouveau en 2016

Aucun changement majeur

## LEXUS **LX**

**Prix :** 97 400 $ (2015)
**Catégorie :** VUS
**Garanties :**
4 ans/80 000 km, 6 ans/110 000 km
**Transport et prép. :** 2 194 $
**Ventes QC 2014 :** 37 unités
**Ventes CAN 2014 :** 342 unités

### Cote du Guide de l'auto

# 62 %

Fiabilité
■■■■■■■□□□

Appréciation générale
■■■■■■□□□□

Sécurité
■■■■■■□□□□

Agrément de conduite
■■■■■□□□□□

Consommation
■■■■□□□□□□

Système multimédia
■■■■■■■□□□

### Cote d'assurance
■■■□□□□□□□
$$$                               $

présentée par
**KANETIX.CA**

➕ Fiabilité impeccable • Habitacle luxueux • Excellentes capacités hors route • Moteurs bien adaptés • Habitabilité impressionnante

➖ Dimensions hors normes • Agrément de conduite fort limitée • Consommation élevée • Troisième rangée inconfortable • Conduite urbaine pénible

### Concurrents
Cadillac Escalade, Infiniti QX80, Land Rover Range Rover Sport, Lincoln Navigator, Mercedes-Benz Classe GL

# Une grosse pointure

Denis Duquet

**E**n tant que premier constructeur mondial, Toyota se doit de proposer au moins un véhicule dans toutes les catégories et cela n'exclut pas Lexus, sa division de luxe. Afin de contrer les offres de Cadillac, Infiniti et Land Rover, sans oublier Lincoln et Mercedes-Benz, il lui faut donc commercialiser un gros VUS costaud à souhait et capable de combiner une robustesse à toute épreuve à un habitacle fastueux. Bien entendu, ses dimensions se doivent d'être hors normes.

Sans vouloir vendre le punch, de par sa configuration mécanique, le gros LX est sans doute le plus pataud de la catégorie. Pour concocter ce modèle, les ingénieurs ont utilisé une recette éprouvée, soit prendre un véhicule Toyota et le modifier à la sauce Lexus. Cette fois, on a fait appel au Land Cruiser, le plus gros tout-terrain fabriqué par Toyota.

### QUE D'ESPACE !
Il faut lever la jambe assez haut pour prendre place à bord, mais une fois qu'on est assis, on réalise immédiatement que l'espace ne fait pas défaut. En effet, le dégagement pour les jambes, les coudes et la tête est nettement supérieur à la moyenne, tandis que les places avant sont ultraconfortables avec des sièges moelleux offrant toutefois peu de support latéral.

La seconde rangée est presque aussi douillette, néanmoins, la troisième rangée de sièges vient faire baisser la moyenne en matière de confort. Il faut également préciser que ces sièges se divisent en deux sections qui se rabattent de chaque côté des parois. Cette configuration est empruntée au Toyota Land Cruiser et, lorsque les sièges sont repliés sur les côtés, ils viennent réduire quelque peu la capacité du coffre à bagages.

Comme il s'agit d'un produit Lexus, la finition est irréprochable, la qualité des matériaux est superlative et la présentation est sérieuse à défaut d'être innovatrice. L'écran d'affichage de huit pouces est encadré par des buses de ventilation de format géant. Détail à souligner, le volant est chauffant, le contraire aurait été surprenant, mais seulement sur la partie gainée de cuir, le demi-cercle du haut est en matière ligneuse et se prête assez mal à la présence d'un élément chauffant. L'hiver, on se retrouve donc avec une partie chaude et une autre froide !

**UN V8, BIEN ENTENDU**

Pour propulser un véhicule de 2 tonnes et demie, une seule solution : un gros moteur. Celui du LX est un V8 de 5,7 litres d'une puissance de 383 chevaux et d'un couple de 403 lb-pied. Compte tenu du poids du véhicule et de la cylindrée de ce moteur, il n'est pas surprenant que la consommation dépasse allègrement les 16 l/100 km, et ce, lorsque le véhicule est peu chargé. La bonne nouvelle c'est que sa capacité de remorquage est de près de 7 000 lb. La mauvaise, c'est qu'avec une telle charge, la consommation de carburant augmente spectaculairement.

Cependant, quand on sait que la clientèle ciblée est plus que bien nantie sur le plan financier, ces considérations de consommation de carburant n'entrent certainement pas en ligne de compte. Curieusement, une personne intéressée par le LX sera attirée par ses capacités hors route, ce qui est loin d'être la norme dans le créneau des VUS pleine grandeur de luxe. La plate-forme du LX, d'une extrême rigidité, est associée à un rouage intégral fort sophistiqué avec la gestion par électronique de la traction et à une suspension réglable en hauteur. Comme il se doit, la vitesse de pente est gérée automatiquement, tout comme l'aide au départ sur un plan incliné. Et tout cela s'effectue en douceur.

Pas besoin d'un cours en physique pour comprendre que son poids élevé et ses dimensions éléphantesques ne font pas bon ménage lorsque vient le temps de négocier un sentier boueux et étroit. D'ailleurs, on a de la difficulté à s'imaginer un tel véhicule tentant de se faufiler dans la forêt au risque d'érafler la peinture.

Quant à ses capacités routières, mieux vaut être un conducteur patient qui se contente des limites de vitesse affichées et qui apprécie le confort et l'insonorisation de l'habitacle. En effet, avec une direction plus ou moins précise, une tenue de route correcte sans plus, sans oublier un centre de gravité élevé, il est plus sage d'y aller tranquillement. Bref, c'est un véhicule parfait pour un *gentleman farmer*.

## Châssis - 570

| | |
|---|---|
| Emp / lon / lar / haut | 2850 / 5005 / 1970 / 1920 mm |
| Coffre / Réservoir | 439 à 2353 litres / 93 litres |
| Nbre coussins sécurité / ceintures | 10 / 8 |
| Suspension avant | ind., double triangulation |
| Suspension arrière | essieu rigide, multibras |
| Freins avant / arrière | disque / disque |
| Direction | à crémaillère, ass. var. |
| Diamètre de braquage | 12,8 m |
| Pneus avant / arrière | P285/50R20 / P285/50R20 |
| Poids / Capacité de remorquage | 2680 kg / 3175 kg (6999 lb) |
| Assemblage | Araco, JP |

## Composantes mécaniques

**570**

| | |
|---|---|
| Cylindrée, soupapes, alim. | V8 5,7 litres 32 s atmos. |
| Puissance / Couple | 383 ch / 403 lb-pi |
| Tr. base (opt) / rouage base (opt) | A6 / Int |
| 0-100 / 80-120 / V.Max | 7,6 s / 5,7 s / 220 km/h |
| 100-0 km/h | 42,6 m |
| Type / ville / route / CO$_2$ | Sup / 19,0 / 13,6 l/100 km / 7622 kg/an |

### Du nouveau en 2016

Aucun changement majeur

Photos : Lexus Canada

## LEXUS **NX**

**Prix :** 43 144 $ à 61 044 $
**Catégorie :** VUS
**Garanties :**
4 ans/80 000 km, 6 ans/110 000 km
**Transport et prép. :** 2 095 $
**Ventes QC 2014 :** 48 unités
**Ventes CAN 2014 :** 296 unités

### Cote du Guide de l'auto

# 74 %

| Fiabilité | Appréciation générale |
|---|---|
| n.d. | ■■■■■■■□□□ |
| Sécurité | Agrément de conduite |
| ■■■■■■■■■■□ | ■■■■■■■□□□ |
| Consommation | Système multimédia |
| ■■■■■■■■□□ | ■■■■■■■□□□ |

### Cote d'assurance

n.d.

présentée par
**KANETIX.CA**

➕ Version hybride économique •
Moteur turbo en forme • Luxe assuré •
Bonne tenue de route • Version F
Sport agréable

➖ Planche de bord étriquée • Visibilité
arrière moyenne • Suspension ferme
(F Sport) • Pavé tactile capricieux

### Concurrents

Acura RDX, Audi Q5, BMW X3,
Land Rover Discovery Sport,
Mercedes-Benz Classe GLC, Volvo XC60

# Un VUS Lexus sportif ?
# Ça se peut !

Denis Duquet

**A**u cours des deux dernières années, Toyota — et Lexus par la même occasion — a changé sa façon de faire. Autrefois, la marque japonaise se contentait de dessiner une silhouette sage, très sage même, tandis que le véhicule renfermait des organes mécaniques éprouvés et que la conduite était aseptisée la plupart du temps. Mais sous l'impulsion de la direction qui veut davantage de passion, les nouveaux véhicules offrent un caractère nettement plus marqué et, mieux encore, une conduite plus inspirante. Le Lexus NX fait partie de cette nouvelle génération.

En effet, les stylistes ont eu pour mission de dessiner une silhouette plus agressive que ce à quoi nous avions été habitués. Ce qui explique sans doute pourquoi la calandre en forme de sablier s'intègre aussi bien à l'ensemble du véhicule. Encore plus audacieuses sont ces fentes verticales avant qui abritent les phares antibrouillard. Toujours pour conférer une allure sportive, la ceinture de caisse est élevée, la fenestration relativement étroite tandis que la section arrière est fortement inclinée vers l'avant, autant d'éléments donnant une impression de vitesse, même à l'arrêt.

### ORIGINALITÉ À BORD

Si la carrosserie peut être jugée spectaculaire, les stylistes assignés à la planche de bord n'ont pas chômé non plus. C'est ainsi que sa partie centrale abrite un écran en relief, superposant deux buses de ventilation sous lesquelles on retrouve l'incontournable pendulette analogique. Suivent ensuite des pavés de commande. Ça fait un peu chargé, mais l'effet visuel est immanquable tandis que l'ergonomie est acceptable. Parmi les gadgets dignes de mention, il faut souligner un pavé tactile placé sur la console centrale et qui permet de gérer plusieurs fonctions. Par contre, il est trop sensible et lorsque l'on frappe un cahot alors qu'on l'utilise, la sélection désirée ne se concrétise pas toujours comme on voudrait ! Comme il se doit, la qualité de la finition et des matériaux est impeccable.

Même si l'habitabilité n'est pas le point fort de ce véhicule, quatre adultes pourront y prendre leurs aises. Le dossier arrière se rabat sur un espace de chargement relativement spacieux avec un volume utile de 1 545 litres.

## UN MOTEUR TURBO DANS UN LEXUS

Après avoir refusé pendant des années d'offrir un moteur turbocompressé dans l'un de ses véhicules, Toyota/Lexus a causé une surprise lors du lancement du NX 200 en dévoilant le tout nouveau moteur 2,0 litres turbocompressé de 235 chevaux et 258 livres-pied de couple. Pour un coup d'envoi, c'est fort bien réussi. On se serait attendu à ce qu'il soit uni à une transmission à huit ou neuf rapports, mais le conservatisme a eu le dessus et on retrouve une boîte automatique à six rapports qui, heureusement, accomplit du bon boulot.

Comme il se doit chez Lexus, il aurait été impensable de ne pas concocter une version à motorisation hybride. C'est ainsi que la 300h est équipée d'un quatre cylindres 2,5 litres de type Atkinson associé à un moteur électrique. La puissance totale est de 194 chevaux. Cette fois, c'est une transmission de type CVT qui a été choisie. La plate-forme, dérivée du Toyota Rav4, a été renforcée afin d'optimiser la tenue de route et le silence de roulement.

## LE F SPORT

Au chapitre de la tenue de route et des performances, il n'y a rien à redire. Les accélérations sont dans la bonne moyenne de la catégorie, la tenue en virage est sans surprise et l'insonorisation est correcte. En plus, la transmission automatique à six rapports — ou la CVT dans la version hybride — vient accentuer cette impression de douceur de roulement et de sophistication.

La mouture F Sport abrite le même moteur 2,0 litres turbo de 235 chevaux que la version de base, mais la suspension a été renforcée et le système de gestion propose un mode additionnel, Sport+. Ce dernier permet de bénéficier de la rigidité de la plate-forme alors que la direction est moins assistée et que la suspension est plus ferme, ce qui autorise une conduite un peu plus sportive.

Avec le NX, Lexus offre un véhicule polyvalent, luxueux et fiable, ce qui correspond bien à la tradition de la marque de prestige de Toyota. Cependant, en lui insufflant un peu de passion, on l'associe davantage aux souliers de course qu'aux fauteuils en cuir.

### Châssis - 300h AWD

| | |
|---|---|
| Emp / lon / lar / haut | 2660 / 4630 / 2131 / 1645 mm |
| Coffre / Réservoir | 475 à 1520 litres / 56 litres |
| Nbre coussins sécurité / ceintures | 8 / 5 |
| Suspension avant | ind., jambes force |
| Suspension arrière | ind., double triangulation |
| Freins avant / arrière | disque / disque |
| Direction | à crémaillère, ass. var. élect. |
| Diamètre de braquage | 12,2 m |
| Pneus avant / arrière | P225/65R17 / P225/65R17 |
| Poids / Capacité de remorquage | 1900 kg / 682 kg (1503 lb) |
| Assemblage | Kyushu, JP |

### Composantes mécaniques

**300h AWD**

| | |
|---|---|
| Cylindrée, soupapes, alim. | 4L 2,5 litres 16 s atmos. |
| Puissance / Couple | 154 ch / 152 lb-pi |
| Tr. base (opt) / rouage base (opt) | CVT / Int |
| 0-100 / 80-120 / V.Max | 9,1 s / n.d. / 180 km/h |
| 100-0 km/h | n.d. |
| Type / ville / route / $CO_2$ | Ord / 7,1 / 7,8 l/100 km / 3411 kg/an |

**Moteur électrique**

| | |
|---|---|
| Puissance / Couple | 67 ch (49 kW) / n.d. lb-pi |
| Type de batterie | Nickel-hydrure métallique (NiMH) |
| Énergie | 1,3 kWh |

**200t AWD, 200t F Sport**

| | |
|---|---|
| Cylindrée, soupapes, alim. | 4L 2,0 litres 16 s turbo |
| Puissance / Couple | 235 ch / 258 lb-pi |
| Tr. base (opt) / rouage base (opt) | A6 / Int |
| 0-100 / 80-120 / V.Max | 7,0 s / n.d. / 200 km/h |
| 100-0 km/h | n.d. |
| Type / ville / route / $CO_2$ | Sup / 11,2 / 8,4 l/100 km / 4572 kg/an |

## Du nouveau en 2016

Aucun changement majeur

## LEXUS **RC**

**Prix :** 56 194 $ à 98 000 $ (2015)
**Catégorie :** Coupé
**Garanties :**
4 ans/80 000 km, 6 ans/110 000 km
**Transport et prép. :** 2 095 $
**Ventes QC 2014 :** n.d.
**Ventes CAN 2014 :** 78 unités

### Cote du Guide de l'auto

# 82 %

| Fiabilité | Appréciation générale |
|---|---|
| n.d. | ■■■■■■■□□□ |
| **Sécurité** | **Agrément de conduite** |
| ■■■■■■■□□□ | ■■■■■■■□□□ |
| **Consommation** | **Système multimédia** |
| ■■■■■■□□□□ | ■■■■■■■□□□ |

### Cote d'assurance

n.d.                       présentée par
                          **KANETIX.CA**

➕ Tenue de route exceptionnelle (RC F) •
V8 puissant, souple et sonore (RC F) •
Rouage intégral disponible •
Silhouette racée • Fiabilité probable

➖ Garde au toit et accès limités • Pavé
tactile distrayant • Bosse au plancher
côté conducteur (AWD) • Cadrans fades
(RC F) • Places arrière impossibles

### Concurrents

Audi A5, BMW Série 4, Cadillac ATS,
Infiniti Q60

# Comme un sabre
# de samouraï

Marc Lachapelle

**L**a marque Lexus est synonyme de berline, confort et qualité, beaucoup plus que de coupé, tenue de route et performance. Ses ingénieurs s'y connaissent en sportives, pourtant. Prenez la IS F d'il y a quelques années, ajoutez une pincée de la fabuleuse LFA en fibre de carbone, mélangez le tout et vous obtiendrez quelque chose comme les coupés RC lancés l'an dernier. Surtout le RC F à moteur V8 qui fut la grande surprise de notre match des sportives.

Les coupés RC partagent la même structure que les berlines GS, mais aucune de leurs dimensions. Ils sont également plus longs, plus larges et plus bas que les berlines IS d'au moins 3 cm, sur un empattement plus court de 7 cm. Le coupé RC 350 est pourtant plus lourd que l'IS et aussi lourd que la GS, à groupe propulseur égal.

Les trois séries offrent le choix de la propulsion ou du rouage intégral. Les trois ont leurs versions F Sport qui se distinguent par une calandre plus grande, une suspension plus ferme, des pneus plus mordants et des touches sportives dans l'habitacle. Tous ces modèles partagent le même V6 à injection directe de 3,5 litres ; il développe 307 chevaux sous le long capot des coupés RC.

### À SAVOURER EN MODE SPORT + DE PRÉFÉRENCE

Seule exception à cette règle : le RC F qui fut la surprise et la révélation du match des sportives avec son V8 de 5,0 litres qui transmet ses 467 chevaux et 389 lb-pi de couple aux seules roues arrière. Il le fait d'autant mieux avec un différentiel électronique qui modifie la répartition du couple entre les roues pour réduire le sous-virage et favoriser l'agilité. Ce différentiel est inclus au groupe Performance optionnel qui ajoute aussi un toit et un aileron arrière mobile en fibre de carbone, et des roues d'alliage de 19 pouces.

Vous en apprendrez évidemment beaucoup plus sur le RC F dans les textes, tableaux et fiches techniques du match. J'ajoute quand même que sa conduite sur route n'annonçait aucunement sa prestation étonnante au circuit ICAR. Alors que ses rivales allemandes, surtout les versions M de BMW et les Mercedes-AMG, sont trop frénétiques et nerveuses en mode Sport + sur la route, c'est tout le contraire avec le RC F.

Il faut effectivement faire pivoter la molette sur sa console centrale deux fois vers la droite pour passer en mode Sport +. Les cadrans auront déjà viré à l'orange et au rouge en mode Sport, mais ça ne suffit pas. Un autre quart de tour et l'accélérateur s'aiguise encore, les rapports de la boîte à 8 rapports passent plus net et le son du V8 est toujours plus enivrant à mesure que l'aiguille grimpe vers son apogée de 7 100 tr/min. Sinon, ce puissant coupé est plutôt banal à conduire. Sur la route du moins. Parce que sur un circuit et certainement aussi sur une route en serpentin, commodément déserte, c'est tout autre chose.

### RISQUES ET DÉCOUVERTES D'UN ESSAI HIVERNAL

Il faudrait alors imiter notre collègue Alain Morin qui a piloté les deux versions du RC 350 F Sport sur le sec, au circuit ICAR et s'en est dit plutôt satisfait, avant de chanter les louanges du RC F. Parce que l'essai d'un RC 350 F Sport AWD au cœur du dernier hiver a fait ressortir plusieurs points agaçants, au fil des jours. Malgré les vertus indiscutables du rouage intégral.

Après avoir admiré la silhouette profilée et l'immense calandre noire en sablier qui lui donne toute une gueule, littéralement, on remarque que la ligne de toit assez épaisse du RC affecte l'accès et réduit l'espace pour la tête à l'intérieur. Attention en entrant. Il y a ensuite cette grosse bosse au plancher, côté conducteur, qui fait place au différentiel central du rouage intégral et ce frein de stationnement au pied qui est un anachronisme. Au moins, il ne gêne pas trop le grand repose-pied en aluminium. Le volant sport gainé de cuir est superbe, en passant.

Les notes mentionnent aussi un pavé tactile distrayant, des réglages de température par glissement qui ne valent pas une simple molette, un siège pas tellement confortable malgré les efforts pour le régler et des places arrière à peu près inutilisables. Les plafonniers qui s'allument par effleurement sont très *cool*, par contre, et on apprécie forcément le volant et le siège chauffants, la sonorité du V6 en accélération et la sécurité du rouage intégral sur neige et glace.

Pour ce qui du titre de ce texte, c'est au RC F qu'il s'applique. Comme un sabre de samouraï, il est certainement plus lourd que le fleuret des mousquetaires, mais tout aussi précis et redoutable. Espérons que Lexus en prépare une version à rouage intégral et que tous les RC feront aussi une cure minceur.

### Châssis - F

| | |
|---|---|
| Emp / lon / lar / haut | 2730 / 4705 / 1845 / 1390 mm |
| Coffre / Réservoir | 287 litres / 66 litres |
| Nbre coussins sécurité / ceintures | 8 / 4 |
| Suspension avant | ind., double triangulation |
| Suspension arrière | ind., multibras |
| Freins avant / arrière | disque / disque |
| Direction | à crémaillère, ass. var. élect. |
| Diamètre de braquage | 11,4 m |
| Pneus avant / arrière | P255/35R19 / P275/35R19 |
| Poids / Capacité de remorquage | 1795 kg / n.d. |
| Assemblage | Kyushu, JP |

### Composantes mécaniques

**300h**

| | |
|---|---|
| Cylindrée, soupapes, alim. | 4L 2,5 litres 16 s atmos. |
| Puissance / Couple | 176 ch / 163 lb-pi |
| Tr. base (opt) / rouage base (opt) | CVT / Prop |
| 0-100 / 80-120 / V.Max | n.d. / n.d. / n.d. |
| 100-0 km/h | n.d. |
| Type / ville / route / $CO_2$ | Ord / n.d. / n.d. / n.d. |

**Moteur électrique**

| | |
|---|---|
| Puissance / Couple | 143 ch (107 kW) / n.d. lb-pi |
| Type de batterie | Nickel-hydrure métallique (NiMH) |
| Énergie | n.d. |

**350, 350 AWD F sport**

| | |
|---|---|
| Cylindrée, soupapes, alim. | V6 3,5 litres 24 s atmos. |
| Puissance / Couple | 307 ch / 277 lb-pi |
| Tr. base (opt) / rouage base (opt) | A6 / Int (Prop) |
| 0-100 / 80-120 / V.Max | 5,8 s (const) / n.d. / 230 km/h |
| 100-0 km/h | n.d. |
| Type / ville / route / $CO_2$ | Sup / 12,3 / 8,5 l/100 km / 4571 kg/an |

**F**

| | |
|---|---|
| Cylindrée, soupapes, alim. | V8 5,0 litres 32 s atmos. |
| Puissance / Couple | 467 ch / 389 lb-pi |
| Tr. base (opt) / rouage base (opt) | A8 / Prop |
| 0-100 / 80-120 / V.Max | 4,4 s (const) / n.d. / 274 km/h |
| 100-0 km/h | n.d. |
| Type / ville / route / $CO_2$ | Sup / 15,2 / 9,5 l/100 km / 5812 kg/an |

## Du nouveau en 2016

Aucun changement majeur

Photos : Marc Lachapelle

## LEXUS **RX**

**Prix :** 52 794 $ à 64 844 $ (2015)
**Catégorie :** VUS
**Garanties :**
4 ans/80 000 km, 6 ans/110 000 km
**Transport et prép. :** 2 095 $
**Ventes QC 2014 :** 905 unités
**Ventes CAN 2014 :** 7 913 unités

### Cote du Guide de l'auto

# 75 %

| Fiabilité | Appréciation générale |
|---|---|
| ■■■■■□□ | ■■■■■■□ |
| Sécurité | Agrément de conduite |
| ■■■■■■□ | ■■■■■□□ |
| Consommation | Système multimédia |
| ■■■■□□□ | ■■■■■□□ |

### Cote d'assurance

■■■■■■□□□□    **présentée par**
$$$              $    **KANETIX.CA**

➕ Marque fiable • Bonne valeur de revente • Version F Sport intéressante • Motorisations éprouvées

➖ Design un peu trop agressif • Système multimédia complexe à utiliser • Le modèle hybride pourrait être plus puissant

### Concurrents
Acura MDX, Audi Q7, BMW X5, Cadillac SRX, Infiniti QX70, Mercedes-Benz Classe GLE, Volkswagen Touareg, Volvo XC90

# Le Lexus grand-père n'est plus

Marc-André Gauthier

**Q**uand on pense aux véhicules Lexus d'il y a quelques années, la recette était si simple. On prenait un véhicule Toyota, on lui mettait du cuir et des gadgets, on le rendait disponible en 50 nuances de beige, et le tour était joué !

Malheureusement, la globalisation des marchés a rendu la concurrence plus féroce qu'elle ne l'était. C'est sans doute pourquoi Lexus a complètement revu le style et l'image de ses produits au cours des dernières années. En effet, la plupart des véhicules sont passés du beige arrondi au blanc (très) agressif. Même un petit véhicule utilitaire comme le NX a l'air quasiment plus méchant qu'une Lamborghini Aventador.

Pour 2016, c'est au tour de l'un des meilleurs vendeurs de la marque de se faire peindre en blanc, le RX. Si Lexus parle d'une refonte du véhicule, il faut toutefois rester prudent. Même si le nouveau RX a l'air effectivement différent, sa base demeure la même.

### UN STYLE TROP AGRESSIF ?
Quand je suis né, en 1990, les autos étaient carrées. Avec les années, les voitures ont commencé à s'arrondir. En fait, je reconnaissais les vieilles voitures parce qu'elles étaient carrées. Vous comprendrez alors mon amusement lorsque je constate que l'on retourne, en 2016, de plus en plus vers des formes carrées. Cette fois-ci, ces formes ne sont pas tout simplement inspirées d'un carton de lait comme dans le temps. Elles mélangent à merveille les lignes droites et les lignes arrondies pour créer des ensembles agressifs. Juste à regarder une Mazda3 GT dans le rétroviseur, et on a l'impression qu'un démon nous pourchasse.

Le comble de ce design agressif a été atteint, à mon avis. Ce nouveau RX n'est pas laid. En fait, je dirais même que je l'aime bien. Mais je considère que toute cette agressivité n'a pas sa place sur un véhicule qui, à la fin, s'avérera être l'option sur laquelle s'arrêteront bien des pères et mères de famille pour reconduire leurs enfants au soccer le dimanche.

L'habitacle a également été revu, dans une perspective d'offrir confort, raffinement, et la sensation de demeurer tout de même au volant d'un véhicule sportif. Le positionnement de l'écran de navigation ne fera pas l'unanimité, cependant. Elle ressort du tableau de bord comme c'est malheureusement la mode.

## DES MÉCANIQUES ÉPROUVÉES, BEAUCOUP DE TECHNOLOGIES

Il y a de plus en plus de rumeurs concernant un éventuel VUS «F» chez Lexus qui viendrait rivaliser Mercedes-AMG et BMW M. En attendant, le RX 2016 est disponible avec deux groupes motopropulseurs bien connus des clients Lexus.

Premièrement, le RX 350 sera offert avec l'increvable moteur V6 de 3,5 litres... Décidément, il ne veut pas mourir. Il est dans tous les modèles Toyota/Lexus depuis que j'ai mon permis de conduire! Au moins, on le modernise petit à petit. Dans cette livrée, Lexus vise 300 chevaux.

Ensuite, le RX 450h offrira une mécanique hybride. En gros, il s'agit encore du V6 de 3,5 litres, combiné cette fois avec un moteur électrique. Lexus vise également 300 chevaux pour cette mécanique, mais malgré une puissance égale à celle du RX 350, elle devrait garantir au RX 450h une bien meilleure économie de carburant grâce à l'apport du moteur électrique. Dans les deux cas, le rouage intégral figure de série pour le marché canadien.

Selon l'argent dépensé, le RX peut se voir accoutré d'un ensemble de technologies de sécurité, comme des radars qui anticipent les accidents avant qu'ils ne se produisent, ce qui est en soi une bonne chose. Si seulement il voyait les tirages de loteries avant qu'ils aient lieu...

Un ensemble F Sport sera non seulement disponible sur le RX 350, mais aussi sur le RX 450h à partir de 2016. Outre de belles roues et encore plus d'éléments stylistiques agressifs, cet ensemble offrira un ensemble de bidules qui gère activement la tenue de route. Autrement dit, à tout moment, un ordinateur se chargera de maximiser l'adhérence du véhicule. Ce système opérera sur le véhicule autant par le biais du rouage intégral que de la suspension.

Avec ces changements, Lexus se positionne dorénavant comme une marque à l'image agressive. Même leur véhicule utilitaire intermédiaire semble maintenant vouloir tout casser sur son passage. En espérant que ça ne casse pas auprès de la clientèle...

### Châssis - 350 F sport

| | |
|---|---|
| Emp / lon / lar / haut | 2740 / 4770 / 1885 / 1684 mm |
| Coffre / Réservoir | 1132 à 2273 litres / 73 litres |
| Nbre coussins sécurité / ceintures | 10 / 5 |
| Suspension avant | ind., jambes force |
| Suspension arrière | ind., double triangulation |
| Freins avant / arrière | disque / disque |
| Direction | à crémaillère, ass. var. élect. |
| Diamètre de braquage | 12,2 m |
| Pneus avant / arrière | P235/55R19 / P235/55R19 |
| Poids / Capacité de remorquage | 2050 kg / 1590 kg (3505 lb) |
| Assemblage | Cambridge, ON |

### Composantes mécaniques

**450h**

| | |
|---|---|
| Cylindrée, soupapes, alim. | V6 3,5 litres 24 s atmos. |
| Puissance / Couple | 245 ch / 234 lb-pi |
| Tr. base (opt) / rouage base (opt) | CVT / Int |
| 0-100 / 80-120 / V.Max | 8,0 s / 6,1 s / 180 km/h |
| 100-0 km/h | 44,1 m |
| Type / ville / route / $CO_2$ | Sup / 6,7 / 7,2 l/100 km / 3174 kg/an |

**Moteur électrique**

| | |
|---|---|
| Puissance / Couple | 50 ch (37 kW) / n.d. lb-pi |
| Type de batterie | Nickel-hydrure métallique (NiMH) |
| Énergie | n.d. |

**350, 350 F sport**

| | |
|---|---|
| Cylindrée, soupapes, alim. | V6 3,5 litres 24 s atmos. |
| Puissance / Couple | 270 ch / 248 lb-pi |
| Tr. base (opt) / rouage base (opt) | A6 / Int |
| 0-100 / 80-120 / V.Max | 7,7 s / 5,1 s / 180 km/h |
| 100-0 km/h | 42,0 m |
| Type / ville / route / $CO_2$ | Ord / 11,8 / 8,3 l/100 km / 4692 kg/an |

## Du nouveau en 2016

Nouveau modèle

Photos : Lexus Canada

# LINCOLN **MKC**

**Prix:** 41 790 $ à 51 415 $ (2015)
**Catégorie:** VUS
**Garanties:**
3 ans/60 000 km, 5 ans/100 000 km
**Transport et prép.:** 1 850 $
**Ventes QC 2014:** 429 unités
**Ventes CAN 2014:** 1 849 unités

## Cote du Guide de l'auto

# 77 %

**Fiabilité**
n.d.

**Sécurité**
■■■■■■■■□□

**Consommation**
■■■■■■■□□□

**Appréciation générale**
■■■■■■■□□□

**Agrément de conduite**
■■■■■■■□□□

**Système multimédia**
■■■■■■■□□□

## Cote d'assurance
■■■■■■■■□□
$$$                    $

présentée par
**KANETIX.CA**

**+** Style réussi • Comportement
routier rassurant • Rouage intégral •
Modes de conduite paramétrables

**−** Poids élevé • Consommation élevée •
Qualité des matériaux et finition
intérieure • Dégagement limité pour
les jambes à l'arrière

## Concurrents
Acura RDX, Audi Q5, BMW X3,
Land Rover Discovery Sport, Lexus NX,
Mercedes-Benz Classe GLA, Volvo XC60

# Un véhicule nommé espoir

Gabriel Gélinas

**P**our la marque Lincoln, le MKC symbolise une sorte
de renaissance. Même s'il est élaboré sur la base du
Ford Escape, il cache bien ses origines et affiche un
cachet luxe très affirmé. Dans l'industrie automobile, il n'est
pas rare de voir des marques partager des composantes
majeures ou des plates-formes.

Le groupe Volkswagen est d'ailleurs passé maître dans cet art qui
consiste à développer des véhicules respectant en tous points les
critères de leurs marques respectives, même s'il existe entre eux une
filiation évidente sur le plan mécanique. Cette approche semble avoir
été retenue par Lincoln qui tente par tous les moyens de démarquer
son MKC du Ford Escape.

On dit souvent que la première impression que l'on se fait de
quelqu'un ou de quelque chose est celle qui reste avec nous, même
avec le passage du temps. Si c'est le cas, c'est mission accomplie
pour le MKC qui donne clairement cette impression d'appartenir au
créneau des véhicules de luxe avec ses formes qui rappellent beaucoup
celles de l'Audi Q5, particulièrement en ce qui a trait à la partie
arrière. À l'avant, la calandre adoptée par la marque Lincoln s'intègre
particulièrement et les nombreuses touches de chrome marquent la
différence avec l'Escape. Côté style, c'est une belle réussite.

### PAS TOUT À FAIT DANS LA COUR DES GRANDS
En prenant place à bord, on déchante un peu en constatant que la
qualité des matériaux utilisés dans l'habitacle et la finition intérieure
laissent beaucoup à désirer. Elles souffrent de la comparaison
directe avec la marque allemande Audi, qui est le standard de
l'industrie pour la qualité des intérieurs, ou encore avec Lexus, un
autre leader en ce domaine. C'est vraiment ici qu'il déçoit et qu'il
nous rappelle que Lincoln a encore du chemin à faire avant d'accéder
à la cour des grands.

On aime le fait que le MKC soit dépourvu d'un levier de vitesse conventionnel, remplacé par des boutons localisés sur le côté gauche de la console centrale pour contrôler la boîte automatique comme sur la MKZ. Toutefois, c'est bien la seule touche de modernité que l'on perçoit dans cet habitacle qui est de facture très conventionnelle et qui ne réussit pas à créer cette impression de luxe tant souhaitée par le constructeur. Dommage...

Aussi, les places arrière sont un peu justes en ce qui a trait au dégagement pour les jambes. Précisons également que les modèles 2016 reçoivent le nouveau système de télématique SYNC 3, qui équipe aussi quelques modèles Ford cette année et qui devrait s'avérer plus convivial que le système MyLincoln Touch utilisé précédemment.

### UN MOTEUR D'ESCAPE OU DE MUSTANG

Deux moteurs turbocompressés sont au programme et tous deux sont partagés avec des modèles Ford, puisque le quatre cylindres 2,0 litres turbo se retrouve sous le capot de l'Escape alors que le quatre cylindres 2,3 litres turbo anime aussi la Mustang. Au volant d'un MKC équipé du 2,3 litres, la moyenne observée a été de 14 litres aux 100 kilomètres au cours d'un essai réalisé en plein cœur de l'hiver québécois, soit dans les conditions météo les plus défavorables à l'économie de carburant. Il faut également souligner que le MKC affiche presque 1 800 kilos à la pesée ce qui n'aide certainement pas sa cause pour l'efficience.

Sur la route, il fait preuve d'une belle stabilité et d'un certain aplomb. Sa conduite est paramétrable sur trois modes, soit confort, normal et sport. Le premier lui permet presque d'émuler une grande berline en absorbant avec une certaine mollesse les inégalités de la chaussée, le second offre un bon compromis entre confort et tenue de route. Quant au troisième mode, il n'est pas du tout adapté à la piètre qualité du revêtement sur lequel on roule la plupart du temps chez nous. Parions qu'il servira peut-être plus souvent aux États-Unis...

En bout de ligne, le MKC représente le véhicule le plus abouti de la marque Lincoln à ce jour. Le look est à la page, le comportement est rassurant et le rouage intégral lui permet d'évoluer dans toutes les conditions météo. On souhaiterait cependant qu'il soit moins lourd, moins énergivore et, surtout, que son habitacle soit à la hauteur des attentes créées par son look très actuel. On attend la suite...

| Châssis - 2.0 EcoBoost TI | |
|---|---|
| Emp / lon / lar / haut | 2690 / 4552 / 2136 / 1656 mm |
| Coffre / Réservoir | 714 à 1504 litres / 59 litres |
| Nbre coussins sécurité / ceintures | 7 / 5 |
| Suspension avant | ind., jambes force |
| Suspension arrière | ind., multibras |
| Freins avant / arrière | disque / disque |
| Direction | à crémaillère, ass. var. élect. |
| Diamètre de braquage | 11,6 m |
| Pneus avant / arrière | P235/50R18 / P235/50R18 |
| Poids / Capacité de remorquage | 1798 kg / 909 kg (2004 lb) |
| Assemblage | Louiseville, KY |

| Composantes mécaniques | |
|---|---|
| **2.0 EcoBoost TI** | |
| Cylindrée, soupapes, alim. | 4L 2,0 litres 16 s turbo |
| Puissance / Couple | 240 ch / 270 lb-pi |
| Tr. base (opt) / rouage base (opt) | A6 / Int |
| 0-100 / 80-120 / V.Max | 9,0 s (est) / n.d. / n.d. |
| 100-0 km/h | n.d. |
| Type / ville / route / $CO_2$ | Sup / 12,4 / 9,0 l/100 km / 5000 kg/an |
| **2.3 EcoBoost TI** | |
| Cylindrée, soupapes, alim. | 4L 2,3 litres 16 s turbo |
| Puissance / Couple | 285 ch / 305 lb-pi |
| Tr. base (opt) / rouage base (opt) | A6 / Int |
| 0-100 / 80-120 / V.Max | 7,4 s / 5,7 s / n.d. |
| 100-0 km/h | 39,6 m |
| Type / ville / route / $CO_2$ | Sup / 12,9 / 9,2 l/100 km / 5768 kg/an |

## Du nouveau en 2016

Système de télématique SYNC 3

Photos: Dominic Dubreuil

# LINCOLN **MKS**

**Prix:** 46 610$ à 55 610$ (2015)
**Catégorie:** Berline
**Garanties:**
4 ans/80 000 km, 6 ans/110 000 km
**Transport et prép.:** 1 900$
**Ventes QC 2014:** 18 unités
**Ventes CAN 2014:** 206 unités

---

Cote du Guide de l'auto

# 67%

| Fiabilité | Appréciation générale |
|---|---|
| ■■■■■■■□□□ | ■■■■■■■□□□ |

| Sécurité | Agrément de conduite |
|---|---|
| ■■■■■■■■□□ | ■■■■■■□□□□ |

| Consommation | Système multimédia |
|---|---|
| ■■■■□□□□□□ | ■■■■■■■□□□ |

---

Cote d'assurance
■■■■■■■■□□

présentée par
**KANETIX.CA**

$$$         $

➕ Confort et silence de roulement •
Habitable et coffre spacieux • Rouage
intégral de série • Systèmes d'aide à la
conduite • Fiabilité assurée

➖ Système MyLincoln Touch compliqué •
Automatique à 6 rapports désuète •
Design extérieur discutable • Faible valeur
de revente • Agrément de conduite mitigé

---

**Concurrents**
Acura RLX, Audi A6, BMW Série 5,
Cadillac CTS, Infiniti Q70, Jaguar XF,
Lexus GS, Mercedes-Benz Classe E,
Volvo S80

# Un patrimoine mal aimé

Jean-François Guay

**L**orsque la MKS a pris la relève de la Lincoln Town Car, on savait que le mandat de cette grande berline ne serait pas de tout repos. Malgré toutes les critiques acerbes à son endroit, la Town Car faisait partie du patrimoine de l'Oncle Sam au même titre que la dinde de la Thanksgiving, les *pancakes* et le bourbon. Et ne remplace pas qui veut un tel monument au sein de la société américaine.

Lors de son introduction, la MKS faisait rêver les amateurs de voitures américaines. Plusieurs croyaient que c'était le retour du balancier après toutes ces années de vaches maigres face aux luxueuses berlines allemandes et japonaises. Mais non. La MKS a plutôt trouvé sur son chemin des modèles comme les Buick LaCrosse et Chrysler 300. Même si le vaisseau amiral de Lincoln ne manque pas d'attraits, le style de la carrosserie n'a jamais soulevé les passions malgré le bon vouloir du styliste Max Wolff — anciennement chez Cadillac. Il y a trois ans, les modifications apportées à la calandre ont redonné un second souffle à la MKS. Mais ces retouches sont apparues trop peu, trop tard. Inverser une tendance n'est jamais facile dans un créneau aussi conservateur que celui des grandes berlines de luxe.

### UNE VRAIE AMÉRICAINE
Outre sa gamme de prix attrayante, la MKS mise sur un confort hôtelier et un équipement technologique relevé. On trouve évidemment le dispositif SYNC avec MyLincoln Touch, un régulateur de vitesse adaptatif, un avertisseur de collision, un système d'alerte pour angle mort avec un avertisseur de circulation transversale à l'arrière, un mécanisme de stationnement autonome et un dispositif de maintien sur la route lorsque le véhicule dévie de sa trajectoire.

Mais au-delà de ses systèmes d'aide à la conduite, la MKS mise davantage sur le fait qu'elle est une voiture typiquement américaine pour conquérir des nouveaux acheteurs — lesquels ne se bousculent pas aux portes des concessionnaires. Fidèle à ses origines, la voiture abrite un habitacle et une instrumentation sobres, tandis que les matériaux utilisés sont de bonne facture. Sans flafla, les commandes sont faciles d'accès et à comprendre. Par contre, les contrôles de la ventilation et de l'audio qui se manipulent par l'effleurement des doigts sont imprécis et exigent la dextérité d'un violoniste.

Mais s'il y a une facette où la MKS fait honneur à son ancêtre Town Car, c'est au chapitre de l'espace intérieur. Il s'agit d'une véritable limousine et l'on se plaît à prendre place sur la banquette arrière pour se faire conduire. Cette Lincoln est insonorisée comme un abri antiatomique et le silence de roulement ferait pâlir de jalousie bon nombre de voitures allemandes. La suspension utilise un amortissement contrôlé en continu dont une série de capteurs qui surveillent constamment (jusqu'à 500 fois par seconde) les mouvements de la carrosserie, du volant et des freins pour le plus grand confort des occupants.

Sans vouloir faire un mauvais jeu de mots, les sièges sont rembourrés comme ceux d'une Lincoln! Ni trop mous, ni trop fermes. Selon les groupes d'options, les sièges avant et arrière sont chauffants. Pour réduire la fatigue des muscles et améliorer la circulation sanguine, il est possible d'opter pour une fonction de massage. Une caractéristique que l'on trouve habituellement dans des voitures plus dispendieuses.

### MÉCANIQUE ET AMBITION

Lors de sa dernière refonte, les motoristes ont pris soin de supprimer la version de base à traction, une configuration qui n'avait pas sa place depuis que le rouage intégral est devenu l'apanage des voitures de luxe.

Sous le capot, on trouve des motorisations éprouvées. Le moteur d'entrée de gamme est un V6 de 3,7 litres lequel délivre 304 chevaux. La version EcoBoost est animée par un V6 biturbo à injection directe de 3,5 litres et 365 chevaux. Même si le moteur EcoBoost paraît séduisant, la puissance du 3,7 litres suffit amplement. Mais, s'il y a un organe mécanique qui ne soutient pas la comparaison avec la concurrence, c'est bien la boîte automatique à six vitesses. Malgré sa fiabilité, elle est le parent pauvre de la catégorie par rapport aux boîtes à sept ou huit rapports des constructeurs allemands et japonais.

Pour la petite histoire, on se rappellera que la marque de luxe de Ford a produit la voiture du président des États-Unis de 1939 à 1993. En concevant la MKS, il est clair que Lincoln n'avait pas l'ambition de reprendre son titre de fournisseur officiel de la Maison-Blanche. À moins que la Continental Concept qui a été présentée au dernier Salon de New York n'aboutisse à la chaîne d'assemblage, il serait surprenant qu'une Lincoln remplace la Cadillac One.

| Châssis - TI | |
|---|---|
| Emp / lon / lar / haut | 2868 / 5222 / 2172 / 1565 mm |
| Coffre / Réservoir | 543 litres / 72 litres |
| Nbre coussins sécurité / ceintures | 6 / 5 |
| Suspension avant | ind., jambes force |
| Suspension arrière | ind., multibras |
| Freins avant / arrière | disque / disque |
| Direction | à crémaillère, ass. var. élect. |
| Diamètre de braquage | 12,0 m |
| Pneus avant / arrière | P255/45R19 / P255/45R19 |
| Poids / Capacité de remorquage | 1940 kg / 454 kg (1000 lb) |
| Assemblage | Chicago, IL |

| Composantes mécaniques | |
|---|---|
| **TI** | |
| Cylindrée, soupapes, alim. | V6 3,7 litres 24 s atmos. |
| Puissance / Couple | 304 ch / 279 lb-pi |
| Tr. base (opt) / rouage base (opt) | A6 / Int |
| 0-100 / 80-120 / V.Max | 7,4 s / 6,3 s / n.d. |
| 100-0 km/h | 40,0 m |
| Type / ville / route / $CO_2$ | Ord / 11,6 / 7,5 l/100 km / 4508 kg/an |
| **TI EcoBoost** | |
| Cylindrée, soupapes, alim. | V6 3,5 litres 24 s turbo |
| Puissance / Couple | 365 ch / 350 lb-pi |
| Tr. base (opt) / rouage base (opt) | A6 / Int |
| 0-100 / 80-120 / V.Max | 6,4 s / n.d. / n.d. |
| 100-0 km/h | 40,0 m |
| Type / ville / route / $CO_2$ | Sup / 12,2 / 7,8 l/100 km / 4692 kg/an |

## Du nouveau en 2016

Aucun changement majeur

Photos: Lincoln Canada

# LINCOLN **MKT**

**Prix :** 52 560 $ (2015)
**Catégorie :** VUS
**Garanties :**
4 ans/80 000 km, 6 ans/110 000 km
**Transport et prép. :** 1 900 $
**Ventes QC 2014 :** 23 unités
**Ventes CAN 2014 :** 289 unités

## Cote du Guide de l'auto

# 68 %

| Fiabilité | Appréciation générale |
|---|---|
| ■■■■■■■□□□ | ■■■■■■■□□□ |
| **Sécurité** | **Agrément de conduite** |
| ■■■■■■□□□□ | ■■■■■■□□□□ |
| **Consommation** | **Système multimédia** |
| ■■■■■■■□□□ | ■■■■■■■□□□ |

## Cote d'assurance

■■■■■■■□□□
$$$          $

présentée par

➕ Habitacle volumineux • Silence de roulement • Sièges confortables • Puissance du moteur EcoBoost • Commodités à la 2ᵉ rangée

➖ Design controversé • Accès à la 3ᵉ banquette pénible • Absence du V6 de 3,7 litres au Canada • Poids trop élevé • Valeur de revente

## Concurrents

Acura MDX, Audi Q7, BMW X5, Buick Enclave, Infiniti QX60, Lexus GX, Volvo XC90

# À chacun sa spécificité

Jean-François Guay

**M**algré sa spécificité dans un monde où chacun cherche à être différent, il est surprenant que le design hétéroclite du Lincoln MKT soit l'objet d'autant de sarcasmes et railleries. Depuis la disparition du Pontiac Aztek il y a dix ans, il est devenu le mouton noir de l'industrie. Pourtant, ce n'est pas la première fois que le design d'un modèle Lincoln est controversé. Les plus vieux se souviendront que les Versailles (1977-1980) et Mark VIII (1993-1998), pour ne nommer que ceux-là, avaient été l'objet de sévères critiques à l'époque. Reste à savoir si la carrière du dernier mal-aimé de Lincoln durera encore longtemps.

Or, il faut voyager aux États-Unis pour constater que le MKT ne chôme pas dans les aéroports et dans le centre-ville des grandes métropoles. Boudé par les particuliers, il a trouvé son lot d'adeptes parmi les manufacturiers et les services de limousines. À cause de ses tarifs plus élevés chez nous, le MKT est nettement moins populaire auprès des entreprises québécoises. Cette différence de prix s'explique non seulement par le taux de change, mais aussi par le niveau d'équipement.

Si les acheteurs américains peuvent choisir entre le V6 de 3,7 litres et le V6 biturbo de 3,5 litres, uniquement le moteur de 3,5 litres est disponible sur notre marché. Bénéficiant de la technologie EcoBoost et de l'injection directe, ce V6 à double turbocompresseur développe 365 chevaux et 350 livres-pied de couple. Jumelé à une boîte automatique à six rapports (avec palettes au volant) et la transmission intégrale de série, il est assez puissant pour remorquer un poids de 2 041 kilos (4 500 lb). Mais honnêtement, avez-vous déjà vu un MKT tracter une roulotte, un bateau ou des motoneiges ? Poser la réponse c'est y répondre ! Il existe tellement de VUS, multisegments ou camionnettes mieux adaptés qu'on réserve le MKT pour les longs trajets en famille.

## UNE FOURGONNETTE DE LUXE

À certains égards, ce Lincoln courtise les mêmes acheteurs que la fourgonnette de luxe Chrysler Town & Country. Cette clientèle se divise en deux: les familles traditionnelles avec de jeunes enfants et les gens retraités, mais actifs qui aiment voyager, jouer au golf, faire du ski, ou se promener avec leurs petits-enfants; sans omettre le fait qu'il est plus aisé pour les gens d'un certain âge d'entrer et de sortir d'un multisegment que d'une berline! L'accessibilité aux sièges de la première et la deuxième rangée est favorisée par des portes surdimensionnées et une garde au sol quasi parfaite. Le même constat s'applique lorsqu'il faut se pencher pour installer un jeune enfant dans son siège d'auto — mieux vaut être à la bonne hauteur pour éviter un lumbago.

À l'arrière, les passagers de la deuxième et la troisième rangée apprécieront le champ de vision vers l'avant que procurent les sièges disposés en étage comme dans une salle decinéma et le toit panoramique divisé en deux sections. Toutefois, les occupants de la troisième rangée pesteront contre l'étroitesse des vitres latérales qui s'apparentent à des meurtrières. Pour agrémenter les vacances, une console centrale réfrigérée est nichée entre les deux sièges de la deuxième rangée. Cette option inclut également des sièges ventilés — les sièges chauffants font partie de l'équipement de série. Parmi les autres accessoires visant à favoriser le confort des convives, on retrouve un système de climatisation à trois zones, un lecteur de DVD avec deux écrans et un système audio de 700 watts à 14 haut-parleurs en option.

## UN POIDS LOURD

En prenant le volant, la position de conduite est sans reproche grâce au pédalier à réglage électrique et à la colonne de direction télescopique et motorisée. Malgré quelques améliorations au niveau du fonctionnement du système MyLincoln Touch, rares sont ceux qui ne maugréeront pas contre la manipulation des commandes. Compte tenu de l'âge moyen de ses clients, Lincoln devrait offrir une alternative comme des boutons conventionnels...

Sur la route, la rigidité du châssis et la souplesse des éléments suspenseurs filtrent avec efficacité les aspérités de la chaussée. Toutefois, le manque de fermeté de la suspension se fait ressentir dans les courbes où un léger sous-virage se manifeste. Juché moins haut que les autres multisegments de sa catégorie, la faible garde au sol laisse croire que l'on est au volant d'une grosse familiale, mais non, il s'agit d'un véhicule dont le poids dépasse 2 200 kilos. Pour ce faire, il faut anticiper les freinages et les manœuvres avec précaution!

| Châssis - TI EcoBoost | |
|---|---|
| Emp / lon / lar / haut | 2995 / 5273 / 2177 / 1712 mm |
| Coffre / Réservoir | 507 à 2149 litres / 70 litres |
| Nbre coussins sécurité / ceintures | 6 / 7 |
| Suspension avant | ind., jambes force |
| Suspension arrière | ind., multibras |
| Freins avant / arrière | disque / disque |
| Direction | à crémaillère, ass. var. élect. |
| Diamètre de braquage | 12,7 m |
| Pneus avant / arrière | P235/55R19 / P235/55R19 |
| Poids / Capacité de remorquage | 2246 kg / 2041 kg (4499 lb) |
| Assemblage | Oakville, ON |

| Composantes mécaniques | |
|---|---|
| Cylindrée, soupapes, alim. | V6 3,5 litres 24 s turbo |
| Puissance / Couple | 365 ch / 350 lb-pi |
| Tr. base (opt) / rouage base (opt) | A6 / Int |
| 0-100 / 80-120 / V.Max | 7,0 s / 5,3 s / n.d. |
| 100-0 km/h | 48,0 m |
| Type / ville / route / $CO_2$ | Sup / 13,1 / 8,8 l/100 km / 5152 kg/an |

### Du nouveau en 2016

Aucun changement majeur

# LINCOLN **MKX**

**Prix:** 44 963 $ à 52 954 $
**Catégorie:** VUS
**Garanties:**
4 ans/80 000 km, 6 ans/110 000 km
**Transport et prép.:** 1 900 $
**Ventes QC 2014:** 376 unités
**Ventes CAN 2014:** 2 702 unités

## Cote du Guide de l'auto

# 67 %

| Fiabilité | Appréciation générale |
|---|---|
| ■■■■■■□□□□ | ■■■■■■□□□□ |
| Sécurité | Agrément de conduite |
| ■■■■■■■□□□ | ■■■■■■□□□□ |
| Consommation | Système multimédia |
| ■■■■■□□□□□ | ■■■■■■■□□□ |

## Cote d'assurance

■■■■■■■■■□
$$$        $

présentée par
***KANETIX.CA***

➕ Design extérieur réussi • Contrôle
de conduite efficace • Retour des
boutons physiques • Motorisations
bien adaptées • Système
audio époustouflant

➖ Encore perçu comme un clone
luxueux du Edge • Une seule boîte
et à 6 rapports • Trop d'options •
Manque de prestige

**Concurrents**
BMW X5, Cadillac SRX, Lexus RX,
Mercedes-Benz GLE, Volvo XC90

# Cette fois-ci les chances sont meilleures

Guy Desjardins

**L**e Lincoln MKX fait peau neuve pour 2016. C'était prévisible, le Ford Edge dont il dérive a été complètement revu depuis l'an dernier. Affichant une gueule beaucoup plus attirante que la précédente génération, le MKX de nouveau cru montre un raffinement que n'avait pas son prédécesseur, un peu trop fade.

Impossible de le nier, le MKX tire son style de celui du Edge. Le châssis, la carrosserie, la mécanique et les technologies ont tous été empruntés au modèle de Ford. Lincoln veut se restructurer, mais pas à n'importe quel prix et la réutilisation de composantes se veut l'outil le moins dispendieux afin de produire davantage de véhicules. Parlez-en à GM.

### LE EDGE COMME INSPIRATION

Bien que Lincoln possède son propre studio de design, celui du MKX provient sans le moindre doute de l'équipe qui a conçu le Edge. À moins qu'il ne s'agisse d'un travail commun de design profitant aux deux équipes? Reste qu'au final, les deux véhicules montrent des similitudes facilement reconnaissables. Heureusement, le propriétaire d'un MKX pourra, à sa défense, parler des phares avant, des feux arrière, du design des jantes et de la calandre qui sont exclusifs à ce véhicule de luxe. On a également parsemé le MKX d'accessoires lui permettant de se démarquer et de se battre à armes égales face aux concurrents chez Cadillac, Lexus, Infiniti et quelques modèles allemands.

Sous cette carrosserie toute en rondeurs, Lincoln cache une mécanique également empruntée au Edge. Statut social oblige, le MKX n'inclut pas le maigrichon 4 cylindres de 2,0 litres. On fait plutôt appel à un V6 atmosphérique de série et, en option, à une motorisation V6 de 2,7 litres à double turbocompresseur. Le premier pour déplacer adéquatement le MKX alors que le deuxième, plus musclé, permet de le dynamiser.

On peut s'offrir ce Lincoln en version de base sous les 50 000 $. Le rouage intégral est de série et une seule boîte de vitesses permet le transfert de la puissance aux roues, une automatique à 6 rapports (certains concurrents en proposent 9) dotée de palettes au volant. En option sur le modèle EcoBoost, des jantes de 21 pouces remplacent celles de 18 pouces et donnent une prestance au véhicule en plus d'augmenter sa stabilité en virages serrés.

Le MKX propose également un système que le constructeur appelle le Contrôle de conduite Lincoln. Il offre le choix de trois modes différents qui représentent bien la majorité des situations que vivent les conducteurs au quotidien, soit normal, confort et sport. De tous les fabricants qui mettent ce genre de système à leur catalogue, celui de Ford est sûrement le plus efficace du lot, ou du moins celui qui montre les plus grandes différences de configuration lors des changements.

### TRÈS TECHNO

L'habitacle du MKX reprend également plusieurs traits du Edge. La refonte de l'an dernier a modifié de nombreux éléments qui agaçaient en conduite, dont les commandes à effleurement de la console centrale. Une excellente note va également au système audio Revel, offert en option, qui comprend 13 haut-parleurs (19 dans le cas du Revel Ultima) conçus spécifiquement pour l'environnement sonore de l'habitacle. La qualité du son étonne, surtout que le contrôle actif du bruit surveille les différentes fréquences émises (intérieures et extérieures) au moyen de microphones et crée des ondes acoustiques inverses qui annulent les bruits extérieurs. Difficile de savoir si elles existent vraiment ces ondes inverses, mais le résultat final reste tout de même agréable pour l'oreille.

Le MKX propose toutes les dernières technologies disponibles chez Ford, certaines évidemment en option. D'ailleurs, si vous avez suffisamment de temps, le site web de Lincoln décrit largement les différentes fonctionnalités du modèle. Quelques options intéressantes valent la peine d'investir un supplément dont le système de caméras à 360 degrés qui permet de voir facilement ce qui entoure le véhicule. La lentille de la caméra à l'avant reste toujours propre puisqu'elle se cache sous le logo Lincoln situé sur le nez du véhicule.

Le lancement du MKX 2016 s'effectuera tard à l'automne et au moment d'écrire ces lignes, nous n'avions pas eu la chance de le conduire. Par contre, il ne fait aucun doute que le comportement routier résultant sera comparable à celui du Edge. Le châssis solide et les suspensions vraisemblablement bien calibrées procureront sans doute un silence de roulement exceptionnel. Quant à l'insonorisation, elle profitera du savoir-faire de Lincoln et permettra au MKX de livrer un habitacle encore plus silencieux que celui du Edge, déjà très bien insonorisé.

## Châssis - 2.7 V6 TI

| | |
|---|---|
| Emp / lon / lar / haut | 2849 / 4827 / 2188 / 1681 mm |
| Coffre / Réservoir | 1055 à 1948 litres / 72 litres |
| Nbre coussins sécurité / ceintures | 8 / 5 |
| Suspension avant | ind., jambes force |
| Suspension arrière | ind., multibras |
| Freins avant / arrière | disque / disque |
| Direction | à crémaillère, assistée |
| Diamètre de braquage | 12,0 m |
| Pneus avant / arrière | P245/60R18 / P245/60R18 |
| Poids / Capacité de remorquage | 1990 kg / 1588 kg (3500 lb) |
| Assemblage | Oakville, ON |

## Composantes mécaniques

**3.7 V6 TI**

| | |
|---|---|
| Cylindrée, soupapes, alim. | V6 3,7 litres 24 s atmos. |
| Puissance / Couple | 303 ch / 278 lb-pi |
| Tr. base (opt) / rouage base (opt) | A6 / Int |
| 0-100 / 80-120 / V.Max | n.d. / n.d. / n.d. |
| 100-0 km/h | n.d. |
| Type / ville / route / $CO_2$ | Ord / 14,4 / 10,3 l/100 km / 5775 kg/an |

**2.7 V6 TI**

| | |
|---|---|
| Cylindrée, soupapes, alim. | V6 2,7 litres 24 s turbo |
| Puissance / Couple | 335 ch / 380 lb-pi |
| Tr. base (opt) / rouage base (opt) | A6 / Int |
| 0-100 / 80-120 / V.Max | n.d. / n.d. / n.d. |
| 100-0 km/h | n.d. |
| Type / ville / route / $CO_2$ | Sup / 14,1 / 9,7 l/100 km / 5575 kg/an |

## Du nouveau en 2016

Nouveau modèle

# LINCOLN **MKZ**

((SiriusXM))

**Prix :** 40 360 $ à 44 850 $
**Catégorie :** Berline
**Garanties :**
4 ans/80 000 km, 6 ans/110 000 km
**Transport et prép. :** 1 850 $
**Ventes QC 2014 :** 341 unités
**Ventes CAN 2014 :** 1 445 unités

Cote du Guide de l'auto

## 67 %

Fiabilité
■■■■■□□□□□

Appréciation générale
■■■■■■■□□□

Sécurité
■■■■■■■□□□

Agrément de conduite
■■■■■■□□□□

Consommation
■■■■■□□□□□

Système multimédia
■■■■■■□□□□

Cote d'assurance
■■■■■■■□□□
$$$                    $

présentée par
**KANETIX.CA**

➕ Style très réussi • Toit ouvrant panoramique grandiose • Bonne sélection de moteurs • Silencieuse et confortable

➖ Visibilité problématique à l'arrière • Boutons capacitifs imparfaits • Certaines versions dispendieuses • V6 pas très économique

**Concurrents**
Acura TLX, Cadillac ATS, Buick Regal, Hyundai Genesis, Lexus IS, Volvo S60

# Lincoln est de retour

Frédérick Boucher-Gaulin

**I** l y a à peine quelques années, Lincoln était plus ou moins à l'abandon ; pendant que Ford travaillait d'arrache-pied à moderniser sa gamme de véhicules et ses technologies, la maison mère n'avait ni le temps ni les ressources pour sa division de luxe.

Après le renouveau de Ford, c'était maintenant le tour de Lincoln de recevoir l'attention des huiles de Dearborn. Le VUS compact MKC a été bien accueilli depuis sa sortie l'année dernière, et la marque américaine offre toujours deux berlines : la MKS – partageant sa mécanique avec la Taurus – et la MKZ, un peu plus petite et basée sur la même plate-forme que la Ford Fusion.

### UNE LINCOLN NOUVEAU GENRE
Même si la MKZ date déjà de 2013, son style est toujours d'actualité. Ses lignes sont effilées et ramenées vers l'arrière, la grille à lamelles typique de la marque lui donne un air de rapace, le toit plonge vers l'arrière tel celui d'un coupé, la partie arrière est taillée à angles droits et le coffre est traversé d'une barre à DEL faisant office de feux. Cette voiture attire les regards et les commentaires positifs comme bien peu de ses concurrentes.

À l'intérieur, c'est le même constat : la console centrale est large et haute, offrant une démarcation claire entre le conducteur et le passager. La planche de bord est épurée et utilise des boutons capacitifs (qu'on ne fait qu'effleurer pour activer) ; bien que ce soit très joli visuellement, le fonctionnement n'est pas sans faille, et l'on doit quelquefois s'y reprendre pour enclencher les différentes fonctions.

Une fois assis dans de très confortables sièges avant, en faisant attention de ne pas se cogner le crâne sur les montants de toit en s'y rendant, on remarque immédiatement le premier problème de la MKZ : la forme du véhicule a beau être très jolie, elle fait en sorte que la visibilité est ordinaire (pour ne pas dire exécrable) tout autour. Pire encore, une fois ouvert, le gigantesque toit ouvrant vitré – composé d'une seule pièce en verre qui se rabat complètement vers l'arrière au toucher d'un bouton – vient empiéter sur la lunette arrière, rendant tout ce qui se trouve derrière pratiquement invisible.

### L'ENTRÉE DE GAMME, LA PUISSANTE OU L'HYBRIDE?

La MKZ débute légèrement sous la barre des 40 000 $. Il est vrai que le prix d'entrée est passablement plus élevé que celui de certaines rivales – par exemple, la Buick Regal coûte 5 000 $ de moins –, mais vous obtenez pour ce prix une voiture très bien équipée, propulsée par un quatre cylindres turbocompressé de 2,0 litres déployant 240 chevaux et 270 livres-pied. Il envoie sa puissance aux roues avant, alors qu'un rouage intégral est maintenant proposé avec ce moulin pour environ 2 000 $ de plus.

Si vous avez besoin de plus de puissance, il est possible d'opter pour un V6 de 3,7 litres; celui-ci vous donnera 300 équidés, mais avec une consommation de 13,8 litres aux 100 km en ville, il n'est pas des plus frugaux. Si c'est l'économie d'essence que vous recherchez, tournez-vous plutôt vers la MKZ hybride; elle n'offre que 188 chevaux (moteurs à essence et électrique combinés), mais elle vous récompensera avec une consommation de 5,8 litres aux 100 km en conduite mixte, ce qui est plus qu'intéressant pour une berline de cette taille. En outre, ce modèle présente l'avantage d'être vendu au même prix que la MKZ de base.

Peu importe la motorisation choisie, la plus petite des berlines Lincoln vous offre des suspensions réglables, un démarreur à distance, des sièges en cuir, un système d'infodivertissement SYNC et MyLincoln Touch qu'on contrôle via un écran tactile de 8 pouces et une caméra de recul.

### PAS DANS LES PLATES-BANDES DES ALLEMANDS

Si vous prenez le volant de cette Lincoln en vous attendant à ce qu'elle se comporte comme une BMW Série 3, vous risquez d'être déçu. La voiture s'inscrit bien en virage et est même plutôt agile si on la pousse dans ses derniers retranchements, mais elle n'a pas été conçue pour dévaler une piste de course à plein régime. Son mandat premier est d'offrir du confort et du silence à ses passagers.

La Lincoln MKZ a été la première à rappeler au monde entier que la marque n'était pas morte, et avec son style, son choix de motorisations et sa liste de caractéristiques, elle a certainement des atouts pour plaire aux acheteurs de berlines de luxe.

### Châssis - TI V6

| | |
|---|---|
| Emp / lon / lar / haut | 2850 / 4930 / 2116 / 1478 mm |
| Coffre / Réservoir | 436 litres / 66 litres |
| Nbre coussins sécurité / ceintures | 8 / 5 |
| Suspension avant | ind., jambes force |
| Suspension arrière | ind., multibras |
| Freins avant / arrière | disque / disque |
| Direction | à crémaillère, ass. var. élect. |
| Diamètre de braquage | 11,6 m |
| Pneus avant / arrière | P245/45R18 / P245/45R18 |
| Poids / Capacité de remorquage | 1819 kg / 900 kg (1984 lb) |
| Assemblage | Hermosillo, MX |

### Composantes mécaniques

**Hybride**

| | |
|---|---|
| Cylindrée, soupapes, alim. | 4L 2,0 litres 16 s atmos. |
| Puissance / Couple | 141 ch / 129 lb-pi |
| Tr. base (opt) / rouage base (opt) | CVT / Tr |
| 0-100 / 80-120 / V.Max | 9,0 s / 6,5 s / n.d. |
| 100-0 km/h | 42,3 m |
| Type / ville / route / $CO_2$ | Ord / 5,7 / 6,0 l/100 km / 2684 kg/an |

**Moteur électrique**

| | |
|---|---|
| Puissance / Couple | 118 ch (88 kW) / 177 lb-pi |
| Type de batterie | Lithium-ion (Li-ion) |
| Énergie | 1,4 kWh |

**TA EcoBoost**

| | |
|---|---|
| Cylindrée, soupapes, alim. | 4L 2,0 litres 16 s turbo |
| Puissance / Couple | 240 ch / 270 lb-pi |
| Tr. base (opt) / rouage base (opt) | A6 / Tr |
| 0-100 / 80-120 / V.Max | 7,7 s / 5,4 s / n.d. |
| 100-0 km/h | 38,9 m |
| Type / ville / route / $CO_2$ | Sup / 10,5 / 7,0 l/100 km / 4106 kg/an |

**TI V6**

| | |
|---|---|
| Cylindrée, soupapes, alim. | V6 3,7 litres 24 s atmos. |
| Puissance / Couple | 300 ch / 277 lb-pi |
| Tr. base (opt) / rouage base (opt) | A6 / Int |
| 0-100 / 80-120 / V.Max | 7,6 s / 4,7 s / n.d. |
| 100-0 km/h | 42,0 m |
| Type / ville / route / $CO_2$ | Ord / 13,8 / 9,7 l/100 km / 5499 kg/an |

### Du nouveau en 2016

Aucun changement majeur

Photos : Jacques Duval, Alain Morin

# LOTUS **EVORA**

**Prix :** 125 000 $ à 127 000 $ (estimé)
**Catégorie :** Coupé
**Garanties :**
3 ans/60 000 km, 3 ans/60 000 km
**Transport et prép. :** n.d.
**Ventes QC 2014 :** n.d.
**Ventes CAN 2014 :** n.d.

Cote du Guide de l'auto

## 73 %

| Fiabilité | Appréciation générale |
|---|---|
| n.d. | ■■■■■■■□□□ |
| Sécurité | Agrément de conduite |
| ■■■■■■□□□□ | ■■■■■■■□□□ |
| Consommation | Système multimédia |
| ■■■■□□□□□□ | ■■■■■□□□□□ |

**Cote d'assurance**

n.d.

présentée par
**KANETIX.CA**

➕ Style davantage affirmé (400) •
Excellent rapport poids/puissance (400) •
Fiabilité mécanique • Exclusivité assurée •
Le pilotage à son meilleur (Evora S)

➖ Habitacle très petit • Visibilité arrière
affreuse • Sonorité moteur un peu trop
étouffée (Evora) • Prix élevé • Réseau de
concessionnaires très restreint

**Concurrents**
Alfa Romeo 4C, Audi TT, Jaguar F-Type,
Lexus RC, Porsche Cayman

# Et légale en plus !

Alain Morin

Lorsque la Lotus Evora fut dévoilée en 2010, tous les espoirs étaient permis pour le petit manufacturier anglais. Les affaires n'allaient pas très bien, mais l'Evora était la voiture qu'il fallait pour préserver l'avenir. Déjà, on prévoyait que d'autres modèles s'ajouteraient à la gamme. Mais les choses ne se sont pas passées comme prévu. Six ans plus tard, les très sportives (mais aussi très inconfortables) Elise et Exige ne sont plus offertes, du moins en Amérique. Et l'Evora, qui fait partie de notre décor depuis 2011, nous quittera très bientôt. Triste bilan.

Triste ? Que non ! En fait, l'Evora, et sa sœur plus puissante, l'Evora S nous quittent, mais c'est pour laisser toute la place à l'Evora 400, une bête de 400 chevaux (d'où son appellation) qui promet de beaux moments aux bienheureux qui auront la chance – ou les moyens financiers – de prendre son volant.

Depuis l'an dernier, Lotus n'avait plus le droit de vendre son Evora aux États-Unis puisque ses coussins gonflables ne rencontraient pas les plus récentes normes de sécurité. Grave problème pour une entreprise aux moyens financiers très limités qui ne peut se permettre de dévoiler un nouveau modèle chaque année. Les dirigeants de Lotus ont donc sagement décidé de revamper l'Evora qui, de toute façon, était due pour une mise à jour.

**ENFIN AGRESSIVE**

Le *Guide de l'auto* n'a pas encore pu conduire cette anglaise (et au moment d'écrire ces lignes – fin juin 2015 – personne du monde journalistique ne semble l'avoir fait). Selon ce qu'on a pu voir au Salon de Genève en mars dernier, la nouvelle Lotus affiche des lignes davantage taillées au couteau, beaucoup plus agressives, surtout à l'avant, et plus en harmonie avec une voiture aussi sportive. La partie arrière aussi a été passablement modifiée. Au final, une carrosserie plus aérodynamique dotée d'une poussée verticale (*downforce*) augmentée de 50 livres (23 kilos) à la vitesse maximale de 300 km/h. Grâce à plusieurs astuces, le châssis a perdu 22 kilos.

L'habitacle a aussi connu sa part d'améliorations. Le tableau de bord est tout nouveau et paraît, à première vue, plus facile à utiliser que l'ancien, puisque plus ergonomique. Souhaitons que le système audio soit davantage compréhensible qu'avant. Et que les stylistes aient réussi à créer au moins une illusion de minimum de rangement. De visu, rapidement, ça ne semble pas être le cas. Aucune mention non plus d'un repose-pied pour le conducteur, sans doute toujours à cause de l'imposant châssis qui enserre l'habitacle. Les sièges sont tout nouveaux et ceux à l'avant auraient perdu 3 kilos chacun. Bravo. La version 2+2 sera toujours offerte mais, à moins de connaître des gens sans jambes, sans bras et préférablement sans tête, je ne vois pas qui peut y prendre place. Ces simili-places arrière sont proposées pour contrer l'échelle de taxation de certains pays qui imposent lourdement les voitures à deux places. Quant à la visibilité arrière, elle promet d'être aussi pourrie.

## LÉGÈRETÉ ET PUISSANCE, LE CREDO DE LOTUS
Même si Lotus n'en fait pas mention, le moteur demeurera le V6 3,5 litres de Toyota, livrant ici la bagatelle de 400 chevaux. Dans une voiture de 1 415 kilos, c'est plutôt sérieux. Chaque cheval trimballe 3,54 kilos. Une Porsche Cayman GTS, l'éternelle rivale, a 340 chevaux pour 1413 kilos ce qui donne un rapport poids/puissance moins favorable de 4,16 kilos par cheval. Pour simples fins de comparaison, une Ferrari F12 a un rapport poids/puissance de 2,25 kg/ch et une Toyota Corolla 9,21 kg/ch. Le 0-100 km/h s'effectue en 4,2 secondes. Avec l'Evora 400, pas avec la Corolla.

Deux boîtes de vitesses seront au programme, soit une manuelle à six rapports qui, espérons-le, ne perdra pas sa merveilleuse sensation mécanique, mais gagnera en précision, ou une automatique IPS (Intelligent Precision Shifting) à six rapports aussi. Cette dernière, bien qu'elle puisse paraître hors contexte dans une Lotus, s'acquitte fort bien de sa tâche.

L'Evora 400 débarquera chez les concessionnaires en décembre 2015 ou en janvier 2016, sans doute en tant que modèle 2017, chassant ainsi les Evora et Evora S des salles d'exposition. À moins que le taux de change varie, le prix d'une 400 devrait graviter autour de 120 000 $. Une version décapotable, probablement de style Targa, suivra.

Enfin, au festival de Goodwood, en juin dernier, Lotus a dévoilé la 3-Eleven, une barquette de course dont les 900 kilos seront propulsés de 0 à 60 mph (96 km/h) en moins de 3 secondes. Au Canada, cette bombe ne sera disponible que sur commande spéciale et ne sera pas légale pour la route. Seulement 311 unités seront produites.

| Châssis - 400 | |
|---|---|
| Emp / lon / lar / haut | 2575 / 4394 / 1978 / 1229 mm |
| Coffre / Réservoir | 160 litres / 60 litres |
| Nbre coussins sécurité / ceintures | 2 / 4 |
| Suspension avant | ind., leviers triangulés |
| Suspension arrière | ind., leviers triangulés |
| Freins avant / arrière | disque / disque |
| Direction | à crémaillère, assistée |
| Diamètre de braquage | 10,1 m |
| Pneus avant / arrière | P235/35R19 / P285/30R20 |
| Poids / Capacité de remorquage | 1415 kg / n.d. |
| Assemblage | Hethel, GB |

| Composantes mécaniques | |
|---|---|
| Cylindrée, soupapes, alim. | V6 3,5 litres 24 s surcompressé |
| Puissance / Couple | 400 ch / 302 lb-pi |
| Tr. base (opt) / rouage base (opt) | M6 (A6) / Prop |
| 0-100 / 80-120 / V.Max | 4,2 s (const) / n.d. / n.d. |
| 100-0 km/h | n.d. |
| Type / ville / route / $CO_2$ | Sup / n.d. / n.d. / 4000 kg/an |

### Du nouveau en 2016
Nouveau modèle. Arrivée en décembre 2015 ou janvier 2016.

# MASERATI **GRANTURISMO**

**Prix:** 152 600 $ à 184 900 $
**Catégorie:** Cabriolet, Coupé
**Garanties:**
4 ans/80 000 km, 4 ans/80 000 km
**Transport et prép.:** n.d.
**Ventes QC 2014:** n.d.
**Ventes CAN 2014:** n.d.

### Cote du Guide de l'auto

# 64 %

Fiabilité
n.d.

Appréciation générale
■■■■■■■□□□

Sécurité
■■■■■■■□□□

Agrément de conduite
■■■■■■■□□□

Consommation
■■■■■□□□□□

Système multimédia
■■■■■■□□□□

### Cote d'assurance
■■■□□□□□□□

présentée par
**KANETIX.CA**

$$$                    $

➕ Silhouette classique • Excellent moteur • Finition impeccable • Cabriolet quatre places • Multiples options

➖ Gamme de modèles difficile à comprendre • Boîte automatique vétuste • Faible diffusion • Pas aussi sportive qu'elle en a l'air

### Concurrents
Aston Martin Vantage, Audi R8, BMW Série 6, Ferrari 458, Jaguar F-Type, Mercedes-Benz Classe SL, Porsche 911

# Marque prestigieuse, voiture classique

Denis Duquet

**D**e toutes les marques italiennes de voitures de prestige, Maserati est la plus ancienne, mais également celle qui affiche le plus de retard en fait de respectabilité par rapport à Ferrari et Lamborghini. La marque au trident a connu sa part de déboires en raison de d'anciens dirigeants négligents ou encore carrément incompétents. Même une fois dans le giron de Fiat, la compagnie était à la traîne car l'on craignait qu'elle vienne inquiéter les succès de Ferrari.

En fait, il aura fallu que Sergio Marchionne, le grand patron du groupe FCA, démontre son intérêt pour Maserati pour qu'elle ait droit aux égards qui lui étaient dus. Un programme de développement de nouveaux modèles a été amorcé avec la résurrection de la Ghibli et l'arrivée de la Quattroporte redessinée, tandis que le modèle qui nous intéresse, la GranTurismo, attend une refonte complète, laquelle devrait arriver en 2018 selon des personnes bien informées. Par la même occasion, tout porte à croire que la version cabriolet de la GranTurismo ne sera pas reconduite et que seul le coupé défendra les couleurs de ce modèle.

**COMMENT S'Y RETROUVER**
On le sait, plus un constructeur limite sa production, plus il semble s'amuser à varier les modèles qu'il produit. Puisque Maserati ne réussissait à vendre qu'environ 5 000 unités par année, il n'y a pas si longtemps, elle aurait pu simplifier les choses. Apparemment, elle a fait autrement.

Donc, la GranTurismo est disponible en cabriolet ou en coupé qui se déclinent de multiples façons et avec de nombreuses options. Pour sa part, la GranTurismo Cabriolet, baptisée GranCabrio en Europe, est actuellement offerte en versions «ordinaire», Sport, MC et MC Centennial Edition, et les quatre se partagent la même mécanique. Le V8 de 4,7 litres produit 444 chevaux et 376 lb-pi de couple dans la finition de base, 454 chevaux et 384 lb-pi dans les autres. Il est associé à une boîte automatique ZF à 6 rapports avec convertisseur de couple hydraulique. Il est possible de choisir entre quatre ou cinq modes de conduite, selon la version choisie, incluant un mode manuel. Ce dernier permet au conducteur de passer soi-même les rapports de manière séquentielle, soit avec le levier de vitesses, soit avec les palettes au volant.

Les variantes Sport et MC possèdent une allure distincte de la première, tandis que des aménagements intérieurs permettent également de différencier les diverses versions de la gamme. Les MC et MC Centennial Edition sont plus agressives : leurs suspensions sont plus fermes et leur boîte de vitesses a été programmée pour agir plus rapidement.

Pour sa part, le coupé reprend les mêmes organes mécaniques que la version décapotable. Il est disponible en versions Sport, MC et MC Centennial Edition.

## VITESSE EN TOUT CONFORT

En français, GranTurismo signifie évidemment « grand tourisme » et cette appellation est on ne peut plus justifiée dans le cas qui nous concerne. En effet, aucune Maserati, qu'il s'agisse du coupé, du cabriolet ou encore des berlines, ne possède la hargne et la fureur des modèles Ferrari. D'ailleurs, il suffit d'examiner son habitacle cossu réalisé à partir des cuirs les plus fins et son tableau de bord de style classique pour se rendre compte qu'on a affaire à une voiture qui privilégie les randonnées à haute vitesse et dans un confort relevé. Le cabriolet est doté de places arrière quand même assez spacieuses pour accommoder deux adultes de petite taille.

GranTurismo signifie également que la conduite à haute vitesse est intéressante, mais à un certain point, la version de base commence à dévoiler ses limites. Poussée dans ses derniers retranchements, elle nous apparaît lourde, et même parfois difficile à rattraper. Et l'on peut se demander pourquoi la pédale de frein effectue un trajet d'environ 4 cm avant d'activer le système de freinage...

Le caractère bourgeois devrait permettre à cette marque de se développer et de proliférer. Jusqu'à présent, plusieurs personnes étaient intéressées par Maserati, mais étaient intimidées par le manque de concessionnaires et la hantise d'une valeur de revente apocalyptique. La distribution s'est resserrée et la fiabilité de ces voitures est nettement supérieure à ce qu'elle était il y a quelques années. Reste à prouver que la Maserati GranTurismo a autant de panache que les meilleures rivales allemandes, car c'est surtout ce marché qui est ciblé.

### Châssis - Convertible Sport

| | |
|---|---|
| Emp / lon / lar / haut | 2942 / 4933 / 2056 / 1343 mm |
| Coffre / Réservoir | 173 litres / 72 litres |
| Nbre coussins sécurité / ceintures | 6 / 4 |
| Suspension avant | ind., bras inégaux |
| Suspension arrière | ind., bras inégaux |
| Freins avant / arrière | disque / disque |
| Direction | à crémaillère, ass. var. électro. |
| Diamètre de braquage | 10,7 m |
| Pneus avant / arrière | P245/35ZR20 / P285/35ZR20 |
| Poids / Capacité de remorquage | 1980 kg / n.d. |
| Assemblage | Modène, IT |

### Composantes mécaniques

**Convertible**

| | |
|---|---|
| Cylindrée, soupapes, alim. | V8 4,7 litres 32 s atmos. |
| Puissance / Couple | 444 ch / 376 lb-pi |
| Tr. base (opt) / rouage base (opt) | A6 / Prop |
| 0-100 / 80-120 / V.Max | 5,2 s (const) / n.d. / 283 km/h |
| 100-0 km/h | n.d. |
| Type / ville / route / $CO_2$ | Sup / 18,5 / 12,2 l/100 km / 7206 kg/an |

**Coupe Sport, Convertible Sport, Coupe MC, Convertible MC**

| | |
|---|---|
| Cylindrée, soupapes, alim. | V8 4,7 litres 32 s atmos. |
| Puissance / Couple | 454 ch / 384 lb-pi |
| Tr. base (opt) / rouage base (opt) | A6 / Prop |
| 0-100 / 80-120 / V.Max | 4,7 s (const) / n.d. / 290 km/h |
| 100-0 km/h | n.d. |
| Type / ville / route / $CO_2$ | Sup / 18,5 / 12,2 l/100 km / 7206 kg/an |

## Du nouveau en 2016

Aucun changement majeur

MASERATI GHIBLI

# MASERATI **QUATTROPORTE/GHIBLI**

**Prix :** 115 245 $ à 159 900 $
**Catégorie :** Berline
**Garanties :**
4 ans/80 000 km, 4 ans/80 000 km
**Transport et prép. :** 11 500 $
**Ventes QC 2014 :** n.d.
**Ventes CAN 2014 :** n.d.

Cote du Guide de l'auto

## 68 %

| Fiabilité | Appréciation générale |
| n.d. | ■■■■■■□□□□ |
| Sécurité | Agrément de conduite |
| ■■■■■■□□□□ | ■■■■■■■□□□ |
| Consommation | Système multimédia |
| ■■■■■■□□□□ | ■■■■■■□□□□ |

Cote d'assurance

■■■■□□□□□□ présentée par
**KANETIX.CA**
$$$                    $

➕ Moteurs vigoureux • Tenue de route impeccable • Nouveau côté pratique grâce au rouage intégral • Habitacles luxueux

➖ Certaines commandes encore un peu étranges • Fiabilité comparable à la qualité de la finition ? • Leviers de vitesses récalcitrants • Trop de garnitures chromées (Quattroporte)

**Concurrents**
Audi A8, BMW Série 7, Jaguar XJ, Mercedes-Benz Classe S

# Élargir ses horizons

David Booth

**C**royez-le ou non, la marque Maserati est en train de devenir grand public. Chez nos voisins du Sud, c'est une Maserati (la Ghibli) qui occupe le deuxième rang des berlines de luxe de plus de 60 000 $ les plus populaires. Elle est devancée uniquement par la Mercedes-Benz Classe E.

Qu'est-ce qui explique cette popularité ? La Ghibli est maintenant dotée d'une transmission intégrale, ce qui fait que la passion à l'italienne peut désormais fusionner avec le sens pratique à l'américaine. Et ça fonctionne, comme j'ai pu le constater dans les montagnes enneigées d'Aspen, au Colorado.

Cela dit, le rouage intégral Q4 de Maserati affiche un fort penchant sportif. Au besoin, il peut appliquer jusqu'à 50 % du couple aux roues avant, mais la répartition par défaut est de 80 % à l'arrière, et elle peut même passer à près de 100 % à partir de 125 km/h. Le système s'est montré très efficace dans la neige et la boue qui entouraient Aspen au début du mois de mars dernier, et il était surprenant de voir l'élégante Maserati suivre des Jeep sur les routes glissantes.

Malgré ce nouveau penchant pratique, la Ghibli S demeure fondamentalement une berline sport italienne. Elle est propulsée par un V6 de 3,0 litres biturbo relié à une boîte automatique ZF à huit rapports. Dans la Ghibli de base, ce moteur produit 345 chevaux. En déclinaison S, il livre 404 chevaux et un couple de 406 lb-pi. Quand on met la pédale au plancher, il suffit de 4,8 secondes pour que le gros indicateur de vitesse bleu indique les 100 km/h. Impressionnant, surtout quand on tient compte du poids de la Ghibli (1871 kg) et du fait que la cylindrée du moteur n'est que de 3,0 litres.

La frugalité de ce moteur a de quoi impressionner, également. J'ai obtenu une moyenne de 8,4 l/100 km en roulant de l'aéroport international de Denver jusqu'à Aspen à une vitesse moyenne de 130 km/h. En plus, il s'agit d'une route qui monte presque continuellement, pour culminer à 2400 m.

## LA QUATTROPORTE

La Quattroporte est aussi offerte avec une transmission intégrale, mais seulement dans sa déclinaison de base avec moteur V6. La version supérieure GTS est propulsée par un V8 biturbo de 3,8 litres qui livre 523 chevaux, et un couple de 524 lb-pi, directement aux roues arrière. C'est beaucoup de chevaux pour seulement deux pneus... Contrairement à la Ghibli S Q4, la GTS ne verra donc probablement pas beaucoup de bancs de neige.

Sur les routes des canyons, la Quattroporte GTS a ce qu'il faut pour rivaliser avec les autres berlines quatre portes sportives les plus rapides. Elle accepte beaucoup plus facilement de se faire balancer d'un côté à l'autre qu'une Mercedes Classe S (même avec la suspension active) ou que la BMW Série 7 au comportement étonnamment mollasson. Bien sûr, elle sautillera sur les routes cahoteuses, mais vous aurez le plaisir de piloter un pur-sang italien en version quatre portes (si vous voulez vous faire dorloter, optez plutôt pour la somptueuse Jaguar XJ).

## DES INTÉRIEURS COSSUS

Design italien oblige, les Ghibli et Quattroporte sont dotées d'intérieurs opulents avec des cuirs particulièrement souples et des garnitures de bois de très bon goût. Par contre, la Quattroporte pousse la note un peu trop loin à mon avis avec une légère surabondance de chrome. De plus, les sièges sont anormalement larges et ils manquent de support latéral. On dirait que Maserati les a pris chez Buick.

Ou chez Chrysler, ce qui serait plus logique compte tenu du fait que la célèbre marque italienne est la propriété de FCA et sous la férule de Sergio Marchionne. C'est d'ailleurs pourquoi on retrouve à bord un clone du système d'infodivertissement Uconnect de Chrysler, un des meilleurs de l'industrie. Certains boutons sont très semblables, mais pour le reste, on ne sent pas d'autres influences américaines.

Il y a aussi quelques particularités à l'italienne. Par exemple, les palettes de changement de vitesse au volant sont grandes comme des oreilles d'éléphant. De plus, le levier de la console était parfois particulièrement récalcitrant dans les deux voitures : en voulant passer de la position Drive à Reverse, on se retrouvait souvent au point mort ou en position Park. Étrange tout de même qu'une commande si simple devienne si compliquée pour Maserati.

Cela mis à part, toutefois, les caprices sont mineurs et on les oublie facilement au profit du plaisir, du style et de la passion qui viennent avec la conduite d'une Maserati. Ces nouvelles machines sont de merveilleuses berlines sport italiennes. Et ce sont aussi de bonnes autos tout court.

### Du nouveau en 2016

Aucun changement majeur

### Châssis - Quattroporte GTS (V8)

| | |
|---|---|
| Emp / lon / lar / haut | 3171 / 5262 / 2100 / 1481 mm |
| Coffre / Réservoir | 530 litres / 80 litres |
| Nbre coussins sécurité / ceintures | 6 / 5 |
| Suspension avant | ind., double triangulation |
| Suspension arrière | ind., multibras |
| Freins avant / arrière | disque / disque |
| Direction | à crémaillère, ass. var. |
| Diamètre de braquage | 11,8 m |
| Pneus avant / arrière | P245/40ZR20 / P285/35ZR20 |
| Poids / Capacité de remorquage | 2039 kg / n.d. |
| Assemblage | Turin, IT |

### Composantes mécaniques

**S Q4 (V6) TI**

| | |
|---|---|
| Cylindrée, soupapes, alim. | V6 3,0 litres 24 s turbo |
| Puissance / Couple | 404 ch / 406 lb-pi |
| Tr. base (opt) / rouage base (opt) | A8 / Int |
| 0-100 / 80-120 / V.Max | 4,9 s / n.d. / 283 km/h |
| 100-0 km/h | n.d. |
| Type / ville / route / $CO_2$ | Sup / 15,4 / 7,8 l/100 km / 5511 kg/an |

**GTS (V8)**

| | |
|---|---|
| Cylindrée, soupapes, alim. | V8 3,8 litres 32 s turbo |
| Puissance / Couple | 523 ch / 524 lb-pi |
| Tr. base (opt) / rouage base (opt) | A8 / Prop |
| 0-100 / 80-120 / V.Max | 4,7 s / n.d. / 307 km/h |
| 100-0 km/h | 34,0 m |
| Type / ville / route / $CO_2$ | Sup / 17,4 / 8,5 l/100 km / 6162 kg/an |

Photos : Jacques Duval, Maserati

**MASERATI QUATTROPORTE**

## MAZDA **3**

**(((SiriusXM)))**

**Prix :** 17 690 $ à 28 690 $ (2015)
**Catégorie :** Berline, Hatchback
**Garanties :**
3 ans/illimité, 5 ans/illimité
**Transport et prép. :** 1 695 $
**Ventes QC 2014 :** 15 610 unités
**Ventes CAN 2014 :** 40 974 unités

### Cote du Guide de l'auto

# 84 %

Fiabilité

Appréciation générale

Sécurité

Agrément de conduite

Consommation

Système multimédia

### Cote d'assurance

présentée par
**KANETIX.CA**

$$$                              $

➕ Faible consommation • Agrément de conduite • Finition soignée • Version Sport pratique

➖ Direction légère • Absence de boutons pour la radio • Affichage tête haute bon marché • Valeur de revente moyenne

### Concurrents
Chevrolet Cruze, Dodge Dart, Ford Focus, Honda Civic, Hyundai Elantra, Kia Forte, Mitsubishi Lancer, Nissan Sentra, Subaru Impreza, Toyota Corolla, Toyota Matrix, Volkswagen Beetle, Volkswagen Jetta

# Un succès pleinement mérité

Jacques Duval

**A**u Québec, davantage que chez nos voisins, la Mazda3 brille de tous ses feux. C'est une histoire d'amour qui dure maintenant depuis plus d'une décennie, ce qui permet d'écarter la thèse de l'idylle, qui se serait depuis longtemps estompée. On en est déjà depuis deux ans à la troisième itération de ce modèle, qui est certainement le plus abouti, mais qui doit faire face à une concurrence féroce. Resterons-nous fidèles ?

Pourquoi est-elle si populaire d'abord, cette voiture ? Dictée par le leitmotiv « Zoom Zoom », la conduite de la Mazda3 est franchement stimulante. Dans une catégorie où l'ennui prévaut trop souvent, c'est un vent de fraîcheur. Je l'ai déjà dit et je le réitère : il s'agit de la plus européenne des nippones dans sa catégorie. On se croirait à bord d'un produit allemand, solide et exempt de bruits de caisse. La direction, quoique très assistée, s'avère précise. Toujours dans l'idée d'offrir un certain agrément de conduite, mais sans pour autant altérer le confort, les éléments suspenseurs sont fermement et adroitement calibrés. Ce n'est qu'à une limite que la plupart des conducteurs n'approcheront jamais, que l'on découvre une pointe de roulis qui se présente de manière progressive.

### SKYACTIV TOUS AZIMUTS
Mazda n'a pas lésiné sur les moyens publicitaires pour nous faire entrer ce mot dans la tête : SKYACTIV. Peu importe la version et l'équipement que vous choisissez, vous avez toujours droit à une bonne dose de SKYACTIV. Les communiqués de presse font état de la carrosserie SKYACTIV-BODY, qui repose sur le SKYACTIV-CHASSIS. Sur ce dernier, on peut boulonner l'un ou l'autre des moteurs SKYACTIV-G et opter pour la boîte SKYACTIV-DRIVE (automatique) en option ou se faire plaisir et jouer du levier en conservant la SKYACTIV-MT proposée de série. Puisque ce terme est utilisé à toutes les sauces, ça devient quelque peu lourd. Pourtant, les composantes de la Mazda3, peu importe l'appellation qu'on veut bien leur donner, sont toutes excellentes.

En livrée de base, avec le moteur 2,0 litres et la boîte mécanique, on retrouve une voiture drôlement équilibrée. Les 6 rapports se laissent manier facilement et l'on éprouve davantage de sensations qu'à bord d'une Civic par exemple.

Pour plus de muscle, il y a le 2,5 litres qui permet certes des reprises plus énergiques, mais qui peut à l'occasion transmettre un léger effet de couple au volant. Ce n'est toutefois pas agaçant, rien à voir avec les défuntes Mazdaspeed3 qui se lançaient de tous les côtés en accélération.

### LA BONNE AFFAIRE

Dans la gamme 3, le modèle Sport n'est pas plus sportif, mais plutôt plus polyvalent. C'est l'appellation qu'on a retenue pour définir la version à hayon. Cette dernière n'est pas plus encombrante que la berline et au contraire est même plus facile à manier puisqu'elle dispose d'une plus grande surface vitrée. La 3 Sport possède un coffre d'une contenance de 572 litres, qui peut être portée à 1 334 avec le dossier de la banquette abaissé.

Ces chiffres sont bien supérieurs à ceux du nouveau CX-3, qui se vend pourtant 4 000 $ supplémentaire en version de base tractée. Une meilleure habitabilité, un comportement routier plus sécuritaire et enjoué, la même mécanique… et quelques milliers de dollars de moins ! Le petit dernier des utilitaires Mazda sera sans doute populaire puisque ce type de véhicule est en vogue, mais la 3 Sport représente une bien meilleure affaire.

Au quotidien, la 3 se fait également apprécier grâce à sa présentation intérieure soignée. Les textures sont bien plus agréables que chez ses rivales directes et l'on serait tenté de comparer la qualité de ses matériaux avec celle de véhicules onéreux.

Puisque la perfection n'est pas de ce monde, il faut tout de même noter l'allure bon marché du petit artifice de plastique translucide sur lequel est projetée la vitesse en mode « tête haute ». L'intention est louable, mais vaudrait mieux projeter les chiffres directement dans le bas du pare-brise comme le font d'autres manufacturiers. On regrette également l'absence de boutons classiques afin de contrôler la chaîne audio. La molette multitâche n'est jamais aussi rapide et pratique que des touches dédiées.

Il y a très peu à redire sur cette Mazda3 et il n'est pas surprenant que le Québec en ait fait sa coqueluche.

### Châssis - Sport GX

| | |
|---|---|
| Emp / lon / lar / haut | 2700 / 4460 / 2053 / 1455 mm |
| Coffre / Réservoir | 572 à 1334 litres / 51 litres |
| Nbre coussins sécurité / ceintures | 6 / 5 |
| Suspension avant | ind., jambes force |
| Suspension arrière | ind., multibras |
| Freins avant / arrière | disque / disque |
| Direction | à crémaillère, ass. var. élect. |
| Diamètre de braquage | 10,6 m |
| Pneus avant / arrière | P205/60R16 / P205/60R16 |
| Poids / Capacité de remorquage | 1280 kg / n.d. |
| Assemblage | Hofu, JP |

### Composantes mécaniques

**GX, GS**

| | |
|---|---|
| Cylindrée, soupapes, alim. | 4L 2,0 litres 16 s atmos. |
| Puissance / Couple | 155 ch / 150 lb-pi |
| Tr. base (opt) / rouage base (opt) | M6 (A6) / Tr |
| 0-100 / 80-120 / V.Max | 9,6 s / 9,0 s / 200 km/h |
| 100-0 km/h | 42,9 m |
| Type / ville / route / $CO_2$ | Ord / 6,5 / 4,3 l/100 km / 2530 kg/an |

**GT**

| | |
|---|---|
| Cylindrée, soupapes, alim. | 4L 2,5 litres 16 s atmos. |
| Puissance / Couple | 184 ch / 185 lb-pi |
| Tr. base (opt) / rouage base (opt) | A6 / Tr |
| 0-100 / 80-120 / V.Max | 8,1 s / 5,2 s / 200 km/h |
| 100-0 km/h | 43,3 m |
| Type / ville / route / $CO_2$ | Ord / 7,3 / 4,8 l/100 km / 2840 kg/an |

## Du nouveau en 2016

Aucun changement majeur

## MAZDA **5**

**Prix:** 23 890 $ à 29 890 $ (2105)
**Catégorie:** Familiale
**Garanties:**
3 ans/illimité, 5 ans/illimité
**Transport et prép.:** 1 895 $
**Ventes QC 2014:** 939 unités
**Ventes CAN 2014:** 3 678 unités

### Cote du Guide de l'auto

# 67 %

| Fiabilité | Appréciation générale |
|---|---|
| ■■■■■■■□□□ | ■■■■■■□□□□ |
| **Sécurité** | **Agrément de conduite** |
| ■■■■■■■□□□ | ■■■■■■□□□□ |
| **Consommation** | **Système multimédia** |
| ■■■■■■■□□□ | ■■■■■■■□□□ |

### Cote d'assurance

■■■■■■■□□□
$$$                    $

➕ Format pratique • Habitacle polyvalent • Portes latérales coulissantes • Consommation raisonnable • Choix de transmissions

➖ Bruits de roulement • Dégagement serré pour les jambes à l'avant • Capacité de remorquage nulle • Coffre minuscule quand 6 occupants sont à bord

### Concurrents
Dodge Journey, Ford C-Max, Kia Rondo

# Une histoire de portes

Jean-François Guay

L'univers des véhicules à vocation utilitaire s'est beaucoup transformé au cours des dernières années. L'arrivée des véhicules multisegments a forcé les constructeurs à revoir certaines catégories en créant des sous-catégories. Et s'il y a une sorte de véhicules qui a été affectée par cette mutation, c'est bien celle des fourgonnettes. Pendant longtemps, on a cru qu'elles allaient disparaître de la surface du globe. Mais plusieurs constructeurs sont coriaces et croient dur comme fer que les véhicules à portes coulissantes sont là pour rester. Si GM, Hyundai, Nissan et Volkswagen ont jeté l'éponge au Canada, le groupe de résistants est constitué de Chrysler, Ford, Honda, Kia, Toyota et Mazda.

Tandis que les autres manufacturiers misent sur les grosses fourgonnettes, Mazda ne déroge pas à son plan de match établi en 2006 en continuant de commercialiser la plus petite fourgonnette sur le marché. Les adversaires immédiats de la Mazda5 se nomment Dodge Journey, Kia Rondo et Ford C-MAX. Aucun constructeur ne propose une vraie rivale à la 5 puisque ces multisegments à caractère familial possèdent des portes arrière montées sur des pivots et non pas sur des rails coulissants. Somme toute, les seules caractéristiques que ces adversaires ont en commun avec la Mazda5 sont leurs dimensions, leur échelle de prix et la cylindrée des moteurs.

### 6 PLACES, ESPACE POUR 4
Mais soyons francs, la Mazda5 n'offre pas une habitabilité comparable à une Honda Odyssey ou une Toyota Sienna. Disposant de six places, la 5 convient essentiellement à une famille de quatre personnes, en comptant leurs bagages et leur petit animal domestique. Si un cinquième et un sixième passager doivent s'asseoir sur la troisième banquette, le volume du coffre est réduit à sa plus simple expression, et il faudra opter pour un coffre de toit pour aller en camping ou faire du ski.

L'un des points forts de la 5 est la facilité avec laquelle on accède à l'habitacle. Grâce à ses larges portières avant et ses portes coulissantes arrière, on y entre et on en ressort en deux temps trois mouvements. Tout conducteur devrait apprécier la position de conduite, à moins de mesurer plus de 1,90 mètre. En ce cas, le dégagement pour les jambes fera cruellement défaut.

Au niveau de la deuxième rangée, l'espace accordé aux passagers est suffisant. Toutefois, les occupants de la troisième rangée devront se recroqueviller et se faire tout petits. Quant à la configuration des sièges, elle n'est pas aussi astucieuse que celle d'une Dodge Grand Caravan ou d'une Kia Sedona. Par contre, il existe quelques astuces, dont un plateau rabattable avec porte-gobelets à la deuxième rangée et un bac de rangement secret sous le coussin des sièges arrière. Le plancher du coffre dissimule également un espace de rangement. Pour faire une sieste, il est même possible de transformer les sièges avant en juxtaposition avec ceux de la deuxième rangée en couchette de dépannage!

## PAS DE SKYACTIV

Après une sabbatique d'une année en 2011, la Mazda5 est passée tout près de s'éclipser. À son retour en 2012, la carrosserie avait été retouchée en fonction du design Nagare de Mazda, lequel inspire la fluidité et le mouvement. Si les lignes de la 5 ont peu vieilli depuis cinq ans, le tableau de bord a pris quelques rides. Simpliste mais efficace, l'instrumentation est facile à lire et les commandes respectent les normes ergonomiques. Grâce à l'immense surface vitrée et à la disposition surélevée des sièges — à la manière d'une salle de cinéma — tous les occupants profitent d'un bon champ de vision.

La motorisation de série est le quatre cylindres MZR de 2,5 litres. Même s'il est moins évolué technologiquement que le SKYACTIV de 2,5 litres, sa consommation est raisonnable. Développant 157 chevaux et 163 livres-pied de couple, ce moteur livre des performances honnêtes. On convient cependant que la puissance est un peu juste quand la cabine et le coffre sont chargés au maximum. Côté transmission, on trouve une boîte manuelle à six vitesses de série et une automatique à cinq rapports en option.

À l'instar des autres produits Mazda, le comportement routier est dynamique. Maniable et agile dans la circulation, la 5 est agréable à conduire au quotidien. Sur les autoroutes, elle est sensible aux vents latéraux mais il n'y a rien d'alarmant si vous respectez les limites de vitesse. En ville, son format lilliputien permet de la garer dans les stationnements les plus étroits. Quant au confort, les sièges avant et les suspensions filtrent bien les irrégularités de la chaussée et l'insonorisation a progressé par rapport à la génération précédente. Profitons-en bien car 2016 pourrait bien être sa dernière année sur le marché.

### Châssis - GT (auto)

| | |
|---|---|
| Emp / lon / lar / haut | 2750 / 4585 / 1750 / 1615 mm |
| Coffre / Réservoir | 112 à 857 litres / 60 litres |
| Nbre coussins sécurité / ceintures | 6 / 6 |
| Suspension avant | ind., jambes force |
| Suspension arrière | ind., multibras |
| Freins avant / arrière | disque / disque |
| Direction | à crémaillère, ass. var. élect. |
| Diamètre de braquage | 11,2 m |
| Pneus avant / arrière | P205/50R17 / P205/50R17 |
| Poids / Capacité de remorquage | 1569 kg / n.d. |
| Assemblage | Hiroshima, Jp |

### Composantes mécaniques

**GS, GS (auto), GT, GT (auto)**

| | |
|---|---|
| Cylindrée, soupapes, alim. | 4L 2,5 litres 16 s atmos. |
| Puissance / Couple | 157 ch / 163 lb-pi |
| Tr. base (opt) / rouage base (opt) | M6 (A5) / Tr |
| 0-100 / 80-120 / V.Max | 10,2 s / 7,7 s / n.d. |
| 100-0 km/h | 44,5 m |
| Type / ville / route / $CO_2$ | Ord / 9,5 / 6,7 l/100 km / 3818 kg/an |

## Du nouveau en 2016

Aucun changement majeur. Dernière année de production, sans doute.

## MAZDA 6

**Prix:** 24 695 $ à 32 895 $
**Catégorie:** Berline
**Garanties:**
3 ans/illimité, 5 ans/illimité
**Transport et prép.:** 1 695 $
**Ventes QC 2014:** 1 021 unités
**Ventes CAN 2014:** 3 023 unités

### Cote du Guide de l'auto

# 82 %

| Fiabilité | Appréciation générale |
|---|---|
| ■■■■■■■□□ | ■■■■■■■□□ |

| Sécurité | Agrément de conduite |
|---|---|
| ■■■■■■■□□ | ■■■■■■■□□ |

| Consommation | Système multimédia |
|---|---|
| ■■■■■■■□□ | ■■■■■■■□□ |

### Cote d'assurance

présentée par
**KANETIX.CA**

■■■■■■■■□□
$$$       $

➕ Dynamique de premier plan • Faible consommation • Nouveau style réussi de la planche de bord • Coffre spacieux • Agrément de conduite au rendez-vous

➖ Suspensions parfois sèches • Niveau sonore en accélération franche • Absence du rouage intégral offert ailleurs • Visibilité limitée vers l'arrière

### Concurrents

Chevrolet Malibu, Chrysler 200, Ford Fusion, Honda Accord, Hyundai Sonata, Kia Optima, Nissan Altima, Subaru Legacy, Toyota Camry, Volkswagen Passat

# La référence de la catégorie

Gabriel Gélinas

**D**epuis qu'elle est arrivée sur le marché, la génération actuelle de la Mazda6 a mérité le titre de «meilleur achat» de la catégorie des berlines intermédiaires des éditions 2014 et 2015 du *Guide de l'auto*, en plus de ravir le titre de «voiture de l'année» dès sa première année de commercialisation chez nous. Belle, dynamique et efficiente, la Mazda6 fait l'objet de subtiles retouches à sa plastique pour 2016 et sa planche de bord a également été revue. Portrait d'une surdouée.

Les retouches esthétiques apportées à la carrosserie sont minimes. Elles se limitent essentiellement à une calandre et des ailes avant redessinées et il faut presque stationner une 2016 à côté d'une 2015 pour pouvoir se prêter au jeu des différences. C'est plutôt dans l'habitacle que les changements sont plus marqués avec une nouvelle planche de bord coiffée de l'écran tactile de 7 pouces, un nouveau graphisme pour les instruments, de nouvelles commandes pour le système de chauffage/climatisation et, surtout, un très beau style, plus épuré, qui émule celui des récentes Audi. La synthèse de tous ces éléments nous donne vraiment l'impression d'être dans une voiture beaucoup plus luxueuse qu'une simple berline intermédiaire. Du travail bien fait.

### DYNAMIQUE ET EFFICIENTE

Sur le plan technique, la Mazda6 demeure essentiellement inchangée, une bonne chose dans la mesure où elle savait déjà très bien comment concilier des notions aussi diamétralement opposées que la dynamique et l'efficience. Avec son moteur à quatre cylindres de 2,5 litres développant 184 chevaux, la Mazda6 est capable d'abattre le 0-100 kilomètres/heure en un peu plus de 8 secondes, un temps tout à fait respectable pour la catégorie, et sa consommation observée s'est chiffrée à une moyenne de 7,6 litres aux 100 kilomètres, ce qui est également très bon.

Mentionnons au passage la présence du système i-Eloop composé d'un condensateur qui récupère l'énergie à chaque décélération pour alimenter certains composants électriques de la voiture, une solution innovatrice qui témoigne du souci du détail des ingénieurs de la marque. On attend toujours la venue d'un éventuel moteur diesel pour bonifier l'offre en ce qui a trait à la motorisation mais, surtout, on souhaite ardemment que la Mazda6 à rouage intégral débarque chez nous puisqu'elle est déjà sur le marché au Japon, en Europe, ainsi qu'en Australie où Mazda obtient des parts de marchés substantiellement plus élevées qu'ici.

### QUAND BERLINE = PLAISIR DE CONDUIRE

Mais plus que les données objectives de performance ou de consommation, c'est vraiment le comportement routier de la Mazda6 qui la place au sommet de sa catégorie. De toutes les berlines intermédiaires, c'est elle qui se démarque pour ce qui est de l'agrément de conduite grâce à son châssis remarquablement équilibré, à sa direction à assistance variable fine et précise qui communique bien les sensations de la route et à ses suspensions calibrées pour mettre la dynamique en évidence.

Même la réponse à la commande des gaz est immédiate, au point de faire rougir des voitures sport. On regrette seulement que le niveau sonore s'avère parfois élevé dans l'habitacle lors de l'accélération maximale, mais on fait véritablement le plein de sensations agréables en toutes autres occasions. La Mazda6 offre également une panoplie de systèmes de sécurité active et passive. Côté style, elle frappe un grand coup avec sa silhouette qui est aussi athlétique et dynamique que la voiture qu'elle recouvre et, bien qu'il s'agisse ici d'un aspect hautement subjectif, c'est à mon avis la plus belle des voitures de sa catégorie.

### ET POURTANT...

Malheureusement pour elle, la Mazda6 est en lice dans une catégorie où les rivales se nomment Honda Accord, Hyundai Sonata et Toyota Camry, entre autres, et où les acheteurs choisissent généralement de remplacer leur voiture actuelle par un autre exemplaire du même modèle. C'est un peu par habitude ou par paresse, et il est difficile pour la Mazda6, qui est pourtant une meilleure voiture, de faire des conquêtes auprès de ces acheteurs qui ne font pas souvent preuve d'initiative. C'est dommage pour eux, car ils ne savent pas, et ne sauront peut-être jamais, ce qu'ils manquent.

## Châssis - GS

| Emp / lon / lar / haut | 2830 / 4895 / 1840 / 1450 mm |
|---|---|
| Coffre / Réservoir | 419 litres / 62 litres |
| Nbre coussins sécurité / ceintures | 6 / 5 |
| Suspension avant | ind., jambes force |
| Suspension arrière | ind., multibras |
| Freins avant / arrière | disque / disque |
| Direction | à crémaillère, ass. var. élect. |
| Diamètre de braquage | 11,2 m |
| Pneus avant / arrière | P225/55R17 / P225/55R17 |
| Poids / Capacité de remorquage | 1444 kg / n.d. |
| Assemblage | Hofu, JP |

## Composantes mécaniques

**GX, GX (auto), GS, GS (auto), GT, GT (auto)**

| Cylindrée, soupapes, alim. | 4L 2,5 litres 16 s atmos. |
|---|---|
| Puissance / Couple | 184 ch / 185 lb-pi |
| Tr. base (opt) / rouage base (opt) | M6 (A6) / Tr |
| 0-100 / 80-120 / V.Max | 8,3 s / 5,6 s / 215 km/h |
| 100-0 km/h | 44,0 m |
| Type / ville / route / $CO_2$ | Ord / 8,8 / 6,1 l/100 km / 3489 kg/an |

### Du nouveau en 2016

Retouches esthétiques, nouvel aménagement de la planche de bord et nouvelles couleurs de carrosserie.

## MAZDA **CX-3**

**Prix:** 20 695 $ à 28 995 $
**Catégorie:** VUS
**Garanties:**
3 ans/illimité, 5 ans/illimité
**Transport et prép.:** 1 895 $
**Ventes QC 2014:** n.d.
**Ventes CAN 2014:** n.d.

### Cote du Guide de l'auto

# 88 %

| | |
|---|---|
| Fiabilité n.d. | Appréciation générale ■■■■■■■■□□ |
| Sécurité n.d. | Agrément de conduite ■■■■■■■■□□ |
| Consommation ■■■■■■■□□□ | Système multimédia ■■■■■■□□□□ |

### Cote d'assurance

n.d.                              présentée par
**KANETIX.CA**

➕ Agrément de conduite au top •
Très belle qualité de finition de
l'habitacle • Style ravageur •
Disponibilité du rouage intégral •
Dotation d'équipement très complète

➖ Espace limité aux places arrière •
Volume du coffre • Absence de boîte
manuelle • Puissance un peu juste

### Concurrents
Chevrolet Trax, Fiat 500X, Honda
HR-V, Jeep Renegade, Kia Soul, MINI
Countryman, Mitsubishi RVR, Nissan
Juke, Subaru XV Crosstrek

# Une étoile est née

Gabriel Gélinas

**D**ans la catégorie des véhicules sport utilitaires de format très compact, le CX-3 s'impose comme la nouvelle référence en matière de design et de dynamique. Dès son dévoilement au Salon de l'auto de Los Angeles à l'automne 2014, le CX-3 a mérité des éloges pour son design inspiré et son allure à la fois moderne et athlétique, ce qui représente tout un tour de force compte tenu de ses dimensions compactes.

Par la suite, un premier contact nous a convaincus que le CX-3 partage l'ADN de la sportive MX-5 avec son comportement routier très équilibré et pour le plaisir que l'on ressent à son volant. Portrait de cette nouvelle étoile de la constellation Mazda.

Question style, c'est un véritable coup de cœur, le CX-3 ayant un aspect sobre, mais aussi élégant et sportif avec des lignes qui évoquent les plus récents modèles de la marque. À l'avant, on note la calandre qui affiche juste ce qu'il faut d'agressivité et les phares qui donnent un regard perçant au véhicule, de même que les jantes en alliage de 18 pouces livrables sur le modèle GT. Grâce aux piliers obscurcis, le toit semble flotter au-dessus du CX-3 et le long capot avant ajoute une touche de dynamisme à l'ensemble.

### INTÉRIEUR D'INSPIRATION AUDI
On ignore si les concepteurs de Mazda sont allés prendre des notes chez Audi, mais on ne serait pas surpris de l'apprendre en examinant de près le design de l'intérieur qui est très riche par ses matériaux et le souci du détail. Le bloc d'instruments imite celui d'une McLaren, alors que l'écran couleur et le contrôleur rotatif du système d'infodivertissement, ainsi que les buses de ventilation circulaires, rappellent la récente A3. L'ensemble fait preuve d'une belle homogénéité et réussit à nous donner l'impression que l'on est à bord d'un véhicule beaucoup plus onéreux. La dotation de série est très complète, même pour le modèle de base GX, et les versions GS et GT reçoivent des équipements de pointe comme la suite de dispositifs de sécurité avancés ou l'affichage tête haute.

GX, et les versions GS et GT reçoivent des équipements de pointe comme la suite de dispositifs de sécurité avancés ou l'affichage tête haute.

Sur la route, le CX-3 se comporte presque comme une MX-5 qui porte un sac à dos, et ce nouveau venu devient de facto la référence de la catégorie en matière de comportement routier. En conduisant le CX-3 sur des routes sinueuses, deux éléments deviennent rapidement évidents.

Premièrement, la géométrie de sa suspension avant comprend un angle de chasse similaire à celui d'une voiture sport, et c'est  pourquoi la direction est aussi précise et communicative. Deuxièmement, le CX-3 est aussi léger qu'une Scion FR-S à boîte automatique et pèse une cinquantaine de kilos de moins que le Honda HR-V à boîte CVT. Tout ceci explique pourquoi il est si agile et rapide dans les enchaînements de virages. Au sujet de l'agrément de conduite, le CX-3 est dans une ligue à part, tout simplement.

Le moteur 4 cylindres de 2,0 litres développe 146 chevaux sous le capot du CX-3, soit quatre de moins que sous celui d'une Mazda3, le collecteur d'échappement ayant été raccourci en raison des dimensions plus compactes du véhicule. La boîte manuelle brille par son absence, du moins pour l'instant, le CX-3 n'étant livrable en Amérique du Nord qu'avec la boîte automatique à six rapports qui est cependant très réactive et qui ne gomme pas les sensations de conduite. Précisons également que le rouage intégral du CX-3 est très performant et qu'il est en mesure d'anticiper et de prévenir le patinage des roues dans certaines conditions d'adhérence précaire.

### LES DÉFAUTS DE SES QUALITÉS

Avec sa ligne de toit fuyante et son gabarit compact, on peut dire que le CX-3 a les défauts de ses qualités dans la mesure où l'espace est limité aux places arrière et que le volume du coffre l'est également. Pour ce qui est de l'habitabilité ou de la polyvalence, le CX-3 n'est pas aussi pratique que le HR-V de Honda qui offre un peu plus d'espace et qui dispose d'une banquette arrière modulable, mais ce n'est que sous cet aspect très précis que le HR-V réussit à se démarquer. Ayant eu l'occasion de conduire les deux véhicules, je peux vous certifier que l'agrément de conduite du CX-3 est véritablement supérieur.

Le nouveau CX-3 offre le plus beau design et la dynamique la plus inspirée de la catégorie. Avec des tarifs attractifs et un équipement complet, il est promis à un brillant avenir.

| Châssis - GS TI | |
|---|---|
| Emp / lon / lar / haut | 2570 / 4274 / 2049 / 1547 mm |
| Coffre / Réservoir | 452 à 1528 litres / 45 litres |
| Nbre coussins sécurité / ceintures | 6 / 5 |
| Suspension avant | ind., jambes force |
| Suspension arrière | semi-ind., poutre torsion |
| Freins avant / arrière | disque / disque |
| Direction | à crémaillère, ass. élect. |
| Diamètre de braquage | 10,6 m |
| Pneus avant / arrière | P215/60R16 / P215/60R16 |
| Poids / Capacité de remorquage | 1339 kg / n.d. |
| Assemblage | Hiroshima, JP |

| Composantes mécaniques | |
|---|---|
| Cylindrée, soupapes, alim. | 4L 2,0 litres 16 s atmos. |
| Puissance / Couple | 146 ch / 146 lb-pi |
| Tr. base (opt) / rouage base (opt) | A6 / Tr (Int) |
| 0-100 / 80-120 / V.Max | 9,7 s / 6,6 / 189 km/h |
| 100-0 km/h | 45,6 m |
| Type / ville / route / $CO_2$ | Ord / 8,8 / 7,3 l/100 km / 3738 kg/an |

### Du nouveau en 2016

Nouveau modèle

Photos: Sylvain Raymond

## MAZDA **CX-5**

((SiriusXM))

**Prix:** 22 995 $ à 34 895 $
**Catégorie:** VUS
**Garanties:**
3 ans/illimité, 5 ans/illimité
**Transport et prép.:** 1 895 $
**Ventes QC 2014:** 7 370 unités
**Ventes CAN 2014:** 19 920 unités

### Cote du Guide de l'auto
# 85 %

| Fiabilité | Appréciation générale |
|---|---|
| ■■■■■■■□□□ | ■■■■■■■□□□ |
| **Sécurité** | **Agrément de conduite** |
| ■■■■■■■□□□ | ■■■■■■■□□□ |
| **Consommation** | **Système multimédia** |
| ■■■■■■■■□□ | ■■■■■■□□□□ |

### Cote d'assurance
■■■■■■■□□□
présentée par
**KANETIX.CA**
$$$                          $

➕ Conduite et comportement
superbes • Moteur 2,5 litres vif et animé •
Commandes simples et efficaces •
Confortable, pratique et fiable

➖ Mise en mémoire postes radio
fastidieuse • Freinage d'urgence
un peu long • Cadrans fades, peu
visibles au soleil • Moteur 2,0 litres
moins convaincant

### Concurrents
Chevrolet Equinox, Ford Escape,
GMC Terrain, Honda CR-V, Hyundai
Tucson, Jeep Cherokee, Kia Sportage,
Mitsubishi Outlander, Nissan Rogue,
Outback, RAV4, Tiguan

# Encore meilleur

Marc Lachapelle

**L**e CX-5 a été le premier de la série conçue entièrement selon la philosophie technique SKYACTIV et enveloppé d'une silhouette sculptée dans le style Kodo qui est censé évoquer «l'âme du mouvement». Un succès, dites-vous? Mazda en a produit plus d'un million en trois ans et des poussières. Et pour s'assurer que le CX-5 poursuive dans cette veine, le constructeur d'Hiroshima lui offre une cure de rajeunissement et des retouches aussi discrètes qu'efficaces pour sa quatrième année.

Chose certaine, le CX-5 a brillamment réussi son entrée en scène. Primé Meilleur nouvel utilitaire dans le *Guide de l'auto 2013*, il y remportait aussi un match comparatif qui l'opposait à dix concurrents. Il était alors propulsé par un quatre cylindres SKYACTIV de 2,0 litres dont la conception est moderne, mais la puissance et le couple tout juste corrects pour ses 1 555 kilos.

### EXACTEMENT CE QU'IL FALLAIT
Le CX-5 a pris une nouvelle longueur d'avance l'année suivante avec le moteur optionnel de 2,5 litres, jumelé uniquement à une boîte automatique à 6 rapports. Les deux conçus selon la philosophie SKYACTIV. La boîte manuelle est réservée au GX à moteur 2,0 litres et roues avant motrices, le moins cher de tous. Le groupe de 2,5 litres est venu ajouter la part de plaisir et de vivacité qui manquait au CX-5 en réduisant le chrono 0-100 km/h de 10,3 à 8,6 secondes et la reprise 80-120 km/h de 9,5 à 5,9 secondes. Des gains substantiels. Le prix à payer, en consommation, est de 0,5 l/100 km en ville et 0,3 sur la route d'après les cotes les plus récentes. Presque rien.

Cette année, les ingénieurs ont retouché la suspension, amélioré l'insonorisation et même ajouté un mode Sport à la boîte automatique. Chose certaine, c'est une pure joie de le conduire. À tout moment, le CX-5 se comporte avec une cohésion et une fluidité superbes. Sa direction est linéaire, précise et bien filtrée. Le roulement est impeccable, sans dureté et sans mollesse, grâce à une carrosserie solide. Le moteur de 2,5 litres est vif et animé, la boîte automatique nette et efficace.

Le freinage est puissant et facile à moduler, mais la distance de 46,65 mètres en arrêt d'urgence est supérieure à la moyenne. La chose paraît moins intrigante quand on voit que les disques avant mesurent 297 mm de diamètre et les plateaux arrière 303 mm, alors que c'est habituellement le contraire.

### PLAISIR ET RAFFINEMENT EN HAUSSE

C'est toutefois le style, l'ergonomie et la présentation du CX-5 qu'on a voulu rajeunir et soigner avant tout. Question de l'amener au niveau des Mazda3 et Mazda6 plus récentes. Et c'est tout à fait réussi. Comme pour ses sœurs, on a maintenant l'impression de rouler dans un modèle de luxe à bord du CX-5 alors que son habitacle était plutôt austère et dépouillé jusque-là.

La qualité des matériaux et une finition soignée y sont pour beaucoup, tout comme le nouvel écran tactile de 7 pouces lumineux et clair. Une molette de contrôle comme celle de la Mazda3 a toute la place qu'il lui faut sur la console centrale redessinée parce qu'un frein de stationnement électronique y remplace le frein à main classique. Les seuls agacements : la mise en mémoire ardue et frustrante des postes de radio et un ventilateur qui se règle avec deux touches minuscules alors qu'une molette ferait tellement mieux l'affaire.

Le confort s'est amélioré aussi, grâce à de nouvelles structures pour tous les sièges et à un coussin arrière allongé pour un meilleur maintien des jambes. On se glisse sans peine dans des baquets avant qui moulent à merveille. Les places arrière extérieures sont accessibles et confortables, avec les réserves habituelles pour la place centrale. L'assise est haute, bien sculptée et il y a plein d'espace pour les pieds sous les sièges avant. C'est toujours la clé.

Le dossier de la banquette se replie en deux pans sur les GX (60/40) et en trois sur les GS et GT (40/20/40) ce qui permet de rouler à quatre avec ses skis. Le volume du coffre est fort correct et le hayon s'ouvre et se referme très facilement, ce qui n'est certainement pas toujours le cas pour ce type de véhicule.

Le CX-5 n'est pas le plus spacieux de sa catégorie et il n'est pas aussi richement truffé de gadgets et d'accessoires que d'autres. C'est par contre le plus agile, le plus confortable et le plus raffiné du lot. Sa fiabilité et cette nouvelle garantie à kilométrage illimité de Mazda ne nuisent pas non plus. Depuis son lancement, il est le meilleur de cette race éminemment populaire des utilitaires sport compacts depuis et c'est encore plus vrai cette année.

Photos: Mazda Canada

MAZDA CX-5

### Châssis - GS TA

| | |
|---|---|
| Emp / lon / lar / haut | 2700 / 4555 / 1840 / 1710 mm |
| Coffre / Réservoir | 966 à 1852 litres / 56 litres |
| Nbre coussins sécurité / ceintures | 6 / 5 |
| Suspension avant | ind., jambes force |
| Suspension arrière | ind., multibras |
| Freins avant / arrière | disque / disque |
| Direction | à crémaillère, ass. élect. |
| Diamètre de braquage | 11,2 m |
| Pneus avant / arrière | P225/65R17 / P225/65R17 |
| Poids / Capacité de remorquage | 1559 kg / n.d. |
| Assemblage | Hiroshima, JP |

### Composantes mécaniques

#### GX

| | |
|---|---|
| Cylindrée, soupapes, alim. | 4L 2,0 litres 16 s atmos. |
| Puissance / Couple | 155 ch / 150 lb-pi |
| Tr. base (opt) / rouage base (opt) | M6 (A6) / Tr (Int) |
| 0-100 / 80-120 / V.Max | 10,7 s / 7,9 s / n.d. |
| 100-0 km/h | 40,3 m |
| Type / ville / route / CO$_2$ | Ord / 9,0 / 6,8 l/100 km / 3685 kg/an |

#### GS

| | |
|---|---|
| Cylindrée, soupapes, alim. | 4L 2,5 litres 16 s atmos. |
| Puissance / Couple | 184 ch / 185 lb-pi |
| Tr. base (opt) / rouage base (opt) | A6 / Tr |
| 0-100 / 80-120 / V.Max | 8,6 s / 5,9 s / n.d. |
| 100-0 km/h | 46,7 m |
| Type / ville / route / CO$_2$ | Ord / 8,9 / 7,1 l/100 km / 3721 kg/an |

#### GS TI, GT TI

| | |
|---|---|
| Cylindrée, soupapes, alim. | 4L 2,5 litres 16 s atmos. |
| Puissance / Couple | 184 ch / 185 lb-pi |
| Tr. base (opt) / rouage base (opt) | A6 / Int |
| 0-100 / 80-120 / V.Max | 8,6 s / 5,9 s / n.d. |
| 100-0 km/h | 46,7 m |
| Type / ville / route / CO$_2$ | Ord / 9,8 / 7,9 l/100 km / 4115 kg/an |

### Du nouveau en 2016

Calandre, commandes et tableau de bord redessinés, phares et feux à DEL (GT), écran tactile plus grand, frein de stationnement électronique, suspension et sièges revus.

# MAZDA **CX-9**

**Prix :** 35 890 $ à 47 890 $ (2015)
**Catégorie :** VUS
**Garanties :**
3 ans/illimité, 5 ans/illimité
**Transport et prép. :** 1 895 $
**Ventes QC 2014 :** 274 unités
**Ventes CAN 2014 :** 1 543 unités

## Cote du Guide de l'auto

# 69 %

| Fiabilité | Appréciation générale |
|---|---|
| ■■■■■■■□□□ | ■■■■■■■□□□ |
| Sécurité | Agrément de conduite |
| ■■■■■■□□□□ | ■■■■■■■□□□ |
| Consommation | Système multimédia |
| ■■■■■□□□□□ | ■■■■■■□□□□ |

## Cote d'assurance

■■■■■■■■□□
$$$                          $

présentée par
**KANETIX.CA**

➕ Comportement sans faille • Confort assuré • Espace intérieur impressionnant • Conduite relativement sportive

➖ Mécanique dépassée en 2015-2016 • Système multimédia à remplacer • Consommation d'essence élevée • Éléments intérieurs à redessiner

### Concurrents
Buick Enclave, Chevrolet Traverse, Ford Flex, Honda Pilot, Jeep Grand Cherokee, Kia Sorento, Nissan Murano, Toyota Highlander

# En mal de nouvelles technologies

Marc-André Gauthier

**S**'il y a bien une compagnie automobile qui nous surprend d'année en année, c'est Mazda. Au Québec, la marque a été adoptée par la population. Ce n'est pas pour rien que l'on trouve le plus grand concessionnaire Mazda du monde chez nous. À l'extérieur du Québec, c'est plus difficile. La compagnie est petite en taille, ce qui lui a valu son surnom de «Puce d'Hiroshima». Malgré tout, elle arrive à concevoir des voitures qui sont parmi les plus agréables au monde au chapitre de la conduite.

Cette passion pour le dynamisme se voit chez Mazda. Tandis que des compagnies optent pour des slogans philosophiques, Mazda s'est contentée longtemps de «vroom vroom». Ça dit tout ! Au volant du CX-9, on le comprend. Que vous considériez le CX-9 comme un VUS intermédiaire ou comme un gros multisegment, il adopte une conduite bien plus dynamique que la plupart de ses rivaux. Mais il faut se rendre à l'évidence. En dépit d'un nouveau style, il vieillit. S'il porte des habits plus jeunes, c'est un véhicule dont la technologie est aujourd'hui dépassée.

### UNE MÉCANIQUE ET QUELQUES DÉTAILS À REPENSER
Quelle que soit la version du CX-9 pour laquelle vous optez, vous aurez sous le capot un moteur V6 de 3,7 litres développant 273 chevaux et 270 livres-pied de couple. La transmission intégrale est optionnelle sur le modèle de base, et par défaut sur le modèle GT.

À titre de comparaison, Hyundai fabrique aujourd'hui un V6 de 3,3 litres et 290 chevaux. Tandis qu'au combiné, le Mazda CX-9 enregistre 12,3 l/100 km, le V6 plus petit et plus puissant de Hyundai, dans un véhicule comme le Santa Fe XL, inscrit 11,3 l/100 km. Comment se fait-il ? Tout simplement parce que le moteur du CX9 appartient à une autre époque. Le design général du véhicule remonte à 2006, et 9 ans c'est une éternité dans le monde automobile, surtout au chapitre mécanique.

Décliné essentiellement en deux versions pour 2016 (GS et GT), le CX-9 en offre pour tous les goûts. Si le modèle GS vient avec pas mal d'équipements de série, le modèle GT, pour environ 12 000 $ de plus, intègre des technologies intéressantes. Malheureusement, elles sont désuètes par rapport à la concurrence. Par exemple, le système multimédia du CX-9 n'est disponible qu'avec un écran trop petit. S'il impressionnait en 2007, en 2015, sa taille ne convient plus aux fonctionnalités qu'on tente de lui donner. Mazda possède un système exceptionnel, installé dans la Mazda3, la Mazda6 et dans le CX-5. C'est difficile de comprendre pourquoi il ne se retrouve pas dans son véhicule le plus dispendieux...

Les instruments, aussi, datent. En fait, ils ressemblent à ceux de la Mazda3 2006-2007... La boîte automatique semble également être empruntée à une ancienne génération. Si elle n'est pas mauvaise, elle n'a pas la précision de celle des véhicules modernes.

### DES QUALITÉS À NE PAS NÉGLIGER

Somme toute, si le CX-9 a besoin de se moderniser, il montre encore de belles qualités. En dépit d'offrir un confort princier, le CX-9 nous rappelle que nous sommes au volant d'un véhicule Mazda. Ainsi, les sièges sont douillets et nous supportent à merveille, la suspension rend la conduite douce et agréable — sans nous déconnecter de la route —, la direction n'est pas trop aseptisée, elle arrive à rendre la conduite excitante, relativement au type de véhicule que nous avons sous la main.

Et que dire de l'espace intérieur! Le CX-9, de ce côté, est l'un des meilleurs de sa catégorie. Il fournit de la place pour 7 personnes (5 adultes et 2 autres un peu plus petits), et les sièges en trop peuvent rapidement laisser place à un espace de chargement impressionnant.

Avec un peu de chance, la génération actuelle du CX-9 devrait nous quitter bientôt. Il y a de plus en plus de rumeurs qui courent quant à une nouvelle génération, qui emploierait la technologie SKYACTIV pour développer plus de 315 chevaux tout en consommant moins de 11 l/100 km. On devrait voir cette véritable réincarnation se pointer le bout du nez en 2016-2017. En attendant, le CX-9 demeure un bon véhicule qui, malheureusement, s'avère dépassé technologiquement par la plupart de ses concurrents.

## Châssis - GT TI

| | |
|---|---|
| Emp / lon / lar / haut | 2875 / 5108 / 1936 / 1728 mm |
| Coffre / Réservoir | 487 à 2851 litres / 76 litres |
| Nbre coussins sécurité / ceintures | 6 / 7 |
| Suspension avant | ind., jambes force |
| Suspension arrière | ind., multibras |
| Freins avant / arrière | disque / disque |
| Direction | à crémaillère, ass. var. |
| Diamètre de braquage | 12,4 m |
| Pneus avant / arrière | P245/50R20 / P245/50R20 |
| Poids / Capacité de remorquage | 2062 kg / 1588 kg (3500 lb) |
| Assemblage | Hiroshima, Japon |

## Composantes mécaniques

**GS TA, GS TI, GT TI**

| | |
|---|---|
| Cylindrée, soupapes, alim. | V6 3,7 litres 24 s atmos. |
| Puissance / Couple | 273 ch / 270 lb-pi |
| Tr. base (opt) / rouage base (opt) | A6 / Tr (Int) |
| 0-100 / 80-120 / V.Max | 7,9 s / 6,8 s / 225 km/h |
| 100-0 km/h | 39,8 m |
| Type / ville / route / $CO_2$ | Ord / 14,3 / 10,6 l/100 km / 5812 kg/an |

## Du nouveau en 2016

Aucun changement majeur

# MAZDA **MX-5**

((( SiriusXM )))

**Prix :** 31 900 $ à 39 200 $
**Catégorie :** Roadster
**Garanties :**
3 ans/illimité, 5 ans/illimité
**Transport et prép. :** 1 795 $
**Ventes QC 2014 :** 159 unités
**Ventes CAN 2014 :** 511 unités

---

## Cote du Guide de l'auto

# 86 %

Fiabilité
■■■■■■■■□□

Appréciation générale
■■■■■■■■□□

Sécurité
■■■■■■□□□□

Agrément de conduite
■■■■■■■■■□

Consommation
■■■■■■■□□□

Système multimédia
■■■■■■■□□□

---

## Cote d'assurance

■■■■■■■■□□

$$$                    $

présentée par
*KANETIX.CA*

---

➕ Agrément de conduite au top • Moteur vif et performant • Superbe boîte manuelle • Style réussi

➖ Voiture trois saisons • Rangements limités • Habitacle intimiste • Sièges en cuir – soutien latéral à revoir

---

**Concurrents**
MINI Cabriolet, Nissan Z

---

# Retour vers le futur

Gabriel Gélinas

**D**ans le monde de l'automobile, il y a des modèles qui ont atteint le statut d'icône. La Mazda MX-5, née Miata il y a 25 ans, fait partie de ceux-là. En japonais, l'expression « *Jinba Ittai* » signifie que le cavalier et son cheval ne font qu'un. C'est le point de départ de la démarche adoptée pour la création de la toute première MX-5 et c'est le principe fondamental qui guide aujourd'hui le développement des autres modèles de la marque. Avec la nouvelle MX-5, les concepteurs avaient la délicate mission de respecter l'héritage de la Miata d'une part, mais surtout de faire évoluer ce concept vers l'avenir.

### UN GRAMME À LA FOIS

Légèreté, agilité et simplicité ont toujours fait partie de l'ADN de la MX-5. Pour le modèle de quatrième génération, les ingénieurs ont donc conservé leur «stratégie du gramme», évaluant constamment le poids de chaque composante. En utilisant de l'aluminium pour le capot avant, le couvercle du coffre, les ailes avant, les pièces du toit et aussi les renforcements des pare-chocs avant et arrière ainsi que les porte-moyeux, ils ont réussi à réduire le poids de la voiture d'une centaine de kilos par rapport au modèle de troisième génération.

Le résultat de cette démarche, que l'on peut facilement qualifier d'obsessive, est un poids de 1 000 kilos ou une tonne métrique pour la MX-5 animée par le moteur de 1,5 litre, laquelle ne sera pas commercialisée en Amérique du Nord, et 1 058 à 1 078 kilos pour les MX-5 à moteur 2,0 litres qui seront les seules à être vendues chez nous.

Au volant, cette légèreté s'exprime par un comportement aussi direct qu'inspiré. Il suffit de la guider dans les trois premiers virages d'une route de campagne pour constater que jamais la MX-5 n'a été aussi joueuse, aussi agile, aussi vivante et aussi amusante à conduire. Le châssis est à ce point équilibré que la voiture répond instantanément, progressivement et parfaitement naturellement à la moindre sollicitation.

Que ce soit au freinage ou à la mise en appui en virage, la MX-5 est d'une docilité déconcertante et fait la démonstration parfaite qu'il n'est pas nécessaire de mettre son permis de conduire en jeu pour avoir un plaisir fou au volant d'une voiture.

### LE MOTEUR 2,0 LITRES POUR L'AMÉRIQUE DU NORD

Si la MX-5 vendue chez nous reçoit un moteur 2,0 litres, et non le quatre cylindres de 1,5 litre qui est disponible sur d'autres marchés, c'est en raison de son couple plus élevé à bas régime, un élément jugé essentiel pour la conduite en Amérique du Nord. Comme la voiture est très légère, on comprend pourquoi les sorties de virage sont toniques au point de nous fixer un sourire aux lèvres en permanence alors que l'on fait le plein de sensations.

La boîte manuelle à six rapports? Elle est parfaite, rien de moins... Le flux d'air autour du cockpit? Juste ce qu'il faut pour apprécier pleinement la conduite à ciel ouvert sans se faire balloter par le vent. La sensation que l'on éprouve en roulant à son bord? Que cette voiture a été littéralement construite autour de votre corps parce que la visibilité est excellente et que toutes les commandes tombent parfaitement sous la main.

Finalement, cette voiture a-t-elle des défauts? Si l'on fait abstraction du fait qu'elle a les défauts de ses qualités, c'est-à-dire que sa compacité limite l'espace de chargement, on ne peut relever que peu de choses. Par exemple, que les porte-gobelets sont mal placés au point où ils sont presque inutiles et que les rangements dans l'habitacle sont comptés. Mais de toute façon, les porte-gobelets dans une MX-5, on s'en fout, et comme vous porterez presque toujours vos lunettes de soleil, pas besoin de les ranger!

Avec son style nettement plus ravageur, la MX-5 invite à sa découverte et ses qualités dynamiques surpassent les attentes. À l'heure où plusieurs constructeurs délaissent les sportives, dont le volume de ventes est plus limité, au profit des prolifiques multisegments et autres utilitaires sport de taille compacte, ce petit constructeur japonais persiste et signe, convaincu de l'importance de préserver le modèle qui a largement contribué à l'obtention de ses titres de noblesse concernant la dynamique et le plaisir de conduire.

Pour Mazda, c'est mission accomplie avec cette MX-5 qui est une superbe réussite. En prenant la route avec elle, on a l'absolue conviction qu'il y a au moins une chose qui frôle la perfection en ce bas monde, et cette chose c'est la nouvelle MX-5.

| Châssis - GX | |
| --- | --- |
| Emp / lon / lar / haut | 2309 / 3914 / 1918 / 1234 mm |
| Coffre / Réservoir | 130 litres / 45 litres |
| Nbre coussins sécurité / ceintures | 4 / 2 |
| Suspension avant | ind., double triangulation |
| Suspension arrière | ind., multibras |
| Freins avant / arrière | disque / disque |
| Direction | à crémaillère, ass. var. élect. |
| Diamètre de braquage | 9,4 m |
| Pneus avant / arrière | P195/50R16 / P195/50R16 |
| Poids / Capacité de remorquage | 1058 kg / n.d. |
| Assemblage | Hiroshima, JP |

| Composantes mécaniques | |
| --- | --- |
| **GX, GS, GT** | |
| Cylindrée, soupapes, alim. | 4L 2,0 litres 16 s atmos. |
| Puissance / Couple | 155 ch / 148 lb-pi |
| Tr. base (opt) / rouage base (opt) | M6 (A6) / Prop |
| 0-100 / 80-120 / V.Max | 7,0 s (est) / 5,5 s (est) / n.d. |
| 100-0 km/h | n.d. |
| Type / ville / route / $CO_2$ | Sup / 8,8 / 6,9 l/100 km / 3655 kg/an |

## Du nouveau en 2016

Tout nouveau modèle

# MCLAREN **650S**

(((SiriusXM)))

**Prix :** 258 900 $ à 258 900 $ (2015)
**Catégorie :** Coupé, Roadster
**Garanties :**
3 ans/illimité, 3 ans/illimité
**Transport et prép. :** n.d.
**Ventes QC 2014 :** n.d.
**Ventes CAN 2014 :** n.d.

---

## Cote du Guide de l'auto

# 81 %

Fiabilité
n.d.

Appréciation générale
■■■■■■■□□□

Sécurité
■■■■■■□□□□

Agrément de conduite
■■■■■■■■□□

Consommation
■■■■■□□□□□

Système multimédia
■■■■■■□□□□

---

## Cote d'assurance

n.d.

présentée par
**KANETIX.CA**

---

➕ Style spectaculaire • Performances exceptionnelles • Confort de roulement surprenant • Excellente visibilité vers l'avant • Plus exclusive qu'une Ferrari

➖ Système télématique à revoir • Quelques contorsions nécessaires pour l'accès à bord • Diffusion limitée • Prix élevé • Options nombreuses et chères

**Concurrents**
Audi R8, Ferrari 488,
Lamborghini Huracán,
Nissan GT-R, Porsche 911

# Bestiale et civilisée

Gabriel Gélinas

**D**ans le créneau des exotiques, McLaren n'a fait son entrée à part entière que récemment avec la MP4-12C, aujourd'hui appelée 650S, mais le constructeur de Woking en Angleterre compte sur un palmarès impressionnant en sport automobile, puisque McLaren est l'écurie ayant remporté le plus de victoires en F1 après Ferrari. La marque a aussi développé la mythique McLaren F1 en plus de collaborer avec Mercedes-Benz pour construire les SLR et SLR Roadster. Avec la super-exotique McLaren P1, qui rivalise directement avec la Ferrari LaFerrari et la Porsche 918 Spyder, et l'arrivée prochaine de la lignée Sport Series qui a la Porsche 911 dans le collimateur, l'offre du constructeur anglais a progressé rapidement.

Reprendre contact avec une voiture aussi performante que la 650S est un réel plaisir, surtout au volant du modèle Spider en plein été. Qu'il s'agisse du Coupé ou du Spider, la 650S exige cependant que l'on fasse certaines contorsions pour monter à son bord, pas seulement en raison de l'ouverture particulière des portes, mais bien parce que le seuil est très large, puisqu'il fait partie de la structure monocoque en fibre de carbone. Une fois installé dans un siège qui est à la fois très mince, très moulant et complètement ajustable, on ne peut être qu'impressionné par l'excellente visibilité vers l'avant.

Le tachymètre est localisé en plein centre du bloc d'instruments et la console flottante regroupe l'écran multimédia de sept pouces, le bouton de démarrage du V8 biturbo ainsi que deux commandes rotatives permettant d'ajuster la suspension hydraulique ainsi que la livrée de la puissance et la rapidité du changement de vitesse sur trois modes, soit Normal, Sport et Track (circuit). Le modèle Spider est équipé d'un toit rigide rétractable qui permet de rouler à ciel ouvert en 17 secondes. Il est toutefois aussi possible de rouler avec le toit en place et d'abaisser la petite lunette arrière au moyen d'une commande électrique pour mieux entendre le moteur, une solution efficace pour faire le plein de sensations, même par temps froid ou peu clément.

## UNE POUSSÉE PHÉNOMÉNALE

Réussir à tirer 641 chevaux d'un « petit » V8 turbocompressé de 3,8 litres relève de l'exploit. Le constructeur annonce un chrono de 3,0 secondes pour le 0-100 kilomètres/heure, de 8,6 pour le 0-200 et de 10,6 pour le quart de mille à une vitesse de 222 kilomètres/heure. Faute d'avoir accès à un circuit pour valider ces données, je me contente d'apprécier au plus haut point la poussée phénoménale livrée par le V8 biturbo lors de dépassements sur des routes secondaires et en négociant toute une série de bretelles d'accès à l'autoroute. En mode manuel, les changements de vitesse de la boîte à double embrayage sont immédiats et c'est un charme de jouer avec les paliers de commande au volant dont le mécanisme est pourvu d'une détente. Le grand bonheur...

Avec ses suspensions hydrauliques réglées en mode Normal, la 650S est très civilisée, alors que la voiture fait preuve d'un léger roulis en virage tout en absorbant les bosses et les ondulations de la piste avec aplomb, et faisant preuve d'un niveau de confort désarmant pour une voiture possédant un tel potentiel de performance. La calibration Track transforme la bagnole en scalpel qui découpe les virages avec une précision chirurgicale et, si vous roulez un peu trop vite en entrée de virage, l'ingénieux système Brake Steer interviendra en freinant sélectivement la roue arrière intérieure afin de faire pivoter la 650S dans la courbe, tout en éliminant presque toute trace de sous-virage. Du grand art...

## IRIS EST EN RETARD...

Le principal point faible de la 650S est son système de télématique Iris qui accuse un retard important par rapport à ceux des marques établies. L'écran est vertical, pas vraiment plus grand que celui d'un iPhone 6 Plus, et il est parfois difficile à lire à cause des reflets. Aussi, la navigation au travers des menus et des sous-menus est loin d'être intuitive et nécessite un certain apprentissage.

Comme la 650S est dépourvue de boutons de commande sur le volant, il faut obligatoirement interagir avec l'écran tactile pour changer de station de radio ou la chanson jouée à partir de votre téléphone, puis revenir au menu principal pour que l'écran repasse en mode navigation et affiche la carte. Cet irritant sera cependant corrigé prochainement alors que McLaren reverra complètement son système de télématique. Mentionnons également que la marque s'établira à Montréal au printemps 2016, ce qui facilitera la vie des acheteurs québécois pour le service de leur voiture.

| Châssis - Spider | |
|---|---|
| Emp / lon / lar / haut | 2670 / 4512 / 2093 / 1203 mm |
| Coffre / Réservoir | 144 litres / 72 litres |
| Nbre coussins sécurité / ceintures | 6 / 2 |
| Suspension avant | ind., double triangulation |
| Suspension arrière | ind., double triangulation |
| Freins avant / arrière | disque / disque |
| Direction | à crémaillère, ass. var. élect. |
| Diamètre de braquage | 12,3 m |
| Pneus avant / arrière | P235/35R19 / P305/30R20 |
| Poids / Capacité de remorquage | 1468 kg / n.d. |
| Assemblage | Woking, GB |

| Composantes mécaniques | |
|---|---|
| **Coupé, Spider** | |
| Cylindrée, soupapes, alim. | V8 3,8 litres 32 s turbo |
| Puissance / Couple | 641 ch / 500 lb-pi |
| Tr. base (opt) / rouage base (opt) | A7 / Prop |
| 0-100 / 80-120 / V.Max | 3,0 s (const) / 2,5 s (est) / 329 km/h |
| 100-0 km/h | 30,5 m |
| Type / ville / route / $CO_2$ | Sup / 17,5 / 8,5 l/100 km / 5500 kg/an |

## Du nouveau en 2016

Aucun changement majeur

# MERCEDES-AMG **GT**

(((SiriusXM)))

**Prix :** 149 900 $
**Catégorie :** Coupé
**Garanties :**
4 ans/80 000 km, 4 ans/80 000 km
**Transport et prép. :** n.d.
**Ventes QC 2014 :** n.d.
**Ventes CAN 2014 :** n.d.

## Cote du Guide de l'auto

# 79 %

| Fiabilité n.d. | Appréciation générale ■■■■■■■□□□ |
| --- | --- |
| Sécurité n.d. | Agrément de conduite ■■■■■■■■□□ |
| Consommation ■■■□□□□□□□ | Système multimédia ■■■■■■■■□□ |

## Cote d'assurance

■■■■■■□□□□
$$$                    $

présentée par
**KANETIX.CA**

➕ Technologies de pointe • Lignes exotiques à souhait • Boîte à double embrayage efficace • Finition soignée

➖ Ergonomie de la console centrale • Pas de boîte manuelle • Certains équipements intéressants en option • Aileron arrière trop discret

## Concurrents

Aston Martin DB9, Audi R8, Dodge Viper, Ferrari 488, Jaguar F-Type, Jaguar XK, Lamborghini Huracán, Maserati Gran Turismo, McLaren 650S, Nissan GT-R, Porsche 911

# Le second opus

Sylvain Raymond

**A**lors que dans le passé elle produisait la SLR en collaboration avec McLaren, AMG, la filiale haute performance de Mercedes-Benz, a décidé de voler de ses propres ailes en 2010 en commercialisant la spectaculaire SLS, le premier superbolide développé entièrement par la firme d'Affalterbach. Six ans plus tard, la voiture tire sa révérence pour faire place au second opus de sa lignée, l'AMG GT.

Contrairement à la croyance populaire, la Mercedes-AMG GT ne prétend pas remplacer la SLS. Elle s'insère un peu plus bas dans la hiérarchie et son prix de base le reflète bien, 149 900 $ par rapport à 250 000 $ ! Ce n'est pas modeste, mais tout de même moins indécent. En fait, Mercedes-AMG (c'est le nouveau nom des produits AMG) veut offrir une voiture sport qui ratisse plus large, capable de subtiliser des parts de marché à Audi, Jaguar et Aston Martin, mais surtout à Porsche qui domine ce segment avec les multiples déclinaisons de sa 911. AMG appliquera la même recette, et cette nouvelle GT engendrera une panoplie de rejetons dans le futur. Cabriolet à toit rigide, versions plus et moins puissantes, tout y passera !

### PAS DE PORTIÈRES EN AILE DE MOUETTE

Comme la SLS avant elle, l'AMG GT adopte la configuration d'un coupé biplace et reprend sensiblement la même architecture à moteur à l'avant. Ce dernier, assorti d'une boîte automatisée à double embrayage, est tout de même placé en position centrale, derrière l'axe des roues avant. Cette configuration apporte un équilibre des masses idéal, soit 53 % à l'avant et 47 % à l'arrière. Côté style, la voiture est simplement magnifique avec son design contemporain et ses composantes visuelles issues des voitures sport qui ont marqué le passé du constructeur.

Par rapport à la SLS, l'AMG GT est moins angulaire et beaucoup plus en rondeurs, particulièrement la partie arrière avec sa ceinture de caisse plus élevée et sa fenestration réduite. Toujours discret, le béquet est entièrement caché dans la carrosserie à l'arrêt et se déploie graduellement en fonction de la vitesse. Il ne mise pas nécessairement sur l'efficacité mais beaucoup plus sur le style, ce qui explique pourquoi les versions de course doivent être dotées d'un aileron gigantesque. On préfère d'ailleurs le béquet fixe et plus imposant de la version Edition One qui procure plus de caractère au modèle.

À notre plus grand regret, on n'a pas reconduit les fameuses portières en aile de mouette (*gullwing*). C'était certainement l'aspect le plus spectaculaire de la SLS mais pour vous consoler, plus besoin d'être acrobate pour sortir de la voiture et enjamber le large seuil de porte. On y gagne en aspect pratique.

L'habitacle reflète bien la vocation de la voiture. Les designers ont aménagé le tout à la manière d'un cockpit de course et le résultat est excellent. L'effet est bien appuyé par le choix des matériaux qui comprend des garnitures en Alcantara, des surpiqûres aux couleurs de la carrosserie, des appliques en fibre de carbone et un pédalier métallisé. La large console centrale reprend la thématique de l'aviation et comporte une panoplie de commandes destinées principalement à modifier les réglages dynamiques du bolide. On la trouve un peu large et intrusive, et son ergonomie n'est pas toujours optimale, notamment dans le cas du levier de vitesses qui est très reculé.

### 510 CHEVAUX GRÂCE À LA TURBOCOMPRESSION

Alors qu'une version un peu moins puissante et plus abordable sera proposée ultérieurement, on a droit initialement à l'AMG GT S, qui reçoit sous son long capot un moteur V8 de 4,0 litres de 503 chevaux et 479 lb-pi de couple. Véritable pièce d'horlogerie, ce moulin hérite de plusieurs composantes issues des écuries de course, dont un carter sec qui permet d'éliminer le réservoir d'huile et de loger le moteur plus bas dans le châssis, abaissant le centre de gravité. Les deux turbocompresseurs sont aussi situés à l'intérieur du V formé par les rangées de cylindres, ce qui rend le moteur plus compact et permet une réactivité plus rapide des turbos.

Le 0-100 km/h n'est l'affaire que de 3,8 secondes, preuve que le couple est libéré sans délai. On colle littéralement au siège alors que le moteur laisse constamment filtrer une symphonie de rugissements, et davantage si le mode Sport+ est sélectionné. Affichant un poids inférieur à la SLS (100 kg), on sent la voiture un peu plus agile et surtout moins vicieuse. Elle vous prévient un peu plus de tout excès et lorsqu'on la pousse un peu trop, le train arrière tend à se dérober, mais l'électronique sauve rapidement la mise si le jeu devient trop sérieux.

La Mercedes-AMG GT est véritablement une voiture sport de puriste, positionnée juste au bon endroit en termes de prix et de performance.

### Châssis - Coupé S

| | |
|---|---|
| Emp / lon / lar / haut | 2630 / 4546 / 1939 / 1288 mm |
| Coffre / Réservoir | 350 litres / 65 litres |
| Nbre coussins sécurité / ceintures | 8 / 2 |
| Suspension avant | ind., multibras |
| Suspension arrière | ind., multibras |
| Freins avant / arrière | disque / disque |
| Direction | à crémaillère, ass. var. |
| Diamètre de braquage | 11,5 m |
| Pneus avant / arrière | P265/35R19 / P295/30R20 |
| Poids / Capacité de remorquage | 1570 kg / n.d. |
| Assemblage | Sindelfingen, DE |

### Composantes mécaniques

**Coupé S**

| | |
|---|---|
| Cylindrée, soupapes, alim. | V8 4,0 litres 32 s turbo |
| Puissance / Couple | 503 ch / 479 lb-pi |
| Tr. base (opt) / rouage base (opt) | A7 / Prop |
| 0-100 / 80-120 / V.Max | 3,8 s (const) / n.d. / 310 km/h |
| 100-0 km/h | n.d. |
| Type / ville / route / $CO_2$ | Sup / n.d. / n.d. / 4380 kg/an |

## Du nouveau en 2016

Nouveau modèle

Photos : Marc Lachapelle

# MERCEDES-BENZ **CLASSE B**

**Prix :** 31 300 $ à 33 500 $ (2015)
**Catégorie :** Familiale
**Garanties :**
4 ans/80 000 km, 4 ans/80 000 km
**Transport et prép. :** 2 043 $
**Ventes QC 2014 :** 1 746 unités
**Ventes CAN 2014 :** 6 546 unités

Cote du Guide de l'auto

## 68 %

Fiabilité
■■■■■■■□□□

Appréciation générale
■■■■■■■□□□

Sécurité
■■■■■■■■□□

Agrément de conduite
■■■■■■■□□□

Consommation
■■■■■□□□□□

Système multimédia
■■■■■■■■□□

Cote d'assurance
■■■■■■■□□□

présentée par
**KANETIX.CA**

$$$                              $

**➕** Habitabilité supérieure • Comportement routier de bon aloi • Matériaux de qualité • Finition de haut calibre • Rouage intégral bienvenu

**➖** Manque de punch à bas régime • Consommation un peu trop élevée • Options nombreuses et dispendieuses • Fonction arrêt/redémarrage désagréable

**Concurrents**
BMW X1, Volvo V60

# En dehors de l'intégrale, point de salut

Alain Morin

**L**orsqu'elle est apparue au Canada en tant que modèle 2006, la Classe B était la seule traction (roues avant motrices) signée Mercedes-Benz en Amérique. À l'époque, les Américains avaient boudé ce mélange de VUS, de voiture, de familiale, bref ce multisegment difficile à caser. Ils le boudent toujours même si une B-Class Electric Drive est offerte sans tambour ni trompette dans certains États.

Toujours est-il que la deuxième génération lancée il y a trois ans a conservé la traction. Les CLA et GLA, les plus récentes créations de Stuttgart, maison mère de Mercedes-Benz en Allemagne, sont aussi des tractions tandis que le rouage intégral est optionnel.

Ce dernier manquait cruellement à la Classe B, surtout quand on apprend que plus de 80 % des véhicules vendus par Mercedes-Benz Canada sont dotés du rouage intégral 4MATIC, les autres se partageant la traction ou la propulsion. Ce pourcentage augmente au Québec où les hivers, comme une campagne électorale, n'en finissent plus de finir. Bonne nouvelle, depuis l'hiver dernier la Classe B peut être équipée des quatre roues motrices.

Le 4MATIC est sensiblement le même peu importe le modèle dans la gamme Mercedes, mais il est adapté selon l'utilisation anticipée du véhicule. Dans le cas de la Classe B, le système fonctionne comme une traction quand la route est parfaite et peut expédier jusqu'à 50 % du couple aux roues arrière si le besoin se fait sentir. C'est le même système que l'on retrouve dans les CLA et GLA.

### LE FROID, ENNEMI DE LA CONSOMMATION
Côté moteur, aucun changement. Le quatre cylindres 2,0 litres turbocompressé continue de mouvoir les 1 465 kilos de la B 250. Si l'on accepterait volontiers une vingtaine de chevaux supplémentaires et davantage de couple, surtout à bas régime, le 0-100 km/h est l'affaire de 7,2 secondes, ce qui n'est pas mal du tout. Il faut compter une

demi-seconde de plus pour le même exercice avec une B 250 4MATIC dont le rouage intégral pèse 40 kilos de plus. Ceux qui apprécient les moteurs procurant un plaisir auditif seront très déçus par ce qu'ils entendront dans une B 250. Les versions traction et intégrale se partagent la même boîte automatique à sept rapports au comportement sans faille.

Notre essai d'une version 4MATIC s'est soldé par une moyenne assez élevée de 9,4 l/100 km. Il importe toutefois de nuancer cette consommation puisque l'essai s'est effectué une journée où le mercure était descendu dans les bas-fonds des thermomètres et que notre conduite n'avait vraiment pas été la plus économique possible. Un autre essai, estival celui-là et au volant d'une B 250 a résulté en une moyenne de 8,2 l/100 km, ce qui est beaucoup mieux.

À noter que, comme la plupart des modèles Mercedes-Benz, sinon tous, il y a un mode Eco qui permet au moteur de s'arrêter lorsque la voiture est immobile. Cependant, les secousses engendrées quand il se remet en marche sont si désagréables qu'on met rapidement ce système hors d'état de nuire grâce à un bouton au tableau de bord.

### UNE MERCEDES-BENZ À PART ENTIÈRE

La B 250, 4MATIC ou non, présente un tableau de bord typiquement Mercedes-Benz. C'est-à-dire qu'il ressemble à celui de tous les autres produits Mercedes, ce qui n'est pas mal en soi. On retrouve donc cet habile mariage de matériaux de qualité, d'efficacité ergonomique et d'assemblage sans faille. Grâce à des accents métalliques ici et là, l'habitacle est nettement plus jojo qu'auparavant.

Pour trouver à redire, il faut aller du côté du système multimédia qui n'est pas toujours le plus convivial qui soit, ou de la molette qu'il faut tourner pour ajuster l'angle des dossiers des sièges avant et qui menace de nous déboîter le poignet chaque fois. Enfin, on ne peut passer sous silence la vastitude de l'habitacle et du coffre en regard des dimensions extérieures.

Bien qu'elle représente l'entrée de gamme chez Mercedes, la B 250 est construite autour d'un châssis d'une solidité à toute épreuve, dotée de nombreuses technologies améliorant la sécurité autant active que passive et elle propose un catalogue fourni d'options chères. En cela, elle est une Mercedes-Benz à part entière. Et l'offre d'un rouage intégral ne fait que renforcer cette affirmation.

| Châssis - B250 4Matic | |
|---|---|
| Emp / lon / lar / haut | 2699 / 4393 / 2010 / 1562 mm |
| Coffre / Réservoir | 488 à 1547 litres / 50 litres |
| Nbre coussins sécurité / ceintures | 11 / 5 |
| Suspension avant | ind., jambes force |
| Suspension arrière | ind., multibras |
| Freins avant / arrière | disque / disque |
| Direction | à crémaillère, ass. var. élect. |
| Diamètre de braquage | 11,0 m |
| Pneus avant / arrière | P225/45R17 / P225/45R17 |
| Poids / Capacité de remorquage | 1505 kg / n.d. |
| Assemblage | Rastatt, DE |

| Composantes mécaniques | |
|---|---|
| **B250, B250 4Matic** | |
| Cylindrée, soupapes, alim. | 4L 2,0 litres 16 s turbo |
| Puissance / Couple | 208 ch / 258 lb-pi |
| Tr. base (opt) / rouage base (opt) | A7 / Tr (Int) |
| 0-100 / 80-120 / V.Max | 7,2 s / 4,5 s / 210 km/h |
| 100-0 km/h | 37,0 m |
| Type / ville / route / $CO_2$ | Sup / 10,0 / 7,5 l/100 km / 4083 kg/an |

## Du nouveau en 2016

Aucun changement majeur, rouage 4MATIC offert depuis janvier 2015.

# MERCEDES-BENZ **CLASSE C**

**Prix :** 43 000 $ à 82 900 $ (2015)
**Catégorie :** Berline
**Garanties :**
4 ans/80 000 km, 4 ans/80 000 km
**Transport et prép. :** 2 041 $
**Ventes QC 2014 :** 1 848 unités
**Ventes CAN 2014 :** 7 054 unités

## Cote du Guide de l'auto

# 79 %

| Fiabilité | Appréciation générale |
|---|---|
| ■■■■■■■□□□ | ■■■■■■■■□□ |
| Sécurité | Agrément de conduite |
| ■■■■■■■■□□ | ■■■■■■□□□□ |
| Consommation | Système multimédia |
| ■■■■■□□□□□ | ■■■■■■□□□□ |

## Cote d'assurance

■■■■■■■□□□
$$$                                    $

présentée par
**KANETIX.CA**

**+** Sécurité optimale • Direction impeccable • Présentation intérieure impressionnante • Bel amalgame de luxe et de confort

**−** Moteur 2,0 litres discutable • Système COMAND complexe • Fiabilité inconnue (nouveau modèle) • Accès aux places arrière un peu restreint

## Concurrents

Acura TLX, Audi A4, BMW Série 3, Cadillac ATS, Infiniti Q50, Lexus ES, Lincoln MKZ, Volvo S60

# Une marche plus haute

Jacques Duval

**J**'ai toujours été un grand partisan de la Classe C de Mercedes, au point où j'en ai même acheté une à sa seconde année sur le marché. Mon admiration tenait en bonne partie au design extérieur dont j'aimais la compacité et les lignes à la fois sobres et homogènes.

Devant sa remplaçante, je dirais que mon enthousiasme a chuté d'un bon cran. Évidemment, on peut tomber dans les pommes pour la AMG C 63 S qui a balayé ses cinq adversaires dans notre match comparatif, mais pour l'acheteur disposant d'un budget moyen, les performances de cette bête de piste sont un élément négligeable.

Qu'en est-il de la Classe C de nouvelle génération pour vous et moi ? Sa silhouette ne supporte pas la comparaison avec l'ancienne, c'est certain. Mercedes a voulu soigner le luxe et le confort et le but a été atteint harmonieusement. Fini cette obsession de vouloir dépasser sa grande rivale qu'est la Série 3 de BMW ! La firme de Stuttgart a même fait l'inverse en créant une Classe C qui lorgne du côté de la série E aux dimensions plus généreuses. C'est ainsi que l'on se sent plus à l'aise au volant, bien calé dans des sièges quasi orthopédiques. Seule la large console prévient le mouvement de la jambe droite, en quête d'un peu de repos à l'occasion.

## UN RAFFINEMENT CERTAIN

On ne saurait toutefois se trouver dans un environnement plus accueillant avec un tableau de bord qui rejoint, voire dépasse en élégance celui tant prisé des Audi. Les places arrière également bénéficient d'un empattement allongé qui permet à cette compacte d'offrir un espace moins coincé. Le profil du toit oblige à s'adonner à une petite révérence lors de l'accès à la voiture, principalement à l'arrière. C'est vrai pour la berline et ce l'est encore davantage pour la version coupé qui devrait être présentée au prochain Salon de l'auto de Francfort.

Généralement connue comme le modèle d'accès à la gamme, la berline de Classe C a désormais une compagne qui a repris ce rôle, la CLA. Plus petite et moins chère, cette variante a fière allure, mais ses qualités ne vont pas beaucoup plus loin. Bref, dans mon livre, ce n'est pas une vraie Mercedes-Benz, ni par sa qualité d'exécution ni par sa sensation de conduite.

Excluant les versions frappées du sigle AMG, deux motorisations différentes envahissent le coin moteur, chacune bénéficiant de la turbocompression. La désignation est toutefois trompeuse puisque la C 300, le modèle le moins cher, emploie un 4 cylindres de 2,0 litres que la suralimentation réussit à amener à 241 chevaux. Les opinions sont partagées quant au choix de ce groupe propulseur. Certains le trouvent adéquat avec comme seul handicap un manque de couple au moment de compléter un dépassement. Jusqu'à l'an dernier, on pouvait compter sur la C 400, avec son rugissant V6 3,0 litres double turbo de 329 chevaux, pour pimenter la gamme. Cette année, il laisse sa place à la AMG 450 4Matic de 362 chevaux. De quoi oublier la C 400 assez rapidement, merci!

Tous ces moteurs répartissent leur puissance au moyen d'une transmission automatique à 7 rapports. Quoi qu'il en soit, la nouvelle Classe C avale les kilomètres avec une facilité déconcertante tout en bénéficiant de la panoplie habituelle d'assistances à la conduite. Et lorsque les conditions routières se détériorent, la traction intégrale veille au grain.

### QUAND LE SPORT CÈDE LE PAS AU CONFORT

Ce qui impressionne le plus au volant, c'est la direction dont l'assistance ne saurait être mieux dosée. Le freinage est rassurant tout comme cette carrosserie à l'épreuve des moindres bruits de caisse. Malgré que Mercedes ne prêche pas du tout les aptitudes sportives de sa Classe C, on peut sélectionner des réglages dits «Sport» même si les acheteurs d'une telle voiture ne sont pas du genre à faire crisser les pneus dans les virages.

De toute façon, la firme allemande a dans sa brigade défensive une berline sport que je n'hésiterais pas à appeler une berline de course tellement cette C 63 S AMG de plus de 500 chevaux dispose de tout l'armement pour vous faire dresser les cheveux sur la tête. J'en ai eu la preuve impressionnante lors de ce match comparatif auquel je faisais allusion au début de cet article. Je n'hésiterais pas à lui faire affronter une Ferrari 458 et à parier sur elle tellement elle possède l'héritage d'une voiture d'exception.

Prière de vous régaler en lisant les résultats de ce fabuleux match comparatif organisé par notre collègue Marc Lachapelle, le roi de la mesure juste.

## Châssis - AMG 450 4Matic berline

| | |
|---|---|
| Emp / lon / lar / haut | 2840 / 4702 / 2020 / 1440 mm |
| Coffre / Réservoir | 435 litres / 66 litres |
| Nbre coussins sécurité / ceintures | 9 / 5 |
| Suspension avant | ind., multibras |
| Suspension arrière | ind., multibras |
| Freins avant / arrière | disque / disque |
| Direction | à crémaillère, ass. var. élect. |
| Diamètre de braquage | 11,2 m |
| Pneus avant / arrière | P225/45R18 / P245/40R18 |
| Poids / Capacité de remorquage | 1615 kg / n.d. |
| Assemblage | Bremen, DE |

## Composantes mécaniques

**C300 4Matic**

| | |
|---|---|
| Cylindrée, soupapes, alim. | 4L 2,0 litres 16 s turbo |
| Puissance / Couple | 241 ch / 273 lb-pi |
| Tr. base (opt) / rouage base (opt) | A7 / Int |
| 0-100 / 80-120 / V.Max | 6,3 s / n.d. / 210 km/h |
| 100-0 km/h | n.d. |
| Type / ville / route / $CO_2$ | Sup / 10,1 / 7,8 l/100 km / 4170 kg/an |

**AMG 450 4Matic**

| | |
|---|---|
| Cylindrée, soupapes, alim. | V6 3,0 litres 24 s turbo |
| Puissance / Couple | 362 ch / 384 lb-pi |
| Tr. base (opt) / rouage base (opt) | A7 / Int |
| 0-100 / 80-120 / V.Max | 4,9 s / n.d. / 250 km/h |
| 100-0 km/h | n.d. |
| Type / ville / route / $CO_2$ | Sup / 10,2 / 6,2 l/100 km / 3864 kg/an |

**AMG C 63**

| | |
|---|---|
| Cylindrée, soupapes, alim. | V8 4,0 litres 32 s turbo |
| Puissance / Couple | 469 ch / 479 lb-pi |
| Tr. base (opt) / rouage base (opt) | A7 / Prop |
| 0-100 / 80-120 / V.Max | 4,1 s / n.d. / 250 km/h |
| 100-0 km/h | n.d. |
| Type / ville / route / $CO_2$ | Sup / 10,8 / 6,7 l/100 km / 4119 kg/an |

**AMG C 63 S**

| | |
|---|---|
| Cylindrée, soupapes, alim. | V8 4,0 litres 32 s turbo |
| Puissance / Couple | 503 ch / 516 lb-pi |
| Tr. base (opt) / rouage base (opt) | A7 / Prop |
| 0-100 / 80-120 / V.Max | 4,6 s / 3,5 s / 250 km/h |
| 100-0 km/h | 36,1 m |
| Type / ville / route / $CO_2$ | Sup / 11,0 / 6,9 l/100 km / 4211 kg/an |

## Du nouveau en 2016

Nouveaux moteurs, nouvelles dénominations, C400 4Matic remplacé par C450 AMG Sport 4Matic.

Photos: Marc Lachapelle

# MERCEDES-BENZ **CLASSE CLA**

**Prix :** 34 300 $ à 50 600 $ (2015)
**Catégorie :** Berline
**Garanties :**
4 ans/80 000 km, 4 ans/80 000 km
**Transport et prép. :** 2 145 $
**Ventes QC 2014 :** n.d.
**Ventes CAN 2014 :** n.d.

## Cote du Guide de l'auto

# 68 %

Fiabilité

Appréciation générale

Sécurité

Agrément de conduite

Consommation

Système multimédia

## Cote d'assurance

présentée par
**KANETIX.CA**

$$$          $

➕ Carrosserie attrayante •
Performances amusantes (AMG) •
Consommation correcte • Freins solides •
Prestige associé à Mercedes-Benz

➖ Suspensions sèches (AMG ) • Moteurs
fonctionnant au super uniquement •
Places arrière caractérielles • Visibilité
arrière pourrie • Options pas données

## Concurrents

Audi A3, BMW Série 2, Lexus IS,
Volkswagen CC

# Péchés véniels

Alain Morin

**M**ême si elle est de bonne famille, la Mercedes-Benz CLA est souvent pointée du doigt. Il faut dire que pour la firme de Stuttgart, agrandir la famille par le bas n'est pas chose aisée. Il faut créer des produits qui respectent l'ADN de la marque tout en conservant des coûts de production le plus bas possible, ne pas choquer les clients réguliers qui sont aussi fiers de l'étoile sur le capot de leur voiture que de leur carrière et, surtout, intéresser des jeunes ou des gens qui n'auraient jamais pensé aller voir du côté de Mercedes pour magasiner leur prochain achat. Méchante commande. Réussie dans le cas de la CLA ? En bonne partie, je dirais que oui.

Les lignes de la plus petite berline de Mercedes sont fort attrayantes et bien équilibrées même si la section arrière me laisse froid. Mais ça, c'est une question de goût. Pour la version de base (CLA 250), l'ensemble fait dans la sobriété. Pour le modèle sport (CLA 45 AMG), on peut parler de sobriété explosive avec son bouclier avant plus agressif, ses jantes particulières et son échappement à quadruple sortie.

### LA PERFECTION N'EXISTE PAS

L'habitacle est tout aussi réussi, peu importe la version, mais l'espace est compté, surtout à l'arrière, gracieuseté de la courbe du toit. Cette courbe est aussi responsable d'une visibilité arrière et ¾ arrière particulièrement mauvaise. Les sièges avant de la 250 sont d'une fermeté toute allemande mais, heureusement, d'un confort tout aussi allemand. Ceux de la 45 AMG sont encore plus confortables et retiennent parfaitement bien en virage. Le tableau de bord ressemble un peu trop à mon goût à celui de la Classe B or, comme ce dernier est réussi, je ne vois pas de gros problème.

Cependant, comme rien n'est parfait en ce bas monde, voilà quelques imperfections : l'écran central posé sur le dessus du tableau de bord semble avoir été oublié dans la phase de développement puis foutu là, à la dernière minute, tandis que la roulette sur la console qui sert à choisir les différentes informations à l'écran est mal placée pour les petites personnes (me dit ma collègue de 5'2''). De son côté, le coffre est passablement grand compte tenu de la grosseur de la voiture mais son ouverture est petite, ce qui empêche le transport d'objets volumineux.

### JOYEUSE OU TRÈS JOYEUSE

Sous le capot, on retrouve un quatre cylindres de 2,0 litres turbocompressé, le même que dans la Classe B. Associé à une boîte automatique à sept rapports à double embrayage qui active les roues avant (ou les quatre lorsque le rouage intégral 4MATIC est coché lors de l'achat), il amène la CLA 250 à 100 km/h en 7,0 secondes et des poussières.

L'autre moteur, nettement plus déluré est toujours un 2,0 litres turbocompressé mais il développe ici la bagatelle de 355 chevaux, ce qui est suffisant pour accélérer de 0 à 100 km/h en 5,6 secondes… dans une sonorité envoûtante… pour un quatre cylindres turbocompressé. Pour gérer les chevaux de l'écurie AMG, seul le rouage intégral est offert.

Si, pour vous, une Mercedes-Benz représente le summum du confort et de la douceur de roulement, n'approchez pas une CLA à moins de porter un scaphandre par-dessus une combinaison antibactérienne. Lors de tours rapides sur une piste de course pour le match des compactes de luxe sportives paru dans le *Guide de l'auto 2015*, la CLA 250 était celle qui possédait le meilleur châssis, les meilleurs freins et, en contrepartie, les suspensions les plus raides. Et c'est encore plus marqué dans la AMG. La direction s'avère précise et bien dosée et le roulis est minimal, même dans la version de base.

La CLA est agréable à conduire au quotidien, mais il faut savoir à quoi s'attendre avant d'en prendre possession chez le concessionnaire. Il faut être prêt à vivre avec des suspensions sèches, des places arrière indignes, des bruits de route envahissants et un prix assez corsé, surtout pour la AMG qui débute aux alentours de 50 000 $.

D'ailleurs, il est recommandé de faire attention aux options. Une CLA 250 peut facilement coûter plus de 40 ou 45 000 $ si l'on se laisse tenter. À ce moment, une C 300 4MATIC, plus logeable et plus confortable, peut devenir très intéressante…

### Châssis - CLA45 AMG 4Matic

| | |
|---|---|
| Emp / lon / lar / haut | 2699 / 4691 / 1777 / 1416 mm |
| Coffre / Réservoir | 470 litres / 56 litres |
| Nbre coussins sécurité / ceintures | 7 / 5 |
| Suspension avant | ind., jambes force |
| Suspension arrière | ind., multibras |
| Freins avant / arrière | disque / disque |
| Direction | à crémaillère, ass. var. élect. |
| Diamètre de braquage | 11,0 m |
| Pneus avant / arrière | P235/40ZR18 / P235/40ZR18 |
| Poids / Capacité de remorquage | 1585 kg / non recommandé |
| Assemblage | Kecskermet, HU |

### Composantes mécaniques

**CLA250, CLA250 4Matic**

| | |
|---|---|
| Cylindrée, soupapes, alim. | 4L 2,0 litres 16 s turbo |
| Puissance / Couple | 208 ch / 258 lb-pi |
| Tr. base (opt) / rouage base (opt) | A7 / Tr (Int) |
| 0-100 / 80-120 / V.Max | 6,9 s / 4,9 s / 240 km/h |
| 100-0 km/h | 43,0 m |
| Type / ville / route / $CO_2$ | Sup / 8,5 / 5,1 l/100 km / 3210 kg/an |

**CLA45 AMG 4Matic**

| | |
|---|---|
| Cylindrée, soupapes, alim. | 4L 2,0 litres 16 s turbo |
| Puissance / Couple | 355 ch / 332 lb-pi |
| Tr. base (opt) / rouage base (opt) | A7 / Int |
| 0-100 / 80-120 / V.Max | 5,1 s / 3,9 s / 250 km/h |
| 100-0 km/h | 37,0 m |
| Type / ville / route / $CO_2$ | Sup / 9,2 / 5,8 l/100 km / 3520 kg/an |

## Du nouveau en 2016

Aucun changement majeur

Photos : Mercedes-Benz Canada

# MERCEDES-BENZ **CLASSE CLS**

**Prix:** 75 900 $ à 123 400 $ (2015)
**Catégorie:** Berline
**Garanties:**
4 ans/80 000 km, 4 ans/80 000 km
**Transport et prép.:** 2 150 $
**Ventes QC 2014:** n.d.
**Ventes CAN 2014:** n.d.

## Cote du Guide de l'auto

# 74 %

Fiabilité

Appréciation générale

Sécurité

Agrément de conduite

Consommation

Système multimédia

## Cote d'assurance

présentée par
**KANETIX.CA**

$$$       $

➕ Silhouette incomparable • Tableau de bord moderne • Choix de moteurs • Version AMG époustouflante • Système 4Matic de série

➖ Places arrière difficiles d'accès • Visibilité arrière très moyenne • Essence super seulement • Certaines commandes complexes • Prix élevés

## Concurrents

Aston Martin Rapide, Audi A8, BMW Série 7, Jaguar XJ, Maserati Quattroporte, Porsche Panamera

# Élégamment vôtre

Denis Duquet

**L**orsque la CLS est arrivée sur le marché en 2004, elle a immédiatement conquis le grand public et les acheteurs par ses formes très élégantes. Ce coupé quatre portes a d'ailleurs tellement connu de succès que les concurrents directs de Mercedes-Benz, soit Audi et BMW, ont répliqué avec leur propre interprétation.

En plus de créer une nouvelle catégorie de véhicules, cette belle intermédiaire a été le coup d'envoi pour Mercedes-Benz de la commercialisation de modèles nettement plus agressifs en fait de forme et de silhouette. Les designs conservateurs et austères ont été relégués aux oubliettes alors que les voitures suivantes ont pris un peu d'inspiration de la CLS.

Déterminés à ne pas se laisser distancer par la concurrence, les designers ont apporté de multiples retouches l'an dernier afin de rajeunir une silhouette qui avait pourtant été modifiée en 2010 avec l'arrivée de la seconde génération. La section avant a été remodelée pour l'harmoniser avec plusieurs Mercedes apparues depuis tandis que la planche de bord a bénéficié d'un nouvel écran d'affichage qui est maintenant en surplomb. Nous sommes loin de la politique traditionnelle de Mercedes qui prenait sept années pour concocter un nouveau modèle et encore sans changement majeur entre-temps! La concurrence est féroce et il faut réagir rapidement. Ce qui explique sans doute pourquoi ce prestigieux constructeur ne cesse de connaître des ventes records mois après mois.

### LA SÉCURITÉ AVANT TOUT
La section avant est plus ou moins similaire à celle des autres Mercedes-Benz dévoilées récemment, soit une calandre arborant en sa partie centrale une poutre transversale chromée dotée au centre du légendaire écusson à l'étoile d'argent. De plus, deux ouvertures béantes à chaque extrémité du pare-chocs permettent une meilleure circulation d'air pour refroidir les freins et optimiser

l'aérodynamique. Lors de la refonte de ce modèle l'an dernier, on a fait appel à des feux de route à haute technologie incorporant des DEL afin d'optimiser l'éclairage et de rendre celui-ci plus sécuritaire. Ces phares sont de type adaptatif et l'intensité du faisceau est réglée automatiquement en fonction des conditions de conduite.

Peu importe le modèle choisi, une multitude d'accessoires visant à promouvoir la sécurité est de série, allant de l'avertissement de présence latérale au système qui ramène le véhicule entre les lignes blanches, sans oublier le régulateur de croisière adaptatif qui gère automatiquement la distance entre votre voiture et celle qui précède. En fait, le niveau de sécurité est tellement élevé que ça prendrait tout ce texte à lui seul pour uniquement décrire l'ensemble de ces systèmes!

La position de conduite idéale est facile à trouver grâce aux multiples réglages des sièges avant qui sont très confortables. Par ailleurs, les occupants des places arrière devront faire preuve d'une certaine souplesse afin de se pencher pour pouvoir monter à bord, en raison d'une ligne de toit passablement agressive. De plus, seules deux personnes peuvent s'asseoir à l'arrière. Comme toute Mercedes-Benz ce qui se respecte, la qualité des matériaux et de la finition est impeccable.

### DE LA PUISSANCE EN MASSE

Pour répondre aux goûts de tout le monde, trois modèles sont proposés. Le premier est le CLS400 4Matic qui est propulsé par un V6 3,0 litres à double turbo produisant 329 chevaux. Comme tous les autres véhicules de la gamme CLS, il est doté du rouage d'entraînement intégral 4Matic et d'une transmission automatique à sept rapports. Capable de performances relativement musclées pour une voiture de cette catégorie, il boucle le 0-100 km/h en 5,3 secondes.

La CLS 550 4Matic abritant un moteur V8 biturbo de 4,6 litres de 402 chevaux est sans doute le choix le plus intéressant en rapport de son prix et de ses performances. Il lui faut 4,8 secondes pour atteindre 100 km/h, départ arrêté. Enfin, si vous aimez la démesure, la CLS 63 AMG 4Matic S garantit des émotions fortes avec sa puissance de 577 chevaux et un temps d'accélération de 3,6 secondes pour le 0-100 km/h.

Et peu importe le modèle choisi, la tenue de route est au rendez-vous, de même que le confort et le silence de roulement.

### Châssis - CLS 63 AMG S-Model 4Matic

| | |
|---|---|
| Emp / lon / lar / haut | 2874 / 4995 / 2075 / 1416 mm |
| Coffre / Réservoir | 520 litres / 80 litres |
| Nbre coussins sécurité / ceintures | 10 / 4 |
| Suspension avant | ind., multibras |
| Suspension arrière | ind., pneumatique, multibras |
| Freins avant / arrière | disque / disque |
| Direction | à crémaillère, ass. var. élect. |
| Diamètre de braquage | 11,8 m |
| Pneus avant / arrière | P255/35R19 / P285/30R19 |
| Poids / Capacité de remorquage | 1870 kg / n.d. |
| Assemblage | Sindelfingen, DE |

### Composantes mécaniques

**CLS 400 4Matic**

| | |
|---|---|
| Cylindrée, soupapes, alim. | V6 3,0 litres 24 s turbo |
| Puissance / Couple | 329 ch / 354 lb-pi |
| Tr. base (opt) / rouage base (opt) | A7 / Int |
| 0-100 / 80-120 / V.Max | 5,3 s (const) / n.d. / 210 km/h |
| 100-0 km/h | n.d. |
| Type / ville / route / $CO_2$ | Sup / 12,1 / 8,5 l/100 km / 4821 kg/an |

**CLS 550 4Matic**

| | |
|---|---|
| Cylindrée, soupapes, alim. | V8 4,6 litres 32 s turbo |
| Puissance / Couple | 402 ch / 443 lb-pi |
| Tr. base (opt) / rouage base (opt) | A7 / Int |
| 0-100 / 80-120 / V.Max | 4,8 (const) / n.d. / 210 km/h |
| 100-0 km/h | n.d. |
| Type / ville / route / $CO_2$ | Sup / 14,5 / 10,1 l/100 km / 5759 kg/an |

**CLS 63 AMG S-Model 4Matic**

| | |
|---|---|
| Cylindrée, soupapes, alim. | V8 5,5 litres 32 s turbo |
| Puissance / Couple | 577 ch / 590 lb-pi |
| Tr. base (opt) / rouage base (opt) | A7 / Int |
| 0-100 / 80-120 / V.Max | 3,6 s (const) / n.d. / 300 km/h |
| 100-0 km/h | n.d. |
| Type / ville / route / $CO_2$ | Sup / 15,1 / 10,8 l/100 km / 6056 kg/an |

## Du nouveau en 2016

Aucun changement majeur

Photos : Mercedes-Benz Canada

DIESEL

## MERCEDES-BENZ **CLASSE E**

(((SiriusXM)))

**Prix :** 59 500 $ à 113 500 $ (2015)
**Catégorie :**
Berline, Familiale
**Garanties :**
4 ans/80 000 km, 4 ans/80 000 km
**Transport et prép. :** 2 092 $
**Ventes QC 2014 :** 725 unités*
**Ventes CAN 2014 :** 3 789 unités*

Cote du Guide de l'auto

# 76 %

Fiabilité ■■■■■□□□□□

Appréciation générale ■■■■■■■□□□

Sécurité ■■■■■■■■■□

Agrément de conduite ■■■■■■■□□□

Consommation ■■■■■□□□□□

Système multimédia ■■■■■■■□□□

**Cote d'assurance**
■■■■■■□□□□
$$$                    $

présentée par
**KANETIX.CA**

➕ Sécurité optimisée • Excellent choix de moteurs • Familiale E 63 AMG 4MATIC épatante • Confort garanti • Rouage 4MATIC au point

➖ Modèle en fin de carrière • Certaines commandes intrigantes • Véhicules lourds • Technologies complexes • Prix corsé

### Concurrents

Audi A6, BMW Série 5, Cadillac CTS, Infiniti Q70, Jaguar XF, Lexus GS, Maserati Ghibli, Volvo S80

# La reine de la sécurité

Denis Duquet

**A**u début de 2013, le prestigieux constructeur allemand Mercedes-Benz présentait une version améliorée de la berline et de la familiale de la Classe E. Les changements esthétiques étaient plus ou moins importants, tout au plus quelques retouches afin d'harmoniser ces voitures avec l'ensemble de la famille. Famille qui a connu des transformations par la suite, de sorte que maintenant la Classe E diffère visuellement des Classes C et S. Ceci devrait se régulariser d'ici peu, car on prévoit qu'au prochain Salon de l'auto de Detroit, en janvier 2016, la future génération des berlines et familiales Classe E sera dévoilée.

Il ne faut pas pour autant négliger l'offre actuelle qui est commercialisée en tant que modèle 2016 depuis peu. La révision effectuée en 2013 avait surtout pour but d'intégrer une pléthore de systèmes de sécurité actifs, tous plus sophistiqués les uns que les autres. En effet, les ingénieurs ont concocté de nouveaux systèmes afin de protéger soit les piétons, soit les occupants de la voiture. Puisque les modèles Mercedes-Benz possédaient déjà plusieurs systèmes électroniques, les ingénieurs ont dû travailler beaucoup pour réussir à les harmoniser avec les nouveaux. Ce qui a fait de la Classe E la voiture la plus sécuritaire sur le marché jusqu'à ce que les nouveautés proposées par la Classe C et la nouvelle Classe S arrivent chez les concessionnaires quelques mois plus tard.

### PARLONS SÉCURITÉ

Les systèmes de sécurité embarqués dans une berline ou une familiale de Classe E sont tellement nombreux que leur seule nomenclature prendrait une bonne partie de ce texte. Contentons-nous de souligner les éléments les plus importants et les plus susceptibles d'affecter votre sécurité. Prenons par exemple le système DISTRONIC PLUS qui a été essentiellement conçu pour faciliter la conduite dans la circulation. Il permet à la voiture de rester sur sa voie et de maintenir la distance souhaitée avec la voiture qui précède. Un autre dispositif digne de

* Incluant les versions coupé et cabriolet

mention et intégré au DISTRONIC PLUS est le BAS PLUS qui détecte les piétons et la circulation transversale. En plus de vous avertir de leur présence, il augmente la puissance de freinage de la voiture afin de la ralentir le plus rapidement ou même de l'immobiliser avant un impact.

Enfin, l'un des mécanismes le plus simple mais le plus apprécié est l'ATTENTION ASSIST qui détecte tout endormissement et vous avertit en affichant une tasse de café au centre de l'indicateur de vitesse avec un message vous incitant à prendre un repos. Ce système prend plusieurs facteurs en considération mais ce sont surtout les mouvements du volant qui sont propres à un conducteur qui s'endort qui constituent sa principale source d'information.

Comme sur tous les modèles Mercedes-Benz, la qualité des matériaux et de l'assemblage est sans reproche. Il faut également souligner le confort des sièges avant. Il est même possible de commander en option un système adaptatif qui fournit un support additionnel dans le sens contraire du virage afin d'offrir un meilleur maintien latéral. Par contre, le système de gestion affiché dans l'écran nécessite un peu de patience et un bon temps d'adaptation.

### LE *ÜBER CAR*

L'acheteur a l'embarras du choix en ce qui a trait à la motorisation. Le moteur le plus économique en carburant est le quatre cylindres turbodiesel 2,1 litres de 195 chevaux qui vous permet d'anticiper une consommation de carburant de moins de 7,0 l/100 km. Ce qui est digne de mention. Suit ensuite deux V6 à essence, atmosphérique et biturbo, sans oublier l'incontournable V8 de 4,6 litres de 402 chevaux.

En plus de tous ces moteurs, il faut prendre le temps de parler du fabuleux modèle E 63 AMG S-Model offert en versions berline et familiale. Son V8 de 5,5 litres produit la bagatelle de 577 chevaux et ses performances sont carrément époustouflantes. Il est associé à une boîte automatique à sept rapports et toute cette cavalerie est transmise aux quatre roues par l'intermédiaire du système 4MATIC.

L'arrivée de la prochaine génération des berlines et familiales de la Classe E fait tourner le moulin à rumeurs à une vitesse folle. Des photos-espionnes laissent anticiper une silhouette plus sportive et l'on parle du retour des moteurs à six cylindres en ligne sous le capot.

On verra bien!

### Châssis - E250 BlueTEC 4Matic berline

| | |
|---|---|
| Emp / lon / lar / haut | 2874 / 4879 / 2071 / 1477 mm |
| Coffre / Réservoir | 540 litres / 80 litres |
| Nbre coussins sécurité / ceintures | 9 / 5 |
| Suspension avant | ind., multibras |
| Suspension arrière | ind., multibras |
| Freins avant / arrière | disque / disque |
| Direction | à crémaillère, ass. var. élect. |
| Diamètre de braquage | 11,3 m |
| Pneus avant / arrière | P245/40R18 / P245/40R18 |
| Poids / Capacité de remorquage | 1845 kg / n.d. |
| Assemblage | Sindelfingen, DE |

### Composantes mécaniques

**E250 BlueTEC 4Matic**

| | |
|---|---|
| Cylindrée, soupapes, alim. | 4L 2,1 litres 16 s turbo |
| Puissance / Couple | 195 ch / 369 lb-pi |
| Tr. base (opt) / rouage base (opt) | A7 / Int |
| 0-100 / 80-120 / V.Max | 7,9 s / 5,8 s / 210 km/h |
| 100-0 km/h | 42,7 m |
| Type / ville / route / $CO_2$ | Dié / 8,6 / 5,9 l/100 km / 3988 kg/an |

**E550 4Matic**

| | |
|---|---|
| Cylindrée, soupapes, alim. | V8 4,6 litres 32 s turbo |
| Puissance / Couple | 402 ch / 443 lb-pi |
| Tr. base (opt) / rouage base (opt) | A7 / Prop (Int) |
| 0-100 / 80-120 / V.Max | 4,8 s / n.d. / 210 km/h |
| 100-0 km/h | n.d. |
| Type / ville / route / $CO_2$ | Sup / 12,2 / 7,8 l/100 km / 4701 kg/an |

**E63S AMG 4Matic**

| | |
|---|---|
| Cylindrée, soupapes, alim. | V8 5,5 litres 32 s turbo |
| Puissance / Couple | 577 ch / 590 lb-pi |
| Tr. base (opt) / rouage base (opt) | A7 / Int |
| 0-100 / 80-120 / V.Max | 3,6 s / n.d. / 300 km/h |
| 100-0 km/h | n.d. |
| Type / ville / route / $CO_2$ | Sup / 15,2 / 11 l/100 km / 6123 kg/an |

**E300 4Matic**

V6 3,5 l - 248 ch/251 lb-pi - A7 - 0-100 : 7,4 s - 12,9/9,6 l/100 km

**E400 4Matic**

V6 3,0 l - 329 ch/354 lb-pi - A7 - 0-100 : 5,3 s - 12,4/8,8 l/100 km

### Du nouveau en 2016

Aucun changement majeur. Nouvelle génération sera présentée au début de 2016.

Photos: Mercedes-Benz Canada

# MERCEDES-BENZ **CLASSE E COUPÉ/CABRIOLET**

**Prix :** 59 500 $ à 113 500 $ (2015)
**Catégorie :**
Cabriolet, Coupé
**Garanties :**
4 ans/80 000 km, 4 ans/80 000 km
**Transport et prép. :** 2 092 $
**Ventes QC 2014 :** 725 unités*
**Ventes CAN 2014 :** 3 789 unités*

Cote du Guide de l'auto

# 76 %

| Fiabilité | Appréciation générale |
|---|---|
| ■■■■■■□□□□ | ■■■■■■■□□□ |
| Sécurité | Agrément de conduite |
| ■■■■■■■□□□ | ■■■■■■■□□□ |
| Consommation | Système multimédia |
| ■■■■■■□□□□ | ■■■■■■■□□□ |

Cote d'assurance
■■■■■□□□□□
$$$        $

présentée par
**KANETIX.CA**

➕ Solidité de la caisse et du châssis •
Performances et consommation du V6 •
Tenue de route et freinage • Accès
facile à l'habitacle (places avant)

➖ Absence d'un rouage intégral
(cabriolet et V8) • Pas de version AMG •
Pneus et jantes paraissent trop petits •
Coffre arrière étriqué

**Concurrents**
Audi A6, BMW Série 5, Cadillac CTS,
Infiniti Q70, Jaguar XF, Lexus GS,
Maserati Ghibli, Volvo S80

# Les portes
# d'une cathédrale

Jean-François Guay

**D**e quelle couleur préférez-vous votre Classe E Cabriolet : marron, blanc, rouge, bleu, gris, ou noir ? Et si vous recherchez un contraste des couleurs, le toit souple peut être teint en rouge, bleu, brun ou noir ! Pour la touche finale, l'acheteur doit choisir entre quatre modèles de jantes dont la pointure se limite à 18 pouces. Avouons que les stylistes de Mercedes-Benz auraient pu offrir un plus vaste assortiment de pneumatiques dans les tailles de 19 et 20 pouces. Mais ce n'est pas fini... puisque pour compliquer davantage vos choix, les baquets en cuir peuvent être recouverts de huit couleurs différentes alors que les appliques intérieures peuvent être garnies en bois (ronce de noyer ou frêne foncé) ou en aluminium (structuré ou à stries transversales).

Somme toute, à moins d'acheter une voiture déjà en concession, vous passerez beaucoup de temps à éplucher le catalogue de commandes et à comprendre tous les groupes d'options. Sans compter que vous devrez déterminer le nombre de cylindres du moteur : un V6 ou un V8 ? Une tâche beaucoup moins complexe que de choisir le moteur de la berline de Classe E parmi cinq motorisations !

**DEUX MOTEURS**
Le cabriolet et le coupé se limitent à deux moteurs : un V6 biturbo de 3,0 litres ou un V8 biturbo de 4,6 litres. Pour l'instant, la version AMG n'est pas dans les plans du constructeur à l'étoile, pas plus que le moteur turbodiesel. Pour ceux qui ne le savaient pas encore, Mercedes-Benz a dévoilé une nouvelle gamme de moteurs au cours des dernières années. Ces changements ont été faits avec tellement de discrétion qu'on a de la difficulté à s'y retrouver.

L'an passé, le V6 biturbo de 3,0 litres a pris la relève du vénérable V6 de 3,5 litres dans la version d'entrée de gamme, qui s'appelle désormais E 400 au lieu de E 350. Ce nouveau V6 développe 329 chevaux

\* Incluant les versions berline et familiale

comparativement à 302 chevaux précédemment. Le couple de 354 livres-pied représente un bond important par rapport aux 273 livres-pied du défunt 3,5 litres. La présence d'un double turbo permet d'obtenir de meilleures accélérations et de réduire la consommation de carburant. Quant au V8 biturbo de 4,6 litres équipant l'E 550, il génère une puissance de 402 chevaux et un couple de 443 livres-pied.

Les deux moteurs sont jumelés à une boîte automatique à sept rapports qui effectue les changements de vitesse de façon imperceptible. Quant à la traction intégrale 4MATIC, elle est offerte uniquement avec le V6 dans le coupé E 400. Il est regrettable que le cabriolet E 400 ne puisse se targuer d'être une voiture quatre saisons au même titre qu'une Audi A5, ou la BMW Série 4 qui peut bénéficier du rouage intégral xDrive en option. Il est navrant aussi que le V8 du coupé et du cabriolet de Classe E ne puisse profiter des faveurs du système 4MATIC. Ce privilège est réservé aux moteurs V8 de la berline Classe E et de la version E 63 AMG de la berline et de la familiale.

Plus léger que le cabriolet, le coupé se révèle plus agile sur la route, et plus vif aussi. Le V6 représente sans doute la meilleure motorisation pour ce modèle, même si le V8 propose des accélérations foudroyantes. Cela dit, le V6 ne souffre d'aucun temps de réponse, il répond présent à chaque sollicitation des gaz. Et la tentation de transgresser les limites de vitesse nous tient continuellement en haleine tellement la voiture est stable et envoûtante sur les autoroutes.

Malgré l'absence de la transmission intégrale, la bonne répartition des masses est telle qu'on peut inscrire les E 400 Cabriolet et E 550 avec précision et confiance dans les virages, et ce, même si la chaussée est mouillée. Les pneus de 18 pouces font le boulot, cependant, on préférerait des pneumatiques et des jantes de plus grande dimension afin d'embellir le style et rehausser les proportions avant/arrière de la carrosserie.

### FACILITÉ D'EMBARQUEMENT

Si les personnes costaudes ou très grandes croient que tous les coupés et cabriolets sont mal adaptés à leur physique, elles ont tort. De toutes les voitures sur le marché, le coupé et le cabriolet de Classe E disposent assurément des plus larges portières. L'absence d'un pilier B (entre les glaces latérales) accroît la facilité pour entrer et sortir du véhicule.

Même si certains VUS offrent des portes quasiment aussi larges, ces véhicules ont le désavantage d'avoir une garde au sol plus élevée qui rend difficile l'accès à l'habitacle. Dans le cas de la Classe E, la hauteur de l'assise des baquets est juste correcte et l'on s'y glisse aisément. En revanche, on convient que la Classe E n'est pas à la portée de toutes les bourses!

| Châssis - E250 BlueTEC 4Matic berline | |
|---|---|
| Emp / lon / lar / haut | 2874 / 4879 / 2071 / 1477 mm |
| Coffre / Réservoir | 540 litres / 80 litres |
| Nbre coussins sécurité / ceintures | 9 / 5 |
| Suspension avant | ind., multibras |
| Suspension arrière | ind., multibras |
| Freins avant / arrière | disque / disque |
| Direction | à crémaillère, ass. var. élect. |
| Diamètre de braquage | 11,3 m |
| Pneus avant / arrière | P245/40R18 / P245/40R18 |
| Poids / Capacité de remorquage | 1845 kg / n.d. |
| Assemblage | Sindelfingen, DE |

| Composantes mécaniques | |
|---|---|
| **E400** | |
| Cylindrée, soupapes, alim. | V6 3,0 litres 24 s turbo |
| Puissance / Couple | 329 ch / 354 lb-pi |
| Tr. base (opt) / rouage base (opt) | A7 / Int (Prop) |
| 0-100 / 80-120 / V.Max | 5,3 s / n.d. / 210 km/h |
| 100-0 km/h | n.d. |
| Type / ville / route / CO$_2$ | Sup / 12,4 / 8,8 l/100 km / 4959 kg/an |
| **E550** | |
| Cylindrée, soupapes, alim. | V8 4,6 litres 32 s turbo |
| Puissance / Couple | 402 ch / 443 lb-pi |
| Tr. base (opt) / rouage base (opt) | A7 / Prop (Int) |
| 0-100 / 80-120 / V.Max | 4,8 s / n.d. / 210 km/h |
| 100-0 km/h | n.d. |
| Type / ville / route / CO$_2$ | Sup / 12,2 / 7,8 l/100 km / 4701 kg/an |

### Du nouveau en 2016

Classe E coupé: Système COMAND évolué avec navigateur Internet, nouvelles couleurs de carrosserie.

MERCEDES-BENZ CLASSE E COUPÉ/CABRIOLET

# MERCEDES-BENZ **CLASSE G**

**Prix:** 125 000 $ à 155 000 $ (estimé)
**Catégorie:** VUS
**Garanties:**
4 ans/80 000 km, 4 ans/80 000 km
**Transport et prép.:** n.d.
**Ventes QC 2014:** 374 unités
**Ventes CAN 2014:** 2 599 unités

## Cote du Guide de l'auto

# 64 %

| Fiabilité | Appréciation générale |
|---|---|
| Sécurité | Agrément de conduite |
| Consommation | Système multimédia |

## Cote d'assurance

présentée par
**KANETIX.CA**

$$$        $

➕ Prestige automatique • Rouage intégral efficace • Solidité à toute épreuve • Performances surprenantes • Véhicule hors normes

➖ Comportement routier limité • Consommation élevée • Style dépassé • Habitabilité moyenne • Porte arrière à battant très lourde

**Concurrents**
BMW X6, Porsche Cayenne

## Rien ne l'arrête

Denis Duquet

**L**e Mercedes-Benz Classe G, ce gros VUS aux formes archicarrées est dénigré avec vigueur par plusieurs tandis qu'il est apprécié par un plus grand nombre de gens encore. Sa silhouette datant des années 70 n'a rien pour faire rêver, et même si son habitacle s'est modernisé, il n'en demeure pas moins un tantinet austère. Pourtant, c'est un véhicule incomparable à plusieurs points de vue.

En tout premier lieu, il est incomparable en raison de son allure dépassée et de ses dimensions qui paraissent plus imposantes qu'elles ne le sont réellement. Rares sont les véhicules utilitaires capables d'en découdre aussi bien que lui avec les pires conditions de sentier. Incomparable, enfin, puisqu'il se vend à un prix faramineux et est considéré avant tout comme étant un véhicule de luxe avant d'être un utilitaire.

Malgré tout, dépouillé de tout artifice de luxe, ce même Geländewagon — c'est son nom de famille — est utilisé par plusieurs forces armées, notamment le Canada. Il existe en version «professionnelle» sur le continent européen alors qu'il s'agit d'un modèle dégarni et destiné au travail sur les chantiers, par les entreprises forestières par exemple.

### DES ESSIEUX RIGIDES EN PLUS

Ce Mercedes-Benz de Classe G est sans doute le seul véhicule utilitaire sport dont le prix dépasse 100 000 $ et qui est doté d'essieux rigides à l'avant comme à l'arrière. En effet, malgré son prix, c'est un authentique tout-terrain pur et dur, et les spécialistes affirment toujours que ce type d'essieu est supérieur à une suspension indépendante pour négocier des conditions de sentiers presque impraticables.

En outre, le rouage d'entraînement comprend trois différentiels, soit à l'avant, à l'arrière et au centre. Selon les conditions du terrain, il est possible de les verrouiller tous les trois afin d'assurer une traction sans égal. Bien entendu, plusieurs systèmes de contrôle électroniques ont été ajoutés au fil des années tant pour la conduite hors route que sur route. Par exemple, le G est équipé du système DISTRONIC PLUS qui gère automatiquement la distance avec le véhicule qui précède. Ce dispositif interviendra si jamais le véhicule devant s'immobilise.

Sur le marché canadien, deux modèles sont au catalogue. Le premier, le G500, remplace le G550. Il est propulsé par un V8 de 4,0 litres à double turbocompresseur produisant 416 chevaux. L'ancien 5,5 litres permettait de boucler le traditionnel 0-100 km/h en 6,1 secondes, ce qui, avouons-le, était quand même impressionnant pour un véhicule de plus de deux tonnes et demi! Le nouveau moteur devrait retrancher quelques dixièmes.

Et ça, c'est sans compter sur le G63 AMG dont la version turbocompressée du V8 de 5,5 litres déploie 27 chevaux de plus que l'an passé. Il est certain que 536 chevaux, c'était nettement insuffisant.... Ce monstre de puissance atteignait 100 km/h départ arrêté en 5,4 secondes. Maintenant, grâce à son écurie de 563 chevaux, il devrait pouvoir le faire en 5,3. On n'arrête pas le progrès...

Selon Mercedes-Benz, la vitesse de pointe de ces deux mastodontes dépasse 200 km/h. J'aimerais bien rencontrer une personne ayant l'audace de les pousser à une telle vitesse, surtout s'il y a un fort vent latéral. Et pour demeurer dans la démesure, il faut souligner que le G est aussi offert en version G 65 AMG avec un V12 biturbo de 621 chevaux avec sortie d'échappement latéral. Récemment, on a même concocté un modèle à six roues qui en fait rêver plusieurs mais qui ne devrait pas traverser l'Atlantique. Mais, on ne sait jamais.

### BONNE ET MAUVAISE NOUVELLE

Débutons par la mauvaise nouvelle. En premier lieu, la hauteur du véhicule rend l'accès à bord un peu difficile et une fois les portières refermées, on est impressionné ou surpris par l'étroitesse de l'habitacle. Par contre, depuis une révision il y a quelques années, la planche de bord est plus moderne et plus conviviale. On retrouve même un écran de navigation, un accessoire apprécié lorsque l'on quitte la route. Parlant de route, autre mauvaise nouvelle, c'est que ce Classe G n'aime pas les autoroutes. Il n'est pas aussi mauvais que certains le prétendent, mais les personnes qui se le procurent ne le font pas nécessairement pour rouler à tombeau ouvert sur les *autobahn* germaniques.

En revanche, la bonne nouvelle, c'est que pratiquement aucun terrain ne résiste à ce gros Mercedes-Benz des bois et des champs. Son système de traction intégrale est très sophistiqué et la possibilité de verrouiller deux ou même trois différentiels permet de faire face à différentes conditions. C'est un peu cher pour aller jouer dans la forêt, mais si vous en avez les moyens, ça vaut probablement... le coût!

## Châssis - 500 4Matic

| | |
|---|---|
| Emp / lon / lar / haut | 2850 / 4662 / 2055 / 1951 mm |
| Coffre / Réservoir | 480 à 2250 litres / 96 litres |
| Nbre coussins sécurité / ceintures | 6 / 5 |
| Suspension avant | essieu rigide, ress. hélicoïdaux |
| Suspension arrière | essieu rigide, ress. hélicoïdaux |
| Freins avant / arrière | disque / disque |
| Direction | à billes, assistée |
| Diamètre de braquage | 13,6 m |
| Pneus avant / arrière | P265/60R18 / P265/60R18 |
| Poids / Capacité de remorquage | 2530 kg / 2850 kg (6283 lb) |
| Assemblage | Graz, AT |

## Composantes mécaniques

### 500 4Matic

| | |
|---|---|
| Cylindrée, soupapes, alim. | V8 4,0 litres 32 s turbo |
| Puissance / Couple | 416 ch / 450 lb-pi |
| Tr. base (opt) / rouage base (opt) | A7 / Int |
| 0-100 / 80-120 / V.Max | 5,9 s (const) / n.d. / 210 km/h |
| 100-0 km/h | n.d. |
| Type / ville / route / $CO_2$ | Sup / 19,9 / 16,1 l/100 km / 8367 kg/an |

### 63 AMG

| | |
|---|---|
| Cylindrée, soupapes, alim. | V8 5,5 litres 32 s turbo |
| Puissance / Couple | 563 ch / 560 lb-pi |
| Tr. base (opt) / rouage base (opt) | A7 / Int |
| 0-100 / 80-120 / V.Max | 5,4 s (const) / n.d. / 210 km/h |
| 100-0 km/h | n.d. |
| Type / ville / route / $CO_2$ | Sup / 20,0 / 16,6 l/100 km / 8496 kg/an |

## Du nouveau en 2016

Nouveau moteur (G 500), puissance accrue (G 63 AMG), nouveaux coloris et pare-chocs avant révisé.

Photos: Mercedes-Benz Canada

# MERCEDES-BENZ **CLASSE GLA**

**Prix:** 37 200 $ à 50 500 $ (2015)
**Catégorie:** VUS
**Garanties:**
4 ans/80 000 km, 4 ans/80 000 km
**Transport et prép.:** n.d.
**Ventes QC 2014:** 273 unités
**Ventes CAN 2014:** 964 unités

---

## Cote du Guide de l'auto

# 76 %

| Fiabilité | Appréciation générale |
| n.d. | ■■■■■■■□□□ |
| Sécurité | Agrément de conduite |
| ■■■■■■□□□□ | ■■■■■■■□□□ |
| Consommation | Système multimédia |
| ■■■■■□□□□□ | ■■■■■■□□□□ |

## Cote d'assurance

présentée par

■■■■■■■□□□
$$$              $

**KANETIX.CA**

---

➕ Silhouette accrocheuse • Moteurs
performants • Équipement complet •
Excellente tenue de route • Tableau de
bord moderne

➖ Habitabilité moyenne • Visibilité
arrière perfectible • Vocation hors route
limitée • Suspension ferme (45 AMG)

---

## Concurrents
Audi Q3, BMW X1, Land Rover Range
Rover Evoque, Lexus NX, Lincoln MKC,
Porsche Macan, Volvo XC60

# Peu utilitaire mais vraiment sportif

Denis Duquet

---

**L**'an dernier, après son essai du nouveau Mercedes-Benz Classe GLA, Gabriel Gélinas lui avait promis un bel avenir. Une année plus tard, ce petit VUS de luxe remplit toutes les promesses. Il n'a rien perdu de son allure agressive qui séduit la majorité des gens, sans oublier que sa mécanique — dont les origines ne sont pas glorieuses aux yeux de certains — répond bien aux attentes de la catégorie.

En effet, bravo aux ingénieurs qui ont réussi à adapter un véhicule aux origines relativement modestes – les modèles de Classe A (non distribuée chez nous) et B – pour en faire un produit fort homogène capable de satisfaire une clientèle exigeante. Avec ses larges orifices encadrant la prise d'air centrale, sa calandre verticale transpercée par deux barres chromées sur lesquelles est accrochée l'étoile d'argent sans oublier les feux de route incorporant des DEL, il est difficile de ne pas donner raison à ceux qui se pâment pour sa silhouette.

Et c'est encore mieux sur la version 45 AMG qui possède une calandre avec poutre centrale, un diffuseur arrière, deux sorties d'échappement double et enfin un imposant déflecteur monté sur la partie supérieure du hayon. Bref, c'est la totale en fait d'allure.

### TRADITIONALISTES, S'ABSTENIR
Si l'extérieur de style coup de poing dénote un changement d'attitude de la part des stylistes maison, il en est de même de l'habitacle dont la présentation générale est plus ou moins similaire à celle de la berline CLA. On retrouve plusieurs associations avec les modèles plus luxueux et plus performants de la marque, notamment les buses de ventilation circulaires, les cadrans indicateurs jumelés de type rétro, et l'écran d'affichage en appui sur la planche de bord, un peu à la manière de la Mazda3. Cet écran mesure 5,8 pouces dans les versions de base tandis que celui de 7,0 pouces accompagne le système de navigation.

Les sièges baquets avant sont confortables et offrent un bon support latéral. Bien entendu, le modèle 45 AMG est doté de sièges de type sport qui vous enveloppent littéralement. Par contre, la banquette arrière laisse un espace assez limité pour les jambes mais ça peut toujours aller, surtout si la personne assise devant a le sens du compromis. Compte tenu de la silhouette sportive et du hayon ayant incliné vers l'avant qui réduit les dimensions du coffre à bagages, la capacité de chargement est adéquate : 421 litres. Abaissez le dossier arrière et vous bénéficiez de 1 235 litres.

## RÉGULIER OU SUPER

La personne qui envisage l'achat d'un GLA se voit confrontée à deux choix. Il y a d'abord le GLA 250 4Matic avec son moteur 2,0 litres turbocompressé produisant 208 chevaux et 258 livres-pied de couple. Si elle est à la recherche de plus de performance, il y a le GLA 45 AMG 4Matic, lequel possède tous les atouts pour le combler avec son moteur de 355 chevaux capable de le propulser à 100 km/h départ arrêté en 4,8 secondes, soit 2,3 secondes de moins que le moteur de 208 chevaux.

Les deux sont associés à une boîte automatique à sept rapports à double embrayage, tandis que le rouage intégral 4Matic est de série. Tout comme le système On-Off Road qui, au moyen d'un bouton, permet de modifier les passages de rapport, régulariser la vitesse de descente dans les pentes et l'assistance de la direction. De plus, plusieurs points d'informations sont affichés à l'écran. Par ailleurs, on peut douter de la vocation hors route de ce véhicule puisque la majorité des acheteurs potentiels seront sans doute plus intéressés par son comportement routier et son agrément de conduite.

Même si la transmission à double embrayage est parfois saccadée, cette voiture tout usage est un plaisir à conduire, et ce, dans toutes les versions. Pour les amateurs de conduite sportive, et malgré le fait qu'on soit au volant d'un véhicule à vocation utilitaire, les accélérations pétaradantes du 2,0 litres turbo sont pratiquement jouissives tandis que la tenue en virage est surprenante, surtout pour un véhicule dont le centre de gravité est plus élevé que celui d'une berline.

Compte tenu du prix demandé pour l'une ou l'autre des versions du GLA, force est d'admettre que Mercedes a accompli du bon travail.

### Châssis - 45 AMG 4Matic

| | |
|---|---|
| Emp / lon / lar / haut | 2699 / 4445 / 2022 / 1479 mm |
| Coffre / Réservoir | 421 à 1235 litres / 56 litres |
| Nbre coussins sécurité / ceintures | 8 / 5 |
| Suspension avant | ind., jambes force |
| Suspension arrière | ind., multibras |
| Freins avant / arrière | disque / disque |
| Direction | à crémaillère, ass. var. élect. |
| Diamètre de braquage | 11,8 m |
| Pneus avant / arrière | P235/45R19 / P235/45R19 |
| Poids / Capacité de remorquage | 1585 kg / n.d. |
| Assemblage | Rastatt, DE |

### Composantes mécaniques

**250 4Matic**

| | |
|---|---|
| Cylindrée, soupapes, alim. | 4L 2,0 litres 16 s turbo |
| Puissance / Couple | 208 ch / 258 lb-pi |
| Tr. base (opt) / rouage base (opt) | A7 / Int |
| 0-100 / 80-120 / V.Max | 7,3 s / 5,6 / 210 km/h |
| 100-0 km/h | 40,1 m |
| Type / ville / route / $CO_2$ | Sup / 8,3 / 5,6 l/100 km / 3260 kg/an |

**45 AMG 4Matic**

| | |
|---|---|
| Cylindrée, soupapes, alim. | 4L 2,0 litres 16 s turbo |
| Puissance / Couple | 355 ch / 332 lb-pi |
| Tr. base (opt) / rouage base (opt) | A7 / Int |
| 0-100 / 80-120 / V.Max | 5,2 s / 3,4 s / 250 km/h |
| 100-0 km/h | 37,8 m |
| Type / ville / route / $CO_2$ | Sup / 9,2 / 6,4 l/100 km / 3650 kg/an |

## Du nouveau en 2016

Aucun changement majeur

# MERCEDES-BENZ **CLASSE GLC**

**Prix :** 52 000 $ (estimé)
**Catégorie :** VUS
**Garanties :**
4 ans/80 000 km, 4 ans/80 000 km
**Transport et prép. :** 2 098 $
**Ventes QC 2014 :** 1 206 unités (GLK)
**Ventes CAN 2014 :** 5 599 unités (GLK)

## Cote du Guide de l'auto

# n.d.

| Fiabilité | Appréciation générale |
|---|---|
| n.d. | n.d. |
| Sécurité | Agrément de conduite |
| n.d. | n.d. |
| Consommation | Système multimédia |
| n.d. | n.d. |

## Cote d'assurance

n.d.

présentée par
**KANETIX.CA**

➕ Consommation améliorée • Qualité de finition • Attention aux détails • Habitacle soigné

➖ Lignes plus communes • Une seule mécanique cette année • Système multimédia complexe • Suspension molle même en mode sport

## Concurrents

Acura RDX, Audi Q5, BMW X3, Infiniti QX50, Land Rover Discovery Sport, Porsche Macan, Volvo XC60

# Au revoir, GLK !

Sylvain Raymond

**D**epuis quelques années, Mercedes-Benz accélère le développement de ses nouveaux modèles et jamais sa gamme n'aura été aussi étoffée. Sentant que les acheteurs commençaient à y perdre leur latin et désireux d'éviter encore plus la confusion, le constructeur germanique a décidé de revoir l'appellation de tous ses VUS en la calquant sur celle de ses voitures.

C'est le cas du GLK. Mercedes l'a rebaptisé GLC (« GL » devenant l'appellation générique des VUS et « C » afin de souligner son affiliation à la Classe C de laquelle il est dérivé) et en a aussi profité pour présenter une nouvelle génération, la seconde depuis l'introduction du GLK en 2008. Si les lignes très carrées et classiques du GLK ne nous avaient pas emballées au départ, on avait appris à les apprécier et c'est presque une déception de constater que le style du nouveau GLC est beaucoup plus tendance, plus conformiste.

### BEAUCOUP PLUS GÉNÉRIQUE

Quoi qu'il en soit, le nouveau GLC est davantage en rondeur et si ce n'était de l'imposante étoile argentée placée dans la grille avant, on pourrait bien le confondre avec d'autres VUS, notamment avec le Porsche Macan. Le GLC dispose d'une ceinture de caisse très élevée, un toit relativement plat et une fenestration réduite. Les feux étirés à l'arrière ne sont pas sans nous rappeler ceux de la Classe S alors que l'échappement double avec embouts ovales insuffle un peu plus de sportivité à l'ensemble.

Là où le GLC se démarque, c'est à bord. Au premier regard, on a l'impression d'être au volant d'un modèle beaucoup plus huppé et c'est en grande partie grâce au choix des matériaux et à leur agencement. Les garnitures des portières, du tableau de bord, les grilles métallisées des haut-parleurs et le retro éclairage en soirée rehaussent le sentiment de qualité. On adore aussi le volant et surtout, sa prise en main. Du reste, on retrouve à nouveau l'écran multimédia posé sur le tableau de bord, contrôlé par une molette et un pavé tactile qui ne sont toujours pas des plus simples. Pourquoi ne pas simplement adopter un écran tactile ?

Avec ses dimensions plus imposantes - 120 mm en longueur et 50 mm en largeur – le GLC offre à ses occupants et à leurs bagages davantage d'espace qu'avant.

### LE GLC 300 4MATIC POUR COMMENCER

Alors que l'Europe a droit à plusieurs mécaniques, au Canada on doit se contenter du GLC 300 4Matic cette année. Sous son capot, on ne retrouve plus le V6 de 3,5 litres du GLK, mais plutôt un quatre cylindres de 2,0 litres turbocompressé, le même que dans la berline C 300 4Matic. Il développe 241 chevaux et 273 lb-pi de couple. Malgré la cylindrée réduite du moteur, le sprint du 0-100 km/h se boucle en environ 6,5 secondes ce qui n'est pas si mal. Le poids réduit du modèle y est pour quelque chose, tout comme le couple intéressant du moteur. La transmission à neuf rapports est un charme et malgré sa panoplie de rapports, elle ne semble jamais perdue.

Tous les GLC présentent de l'acronyme 4Matic, ce qui signifie que le rouage intégral est offert de série. D'ailleurs, contrairement au système 4Matic qui équipe le GLA, celui du GLC est à prise constante, envoyant 55 % du couple aux roues arrière en condition normale et, vous l'aurez deviné, 45 % aux roues avant.

Une version à moteur diesel va s'ajouter au fil des années, tout comme une autre, plus puissante, afin de consoler ceux qui se désolent de la puissance moindre du quatre cylindres turbo par rapport à l'ancien V6. Un GLC E Hybrid sera aussi commercialisé avec une mécanique hybride enfichable dont l'autonomie en mode purement électrique sera d'environ 34 km. Quant au coupé récemment dévoilé, il devrait aussi rejoindre les rangs sous peu.

### PLUS CONFORTABLE QUE SPORTIVE

Fidèle à la philosophie de Mercedes-Benz, le GLC fait le compromis d'une conduite plus confortable que dynamique. Il peut avaler les kilomètres dans un grand confort, mais on peut le pousser un peu plus en sélectionnant le mode Sport Plus. À ce moment, la direction se raffermit et la réponse de l'accélérateur est plus prompte, cependant la suspension pourrait être plus ferme.

Le GLC fait peau neuve et il ne déçoit pas en termes de qualité, de silence de roulement et surtout, de technologies destinées à assurer votre sécurité. Il est juste dommage qu'il se fonde dans la masse et que sa palette de coloris ne soit pas plus extravertie !

### Châssis - 300 4Matic

| | |
|---|---|
| Emp / lon / lar / haut | 2873 / 4656 / 2096 / 1639 mm |
| Coffre / Réservoir | 550 à 1600 litres / 66 litres |
| Nbre coussins sécurité / ceintures | 9 / 5 |
| Suspension avant | ind., multibras |
| Suspension arrière | ind., multibras |
| Freins avant / arrière | disque / disque |
| Direction | à crémaillère, ass. var. élect. |
| Diamètre de braquage | 11,8 m |
| Pneus avant / arrière | P235/55R19 / P235/55R19 |
| Poids / Capacité de remorquage | 1765 kg / 1380 kg (3042 lb) |
| Assemblage | Bremen, DE |

### Composantes mécaniques

| | |
|---|---|
| Cylindrée, soupapes, alim. | 4L 2,0 litres 16 s turbo |
| Puissance / Couple | 241 ch / 273 lb-pi |
| Tr. base (opt) / rouage base (opt) | A9 / Int |
| 0-100 / 80-120 / V.Max | 6,5 s (est) / n.d. / 222 km/h |
| 100-0 km/h | n.d. |
| Type / ville / route / $CO_2$ | Sup / 8,5 / 6,3 l/100 km / 3455 kg/an |

### Du nouveau en 2016

Nouveau modèle

GLE COUPÉ

# MERCEDES-BENZ **CLASSE GLE / COUPÉ**

**Prix :** 63 500 $ à 113 000 $ (estimé)
**Catégorie :** VUS
**Garanties :**
4 ans / 80 000 km, 4 ans / 80 000 km
**Transport et prép. :** 2 045 $
**Ventes QC 2014 :** 935 unités
**Ventes CAN 2014 :** 5 532 unités

## Cote du Guide de l'auto

# 69 %

| Fiabilité | Appréciation générale |
| --- | --- |
| ■■■■■□□□□□ | ■■■■■■■□□□ |
| Sécurité | Agrément de conduite |
| ■■■■■■■□□□ | ■■■■■■□□□□ |
| Consommation | Système multimédia |
| ■■■■■□□□□□ | ■■■■■■□□□□ |

## Cote d'assurance

■■■■■■■□□□

$$$                                     $

présentée par
**KANETIX.CA**

➕ Roulement doux et confortable •
Espace intérieur volumineux • Moteur
diesel frugal au couple généreux •
Choix de motorisations

➖ Sensation vague du levier de
vitesses • Réponse parfois lente du
système de navigation • Visibilité et
volume cargo réduits (Coupé GLE) •
Style encore un peu anonyme (GLE)

**Concurrents**
Acura MDX, Audi Q7, BMW X5, Cadillac
SRX, Infiniti QX70, Lexus RX, Lincoln
MKX, Porsche Cayenne, Volkswagen
Touareg, Volvo XC90

# Nouveau nom, nouveau style et nouveau coupé

Costa Mouzouris

**M**ercedes-Benz est au cœur d'un processus de renouvellement de toute sa gamme de VUS et chaque nouveau modèle est accompagné d'un nouveau nom. C'est ainsi que le ML devient le GLE.

**LE PASSAGE DE ML À GLE**
Le GLE se situe au milieu de la gamme des VUS de Mercedes. Plus spacieux que le GLC, mais moins gros et moins cher que le GL, il a droit à un léger remodelage pour 2016 : pare-chocs et calandre redessinés, nouveaux matériaux et nouvelles couleurs à l'intérieur.

Le GLE arbore des lignes extérieures fonctionnelles qui le rendent peu distinctif par rapport à d'autres VUS. Il se fond discrètement dans le paysage urbain, ce qui n'est pas nécessairement un défaut. Même les versions AMG sont plutôt sobres et elles n'affichent pas le petit côté plus flamboyant de certains coupés et berlines au logo AMG.

Le choix de moteurs demeure identique à celui de l'ancien modèle M : un V6 biturbo de 3,0 litres de 329 ch (GLE 400) ou de 362 ch (GLE 450 AMG), un V8 biturbo de 429 ch (GLE 550) ou de 577 ch (Mercedes-AMG GLE 63 S) et un V6 turbodiesel de 3,0 litres qui produit 249 chevaux et un couple impressionnant de 457 lb-pi (GLE 350d). Les moulins à essence sont reliés à une boîte à sept rapports. Le moulin au diesel bénéficie de la nouvelle automatique 9G-Tronic à neuf rapports.

Près de 85 % des acheteurs de Mercedes Classe ML choisissaient le moteur diesel BlueTEC plutôt que ceux à essence, et l'on peut s'attendre à ce que cette tendance se maintienne avec le GLE. Ce moteur est remarquablement silencieux, il livre un couple particulièrement généreux à bas régime et consomme peu.

Toutes les versions sont livrées avec le bouton de commande Dynamic Select. Selon les déclinaisons, il permet de choisir jusqu'à six modes de conduite, dont confort, sport, routes glissantes et hors route.

Chaque mode ajuste automatiquement différents paramètres reliés à la fermeté de la direction, la hauteur du véhicule (avec la suspension AIRMATIC) la réponse de la transmission et la cartographie moteur.

Dans la planche de bord, un nouvel écran COMAND de 20,3 cm beaucoup plus grand remplace l'ancien modèle de 11,2 cm. Il dépasse vers le haut, ce qui donne l'impression qu'il s'agit d'un accessoire ajouté, mais son grand format est tout de même bienvenue.

Il est relativement facile de naviguer dans les différents menus, cependant, il faut s'habituer au système de contrôle avec pavé tactile intégré. Le système de navigation est parfois lent, ce qui peut s'avérer agaçant quand on approche d'une sortie ou d'un point de bifurcation.

### LE COUPÉ GLE

Le Coupé GLE est un nouveau modèle avec un style plus sportif et un toit avec pente arrière plus prononcée, à la BMW X6. Il est surprenant de voir à quel point le simple remaniement de la courbe du toit a transformé l'allure du GLE. Le coupé conserve le même empattement, mais il est moins large, plus long et un peu plus bas. De série, il est équipé de roues de 20 pouces au lieu des roues de 19 pouces de base du GLE.

En matière de groupes motopropulseurs, le coupé offre le turbodiesel (GLE 350d), le V6 biturbo à essence de 362 ch (GLE 450 AMG) et le V8 biturbo de 577 chevaux (Mercedes-AMG GLE 63 S). Cependant, dans ce cas-ci, le GLE 450 AMG hérite de la boîte automatique à neuf rapports. L'allure sportive impose une légère pénalité à l'espace de chargement ; le volume est réduit de 290 litres par rapport au GLE, mais totalise tout de même encore 1 720 litres. On observe également une réduction de la visibilité arrière, Mercedes offre toutefois une excellente caméra à 360° pour vous aider à reculer dans les endroits serrés.

Évidemment, tous les dispositifs de sécurité et d'aide à la conduite sont de retour : système actif de maintien de la voie, régulateur de vitesse actif, prévention des collisions, avertisseur d'angle mort, système de stabilisation par vents latéraux, etc.

Les véhicules de classe M ont été redessinés en 2012 et les changements de cette année constituent essentiellement une mise à jour en milieu de cycle. La plus grande nouveauté est du côté du coupé, un véhicule qui tentera de séduire une autre catégorie de clients.

### Châssis - 550 4Matic

| | |
|---|---|
| Emp / lon / lar / haut | 2915 / 4819 / 2141 / 1758 mm |
| Coffre / Réservoir | 690 à 2010 litres / 93 litres |
| Nbre coussins sécurité / ceintures | 9 / 5 |
| Suspension avant | ind., pneumatique, double triangulation |
| Suspension arrière | ind., pneumatique, multibras |
| Freins avant / arrière | disque / disque |
| Direction | à crémaillère, ass. var. élect. |
| Diamètre de braquage | 11,8 m |
| Pneus avant / arrière | P265/45R20 / P265/45R20 |
| Poids / Capacité de remorquage | 2235 kg / 3500 kg (7716 lb) |
| Assemblage | Tuscaloosa, AL |

### Composantes mécaniques

**350d 4Matic, 350d 4Matic coupé**

| | |
|---|---|
| Cylindrée, soupapes, alim. | V6 3,0 litres 24 s turbo |
| Puissance / Couple | 249 ch / 457 lb-pi |
| Tr. base (opt) / rouage base (opt) | A9 / Int |
| 0-100 / 80-120 / V.Max | 7,0 s (const) / n.d. / 226 km/h |
| 100-0 km/h | n.d. |
| Type / ville / route / $CO_2$ | Dié / n.d. / n.d. / n.d. |

**400 4Matic**

| | |
|---|---|
| Cylindrée, soupapes, alim. | V6 3,0 litres 24 s turbo |
| Puissance / Couple | 329 ch / 354 lb-pi |
| Tr. base (opt) / rouage base (opt) | A7 / Int |
| 0-100 / 80-120 / V.Max | 6,1 s (const) / n.d. / 247 km/h |
| 100-0 km/h | n.d. |
| Type / ville / route / $CO_2$ | Sup / 13,3 / 10,4 l/100 km / 5518 kg/an |

**AMG 63 S 4Matic, AMG 63 S 4Matic coupé**

| | |
|---|---|
| Cylindrée, soupapes, alim. | V8 5,5 litres 32 s turbo |
| Puissance / Couple | 577 ch / 560 lb-pi |
| Tr. base (opt) / rouage base (opt) | A7 / Int |
| 0-100 / 80-120 / V.Max | 4,2 s (const) / n.d. / 250 km/h |
| 100-0 km/h | n.d. |
| Type / ville / route / $CO_2$ | Sup / n.d. / n.d. / n.d. |

**550 4matic**

V8 - 4,7 litres - 429ch / 576 lb - pi -A7 - 0 - 100 : 5,3 S (const)
16,3/11,8L/100km

### Du nouveau en 2016

Nouveau nom. Parties avant, arrière et tableau de bord redessinés. Nouveau modèle GLE Coupé. Nouvelle transmission 9 rapports pour le GLE 350d.

GLE

Photos : Costa Mouzouris, Mercedes-Benz Canada

## MERCEDES-BENZ **CLASSE GL**

**Prix :** 78 500 $ à 128 400 $ (2015)
**Catégorie :** VUS
**Garanties :**
4 ans / 80 000 km, 4 ans / 80 000 km
**Transport et prép. :** 2 199 $
**Ventes QC 2014 :** 374 unités *
**Ventes CAN 2014 :** 2 599 unités *

---

### Cote du Guide de l'auto
# 69 %

Fiabilité
■■■■■■□□□□

Appréciation générale
n.d.

Sécurité
■■■■■■■□□□

Agrément de conduite
■■■■■■■□□□

Consommation
■■■■□□□□□□

Système multimédia
■■■■■■■□□□

### Cote d'assurance
■■■■■□□□□□
$$$                    $

présentée par
**KANETIX.CA**

➕ Excellent moteur diesel • Confort royal • Habitacle silencieux • Bonnes capacités de remorquage • De la technologie en veux-tu, en v'là !

➖ Prix élitiste • Coûts d'entretien dantesques • Centres-villes à éviter • Accélérateur peu progressif • Consommation absolue (sauf V6 turbodiesel)

### Concurrents
Cadillac Escalade, Infiniti QX80, Land Rover Range Rover, Lexus LX, Lincoln Navigator

# Tradition allemande oblige

Alain Morin

**E**n novembre 2014, Mercedes-Benz annonçait qu'elle allait renommer plusieurs de ses modèles dans le but de mettre un peu de logique dans sa (large) gamme de véhicules. Par exemple, le Classe GL deviendra le GLS puisqu'il est construit à partir de la plate-forme de la luxueuse berline Classe S. Cette année, le GL conserve son nom, mais d'ici quelques mois, les rumeurs parlent du Salon de Los Angeles en novembre prochain, une nouvelle génération devrait être présentée et le S viendra s'ajouter à la nomenclature.

Ces précisions sémantiques apportées, soulignons que le GL est le plus imposant VUS de Mercedes-Benz. Il suffit de monter à bord pour s'en rendre compte. Ou de le stationner en parallèle sur Saint-Denis. Pourtant, dans le petit monde des immenses VUS de luxe, il est l'un des plus chétifs. Chétif n'est peut-être pas le bon mot, remarquez… Il est plus court que le Cadillac Escalade, que l'Infiniti QX80 et que le Lincoln Navigator. En toute logique, son coffre est aussi l'un des moins logeables. À peine 295 litres lorsque les dossiers de la troisième rangée sont relevés et 2 300 quand tous les dossiers sont baissés. On peut quand même se perdre si l'on s'y aventure sans boussole, mais on sera retrouvé par les secours plus rapidement que dans un Navigator.

### ALLEMAND JUSQU'AU BOUT DES PNEUS
Comme dans tout produit Mercedes-Benz, le tableau de bord est d'une logique à faire trembler un champion d'échecs et, avec les années, les designers lui ont apporté des inserts chromés et des boiseries qui lui donnent un début de chaleur. Il va sans dire que les matériaux sont à la hauteur du prix demandé (à partir de 78 500 $) et que la qualité de construction est à l'avenant. Les jauges se consultent aisément mais, tradition allemande oblige, certaines commandes, comme le levier du régulateur de vitesse, sont d'une inutile complexité. Au moins, on peut se consoler d'être assis dans des sièges fermes mais très confortables, tradition allemande oblige,

*Inclut le Classe G*

bis. Les sièges de la deuxième rangée méritent les mêmes qualificatifs. Étonnamment, ceux de la troisième rangée aussi.

Tradition allemande oblige, bis fois 3, il aurait été impensable que Mercedes-Benz n'ait qu'un ou deux moteurs pour son GL. Non. Il y en a quatre. Celui de base est un V6 de 3,0 litres turbodiesel. Si vous voulez mon avis, et même si vous ne le voulez pas, Mercedes offrirait ce seul moteur que 95 % des propriétaires de GL seraient parfaitement heureux tant il fait du bon boulot. Son couple élevé (455 livres-pied, c'est pas rien) obtenu entre 1 600 et 2 400 tr/min (ça non plus, c'est pas rien) assure des reprises vigoureuses, une consommation étonnamment faible et une capacité de remorquage de 7 500 livres (3 400 kilos). Exception faite d'un accélérateur bien peu progressif, une tare qui affecte aussi plusieurs produits Mercedes-Benz, il n'y a pas grand-chose à redire. Si le prix du diesel acceptait de coopérer le moindrement, ce serait vraiment apprécié...

### LE TURBODIESEL LES DOMINE

Le GL 450, lui, reçoit un V6 de 3,0 litres biturbo à essence de 362 chevaux qui accélère certes plus rapidement, mais qui engloutit de l'essence super assez rapidement aussi... D'aucuns voudront se démarquer en optant pour le GL 550 doté d'un V8 de 4,6 litres, développant 429 chevaux. Ceux qui désirent des accélérations de coupé sport seront servis à souhait. Mais, franchement, tant qu'à gaspiller son argent avec un GL 550, pourquoi ne pas aligner un petit 30 000 $ de plus et acheter le GL 63 AMG qui propose un V8 déballant 550 chevaux et 560 livres-pied de couple ? Au moins, son propriétaire jouira d'accélérations de *dragster* accompagnées d'une symphonie exquise, tout en jouissant du luxe propre à un véhicule coûtant 130 000 $. Et il est même possible que le président de Shell l'appelle chaque année pour lui souhaiter bonne fête. Toutes les variantes bénéficient de l'excellent rouage intégral 4MATIC et d'une boîte automatique à sept rapports qui se fait oublier tellement elle fait bien son job. Le 63 AMG a droit à une transmission plus sportive.

Le GL est un gros véhicule, balourd en virage, à la direction peu précise et qui n'aime pas se faire bousculer préférant, de loin, les autoroutes aux centres-villes ou aux petites routes sinueuses. Évidemment, le 63 AMG fait partie d'une catégorie à part et est nettement plus déluré. Cependant, il pèse près de 2 600 kilos. Il a beau être doté d'un moteur ultrapuissant et de suspensions raffermies, les lois de la physique demeurent.

Comme mentionné au début, le GL fera bientôt l'objet d'une refonte et il deviendra, par la même occasion, un GLS. À suivre sur www.guideautoweb.com.

### Châssis - GL350 BlueTEC 4Matic

| | |
|---|---|
| Emp / lon / lar / haut | 3075 / 5120 / 2141 / 1850 mm |
| Coffre / Réservoir | 295 à 2300 litres / 100 litres |
| Nbre coussins sécurité / ceintures | 7 / 7 |
| Suspension avant | ind., pneumatique, bras inégaux |
| Suspension arrière | ind., pneumatique, multibras |
| Freins avant / arrière | disque / disque |
| Direction | à crémaillère, ass. var. élect. |
| Diamètre de braquage | 12,4 m |
| Pneus avant / arrière | P275/50R20 / P275/50R20 |
| Poids / Capacité de remorquage | 2455 kg / 3402 kg (7500 lb) |
| Assemblage | Tuscaloosa, AL |

### Composantes mécaniques

**GL350 BlueTEC 4Matic**

| | |
|---|---|
| Cylindrée, soupapes, alim. | V6 3,0 litres 24 s turbo |
| Puissance / Couple | 240 ch / 455 lb-pi |
| Tr. base (opt) / rouage base (opt) | A7 / Int |
| 0-100 / 80-120 / V.Max | 8,6 s / 6,2 s / 210 km/h |
| 100-0 km/h | 42,7 m |
| Type / ville / route / $CO_2$ | Dié / 13,6 / 10,0 l/100 km / 6469 kg/an |

**GL450 4Matic**

| | |
|---|---|
| Cylindrée, soupapes, alim. | V6 3,0 litres 24 s turbo |
| Puissance / Couple | 362 ch / 369 lb-pi |
| Tr. base (opt) / rouage base (opt) | A7 / Int |
| 0-100 / 80-120 / V.Max | 6,7 s (const) / n.d. / 210 km/h |
| 100-0 km/h | n.d. |
| Type / ville / route / $CO_2$ | Sup / 16,5 / 11,1 l/100 km / 6472 kg/an |

**GL550 4Matic**

| | |
|---|---|
| Cylindrée, soupapes, alim. | V8 4,7 litres 32 s turbo |
| Puissance / Couple | 429 ch / 516 lb-pi |
| Tr. base (opt) / rouage base (opt) | A7 / Int |
| 0-100 / 80-120 / V.Max | 5,6 s (const) / n.d. / 210 km/h |
| 100-0 km/h | n.d. |
| Type / ville / route / $CO_2$ | Sup / 17,5 / 13,2 l/100 km / 7160 kg/an |

**GL 63 AMG**

| | |
|---|---|
| Cylindrée, soupapes, alim. | V8 5,5 litres 32 s turbo |
| Puissance / Couple | 550 ch / 560 lb-pi |
| Tr. base (opt) / rouage base (opt) | A7 / Int |
| 0-100 / 80-120 / V.Max | 4,9 s (const) / n.d. / 270 km/h |
| 100-0 km/h | n.d. |
| Type / ville / route / $CO_2$ | Sup / 18,2 / 14,0 l/100 km / 7503 kg/an |

### Du nouveau en 2016

Aucun changement majeur, un nouveau modèle sera lancé en cours d'année (GLS).

Photos : Mercedes-Benz Canada

# MERCEDES-BENZ CLASSE S / COUPÉ / MAYBACH

**Prix:** 100 000 $ à 249 50 $ (2015)
**Catégorie:** Berline, Coupé
**Garanties:**
4 ans / 80 000 km, 4 ans / 80 000 km
**Transport et prép.:** 2 19 $
**Ventes QC 2014:** 199 unités
**Ventes CAN 2014:** 1 094 unités

## Cote du Guide de l'auto

# 70 %

Fiabilité

Appréciation générale

Sécurité

Agrément de conduite

Consommation

Système multimédia

## Cote d'assurance

présentée par
**KANETIX.CA**

$$$                    $

➕ Version Maybach ultra raffinée •
Luxe assuré • Grand choix de moteurs •
Sécurité avancée • Tenue de route
exemplaire

➖ Prix prohibitifs • Mécanique
complexe • Voitures lourdes •
Certaines commandes peu conviviales

## Concurrents
Audi A8, Bentley Flying Spur,
BMW Série 7, Jaguar XJ, Lexus LS,
Maserati Quattroporte,
Porsche Panamera, Tesla Model S

# Trio super luxe

Denis Duquet

**M**ercedes-Benz a été très actif au cours des derniers mois, et ce, dans toutes les catégories de sa gamme de modèles. C'est ainsi que les berlines de la Classe S ont été revampées. En plus, le coupé CL dont les ventes étaient plutôt discrètes a été remplacé par le S Coupé. Et la meilleure nouvelle dans tout cela, c'est que toutes ces propositions ont permis au constructeur de Stuttgart de faire un pas en avant.

Le plus surprenant a été la nouvelle que la marque Maybach effectuait un retour sur le marché après avoir connu un cuisant échec dans la catégorie des supers voitures de luxe (2003 à 2010). Cette fois, on a trouvé une solution alternative fort intéressante qui devrait permettre à la marque historique de perdurer et de connaître du succès.

### MERCEDES-MAYBACH, LE SUMMUM
Il est important de préciser que les nouvelles voitures arborant l'écusson Maybach ne sont plus considérées comme une marque à part, mais plutôt comme des modèles de la Classe S. Mais comme Mercedes-Benz ne fait jamais les choses à moitié, ses ingénieurs ont concocté une carrosserie unique à ce modèle alors que la voiture est plus longue de même que son empattement. Ces dimensions plus généreuses assurent plus d'espace pour les occupants des places arrière, ce qui a permis également aux concepteurs d'offrir des sièges individuels à l'arrière, séparés par une console.

Tout ce qui est possible de commander dans une voiture de luxe est au catalogue tandis que les cuirs les plus fins sont utilisés. En plus, afin d'optimiser l'insonorisation, des heures et des heures ont été consacrées en soufflerie afin de réduire les interstices de la caisse, sources de bruits. Soulignons au passage que la planche de bord est similaire à celle des autres modèles de Classe S. Tous les modèles Maybach sont dotés d'un système audio mis au point par Sennheiser. Et on offre même en option le système ambiophonique

Burmester 3D comprenant 24 haut-parleurs alimentés par un amplificateur de 1 540 watts.

La Mercedes-Maybach S 600 est dotée d'un V12 de 6,0 litres produisant 523 chevaux et 612 lb-pi de couple. Il est associé à une boîte automatique à sept rapports. Sur la route, cette grosse berline se révèle confortable et d'une grande stabilité. On ne s'attendait pas à moins de la part d'un véhicule dont le prix de base se situe au-delà des 230 000 $.

### FABULEUSE VOITURE QUE LE COUPÉ
Pendant des années, le coupé CL était le véhicule le plus cher de la famille Mercedes-Benz, mais il était pratiquement inconnu du grand public. Il s'agissait en fait d'une version deux portes de la berline de Classe S et il proposait tout le luxe, mais sa silhouette trop discrète et un manque de personnalité flagrant le laissaient au second plan dans l'esprit des acheteurs.

Depuis quelques mois, un modèle de remplacement est venu s'ajouter. Il s'agit du Classe S Coupé qui est sans contredit l'une des plus belles voitures présentement sur le marché. Son empattement est plus court que celui de la Classe S tout comme sa longueur hors tout. Par contre, il propose la même planche de bord que la berline et il s'agit de la plus récente génération en fait de présentation. C'est ainsi que les instruments sont remplacés par un écran à haute résolution de 12 pouces tandis qu'un second sert d'écran traditionnel permettant de contrôler les multiples fonctions de la voiture.

### LE RAMAGE À LA HAUTEUR DU PLUMAGE
Deux versions du Coupé sont au catalogue et tous deux sont dotés du rouage intégral 4MATIC. La S 550 est propulsée par un moteur V8 de 4,6 litres d'une puissance de 449 chevaux associé à une boîte automatique à sept rapports. La version S 63 AMG est animée par un V8 de 5,5 litres produisant 577 chevaux. Chez Mercedes, les performances s'associent encore au luxe et au prestige. Cette fois, le style incomparable de la voiture bénéficie d'un moteur à la hauteur de son plumage.

Quant aux versions «régulières» de la berline Classe S, ce sont les S 400, S 550, S 600, S 63 AMG et S 65 AMG. Cette année, une version «plug in» sera disponible. Avec son moteur V6 3,0 litres associé au moteur électrique, la puissance combinée est de 436 chevaux. L'autonomie en mode électrique seul est de 33 km, selon Mercedes-Benz.

## Châssis - Berline S550 4Matic

| | |
|---|---|
| Emp / lon / lar / haut | 3035 / 5116 / 2130 / 1496 mm |
| Coffre / Réservoir | 530 litres / 79 litres |
| Nbre coussins sécurité / ceintures | 8 / 5 |
| Suspension avant | ind., pneumatique, multibras |
| Suspension arrière | ind., pneumatique, multibras |
| Freins avant / arrière | disque / disque |
| Direction | à crémaillère, ass. var. élect. |
| Diamètre de braquage | 11,9 m |
| Pneus avant / arrière | P245/45R19 / P275/40R19 |
| Poids / Capacité de remorquage | 2050 kg / n.d. |
| Assemblage | Sindelfingen, DE |

## Composantes mécaniques

### S400 Berline

| | |
|---|---|
| Cylindrée, soupapes, alim. | V6 3,0 litres 24 s turbo |
| Puissance / Couple | 329 ch / 354 lb-pi |
| Tr. base (opt) / rouage base (opt) | A7 / Int |
| 0-100 / 80-120 / V.Max | n.d. / n.d. / 210 km/h |
| 100-0 km/h | n.d. |
| Type / ville / route / $CO_2$ | Sup / n.d. / n.d. / n.d. kg/an |

### S550 Berline, Coupé

| | |
|---|---|
| Cylindrée, soupapes, alim. | V8 4,6 litres 32 s turbo |
| Puissance / Couple | 449 ch / 516 lb-pi |
| Tr. base (opt) / rouage base (opt) | A7 / Int |
| 0-100 / 80-120 / V.Max | 4,8 s (const) / n.d. / 210 km/h |
| 100-0 km/h | n.d. |
| Type / ville / route / $CO_2$ | Sup / 12,8 / 7,1 l/100 km / 4220 kg/an |

### S65 AMG Berline, Coupé

| | |
|---|---|
| Cylindrée, soupapes, alim. | V12 6,0 litres 36 s turbo |
| Puissance / Couple | 621 ch / 737 lb-pi |
| Tr. base (opt) / rouage base (opt) | A7 / Prop |
| 0-100 / 80-120 / V.Max | 4,3 s (const) / n.d. / 300 km/h |
| 100-0 km/h | n.d. |
| Type / ville / route / $CO_2$ | Sup / 17,1 / 8,6 l/100 km / 6107 kg/an |

### S600, Berline, Maybach

V12 - 6,0 litres - 523 ch / 612 lb-pi - A7 - 0-100: 4,6 s (const) - 16,2/8,2 l/100 km

### S63 AMG Berline, Coupé

V8 5,5 litres - 577 ch / 664 lb-pi - A7 - 0-100: 3,9 s (const) - 14,2/8,0 l/100 km

## Du nouveau en 2016

Ajout du modèle Mercedes-Maybach, présenté au Salon de Los Angeles en novembre 2014, et arrivée prochaine d'une version hybride branchable.

Photos : Jacques Duval, Mercedes-Benz Canada

# MERCEDES-BENZ **CLASSE SL**

((**SiriusXm**))

**Prix :** 123 400 $ à 242 500 $ (2015)
**Catégorie :** Roadster
**Garanties :**
4 ans / 80 000 km, 4 ans / 80 000 km
**Transport et prép. :** 2092 $
**Ventes QC 2014 :** 78 unités
**Ventes CAN 2014 :** 344 unités

## Cote du Guide de l'auto
# 68 %

| Fiabilité | Appréciation générale |
|---|---|
| ■■■■■■■□□□ | ■■■■■■■□□□ |

| Sécurité | Agrément de conduite |
|---|---|
| ■■■■■■■□□□ | ■■■■■■■■□□ |

| Consommation | Système multimédia |
|---|---|
| ■■■■□□□□□□ | ■■■■■■□□□□ |

## Cote d'assurance
■■■■■■□□□□
$$$        $

présentée par
**KANETIX.CA**

➕ Finition exceptionnelle • Moteurs
performants • Boîte automatique
efficace • Comportement routier sécurisant

➖ Lisibilité des instruments • Poids et
encombrement notoires • Correction
de trajectoire dérangeante • Entretien
coûteux • Coffre exigu avec le toit replié

**Concurrents**
Aston Martin Vantage, BMW Série 6,
Ferrari California T, Maserati
GranTurismo, Porsche 911

# Des lettres trompeuses

Jacques Duval

**S**'il y a un modèle de chez Mercedes qui a su traverser les époques sans se diluer ou perdre de son lustre, c'est bien la SL. L'originale et très prisée 300 SL avec ses portières en ailes de mouette est d'ailleurs une des voitures de collection les plus connues, tant auprès des fanatiques de l'automobile que des admirateurs de la marque. Elle a été utilisée d'innombrables fois pour des modèles réduits et divers jouets, en plus d'avoir été le sujet d'une panoplie d'affiches et de cadres qui ont orné les murs de garages, sous-sols et chambres d'enfants.

Malgré cela, c'est la seule génération de la SL à avoir été produite pendant moins d'une décennie. Les générations suivantes connurent toutes de longues et fructueuses carrières, tout en s'éloignant petit à petit de la signification même des lettres SL, soit *Sport Light*. Celle qui nous intéresse aujourd'hui est la sixième, la plus récente et la plus achevée de la famille des SL. C'est, à n'en point douter, une référence dans la catégorie du grand tourisme. Car avec une masse tournant autour de 1 800 kilogrammes selon la version, on est bien loin de la légèreté. À titre comparatif, la 300 SL pesait un peu moins de 1 100 kilos.

**UNE DÉVOREUSE DE KILOMÈTRES**
La SL n'est peut-être pas un poids plume, mais elle a du muscle pour compenser. Elle est prompte, c'est le moins qu'on puisse dire. À bord de la SL 550, le sprint 0-100 km/h se boucle en moins de 5 secondes, tandis que la consommation tourne autour de 10 litres aux 100 km. Pas mal. Comme si cela n'était pas suffisant, des versions AMG sont également au programme, proposant respectivement des mécaniques de 577 et 621 chevaux au lieu des 429 de la SL 550.

À l'exception d'un bref moment d'hésitation au départ, la boîte automatique enchaîne les rapports en un éclair et en toute douceur de surcroît. On peut doubler de façon sécuritaire grâce à des reprises vives qui ne se font jamais attendre. Pour de longs trajets, la SL est un charme. « Un vrai jet privé pour la route» m'a dit un quidam. Elle file à vive allure, mais aussi en toute quiétude. Le confort est de haut niveau, même lorsque le mode sport est sélectionné. Pas de risque de souffrir de maux de dos en se frayant un chemin à travers les méandres de notre réseau routier où nids-de-poule, trous béants et soubresauts mettent votre bonne humeur et votre confort à rude épreuve.

On remarque aussi la qualité de l'insonorisation lorsque le toit est en place, car n'oublions pas que la SL se transforme en cabriolet en quelques secondes à la simple pression d'un bouton. En revanche, cette prouesse se paie du côté de l'espace disponible dans le coffre. Avec le toit en place ce n'est pas si mal, mais une fois cette grosse coque repliée, le volume disponible chute drastiquement.

S'il fait aussi bon vivre à bord de cette grande routière, c'est aussi grâce à la qualité des matériaux et de leur assemblage. La présentation intérieure est tout simplement exquise, particulièrement lorsque deux tons de cuir y cohabitent. Le seul détail agaçant provient de la nacelle des instruments, où les chiffres noirs sur fond d'aluminium sont de lecture difficile. Heureusement, il est possible d'afficher numériquement la vitesse.

### UN APERÇU DE L'AVENIR
À l'aube de la voiture autonome, une compagnie à la fine de pointe de la technologie comme Mercedes-Benz nous offre déjà un aperçu de ce qui nous attend. Si l'intention à la base est louable, soit la sécurité active des usagers de la route, cela peut s'avérer un peu déconcertant quand l'électronique s'empare du contrôle du véhicule. Ainsi, on constate qu'en quittant une voie de circulation, non seulement une sonnerie se fait entendre, mais la voiture réintègre d'elle-même la voie initiale. C'est dérangeant la première fois et à vrai dire, ça le demeure les fois suivantes.

Au rayon des gadgets qui se font mieux apprécier, il faut s'attarder un instant aux sièges. En plus du système AIRSCARF qui diffuse une chaude brise au niveau de la nuque afin de pouvoir bénéficier des joies de la conduite à ciel ouvert quelques semaines de plus, on retrouve également des coussins latéraux qui se gonflent en courbe afin d'accentuer le soutien latéral. Malgré ces attentions, ces sièges sont d'un confort correct, mais on a déjà fait mieux.

La SL demeure une icône de l'automobile. C'est la grande routière par excellence, rapide et confortable, mais pas spécialement sportive. Si vous cherchez un peu plus de dynamisme, il y a bon nombre d'options qui s'offrent à vous pour ce prix. On doit savoir notamment que la fiabilité à long terme des SL n'est pas toujours très reluisante quand on consulte les propriétaires de ce modèle.

## Châssis - SL63 AMG

| | |
|---|---|
| Emp / lon / lar / haut | 2585 / 4633 / 2099 / 1300 mm |
| Coffre / Réservoir | 364 à 504 litres / 75 litres |
| Nbre coussins sécurité / ceintures | 8 / 2 |
| Suspension avant | ind., multibras |
| Suspension arrière | ind., multibras |
| Freins avant / arrière | disque / disque |
| Direction | à crémaillère, ass. var. élect. |
| Diamètre de braquage | 11,1 m |
| Pneus avant / arrière | P255/35R19 / P285/30R19 |
| Poids / Capacité de remorquage | 1845 kg / n.d. |
| Assemblage | Bremen, DE |

## Composantes mécaniques

**SL550**

| | |
|---|---|
| Cylindrée, soupapes, alim. | V8 4,7 litres 32 s turbo |
| Puissance / Couple | 429 ch / 516 lb-pi |
| Tr. base (opt) / rouage base (opt) | A7 / Prop |
| 0-100 / 80-120 / V.Max | 4,6 s / 2,9 s / 210 km/h |
| 100-0 km/h | 37,8 m |
| Type / ville / route / $CO_2$ | Sup / 13,8 / 9,5 l/100 km / 5458 kg/an |

**SL63 AMG**

| | |
|---|---|
| Cylindrée, soupapes, alim. | V8 5,5 litres 32 s turbo |
| Puissance / Couple | 577 ch / 664 lb-pi |
| Tr. base (opt) / rouage base (opt) | A7 / Prop |
| 0-100 / 80-120 / V.Max | 4,2 s (const) / n.d. / 250 km/h |
| 100-0 km/h | n.d. |
| Type / ville / route / $CO_2$ | Sup / 14,7 / 9,4 l/100 km / 5665 kg/an |

**SL65 AMG**

| | |
|---|---|
| Cylindrée, soupapes, alim. | V12 6,0 litres 36 s turbo |
| Puissance / Couple | 621 ch / 737 lb-pi |
| Tr. base (opt) / rouage base (opt) | A7 / Prop |
| 0-100 / 80-120 / V.Max | 4,0 s (const) / n.d. / 300 km/h |
| 100-0 km/h | n.d. |
| Type / ville / route / $CO_2$ | Sup / 16,7 / 11,2 l/100 km / 6544 kg/an |

## Du nouveau en 2016

Aucun changement majeur

Photos : Mercedes-Benz Canada

# MERCEDES-BENZ **CLASSE SLK**

**Prix :** 55 000 $ à 81 000 $ (2015)
**Catégorie :** Roadster
**Garanties :**
4 ans / 80 000 km, 4 ans / 80 000 km
**Transport et prép. :** 2 100 $
**Ventes QC 2014 :** 74 unités
**Ventes CAN 2014 :** 369 unités

## Cote du Guide de l'auto
# 73 %

Fiabilité

Sécurité

Consommation

Appréciation générale

Agrément de conduite

Système multimédia

**Cote d'assurance**

présentée par
**KANETIX.CA**

$$$                              $

➕ Style accrocheur • Moteurs
performants • Insonorisation réussie •
Confort de roulement

➖ Poids élevé • Volume du coffre
(toit replié) • Prix corsé •
Options nombreuses et chères

**Concurrents**
Audi TT, BMW Z4, Chevrolet Corvette,
Jaguar F-Type, Nissan Z,
Porsche Boxster

# En transition

Gabriel Gélinas

**P**our l'année-modèle 2016, le cabriolet à toit rigide rétractable SLK reçoit le nouveau moteur quatre cylindres de 2,0 litres turbocompressé, qui anime déjà la Classe C, pour créer ce qui deviendra la SLK 300. La SLK 350 fera toujours appel au V6 de 3,5 litres, alors que la SLK 55 AMG poursuivra sa route avec le fabuleux V8 de 5,5 litres. Ce sera également la dernière année pour la SLK qui sera remplacée par la SLC 2017 dont la première mondiale devrait avoir lieu au Salon de l'auto de Detroit en janvier 2016.

Avec une puissance de 241 chevaux et un couple de 273 livres-pied, ce moteur de 2,0 litres va permettre à la SLK d'accélérer avec plus d'autorité qu'avec le moteur turbo de 1,8 litre qui équipait précédemment le modèle SLK 250. Précisons également que la boîte manuelle à six rapports, qui était disponible sur celui-ci, disparaît du catalogue pour 2016. La SLK 300 reçoit en exclusivité une boîte automatique à neuf rapports dérivée de la boîte à sept rapports dont les SLK 350 et SLK 55 AMG feront toujours usage. La nouvelle boîte est paramétrable sur trois modes, soit Economy, Sport et Manual, des palettes de changements de vitesse sont accolés au volant et le système Start/Stop répond présent.

L'habitacle cossu demeure inchangé et la SLK est, bien évidemment, toujours pourvue de son atout majeur, soit le toit rigide rétractable qui permet à la fois d'assurer le confort d'un coupé et l'agrément de la conduite à ciel ouvert. Il faut cependant souligner le fait que le volume du coffre est réduit d'un tiers lorsque le toit est replié et qu'il faut donc éviter de le charger à pleine capacité si l'on veut pouvoir profiter de la double personnalité de la SLK.

### PLUS GT QUE SPORT
Peu importe le modèle, le comportement routier est plus typé Grand Tourisme que Sport. Cela dit, la version AMG qui trône au sommet de la pyramide n'est pas dénuée d'intérêt. Malgré ses dimensions

compactes, ce modèle affiche tout de même un poids important et sa conduite n'est pas aussi inspirée que celle d'une Porsche Boxster S, qui demeure la référence de la catégorie.

La force d'accélération du V8 atmosphérique est surprenante, ce qui lui permet de se catapulter d'un virage à l'autre, mais le système de contrôle électronique de la traction et de la stabilité intervient alors fréquemment pour tempérer les ardeurs en conduite sportive. En raison de la contribution de ces divers systèmes électroniques, la conduite s'avère un peu artificielle et les sensations de conduite ne sont pas aussi précises, directes et viscérales qu'elles le sont au volant de son adversaire chez Porsche.

### LA SLC POUR 2017
C'est donc une année de transition qui attend le cabriolet à toit rigide rétractable de Mercedes-Benz. Statu quo jusqu'à la fin de 2015 et nouveau départ par la suite. Pourquoi changer de nom et choisir la nouvelle désignation SLC ? Simplement pour marquer la filiation sur le plan technique de ce modèle avec la Classe C du constructeur allemand.

En plus de changer de nom, la petite sœur de la SL subira un *lifting* afin d'adopter une allure un peu plus athlétique et l'on s'attend aussi à ce que des modifications soient apportées aux motorisations afin de donner un nouvel élan à ce modèle. Côté look, il empruntera une partie avant redessinée incorporant de nouveaux phares alors que le pare-choc arrière, les feux et les échappements seront revus.

### EN CETTE PÉRIODE DE RÉCESSION
Il y a également fort à parier que l'habitacle fera l'objet de retouches, mais que le coupé-cabriolet conservera le toit en verre équipé du dispositif MAGIC SKY CONTROL, offert en option. Il permet, à la seule pression d'un bouton, de varier son opacité pour devenir translucide ou teinté, ce dispositif étant tout à fait en phase avec la vocation première du coupé-cabriolet de Mercedes-Benz qui est d'assurer style et confort. Par ailleurs, il serait logique que la version AMG délaisse le V8 atmosphérique de l'actuelle SLK 55 AMG au profit du V8 biturbo de 4,0 litres, *downsizing* oblige.

En attendant le nouveau modèle SLC, le cabriolet à toit rigide rétractable SLK de Mercedes-Benz continuera de séduire les amateurs de conduite à ciel ouvert pourvu qu'ils ne soient pas des inconditionnels de la conduite sportive.

### Châssis - SLK300

| | |
|---|---|
| Emp / lon / lar / haut | 2430 / 4134 / 2006 / 1303 mm |
| Coffre / Réservoir | 225 à 335 litres / 60 litres |
| Nbre coussins sécurité / ceintures | 8 / 2 |
| Suspension avant | ind., jambes force |
| Suspension arrière | ind., multibras |
| Freins avant / arrière | disque / disque |
| Direction | à crémaillère, ass. var. |
| Diamètre de braquage | 10,5 m |
| Pneus avant / arrière | P225/45R17 / P245/40R17 |
| Poids / Capacité de remorquage | 1505 kg / n.d. |
| Assemblage | Bremen, DE |

### Composantes mécaniques

**SLK300**

| | |
|---|---|
| Cylindrée, soupapes, alim. | 4L 2,0 litres 16 s turbo |
| Puissance / Couple | 241 ch / 273 lb-pi |
| Tr. base (opt) / rouage base (opt) | A9 / Prop |
| 0-100 / 80-120 / V.Max | 5,8 s (const) / n.d. / 210 km/h |
| 100-0 km/h | n.d. |
| Type / ville / route / $CO_2$ | Sup / 7,7 / 4,9 l/100 km / 2962 kg/an |

**SLK350**

| | |
|---|---|
| Cylindrée, soupapes, alim. | V6 3,5 litres 24 s atmos. |
| Puissance / Couple | 302 ch / 273 lb-pi |
| Tr. base (opt) / rouage base (opt) | A7 / Prop |
| 0-100 / 80-120 / V.Max | 5,6 s / 5,0 s / 210 km/h |
| 100-0 km/h | 36,6 m |
| Type / ville / route / $CO_2$ | Sup / 10,4 / 7,2 l/100 km / 4122 kg/an |

**SLK55 AMG**

| | |
|---|---|
| Cylindrée, soupapes, alim. | V8 5,5 litres 32 s atmos. |
| Puissance / Couple | 415 ch / 398 lb-pi |
| Tr. base (opt) / rouage base (opt) | A7 / Prop |
| 0-100 / 80-120 / V.Max | 5,0 s / 3,0 s / 250 km/h |
| 100-0 km/h | 36,9 m |
| Type / ville / route / $CO_2$ | Sup / 11,1 / 8,1 l/100 km / 4485 kg/an |

### Du nouveau en 2016
Changement de nom de SLK à SLC en cours d'année, quatre cylindres turbo 2,0 L et boîte automatique à neuf rapports (SLK 300), abandon de la boîte manuelle.

Photos :Mercedes-Benz Canada

MINI COUNTRYMAN

 **MINI** MINI **CLUBMAN / COUNTRYMAN / PACEMAN**

**Prix :** 29 950 $ à 38 500 $
**Catégorie :** VUS
**Garanties :**
4 ans / 80 000 km, 4 ans / 80 000 km
**Transport et prép. :** 866 $
**Ventes QC 2014 :** 551 unités *
**Ventes CAN 2014 :** 2 033 unités **

Cote du Guide de l'auto
# 73 %

Fiabilité
■■■■■■■■□□

Appréciation générale
■■■■■■■□□□

Sécurité
■■■■■■■■□□

Agrément de conduite
■■■■■■■□□□

Consommation
■■■■■■□□□□

Système multimédia
■■■■■■■□□□

Cote d'assurance
■■■■■■□□□□
$$$                    $

➕ Look à la mode pour la Clubman •
Version JCW performante •
Rouage intégral efficace • Plaisir
de conduite assuré

➖ Facture salée (versions JCW) •
Coûts d'entretien • Impression de
lourdeur • Pédale de frein très ferme

**Concurrents**
Chevrolet Trax, Honda HR-V, Kia Soul,
Mazda CX-3, Mitsubishi RVR, Nissan
Juke, Subaru XV Crosstrek

# La famille prend du galon

Guy Desjardins

**T**outes les MINI affichent l'écusson Cooper sur leur hayon arrière. Elles présentent toutes le même design, bien qu'elles se divisent en deux lignées assez distinctes. La première regroupant les descendants directs de la Cooper originale et la deuxième réunissant les versions plus volumineuses, certaines à rouage intégral, que MINI désigne par le pseudonyme ALL4. C'est à cette famille, gonflée aux stéroïdes, qu'appartiennent les Countryman, Paceman et Clubman.

Contrairement à Fiat qui ajoute des lettres à sa 500 pour dissocier les modèles, MINI mise plutôt sur différents noms pour régler ce problème, ce qui ne manque pas de mystifier les acheteurs. Ainsi, la Countryman adopte discrètement les caractéristiques d'un VUS alors que la Paceman propose... un produit similaire, mais deux portes en moins ! Ces véhicules disposent d'une suspension à grand débattement et du rouage intégral. Le design date de 2011, mais a subi une refonte esthétique l'an dernier. Les parties avant et arrière ont été revues et profitent maintenant d'éclairage à DEL. À l'intérieur, quelques éléments fonctionnels ont été ajoutés afin de rehausser l'agrément de conduite.

**EXIT LA VERSION DE BASE**
La Countryman et la Paceman ne sont offertes qu'en versions Cooper S et John Cooper Works, toutes deux à rouage intégral. La « S » utilise un 4 cylindres turbo de 1,6 litre alors que la superbe « JCW » cache sous son capot le même moteur qui profite cependant d'un ajustement au niveau du turbocompresseur, lui permettant de fournir 28 chevaux additionnels.

Sur la route, les deux modèles livrent des performances similaires. La puissance ne manque pas mais en situation normale, la voiture donne une impression de lourdeur, accentuée par un freinage qui nécessite une forte pression sur la pédale de frein qui est très ferme. Les versions John Cooper Works disposent de plus de puissance, mais pas suffisamment pour changer le comportement de la voiture. Ces versions, à saveur très compétitive, tirent leur agrément de conduite des pneus de 18 pouces, de la suspension recalibrée et des freins plus puissants. Il faut également avouer que sa gueule nettement plus racée ajoute à l'expérience de conduite. Son prix en décourage néanmoins plusieurs, d'où le plus grand nombre de versions S sur nos routes.

Autant pour la Countryman que pour la Paceman, la version S ALL4 se débrouille très bien en hiver sur des surfaces enneigées ou glacées, toutefois n'osez pas vous aventurer hors des sentiers battus au volant de ces pseudos VUS, la garde au sol n'étant pas aussi généreuse qu'elle veut nous le faire croire.

### UNE CLUBMAN PLUS INTÉRESSANTE

La Clubman complète le trio et conserve son allure générale, mais plusieurs éléments ont été revus cette année. Les parties avant et arrière proposent désormais un élégant éclairage à DEL alors que les portes arrière adoptent des dimensions standards, laissant tomber la demie-porte ouvrant à contre-sens qui ne plaisait à personne. La nouvelle Clubman est la plus grande MINI commercialisée à ce jour. En version de base, elle propose un 3 cylindres turbo générant 134 chevaux et bouclant le 0-100 km/h en tout juste 9 secondes, selon les données préliminaires du fabricant. Elle peut être équipée d'une boîte manuelle ou d'une automatique à 6 rapports. Avec un look plus racé et davantage de puissance, la version Clubman S propose un 4 cylindres turbo de 2,0 litres. Jumelée à la boîte manuelle à 6 rapports ou à la nouvelle automatique qui en compte 8, la voiture atteint les 100 km/h en moins de 7 secondes, ce que nous devrons confirmer lors de nos essais.

Bien que le design extérieur profite d'une refonte, c'est plutôt l'intérieur de la Clubman qui s'est grandement bonifié avec l'expansion des dimensions du véhicule. La voie élargie permet d'étirer la console et de grossir considérablement le cercle de l'écran central. Les buses de ventilation rondes ont disparu au profit de sorties carrées et les contrôles du système de divertissement entre les deux sièges avant ont été remplacés par une molette plus grande qui permet de naviguer plus aisément. On remarque également la relocalisation de l'indicateur de vitesse, désormais placé derrière le volant, et l'augmentation notable de l'espace pour les passagers arrière.

La nouvelle bouille de la Clubman donne le ton à la prochaine refonte des Countryman et Paceman. Le trio dispose de bons arguments de vente, mais le réseau de concessionnaires limité, les prix élevés et les coûts d'entretien rebutent plusieurs acheteurs adorant le produit. La Clubman aura certainement du succès avec ses quatre vraies portes et des dimensions plus généreuses.

### Du nouveau en 2016

Refonte du modèle Clubman.

| Châssis - Countryman S All4 auto | |
|---|---|
| Emp / lon / lar / haut | 2595 / 4109 / 1789 / 1561 mm |
| Coffre / Réservoir | 350 à 1170 litres / 47 litres |
| Nbre coussins sécurité / ceintures | 7 / 5 |
| Suspension avant | ind., jambes force |
| Suspension arrière | ind., multibras |
| Freins avant / arrière | disque / disque |
| Direction | à crémaillère, ass. var. élect. |
| Diamètre de braquage | 11,6 m |
| Pneus avant / arrière | P205/55R17 / P205/55R17 |
| Poids / Capacité de remorquage | 1490 kg / 500 kg (1102 lb) |
| Assemblage | Graz, AT |

| Composantes mécaniques | |
|---|---|
| **Countryman S, Paceman Cooper S all4** | |
| Cylindrée, soupapes, alim. | 4L 1,6 litre 16 s turbo |
| Puissance / Couple | 190 ch / 177 lb-pi |
| Tr. base (opt) / rouage base (opt) | M6 (A6) / Int |
| 0-100 / 80-120 / V.Max | 8,7 s / 5,9 s / 213 km/h |
| 100-0 km/h | 45,6 m |
| Type / ville / route / $CO_2$ | Sup / 9,5 / 5,7 l/100 km / 3583 kg/an |
| **Countryman JCW, Paceman JCW** | |
| Cylindrée, soupapes, alim. | 4L 1,6 litre 16 s turbo |
| Puissance / Couple | 218 ch / 207 lb-pi |
| Tr. base (opt) / rouage base (opt) | M6 (A6) / Int |
| 0-100 / 80-120 / V.Max | 6,9 s / 7,7 s / 228 km/h |
| 100-0 km/h | n.d. |
| Type / ville / route / $CO_2$ | Sup / 9,1 / 6,0 l/100 km / 3544 kg/an |
| **Clubman** | |
| Cylindrée, soupapes, alim. | 3L 1,5 litre 12 s turbo |
| Puissance / Couple | 134 ch / 162 lb-pi |
| Tr. base (opt) / rouage base (opt) | M6 (A6) / Tr |
| 0-100 / 80-120 / V.Max | 8,9 s (est) / n.d. / 204 km/h |
| 100-0 km/h | n.d. |
| Type / ville / route / $CO_2$ | Sup / n.d. / n.d. / n.d. |
| **Clubman S** | |
| Cylindrée, soupapes, alim. | 4L 2,0 litres 16 s turbo |
| Puissance / Couple | 189 ch / 207 lb-pi |
| Tr. base (opt) / rouage base (opt) | M6 (A6) / Tr |
| 0-100 / 80-120 / V.Max | 7,0 s (est) / n.d. / 228 km/h |
| 100-0 km/h | n.d. |
| Type / ville / route / $CO_2$ | Sup / n.d. / n.d. / n.d. |

MINI CLUBMAN

Photos : Jeremy Alan Glover, Mini Canada

# MINI **COOPER/5 PORTES**

((SiriusXM))

**Prix:** 23 535 $ à 35 785 $ (2015)
**Catégorie:** Hatchback/Cabriolet
**Garanties:**
4 ans/80 000 km, 4 ans/80 000 km
**Transport et prép.:** n.d.
**Ventes QC 2014:** 973 unités *
**Ventes CAN 2014:** 3 350 unités *

Cote du Guide de l'auto

## 71 %

| Fiabilité | Appréciation générale |
|---|---|
| ■■■■■■□□□□ | ■■■■■■■□□□ |
| **Sécurité** | **Agrément de conduite** |
| ■■■■■■■□□□ | ■■■■■■■■□□ |
| **Consommation** | **Système multimédia** |
| ■■■■■■■□□□ | ■■■■■□□□□□ |

**Cote d'assurance**

■■■■■■■□□□                présentée par
$$$                              $          **KANETIX.CA**

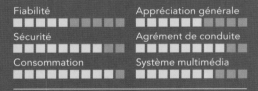 Places arrière enfin logeables
(5 Portes) • Excellents moteurs • Toujours
l'une des plus agiles sur le marché • Ver-
sion cabriolet amusante • Prix bien étudiés

— Suspensions dures (JCW = très
dures) • Fiabilité aléatoire • Entretien
dispendieux • Places arrière minimales
(Cooper et Cabriolet) • Certaines
commandes frustrantes

**Concurrents**
MINI Cooper: Fiat 500, smart

MINI Cooper/5 portes: Chevrolet Spark,
Fiat 500L

# S'adapter pour survivre

Alain Morin

**C**hez BMW (comme chez tous les constructeurs allemands), on remarque une nette propension à décliner un modèle sous une foule de variantes. Il n'y a qu'à regarder le nombre de versions de la Porsche 911 pour s'en convaincre. Même la germano-britannique MINI, qui fait partie depuis plus d'une décennie de l'empire BMW, s'est laissée prendre au jeu.

À l'automne 2014, nous apprenions que les versions Roadster et Coupé, tirées de la Cooper nous quittaient. Ces deux inutilités équivalaient à un tartare de zombie et il n'est pas surprenant qu'ils aient connu peu de popularité. Les Allemands étant ce qu'ils sont (ça doit tenir de leur culture), ils n'ont pas été longs à les remplacer par une version 5 portes de la MINI et par une future Clubman, plus grande que celle de la génération précédente.

Aussi plus grande de quelques centimètres depuis sa refonte l'an dernier, la MINI demeure une mini même si elle est légèrement plus maxi. Son style extérieur évolue lentement et c'est surtout dans habitacle, là où les besoins étaient les plus criants, que les designers se sont attardés. Désormais, le compteur de vitesse et le compte-tours sont placés devant le pilote, là où ils doivent être. Ainsi, l'écran central est devenu un écran central normal par lequel le conducteur et son passager peuvent manipuler une foule de paramètres. D'ailleurs, il faut être au moins deux pour comprendre le fonctionnement de certains accessoires supra complexes comme la radio. Les personnes prenant place à l'arrière sont priées de se faire toutes petites, mais moins depuis la refonte de l'an dernier.

**LÀ OÙ LE PLAISIR SE TROUVE**
Le moteur de base est un trois cylindres turbocompressé (tous les moteurs de la MINI le sont) de 1,5 litre qui développe 134 chevaux. Les performances ne sont peut-être pas explosives, mais elles sont tout à fait acceptables, compte tenu du nombre de personnes qui se

procurent une MINI juste parce qu'elle fait *cool*. Cette version de base arrive d'office avec une boîte manuelle à six rapports à l'embrayage bien dosé et au levier précis. Une automatique à six rapports est livrable en option (toutes les MINI ont droit à ces deux transmissions, peu importe le modèle).

Vient ensuite la Cooper S avec son quatre cylindres 2,0 litres de 189 chevaux. Là, on commence à jaser. Il faut calculer environ un litre de plus à tous les 100 km par rapport à la Cooper de base, mais le plaisir davantage exacerbé compense allègrement. Enfin, ceux qui désirent se procurer un go-kart avec un toit seraient avisés d'opter pour une version John Cooper Works (JCW) dotée d'un 2,0 litres toujours prêt à laisser ses 228 chevaux partir au galop. On peut ajouter un litre aux 100 km de plus que pour la S.

Si la MINI d'avant 2015 était jouissive à conduire, que dire de la génération actuelle ? Bien qu'elle ait perdu un tantinet de son agilité au passage, elle est toujours bien au-dessus de la moyenne. Même la Cooper de base est réellement amusante à pousser dans les courbes. La S l'est encore davantage. Et la JCW pourrait suivre une Corvette dans les courbes tant elle y est soudée. Évidemment, le confort suit une courbe inverse. Déjà que dans la Cooper d'entrée de gamme, le roulement est assez dur merci, imaginez ce qu'il peut avoir l'air dans une JCW dotée de suspensions de réfrigérateur.

### UNE MINI AVEC 5 PORTES

En septembre dernier, MINI dévoilait la 5 Portes (baptisée MINI avec 5 portes sur le site public de MINI. Comme dans « Bob avec cheveux »). Il s'agit d'une Cooper dont l'empattement a été allongé de 72 mm et la longueur totale de 161 mm, dans le but d'attirer les petites familles. Souhaitons à ces familles d'être vraiment petites ! L'ouverture des portes arrière est très étroite et accéder au siège demande certaines contorsions pas toujours gracieuses. Le dossier est un peu trop droit à mon goût mais ça demeure, justement, une question de goût. Cependant, c'est nettement mieux que dans une Cooper « avec » 3 portes. Même si la 5 portes, aussi offerte en version S, pèse 65 kilos de plus que la version équivalente chez la 3 portes, ça ne paraît pratiquement pas en conduite normale. Sur un circuit, on les sentirait sans doute davantage, ces kilos.

La MINI actuelle, à trois ou à cinq portes, est plus imposante et plus lourde qu'elle ne l'a jamais été. Elle ne l'est pas autant que la Countryman, une version à rouage intégral qui fait partie des VUS sous-compacts, mais elle doit répondre à des impératifs commerciaux et sécuritaires propres à notre époque. C'est ça, savoir s'adapter.

## Châssis - Mini Cooper John Cooper Works

| | |
|---|---|
| Emp / lon / lar / haut | 2495 / 3874 / 1727 / 1414 mm |
| Coffre / Réservoir | 731 litres / 44 litres |
| Nbre coussins sécurité / ceintures | 8 / 4 |
| Suspension avant | ind., jambes force |
| Suspension arrière | ind., multibras |
| Freins avant / arrière | disque / disque |
| Direction | à crémaillère, ass. var. élect. |
| Diamètre de braquage | 10,8 m |
| Pneus avant / arrière | P205/45R17 / P205/45R17 |
| Poids / Capacité de remorquage | 1290 kg / non recommandé |
| Assemblage | Oxford, GB |

## Composantes mécaniques

**Cooper, 5 portes Cooper**

| | |
|---|---|
| Cylindrée, soupapes, alim. | 3L 1,5 litre 12 s turbo |
| Puissance / Couple | 134 ch / 162 lb-pi |
| Tr. base (opt) / rouage base (opt) | M6 (A6) / Tr |
| 0-100 / 80-120 / V.Max | 8,1 s / 9,3 s / 207 km/h |
| 100-0 km/h | 42,2 m |
| Type / ville / route / $CO_2$ | Sup / 8,2 / 5,9 l/100 km / 3296 kg/an |

**Cooper S, 5 portes Cooper S**

| | |
|---|---|
| Cylindrée, soupapes, alim. | 4L 2,0 litres 16 s turbo |
| Puissance / Couple | 189 ch / 207 lb-pi |
| Tr. base (opt) / rouage base (opt) | M6 (A6) / Tr |
| 0-100 / 80-120 / V.Max | 6,9 s / 6,4 s / 232 km/h |
| 100-0 km/h | 39,1 m |
| Type / ville / route / $CO_2$ | Sup / 10,0 / 7,0 l/100 km / 3979 kg/an |

**John Cooper Works**

| | |
|---|---|
| Cylindrée, soupapes, alim. | 4L 2,0 litres 16 s turbo |
| Puissance / Couple | 228 ch / 236 lb-pi |
| Tr. base (opt) / rouage base (opt) | M6 (A6) / Tr |
| 0-100 / 80-120 / V.Max | 6,3 s (const) / n.d. / 246 km/h |
| 100-0 km/h | n.d. |
| Type / ville / route / $CO_2$ | Sup / 10,4 / 7,7 l/100 km / 4225 kg/an |

## Du nouveau en 2016

Aucun changement majeur

Photos: Mini Canada

# MITSUBISHI **I-MIEV**

**Prix :** 27 998 $ (estimé)
**Catégorie :** Hatchback
**Garanties :**
3 ans / 60 000 km, 5 ans / 100 000 km
**Transport et prép. :** 1 700 $
**Ventes QC 2014 :** 77 unités
**Ventes CAN 2014 :** 109 unités

## Cote du Guide de l'auto

# 56 %

| Fiabilité | Appréciation générale |
|---|---|
| ■■■■■■■□□□ | ■■■■■□□□□□ |
| Sécurité | Agrément de conduite |
| n.d. | ■■■■□□□□□□ |
| Consommation | Système multimédia |
| ■■■■■■■■■□ | ■■■■■□□□□□ |

## Cote d'assurance

présentée par
**KANETIX.CA**

n.d.

➕ Consommation zéro • Habitacle spacieux • Passe-partout en ville • La 2e moins chère des électriques • Équipement plus complet (2016)

➖ Faible autonomie • Sensibilité aux vents latéraux • Tableau de bord désuet • Sièges inconfortables • Direction légère

## Concurrents

BMW i3, Chevrolet Spark EV, Nissan Leaf

# Quand payer sa facture d'Hydro rend heureux

Jean-François Guay

**I**l est difficile de ne pas afficher un large sourire quand on rencontre une i-MiEV. Son allure sympathique tranche nettement avec les traits féroces des autres modèles Mitsubishi qui se caractérisent par des optiques au regard menaçant. Faut croire que les stylistes de Mitsubishi étaient de bonne humeur et qu'ils avaient pris une tasse ou deux de saké quand ils ont dessiné l'i-MiEV !

Introduite sur le marché japonais en 2009, l'i-MiEV a débarqué chez nous en 2012. Depuis, elle fait tranquillement son petit bonhomme de chemin et entame sa septième année d'existence avec quelques petits changements au niveau de son équipement. Pour prendre ce nouvel élan, elle a pris une année sabbatique en 2015. Cette période de repos a permis aux concessionnaires de réduire les inventaires qui s'étaient accumulés à cause, notamment, de la baisse des prix de l'essence.

Parmi les modifications apportées en 2016, on trouve des jantes en alliage plutôt que des roues avec enjoliveurs, de nouveaux recouvrements de sièges, une chaîne audio de 140 watts (au lieu de 100 watts), un volant et un pommeau de levier de vitesse en cuir. Le groupe Navigation ajoute les accessoires suivants : une chaîne audio de 400 watts, une caméra de recul, des commandes audio au volant, la technologie Bluetooth et un système de navigation avec un écran tactile de 7 pouces.

### UN FORMAT URBAIN

L'i-MiEV est l'une des plus petites voitures sur le marché. Elle est un mètre plus longue qu'une smart, mais plus courte qu'une Toyota Yaris. Côte à côte, ses mensurations sont sensiblement les mêmes que celles d'une Fiat 500.

Les faibles dimensions du moteur électrique ont permis à Mitsubishi de concevoir un habitacle à cabine avancée. Cette configuration a le mérite de libérer de l'espace intérieur. Ainsi, le dégagement pour les jambes, la garde au toit et la largeur des portières pourrait permettre à un joueur de basket-ball de la NBA de s'installer au volant en deux temps trois mouvements. Au final, l'habitacle est assez vaste pour accueillir quatre adultes de grande taille.

Le confort est rudimentaire et exige quelques compromis. Ainsi, les sièges avant manquent de support latéral et leur fermeté se compare à ceux d'un vieux théâtre de quartier. À l'arrière, la banquette est encore plus dure et inconfortable. Comme il s'agit d'une voiture à vocation urbaine destinée à se déplacer du point A au point B, sans brûler une seule goutte d'essence, il n'y a pas lieu de se plaindre. Toutefois, si le confort est votre priorité numéro un, mieux vaut passer votre tour et regarder ailleurs. Dans le rayon des voitures électriques, il est vrai que la Nissan Leaf et la Ford Focus électrique traitent leurs passagers aux petits oignons. En contrepartie, il y a un prix à payer puisque l'i-MiEV est la deuxième voiture électrique la moins chère sur le marché – soit environ 4 000 $ de moins que la Leaf.

De tous les véhicules de cette catégorie, le tableau de bord est l'un des plus dépouillés qui soit. La simplicité de son design n'a rien en commun avec les angles futuristes de la carrosserie. D'ailleurs, on ne s'étonne pas que Mitsubishi ne mette aucune photo de l'habitacle sur son site Internet. Le décor est tristounet et vieillot. À ce chapitre, l'i-MiEV a du mal à cacher son âge. Si le volant se prend bien en mains, la manipulation du levier de vitesses gâche tout le plaisir.

### LES CONDITIONS PARFAITES

L'i-MiEV est une voiture à moteur entièrement électrique. Lorsque les meilleures conditions d'utilisation sont réunies (température extérieure de 25 degrés Celsius, routes lisses et plates, conduite et vitesse modérées, etc.), elle peut parcourir jusqu'à 120 km sur une charge complète de ses batteries au lithium-ion. La recharge des batteries peut prendre jusqu'à quatorze heures sur une prise domestique de 120 V, sept heures sur une prise de 240 V; sur une borne de recharge rapide de 400-480 V, 80 % de la charge sera effectuée en trente minutes ou moins.

Si cela vous inquiète, sachez que l'i-MiEV ne craint pas le froid, ni l'hiver. Ses roues motrices arrière et sa garde au sol se moquent des bordées de neige. Toutefois, sous le point de congélation, l'autonomie des batteries en prend pour son rhume.

Lorsqu'il pleut à boire debout, il faut faire preuve de prudence, car les pneus à faible friction peuvent manquer d'adhérence. À haute vitesse sur l'autoroute, la caisse élevée et étroite est sensible aux vents latéraux. De même, la direction est légère et manque de précision. Somme toute, la conduite de l'i-MiEV s'apprécie surtout en ville où elle tire admirablement son épingle du jeu dans la circulation dense et les stationnements étroits.

| Châssis - ES | |
|---|---|
| Emp / lon / lar / haut | 2550 / 3675 / 1585 / 1615 mm |
| Coffre / Réservoir | 374 à 1427 litres / n.d. |
| Nbre coussins sécurité / ceintures | 6 / 4 |
| Suspension avant | ind., jambes force |
| Suspension arrière | De Dion |
| Freins avant / arrière | disque / tambour |
| Direction | à crémaillère, ass. var. élect. |
| Diamètre de braquage | 9,4 m |
| Pneus avant / arrière | P145/65R15 / P175/60R15 |
| Poids / Capacité de remorquage | 1172 kg / n.d. |
| Assemblage | Mizushima, JP |

| Composantes mécaniques | |
|---|---|
| **ES** | |
| Puissance / Couple | 66 ch (49 kW) / 145 lb-pi |
| Tr. base (opt) / rouage base (opt) | Rapport fixe / Prop |
| 0-100 / 80-120 / V.Max | 15,9 s / n.d. / 130 km/h |
| 100-0 km/h | n.d. |
| Type / ville / route / $CO_2$ | Électricité / 0 / 0 l/100 km / 0 kg/an |
| Type de batterie | Lithium-ion (Li-ion) |
| Énergie | 16 kWh |
| Temps de charge (120V / 240V) | 14,0 h / 7,0 h |
| Autonomie | 135 km |

## Du nouveau en 2016

Nouvelles jantes en alliage, nouveaux tissus, volant en cuir, chaîne audio plus puissante, dispositif Bluetooth, caméra de recul, écran tactile de 7 pouces.

Photos : Mitsubishi Canada

## MITSUBISHI **LANCER**

**((SiriusXM))**

**Prix :** 14 998 $ à 32 498 $ (2015)
**Catégorie :** Berline, Hatchback
**Garanties :**
5 ans / 100 000 km, 10 ans / 160 000 km
**Transport et prép. :** 160 $
**Ventes QC 2014 :** 2 290 unités
**Ventes CAN 2014 :** 6 623 unités

### Cote du Guide de l'auto

# 73 %

Fiabilité
▪▪▪▪▪▪▪□□□

Appréciation générale
▪▪▪▪▪▪▪□□□

Sécurité
▪▪▪▪▪▪▪▪□□

Agrément de conduite
▪▪▪▪▪▪▪□□□

Consommation
▪▪▪▪▪▪▪□□□

Système multimédia
▪▪▪▪▪▪▪□□□

### Cote d'assurance

▪▪▪▪▪▪□□□□                présentée par
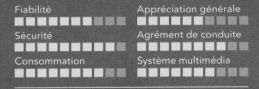
$$$                                    $

**+** Très bon comportement routier •
Garantie rassurante • Bonne fiabilité •
Rouage intégral sophistiqué • Modèle
Ralliart agréable

**–** Modèle en sursis • Finition inégale •
Moteur 2,0 litres atmosphérique •
Certaines versions dépassées

### Concurrents

Chevrolet Cruze, Dodge Dart,
Ford Focus, Honda Civic, Hyundai
Elantra, Kia Forte, Mazda3, Nissan
Sentra, Subaru Impreza, Toyota Corolla,
Volkswagen Golf, Volkswagen Jetta

# La fin d'une époque ?

Denis Duquet

Il n'est pas toujours évident de suivre les stratégies adoptées par le constructeur japonais Mitsubishi. Même s'il est vrai que ses ressources sont plus limitées que la majorité de ses concurrents, certaines décisions semblent parfois difficiles à comprendre. En effet, après nous avoir fait miroiter pendant des années l'arrivée du fameux modèle Lancer Evolution en Amérique, et même si ce modèle s'est vendu de belle façon tout au long de sa carrière chez nous, on a décidé de l'abandonner pour se contenter de la berline régulière et de ses versions multiples.

Les dirigeants soulignent que ce choix a été fait parce que Mitsubishi se tourne davantage vers les VUS et la motorisation hybride branchable. Et comme les ressources financières sont limitées, on préfère cibler certains segments et en délaisser d'autres. C'est logique, mais pourquoi alors s'entêter à commercialiser la Mirage, une voiture qui se fait littéralement planter par la Nissan Micra ?

### DE BEAUX RESTES

Dans la catégorie ultra compétitive des compactes, une voiture qui a fait ses débuts en 2008 est quasiment un dinosaure. Heureusement pour Mitsubishi, cette Lancer était bien née et elle a su survivre au fil des années sans trop se faire déclasser par la concurrence. Il est vrai que sa silhouette commence à prendre de l'âge, mais elle est quand même élégante et sa grille de calandre en forme de nez de requin lui donne une allure agressive.

Au moment d'écrire ces lignes, on ne connaît pas encore les détails sur l'apparence extérieure des Lancer 2016. Cependant, on nous souligne chez Mitsubishi Canada que la berline sera dotée d'une section avant modifiée et de phares à DEL, tandis que certaines améliorations en fait d'équipement seront apportées à la plupart des modèles. Enfin, pas de nouvelles du modèle Sportback cinq portes, dont la silhouette est la plus moderne du lot, mais qui n'est offert qu'avec le moteur de base.

Dans l'habitacle, cette voiture trahit son âge par des commandes d'une autre époque et une présentation qui pourrait connaître certaines améliorations. De plus, il faut souligner une qualité d'assemblage très moyenne tandis que les matériaux laissent parfois à désirer.

## VOTEZ RALLIART

Même si cette Mitsubishi est sur le marché depuis presque une décennie, sa plate-forme initiale était bien conçue, à tel point qu'elle a servi d'exemple à l'ultra sportive Evolution et même au VUS compact Outlander. Le comportement routier de la Lancer est bon et équilibré, et la voiture possède également une belle agilité sur les routes sinueuses.

Par contre, son moteur quatre cylindres 2,0 litres est rugueux et bruyant tandis que sa puissance de 148 chevaux est quelque peu limite. Il peut être associé à une boîte manuelle à cinq rapports ou encore une boîte automatique à variation continue (ou CVT). Cette dernière fonctionne bien, mais elle n'est certainement pas l'une des meilleures de sa catégorie. Toutefois, elle fait bon ménage avec le rouage intégral des modèles propulsés par le moteur 2,4 litres, d'une puissance de 168 chevaux. Ce rouage intégral, disponible seulement avec ce plus gros moteur, est très efficace et il est même possible de verrouiller le boîtier de transfert central. À part la Subaru Impreza, il s'agit de la seule berline compacte à proposer un tel rouage.

Le meilleur choix pour les gens intéressés par une Lancer est la version Ralliart dont le 2,0 litres turbo produit 237 chevaux et un couple de 253 livres-pied. Sa transmission intégrale est associée à une boîte automatique à six rapports avec double embrayage. Cette motorisation constitue l'un des meilleurs compromis de toute la marque Mitsubishi tant en fait de performance que d'agrément de conduite. De plus, le rouage intégral se mérite d'excellentes notes sous toutes les conditions de route et de température.

Même si la Lancer 2016 sera modifiée de façon notoire, il n'en demeure pas moins que l'incertitude quant à l'avenir de ce modèle risque de fortement inquiéter les acheteurs potentiels. Ce qui serait dommage puisque cette berline possède tout de même de remarquables qualités et une garantie fort généreuse.

Il faudra attendre pour connaître la vocation définitive de la Lancer, mais il est toujours possible de trouver quelque chose d'intéressant dans cette gamme qui connaît des hauts et des bas.

## Châssis - SE AWC

| | |
|---|---|
| Emp / lon / lar / haut | 2635 / 4570 / 1760 / 1480 mm |
| Coffre / Réservoir | 348 litres / 55 litres |
| Nbre coussins sécurité / ceintures | 7 / 5 |
| Suspension avant | ind., jambes force |
| Suspension arrière | ind., multibras |
| Freins avant / arrière | disque / disque |
| Direction | à crémaillère, assistée |
| Diamètre de braquage | 10,0 m |
| Pneus avant / arrière | P205/60R16 / P205/60R16 |
| Poids / Capacité de remorquage | 1425 kg / n.d. |
| Assemblage | Mizushima, JP |

## Composantes mécaniques

### DE, SE, Limited, GT

| | |
|---|---|
| Cylindrée, soupapes, alim. | 4L 2,0 litres 16 s atmos. |
| Puissance / Couple | 148 ch / 145 lb-pi |
| Tr. base (opt) / rouage base (opt) | M5 (CVT) / Tr |
| 0-100 / 80-120 / V.Max | 9,1 s / 6,8 s / n.d. |
| 100-0 km/h | n.d. |
| Type / ville / route / $CO_2$ | Ord / 8,4 / 5,8 l/100 km / 3330 kg/an |

### SE AWC, GT AWC

| | |
|---|---|
| Cylindrée, soupapes, alim. | 4L 2,4 litres 16 s atmos. |
| Puissance / Couple | 168 ch / 167 lb-pi |
| Tr. base (opt) / rouage base (opt) | CVT / Int |
| 0-100 / 80-120 / V.Max | 9,2 s / 6,3 s / n.d. |
| 100-0 km/h | 46,5 m |
| Type / ville / route / $CO_2$ | Ord / 9,2 / 6,9 l/100 km / 3760 kg/an |

### Ralliart

| | |
|---|---|
| Cylindrée, soupapes, alim. | 4L 2,0 litres 16 s turbo |
| Puissance / Couple | 237 ch / 253 lb-pi |
| Tr. base (opt) / rouage base (opt) | A6 / Int |
| 0-100 / 80-120 / V.Max | 6,2 s / 4,2 s / n.d. |
| 100-0 km/h | 39,6 m |
| Type / ville / route / $CO_2$ | Sup / 11,9 / 7,9 l/100 km / 4646 kg/an |

## Du nouveau en 2016

Modifications esthétiques à l'avant et à l'intérieur. Révision de l'équipement.

Photos : Mitsubishi Canada

# MITSUBISHI **MIRAGE**

**Prix:** 9 998 $ à 17 198 $ (2015)
**Catégorie:** Hatchback
**Garanties:**
5 ans/100 000 km, 10 ans/160 000 km
**Transport et prép.:** 1 450 $
**Ventes QC 2014:** 1 751 unités
**Ventes CAN 2014:** 4 048 unités

Cote du Guide de l'auto

## 55 %

Fiabilité
■■■■■■□□□□

Appréciation générale
■■■■■□□□□□

Sécurité
■■■■■□□□□□

Agrément de conduite
■■■■□□□□□□

Consommation
■■■■■■■□□□

Système multimédia
■■■■■□□□□□

Cote d'assurance
■■■■■■□□□□

présentée par
**KANETIX.CA**

$$$                    $

➕ Agilité assurée en ville • Gabarit pratique • Sièges avant confortables • Boîte manuelle efficace • Garantie mécanique avantageuse

➖ Finition erratique • Consommation élevée • Boîte CVT mal adaptée • Insonorisation déficiente • Prix grimpent rapidement

**Concurrents**
Chevrolet Spark, Fiat 500, Nissan Micra, smart Fortwo

# Rudimentaire citadine

Guy Desjardins

L'arrivée de la Mitsubishi Mirage il y a deux ans a fait couler beaucoup d'encre. On l'annonçait comme une révolution dans la catégorie des sous-compactes, une des voitures les moins dispendieuses sur le marché et des plus frugales en carburant. Mais la vague Mirage tarde à se concrétiser.

À sa deuxième année chez les concessionnaires, les ventes de la microvoiture montrent toutefois des chiffres en hausse. La Mirage n'est pas la plus élégante du lot et sa consommation n'épate pas la galerie malgré sa généreuse palette de couleurs!

La Mirage 2015 reste disponible jusqu'en février 2016, date à laquelle la Mirage 2017 sera mise en vente. Une nouvelle version ES Sport s'ajoute toutefois et propose des jantes de 14 pouces, des phares antibrouillard et des jupes de bas de caisse. Techniquement, il n'y aura donc pas de modèle 2016, sauf pour la berline qui fait son entrée en scène. Connue pour l'instant sous le nom Mirage G4, elle devrait arriver chez les concessionnaires canadiens au printemps 2016. Peu d'informations nous ont été confirmées, l'essai routier sera publié sur notre site web au moment du lancement.

### DANS UNE CLASSE À PART
D'entrée de jeu, il faut mentionner que la voiture ne nous impressionne pas outre mesure. On s'attendait à beaucoup plus de cette nouvelle venue, mais la déception fut instantanée, dès sa présentation aux médias. L'allure générale de la Mirage fait penser à la silhouette de la défunte Toyota Echo. Le capot très court, les petites roues et les feux arrière sous-dimensionnés rappellent un design des années 90. La finition extérieure est adéquate, mais manque de rigueur dans l'exécution. Certains joints de carrosserie sur notre modèle d'essai montraient des écarts variables, surtout au niveau du capot avant. De plus, à de nombreux endroits, dont l'intérieur des portières et dans le compartiment moteur, on ne remarque qu'une seule couche de peinture.

Toutes les microvoitures ont généralement un point en commun, leur très petite motorisation. Et la Mirage ne fait pas exception en s'offrant même un léger extra : un cylindre de moins que la concurrence. Heureusement, le poids plume de la Mirage compense les maigres 74 chevaux peu enjoués qui se trouvent sous le capot. D'ailleurs, la voiture met plus de 13 secondes pour atteindre 100 km/h, une donnée que réussit même à battre la nouvelle smart fortwo. Autant sous la carrosserie qu'autour du moteur, les pièces semblent bien fragiles. L'assemblage ne montre aucun signe de défaillance mais les dimensions réduites des biellettes et des boulons n'inspirent pas tellement confiance.

## CONFORT ÉLÉMENTAIRE

À l'intérieur, le constat est similaire : tout est fonctionnel, sans plus. Les plastiques utilisés font bon marché et s'avèrent plutôt rigides alors que la présentation sommaire reste tout de même bien pensée. Le tableau de bord n'affiche que le strict minimum, tout comme la console centrale qui ne bénéficie d'aucun élément superflu. Curieusement, la grande majorité de ces petites voitures propose des sièges avant très confortables et munis d'excellents supports, autant pour l'assise qu'au niveau du dossier. La Mirage ne fait pas exception. La proximité de la surface vitrée permet évidemment au conducteur de jouir d'une excellente visibilité, d'autant plus que les dimensions de la voiture ne viennent en rien handicaper les manœuvres de stationnement.

D'abord conçue pour être d'une extrême utilité en ville, la Mirage livre de fabuleuses performances dans ces circonstances. Sa maniabilité et son rayon de braquage extraordinaires lui permettent de se faufiler admirablement bien dans la cité. La puissance du trois cylindres suffit en situations urbaines où les accélérations extrêmes n'ont pas leur place. Des deux boîtes de vitesses offertes, la manuelle est celle qui engendre les meilleures sensations de conduite. Quant à la CVT, elle n'exploite pas adéquatement le couple à bas régime en plus de faire hurler inutilement le moteur lors de fortes accélérations. Vous ne serez pas étonné d'apprendre que la consommation nous déçoit avec des chiffres nettement plus élevés que ceux annoncés au départ par Mitsubishi.

Ce constat peu flatteur, la Mirage le doit en grande partie à la concurrence qui en offre beaucoup plus à un prix similaire. La Mirage a le défaut de ne pas être assez différente des modèles concurrents (outre sa généreuse garantie mécanique de 10 ans) en plus de montrer des chiffres qui ne lui permettent pas de distancer avantageusement ses rivales.

## Châssis - SE (auto)

| | |
|---|---|
| Emp / lon / lar / haut | 2450 / 3780 / 1665 / 1500 mm |
| Coffre / Réservoir | 235 à 487 litres / 35 litres |
| Nbre coussins sécurité / ceintures | 7 / 5 |
| Suspension avant | ind., jambes force |
| Suspension arrière | semi-ind., poutre torsion |
| Freins avant / arrière | disque / tambour |
| Direction | à crémaillère, ass. élect. |
| Diamètre de braquage | 9,2 m |
| Pneus avant / arrière | P165/65R14 / P165/65R14 |
| Poids / Capacité de remorquage | 930 kg / n.d. |
| Assemblage | Laem Chabang, TH |

## Composantes mécaniques

| | |
|---|---|
| Cylindrée, soupapes, alim. | 3L 1,2 litre 12 s atmos. |
| Puissance / Couple | 74 ch / 74 lb-pi |
| Tr. base (opt) / rouage base (opt) | M5 (CVT) / Tr |
| 0-100 / 80-120 / V.Max | 13,2 s / 10,1 s / 170 km/h |
| 100-0 km/h | 46,4 m |
| Type / ville / route / $CO_2$ | Ord / 5,3 / 4,4 l/100 km / 2250 kg/an |

## Du nouveau en 2016

Aucun changement majeur. Arrivée prévue d'une berline Mirage au cours de 2016.

Photos : Mitsubishi Canada

# MITSUBISHI **OUTLANDER**

((SiriusXM))

**Prix :** 25 998 $ à 42 000 $ (2015)
**Catégorie :** VUS
**Garanties :**
5 ans / 100 000 km, 5 ans / 100 000 km
**Transport et prép. :** 1 700 $
**Ventes QC 2014 :** 1 658 unités
**Ventes CAN 2014 :** 5 330 unités

Cote du Guide de l'auto

## 75 %

| Fiabilité | Appréciation générale |
|---|---|
| ■■■■■□□□□□ | ■■■■■■■□□□ |
| Sécurité | Agrément de conduite |
| ■■■■■■■■□□ | ■■■■■□□□□□ |
| Consommation | Système multimédia |
| ■■■■■■□□□□ | ■■■■■□□□□□ |

Cote d'assurance
■■■■■■■□□□
$$$                          $

présentée par
**KANETIX.CA**

➕ Silhouette plus élégante • Version PHEV prometteuse • Bonne garantie • Rouage intégral efficace • Nombreux systèmes électroniques de sécurité

➖ Appuie-têtes de 3e rangée trop hauts • Moteur quatre cylindres un peu juste • Coffre de dimensions moyennes • 3e rangée difficile d'accès

## Concurrents

Chevrolet Equinox, Dodge Journey, Ford Escape, GMC Terrain, Honda CR-V, Hyundai Santa Fe, Jeep Cherokee, Kia Sportage, Mazda CX-5, Nissan Rogue, Subaru Forester, Toyota RAV4, Volkswagen Tiguan

# L'avenir est à l'hybride

Denis Duquet

**L**'Outlander a été complètement redessiné en 2014. On avait requinqué la mécanique, raffiné la plate-forme tout en dotant cette nouvelle génération de nombreux systèmes de sécurité plus sophistiqués que la moyenne de la catégorie. Malheureusement pour Mitsubishi, l'un des éléments de cette révision est venu gâcher le retour en force : une grille de calandre controversée qui a été loin de faire l'unanimité.

À tel point que l'édition 2015 a été révisée sur le plan esthétique en plus de voir une nouvelle version de la boîte CVT être associée au moteur quatre cylindres de 2,4 litres. Toutefois, on a décidé de poursuivre le raffinement de l'Outlander pour l'édition 2016 et cette fois, les changements sont plus visibles.

Cette année, la partie avant a été redessinée alors que le hayon arrière est légèrement modifié afin d'ajouter du caractère à la présentation. En plus, le hayon s'ouvre plus grand, 37 mm de plus, et est motorisé sur certaines versions. Dans l'habitacle, les matériaux sont de meilleure qualité tandis qu'une foule de détails ont été revus. Le mécanisme de rangement de la banquette arrière 60/40 a été redessiné et rendu plus efficace. En outre, il est possible d'accommoder une troisième rangée qui est un accessoire rare chez les VUS compacts. Par contre, l'espace est limité et le niveau de confort modeste en plus de gruger les 2/3 de la soute à bagages.

## STATU QUO

C'est un secret de polichinelle que Mitsubishi ne roule pas sur l'or. Ceci dit, il faut saluer les efforts louables que ses dirigeants font pour produire des véhicules compétitifs. Ces ressources financières expliquent sans doute pourquoi les moteurs de la version antérieure sont de retour. Le quatre cylindres de 2,4 litres est toujours concurrentiel avec ses 166 chevaux, mais l'utilisation de l'injection directe aurait donné plus de puissance et réduit la consommation. Quant au moteur V6, il a été bonifié avec le temps et a l'honneur d'être l'un des rares six cylindres de la catégorie. La boîte automatique à 6 rapports est correcte tandis que la capacité de remorquage est de 3 500 livres (1 588 kilos), ce qui est suffisant pour tracter une petite remorque ou un bateau.

Si la version de base est à roues motrices avant, les autres modèles proposent le rouage intégral AWC ou S-AWC qui est l'un des plus efficaces sur le marché. L'AWC comprend les modes Eco, Auto et Lock. Dans le premier cas, on est en deux roues motrices jusqu'à ce que les roues avant patinent. De son côté, le mode Auto privilégie toujours les roues motrices avant, mais sa gestion privilégie l'adhérence plutôt que la consommation. Quant au mode Lock, il répartit le couple équitablement aux quatre roues. Le S-AWC propose des algorithmes révisés et un mode additionnel, Snow, qui comme son nom l'indique est destiné à la conduite hivernale.

Sur la route, le quatre cylindres est adéquat la plupart du temps, mais il travaille assez fort dans les côtes tout comme lors des dépassements. Les conducteurs qui pilotent en douceur vont l'apprécier et les impatients seront moins enthousiastes. Soulignons au passage l'efficacité de la transmission CVT qui fait bon ménage avec le rouage intégral. Le V6 est plus puissant et plus souple, mais ses performances ne sont pas étincelantes. Le comportement routier est sans histoire et le véhicule est passablement neutre en virage, même lorsque ceux-ci sont serrés et s'enchaînent les uns après les autres. La suspension raffermie est sans doute responsable de cette tenue de route. Il faut également ajouter que l'insonorisation est bonifiée tout comme la douceur de roulement. Toutes ces améliorations s'ajoutent à une garantie généreuse qui rend l'offre de Mitsubishi plus intéressante que précédemment.

### ET L'OUTLANDER PHEV ?

Cette nouvelle génération met la table pour l'arrivée au cours de 2016 du Outlander PHEV, une version hybride branchable vendue en Europe depuis quelque temps. Mitsubishi a consacré beaucoup d'énergie et d'argent dans la mise au point de cet hybride. Lorsque ses batteries sont complètement chargées, l'autonomie en mode électrique est d'environ 50 km, selon ce qu'on a pu apprendre. Une fois les piles épuisées, un moteur de 2,0 litres sert de génératrice permettant une autonomie d'environ 850 km. Par ailleurs, le pilote peut choisir de lancer le moteur thermique au début et d'utiliser l'énergie électrique plus tard. Un mélange des deux modes est également possible. Le rouage intégral est obtenu par la présence de deux moteurs électriques, placés à chaque extrémité.

La version canadienne sera cependant différente du modèle européen sur le plan esthétique.

## Châssis - PHEV

| | |
|---|---|
| Emp / lon / lar / haut | 2670 / 4655 / 2120 / 1680 mm |
| Coffre / Réservoir | 463 à 1287 litres / 45 litres |
| Nbre coussins sécurité / ceintures | 7 / 5 |
| Suspension avant | ind., jambes force |
| Suspension arrière | ind., multibras |
| Freins avant / arrière | disque / disque |
| Direction | à crémaillère, ass. var. élect. |
| Diamètre de braquage | 10,6 m |
| Pneus avant / arrière | P225/55R18 / P225/55R18 |
| Poids / Capacité de remorquage | 1810 kg / 750 kg (1653 lb) |
| Assemblage | Nagoya, JP |

## Composantes mécaniques

**PHEV**

| | |
|---|---|
| Cylindrée, soupapes, alim. | 4L 2,0 litres 16 s atmos. |
| Puissance / Couple | 119 ch / 140 lb-pi |
| Tr. base (opt) / rouage base (opt) | Rapport fixe / Int |
| 0-100 / 80-120 / V.Max | 11,0 s (const) / n.d. / 170 km/h |
| 100-0 km/h | n.d. |
| Type / ville / route / $CO_2$ | Sup / n.d. / n.d. / 2668 kg/an |

**Moteur électrique**

| | |
|---|---|
| Puissance / Couple | 80 ch (60 kW) / 101 lb-pi |
| Type de batterie | Lithium-ion (Li-ion) |
| Énergie | 12 kWh |
| Temps de charge (120V / 240V) | 5,0 h / 3,5 h |
| Autonomie | 52 km |

**ES**

| | |
|---|---|
| Cylindrée, soupapes, alim. | 4L 2,4 litres 16 s atmos. |
| Puissance / Couple | 166 ch / 162 lb-pi |
| Tr. base (opt) / rouage base (opt) | CVT / Tr (Int) |
| 0-100 / 80-120 / V.Max | 9,5 s (estimé) / n.d. / n.d. |
| 100-0 km/h | n.d. |
| Type / ville / route / $CO_2$ | Ord / 9,7 / 8,1 l/100 km / 4131 kg/an |

**SE, GT-S**

| | |
|---|---|
| Cylindrée, soupapes, alim. | V6 3,0 litres 24 s atmos. |
| Puissance / Couple | 224 ch / 215 lb-pi |
| Tr. base (opt) / rouage base (opt) | A6 / Int |
| 0-100 / 80-120 / V.Max | 8,3 s / 5,7 s / n.d. |
| 100-0 km/h | 43,2 m |
| Type / ville / route / $CO_2$ | Sup / 11,9 / 8,5 l/100 km / 4770 kg/an |

### Du nouveau en 2016

Section avant redessinée, habitacle révisé, suspension améliorée.
Arrivée prochaine de la version branchable PHEV.

Photos : Mitsubishi Canada

# MITSUBISHI **RVR**

((SiriusXM))

**Prix:** 19 998 $ à 29 398 $ (2015)
**Catégorie:** VUS
**Garanties:**
5 ans / 100 000 km, 10 ans / 160 000 km
**Transport et prép.:** 1 700 $
**Ventes QC 2014:** 2 142 unités
**Ventes CAN 2014:** 6 594 unités

## Cote du Guide de l'auto
# 71 %

| Fiabilité | Appréciation générale |
| --- | --- |
| Sécurité | Agrément de conduite |
| Consommation | Système multimédia |

## Cote d'assurance

présentée par
**KANETIX.CA**

$$$                              $

➕ Bonne garantie • Choix de moteurs intéressant • Rouage intégral efficace • Équipement de base étoffé

➖ Moteur de base un peu juste • Habitacle sobre • Rouage intégral à contrôle manuel • Consommation élevée (2,4 litres)

## Concurrents
Buick Encore, Chevrolet Trax, Fiat 500X, Honda HR-V, Jeep Compass, Jeep Patriot, Jeep Renegade, Kia Soul, Mazda CX-3, Nissan Juke

# Le plus accompli

Sylvain Raymond

**A**lors que Mitsubishi jongle année après année avec le design de l'Outlander et que la Mirage n'a pratiquement d'intéressant que son prix, le RVR est sans aucun doute le modèle le plus accompli du constructeur japonais aux côtés de la Lancer. Il n'est donc pas étonnant de découvrir qu'il a été le modèle le plus vendu en 2013 chez Mitsubishi.

Introduit en 2011, le RVR repose sur la plate-forme GS de Mitsubishi, la même que l'on retrouve sous la Lancer. Baptisé Outlander Sport chez nos voisins du Sud, le RVR est plus compact que son grand frère Outlander, ce qui le met nez à nez avec des modèles tels le Subaru XV Crosstrek et les nouveaux Jeep Renegade et Mazda CX-3. On apprécie le RVR surtout pour son prix de base alléchant et son excellente garantie.

Quant au choix du modèle, on a toujours de la difficulté à recommander un VUS à deux roues motrices. Même si son prix est plus attrayant, on perd tout l'avantage d'un tel véhicule. Dans le cas du RVR, il faut donc opter pour la version SE AWD dont le prix est majoré d'un peu plus de 3 000 $ par rapport au SE à traction. C'est une prime supérieure à la normale — les constructeurs exigent couramment 1 500 $ à 2 000 $ —, mais le SE AWD ajoute aussi une transmission à variation continue, ce qui explique l'écart supérieur. Contrairement à certains concurrents, il est impossible d'obtenir la transmission manuelle avec un RVR à rouage intégral. Notre choix: le RVR Limited qui en offre vraiment plus pour un prix légèrement supérieur.

### UN DUO DE MOTEURS
Côté mécanique, Mitsubishi a apporté un peu de variété l'an passé en calquant l'offre de motorisation de la Lancer. On retrouve donc de série le quatre cylindres de 2,0 litres qui produit 148 chevaux pour un couple de 145 lb-pi. Ce n'est pas surpuissant, mais ça permet d'obtenir en revanche une bonne économie de carburant.

Depuis 2015, on a décidé de varier un peu les plaisirs en rendant disponible le quatre cylindres de 2,4 litres à bord des versions plus huppées. La puissance est en hausse à 168 chevaux, soit 20 de plus, mais c'est surtout le couple qui est favorisé avec ses 167 lb-pi. Ce moteur place le RVR dans les plus puissants de sa catégorie aux côtés du Nissan Juke. La bonne nouvelle, c'est que la facture n'est pas trop majorée, rendant cette mécanique encore plus intéressante. Non seulement la puissance supérieure est fort appréciée, mais elle apporte une conduite également plus silencieuse puisque la transmission CVT a beaucoup moins à faire. En fait, ce moteur rend justice au véhicule et une fois que l'on y goûte, il est difficile de revenir au moteur de base.

Côté style, le RVR affiche des lignes dynamiques et très esthétiques. La partie avant, remaniée légèrement cette année, s'apparente à celle de la Lancer. La recette est moins controversée que dans le cas de l'Outlander, un net avantage pour le RVR. L'effet est encore plus réussi sur les versions plus luxueuses, notamment en raison des jantes distinctes, des phares antibrouillard et des garnitures de chrome supplémentaires. Autre avantage, on retrouve un bon choix de coloris.

Une fois assis sur le siège du conducteur, on découvre un tableau de bord sobre, mais bien présenté. L'effet n'est pas très luxueux, mais ce n'est pas bon marché non plus. Le RVR brille par un niveau d'équipement assez complet, même en version de base, ce qui le rend très intéressant. Bien entendu, les extras tels que le climatiseur automatique, le système d'accès sans clé et la chaîne audio Rockford Fosgate de 710 watts sont réservés aux versions plus cossues. Difficile non plus de ne pas être emballé par le grand toit panoramique offert sur les versions les plus haut de gamme et qui, en soirée, est éclairé par des bandes de lumière aux DEL. Capable d'accueillir jusqu'à cinq passagers, le RVR offre tout de même un bon dégagement en hauteur. Seule sa largeur réduite diminue l'espace à l'arrière lorsque trois passagers prennent placent. On peut compter sur 614 litres d'espace de chargement qui peut être majoré à 1 402 litres une fois les sièges rabattus.

Très performant, le rouage intégral du RVR propose trois modes distincts, 2WD pour la conduite habituelle et une économie de carburant optimale, 4WD Auto pour une traction et un contrôle amélioré ainsi que 4WD Lock qui verrouille la répartition du couple à 50/50 lors de conditions plus extrêmes. Ce système est certainement l'un des plus performants dans la catégorie. Son seul désagrément, il faut changer manuellement le mode chaque fois que les conditions évoluent.

## Châssis - Limitée 2.4

| | |
|---|---|
| Emp / lon / lar / haut | 2670 / 4295 / 1770 / 1630 mm |
| Coffre / Réservoir | 614 à 1402 litres / 60 litres |
| Nbre coussins sécurité / ceintures | 7 / 5 |
| Suspension avant | ind., jambes force |
| Suspension arrière | ind., multibras |
| Freins avant / arrière | disque / disque |
| Direction | à crémaillère, ass. élect. |
| Diamètre de braquage | 10,6 m |
| Pneus avant / arrière | P225/55R18 / P225/55R18 |
| Poids / Capacité de remorquage | 1490 kg / n.d. |
| Assemblage | Normal, IL |

## Composantes mécaniques

**ES, SE, Limitée, GT**

| | |
|---|---|
| Cylindrée, soupapes, alim. | 4L 2,0 litres 16 s atmos. |
| Puissance / Couple | 148 ch / 145 lb-pi |
| Tr. base (opt) / rouage base (opt) | M5 (CVT) / Tr (Int) |
| 0-100 / 80-120 / V.Max | 11,5 s / 9,2 s / n.d. |
| 100-0 km/h | 41,6 m |
| Type / ville / route / $CO_2$ | Ord / 9,6 / 7,7 l/100 km / 4023 kg/an |

**Limitée 2.4, GT 2.4**

| | |
|---|---|
| Cylindrée, soupapes, alim. | 4L 2,4 litres 16 s atmos. |
| Puissance / Couple | 168 ch / 167 lb-pi |
| Tr. base (opt) / rouage base (opt) | CVT / Int |
| 0-100 / 80-120 / V.Max | 10,5 s / 7,7 s / n.d. |
| 100-0 km/h | 43,2 m |
| Type / ville / route / $CO_2$ | Ord / 10,4 / 8,9 l/100 km / 4474 kg/an |

## Du nouveau en 2016

Retouches esthétiques à l'avant, moteur 2,4 offert depuis février 2015

Photos : Jeremy Alan Glover, Mitsubishi Canada

# NISSAN **370Z**

**Prix :** 29 998 $ à 56 838 $
**Catégorie :** Coupé, Roadster
**Garanties :**
3 ans / 60 000 km, 5 ans / 100 000 km
**Transport et prép. :** 174 $
**Ventes QC 2014 :** 85 unités
**Ventes CAN 2014 :** 411 unités

## Cote du Guide de l'auto

# 73 %

Fiabilité
■■■■■■■□□□

Appréciation générale
■■■■■■■□□□

Sécurité
■■■■■■□□□□

Agrément de conduite
■■■■■■■■□□

Consommation
■■■■■■■□□□

Système multimédia
■■■■■□□□□□

## Cote d'assurance

■■■■■□□□□□

présentée par
**KANETIX.CA**

$$$                    $

➕ Style sportif, surtout la NISMO •
Conduite emballante • Direction précise •
Finition soignée

➖ Voiture peu pratique • Volume de
chargement réduit • Insonorisation du
toit souple • Boîte automatique moins
performante

## Concurrents
Alfa Romeo 4C, Audi TT, BMW Série 3,
Chevrolet Camaro, Ford Mustang,
Hyundai Genesis Coupe, Infiniti Q60,
Porsche Boxster/Cayman, Scion FR-S,
Subaru BRZ

# Classique et plus abordable

Sylvain Raymond

**L**a Nissan Z n'a plus besoin de présentation, elle qui fait l'envie des amateurs de coupé sport depuis ses débuts en 1969. Depuis 2009, elle est commercialisée sous sa sixième génération et on l'a même rebaptisée pour l'occasion afin de refléter sa cylindrée supérieure. En dépit de quelques retouches apportées ici et là l'année dernière, la 370Z n'est peut-être pas à la page côté technologique, mais elle demeure une sportive de premier plan, capable de se frotter à des modèles beaucoup plus prestigieux.

Malgré tout l'attrait qu'elle exerce auprès des amateurs de sportives nipponnes et de voitures modifiées, on écoule les unités au compte-gouttes, ce qui est souvent le cas des coupés sport, et son prix assez élevé n'aide pas les choses. D'ailleurs, mon collègue écrivait l'an passé que la 370Z était une véritable aubaine chez nos voisins du Sud par rapport à ici, grâce à une version moins bien équipée non offerte chez nous. Il semble que ses prières ont été entendues car pour 2016, son prix de base a été abaissé de 10 000 $, rien de moins. Eh oui, la Z, pour les intimes, est maintenant proposée sous les 30 000 $, ce qui la rend plus alléchante.

### LA NISMO, TOUT UN BOLIDE
Nous avons eu la chance de participer à une randonnée au volant de la 370Z, balade destinée à ramasser des fonds pour les enfants malades. Il faut savoir que cette auto est proposée en versions coupé et cabriolet à toit souple. Nous avions le coupé, le plus intéressant des deux. Malgré ses lignes sportives, il était difficile de rivaliser avec les nombreuses bagnoles exotiques présentes à l'évènement. Heureusement, nous avions mis la main sur la livrée NISMO, une version beaucoup plus tape-à-l'œil. Les jantes uniques ajoutent à sa beauté, mais c'est surtout son béquet arrière et son échappement double intégré dans la carrosserie qui la rendent aussi réussie.

À l'intérieur, le tableau de bord est très simpliste et trahit l'âge du modèle. Oubliez les habitacles technos des nouveaux modèles, la Z est demeurée classique et indéniablement axée sur le plaisir de conduite. D'ailleurs, on a amélioré l'attention aux détails, entre autres sur les panneaux de porte, grâce à l'ajout de matériaux souples.

Avec l'absence de places arrière elle ne peut accueillir que deux passagers ce qui limite son aspect pratique. L'espace de chargement est également assez restreint, notamment en raison du plancher élevé et d'une barre anti rapprochement située derrière les deux tours de suspension. La version NISMO est un peu plus exclusive avec des coutures rouges, un volant sport et des sièges Recaro recouverts de cuir et d'Alcantara. Dès que l'on ouvre la portière, on sait que l'on est en présence d'un bolide.

### TOUT L'ADN D'UNE SPORTIVE

Au cœur des performances du modèle, on retrouve tout d'abord une conception idéale pour une sportive. Bonne répartition de poids, profil bas, empattement court, porte-à-faux réduits et roues arrière motrices, tout pour maximiser le comportement du bolide. Pour assurer des performances décentes, Nissan compte sur un moteur bien connu, son V6 de 3,7 litres qui développe dans ce cas-ci une puissance de 332 chevaux pour un couple de 270 lb-pi. C'est un chiffre plus qu'honorable et c'est encore mieux dans le cas de la NISMO qui profite de 18 chevaux supplémentaires, principalement grâce à son échappement moins restrictif.

Les puristes voudront conserver la boîte de vitesses de base, la manuelle à six rapports dotée du système SynchroRev Match. Il fait correspondre le régime du moteur lorsque l'on rétrograde, et l'on devient instantanément un expert du talon-pointe! Ceux qui ne désirent pas jouer de la pédale d'embrayage pourront opter pour une automatique à sept rapports comprenant des palonniers derrière le volant.

Une fois le V6 démarré, on apprécie sa riche sonorité filtrée par un échappement aux harmoniques étudiés. Bien enfoncé dans le siège, on retrouve une position de conduite basse, typique des sportives. Le volant offre une bonne prise en main; on sent que l'on a véritablement la maîtrise de la voiture qui, via une suspension sport et une direction ultraprécise, enchaîne les courbes sans broncher et sans aucun transfert des masses.

Les accélérations sont franches et la puissance est disponible à un couple relativement bas. Vivement la boîte manuelle à six rapports, puisque l'automatique, quoique plus pratique en ville, inhibe vraisemblablement les performances de la voiture. Grâce à ses performances, la 370Z peut rivaliser sans gêne avec des modèles griffés et plus dispendieux.

| Châssis - 370Z Roadster (auto) | |
|---|---|
| Emp / lon / lar / haut | 2550 / 4246 / 1845 / 1326 mm |
| Coffre / Réservoir | 119 litres / 72 litres |
| Nbre coussins sécurité / ceintures | 6 / 2 |
| Suspension avant | ind., double triangulation |
| Suspension arrière | ind., multibras |
| Freins avant / arrière | disque / disque |
| Direction | à crémaillère, ass. var. |
| Diamètre de braquage | 10,0 m |
| Pneus avant / arrière | P225/50R18 / P245/45R18 |
| Poids / Capacité de remorquage | 1583 kg / n.d. |
| Assemblage | Tochigi, JP |

### Composantes mécaniques

**370Z**

| | |
|---|---|
| Cylindrée, soupapes, alim. | V6 3,7 litres 24 s atmos. |
| Puissance / Couple | 332 ch / 270 lb-pi |
| Tr. base (opt) / rouage base (opt) | M6 (A7) / Prop |
| 0-100 / 80-120 / V.Max | 6,0 s / 6,4 s / n.d. |
| 100-0 km/h | 42,1 m |
| Type / ville / route / $CO_2$ | Sup / 11,7 / 8,0 l/100 km / 4600 kg/an |

**370Z Nismo**

| | |
|---|---|
| Cylindrée, soupapes, alim. | V6 3,7 litres 24 s atmos. |
| Puissance / Couple | 350 ch / 276 lb-pi |
| Tr. base (opt) / rouage base (opt) | M6 / Prop |
| 0-100 / 80-120 / V.Max | 5,7 s (est) / 6,2 s (est) / n.d. |
| 100-0 km/h | n.d. |
| Type / ville / route / $CO_2$ | Sup / 11,7 / 8,0 l/100 km / 4600 kg/an |

### Du nouveau en 2016

Aucun changement majeur. Version de base offerte à partir de 30 000 $

# NISSAN **ALTIMA**

((SiriusXM))

**Prix:** 23 698 $ à 33 498 $ (2015)
**Catégorie:** Berline
Garanties:
3 ans / 60 000 km, 5 ans / 100 000 km
**Transport et prép.:** 1 575 $
**Ventes QC 2014:** 1 670 unités
**Ventes CAN 2014:** 9 475 unités

## Cote du Guide de l'auto
# 63 %

| Fiabilité | Appréciation générale |
|---|---|
| ■■■■■■□□□□ | ■■■■■■■□□□ |
| Sécurité | Agrément de conduite |
| ■■■■■■■■□□ | ■■■■■■□□□□ |
| Consommation | Système multimédia |
| ■■■■■■□□□□ | ■■■■■■■□□□ |

## Cote d'assurance
■■■■■■■□□□                    présentée par
$$$                    $        **KANETIX.CA**

➕ Choix de moteurs • Sièges avant
confortables • Habitacle spacieux •
Multiples options • Boîte CVT efficace

➖ Faible agrément de conduite •
Direction offrant peu de *feedback* •
Silhouette générique • Boîte CVT ne fait
pas l'unanimité

## Concurrents
Chevrolet Malibu, Chrysler 200, Dodge
Avenger, Ford Fusion, Honda Accord,
Hyundai Sonata, Kia Optima, Mazda6,
Subaru Legacy, Toyota Camry,
Volkswagen Passat

# Signe particulier : néant

Denis Duquet

**L**a berline Altima de Nissan fait partie de ces voitures que l'on conduit en essai routier et qui sont tellement anonymes sous pratiquement tous les rapports, qu'après une semaine à leur volant, on ne trouve presque rien de particulier à souligner. Elles ne font rien de mal, mais rien de bien extraordinaire non plus.

Par contre, c'est justement le type d'automobiles que plusieurs personnes aiment car leur conduite est sans surprise, leur habitabilité légèrement supérieure à la moyenne tandis que les groupes propulseurs assurent une bonne économie de carburant. Voilà autant d'arguments qui militent en faveur de l'Altima et qui expliquent pourquoi elle a quasiment évincé la Maxima, sa grande sœur.

Malgré ce caractère mi-figue mi-raisin de l'Altima, Nissan tente de nous faire avaler qu'il s'agit d'une sportive à tout crin, si l'on se fie aux publicités télévisées vantant ses mérites en piste. Toutefois, à défaut de nous exciter, elle possède plusieurs qualités qui seront appréciées des gens calmes qui désirent l'équilibre dans une automobile.

### CONFORT ET HABITABILITÉ
Une chose est certaine, bon nombre d'acheteurs de berline intermédiaire sont davantage à la recherche de confort et d'habitabilité que d'accélérations à l'emporte-pièce et d'une tenue de route digne d'une voiture de course. Ça tombe bien, l'Altima brille par son habitabilité supérieure à la moyenne tandis que les sièges avant sont vraiment confortables, même après de longs trajets. Les places arrière sont également généreuses. Impossible de passer sous silence l'insonorisation plutôt poussée de l'habitacle.

La planche de bord n'épatera personne mais la disposition des commandes est simple et l'écran d'affichage est adéquat. Le centre d'information niché entre l'indicateur de vitesse et le compte-tours est pratique, car il permet de prendre connaissance de données importantes sans devoir quitter la route des yeux pendant trop longtemps. L'Altima se démarque aussi par de multiples espaces de rangement qui sont non seulement placés à la portée de la main, mais d'une grande capacité. La même remarque s'applique au coffre à gants. Toutefois, ce qui est moins commode, ce sont les commutateurs servant à désactiver l'avertisseur sonore du système de changement de voie et de l'avertisseur d'angle mort. Ils sont situés derrière le volant et difficiles à atteindre. C'est d'autant plus frustrant que la sonorité de ces avertisseurs tombe rapidement sur les nerfs et on veut vite les désactiver. Heureusement, ils sont optionnels.

### TOUJOURS LA CVT

Au cours des dernières années, Nissan s'est fait le champion de la transmission à rapports continuellement variables ou, si vous préférez, CVT. Et ce n'est pas sans raison puisque ce constructeur a développé une expertise enviée dans le milieu. D'autant plus que dans la majorité des cas, cette transmission est assez efficace. Je dis «majorité des cas», car il y a quelques exceptions comme la Sentra...

Si une seule transmission est disponible, deux moteurs sont au catalogue. Les modèles de base sont propulsés par un 4 cylindres de 2,5 litres d'une puissance de 182 chevaux. À moins que vous n'ayez des ambitions sportives, ce moteur fera l'affaire la plupart du temps. Son rendement est bon, les accélérations correctes alors que son poids relativement léger assure une bonne répartition des masses, ce qui a une incidence positive sur la tenue en virage.

Il ne faut pas pour autant négliger le moteur V6 de 3,5 litres. Cet incontournable figure parmi les meilleurs moteurs au monde depuis des années et il est puissant et de rendement exemplaire. Ses 270 chevaux permettent des accélérations franches et d'excellentes reprises. Toutefois, il est plus lourd et en virage, on sent sa présence.

Malgré toutes ses qualités, cette berline intermédiaire nous déçoit en raison d'un comportement routier très moyen, d'une direction qui offre très peu de *feedback* de la route et d'un roulis assez prononcé en virage. Nous sommes assez loin de l'image que le constructeur fait miroiter.

En revanche, pour qui aime rouler en silence dans une berline spacieuse et vendue à prix compétitif, c'est le rêve éveillé. Mais le hic, c'est qu'on trouve dans cette catégorie d'autres berlines aussi talentueuses et tout aussi bien équipées qui proposent un agrément de conduite plus relevé et qui sont également plus fiables.

### Châssis - 2.5 berline

| | |
|---|---|
| Emp / lon / lar / haut | 2776 / 4864 / 1829 / 1471 mm |
| Coffre / Réservoir | 436 litres / 68 litres |
| Nbre coussins sécurité / ceintures | 6 / 5 |
| Suspension avant | ind., jambes force |
| Suspension arrière | ind., multibras |
| Freins avant / arrière | disque / disque |
| Direction | à crémaillère, ass. var. électro. |
| Diamètre de braquage | 11,0 m |
| Pneus avant / arrière | P215/60R16 / P215/60R16 |
| Poids / Capacité de remorquage | 1413 kg / n.d. |
| Assemblage | Smyrna, TN |

### Composantes mécaniques

**2.5**

| | |
|---|---|
| Cylindrée, soupapes, alim. | 4L 2,5 litres 16 s atmos. |
| Puissance / Couple | 182 ch / 180 lb-pi |
| Tr. base (opt) / rouage base (opt) | CVT / Tr |
| 0-100 / 80-120 / V.Max | 8,6 s / 5,7 s / n.d. |
| 100-0 km/h | 45,3 m |
| Type / ville / route / $CO_2$ | Ord / 8,7 / 6,2 l/100 km / 3485 kg/an |

**3.5**

| | |
|---|---|
| Cylindrée, soupapes, alim. | V6 3,5 litres 24 s atmos. |
| Puissance / Couple | 270 ch / 258 lb-pi |
| Tr. base (opt) / rouage base (opt) | CVT / Tr |
| 0-100 / 80-120 / V.Max | 6,5 s / n.d. / n.d. |
| 100-0 km/h | n.d. |
| Type / ville / route / $CO_2$ | Ord / 10,7 / 7,8 l/100 km / 4320 kg/an |

## Du nouveau en 2016

Aucun changement majeur

Photos : Nissan Canada

# NISSAN **FRONTIER**

((SiriusXM))

**Prix :** 24 293 $ à 39 393 $ (2015)
**Catégorie :** Camionnette
**Garanties :**
3 ans/60 000 km, 5 ans/100 000 km
**Transport et prép. :** 1 575 $
**Ventes QC 2014 :** 399 unités
**Ventes CAN 2014 :** 3 567 unités

Cote du Guide de l'auto

## 66 %

| Fiabilité | Appréciation générale |
| --- | --- |
| ■■■■■■□□□ | ■■■■■■■□□ |
| Sécurité | Agrément de conduite |
| ■■■■■□□□□ | ■■■■■■□□□ |
| Consommation | Système multimédia |
| ■■■■□□□□□ | ■■■■■□□□□ |

Cote d'assurance

■■■■■■■■□□
$$$         $

présentée par
**KANETIX.CA**

**➕** Format pratique • V6 puissant •
Configurations nombreuses •
Bonnes capacités

**➖** Consommation élevée • Prix corsé •
Espace arrière limité (King Cab) •
Insonorisation déficiente

**Concurrents**
Chevrolet Colorado, GMC Canyon,
Toyota Tacoma

# Quelques rides mais toujours en forme

Sylvain Raymond

**S**'il y a un segment où l'on retrouve peu de nouveautés année après année, c'est bien celui des camionnettes intermédiaires. Les constructeurs minimisent leur investissement en raison d'un volume de vente peu élevé et le cycle de vie des véhicules est beaucoup plus long. D'ailleurs, peu de joueurs restent dans la partie, et ce, malgré un retour de GM l'an passé avec son tandem Chevrolet Colorado et GMC Canyon. La génération actuelle du Frontier remonte à plus de 10 ans, on comprend qu'il a peu en commun avec les dernières nouveautés de Nissan.

Le problème avec ce type de camionnettes ? Leur prix assez corsé et les compromis qu'elles exigent. Avec leur format compact, elles n'offrent pas tout l'espace et toutes les capacités des camion-nettes pleine grandeur, mais leur prix ne le reflète pas. Dans le cas du Frontier, il faut compter plus de 35 000 $ pour un modèle intéressant, ce qui est directement dans la fourchette de prix des grosses camionnettes. Même chose au chapitre de la consommation. On se paie donc ce type de camionnettes pour ce qu'elles sont, non pas par souci d'économie.

### PAS DE NOUVELLE GÉNÉRATION
La machine à rumeurs s'est emballée lorsque Nissan a présenté l'an passé le nouveau Navara, l'équivalent du Frontier, vendu ailleurs dans le monde. Plusieurs croyaient que ce Navara deviendrait notre Frontier en Amérique du Nord et, mais cette rumeur ne s'est pas avérée fondée. D'ailleurs, au Guide de l'auto, on le savait... Il faudra donc patienter encore avant de voir arriver la nouvelle génération, mais le Navara affiche tout de même la direction du futur du modèle, surtout en matière de style.

Par conséquent, le Frontier nous revient sans véritable changement. Selon vos besoins, vous pourrez opter pour plusieurs variantes. Le King Cab se distingue par ses deux portes pleine grandeur et ses deux demi-portières arrière s'ouvrant en sens inverse. Certes plus abordable, ce modèle dispose de peu d'espace à l'arrière et les deux petites banquettes conviennent à peine à des enfants. Votre dos est pratiquement à angle droit et repose sur un petit coussin posé directement sur le panneau arrière. Plus dispendieuse mais aussi plus pratique, la configuration à cabine double propose quatre portes et un habitacle beaucoup plus imposant. Si vous prévoyez être plus de deux passagers fréquemment, c'est la configuration à adopter.

Sous le capot, deux moteurs sont offerts. On retrouve de série un quatre cylindres de 2,5 litres qui développe 152 chevaux, jumelé à une transmission manuelle à cinq rapports. L'ensemble peut tracter environ 3 500 lb (1 588 kg). L'avantage ici, c'est un prix d'achat plus bas et une consommation de carburant réduite.

Le moteur optionnel dans le King Cab, et de série dans le Frontier Cabine Double, est un six cylindres de 4,0 litres, générant 261 chevaux et 281 lb-pi de couple. Malgré sa consommation imposante, pratiquement aussi élevée qu'une camionnette pleine grandeur, c'est sans aucun doute la mécanique à retenir, surtout en compagnie du rouage à quatre roues motrices. Cette fois, la puissance de remorquage peut aller jusqu'à 6 500 lb (2 950 kg) selon l'équipement, un chiffre nettement plus intéressant. La boîte manuelle hérite également d'un rapport de plus et passe à six alors que l'automatique à cinq rapports à commande électronique est optionnelle, pour un léger supplément bien entendu.

Sur la route, le manque de raffinement du Frontier se constate principalement par les bruits à bord. Il émet plusieurs craquements et cela semble s'accentuer par temps froid. Sans être très sophistiqué, le moteur six cylindres livre une bonne puissance et son couple généreux facilite les accélérations. En ville, il ne faut pas vous attendre à une consommation exemplaire, nous avons obtenu une moyenne de 14,5 l/100 km, ce qui est assez élevé. Dommage que la version Diesel Runner ne demeure qu'un concept. Ce Frontier résulte de la collaboration entre Nissan et Cummins et hérite d'un moteur diesel de 2,8 litres qui régit 200 chevaux pour un couple de 350 lb-pi. Lors de notre essai, il s'est avéré drôlement intéressant et sa consommation beaucoup plus raisonnable. Ce qui freine sa commercialisation? Sans doute un prix d'achat qui serait beaucoup trop élevé.

Le véritable avantage du Frontier, c'est son format compact. Il est drôlement agréable de circuler en ville avec une camionnette capable de se faufiler (presque) partout et, surtout, de pouvoir se stationner d'un seul coup, pas à quatre reprises!

### Châssis - PRO-4X 4x4 cab. double

| | |
|---|---|
| Emp / lon / lar / haut | 3200 / 5220 / 1850 / 1780 mm |
| Coffre / Réservoir | n.d. / 80 litres |
| Nbre coussins sécurité / ceintures | 6 / 5 |
| Suspension avant | ind., double triangulation |
| Suspension arrière | essieu rigide, ress. à lames |
| Freins avant / arrière | disque / disque |
| Direction | à crémaillère, ass. var. |
| Diamètre de braquage | 13,2 m |
| Pneus avant / arrière | P265/75R16 / P265/75R16 |
| Poids / Capacité de remorquage | 2034 kg / 2767 kg (6100 lb) |
| Assemblage | Canton, MS |

### Composantes mécaniques

**S 4x2**

| | |
|---|---|
| Cylindrée, soupapes, alim. | 4L 2,5 litres 16 s atmos. |
| Puissance / Couple | 152 ch / 171 lb-pi |
| Tr. base (opt) / rouage base (opt) | M5 (A5) / Prop |
| 0-100 / 80-120 / V.Max | 11,2 s / 8,5 s / n.d. |
| 100-0 km/h | n.d. |
| Type / ville / route / $CO_2$ | Ord / 10,8 / 8,6 l/100 km / 4515 kg/an |

**SV PRO / 4X SL**

| | |
|---|---|
| Cylindrée, soupapes, alim. | V6 4,0 litres 24 s atmos. |
| Puissance / Couple | 261 ch / 281 lb-pi |
| Tr. base (opt) / rouage base (opt) | A5 / Prop (4x4) |
| 0-100 / 80-120 / V.Max | 9,0 s / 7,4 s / n.d. |
| 100-0 km/h | n.d. |
| Type / ville / route / $CO_2$ | Ord / 14,9 / 10,4 l/100 km / 5934 kg/an |

## Du nouveau en 2016

Aucun changement majeur

Photos : Nissan Canada

# NISSAN **GT-R**

((SiriusXM))

**Prix :** 108 500 $ à 118 000 $ (2015)
**Catégorie :** Coupé
**Garanties :**
3 ans/60 000 km, 5 ans/100 000 km
**Transport et prép. :** 2 300 $
**Ventes QC 2014 :** 15 unités
**Ventes CAN 2014 :** 125 unités

## Cote du Guide de l'auto

# 79 %

Fiabilité ■■■■■□□□□□

Appréciation générale ■■■■■■□□□□

Sécurité ■■■■■■□□□□

Agrément de conduite ■■■■■■■■□□

Consommation ■■■□□□□□□□

Système multimédia ■■■■■□□□□□

## Cote d'assurance
■■■■■□□□□□
$$$        $

présentée par
**KANETIX.CA**

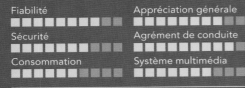

➕ Accélération du tonnerre • Freinage démentiel • Transmission intégrale • Exclusivité assurée • Puissance de la NISMO

➖ Look (on aime ou pas) • Sonorité du moteur • Coffre exigu • Caisse trop basse (en hiver) • Tarifs élevés

## Concurrents
Audi R8, Dodge Viper, Jaguar F-Type, Chevrolet Corvette, Mercedes-AMG GT, Porsche 911

# Née pour la course

Jean-François Guay

**Q**uand la crise pétrolière a pratiquement éliminé les *muscle cars* dans les années 1970, les voitures sport japonaises n'ont pas tardé à prendre la relève. À la fois frugales et performantes, les plus illustres furent les Toyota Celica et Toyota Supra, la Mazda RX-7 et la légendaire Nissan Z qui a vu défiler au fil des ans les modèles 240Z, 260Z, 280Z, 280ZX, 300ZX, 350Z et l'actuelle 370Z. Pour éviter que la Z ne perde son trône, Nissan a résisté pendant de nombreuses années à importer chez nous sa fabuleuse Skyline, laquelle faisait la pluie et le beau temps au Japon. Finalement en 2009, Nissan a décidé de nous offrir son véhicule amiral en la rebaptisant GT-R.

Même si cette bête japonaise entame sa huitième année en Amérique du Nord, elle est une espèce rare sur nos routes. Pour préserver cette rareté, Nissan n'a pas succombé à la tentation de réduire ses tarifs comme Chevrolet et Dodge l'ont fait avec la Corvette et la Viper. Le constructeur nippon a plutôt imité la stratégie de Ferrari et Porsche en maintenant un prix élevé qui assure une certaine exclusivité. Toutefois, il s'agit d'un jeu dangereux puisque les acheteurs ne font pas la file chez les concessionnaires qui détiennent une licence pour vendre et faire l'entretien de la GT-R.

### UNE PLACE SUR LE PODIUM
Comme ses ancêtres Skyline R31, R32, R33 et R34, l'actuelle GT-R R35 n'est pas une reine de beauté. Moins sensuelle que les voitures exotiques italiennes et anglaises, sa silhouette ne fait pas dans la dentelle et adopte un look taillé à la scie mécanique.

Sans la présence de son aileron arrière et ses énormes sorties d'échappement, personne ne pourrait croire que ce monstre d'acier peut accélérer de 0 à 160 km/h en 7 secondes et des poussières pour ensuite continuer sa course et franchir la vitesse de 200 km/h en 11 secondes et quelques dixièmes dans le même temps chronométré.

Sur une ligne droite, la GT-R peut rouler jusqu'à 315 km/h. Des chiffres qui lui permettent de se classer dans le top 3 des voitures de production ayant réalisé le meilleur temps au tour sur le circuit du Nürburgring. La voiture la plus rapide étant la Porsche 918 Spyder suivie de la Lamborghini Aventador LP 750-4 Superveloce. Que la GT-R prenne place sur un podium aussi prestigieux révèle toutes ses capacités et pourquoi elle doit être prise au sérieux.

Si vous êtes un inconditionnel des voitures électriques et de la Nissan LEAF, on comprend que ces chiffres peuvent vous faire dresser les cheveux sur la tête. Pour les autres qui vont continuer à lire, ils vont saliver... Le V6 de 3,8 litres à double turbo développe 545 chevaux, soit 65 chevaux de plus qu'à ses débuts. Quant à la version NISMO qui a entrepris une carrière aux États-Unis en 2015, sa cavalerie de 600 chevaux est complètement délirante avec un rapport de 158 chevaux au litre! Moins lourde que les GT-R Premium et Black Edition, la NISMO est affublée d'éléments aérodynamiques et mécaniques plus poussés qui la rendent encore plus véloce. Toutefois, son prix est proportionnel à sa puissance puisqu'elle exige environ 50 000 $US de plus que la Premium sur le marché américain.

### UN CHÂSSIS ÉQUILIBRÉ

Peu importe la version, la boîte séquentielle à double embrayage compte six rapports et la boîte-pont présélectionne le rapport précédent ou suivant pour des changements de vitesse plus rapides. La configuration de la plate-forme fait en sorte que la transmission, la boîte de transfert et le bloc d'entraînement de l'essieu sont situés à l'arrière de la voiture. Ce positionnement renforce la stabilité et abaisse le centre de gravité pour une meilleure maniabilité.

Pour plaquer toute la puissance des pneus de 20 pouces au sol, le rouage intégral répartit le couple entre les essieux avant et arrière dans l'ordre de 0/100 ou jusqu'à 50/50 en fonction de la vitesse, de l'accélération latérale et du braquage des roues. Pour les amateurs de gadgets, la GT-R est équipée d'un indicateur de dérapage. Quant aux freins, les étriers Brembo à six pistons à l'avant et à quatre pistons à l'arrière vous feront perdre votre toupet lors d'un freinage à fond.

Prendre place dans l'habitacle exige quelques contorsions. Le toit est bas et les fauteuils sont fixés au ras du sol. Quant aux deux places arrière, oubliez-les, elles sont symboliques et servent plutôt d'espace de rangement. À l'image de la carrosserie, le tableau de bord manque de raffinement et fait dans le kitsch japonais. Pour égayer l'habitacle, mieux vaut opter pour des sièges de couleur.

En conclusion, un cours de conduite avancé ne serait pas superflu pour apprécier la GT-R dans son élément, soit celui d'une piste de course!

### Châssis - Premium

| | |
|---|---|
| Emp / lon / lar / haut | 2780 / 4670 / 1902 / 1372 mm |
| Coffre / Réservoir | 249 litres / 74 litres |
| Nbre coussins sécurité / ceintures | 6 / 4 |
| Suspension avant | ind., double triangulation |
| Suspension arrière | ind., multibras |
| Freins avant / arrière | disque / disque |
| Direction | à crémaillère, ass. var. |
| Diamètre de braquage | 11,2 m |
| Pneus avant / arrière | P255/40ZR20 / P285/35ZR20 |
| Poids / Capacité de remorquage | 1746 kg / n.d. |
| Assemblage | Tochigi, JP |

### Composantes mécaniques

**Premium, Black Edition**

| | |
|---|---|
| Cylindrée, soupapes, alim. | V6 3,8 litres 24 s turbo |
| Puissance / Couple | 545 ch / 463 lb-pi |
| Tr. base (opt) / rouage base (opt) | A6 / Int |
| 0-100 / 80-120 / V.Max | 3,9 s / 3,9 s / 315 km/h |
| 100-0 km/h | 37,0 m |
| Type / ville / route / $CO_2$ | Sup / 14,3 / 10,5 l/100 km / 5800 kg/an |

### Du nouveau en 2016

Nouvelles jantes de 20 pouces, édition spéciale commémorative

# NISSAN JUKE

Prix: 20 498 $ à 31 998 $ (2015)
Catégorie: VUS
Garanties:
3 ans/60 000 km, 5 ans/100 000 km
Transport et prép.: 1 695 $
Ventes QC 2014: 983 unités
Ventes CAN 2014: 3 641 unités

**Cote du Guide de l'auto**

**75 %**

Fiabilité
Appréciation générale
Sécurité
Agrément de conduite
Consommation
Système multimédia

**Cote d'assurance** présentée par KANETIX.CA

$$$ $

➕ Choix de modèles • Moteurs performants • Rouage intégral efficace • Équipement complet • Version Nismo RS sportive

➖ Silhouette controversée • Visibilité arrière pauvre • Places arrière exiguës • Coffre de petite capacité • Suspension ferme (NISMO)

**Concurrents**
Chevrolet Trax, Honda HR-V, Kia Soul, Mazda CX-3, MINI Countryman, Mitsubishi RVR, Subaru XV Crosstrek

## Les fruits de la patience

Denis Duquet

**À la suite du cuisant échec de son modèle cube en Amérique du Nord, la direction de Nissan a sagement décidé de le retirer de notre marché. Si le cube jouit d'une popularité culte dans son pays d'origine, le Japon, il a malheureusement été jugé trop excentrique par les acheteurs nord-américains. Quoi qu'il en soit, Nissan a enchaîné avec un autre modèle aux caractéristiques originales, le Juke. Celui-ci affiche une silhouette vraiment hors normes, et il s'agit à la fois d'un VUS et d'un *hatchback* cinq portes au caractère sportif.**

Nissan n'en est pas à ses premières armes dans la création de modèles originaux et le Juke l'est suffisamment pour avoir été reçu avec une certaine froideur. Ses dimensions compactes, son design iconoclaste incorporant des feux de route placés sur le capot et une calandre pour le moins différente ainsi qu'un arrière se terminant abruptement sans oublier une garde au sol plus relevée ont soulevé bien des discussions. Ce modèle était unique en son genre. Contre vents et marées, Nissan a décidé de continuer la mise en marché du Juke qui, maintenant, s'intègre dans la catégorie des VUS sous-compacts.

Au fil des années, plusieurs ajustements et améliorations ont été effectués, mais le caractère excentrique de ce véhicule a toujours été préservé et c'est tant mieux.

### EXCENTRIQUE À L'INTÉRIEUR ÉGALEMENT

La silhouette extérieure du Juke n'a pratiquement aucun équivalent sur notre marché. On aime ou l'on n'aime pas, mais il semble qu'avec le temps, les gens apprécient davantage ce profil qui était avant-gardiste lors de son lancement à l'automne 2010 en tant que modèle 2011. D'ailleurs, l'habitacle n'affiche pas nécessairement le conservatisme qui est le lot de plusieurs créations de Nissan. En effet, les stylistes affectés à sa création ont avoué qu'ils se sont inspirés de l'instrumentation des motos pour concevoir la planche de bord où figurent deux cadres indicateurs circulaires regroupés dans une nacelle que l'on pourrait trouver sur... une moto. Pour protéger ces deux cadrans des rayons solaires, on a placé au-dessus une sorte de petite toiture qui ajoute à la présentation. C'est moins bien réussi quant à l'écran d'affichage au centre de la planche de bord et qui est logé dans un réceptacle aux formes ovales et doté de boutons crantés.

La position de conduite est bonne et assez élevée, ce qui fait que la visibilité avant est sans reproche. Cela s'explique par une garde au sol plus généreuse que la moyenne. Malheureusement, les places arrière sont beaucoup moins confortables, tandis que le coffre à bagages est relativement petit. La glace arrière étant fortement inclinée vers l'avant, cela contribue à diminuer l'espace de chargement. Il faut aussi souligner les feux arrière en forme de L qui s'harmonisent bien à l'ensemble de la silhouette. Notre voiture d'essai comprenait également des poignées de porte, des rétroviseurs extérieurs et quelques baguettes de carrosserie en similifibre de carbone.

### UNE GAMME BIEN ÉQUILIBRÉE

Le Juke est disponible en quatre versions distinctes. Les trois premières sont les SV, SL et NISMO. Elles sont propulsées par un moteur quatre cylindres 1,6 litre turbo de 188 chevaux. Par ailleurs, le sportif de la famille, le NISMO RS, produit 215 chevaux. Ceux qui désirent une boîte manuelle devront se contenter de la traction aux roues avant. Par contre ceux qui optent pour le rouage intégral obtiendront la boîte automatique CVT. À ce moment, la puissance est de la version RS passe à 211 chevaux. Enfin, ajoutons que les NISMO et NISMO RS ont une présentation spéciale et de nombreux équipements exclusifs, alors que la RS possède des sièges Recaro.

Cette année, notre essai s'est concentré sur la version SL. Celle-ci était dotée d'une transmission intégrale associée au moteur 1,6 litre de 188 chevaux et à la boîte à rapports continuellement variables Xtronic. Sa conduite nous a plu en raison de la vivacité du véhicule et des reprises intéressantes du moteur dont la puissance est supérieure à la moyenne de cette catégorie. De plus, la garde au sol plus élevée, permet de franchir des obstacles sur des routes secondaires mal entretenues.

Bref, le Juke offre plusieurs choix à l'acheteur qui n'a pas peur de se démarquer au volant d'une voiture aux allures un peu spéciales.

### Châssis - SV TI

| | |
|---|---|
| Emp / lon / lar / haut | 2530 / 4125 / 1765 / 1570 mm |
| Coffre / Réservoir | 297 à 1017 litres / 45 litres |
| Nbre coussins sécurité / ceintures | 6 / 5 |
| Suspension avant | ind., jambes force |
| Suspension arrière | ind., multibras |
| Freins avant / arrière | disque / disque |
| Direction | à crémaillère, ass. var. élect. |
| Diamètre de braquage | 11,1 m |
| Pneus avant / arrière | P215/55R17 / P215/55R17 |
| Poids / Capacité de remorquage | 1443 kg / n.d. |
| Assemblage | Oppama, JP |

### Composantes mécaniques

**SV, SL, NISMO**

| | |
|---|---|
| Cylindrée, soupapes, alim. | 4L 1,6 litre 16 s turbo |
| Puissance / Couple | 188 ch / 177 lb-pi |
| Tr. base (opt) / rouage base (opt) | M6 (CVT) / Tr (Int) |
| 0-100 / 80-120 / V.Max | 8,0 s / 5,7 s / n.d. |
| 100-0 km/h | 42,1 m |
| Type / ville / route / $CO_2$ | Sup / 8,8 / 7,5 l/100 km / 3779 kg/an |

**NISMO RS TI**

| | |
|---|---|
| Cylindrée, soupapes, alim. | 4L 1,6 litre 16 s turbo |
| Puissance / Couple | 211 ch / 184 lb-pi |
| Tr. base (opt) / rouage base (opt) | CVT / Int |
| 0-100 / 80-120 / V.Max | 8,6 s / n.d. / n.d. |
| 100-0 km/h | n.d. |
| Type / ville / route / $CO_2$ | Sup / 9,4 / 8,1 l/100 km / 4055 kg/an |

**NISMO RS TA**

| | |
|---|---|
| Cylindrée, soupapes, alim. | 4L 1,6 litre 16 s turbo |
| Puissance / Couple | 215 ch / 210 lb-pi |
| Tr. base (opt) / rouage base (opt) | M6 / Tr |
| 0-100 / 80-120 / V.Max | 7,8 s / n.d. / n.d. |
| 100-0 km/h | n.d. |
| Type / ville / route / $CO_2$ | Sup / 8,9 / 7,5 l/100 km / 3804 kg/an |

### Du nouveau en 2016

Aucun changement majeur. Nouveau modèle à prévoir.

Photos : Jeremy Alan Glover, Nissan Canada

# NISSAN **LEAF**

((SiriusXM))

**Prix :** 31 998 $ à 38 748 $ (2015)
**Catégorie :** Hatchback
**Garanties :**
3 ans/60 000 km, 5 ans/100 000 km
**Transport et prép. :** 1 990 $
**Ventes QC 2014 :** 628 unités
**Ventes CAN 2014 :** 1 085 unités

## Cote du Guide de l'auto
# 78 %

| Fiabilité | Appréciation générale |
|---|---|
| ■■■■■■■■□□ | ■■■■■■■□□□ |
| Sécurité | Agrément de conduite |
| ■■■■■■■■□□ | ■■■■■■□□□□ |
| Consommation | Système multimédia |
| ■■■■■■■■■□ | ■■■■■■□□□□ |

## Cote d'assurance
■■■■■■■□□□
$$$        $

présentée par
**KANETIX.CA**

➕ Aucune émission nocive •
Consommation d'essence nulle •
Conduite silencieuse • Entretien réduit

➖ Autonomie limitée • Temps de
recharge long • Voiture à vocation
urbaine uniquement • N'aime pas
les autoroutes

## Concurrents
Ford Focus EV, Mitsubishi i-MiEV

# À 100 km de la voiture idéale

*Sylvain Raymond*

Il y a de ces voitures qui soulèvent les passions et la Leaf en fait partie. Dans son cas, ce n'est pas en raison de son héritage, ni de son design, mais bien pour son mode de propulsion 100 % électrique. Bien entendu, elle vit dans l'ombre de la reine du genre, la Tesla Model S, mais les gens n'ont pas tous la capacité ou la volonté de se payer une berline de grand luxe.

Remaniée l'an passé, la Leaf offre peu de changements cette année. Toutefois, on s'attend bientôt à ce que son autonomie soit augmentée légèrement. La Leaf possède sa propre plate-forme, à moteur avant et à traction, alors que l'ensemble de batteries au lithium-ion est placé dans le plancher. Cela permet d'abaisser le centre de gravité et de répartir un peu les kilos supplémentaires qu'elle doit transporter.

La bonne nouvelle dans le cas de la Leaf, c'est que vous n'avez pas à vous creuser la tête pour le choix d'un moteur et d'une transmission. Il n'y a qu'une motorisation. Votre seul dilemme ? La version. Pour un prix aux alentours de 32 000 $, vous obtenez la Leaf S alors que de son côté, la livrée SV ajoute notamment un système de navigation et un chauffage hybride, plus efficace par grand froid. Quant à la SL, elle tient le haut du pavé avec ses jantes de 17 pouces, ses phares aux DEL et sa chaîne audio de qualité supérieure. Le seul hic ? Son prix de près de 40 000 $.

## UN STYLE ASSEZ CLASSIQUE
Malgré sa citoyenneté américaine, la Leaf étant assemblée à l'usine Nissan de Smyrna au Tennessee, on lui trouve plusieurs influences européennes, surtout de chez Renault. Diverses composantes de son design ont été pensées afin d'améliorer son coefficient de traînée pour maximiser l'efficacité de la voiture. Dans le cas de la Leaf, chaque kilomètre d'autonomie compte.

L'habitacle n'est pas très différent de celui d'une voiture compacte courante : de l'espace pour cinq personnes, un hayon arrière qui, une fois relevé, laisse découvrir un espace de chargement généreux, alors que la majeure partie des commandes sont similaires à celles d'une voiture normale. Seuls l'instrumentation et le levier d'embrayage ont un design distinct et très moderne. Nissan rehaussé un peu l'habitacle l'an passé avec entre autres l'ajout d'un volant gainé de cuir.

## LA VIE AVEC LA LEAF

L'intérêt principal de la Leaf, c'est de passer devant les stations-service sans jamais s'arrêter ! L'essence et ses fluctuations de prix deviennent chose du passé et la surprime payée pour la voiture se rentabilise rapidement. L'auto n'émet aucune émission nocive, un plus pour notre planète. Elle exige tout de même un coût énergétique, estimé selon RNCan (Ressources naturelles Canada) à une consommation moyenne de 2,1 l/100 km comparativement à une voiture à essence. La Leaf nous donne un réel sentiment d'indépendance, et c'est ce que l'on apprécie.

Comme la bagnole parfaite n'existe pas, la Leaf demande aussi des compromis et le principal, c'est l'autonomie. À pleine charge, la voiture peut parcourir environ 135 kilomètres mais, bien entendu, plusieurs facteurs comme la température, le type de conduite et des vitesses supérieures pourront faire fondre beaucoup plus vite les kilomètres d'autonomie. C'est en fait le plus gros reproche fait à la Leaf, on devient constamment préoccupé par l'autonomie et on doit bien prévoir nos déplacements quotidiens, un élément que la Tesla élimine pratiquement en entier. Nissan, injectez 100 km d'autonomie supplémentaire et la Leaf serait pratiquement parfaite.

## SUR LA ROUTE

Au volant, la Leaf se comporte comme une voiture classique... le son du moteur en moins. La batterie alimente un moteur synchrone à courant alternatif de 80 kW qui développe 107 chevaux et 187 lb-pi de couple. Cette puissance est transmise aux roues avant grâce à un réducteur à un seul rapport. L'avantage de cette mécanique ? Une puissance disponible en tout temps, peu importe le régime. Pour économiser un peu plus d'énergie, vous pouvez engager le mode Eco qui maximise l'économie d'énergie et la recharge de batteries lors des décélérations. Toutefois, oubliez les accélérations musclées. C'est un peu comme si cette dernière vous disait «Tu veux rouler économique ? Alors, calme-toi !» Le mode Normal est plus intéressant, mais il faut sacrifier de précieux kilomètres d'autonomie ! Conduite dynamique ou autonomie ? Le dilemme est toujours présent !

Concernant la recharge, l'utilisation d'une source d'énergie de 240 V permet d'effectuer une recharge complète en cinq heures environ. Une telle installation devient un incontournable, car il faudra compter un peu plus de 20 heures de recharge avec une prise 120 V classique.

### Du nouveau en 2016

Aucun changement majeur. Autonomie devrait être augmentée en cours d'année.

### Châssis - S

| | |
|---|---|
| Emp / lon / lar / haut | 2700 / 4445 / 1770 / 1550 mm |
| Coffre / Réservoir | 680 à 850 litres / n.d. |
| Nbre coussins sécurité / ceintures | 6 / 5 |
| Suspension avant | ind., jambes force |
| Suspension arrière | semi-ind., poutre torsion |
| Freins avant / arrière | disque / disque |
| Direction | à crémaillère, ass. var. élect. |
| Diamètre de braquage | 10,4 m |
| Pneus avant / arrière | P205/55R16 / P205/55R16 |
| Poids / Capacité de remorquage | 1481 kg / n.d. |
| Assemblage | Smyrna, TN |

### Composantes mécaniques

**Moteur électrique**

| | |
|---|---|
| Puissance / Couple | 107 ch (80 kW) / 187 lb-pi |
| Tr. base (opt) / rouage base (opt) | Rapport fixe / Tr |
| 0-100 / 80-120 / V.Max | 11,3 s / 10,5 s / n.d. |
| 100-0 km/h | 42,9 m |
| Type de batterie | Lithium-ion (Li-ion) |
| Énergie | 24 kWh |
| Temps de charge (120V / 240V) | 21,0 h / 4,0 h |
| Autonomie | 160 km (const) |

Photos : Nissan Canada

# NISSAN **MAXIMA**

((SiriusXM))

**Prix :** 35 900 $ à 41 100 $
**Catégorie :** Berline
**Garanties :**
3 ans/60 000 km, 5 ans/100 000 km
**Transport et prép. :** 1 820 $
**Ventes QC 2014 :** 157 unités
**Ventes CAN 2014 :** 968 unités

---

Cote du Guide de l'auto

# 78 %

| Fiabilité | Appréciation générale |
|---|---|
| ■■■■■□□□ | ■■■■■■□□ |
| Sécurité | Agrément de conduite |
| ■■■■■■■□ | ■■■■■□□□ |
| Consommation | Système multimédia |
| ■■■□□□□□ | ■■■■■■□□ |

---

Cote d'assurance

n.d.

présentée par
**KANETIX.CA**

---

➕ Design très réussi • Intérieur fantastique • Dispositifs de sécurité de pointe disponibles • Prix alléchant même pour la version supérieure

➖ Doit combattre l'apathie des consommateurs • Traction intégrale non disponible • Vendue comme sportive mais ce n'est pas le cas • La direction procure peu de sensations

---

**Concurrents**
Chevrolet Impala, Chrysler 300, Dodge Charger, Ford Taurus, Toyota Avalon

# Un peu d'attention, svp

Benjamin Hunting

**À** quoi bon construire une bonne voiture grand format si personne ne la remarque ? La Nissan Maxima 2016 a été redessinée de fond en comble pour éviter l'anonymat qui ralentissait les ventes de la génération précédente au Canada. Et si son nouveau style fluide n'attire pas votre attention, son prix étonnamment raisonnable le fera certainement. Cette voiture familiale se situe juste à l'entrée du segment haut de gamme, mais sans le prix salé habituellement associé à cette catégorie. Elle est chic et confortable, et ne passera pas inaperçue dans un créneau où il est si facile de se tirer d'affaire en offrant le strict minimum.

### UN EMBALLAGE RÉUSSI

La signature visuelle des Nissan actuelles penche vers l'extraversion et la nouvelle Maxima ne fait pas exception. En plus de sa partie avant proéminente, qui relie clairement la berline aux autres modèles de la famille comme le Pathfinder ou la Sentra, la Maxima gagne du muscle. Elle affiche des courbes généreuses et des lignes affirmées qu'on ne retrouvait absolument pas dans la version précédente. L'aménagement de l'habitacle est encore plus impressionnant ; il passe de « beau » à « wow ! » à mesure qu'on élève le niveau de dotation jusqu'à la déclinaison Platinum. Avec cette dernière, on obtient notamment des sièges avec revêtement en cuir à motif diamant et coutures spéciales, ainsi que des garnitures plus sophistiquées. Cela dit, il faut reconnaître que toutes les déclinaisons de la Maxima ont eu droit à d'importantes améliorations à l'intérieur, tant au niveau des matériaux que de la réalisation. Quant à l'espace pour les occupants, il est généreux comme dans toute voiture grand format.

Un des éléments qui rend la Maxima redessinée si intéressante, c'est que Nissan a refusé de faire grimper son prix dans la stratosphère. Même si l'on peut l'équiper abondamment, entre autres avec un dispositif actif de réduction du bruit, des sièges chauffants et ventilés, un système d'avertissement de collision avant avec freinage actif, un dispositif anti-somnolence et un système de caméras à 360 degrés, la fenêtre des prix varie de seulement 10 000 $, soit de 35 900 $ à 45 000 $. Cela signifie que la Maxima la mieux équipée se situe dans la même catégorie de prix que les berlines de luxe d'entrée de gamme, dont le prix de détail maximum suggéré par le fabricant (PDSF) est beaucoup plus élevé. Ajoutons que la Nissan grand format offre également un avantage en matière d'espace intérieur en plus de sa structure de prix très compétitive.

### VERSION AMÉLIORÉE D'UN MOTEUR BIEN CONNU

Nissan a créé des moteurs très polyvalents avec ses V6 de série VQ. C'est la plus récente version de ce moulin que l'on retrouve sous le capot de la Maxima. La cylindrée est la même (3,5 litres), mais Nissan souligne que plus de la moitié des composantes internes sont nouvelles. Il en résulte un moteur qui livre 300 chevaux, 10 de plus que dans l'ancien modèle, et un couple de 261 lb-pi. Il est relié à une boîte automatique à variation continue qui contribue à améliorer l'économie d'essence d'environ 15 % par rapport à l'ancienne berline.

Derrière le volant, la Nissan Maxima dégage une sensation de calme et de sérénité. Elle enveloppe ses passagers dans un cocon de confort et le système de suspensions fait bien son travail pour isoler la voiture de la route. Même si Nissan insiste fortement pour présenter la Maxima comme une « voiture sport à quatre portières », ce n'est absolument pas le cas. La réponse de la direction et la tenue de route sont mieux adaptées pour avaler les kilomètres sur l'autoroute et pour naviguer dans le trafic du matin que pour faire fumer les pneus sur une piste de course... Cela dit, il ne s'agit pas là d'un reproche puisque son comportement compétent la place vers le haut de l'échelle par rapport à ses rivales actuelles de grand format.

Soyons clairs : avec la Maxima, Nissan n'essaie pas de s'attaquer aux marques de luxe actuelles – c'est la division Infiniti qui hérite de ce boulot. La Maxima s'attaque plutôt aux autres berlines grand format en ajoutant un bon rapport équipement/prix à une liste d'attributs qui comprend un niveau de sécurité élevé, un style réussi et distinctif, et un habitacle spacieux et confortable. Il se peut que le succès de la Maxima entraîne quelques victimes dans la catégorie des « voitures presque-de-luxe », c'est la vie, ce sont les règles du jeu en affaires. Dans tous les cas, Nissan peut s'attendre à un bel avenir pour son vaisseau amiral.

### Châssis - 3.5 SV

| | |
|---|---|
| Emp / lon / lar / haut | 2775 / 4897 / 1860 / 1436 mm |
| Coffre / Réservoir | 405 litres / 68 litres |
| Nbre coussins sécurité / ceintures | 6 / 5 |
| Suspension avant | ind., jambes force |
| Suspension arrière | ind., multibras |
| Freins avant / arrière | disque / disque |
| Direction | à crémaillère, ass. var. |
| Diamètre de braquage | 11,4 m |
| Pneus avant / arrière | P245/45R18 / P245/45R18 |
| Poids / Capacité de remorquage | 1583 kg / n.d. |
| Assemblage | Smyrna, TN |

### Composantes mécaniques

| | |
|---|---|
| Cylindrée, soupapes, alim. | V6 3,5 litres 24 s atmos. |
| Puissance / Couple | 300 ch / 261 lb-pi |
| Tr. base (opt) / rouage base (opt) | CVT / Tr |
| 0-100 / 80-120 / V.Max | n.d. / n.d. / n.d. |
| 100-0 km/h | n.d. |
| Type / ville / route / $CO_2$ | Sup / 10,9 / 7,8 l/100 km / 4372 kg/an |

## Du nouveau en 2016

Nouveau modèle

Photos : Nissan Canada

# NISSAN **MICRA**

**Prix:** 9 998 $ à 15 748 $ (2015)
**Catégorie:** Hatchback
**Garanties:**
3 ans/60 000 km, 5 ans/100 000 km
**Transport et prép.:** n.d.
**Ventes QC 2014:** 3783 unités
**Ventes CAN 2014:** 7 815 unités

## Cote du Guide de l'auto
# 73 %

Fiabilité
n.d.

Appréciation générale
■■■■■■■□□□

Sécurité
■■■■■■□□□□

Agrément de conduite
■■■■■■□□□□

Consommation
■■■■■■■□□□

Système multimédia
■■■■■□□□□□

## Cote d'assurance
■■■■■■■□□□
présentée par
**KANETIX.CA**
$$$                    $

➕ Lignes mignonnes (question de goût, remarquez) • Comportement routier étonnant • Confort relevé • Court rayon de braquage • Prix alléchant (version de base)

➖ Consommation correcte mais pas exceptionnelle • Puissance un peu juste • Manuelle peu adaptée aux autoroutes • Versions les plus équipées assez chères • Version de base vraiment de base

## Concurrents
Chevrolet Spark, Fiat 500,
Mitsubishi Mirage, smart Fortwo

# Et on rrrrroule au Québec !

Alain Morin

I l y a de ces voitures qui changent la donne. Le Porsche Cayenne a, en quelque sorte, sauvé Porsche du gouffre financier. La Corvette a modifié à tout jamais l'image de la voiture sport américaine. La Bugatti Veyron a déclenché le mouvement des supervoitures aussi puissantes qu'exclusives. La Nissan Micra a également changé la donne. À plus petite échelle, évidemment.

Lorsqu'elle a été dévoilée l'an dernier, la diminutive Nissan affichait le prix de base le plus bas du marché, 9 998 $. Au moment d'écrire ces lignes, début juillet 2015, c'est toujours le même prix. Ce qui a relégué dans l'ombre la plupart des citadines (Chevrolet Spark, Ford Fiesta, Toyota Yaris entre autres), qui a obligé Mitsubishi à baisser le prix de sa Mirage et qui prouve au public qu'une voiture potable à un prix vraiment bas c'est possible.

En vérité, personne n'est encore ressorti d'un concessionnaire au volant d'une Micra flambant neuve en signant un chèque de moins de 10 000 $! L'attrait des options axées sur le confort ou l'apparence et les inévitables taxes viennent invariablement se mêler du prix final... Quatre versions sont proposées. Il y a la «S» de base, la SV, la Krom et la SR. Dans tous les cas, le moteur et le niveau de sécurité sont strictement les mêmes, sauf pour la caméra de recul qui n'est pas offerte sur toutes les versions.

En prenant place à bord, on remarque un design qui, sans être recherché, est quand même assez relevé pour une voiture si peu chère. Il faut toutefois être prêt à accepter des plastiques durs et bas de gamme, un volant qui ne s'ajuste pas en profondeur, des espaces de rangement peu nombreux et des matériaux insonorisant utilisés avec parcimonie, ce qui se constate surtout en accélération. La version de base est très de base et il faut aller vers les autres livrées pour avoir une voiture le moindrement équipée. Les sièges avant sont étonnamment confortables (à l'arrière c'est une autre histoire) et l'espace ne fait pas défaut.

## POUR FAIRE LES COURSES

Le moteur de la Micra est un quatre cylindres de 1,6 litre développant 109 chevaux et un couple de 107 livres-pied. Rien de trop impressionnant. Le 0-100 km/h demande 11,5 secondes, une donnée qui se situe dans la moyenne de la catégorie. On retrouve deux boîtes de vitesses au catalogue, soit une manuelle à cinq rapports ou une optionnelle automatique à quatre rapports. Oui, je sais, quatre rapports seulement alors que certaines boîtes en possèdent neuf. Mais elles sont offertes dans des véhicules qui coûtent plus du double de la Micra. Faibles dimensions, faible poids et faible écurie se soldent en une consommation frugale mais pas exceptionnelle.

Que ce soit au volant d'une manuelle ou d'une automatique, je n'ai jamais pu obtenir mieux que 6,3 l/100 km. Je me serais attendu à une moyenne sous les 6,0 litres. Il me faut toutefois ajouter que j'ai surtout roulé sur des routes secondaires, ce qui n'est pas le terrain de jeu préféré de la Micra.

Cette dernière est taillée sur mesure pour le milieu urbain. Agile malgré une direction pas très vive, mais qui autorise un court rayon de braquage et dotée d'une très bonne visibilité tout le tour, la micro Nissan se faufile dans le trafic avec aisance. Pour la ville, autant l'automatique que la manuelle sont recommandables. Pour la grand-route, par contre, l'automatique est davantage indiquée puisqu'elle maintient le régime moteur beaucoup plus bas que la manuelle (2 600 tr/min à 100 km/h pour l'automatique contre 3 000 pour la manuelle). Un régime plus élevé entraîne l'augmentation du niveau sonore dans l'habitacle et une consommation plus élevée.

## POUR FAIRE LA COURSE

Pour une si petite voiture, la Micra se révèle fort agréable à conduire. À tel point qu'une série monotype a vu le jour. Les voitures qui participent à la Coupe Micra sont des versions de base modifiées pour une utilisation en piste uniquement. La mécanique n'a pas été touchée mais les suspensions, les freins et l'échappement ont été revus pour une utilisation plus intense. Et si vous croyiez qu'une Micra de base est dépourvue d'accessoires de luxe, attendez de voir une Micra de course! Vous en saurez davantage en consultant l'article de Gabriel Gélinas en première partie de cet ouvrage.

L'an dernier, près de 50% des Micra vendues au Canada le furent au Québec, société distincte s'il en est une, où les petites voitures et le sport automobile sont davantage appréciés. Surpris? Pas moi.

### Châssis - SR

| | |
|---|---|
| Emp / lon / lar / haut | 2450 / 3827 / 1665 / 1527 mm |
| Coffre / Réservoir | 407 à 820 litres / 41 litres |
| Nbre coussins sécurité / ceintures | 6 / 5 |
| Suspension avant | ind., jambes force |
| Suspension arrière | semi-ind., poutre torsion |
| Freins avant / arrière | disque / tambour |
| Direction | à crémaillère, ass. var. élect. |
| Diamètre de braquage | 9,3 m |
| Pneus avant / arrière | P185/55R16 / P185/55R16 |
| Poids / Capacité de remorquage | 1067 kg / n.d. |
| Assemblage | Aguascalientes, MX |

### Composantes mécaniques

**S, SV, SR**

| | |
|---|---|
| Cylindrée, soupapes, alim. | 4L 1,6 litre 16 s atmos. |
| Puissance / Couple | 109 ch / 107 lb-pi |
| Tr. base (opt) / rouage base (opt) | M5 (A4) / Tr |
| 0-100 / 80-120 / V.Max | 11,5 s / 9,2 s / n.d. |
| 100-0 km/h | 44,1 m |
| Type / ville / route / $CO_2$ | Ord / 8,6 / 6,6 l/100 km / 3542 kg/an |

## Du nouveau en 2016

Aucun changement majeur

Photos : Nissan Canada, Alain Morin

# NISSAN **MURANO**

((SiriusXM))

**Prix :** 29 998 $ à 43 498 $ (2015)
**Catégorie :** VUS
**Garanties :**
3 ans/60 000 km, 5 ans/100 000 km
**Transport et prép. :** 1 750 $
**Ventes QC 2014 :** 509 unités
**Ventes CAN 2014 :** 4 706 unités

### Cote du Guide de l'auto
# 73 %

| | |
|---|---|
| Fiabilité | Appréciation générale |
| Sécurité | Agrément de conduite |
| Consommation | Système multimédia |

### Cote d'assurance
présentée par
**KANETIX.CA**
$$$                    $

➕ Bon niveau d'équipement pour le prix • Finition intérieure et attention aux détails • Style qui se démarque • Sièges confortables • Système de navigation de série

➖ Pas de choix de moteurs • Aucun système pour personnaliser la conduite • Pas le prestige de certains autres VUS

### Concurrents
Ford Edge, Honda Pilot, Hyundai Santa Fe, Kia Sorento, Mazda CX-9, Toyota Highlander

# Un retour au succès

Sylvain Raymond

Le Nissan Murano en a fait du chemin depuis son introduction en 2003. Si la première génération s'est révélé un franc succès, la seconde a eu un peu plus de difficulté à bien se faire accepter. Pour la troisième, Nissan retourne aux sources et propose un Murano qui comprend les ingrédients qui ont fait son succès, c'est-à-dire un style hors du commun, des technologies de pointe et une finition intérieure soignée.

Cette direction semble à nouveau porter ses fruits et depuis l'arrivée de cette troisième génération, l'intérêt envers ce modèle est ravivé. Avec ses dimensions assez imposantes, on pourrait croire que le Murano est le VUS familial du constructeur japonais et qu'il peut accueillir sept passagers. Ce n'est pas le cas, c'est plutôt la mission du Pathfinder. Le Murano agit maintenant à titre de modèle porte-étendard chez Nissan et s'adresse à une clientèle plus âgée qui dispose d'un budget plus important.

Avec qui le Murano rivalise-t-il ? Principalement avec le Ford Edge redessiné cette année et qui partage la même mission chez Ford, mais aussi avec le Hyundai Santa Fe Sport, le Toyota Venza.

### UN STYLE CHIC
Afin d'attirer les amateurs de grands vins plutôt que les amateurs de piquette, le Murano se doit d'adopter une robe à la hauteur de sa réputation. Le style, c'est sa force ! On est à des lunes du design de l'ancienne génération et l'effet est bien réussi. Il est moins en rondeurs et ses angles sont beaucoup plus accentués. On pourrait le qualifier de Maxima, version VUS. L'inspiration du Murano provient du concept Resonance et chapeau à Nissan qui a réussi à en conserver toute l'audace. Les designers ont notamment retenu la grille en V ainsi que les phares au design boomerang, deux caractéristiques qui deviendront communes aux autres véhicules Nissan. On remarque aussi son toit flottant dont les piliers arrière sont peints en noir, donnant l'illusion qu'ils sont absents. C'est d'ailleurs très tendance.

Alors qu'il a gagné en longueur et en largeur afin de rehausser son habitabilité, le Murano a tout de même subi une cure d'amaigrissement. Nissan a réduit son poids grâce à l'utilisation de matériaux légers, ce qui contribue à maximiser son économie de carburant. Il est plus imposant, mais tout aussi agile.

À bord, on apprécie le confort des sièges « Zero Gravité » qui empruntent une technologie de la NASA et qui rendent les longues randonnées beaucoup moins pénibles. L'habitacle dégage une impression de luxe alors que l'instrumentation s'inspire de celle des véhicules de chez Infiniti. Le volant est typique à Nissan avec son large rayon et sa bonne prise en main. Toutes les livrées profitent de deux écrans, un de sept pouces situé au cœur de l'instrumentation et présentant diverses informations de conduite et l'autre, un peu plus grand et tactile, pour les données de la radio, du climatiseur et surtout, pour le système de navigation qui est série à bord de tous les Murano.

Côté mécanique, c'est le statuquo puisque l'on retrouve toujours l'unique moteur disponible soit le V6 de 3,5 litres qui développe 260 chevaux pour un couple de 240 lb-pi. Avantage ici au Ford Edge qui offre plus de choix avec ses trois mécaniques comprenant même un V6 turbocompressé qui ne déploie pas moins de 315 chevaux. À sa défense, la motorisation du Murano représente un bon compromis: elle est assez puissante, sans être anémique. On a visé le juste milieu. Le moteur est marié à une transmission CVT à variation continue baptisée Xtronic qu'on a reprogrammé afin d'émuler un peu mieux le comportement d'une boîte automatique conventionnelle. Si tous les Murano étaient équipés d'un rouage intégral dans le passé, ce n'est plus le cas. Il est offert en version à traction, en particulier pour avoir un prix de base plus attrayant et des chiffres de consommation plus éloquents.

Sur la route, il n'y a rien de remarquable quant aux performances du Murano. On ne lui a pas injecté l'ADN « Z » de certains autres modèles, mais il est drôlement confortable. Il peut avaler les kilomètres dans le silence et la douceur puisque sa direction et sa suspension sont calibrées en fonction du confort sur la route. On aurait bien aimé pouvoir personnaliser un peu son comportement, notamment avec la disponibilité d'un mode Sport, mais malgré toutes les technologies présentes à bord, ce n'est pas le cas. Les 260 chevaux sont bien exploités par la transmission CVT et si l'on est rarement emballé par ce type de boîte, Nissan continue d'offrir celles qui comportent le moins de désagrément.

### Châssis - Platinum TI

| | |
|---|---|
| Emp / lon / lar / haut | 2825 / 4888 / 1916 / 1689 mm |
| Coffre / Réservoir | 1121 à 1979 litres / 72 litres |
| Nbre coussins sécurité / ceintures | 7 / 5 |
| Suspension avant | ind., jambes force |
| Suspension arrière | ind., multibras |
| Freins avant / arrière | disque / disque |
| Direction | à crémaillère, ass. var. élect. |
| Diamètre de braquage | 12,0 m |
| Pneus avant / arrière | P235/55R20 / P235/55R20 |
| Poids / Capacité de remorquage | 1822 kg / 680 kg (1499 lb) |
| Assemblage | Canton, MS |

### Composantes mécaniques

| | |
|---|---|
| Cylindrée, soupapes, alim. | V6 3,5 litres 24 s atmos. |
| Puissance / Couple | 260 ch / 240 lb-pi |
| Tr. base (opt) / rouage base (opt) | CVT / Tr (Int) |
| 0-100 / 80-120 / V.Max | 7,5 s (est) / 6,0 s (est) / n.d. |
| 100-0 km/h | n.d. |
| Type / ville / route / $CO_2$ | Ord / 11,2 / 8,3 l/100 km / 4552 kg/an |

### Du nouveau en 2016

Nouveau modèle présenté à l'hiver 2015.

Photos: Dominic Dubreuil

NISSAN NV200

# NISSAN **NV200** / CHEVROLET **CITY EXPRESS**

(((SiriusXM)))

**Prix :** 23 448 $ à 24 748 $ (2015)
**Catégorie :** Fourgonnette
**Garanties :**
3 ans/60 000 km, 5 ans/100 000 km
**Transport et prép. :** n.d.
**Ventes QC 2014 :** 330 unités*
**Ventes CAN 2014 :** 1 286 unités**

Cote du Guide de l'auto

## 57 %

| Fiabilité | Appréciation générale |
|---|---|
| Sécurité | Agrément de conduite |
| Consommation | Système multimédia |

Cote d'assurance

présentée par
**KANETIX.CA**

$$$                    $

➕ Feu vert • Agilité assurée •
Consommation réduite • Confort
des sièges • Prix abordables

➖ Puissance juste • Insonorisation
déficiente • Pneumatiques décevants •
Freins peu endurants • Sensibilité aux
vents latéraux

**Concurrents**
Ford Transit Connect

# Bête de somme sommaire

Guy Desjardins

**L**e développement du créneau des fourgons commerciaux compacts s'est effectué à une vitesse record en Amérique du Nord. Certains, comme Ford et Nissan, ont vite inondé le marché de leurs modèles, déjà vendus ailleurs dans le monde. General Motors s'est quant à elle associée à un partenaire solide afin d'offrir une alternative efficace à court terme.

Voilà pourquoi le City Express est apparu aussi rapidement dans le catalogue de Chevrolet, le véhicule étant une copie conforme du Nissan NV200. Sauf la partie avant, rien ne vient le distinguer de son frangin nippon.

### MÉCANIQUE MODESTE

Dans les petits pots, les meilleurs onguents ? Pas tout à fait vrai. Au chapitre de l'efficacité et de la fiabilité de la motorisation à 4 cylindres de 131 chevaux qui équipe les deux comparses, on ne trouve rien à redire. Par contre, bien que la puissance soit adéquate lorsque le fourgon est vide, elle devient nettement insuffisante si l'on le charge le moindrement. D'abord conçus pour un usage urbain, les NV200 et City Express gèrent tout de même bien cette puissance réduite dans la circulation dense. Durant ces déplacements, les accélérations rapides sont peu fréquentes, ce qui pallie le manque de chevaux. Signe des temps, on équipe même ces véhicules d'une transmission à variation continue, favorisant ainsi des économies de carburant encore plus élevées.

Malgré l'appellation commerciale de ce véhicule, on constate que les éléments mécaniques suspenseurs ne pèchent pas par excès de robustesse, du moins en apparence. Format réduit oblige, on remarque que la plupart des pièces semblent bien frêles et que la suspension s'avère assez rudimentaire avec sa poutre de torsion à l'arrière. Les freins montrent également une résistance plutôt décevante après plusieurs freinages d'urgence, même lorsque le véhicule n'est que chargé à la moitié de sa capacité. Quant aux

---

\* NV200 : 328 unités / City Express : 2 unités        \*\*ND200 : 1275 unités / City Express : 11 unités

pneus de 15 pouces, ils paraissent d'une dimension inappropriée par rapport à la surface verticale du NV.

À l'intérieur, les jumeaux affichent une similitude déconcertante. La position de conduite haute est naturellement bonifiée par le confort des sièges. Placé derrière le volant, on oublie rapidement que l'on conduit un fourgon compact, se laissant même tromper par l'excellente visibilité vers l'avant, gracieuseté d'un capot plongeant.

À l'arrière, l'aire de chargement propose une finition sommaire, comme c'est souvent le cas sur ce type de véhicule. Le plancher plat et bas permet d'y accéder aisément mais la hauteur du plafond empêche de marcher debout (oui, ça fait drôle écrit comme ça... mais c'est ça. En fait, on peut marcher mais en courbant le dos). De nombreuses attaches permettent de fixer solidement la cargaison alors que le plancher plastifié se nettoie facilement au balai ou au boyau d'arrosage.

### A QUAND LE E-NV200?

Sur la route, les NV200 et City Express montrent des caractéristiques en tout point similaires. Les pneus s'avèrent bruyants, la sensibilité aux vents latéraux est élevée et les suspensions peinent à camoufler les imperfections de la route. À vitesse d'autoroute, l'insonorisation n'impressionne pas et le moteur révolutionne à un régime plutôt élevé. Néanmoins, le confort s'apparente davantage à celui d'une compacte qu'à celui d'un fourgon commercial pleine grandeur, ce qui lui donne un avantage incontestable.

Récemment, Nissan présentait un concept électrique, le e-NV200. Ce bolide profite du groupe motopropulseur entièrement électrique de la Leaf. L'alimentation à zéro émission (il n'y a pas de système d'échappement) provient de la batterie au lithium-ion et d'un moteur électrique de 80 kW qui développe un couple de 207 lb-pi. L'autonomie dépendra — on s'en doute bien — du poids du véhicule, et nous espérons que ce concept arrivera prochainement chez les concessionnaires.

La concurrence s'annonce extrêmement féroce dans cette « nouvelle » catégorie. Le prix de l'essence à la hausse et l'accès restreint aux stationnements citadins forcent plusieurs entreprises à troquer leurs immenses fourgons pour de petits véhicules beaucoup plus agiles et économiques. Est-ce que le duo Nissan/Chevrolet propose le meilleur produit? Difficile de trancher puisque les américains Ford et RAM disposent sont également dans la course.

## Châssis - S

| | |
|---|---|
| Emp / lon / lar / haut | 2925 / 4733 / 2010 / 1872 mm |
| Coffre / Réservoir | 3455 litres / 55 litres |
| Nbre coussins sécurité / ceintures | 6 / 2 |
| Suspension avant | ind., jambes force |
| Suspension arrière | essieu rigide, ress. à lames |
| Freins avant / arrière | disque / tambour |
| Direction | à crémaillère, ass. var. élect. |
| Diamètre de braquage | 11,2 m |
| Pneus avant / arrière | P185/60R15 / P185/60R15 |
| Poids / Capacité de remorquage | 1456 kg / non recommandé |
| Assemblage | Cuernavaca, MX |

## Composantes mécaniques

**S, SV**

| | |
|---|---|
| Cylindrée, soupapes, alim. | 4L 2,0 litres 16 s atmos. |
| Puissance / Couple | 131 ch / 139 lb-pi |
| Tr. base (opt) / rouage base (opt) | CVT / Tr |
| 0-100 / 80-120 / V.Max | 11,6 s / 9,2 s / n.d. |
| 100-0 km/h | 48,9 m |
| Type / ville / route / $CO_2$ | Ord / 8,7 / 7,1 l/100 km / 3671 kg/an |

## Du nouveau en 2016

Aucun changement majeur. Version électrique pourrait arriver en cours d'année.

**CHEVROLET CITY EXPRESS**

# NISSAN **PATHFINDER**

**(((SiriusXm)))**

**Prix :** 29 998 $ à 46 348 $ (2015)
**Catégorie :** VUS
**Garanties :**
3 ans/60 000 km, 5 ans/100 000 km
**Transport et prép. :** 1 560 $
**Ventes QC 2014 :** 1 663 unités
**Ventes CAN 2014 :** 9 688 unités

---

Cote du Guide de l'auto

## 71 %

Fiabilité
■■■■■□□□□□

Appréciation générale
■■■■■■■□□□

Sécurité
■■■■■■■■□□

Agrément de conduite
■■■■■■□□□□

Consommation
■■■■■□□□□□

Système multimédia
■■■■■■□□□□

Cote d'assurance
■■■■■■■□□□
$$$                           $

présentée par
**KANETIX.CA**

**➕** Mécanique fiable • Habitacle
spacieux • Sièges confortables • Silence
de roulement • Équipement complet

**➖** Lignes anonymes • Garde au sol
trop basse • Boîte CVT perfectible •
Conduite monotone • Diamètre
de braquage

**Concurrents**
Ford Explorer, Honda Pilot, Mazda CX-9,
Jeep Grand Cherokee, Toyota 4Runner,
Toyota Highlander

---

# La passion a disparu

Jean-François Guay

**V**oyant les parts de marché du Pathfinder fondre comme neige au soleil, Nissan a pris le taureau par les cornes pour éviter qu'il disparaisse des écrans radars. Reconnu jadis comme étant l'un des meilleurs baroudeurs de l'industrie, il a dû s'adapter à la popularité grandissante des véhicules multisegment. Pour survivre, il a laissé son rival de toujours, le Toyota 4Runner, fin seul dans le créneau des VUS tout terrain pour se jeter tête première dans l'arène du Toyota Highlander. Du coup, il a retrouvé des anciens compagnons de route comme les Ford Explorer et Jeep Grand Cherokee qui se sont également convertis à ce nouveau dogme automobile.

Pour faire le grand saut, le Pathfinder a dû se départir de ses attributs naturels de « 4x4 » comme son châssis en échelle, son boîtier de transfert et sa suspension à long débattement. Reposant désormais sur un cadre monocoque qu'il partage avec son cousin QX60 d'Infiniti et la défunte fourgonnette Nissan Quest, cette transformation lui permet d'offrir un habitacle plus convivial et un comportement routier moins rustique qu'auparavant. Mais à quel prix ?

Il est vrai que l'ancien Pathfinder manquait de finesse et que la consommation n'était pas sa priorité, mais il avait une personnalité propre à lui. Dans sa nouvelle configuration, le Pathfinder ne manque pas d'attrait, mais il n'arrive pas à se démarquer des autres produits sur le marché. Au niveau esthétique, sa silhouette n'est pas aussi futuriste que le nouveau Murano et son look générique s'assimile à la concurrence. À vrai dire, cette nouvelle génération surfe sur la réputation de ses aïeuls pour conquérir de nouveaux acheteurs. Mais entendons-nous bien : le Pathfinder n'est pas un mauvais véhicule, c'est juste qu'il ne soulève plus les passions comme autrefois. On aurait préféré que les stylistes fassent preuve d'audace dans la confection de la carrosserie.

## TOUJOURS UN «4X4»

On achète désormais un Pathfinder pour transporter la famille et non plus pour prendre la clef des champs. Néanmoins, il conserve des capacités hors route qui surpassent la majorité de ses rivaux. La transmission intégrale intuitive de Nissan permet au conducteur de choisir le mode 2RM (traction) pour profiter d'une économie d'essence, et le mode «Auto» qui active les quatre roues motrices en ajustant la répartition de la puissance entre les roues avant et arrière selon les conditions de la chaussée. Quand les conditions routières se détériorent, le mode «Lock» optimise la motricité dans la neige, la boue ou le gravier. Malgré la présence de ce dispositif, le Pathfinder préfère rouler sur les grands boulevards que de s'enliser dans une tourbière, où sa faible garde au sol expose les bas de caisse et organes mécaniques à des bris.

Sur les autoroutes, le Pathfinder est plutôt ennuyeux et donne l'impression d'être au volant d'une fourgonnette. Les réglages de la direction et des suspensions visent à agrémenter le confort au détriment de la conduite. Les pneus et jantes de 20 pouces (en option) donnent l'illusion qu'il offre un comportement routier aussi sportif que le Murano. Mais détrompez-vous, il est moins agile que son petit frère et préfère emprunter les longues lignes droites que les routes sinueuses.

Pour les manœuvres dans les stationnements étroits ou la conduite hors route, le diamètre de braquage pourrait être plus court.

Malgré les hésitations de la boîte CVT et la présence d'un mode «L» sur le sélecteur du levier de vitesse, les 260 chevaux du V6 de 3,5 litres sont capables de tirer un poids de 2 268 kilos. Quant à la motorisation hybride combinant un quatre cylindres de 2,5 litres (230 chevaux) et un moteur électrique de 15 kW (20 chevaux), elle a été rayée du catalogue. Des tarifs trop élevés et la baisse du prix de l'essence ont eu raison de ce modèle.

## L'ÂME D'UNE FOURGONNETTE

Même s'il paraît moins imposant qu'il ne l'est en réalité (il mesure plus de 5 mètres), le Pathfinder peut accueillir sept passagers en tout confort. On pourrait même croire qu'il est responsable de la disparition de la Quest tellement il représente une alternative fort louable aux fourgonnettes. Comparativement à l'ancien modèle, il est maintenant beaucoup plus facile d'entrer et de sortir du véhicule grâce à la largeur des portières et la faible hauteur du seuil. Les passagers arrière apprécieront le dégagement pour les jambes et les nombreux réglages des sièges.

Le décor intérieur et la qualité des matériaux font bon chic bon genre, tout comme la finition. Mais, au lieu des garnitures en similibois, on aurait préféré la possibilité d'opter pour des appliques en aluminium d'allure postmoderne.

### Châssis - Platine 4RM

| | |
|---|---|
| Emp / lon / lar / haut | 2900 / 5009 / 1961 / 1783 mm |
| Coffre / Réservoir | 453 à 2260 litres / 74 litres |
| Nbre coussins sécurité / ceintures | 6 / 7 |
| Suspension avant | ind., jambes force |
| Suspension arrière | ind., multibras |
| Freins avant / arrière | disque / disque |
| Direction | à crémaillère, ass. var. élect. |
| Diamètre de braquage | 12,0 m |
| Pneus avant / arrière | P235/55R20 / P235/55R20 |
| Poids / Capacité de remorquage | 2049 kg / 2268 kg (5000 lb) |
| Assemblage | Smyrna, TN |

### Composantes mécaniques

| | |
|---|---|
| Cylindrée, soupapes, alim. | V6 3,5 litres 24 s atmos. |
| Puissance / Couple | 260 ch / 240 lb-pi |
| Tr. base (opt) / rouage base (opt) | CVT / 2RM/2RM (4x4) |
| 0-100 / 80-120 / V.Max | 8,2 s / 5,7 s / n.d. |
| 100-0 km/h | 41,2 m |
| Type / ville / route / $CO_2$ | Ord / 10,8 / 7,9 l/100 km / 4235 kg/an |

## Du nouveau en 2016

Aucun changement majeur, modèle hybride supprimé.

Photos : Nissan Canada

# NISSAN **ROGUE**

((SiriusXM))

**Prix :** 23 798 $ à 31 498 $ (2015)
**Catégorie :** VUS
**Garanties :**
3 ans/60 000 km, 5 ans/100 000 km
**Transport et prép. :** 1 630 $
**Ventes QC 2014 :** 6 833 unités
**Ventes CAN 2014 :** 28 827 unités

## Cote du Guide de l'auto

# 77 %

| Fiabilité | Appréciation générale |
|---|---|
| ■■■■■■■□□□ | ■■■■■■■□□□ |

| Sécurité | Agrément de conduite |
|---|---|
| ■■■■■■■■□□ | ■■■■■□□□□□ |

| Consommation | Système multimédia |
|---|---|
| ■■■■■■■□□□ | ■■■■■■■□□□ |

## Cote d'assurance

■■■■■■■□□□
$$$                    $

présentée par
**KANETIX.CA**

➕ Style réussi • Habitacle spacieux
et polyvalent • Sièges confortables •
Systèmes de sécurité avancés

➖ Absence d'agrément de conduite •
Boîte CVT peu agréable •
Options nombreuses • Espace limité
à la 3e rangée (en option)

## Concurrents

Chevrolet Equinox, Ford Escape,
GMC Terrain, Honda CR-V, Hyundai
Santa Fe, Hyundai Tucson, Jeep
Cherokee, Kia Sportage, Mazda CX-5,
Mitsubishi Outlander, Subaru Forester,
Toyota RAV4, Volkswagen Tiguan

# Vocation familiale

Gabriel Gélinas

**R**edessiné en 2014, le Rogue actuel est élaboré sur une plate-forme commune à Nissan et Renault, ces deux marques partageant plusieurs composants en raison de l'alliance stratégique qui les unit. Le style est actuel et la vocation est clairement familiale pour ce VUS de taille compacte qui obtient un vif succès chez nous. Il est décliné en trois finitions et certaines versons sont dotées d'un rouage intégral.

Le Rogue marque des points avec son habitacle très spacieux. Les sièges arrière peuvent coulisser sur des rails sur une plage de 9 pouces, ce qui peut permettre de prioriser le dégagement pour les jambes des passagers prenant place à l'arrière, et les dossiers des sièges arrière peuvent s'incliner pour offrir un confort supérieur. Cependant, les places de la troisième rangée faisant partie de l'ensemble Famille et technologie sur les versions SV ne conviendront que pour un usage occasionnel seulement.

En prenant place à bord, on remarque immédiatement que le Rogue se démarque de la concurrence par la qualité de sa présentation intérieure. Plusieurs surfaces sont agréables au toucher et à l'œil, les sièges avant sont très confortables et un toit ouvrant panoramique fait partie de la dotation de séries des modèles de gammes moyenne et supérieure (SV et SL). Tout cela contribue à nous créer cette impression très nette que l'on roule à bord d'un véhicule plus haut de gamme et plus confortable.

### UN MOTEUR CONNU
170 chevaux. C'est ce que développe le moteur quatre cylindres de 2,5 litres, qui a le don d'ubiquité chez Nissan. Il anime le Rogue qui affiche un poids de 1 550 kilos (version S à traction) à 1 643 kilos (SL à rouage intégral). C'est un rapport poids-puissance peu favorable et qui a une incidence directe sur l'agrément de conduite, la puissance étant simplement adéquate avec deux personnes à bord.

Aussi, Nissan favorise l'usage de boîtes automatiques à variation continue (CVT) afin de réduire la consommation de carburant et, bien que ce type de transmission soit en effet plus efficace en consommation, un véhicule équipé d'une CVT est généralement nettement moins agréable à conduire, parce que le bruit de moteur est très présent en accélération franche et ne s'amenuise que lorsque les poulies de la boîte s'ajustent pour accélérer. Ce phénomène se manifeste beaucoup moins lors d'accélérations partielles, mais vous en ferez l'expérience à chaque entrée sur l'autoroute ou chaque dépassement sur une route secondaire lorsque la pleine puissance sera sollicitée.

Cela dit, il est clair que le Rogue n'a pas été conçu pour plaire aux amateurs de conduite un tant soit peu sportive. Si vous vous rangez dans ce camp, faites l'essai d'un CX-5 de Mazda qui est la référence du créneau pour l'agrément de conduite. À deux reprises, j'ai eu l'occasion de conduire le Rogue SL équipé du rouage intégral, soit en plein hiver ainsi qu'en juin, et la moyenne de consommation observée s'est chiffrée à 10,4 litres aux 100 kilomètres en janvier et à 8,8 litres aux 100 kilomètres en été, ce qui diffère des cotes officielles établies à 7,4 litres sur route et 9,5 en ville par le constructeur.

## CONDUITE SÛRE

Le rouage intégral du Rogue n'est pas de type à prise constante, mais plutôt de type «sur demande» dans la mesure où le véhicule priorise toujours les roues avant. Il ne répartit qu'une partie du couple aux roues arrière que lorsque les roues avant motrices se mettent à patiner. Il est toutefois possible d'appuyer sur le bouton «lock» pour engager directement l'entraînement aux quatre roues pour bénéficier d'un maximum d'adhérence, mais seulement à des vitesses inférieures à 40 kilomètres/heure, donc juste pour se sortir d'un banc de neige ou démarrer sur une chaussée glacée par exemple.

L'une des particularités du Rogue est le système *Active Trace Control*, mesurant constamment l'angle de braquage du volant et la position de l'accélé-rateur et qui peut commander le freinage sélectif de certaines roues afin de réduire le sous-virage. Cela permet au véhicule de mieux s'inscrire dans la courbe, et ce ystème s'est avéré particulièrement efficace sur des routes glacées en plein hiver.

Le Rogue se démarque par son confort, ses qualités pratiques et même par ce que l'on pourrait qualifier de touches de luxe dans ce créneau des VUS de taille compacte, mais il laisse beaucoup à désirer au chapitre de l'agrément de conduite. Cependant, comme la plupart des acheteurs de ce type de véhicule priorisent le confort aux performances, le Rogue s'avère très populaire.

### Châssis - S TA

| | |
|---|---|
| Emp / lon / lar / haut | 2706 / 4630 / 1840 / 1684 mm |
| Coffre / Réservoir | 1113 à 1982 litres / 55 litres |
| Nbre coussins sécurité / ceintures | 6 / 5 |
| Suspension avant | ind., jambes force |
| Suspension arrière | ind., multibras |
| Freins avant / arrière | disque / disque |
| Direction | à crémaillère, ass. var. élect. |
| Diamètre de braquage | 11,4 m |
| Pneus avant / arrière | P225/65R17 / P225/65R17 |
| Poids / Capacité de remorquage | 1550 kg / 454 kg (1000 lb) |
| Assemblage | Smyrna, TN |

### Composantes mécaniques

| | |
|---|---|
| Cylindrée, soupapes, alim. | 4L 2,5 litres 16 s atmos. |
| Puissance / Couple | 170 ch / 175 lb-pi |
| Tr. base (opt) / rouage base (opt) | CVT / Tr (Int) |
| 0-100 / 80-120 / V.Max | 10,7 s / 7,6 s / n.d. |
| 100-0 km/h | 42,6 m |
| Type / ville / route / $CO_2$ | Ord / 9,5 / 7,4 l/100 km / 3935 kg/an |

## Du nouveau en 2016

Aucun changement majeur

Photos: Alain Morin

# NISSAN **SENTRA**

((( SiriusXM )))

**Prix :** 15 598 $ à 24 198 $ (2015)
**Catégorie :** Berline
**Garanties :**
3 ans/60 000 km, 5 ans/100 000 km
**Transport et prép. :** 1 567 $
**Ventes QC 2014 :** 5 952 unités
**Ventes CAN 2014 :** 15 021 unités

## Cote du Guide de l'auto

# 67 %

Fiabilité
■■■■■■■□□□

Appréciation générale
■■■■■■■□□□

Sécurité
■■■■■■■□□□

Agrément de conduite
■■■■■■□□□□

Consommation
■■■■■■■■□□

Système multimédia
■■■■■■□□□□

## Cote d'assurance
■■■■■■■■□□
$$$                    $

présentée par
**KANETIX.CA**

➕ Excellente habitabilité • Silhouette
élégante • Prix compétitif • Coffre
spacieux • Nombreuses options

➖ Puissance très moyenne • Habitacle
fort sommaire • Direction floue •
Suspension limitée

## Concurrents

Chevrolet Cruze, Dodge Dart,
Ford Focus, Honda Civic, Hyundai
Elantra, Kia Forte, Mazda3, Mitsubishi
Lancer, Subaru Impreza, Toyota Corolla,
Volkswagen Jetta

# Universitaires demandés

Denis Duquet

**L**a Nissan Sentra est un véhicule à part dans sa catégorie peuplée par les Chevrolet Cruze, Honda Civic, Hyundai Elantra et autres Toyota Corolla. En effet, les formes de la Sentra sont inspirées de celles d'une autre Nissan, la berline intermédiaire Altima, et ses dimensions sont parmi les plus généreuses chez les voitures compactes présentement sur le marché. Et ce n'est pas le fruit du hasard puisque la Sentra a été initialement conçue il y a quelques années pour cibler une clientèle féminine désirant une voiture à prix relativement économique, mais dont les dimensions et la présentation extérieure témoignent de quelque chose de plus luxueux et de plus onéreux. À l'époque, Nissan visait surtout les jeunes filles graduées des universités américaines qui en étaient à leur premier emploi et qui ne voulaient pas arriver au travail au volant d'une petite économique malingre.

Cette philosophie de conception et de design s'est poursuivie au fil des années. Il est difficile de trouver à redire quant à la silhouette, bien que celle-ci soit plus sobre qu'autre chose. L'avantage de cette approche esthétique est que le véhicule ne se démodera pas rapidement.

### BEAUCOUP D'ESPACE

En raison de ses dimensions plus généreuses que la moyenne, la Sentra propose une habitabilité presque sans reproche. Non seulement les sièges avant sont confortables, mais les occupants arrière bénéficient d'un dégagement pour les jambes rarement vu dans cette catégorie. Par ailleurs, le coffre à bagages est très grand et seul celui de la Volkswagen Jetta réussit à faire mieux.

La planche de bord ne remportera pas un prix de design, mais c'est quand même bien sur le plan de l'ergonomie alors que les commandes sont faciles à atteindre et à activer. Par contre, la qualité de certains matériaux laisse à désirer tandis que la qualité de la finition est plutôt moyenne, même si l'on retrouve des matériaux souples, comme sur les modèles plus dispendieux.

Au fil des modèles et des options, il est possible d'équiper sa Sentra de presque tous les gadgets et accessoires à la mode de nos jours. Par l'intermédiaire de l'écran tactile, il est aisé de gérer le système de navigation par satellite en option alors que le système Bluetooth permet de rendre votre téléphone mains libres. À cette liste, on peut ajouter une caméra de recul et le démarrage par bouton-poussoir. Bref, on peut pratiquement métamorphoser cette voiture en mini-limousine. Mais la mécanique demeure toujours celle d'une humble berline compacte.

### ON SE CALME !

S'il faut se fier aux communiqués de presse dithyrambiques de Nissan, le moteur quatre cylindres de 1,8 litre produisant 130 chevaux transforme la Sentra en berline sportive capable d'impressionner le plus blasé des conducteurs. Ce qui est loin de la réalité. C'est un groupe propulseur correct, c'est tout. De série, il est associé à une boîte manuelle à six rapports qui est dans la bonne moyenne aussi bien en fait de précision des passages des rapports que de l'étagement. Une transmission à rapports continuellement variables (CVT) est disponible en option. Celle-ci a soulevé bien des discussions. Certains la trouvent horrible, d'autres passable, mais on peut s'en accommoder. La plupart du temps, cette transmission nous donne l'impression d'avoir affaire à une automatique traditionnelle.

Cette motorisation assure des performances dans la moyenne avec un temps d'accélération d'environ 10 secondes pour boucler le traditionnel 0-100 km/h. Quant à la tenue de route, mieux vaut s'en tenir aux limites de vitesse affichées, car compte tenu de l'état souvent délabré des routes québécoises, une rencontre avec un trou ou une bosse se traduit par de désagréables secousses sèches et pourrait surprendre le conducteur. En outre, la direction à assistance électrique est vague. Somme toute, cette petite japonaise aux allures BCBG se démarque davantage par son allure de petite berline bourgeoise que par ses qualités routières et son agrément de conduite. En plus, elle n'est pas plus fiable que ça, s'il faut se fier aux différents rapports des publications spécialisées.

Au moment d'écrire ces lignes, la version de série NISMO, qui est le sujet de bien des rumeurs, n'a pas encore été dévoilée. Tout au plus, on parle d'une puissance d'environ 240 chevaux et de modifications esthétiques pour accentuer le caractère sportif de cette voiture. On peut s'interroger sur le bien-fondé de cette rumeur, car la plate-forme de la Sentra semble très limitée pour une telle puissance.

| Châssis - 1.8 S (CVT) | |
|---|---|
| Emp / lon / lar / haut | 2700 / 4625 / 1760 / 1495 mm |
| Coffre / Réservoir | 428 litres / 50 litres |
| Nbre coussins sécurité / ceintures | 6 / 5 |
| Suspension avant | ind., jambes force |
| Suspension arrière | semi-ind., poutre torsion |
| Freins avant / arrière | disque / tambour |
| Direction | à crémaillère, ass. var. élect. |
| Diamètre de braquage | 10,6 m |
| Pneus avant / arrière | P205/55R16 / P205/55R16 |
| Poids / Capacité de remorquage | 1288 kg / n.d. |
| Assemblage | Aguascalientes, MX |

| Composantes mécaniques | |
|---|---|
| Cylindrée, soupapes, alim. | 4L 1,8 litre 16 s atmos. |
| Puissance / Couple | 130 ch / 128 lb-pi |
| Tr. base (opt) / rouage base (opt) | M6 (CVT) / Tr |
| 0-100 / 80-120 / V.Max | 10,5 s / 8,7 s / n.d. |
| 100-0 km/h | 43,6 m |
| Type / ville / route / $CO_2$ | Ord / 6,6 / 5,0 l/100 km / 2705 kg/an |

### Du nouveau en 2016

Aucun changement majeur, version NISMO anticipée.

DIESEL

## NISSAN **TITAN**

((SiriusXM))

**Prix :** 58 000 $ (estimé)
**Catégorie :** Camionnette
**Garanties :**
3 ans/60 000 km, 5 ans/100 000 km
**Transport et prép. :** 1 610 $
**Ventes QC 2014 :** 219 unités
**Ventes CAN 2014 :** 3 022 unités

### Cote du Guide de l'auto

# 63 %

| Fiabilité | Appréciation générale |
|---|---|
| ■■■■■□□□□□ | ■■■■■■□□□□ |
| Sécurité | Agrément de conduite |
| ■■■■■■■□□□ | ■■■■■■□□□□ |
| Consommation | Système multimédia |
| ■■■■■□□□□□ | ■■■■■■□□□□ |

### Cote d'assurance

■■■■■■■□□□
$$$        $

présentée par
**KANETIX.CA**

➕ Allure extérieure plus robuste •
Moteur diesel de haut calibre •
Présentation intérieure raffinée •
Configurations multiples

➖ Peu d'innovations • XD à mi-chemin
entre usages léger et lourd • Moteur
diesel réservé à la version XD • Boîte de
vitesses ne comptant que 6 rapports

### Concurrents
Chevrolet Silverado, Ford F-150, GMC
Sierra, RAM 1500, Toyota Tundra

# L'Empire contre-attaque

Guy Desjardins

**L**a refonte complète de la camionnette Titan s'inscrit dans
le vaste programme de renouvellement des modèles en
cours chez le constructeur japonais. Avec cette
version 2016 totalement renouvelée, Nissan contre-attaque
l'Amérique et affronte le Ford F-150, le Ram 1500 et les Chevrolet
Silverado/GMC Sierra avec beaucoup plus d'assurance.

On ne se surprendra donc pas d'apprendre que l'équipe responsable de
la refonte s'est fortement inspirée des camionnettes américaines lors de
la conception. Le Titan de 2e génération est d'ailleurs un pur produit
américain, dessiné en Californie, conçu au Michigan, testé en Arizona et
construit au Mississippi. Après tout, ce sont les concurrents directs qu'il
faut battre, ce que le Titan n'avait jamais été en mesure de faire depuis
son lancement en 2004.

### RATTRAPAGE RÉUSSI
Nissan a présenté la nouvelle allure du Titan au dernier Salon de Detroit.
On s'est toutefois limité au dévoilement de la version XD à cabine double
équipée d'un puissant moteur V8 turbodiesel Cummins de 5,0 litres.
Cette version XD crée une nouvelle offre dans le domaine, celle de la
camionnette demi-tonne de grade «heavy duty». La gamme Titan offrira
à l'automne trois configurations de cabine, deux longueurs de châssis et
deux moteurs à essence. Au final, cinq modèles compléteront la ligne
d'attaque pour la saison 2016.

L'apparence extérieure du Titan s'est grandement améliorée avec un
design nettement plus robuste que celui qu'il remplace. La camionnette
gagne en volume et dans toutes les directions. On remarque évidemment
l'immense calandre et la hauteur exagérée du capot qui ne manquent
pas d'imposer le respect. Le profil du Titan, avec son porte-à-faux avant
plus long, a en fait été influencé par la conception du compartiment
moteur qui devait absolument intégrer une grille avant surdimensionnée,
le refroidisseur d'air de suralimentation et l'installation de deux batteries.

À l'intérieur, tout a été repensé. Les concepteurs ont profité de cette refonte pour déplacer le levier de vitesses sur la colonne de direction afin de laisser plus de place à l'immense console centrale. L'espace maintenant dégagé a permis de repositionner les éléments et d'augmenter les dimensions des commandes, donnant ainsi une apparence de robustesse qui manquait cruellement à l'ancienne génération.

## MÉCANIQUE SÉRIEUSE

Le tout nouveau moteur V8 turbodiesel de 5,0 litres Cummins prend place sous le capot de la version XD de nouvelle génération. Il produit 310 chevaux et 555 lb-pi de couple tout en consommant bien en dessous de l'actuel V8 à essence. Le moteur diesel du Titan XD profite d'un nouveau système de turbo à deux étages développé par Cummins, lequel permet de réduire les problèmes habituels de retard du turbo. Quant à la puissance, elle est transmise aux quatre roues via une boîte automatique Aisin à 6 rapports mise au point et calibrée exclusivement pour la version XD. Nissan promet de nouvelles boîtes pour les Titan standards dotés de motorisations V6 et V8 à essence qui seront confirmées plus tard cet automne. On soupçonne toutefois le retour du V8 de l'an dernier et l'ajout du traditionnel V6 de 3,5 litres qui équipe déjà les nouveaux Pathfinder et Murano.

Le Titan XD est conçu sur un châssis en échelle unique permettant de supporter le moteur diesel Cummins et d'offrir des capacités supérieures de remorquage et de charge. Il est basé sur le châssis de la division commerciale des véhicules Nissan et a été considérablement renforcé pour livrer une rigidité, une flexion latérale et une rigidité en torsion accrues. Plus long que l'ancienne génération, la version XD offre un empattement majoré de 20 pouces par rapport aux modèles Titan à usage léger qui seront commercialisés en parallèle.

Afin de maximiser la stabilité, la tenue de route et le confort de la conduite, le Titan XD est doté d'une nouvelle suspension conçue pour les véhicules lourds. La suspension avant à double triangle avec barre stabilisatrice a été renforcée et calibrée pour être utilisée dans des conditions difficiles alors que la suspension arrière comprend des bagues d'étanchéité robustes ainsi que des amortisseurs bitubes.

Le Titan pourrait revenir dans le carré d'As. Il ne détrônera peut-être aucune camionnette du podium, mais se place dans une position qui lui permettra de ramener une clientèle qui avait déjà fui depuis longtemps Nissan pour se tourner vers les américaines, nettement plus modernes. Le Titan 2016 est la meilleure camionnette Nissan à ce jour.

### Châssis - XD 4x4 King Cab

| | |
|---|---|
| Emp / lon / lar / haut | 3850 / 6169 / 2018 / 1999 mm |
| Coffre / Réservoir | n.d. / 100 litres |
| Nbre coussins sécurité / ceintures | 6 / 5 |
| Suspension avant | ind., double triangulation |
| Suspension arrière | essieu rigide, ress. à lames |
| Freins avant / arrière | disque / disque |
| Direction | à billes, assistée |
| Diamètre de braquage | 14,5 m |
| Pneus avant / arrière | LT245/75R17 / LT245/75R17 |
| Poids / Capacité de remorquage | 2800 kg / 4500 kg (9920 lb) |
| Assemblage | Canton, MS |

### Composantes mécaniques

**XD 4x4 King Cab**

| | |
|---|---|
| Cylindrée, soupapes, alim. | V8 5,0 litres 32 s turbo |
| Puissance / Couple | 310 ch / 555 lb-pi |
| Tr. base (opt) / rouage base (opt) | A6 / 4x4 |
| 0-100 / 80-120 / V.Max | n.d. / n.d. / n.d. |
| 100-0 km/h | n.d. |
| Type / ville / route / $CO_2$ | Dié / 14,2 / 9,7 l/100 km / 6575 kg/an |

## Du nouveau en 2016

Nouveau modèle, ajout d'une version XD « heavy duty »

Photos: Nissan Canada

# NISSAN **VERSA NOTE**

((SiriusXM))

## Aux premières loges

Guy Desjardins

**Prix :** 14 298 $ à 18 698 $ (2015)
**Catégorie :** Hatchback
**Garanties :**
3 ans/60 000 km, 5 ans/100 000 km
**Transport et prép. :** 1 567 $
**Ventes QC 2014 :** 5 646 unités
**Ventes CAN 2014 :** 13 314 unités

### Cote du Guide de l'auto

# 73 %

| Fiabilité | Appréciation générale |
|---|---|
| ■■■■■□□□□□ | ■■■■■■■□□□ |
| Sécurité | Agrément de conduite |
| ■■■■■■■□□□ | ■■■■■■□□□□ |
| Consommation | Système multimédia |
| ■■■■■■□□□□ | ■■■■■■■□□□ |

### Cote d'assurance

n.b.                                présentée par
**KANETIX.CA**

➕ Dimensions idéales en ville •
Transmission CVT au point • Fabrication
solide • Suspensions agréables •
Panoplie de versions

➖ Consommation décevante •
Freins s'essoufflent rapidement •
Performances un peu justes •
Prix grimpent rapidement

### Concurrents

Chevrolet Sonic, Ford Fiesta, Honda Fit,
Hyundai Accent, Kia Rio, Toyota Prius c,
Toyota Yaris

**L**'arrivée de la version Note a mis un terme à la commercialisation de la Versa Hatchback au Canada. La Note profite d'une plate-forme moderne et d'une carrosserie stylisée et s'avère étant nettement plus intéressante.

Seule Versa maintenant inscrite au catalogue de Nissan, le diminutif Note ne vient en rien préciser la nature du véhicule, sauf bien sûr si le constructeur japonais réintroduit une berline dans la gamme (comme Toyota vient de le faire avec sa Yaris). On a donc toujours droit à une *hatchback* 5 portes d'un format assez similaire à la Honda Fit, sa principale concurrente.

### MÉCANIQUE EXEMPLAIRE

Sur papier, la Versa Note affiche des caractéristiques techniques intéressantes... à ne pas confondre avec impressionnantes. Toutes les déclinaisons de la Versa héritent d'un moteur à 4 cylindres de 1,6 litre. La production de chevaux dépasse à peine la centaine, mais l'utilisation d'une transmission à variation continue permet d'exploiter efficacement cette modeste cavalerie. Pour les passionnés, fervents et maniaques de chiffres, sachez que la Honda Fit propose une cylindrée inférieure, une puissance plus élevée et un rapport supplémentaire sur sa boîte manuelle en plus d'enregistrer une meilleure consommation de carburant.

Les qualités dynamiques routières de la Versa Note ne sont pas pour autant moins satisfaisantes. Notre essai nous a d'ailleurs permis de découvrir un véhicule très bien équilibré, agréable à conduire et très polyvalent. Bien évidemment, on ne choisit pas la Versa pour sa puissance ni pour son espace de chargement. Dans le premier cas, une 370Z et, dans le deuxième, un fourgon NV combleront sans aucun doute vos besoins. Heureusement, la grande majorité des gens trouveront la puissance de la Versa Note convenable puisque les accélérations s'effectuent promptement, sans hésitation et de façon linéaire grâce à l'efficacité de la CVT. Les suspensions assurent un confort acceptable que vient agrémenter l'assise moelleuse des sièges. La tenue de route résultante s'apparente davantage à celle d'une auto américaine que d'une japonaise, ce qui explique sûrement la popularité de la Versa en Amérique du Nord.

## BELLE EXÉCUTION

Malgré un prix d'entrée fixé sous les 15 000 $, la finition intérieure de la Versa est plutôt élégante. Bien campé dans le siège du conducteur, on adore la prise du volant avec son boudin large et ses trois branches massives. Une sensation de solidité se dégage de cet habitacle lorsque l'on examine attentivement la qualité de l'agencement des pièces. Le tableau de bord comprend un immense cadran en plein centre alors que la console centrale trône symétriquement entre les deux passagers. Les commandes y sont bien disposées, cependant, l'écran tactile du système de divertissement affiche un léger retard de conception face à des concurrents qui sont passés maîtres dans l'art d'optimiser l'ergonomie.

La Versa Note est avant tout une citadine. Elle se débrouille très bien sur l'autoroute grâce à un design profilé et un aérodynamisme étudié, toutefois, elle se démarque davantage en situations urbaines. Les 109 chevaux suffisent amplement aux déplacements d'une intersection à l'autre. La direction électrique donne un bon *feedback* de la route et s'avère très maniable à basse vitesse. Quant aux freins, ils ne trônent pas en tête de liste pour leur puissance mais permettent des freinages efficaces, à condition de ne pas trop leur en demander.

Outre ses avantages au niveau mécanique, la Versa Note propose un éventail de choix lorsque vient le temps de sélectionner un modèle. Pas moins de 4 versions garnissent le catalogue de commandes, toutes des *hatchback*, la berline n'étant plus offerte. Au bas de la gamme se trouve la S qui représente une excellente aubaine considérant l'équipement de série offert. Viennent ensuite les traditionnelles versions de luxe SL et sportive SR qui règnent au sommet de l'échelle de prix, au-dessus de 20 000 $. Entre les deux, la SV se veut un compromis intéressant à un prix équitable. Quant à la transmission, sachez que la manuelle à 5 rapports consomme plus de carburant que la transmission à variation continue qui vient de série. Cette dernière est donc le choix qui s'impose, à moins d'être actionnaire d'une pétrolière !

La Versa Note pourrait facilement devenir la prochaine voiture du peuple. Son prix abordable, ses dimensions idéales, sa mécanique fiable et son agrément de conduite la placent aux premières loges. Sera-t-elle éclipsée par sa ludique frangine Micra ? Seul l'avenir nous le dira !

### Châssis - Note S Hayon

| | |
|---|---|
| Emp / lon / lar / haut | 2600 / 4141 / 1695 / 1537 mm |
| Coffre / Réservoir | 606 à 1500 litres / 41 litres |
| Nbre coussins sécurité / ceintures | 6 / 5 |
| Suspension avant | ind., jambes force |
| Suspension arrière | semi-ind., poutre torsion |
| Freins avant / arrière | disque / tambour |
| Direction | à crémaillère, ass. var. élect. |
| Diamètre de braquage | 10,4 m |
| Pneus avant / arrière | P185/65R15 / P185/65R15 |
| Poids / Capacité de remorquage | 1094 kg / n.d. |
| Assemblage | Aguascalientes, MX |

### Composantes mécaniques

| | |
|---|---|
| Cylindrée, soupapes, alim. | 4L 1,6 litre 16 s atmos. |
| Puissance / Couple | 109 ch / 107 lb-pi |
| Tr. base (opt) / rouage base (opt) | M5 (CVT) / Tr |
| 0-100 / 80-120 / V.Max | 11,4 s / 8,3 s / n.d. |
| 100-0 km/h | 43,6 m |
| Type / ville / route / $CO_2$ | Ord / 6,1 / 4,8 l/100 km / 2540 kg/an |

## Du nouveau en 2016

Aucun changement majeur

Photos : Jacques Duval, Nissan Canada

NISSAN XTERRA

# NISSAN **XTERRA/ARMADA**

**Prix :** 34 013 $ à 35 998 $ (2015)
**Catégorie :** VUS
**Garanties :**
3 ans/60 000 km, 5 ans/100 000 km
**Transport et prép. :** 1 600 $
**Ventes QC 2014 :** 81 unités*
**Ventes CAN 2014 :** 1453 unités**

Cote du Guide de l'auto

## 63 %

| Fiabilité | Appréciation générale |
|---|---|
| ■■■■■□□□□□ | ■■■■■■□□□□ |
| Sécurité | Agrément de conduite |
| ■■■■■■□□□□ | ■■■■■■□□□□ |
| Consommation | Système multimédia |
| ■■■■□□□□□□ | ■■■■■■■□□□ |

Cote d'assurance

■■■■■■■□□□
présentée par
**KANETIX.CA**
$$$                    $

➕ Habitacle spacieux (Armada) •
Mécanique fiable • Force de
remorquage • Équipement complet •
Tout-terrain extrême (Xterra)

➖ Consommation élevée • Conception
d'une autre époque • Faible valeur de
revente • Modèles en fin de carrière •
Suspension ferme (Xterra)

**Concurrents**
Armada : Chevrolet Suburban, Chevrolet
Tahoe, GMC Yukon, Ford Expedition,
Toyota Sequoia,
XTerra : Jeep Wrangler

# Modèles en sursis

Jean-François Guay

**L**es prophètes automobiles annonçant la fin des grands VUS traditionnels ont été médusés, l'an dernier, par le retour en force des béhémoths que sont les Chevrolet Tahoe et Suburban, GMC Yukon et Ford Expedition. Il n'en fallait pas plus pour alimenter la rumeur voulant que Nissan donne une deuxième vie à son modèle Armada, surtout que le constructeur japonais commercialisera en 2016 une nouvelle descendance de sa camionnette pleine grandeur Titan.

La prochaine génération de l'Armada, s'il y a, pourrait profiter de certains éléments mécaniques du nouveau Titan pour les mixer à la plate-forme de l'Infiniti QX80, laquelle pourrait servir au nouvel Armada. Avant de spéculer davantage, on peut se demander pourquoi Nissan investirait autant d'argent dans une catégorie de véhicule qui est appelée à disparaître à moyen ou long terme. D'autant plus que les ventes de l'Armada sont en chute libre. Or, il faut savoir que Nissan est un constructeur mondial et que plusieurs de ses véhicules ont une carrière internationale. Le réputé modèle Patrol est le meilleur exemple de cette stratégie de mise en marché. Très populaire en Amérique du Sud et au Moyen-Orient, ce VUS à moteur V8 est le pendant de l'Armada vendu chez nous. Nissan est donc assurée qu'une deuxième génération de grands VUS trouverait preneurs non seulement en Amérique du Nord mais partout sur la planète.

En attendant les prochains salons automobiles où Nissan devrait nous en dire plus sur ses intentions, l'Armada est reconduit tel quel en 2016.

## UNE MÉCANIQUE FIABLE

Depuis le temps que les motoristes s'exercent à la peaufiner, la mécanique de l'Armada est devenue impeccable. Certes, les 317 chevaux du V8 de 5,6 litres se révèlent assez gourmands en essence. Toutefois, ils sont fiables et bien entraînés à tracter des remorques pesant jusqu'à 4 082 kg (9 000 livres). Face à ses rivaux, la force de remorquage de l'Armada surpasse celle des Tahoe (3 900 kg ou 8 600 lb), Yukon (3 855 kg ou 8 500 lb) et Toyota Sequoia (3 220 kg ou 7 100 lb). Seul l'Expedition (4 173 kg ou 9 200 lb) peut lui tenir tête. Sans conteste, la boîte automatique à cinq rapports et le rouage intégral avec son boîtier de transfert électronique à deux gammes de vitesse ont fait leurs preuves.

Depuis la baisse des prix du carburant, l'Armada représente une alternative aux véhicules multisegment grand format. Les familles bien nanties se sentiront en sécurité dans ce vaste habitacle qui peut accueillir un total de sept ou huit passagers, selon la configuration de la deuxième rangée: sièges capitaines ou banquette pleine largeur.

Côté gâteries, l'unique version offerte, Platine, est tout équipée et comprend plusieurs caractéristiques de série: système de navigation, caméra de recul, volant chauffant, sellerie en cuir, sièges avant chauffants et à la deuxième rangée, système de divertissement par DVD avec deux écrans de 7 pouces, etc. Quant à la troisième banquette, elle est facilement accessible, mais le degré d'inclinaison des sièges peut les rendre inconfortables, selon la stature de chacun.

Peu importe l'état de la chaussée, la conduite de l'Armada est émoussée par les réglages de la suspension et la qualité des matériaux insonorisants. Le comportement routier est satisfaisant, mais il faut se méfier des distances de freinage à cause de son poids qui frise les trois tonnes. Si vous allez souvent au centre-ville, sachez qu'il est difficile à garer et que sa hauteur ne lui permet pas de circuler librement dans les stationnements souterrains.

### UN XTERRA SUR LA CORDE RAIDE
On aurait cru que le changement d'orientation du Pathfinder apporterait de l'eau au moulin de l'Xterra. Or, trois ans après que le Pathfinder ait tronqué son châssis à longeron pour une plate-forme monocoque, les ventes de l'Xterra ont connu une décroissance constante et le tout-terrain de Nissan est maintenant rendu à la croisée des chemins.

Dévoilé en 2000, l'Xterra a connu une belle carrière. Ses aptitudes en conduite hors route le mettaient au niveau de ses rivaux d'antan appelés Hummer H3 et Toyota FJ Cruiser. Mais, comme ces derniers et le Jeep Liberty, l'Xterra serait sur le point de trépasser, si ce n'est déjà fait au moment de l'impression de ce Guide. Le marché a évolué au cours des quinze dernières années et les nouveaux autoquads (VTT) l'ont remplacé dans les sentiers et les sablières. Sans compter qu'il n'est pas politiquement correct de rouler en 4x4.

L'Xterra aura été l'un des meilleurs baroudeurs de l'industrie, juste derrière le Jeep Wrangler. Le groupe motopropulseur comprend un V6 4,0 litres de 261 chevaux, un boîtier de transfert à deux vitesses alors que la boîte de vitesses, au choix, est une manuelle à six rapports ou une automatique à cinq rapports.

## Châssis - XTerra S

| | |
|---|---|
| Emp / lon / lar / haut | 2700 / 4539 / 1849 / 1902 mm |
| Coffre / Réservoir | 991 à 1869 litres / 80 litres |
| Nbre coussins sécurité / ceintures | 6 / 5 |
| Suspension avant | ind., double triangulation |
| Suspension arrière | essieu rigide, ress. à lames |
| Freins avant / arrière | disque / disque |
| Direction | à crémaillère, ass. var. |
| Diamètre de braquage | 11,4 m |
| Pneus avant / arrière | P265/70R16 / P265/70R16 |
| Poids / Capacité de remorquage | 1982 kg / 2268 kg (5000 lb) |
| Assemblage | Canton, MS |

## Composantes mécaniques

**S, PRO-4X**

| | |
|---|---|
| Cylindrée, soupapes, alim. | V6 4,0 litres 24 s atmos. |
| Puissance / Couple | 261 ch / 281 lb-pi |
| Tr. base (opt) / rouage base (opt) | M6 (A5) / 4x4 |
| 0-100 / 80-120 / V.Max | 7,9 s / 6,2 s / n.d. |
| 100-0 km/h | 41,8 m |
| Type / ville / route / $CO_2$ | Ord / 13,7 / 10,5 l/100 km / 5658 kg/an |

### Du nouveau en 2016

Aucun changement majeur. Modèles en toute fin de carrière.

Photos: Nissan Canada

**NISSAN ARMADA**

# PAGANI **HUAYRA**

**Prix:** 1 400 000 $ (2015) (USD)
**Catégorie:** Coupé
**Garanties:**
n.d.
**Transport et prép.:** n.d.
**Ventes QC 2014:** n.d.
**Ventes CAN 2014:** n.d.

Cote du Guide de l'auto

## 78 %

| | |
|---|---|
| Fiabilité<br>n.d. | Appréciation générale<br>■■■■■■■■□□ |
| Sécurité<br>■■■■■□□□□□ | Agrément de conduite<br>■■■■■■■■■□ |
| Consommation<br>■■□□□□□□□□ | Système multimédia<br>n.d. |

Cote d'assurance
n.d.

présentée par
**KANETIX.CA**

➕ Style incomparable • Performance époustouflante • Exclusivité assurée • Comportement impeccable

➖ Disponibilité inexistante • Prix faramineux (près de 1,5 M $) • Qui en fera l'entretien ? • Pas de changement depuis 2011

**Concurrents**
Aucun concurrent

# Tout simplement d'un autre monde

Marc-André Gauthier

**N**'en déplaise aux constructeurs généralistes, ce ne sont pas les Chevrolet Cruze et Mazda3 qui ornent les murs des chambres des petits enfants amateurs d'automobiles. Les supervoitures y sont fièrement accrochées, entretenant le rêve. Si, quand je vous parle de supervoitures, les noms Ferrari et Lamborghini vous viennent en tête, voilà un réflexe tout à fait normal.

Fort heureusement, il existe de plus en plus de petits joueurs qui, grâce à des équipes composées d'ingénieurs maniaques d'automobiles, ne reculent devant aucune extravagance pour réaliser leurs fantasmes si longtemps couchés sur papier.

C'est le cas de Pagani Automobili, une compagnie italienne qui de toute son existence n'a fabriqué que deux modèles: la légendaire Zonda, et la Huayra. Fondée en 1988 par un employé de Lamborghini, Horacio Pagani, la petite firme a commencé à concevoir son propre véhicule dès la fin des années 80. En 1999, la Zonda C12 fut présentée au monde dans le cadre du Salon de l'automobile de Genève. Cette voiture mythique fut produite en plus de 10 versions différentes pendant plus de 10 ans.

Après avoir créé des monstres comme la Zonda R, plus rapide que la Ferrari 599XX sur le Nüburgring, il était temps pour la petite compagnie italienne d'imaginer un nouveau produit. C'est ainsi que naquit la Huayra, prête à reprendre là où la Zonda s'était arrêtée.

### ICH SPRECHE ITALIENISCH
Quoi de mieux qu'un V12 ou un V10 purement italien monté dans une voiture italienne ? Si c'est votre raisonnement, vous n'auriez pas été engagé chez Pagani. Depuis la toute première Zonda, Pagani s'est associé avec Mercedes-AMG pour sa mécanique. C'est ainsi que l'on ne retrouve rien de moins qu'un V12 AMG dans chaque Pagani. Au fil des années, ce moteur a connu bien des modifications, mais l'essentiel est demeuré. Dans sa première livrée, sous le capot

de la Zonda C12 1999, il disposait d'une cylindrée de 6,0 litres, bon pour 394 chevaux.

Pour la Huayra, on retrouve toujours un V12 Mercedes-AMG en position centrale, mais cette fois-ci, sa cylindrée de 6,0 litres est accompagnée de deux turbocompresseurs. L'ensemble développe 730 chevaux, 738 livres-pied de couple, tandis qu'une boîte séquentielle à 7 rapports se charge d'acheminer la puissance aux roues arrière.

Comme la voiture ne pèse que 1 350 kg (moins de 3 000 lb), cette puissance lui permet de franchir le 0-100 km/h en 3 secondes et des poussières, ainsi que d'atteindre des vitesses dépassant 370 km/h.

Mais, rassurez-vous, la Huayra n'est pas qu'une voiture conçue seulement pour la ligne droite. Un équilibre parfait des suspensions ainsi que des systèmes électroniques qui gèrent en temps réel l'aérodynamisme lui ont permis de décrocher le record sur la piste d'essai de la célèbre émission *Top Gear*, réalisant un tour rapide du circuit en 1 minute 13 secondes et 8 centièmes, devant des voitures comme l'Ariel Atom V8 500, la Lamborghini Huracán et la McLaren MP4-12C.

### UN STYLE INTEMPOREL

On reproche de plus en plus aux constructeurs de manquer d'audace lorsqu'ils dessinent des supervoitures. Que cette critique soit fondée ou non, on peut s'entendre sur le fait que la Huayra ne ressemble à rien d'autre, elle est vraiment unique.

Les courbes de la carrosserie ne sont pas carrées et agressives comme sur la plupart des voitures de nos jours. Non, elles sont élégantes et arrondies, nous rappelant les formes de beauté que la nature met à notre disposition. On devine un vent sacré se faufilant au travers le feuillage d'un arbre à fleurs. Même les rétroviseurs sont feuillagés !

L'habitacle de la voiture est lui aussi unique. Ce mélange de cuir et de métal n'est pas sans rappeler ce que l'on appelle le *steam-punk* (rétrofuturisme), c'est-à-dire un univers fantastique victorien où machines et élégance se côtoient.

Bien entendu, ce genre de voiture ne se trouve pas au coin de la rue. Au Canada, un seul concessionnaire a l'autorisation d'en importer, au compte-gouttes. Si vous en voulez une chez vous, il vous faudra un bon courtier en douane.

Il n'en demeure pas moins que la Huayra fait les choses à sa façon, et figure parmi les produits extrêmes et originaux actuellement sur le marché. Elle illustre parfaitement que ce qui compte n'est pas le résultat, mais la manière d'y arriver.

## Du nouveau en 2016

Aucun changement majeur

### Châssis - Base

| | |
|---|---|
| Emp / lon / lar / haut | 2795 / 4605 / 2356 / 1169 mm |
| Coffre / Réservoir | n.d. / 85 litres |
| Nbre coussins sécurité / ceintures | n.d. / 2 |
| Suspension avant | ind., bras inégaux |
| Suspension arrière | ind., bras inégaux |
| Freins avant / arrière | disque / disque |
| Direction | à crémaillère, assistée |
| Diamètre de braquage | n.d. |
| Pneus avant / arrière | P255/35ZR19 / P335/30ZR20 |
| Poids / Capacité de remorquage | 1350 kg / n.d. |
| Assemblage | San Cesario sul Panaro, IT |

### Composantes mécaniques

**Base**

| | |
|---|---|
| Cylindrée, soupapes, alim. | V12 6,0 litres 36 s turbo |
| Puissance / Couple | 730 ch / 738 lb-pi |
| Tr. base (opt) / rouage base (opt) | A7 / Prop |
| 0-100 / 80-120 / V.Max | 3,0 s (const) / n.d. / 360 km/h |
| 100-0 km/h | n.d. |
| Type / ville / route / $CO_2$ | Sup / 23,5 / 16,8 l/100 km / 9400 kg/an |

# PORSCHE 911

((SiriusXM))

**Prix :** 96 200 $ à 222 000 $ (2015)
**Catégorie :** Cabriolet, Coupé
**Garanties :**
4 ans/80 000 km, 4 ans/80 000 km
**Transport et prép. :** 1 085 $
**Ventes QC 2014 :** 167 unités
**Ventes CAN 2014 :** 805 unités

## Cote du Guide de l'auto

# 86 %

Fiabilité
■■■■■■■□□□

Appréciation générale
■■■■■■■■□□

Sécurité
■■■■■■■□□□

Agrément de conduite
■■■■■■■■■□

Consommation
■■■■■■□□□□

Système multimédia
■■■■■■□□□□

## Cote d'assurance

présentée par
**KANETIX.CA**

■■■■■■□□□□
$$$                    $

➕ Comportement routier exemplaire •
Moteurs perfectionnés • Carrosserie
robuste • Présentation intérieure
modernisée

➖ Confort déficient • Insonorisation
insuffisante • Trop d'équipement
optionnel • Embrayage éprouvant

## Concurrents
Aston Martin Vantage, Audi R8,
Chevrolet Corvette, Dodge Viper,
Jaguar F-Type, Lamborghini Hurácan,
McLaren 650S, Mercedes-AMG GT,
Nissan GT-R

# Le don de la reproduction

Jacques Duval

Tenter de démêler l'écheveau que constitue la gamme Porsche n'est pas une mince affaire. On essaie un nouveau modèle pour se mettre à jour et ne voilà-t-il pas que 3 semaines plus tard, la fabrique de Stuttgart nous annonce une nouvelle itération de la 911, son modèle phare. Je mentirais si je vous disais que j'ai conduit chacune des 21 versions de cette prolifique série.

D'autant plus que Porsche, pour des raisons que j'ignore, ne me tient pas dans son cœur et cela, même si je suis celui qui a le plus contribué, en les faisant connaître, à la vente de leurs produits au Québec. Cela dit, je ne condamnerai pas ces voitures uniquement parce qu'on me traite comme un va-nu-pieds tout en manquant de respect et de loyauté à mon égard. Mon éthique m'interdit ce genre de réciprocité.

Heureusement, j'ai des amis chez Porsche, comme le jeune designer Julien Bilodeau, un Acadien qui a réussi à impressionner suffisamment la marque allemande pour s'y trouver un poste permanent. Mais parlons voiture et spécialement d'une 911 Carrera 4 S d'un jaune canari éblouissant et d'une Targa 4 S nouvelle vague.

## PLACE À LA CARRERA 4S
La première est l'une des plus prisées, précisément à cause de ses 4 roues motrices qui font fi de l'adhérence précaire à laquelle il faut s'attendre d'une propulsion. Au début, je me réjouissais de la boîte manuelle nouvellement dotée d'un 7e rapport, sauf que sa précision en souffre légèrement et que l'embrayage n'est pas tendre. Au moment de passer la marche arrière, je découvre aussi l'absence d'une caméra de recul qui ne faisait pas partie des options de cette 911 de plus de 100 000 $, alors qu'une simple Nissan Versa Note reçoit sur sa console cet équipement devenu indispensable.

Il est agréable de constater que les Porsche de ce type possèdent une tenue de route phénoménale, que le bitume soit sec ou détrempé. Le moteur hargneux participe au plaisir par sa sonorité rauque que l'on peut amplifier au simple toucher d'un bouton. Dans un même temps, choisissez le mode Sport Plus de la suspension et empruntez un parcours sinueux. Vous vous prendrez pour Sebastian Vettel.

Bien ficelé au bitume, vous remarquerez que l'amortissement s'est raffermi (trop pour le confort) et que le niveau sonore rend toute conversation difficile. Mais, bon, vous vouliez une auto sport, vous en avez une.

Porsche ne lésine toujours pas sur l'instrumentation, sauf que le compte-tours est peu lisible avec des lunettes de soleil. En revanche, une molette sur le volant permet d'afficher vos chronos sur un terrain donné, les forces G et le pourcentage de puissance dirigée vers chacune des roues. Plutôt divertissant.

### ET LA TARGA ?

Lors du lancement de la Targa, on nous l'avait présentée comme une version plus apte à satisfaire une clientèle en quête de confort et d'une voiture axée sur le grand tourisme. Pieux mensonge, puisque même avec une suspension réglée sur le mode le plus souple, cette 911 encaisse durement les horreurs de notre réseau routier. On a par contre fixé le problème de rigidité de la caisse qui affectait les précédentes Targa, bien qu'il ait été remplacé par un autre embarras ayant trait à l'étanchéité.

Au passage d'un lave-auto automatique, j'ai été généreusement aspergé d'eau du côté conducteur. Une bonne quantité d'eau savonneuse s'était infiltrée sur le seuil de la portière. J'aurais passé outre à ce contretemps qui est sans doute un cas d'exception, mais le niveau des bruits de la route entendus dans l'habitacle m'a fait changer mon fusil d'épaule. Et pour finir le plat, la caméra de marche arrière brillait toujours par son absence.

C'est d'autant plus dommage, car le nouveau toit de la Targa est une merveille d'ingénierie qui ne gêne en rien les lignes toujours superbes du coupé 911, tout en permettant de jouir d'une conduite à ciel ouvert au simple toucher d'un bouton.

Finalement, que ce soit avec la Carrera 4 S ou la Targa, Porsche sait bien faire tout ce qui touche au comportement routier de l'ensemble de ses modèles. Même que les imperfections paraissent volontaires afin d'ouvrir la porte aux corrections pour l'année suivante.

### Châssis - Carrera cabriolet

| | |
|---|---|
| Emp / lon / lar / haut | 2450 / 4491 / 1808 / 1299 mm |
| Coffre / Réservoir | 135 litres / 64 litres |
| Nbre coussins sécurité / ceintures | 6 / 4 |
| Suspension avant | ind., jambes force |
| Suspension arrière | ind., multibras |
| Freins avant / arrière | disque / disque |
| Direction | à crémaillère, ass. var. élect. |
| Diamètre de braquage | 11,1 m |
| Pneus avant / arrière | P235/40ZR19 / P285/35ZR19 |
| Poids / Capacité de remorquage | 1450 kg / n.d. |
| Assemblage | Stuttgart, DE |

### Composantes mécaniques

**Carrera, Carrera 4, Targa 4**

| | |
|---|---|
| Cylindrée, soupapes, alim. | H6 3,4 litres 24 s atmos. |
| Puissance / Couple | 350 ch / 288 lb-pi |
| Tr. base (opt) / rouage base (opt) | M7 (A7) / Prop (Int) |
| 0-100 / 80-120 / V.Max | 4,8 s / 6,4 s / 282 km/h |
| 100-0 km/h | n.d. |
| Type / ville / route / $CO_2$ | Sup / 11,2 / 7,5 l/100 km / 4365 kg/an |

**Carrera S, Carrera 4S, Targa 4S**

| | |
|---|---|
| Cylindrée, soupapes, alim. | H6 3,8 litres 24 s atmos. |
| Puissance / Couple | 400 ch / 325 lb-pi |
| Tr. base (opt) / rouage base (opt) | M7 (A7) / Prop (Int) |
| 0-100 / 80-120 / V.Max | 4,5 s / 5,9 s / 296 km/h |
| 100-0 km/h | n.d. |
| Type / ville / route / $CO_2$ | Sup / 11,4 / 7,7 l/100 km / 4508 kg/an |

**Turbo S**

| | |
|---|---|
| Cylindrée, soupapes, alim. | H6 3,8 litres 24 s turbo |
| Puissance / Couple | 560 ch / 516 lb-pi |
| Tr. base (opt) / rouage base (opt) | A7 / Int |
| 0-100 / 80-120 / V.Max | 3,1 s / n.d. / 318 km/h |
| 100-0 km/h | n.d. |
| Type / ville / route / $CO_2$ | Sup / 12,2 / 8,1 l/100 km / 4763 kg/an |

**GT3**

H6 - 3,8 litres - 475 ch / 325 lb-pi - A7 - 0-100: 3,5 s - 18,9 / 8,9 l/100 km

**Turbo**

H6 - 3,8 litres - 520 ch / 487 lb-pi - A7 - 0-100: 3,2 s - 12,2 / 8,1 l/100 km

### Du nouveau en 2016

Nouvelles versions Black Edition et GT3 RS

Photos: Porsche Canada

MEILLEUR ACHAT DE SA CATÉGORIE

# PORSCHE **BOXSTER**

((SiriusXM))

**Prix :** 59 400 $ à 93 700 $ (2015)
**Catégorie :** Roadster
**Garanties :**
4 ans/80 000 km, 4 ans/80 000 km
**Transport et prép. :** 1 085 $
**Ventes QC 2014 :** 118 unités
**Ventes CAN 2014 :** 360 unités

## Cote du Guide de l'auto

# 85 %

| Fiabilité | Appréciation générale |
|---|---|
| ■■■■■■□□ | ■■■■■■■□ |
| Sécurité | Agrément de conduite |
| ■■■■■□□□ | ■■■■■■■■ |
| Consommation | Système multimédia |
| ■■■■■■□□ | ■■■■■■□□ |

**Cote d'assurance**

■■■■■■■□□

$$$ ———————— $

présentée par
**KANETIX.CA**

➕ Versions GTS et Spyder magistrales • Tenue de route fabuleuse • Son et sensations inégalés • Pratique avec deux coffres • Freinage puissant et endurant

➖ Puissance un peu juste du 2,7 litres • Options nombreuses et chères • Entretien coûteux à la longue • Visibilité arrière limitée (Spyder) • Accès aux sièges très athlétique (Spyder)

**Concurrents**
Audi TT, BMW Z4, Chevrolet Corvette, Jaguar F-Type, Mercedes-Benz Classe SLK

---

# *Roadsters* suprêmes

Marc Lachapelle

**L**a dernière refonte de la Boxster a marqué un jalon important dans son évolution. En allongeant l'empattement, en élargissant la voie avant et en allégeant la structure à force d'aluminium, les magiciens de Weissach ont encore bonifié la meilleure tenue de route qu'on pouvait déjà goûter dans un *roadster*. Sans parler de la silhouette plus fine, de la cabine plus accueillante et des moteurs plus efficaces. Loin de s'en contenter, ils ont haussé la barre encore de quelques crans avec la GTS et une nouvelle Spyder.

Certains constructeurs profitent longuement de l'élan après un coup d'éclat. Chez Porsche c'est plutôt le contraire. Prenez la Boxster, dont la plus récente métamorphose s'est amorcée il y a deux ans avec le lancement d'un nouveau modèle « de base » et d'une version S mieux équipée et plus musclée. Le spécialiste allemand a enchaîné aussitôt avec une GTS étonnamment convaincante et nous offre maintenant une nouvelle Spyder spectaculaire.

## DES INITIALES PARFAITEMENT MÉRITÉES

Le sigle GTS s'est longtemps fait rare chez Porsche mais ce n'est plus le cas. Avec leur moteur central, la Boxster et son frère, le coupé Cayman, affichent au moins une filiation directe avec la 904 Carrera GTS qui fut la première à porter ces initiales en 1963 et aussi avec de grands classiques comme les 550 Spyder et 718 RS 60.

La Boxster GTS se reconnaît à son museau plus long aux prises d'air plus grandes mais aussi à ses écopes latérales, ses écussons et ses embouts d'échappement noirs. À l'intérieur, on voit et touche du tissu Alcantara partout. En cochant la bonne option, les inscriptions GTS sur les appuie-tête virent rouge ou argent, avec surpiqûres de même couleur et moulures en fibre de carbone. On peut ajouter des faces de cadrans dans un choix de couleurs vives mais attention à la facture.

La GTS profite d'amortisseurs réglables qui font une vraie différence avec les jantes d'alliage de 20 pouces et les pneus de taille 235/35 devant et 265/35 derrière. Il faut choisir aussi la suspension sport qui abaisse la carrosserie et le centre de gravité de 20 mm. Son six cylindres à plat de 3,4 litres livre 325 chevaux, soit 15 de mieux que dans la S. Le sprint 0-100 km/h chute à 4,6 secondes avec l'excellente boîte optionnelle à double embrayage et un mode départ-canon infaillible.

La puissance grimpe de 50 chevaux en passant du 2,7 litres de la version régulière au 3,4 litres de la S dont la direction est déjà plus vive et le roulis en virage moindre, sur le circuit Laguna Seca. La supériorité de la GTS sur la S est pourtant très nette ensuite. En mode Sport Plus, on sent et on entend parfaitement les 10 chevaux additionnels. Les freins sont excellents. On peut s'offrir des freins carbone-céramique pour plus de 8 000 $, mais à quoi bon ?

### RETOUR DE LA MAGICIENNE

Porsche élargit l'éventail des modèles offerts cette année avec une Boxster Black Edition qui existe pour le plaisir des yeux, parce qu'elle est noire partout où la chose est possible, somme son nom l'indique. Côté mécanique, elle propose simplement le 2,7 litres avec un équipement et un prix à l'avenant.

Mais la vraie star, c'est une nouvelle édition de la Spyder qui a marqué l'apogée de la génération précédente. Celle-ci fait mieux, beaucoup mieux. Surtout en performance, avec un six cylindres de 3,8 litres qu'elle partage avec la nouvelle GT4 et la 911 Carrera S. Le sien produit 370 chevaux à 6 700 tr/min, soit 45 de mieux que la GTS. Un moteur fabuleux, avec une sonorité basse et rauque qui devient féroce et rageuse à plus de 5 000 tr/min.

Marié exclusivement à une excellente boîte manuelle, il est puissant et souple à souhait. Surtout dans le plus légère des Boxster. La Spyder pèse 30 kilos de moins que la GTS grâce à des matériaux légers, une insonorisation moindre, des sièges en fibre de carbone, des courroies pour ouvrir les portières et une capote manuelle améliorée, plus légère de 11 kilos à elle seule. Elle se replie en une minute à peine, une fois la manœuvre apprise. De toute manière, avec les belles coques profilées derrière les appuie-tête, on veut la laisser toujours baissée. La tenue de route est sublime, rien de moins. Un amalgame réjouissant d'agilité, de finesse, d'équilibre et de mordant pur. Une position de conduite à peu près parfaite, un volant drapé d'Alcantara, des sièges très sculptés et des freins plus grands, empruntés aussi à la 911, permettent de l'exploiter pleinement. Et le roulement n'est jamais sec, même sur les bouts raboteux.

Si vous avez les sous, les GTS et Spyder sont de purs bijoux. Sinon, vous serez ravi(e) de toute manière. Les Boxster sont toutes des sportives exceptionnelles.

### Châssis - Base (PDK)

| | |
|---|---|
| Emp / lon / lar / haut | 2475 / 4374 / 1978 / 1282 mm |
| Coffre / Réservoir | 280 litres / 64 litres |
| Nbre coussins sécurité / ceintures | 6 / 2 |
| Suspension avant | ind., jambes force |
| Suspension arrière | ind., jambes force |
| Freins avant / arrière | disque / disque |
| Direction | à crémaillère, ass. var. élect. |
| Diamètre de braquage | 11,0 m |
| Pneus avant / arrière | P235/45ZR18 / P265/45ZR18 |
| Poids / Capacité de remorquage | 1360 kg / n.d. |
| Assemblage | Osnabruck, DE |

### Composantes mécaniques

**Base, Édition Black**

| | |
|---|---|
| Cylindrée, soupapes, alim. | H6 2,7 litres 24 s atmos. |
| Puissance / Couple | 265 ch / 206 lb-pi |
| Tr. base (opt) / rouage base (opt) | M6 (A7) / Prop |
| 0-100 / 80-120 / V.Max | 5,7 s (const) / 3,6 s (const) / 264 km/h |
| 100-0 km/h | 36,5 m |
| Type / ville / route / $CO_2$ | Sup / 11,5 / 7,9 l/100 km / 4545 kg/an |

**S**

| | |
|---|---|
| Cylindrée, soupapes, alim. | H6 3,4 litres 24 s atmos. |
| Puissance / Couple | 315 ch / 266 lb-pi |
| Tr. base (opt) / rouage base (opt) | M6 (A7) / Prop |
| 0-100 / 80-120 / V.Max | 5,0 s (const) / 3,3 s (const) / 277 km/h |
| 100-0 km/h | n.d. |
| Type / ville / route / $CO_2$ | Sup / 11,3 / 7,9 l/100 km / 4494 kg/an |

**GTS**

| | |
|---|---|
| Cylindrée, soupapes, alim. | H6 3,4 litres 24 s atmos. |
| Puissance / Couple | 330 ch / 273 lb-pi |
| Tr. base (opt) / rouage base (opt) | M6 (A7) / Prop |
| 0-100 / 80-120 / V.Max | 5,0 s (const) / n.d. / 281 km/h |
| 100-0 km/h | n.d. |
| Type / ville / route / $CO_2$ | Sup / 12,1 / 8,9 l/100 km / 4904 kg/an |

**Spyder**

| | |
|---|---|
| Cylindrée, soupapes, alim. | H6 3,8 litres 24 s atmos. |
| Puissance / Couple | 375 ch / 310 lb-pi |
| Tr. base (opt) / rouage base (opt) | M6 / Prop |
| 0-100 / 80-120 / V.Max | 4,5 s (const) / 5,5 s (const) / 290 km/h |
| 100-0 km/h | n.d. |
| Type / ville / route / $CO_2$ | Sup / 14,2 / 7,5 l/100 km / 5145 kg/an |

## Du nouveau en 2016

Les versions Boxster Spyder et Boxster Black Edition.

# PORSCHE **CAYENNE**

((SiriusXM))

**Prix :** 67 400 $ à 175 000 $ (2015)
**Catégorie :** VUS
**Garanties :**
4 ans/80 000 km, 4 ans/80 000 km
**Transport et prép. :** 1 115 $
**Ventes QC 2014 :** 363 unités
**Ventes CAN 2014 :** 1 904 unités

## Cote du Guide de l'auto

# 82 %

| Fiabilité | Appréciation générale |
|---|---|
| ■■■■■■□□ | ■■■■■■■□ |
| Sécurité | Agrément de conduite |
| ■■■■■■■□ | ■■■■■■■□ |
| Consommation | Système multimédia |
| ■■■□□□□□ | ■■■■■■□□ |

## Cote d'assurance

présentée par

■■■□□□□□□□
$$$                    $

**KANETIX.CA**

➕ Dynamique très élevée • Gamme étendue de modèles • Motorisations performantes • Polyvalent et pratique • Puissance élevée (GTS, Turbo et Turbo S)

➖ Prix élevés • Options chères et nombreuses • Puissance limitée du moteur V6 • Carbure au super

## Concurrents

Acura MDX, Audi Q7, BMW X6, Infiniti QX70, Lexus RX, Mercedes-Benz Classe M, Volkswagen Touareg, Volvo XC90

# La vraie étoile de la marque ?

Gabriel Gélinas

**D**ans la constellation Porsche, on peut affirmer sans se tromper que si l'étoile de la marque est la 911 Carrera pour le rayonnement de l'image, le Cayenne l'est autant, mais pour la récolte des profits. Véritable vache à lait du constructeur allemand, plus de 600 000 Cayenne ont été vendus depuis son arrivée sur le marché. Il se décline actuellement en plusieurs variations sur le thème, dont une version Diesel, une version hybride branchable ainsi que les plus récents ajouts à la gamme, le GTS et le Turbo S.

Lancé en 2007, le Cayenne GTS a toujours eu comme mission de rejoindre les purs et durs de la conduite sportive, ceux pour qui la dynamique passe avant tout. C'est encore vrai maintenant, sauf que les arguments pour convaincre ne sont plus très... convaincants. Le GTS perd malheureusement un argument massue dans cette dernière refonte, soit le fabuleux V8 atmosphérique de 4,8 litres qui est aujourd'hui sacrifié sur l'autel de la conformité aux normes antipollution de plus en plus strictes. Ce moteur est désormais remplacé par le même V6 biturbo de 3,6 litres qui anime le Cayenne S, mais dont la gestion informatique a été revue.

Ainsi, par rapport à l'ancien V8, ce V6 turbocompressé livre 20 chevaux de plus pour un total de 440 et plus de couple tout en consommant 0,9 litre aux 100 kilomètres de moins en moyenne. Par contre, il n'émet pas cette sonorité typée et évocatrice — au point d'être presque viscérale — qui faisait une grande partie du charme du modèle précédent, et c'est la raison principale pour laquelle on fait moins le plein de sensations avec le nouveau GTS qu'avec l'ancien. C'est dommage, mais c'est dans l'air du temps. Les V8 atmosphériques n'ont plus la cote, et Porsche n'est pas le seul constructeur qui doit délaisser ces fabuleux moteurs, puisque AMG et la division M de BMW sont déjà passés à l'ère turbo. Même Ferrari est en voie de le faire.

## CHÂSSIS CALIBRATION SPORT

Voilà pour le moteur, qu'en est-il du reste de la voiture? Pas vraiment d'attentes non comblées de ce côté. Le Cayenne GTS table sur un châssis exceptionnel combinant une suspension à ressorts et le système d'amortissement actif PASM (Porsche Active Suspension Management) avec un abaissement de 20 millimètres par rapport aux autres modèles du Cayenne ainsi que sur des jantes de 20 pouces de série. Sa dynamique affûtée nous fait carrément oublier qu'il s'agit d'un VUS de deux tonnes. Concernant le style, le GTS reprend plusieurs éléments du Cayenne Turbo, notamment le bouclier avant avec larges prises d'air et les blocs optiques, mais il roule sur des jantes de 20 pouces au design RS Spyder.

## LE TURBO S AU SOMMET DE LA PYRAMIDE

Le modèle Turbo S est équipé de série d'à peu près toutes les options que Porsche a pu mettre au point pour la gamme des Cayenne, ce qui ne laisse au client que le soin de choisir la couleur de la carrosserie et de l'habitacle. Terminée l'interminable consultation du catalogue d'options, il suffit de cocher Turbo S sur la commande pour faire le plein d'équipements.

Freins en composite de céramique, jantes de 21 pouces, ensemble Sport Chrono, Porsche Traction Management (PTM), Porsche Dynamic Chassis Control (PDCC) et Porsche Torque Vectoring Plus (PTV Plus), tout ça fait partie de la dotation de série du Turbo S qui se targue d'être animé par le moteur le plus puissant de la gamme avec sa cavalerie de 570 chevaux et son couple de 590 lb-pi.

## SUR LE TERRAIN DE JEU DES SPORTIVES

7 minutes 59 secondes. C'est le chrono réalisé par le Turbo S sur le Nordschleife en Allemagne, terrain de jeu de prédilection pour les créations d'ingénieurs allemands débridés. Voilà qui en dit long sur les performances du Turbo S dont l'atout majeur est la formidable poussée que l'on ressent en plaquant l'accélérateur au plancher.

Évidemment, il est presque impossible d'exploiter pleinement le potentiel de performance du Cayenne Turbo S sur les routes balisées sans mettre son permis de conduire en jeu, ce qui fait que le choix de ce modèle hors normes tient plus à la volonté de l'acheteur de s'afficher au volant du VUS le plus puissant et le plus cher de la marque. Vanité, quand tu nous tiens...

| Châssis - Turbo S | |
|---|---|
| Emp / lon / lar / haut | 2895 / 4855 / 2165 / 1702 mm |
| Coffre / Réservoir | 670 à 1705 litres / 100 litres |
| Nbre coussins sécurité / ceintures | 6 / 5 |
| Suspension avant | ind., pneumatique, double triangulation |
| Suspension arrière | ind., pneumatique, multibras |
| Freins avant / arrière | disque / disque |
| Direction | à crémaillère, ass. var. |
| Diamètre de braquage | 11,9 m |
| Pneus avant / arrière | P295/35R21 / P295/35R21 |
| Poids / Capacité de remorquage | 2235 kg / 3500 kg (7716 lb) |
| Assemblage | Leipzig, DE |

### Composantes mécaniques

**Diesel**

| | |
|---|---|
| Cylindrée, soupapes, alim. | V6 3,0 litres 24 s turbo |
| Puissance / Couple | 240 ch / 406 lb-pi |
| Tr. base (opt) / rouage base (opt) | A8 / Int |
| 0-100 / 80-120 / V.Max | 7,6 s / 5,3 s / 218 km/h |
| 100-0 km/h | n.d. |
| Type / ville / route / $CO_2$ | Dié / 7,8 / 6,2 l/100 km / 3823 kg/an |

**Turbo S**

| | |
|---|---|
| Cylindrée, soupapes, alim. | V8 4,8 litres 32 s turbo |
| Puissance / Couple | 570 ch / 590 lb-pi |
| Tr. base (opt) / rouage base (opt) | A8 / Int |
| 0-100 / 80-120 / V.Max | 4,1 s / n.d. / 284 km/h |
| 100-0 km/h | n.d. |
| Type / ville / route / $CO_2$ | Sup / 15,9 / 8,9 l/100 km / 5865 kg/an |

**Base**

V6 - 3,6 litres - 300 ch/295 lb-pi - A8 - 0-100: 7,7 s - 12,3/7,5 l/100 km

**S E-Hybrid**

V6 - 3,0 litres - 333 ch/325 lb-pi - A8 - 0-100: 5,9 s - 4,0/3,8 l/100 km
Électrique: 95 ch/229 lb-pi - Batterie Li-ion 10,4 kWh - Charge: 2,3 h (240V) - Autonomie 36 km

**S**

V6 - 3,6 litres - 420 ch/406 lb-pi - A8 - 0-100: 5,5 s - 13,0/8,0 l/100 km

**GTS**

V6 - 3,6 litres - 440 ch/443 lb-pi - A8 - 0-100: 5,2 s - 13,2/8,3 l/100 km

**Turbo**

V8 - 4,8 litres - 520 ch/553 lb-pi - A8 - 0-100: 4,5 s - 15,9/8,9 l/100 km

### Du nouveau en 2016

Moteur V6 biturbo pour Cayenne GTS, Cayenne Turbo S pleinement équipé.

Photos: Porsche Canada

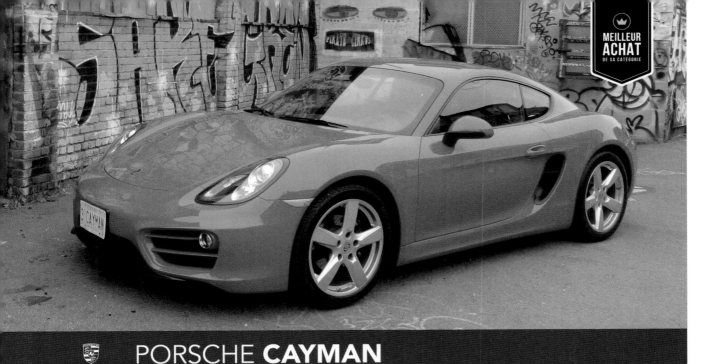

# PORSCHE **CAYMAN**

((SiriusXM))

**Prix :** 59 900 $ à 9 500 $
**Catégorie :** Coupé
**Garanties :**
4 ans/80 000 km, 4 ans/80 000 km
**Transport et prép. :** 1 085 $
**Ventes QC 2014 :** 52 unités
**Ventes CAN 2014 :** 259 unités

---

Cote du Guide de l'auto

## 85 %

| Fiabilité | Appréciation générale |
| --- | --- |
| ■■■■■■■□□□ | ■■■■■■■■□□ |
| Sécurité | Agrément de conduite |
| ■■■■■■■□□□ | ■■■■■■■■■□ |
| Consommation | Système multimédia |
| ■■■■■□□□□□ | ■■■■■■□□□□ |

---

Cote d'assurance                    présentée par
■■■□□□□□□□                          **KANETIX.CA**
$$$                            $

---

➕ Tenue de route exemplaire •
Moteurs fantastiques • Freins
irréprochables • Série exceptionnellement
complète • Sons et sensations uniques

➖ Roulement toujours ferme • Trop
de petits boutons • Bruyant sur pavé
rugueux • Options nombreuses
et chères • Entretien coûteux

---

**Concurrents**
Alfa Romeo 4C, Audi TT, Jaguar F-Type,
Lexus RC, Lotus Evora 400

# De prodige en prodige

Marc Lachapelle

L e Cayman est déjà remarquable dans sa version la plus modeste, si l'on peut employer un tel adjectif pour une sportive à moteur central de 275 chevaux qui porte l'écusson Porsche. Les qualificatifs et superlatifs se bousculent forcément quand on passe aux versions S et GTS, plus puissantes et plus affûtées. Imaginez le beau problème lorsqu'il faut présenter le Cayman GT4 auquel on a greffé le cœur d'une 911, les jambes d'une GT3 et bien autre chose encore.

Dix ans déjà que Porsche a lancé un premier coupé construit sur la même architecture à moteur central que la deuxième génération de la Boxster. Le Cayman s'est démarqué par son équilibre et sa tenue de route d'exception, pour devenir aussitôt la valeur étalon des passionnés de sportives et un chouchou des journalistes automobiles.

**UN BOND DISCRET VERS L'AVANT**
La deuxième génération est apparue en 2014. Un peu plus long et bas que son devancier, ce nouveau Cayman est posé sur un empattement allongé de 6 centimètres et ses voies sont élargies, surtout à l'avant. Avec son empreinte plus grande, il est plus spacieux mais également plus stable et meilleur encore en tenue de route. Plus léger aussi, de 20 kilos, grâce à une coque plus rigide, qui regorge d'aluminium, de magnésium et d'acier à haute résistance.

À l'intérieur, les sièges sont bien sculptés, le rangement plus généreux (un peu) et le volant gainé de cuir, superbe. Au tableau de bord, des cadrans clairs et un grand compte-tours au centre. À l'avant de la console, cette kyrielle de boutons minuscules pour la climatisation et la chaîne audio dont Porsche s'est hélas fait une spécialité. Juste au-dessus, par contre, un écran tactile clair et efficace.

Le son du moteur « de base » de 2,7 litres devient envoûtant en approchant la zone rouge qui débute à 7 400 tr/min. Il est également assez frugal, grâce à l'injection directe et une série d'astuces. La boîte manuelle à 6 rapports est solide, précise et assez rapide, avec un embrayage progressif et pas trop lourd. On peut s'offrir aussi l'excellente PDK à double embrayage qui passe ses 7 rapports en un claquement de doigts. Moins que ça en mode Sport Plus.

La servodirection électrique est précise et rapide à défaut d'être aussi tactile que l'ancienne. Les freins avant plus costauds, empruntés à la 911, sont puissants à souhait, avec une pédale ferme, une modulation impeccable et une belle endurance. L'équilibre, l'adhérence et la tenue de route du Cayman sont exceptionnels. Sur un circuit, ses pneus avant sont rivés au bitume jusqu'à leur limite et l'amorce du sous-virage qui suit se transforme gracieusement en belle dérive des quatre roues. Et ça, c'est pour le Cayman le plus modeste, rappelez-vous!

### TOUJOURS PLUS

Sur le Cayman S, la cylindrée du moteur «boxer» passe de 2,7 à 3,4 litres, la puissance de 275 à 325 chevaux et le diamètre des freins avant de 315 à 330 mm. Les pneus sont plus bas, montés sur des jantes de 19 pouces au lieu de 18, et la suspension plus ferme. La direction du Cayman S est plus vive et il prend moins de roulis en virage. Le Cayman GTS, lui, se reconnaît à son museau plus long, ses prises d'air, écussons et embouts d'échappement noirs et ses pneus encore plus bas, montés sur des jantes de 20 pouces. Son moteur gagne encore 15 chevaux et on les sent tous galoper.

En passant de l'une à l'autre de ces trois versions du Cayman sur un circuit, les gains en adhérence, en précision et en performance sont très nets. Sur la route, le roulement est vraiment ferme dans le Cayman GTS mais tout y est superbement direct et précis. Les mordus de conduite y trouveront leur compte mais s'ils en veulent davantage, surtout en piste, il y aura bientôt le Cayman GT4.

On a enfin maintes fois soupçonné Porsche de limiter la puissance du Cayman à moteur central pour ne pas risquer qu'il porte ombrage à son icône à moteur arrière, la 911. Si la chose a été vraie, elle ne l'est plus depuis le Salon de Genève, alors que Porsche a dévoilé le Cayman GT4, premier de cette série à joindre la famille très sélecte des GT, les Porsche les plus sportives, développées par la division Motorsport dans ses ateliers de Weissach.

Le GT4 reprend le six cylindres à plat de 3,8 litres et 385 chevaux de la 911 Carrera S. La 911 GT3 lui prête sa suspension et ses freins plus grands (disques carbone-céramique en option), mais garde sa boîte à double embrayage. Le GT4 roule avec une boîte manuelle à 6 rapports, sa carrosserie est plus basse de 30 mm et sa partie arrière est coiffée d'un immense aileron fixe.

Dans son cas, il est possible que l'adjectif sublime soit de circonstance.

---

### Du nouveau en 2016

Arrivée de la version Cayman GT4

## Châssis - S

| | |
|---|---|
| Emp / lon / lar / haut | 2475 / 4380 / 1978 / 1295 mm |
| Coffre / Réservoir | 425 litres / 64 litres |
| Nbre coussins sécurité / ceintures | 6 / 2 |
| Suspension avant | ind., jambes force |
| Suspension arrière | ind., jambes force |
| Freins avant / arrière | disque / disque |
| Direction | à crémaillère, ass. var. élect. |
| Diamètre de braquage | 11,0 m |
| Pneus avant / arrière | P235/40ZR19 / P265/40ZR19 |
| Poids / Capacité de remorquage | 1320 kg / n.d. |
| Assemblage | Osnabruck, DE |

## Composantes mécaniques

**Base**

| | |
|---|---|
| Cylindrée, soupapes, alim. | H6 2,7 litres 24 s atmos. |
| Puissance / Couple | 275 ch / 213 lb-pi |
| Tr. base (opt) / rouage base (opt) | M6 (A7) / Prop |
| 0-100 / 80-120 / V.Max | 5,6 s (const) / 8,0 s (const) / 264 km/h |
| 100-0 km/h | n.d. |
| Type / ville / route / $CO_2$ | Sup / 10,7 / 7,4 l/100 km / 4239 kg/an |

**S**

| | |
|---|---|
| Cylindrée, soupapes, alim. | H6 3,4 litres 24 s atmos. |
| Puissance / Couple | 325 ch / 273 lb-pi |
| Tr. base (opt) / rouage base (opt) | M6 (A7) / Prop |
| 0-100 / 80-120 / V.Max | 4,9 s (const) / 6,5 s (const)/ 281 km/h |
| 100-0 km/h | n.d. |
| Type / ville / route / $CO_2$ | Sup / 11,3 / 7,9 l/100 km / 4494 kg/an |

**GTS**

| | |
|---|---|
| Cylindrée, soupapes, alim. | H6 3,4 litres 24 s atmos. |
| Puissance / Couple | 340 ch / 280 lb-pi |
| Tr. base (opt) / rouage base (opt) | M6 (A7) / Prop |
| 0-100 / 80-120 / V.Max | 4,9 s (const) / 6,5 s (const) / 285 km/h |
| 100-0 km/h | n.d. |
| Type / ville / route / $CO_2$ | Sup / 12,1 / 8,9 l/100 km / 4904 kg/an |

**GT4**

| | |
|---|---|
| Cylindrée, soupapes, alim. | H6 3,8 litres 24 s atmos. |
| Puissance / Couple | 385 ch / 309 lb-pi |
| Tr. base (opt) / rouage base (opt) | M6 / Prop |
| 0-100 / 80-120 / V.Max | 4,4 s (const) / 5,5 s (const) / 295 km/h |
| 100-0 km/h | n.d. |
| Type / ville / route / $CO_2$ | Sup / 14,8 / 7,8 l/100 km / 5359 kg/an |

# PORSCHE **MACAN**

**Prix :** 57 200 $ à 83 400 $ (2015)
**Catégorie :** VUS
**Garanties :**
4 ans/80 000 km, 4 ans/80 000 km
**Transport et prép. :** 1 115 $
**Ventes QC 2014 :** 271 unités
**Ventes CAN 2014 :** 1 223 unités

Cote du Guide de l'auto

## 84 %

| Fiabilité | Appréciation générale |
| n.d. | ■■■■■■■□□ |
| Sécurité | Agrément de conduite |
| ■■■■■■■■□□ | ■■■■■■■□□ |
| Consommation | Système multimédia |
| ■■■■□□□□□□ | ■■■■■■■□□□ |

Cote d'assurance

■■■■■■■■□□              présentée par
$$$                    **KANETIX.CA**
$

➕ Agrément de conduite • Moteurs performants • Habitacle confortable • Suspension réglable

➖ Ergonomie perfectible • Places arrière exiguës • Prix élevé (modèle Turbo) • Puissance superflue (Turbo) • Version diesel toujours pas offerte

**Concurrents**
Audi Q5, BMW X4, Land Rover Discovery Sport, Lincoln MKC, Mercedes-Benz Classe GLA, Volvo XC60

# La nouvelle vache à lait de Stuttgart

Jacques Duval

**L**a clientèle de Porsche se divise facilement en deux catégories. D'abord, le noyau des amateurs de conduite sportive, puis le cercle de plus en plus grand des acheteurs attirés par un blason renommé apposé sur un véhicule extrêmement civilisé. Ce sont ces derniers qui permettent au petit groupe d'irréductibles d'avoir de beaux produits à se mettre sous la dent, alors il ne faudrait surtout pas diaboliser les créations « grand public » de Stuttgart.

Il y a un peu plus d'une décennie arrivait sur le marché le Porsche Cayenne, ce gros utilitaire qui n'a plus besoin de présentation. Il fut tièdement accueilli par les « porschistes » purs et durs, qui se remettaient encore à l'époque de la substitution de l'air par l'eau comme mode de refroidissement moteur sur l'iconique 911. En revanche, le Cayenne a connu un succès retentissant auprès d'une clientèle qui ne considérait pas même l'achat d'un véhicule de la marque auparavant. Puisque cela a bien fonctionné et que la tendance est aux utilitaires compacts, on comprend l'arrivée du Macan et on ne s'étonne pas qu'il soit la nouvelle vache à lait de Porsche.

### COMME LE CAYMAN ?

On compare parfois le Macan à la 911, mais ces deux véhicules n'ont pas grand-chose en commun. Jamais le Macan ne peut prétendre rivaliser avec la 911 en termes d'accélération et encore moins de sensations, pas même en livrée Turbo malgré la présence de 400 chevaux. En fait, le Macan a plus d'affinités avec le Cayman, en ce sens qu'il est au Cayenne, ce qu'est le Cayman à la 911 : plus svelte, moins cher et plus amusant.

Avec un prix de départ dans les cinquante mille, à quoi peut-on s'attendre ? D'abord, 70 % des composantes du Macan lui sont propres, mais certaines économies ont pu être réalisées puisque son architecture provient de son cousin de chez Audi, le Q5. La suspension du Macan de base en est aussi dérivée. Muni de la suspension pneumatique ajustable optionnelle, le Macan repose 15 mm plus bas en mode normal et peut être abaissé de 10 mm supplémentaires en mode Low, ou au contraire soulevé de 40 mm en mode High afin de s'aventurer en terrain accidenté. Ajoutez à cela le fameux système de gestion électronique PASM et on se retrouve avec un utilitaire qui peut donner des leçons à certaines voitures. En revanche, on s'éloigne du prix de base et comme ça grimpe vite chez Porsche, on peut finir par payer 90 000 $ pour un Macan Turbo bien équipé.

Pour ne pas que la facture atteigne de hautes sphères, mais aussi parce qu'un moteur de 400 chevaux dans un véhicule utilitaire est du domaine de la surabondance, il est sage de s'en tenir au Macan S plutôt qu'au Turbo. Au lieu du V6 de 3,6 litres de ce dernier, on aura droit à un autre V6, également turbocompressé, mais d'une cylindrée de 3,0 litres cette fois. Avec ses 340 chevaux, il n'est pas en reste et la boîte robotisée à double embrayage PDK fait un excellent travail afin de sélectionner rapidement le bon rapport et mettre à profit la puissance disponible.

### COMPLET ET COMPLEXE

Le Porsche Macan peut évidemment recevoir tous les équipements à la mode et même plus. Par contre, s'y retrouver demande la patience d'un moine bouddhiste! Sur la console centrale et le volant figure en tout une trentaine de boutons. Mieux vaut feuilleter le manuel du propriétaire avant de prendre la route afin d'éviter de faire des essais et erreurs en conduisant. Si la clé de contact à gauche est une signature Porsche appréciable, il y a de réelles fautes d'ergonomie du côté des leviers sur la colonne de direction. Non seulement celui du régulateur de vitesse est-il complètement obstrué par le volant, mais il peut aussi être facilement confondu avec celui des clignotants.

Outre la complexité de ses commandes, l'habitacle du Macan est par ailleurs accueillant. Les sièges avant sont confortables et leur support est à la hauteur des produits de la marque. La finition est luxueuse, quoiqu'un peu en deçà de celle du Cayenne. Autre point à l'avantage du grand frère: l'espace aux places arrière qui, dans le cas du Macan, est un peu juste au niveau des jambes. Le coffre en revanche est de bonne capacité étant capable d'engloutir 500 litres lorsque les dossiers sont relevés.

Le Macan est assurément l'un des seuls véhicules utilitaires pouvant être qualifiés de sportif. Il autorise de beaux moments sur les routes sinueuses, mais il peut aussi gravir facilement les pentes escarpées et cahoteuses menant au chalet dans la montagne. Ambitieux et polyvalent, il n'y a pas de doute qu'il apportera de l'eau au moulin.

| Châssis - S | |
|---|---|
| Emp / lon / lar / haut | 2807 / 4681 / 2098 / 1624 mm |
| Coffre / Réservoir | 500 à 1500 litres / 71 litres |
| Nbre coussins sécurité / ceintures | 6 / 5 |
| Suspension avant | ind., double triangulation |
| Suspension arrière | ind., multibras |
| Freins avant / arrière | disque / disque |
| Direction | à crémaillère, ass. var. élect. |
| Diamètre de braquage | 11,8 m |
| Pneus avant / arrière | P235/60R18 / P255/55R18 |
| Poids / Capacité de remorquage | 1869 kg / 750 kg (1653 lb) |
| Assemblage | Leipzig, DE |

| Composantes mécaniques | |
|---|---|
| **S** | |
| Cylindrée, soupapes, alim. | V6 3,0 litres 24 s turbo |
| Puissance / Couple | 340 ch / 339 lb-pi |
| Tr. base (opt) / rouage base (opt) | A7 / Int |
| 0-100 / 80-120 / V.Max | 5,2 s / 4,6 s / 254 km/h |
| 100-0 km/h | 38,1 m |
| Type / ville / route / $CO_2$ | Sup / 11,6 / 7,6 l/100 km / 4510 kg/an |
| **Turbo** | |
| Cylindrée, soupapes, alim. | V6 3,6 litres 24 s turbo |
| Puissance / Couple | 400 ch / 406 lb-pi |
| Tr. base (opt) / rouage base (opt) | A7 / Int |
| 0-100 / 80-120 / V.Max | 4,8 s (const) / n.d. / 266 km/h |
| 100-0 km/h | n.d. |
| Type / ville / route / $CO_2$ | Sup / 11,8 / 7,8 l/100 km / 4600 kg/an |

## Du nouveau en 2016

Aucun changement majeur

Photos: Dominic Dubreuil

# PORSCHE **PANAMERA**

((SiriusXM))

**Prix:** 89 500 $ à 300 000 $ (2015)
**Catégorie:** Berline
**Garanties:**
4 ans/80 000 km, 4 ans/80 000 km
**Transport et prép.:** 1 115 $
**Ventes QC 2014:** 62 unités
**Ventes CAN 2014:** 375 unités

## Cote du Guide de l'auto

# 81 %

Fiabilité

Appréciation générale

Sécurité

Agrément de conduite

Consommation

Système multimédia

## Cote d'assurance

présentée par
**KANETIX.CA**

$$$                                    $

➕ Gamme étoffée • Motorisations
puissantes et efficaces • Confort de
l'habitacle • Tenue de route impeccable

➖ Prix élevé • Volume du coffre
restreint (version E-Hybrid) • Groupes
d'options dispendieux • Voiture grosse
et lourde

## Concurrents

Aston Martin Rapide, Audi A8, Bentley
Flying Spur, BMW Série 7, Jaguar XJ,
Mercedes-Benz Classe S

# Prestige à l'année !

Sylvain Raymond

**D**ans la quête de la Porsche idéale, on peut opter pour l'une des nombreuses voitures sport du constructeur, mais il faut alors composer avec un véhicule moins pratique. Dans ce cas, ses deux VUS, le Cayenne et le Macan, pourraient bien être la solution à vos besoins, mais tous ne les apprécient pas, aussi sportifs qu'ils soient. Heureusement, il y a la Porsche Panamera, qui est à la fois familiale, pratique à l'année et drôlement débrouillarde sur piste de course.

Introduite en 2009, la Panamera permettait à Porsche d'élargir davantage sa gamme et devenait la première voiture quatre portes produite par le fabricant allemand. Ça n'a pas été facile pour les puristes de la marque d'accepter ce concept, surtout pour ceux qui n'avaient toujours pas digéré le Cayenne, mais vu le succès de la Panamera, il est difficile de décrier cette décision.

### UNE PANAMERA POUR TOUTES LES BOURSES

Avez-vous une idée du nombre de versions offertes cette année? Il n'y en a pas moins de quatorze. Non seulement il y a une Panamera pour tous les goûts, mais il y en a une pour toutes les bourses ou presque! Un exemple? Il y a la Panamera de base à près de 90 000 $ et l'Exclusive Series dont le prix de détail s'élève à plus de 300 000 $!

Outre le niveau d'équipement, il faut aussi choisir parmi plusieurs mécaniques. La Panamera de base reçoit un moteur six cylindres de 3,6 litres et 310 chevaux. On comprend que cette dernière version se distingue davantage par son prix plus alléchant – ou moins scandaleux – que par ses performances enivrantes. Si jamais vous retrouvez un « 4 » dans sa dénomination, c'est qu'elle est équipée d'un excellent rouage intégral au lieu d'une propulsion.

Les versions S et 4S nous semblent toujours les plus intéressantes en raison d'un meilleur compromis en matière de performance. Cette fois, la puissance est en hausse à 420 chevaux grâce à un V6 de 3,0 litres biturbo. Bien qu'elle ne porte pas le nom de Turbo, la S en a deux! C'est à y perdre son latin.

L'agressive Panamera GTS se joint à la fête avec sous le capot un V8 de 4,8 litres qui produit 440 chevaux alors que la véritable Panamera Turbo hérite du même moteur, mais avec un combo de turbocompresseurs portant la puissance à un indécent 520 chevaux. Si ce n'est pas suffisant et que vous voulez être certain de ne pas avoir la Panamera de M. Tout-le-Monde, optez pour la version Turbo S qui, du haut de ses 570 chevaux, peut laisser dans son sillage une panoplie de grandes sportives.

### UNE 911 ALLONGÉE
Côté style, la Panamera, dont le nom provient de la célèbre course Carrera Panamericana, dispose de proportions peu communes à cause de son design de coupé quatre portes. Au premier regard, on a l'impression d'être en présence d'une 911 étirée et c'est exactement ce que les designers avaient en tête, marquer l'imaginaire en l'associant au légendaire bolide. L'avant s'inspire de celui de la 911 Carrera, même chose à l'arrière avec une ligne de toit plongeante qui rejoint le hayon vitré. Elle a l'air rapide, c'est l'essentiel. Bien entendu, les nombreuses versions ont toutes leurs caprices esthétiques, on aime bien les étriers peints en vert de la E-Hybrid.

D'ailleurs, nous n'allons pas omettre de parler de la Panamera S E-Hybrid, celle que nous avons mise à l'essai lors d'un périple en Californie. Pendant ce long voyage, la livrée hybride branchable s'est avérée fort intéressante en raison de l'économie de carburant qu'elle apporte et de son grand confort. Pratique pour un périple, la Panamera? Certainement, d'autant plus que son volume de chargement est appréciable.

Grâce à son V6 à essence jumelé à un moteur électrique, la S E-Hybrid profite d'un total de 416 chevaux. Son avantage? Elle marie la puissance d'un moteur V8 et la consommation d'un six cylindres. Son mode 100% électrique vous permettra aussi de parcourir environ 36 kilomètres lorsque les batteries sont pleinement chargées.

À l'intérieur, cette berline brille par sa qualité et le sentiment de luxe qu'elle dégage. Posez les yeux sur le tableau de bord et vous aurez l'impression d'être dans un avion, principalement avec la console centrale qui regroupe la majeure partie des commandes de chaque côté du levier d'embrayage.

Si jamais vous deviez occuper l'une des deux places arrière, vous ne serez pas inconfortable, car il ne s'agit pas d'une banquette classique, mais de deux sièges moulants. Vous aurez plutôt le sentiment d'être assis dans un jet privé, et c'est encore plus vrai dans les versions Executive à empattement allongé, qui offrent plus d'espace pour les passagers arrière. Une véritable limousine de piste!

## Du nouveau en 2016

Aucun changement majeur. Version Exclusive Series à tirage limité.

### Châssis - 4S

| | |
|---|---|
| Emp / lon / lar / haut | 2920 / 5015 / 2114 / 1418 mm |
| Coffre / Réservoir | 445 à 1263 litres / 100 litres |
| Nbre coussins sécurité / ceintures | 8 / 4 |
| Suspension avant | ind., double triangulation |
| Suspension arrière | ind., multibras |
| Freins avant / arrière | disque / disque |
| Direction | à crémaillère, ass. var. |
| Diamètre de braquage | 12,0 m |
| Pneus avant / arrière | P245/50ZR18 / P275/45ZR18 |
| Poids / Capacité de remorquage | 1870 kg / n.d. |
| Assemblage | Leipzig, DE |

### Composantes mécaniques

**2, 4**

| | |
|---|---|
| Cylindrée, soupapes, alim. | V6 3,6 litres 24 s atmos. |
| Puissance / Couple | 310 ch / 295 lb-pi |
| Tr. base (opt) / rouage base (opt) | A7 / Prop (Int) |
| 0-100 / 80-120 / V.Max | 6,1 s / 4,3 s / 257 km/h |
| 100-0 km/h | 37,5 m |
| Type / ville / route / $CO_2$ | Sup / 11,6 / 7,4 l/100 km / 4467 kg/an |

**Turbo, Turbo Executive**

| | |
|---|---|
| Cylindrée, soupapes, alim. | V8 4,8 litres 32 s turbo |
| Puissance / Couple | 520 ch / 516 lb-pi |
| Tr. base (opt) / rouage base (opt) | A7 / Int |
| 0-100 / 80-120 / V.Max | 4,0 s / 2,6 s / 305 km/h |
| 100-0 km/h | 37,5 m |
| Type / ville / route / $CO_2$ | Sup / 13,8 / 8,3 l/100 km / 5210 kg/an |

**Turbo S, Turbo S Executive, Turbo S Exclusive**

| | |
|---|---|
| Cylindrée, soupapes, alim. | V8 4,8 litres 32 s turbo |
| Puissance / Couple | 570 ch / 553 lb-pi |
| Tr. base (opt) / rouage base (opt) | A7 / Int |
| 0-100 / 80-120 / V.Max | 3,8 s / 2,4 s / 310 km/h |
| 100-0 km/h | n.d. |
| Type / ville / route / $CO_2$ | Sup / 14,9 / 7,8 l/100 km / 5384 kg/an |

**S E-Hybrid**

V6 - 3,0 litres - 333 ch/325 lb-pi - A8 - 0-100: 5,5 s - 10,4/8,0 l/100 km
Électrique 95 ch/229 lb-pi - Batterie Li-ion 10,4 kWh - Charge 2,3 h (240V)

**S, 4S, 4S Executive**

V6 - 3,0 litres - 420 ch/384 lb-pi - A7 - 0-100: 4,8 s (const) - 12,2/7,5 l/100 km

**GTS**

V8 - 4,8 litres - 440 ch/384 lb-pi - A7 - 0-100: 4,4 s (const) - 13,5/8,2 l/100 km

## RAM **1500**

(((SiriusXM)))

**Prix :** 20 895 $ à 58 695 $ (2015)
**Catégorie :** Camionnette
**Garanties :**
3 ans/60 000 km, 5 ans/100 000 km
**Transport et prép. :** 1 795 $
**Ventes QC 2014 :** 10 001 unités
**Ventes CAN 2014 :** 88 521 unités

### Cote du Guide de l'auto

# 78 %

Fiabilité
■■■■■■■□□□

Appréciation générale
■■■■■■■□□□

Sécurité
■■■■■■■■□□

Agrément de conduite
■■■■■■□□□□

Consommation
■■■■■□□□□□

Système multimédia
■■■■■■■□□□

### Cote d'assurance

n.d.

présentée par
**KANETIX.CA**

➕ Motorisations efficaces • Habitacle très confortable • Capacité de remorquage (diesel) • Système Uconnect convivial

➖ Pas le plus puissant diesel • Version Rebel décevante • Consommation du V8 • Système Rambox réduit la largeur de caisse

### Concurrents
Chevrolet Silverado, Ford F-150, GMC Sierra, Nissan Titan, Toyota Tundra

# Allure robuste, efficacité et commodité

Guy Desjardins

**L**a concurrence féroce que se livrent les trois constructeurs américains pour le contrôle du marché du *pick-up* pleine grandeur donne droit à de continuels ajustements. Chacun trouve le moyen de surclasser l'adversaire, souvent sur un seul point, pour ensuite s'en vanter par le biais de publicités bien ciblées nous laissant croire que l'ensemble du véhicule écrase la compétition.

Notre essai routier du Ram 1500 ne vise pas à le classer par rapport aux autres camionnettes. De toute façon, si vous parlez à quelques propriétaires possédant déjà un *pick-up*, vous constaterez que la plupart, sinon la totalité ont déjà leur propre idée sur le meilleur produit et que leur fidélité est pratiquement inébranlable. Même un match comparatif exhaustif comme celui présenté en première partie de ce *Guide* ne saurait réussir à faire changer de marque les plus fanatiques.

Le Ram s'est surtout fait remarquer à partir de 1995 pour sa calandre surdimensionnée qui a d'ailleurs inspiré les autres constructeurs par la suite. On tente évidemment d'émuler la partie avant des semi-remorques afin de donner une impression de robustesse à la camionnette. Plusieurs configurations permettent de trouver le Ram 1500 idéal, axé sur le confort, une tenue de route civilisée et qui ne rechigne pas devant le travail non plus. Pour les travaux encore plus sérieux, il faut passer à la gamme Heavy Duty, les Ram 2500 et plus.

### DE TOUT POUR TOUS
Onze versions s'inscrivent au catalogue du Ram une demi-tonne, alors que différentes options et choix de motorisations, de rouages, de grandeurs de cabine et de longueurs de caisse sont également proposés. Sous leur capot, on trouve les deux moteurs traditionnellement réservés au Ram d'année en année, soit un V6 économique et un plus puissant V8 s'acquittant des travaux plus costauds. Disponible depuis l'an dernier, une motorisation V6 turbodiesel de 3,0 litres se

glisse dans la gamme, disposant d'un faramineux couple de 420 lb-pi, mais bien en dessous des 550 lb-pi fournies par le V8 diesel du Nissan Titan.

Équipé du V8 et configuré adéquatement pour remorquer, le Ram 1500 tracte jusqu'à 10 650 livres (4 831 kg). Pour près de 4 000 $ de plus, la motorisation diesel tire presque autant (9 200 lb ou 4 173 kg lorsqu'équipé en conséquence), mais réduit considérablement sa soif en carburant. Le Ram profite également d'une suspension pneumatique ajustable plus amusante qu'utile pour la majorité des propriétaires, du système de rangement Rambox intégré aux ailes arrière, d'une caméra de marche arrière très efficace, d'une calandre à volets actifs et du système de divertissement Uconnect, le meilleur sur le marché actuellement.

### REBEL VS RAPTOR

Dans la gamme 1500, de nouveaux modèles se sont ajoutés et resteront offerts pour 2016. Le plus original est certainement le Rebel qui tente de ravir des parts de marché au F-150 Raptor de Ford. La présentation extérieure profite de nombreux éléments noirs en plus d'ajouter un capot exclusif et des phares antibrouillard à DEL. De nouvelles jantes de 17 pouces sont offertes alors que sous le capot, un choix s'impose entre le V6 Pentastar et le V8 HEMI de 5,7 litres. Mais la vraie différence, c'est le « lift » d'un pouce de la suspension qui donne un style beaucoup plus agressif. Malheureusement pour le Ram, le Raptor, surtout dans sa version 2017 récemment dévoilée, est nettement plus attrayant, à notre avis.

À cette version Rebel, Ram ajoute les livrées Laramie Limited et Sport Black. La première affiche une calandre exclusive, du chrome à profusion et des roues de 20 pouces. Quant à la deuxième, elle se pare entièrement de noir en plus d'ajouter quelques éléments à caractère sportif comme les roues de 20 pouces et le capot plus stylisé. Seul le V8 HEMI de 5,7 litres équipe cette version Black Sport, disponible uniquement en 4X4 et jumelé à une boîte à 8 rapports.

L'intérieur du Ram 1500, quel que soit son niveau d'équipement, n'a rien à voir avec les camionnettes d'antan. Le confort surpasse même celui de plusieurs berlines de luxe. La livrée Laramie Limited cherche même à déclasser l'opulence des Lincoln, Cadillac et Mercedes par un habitacle extrêmement luxueux, un système audio époustouflant et un habitacle immense. Évidemment, à un prix de plus de 50 000 $, on ne s'attend pas à moins !

La concurrence est forte dans le segment des camionnettes pleine grandeur d'une demi-tonne. Le large éventail de configurations qu'offre le Ram lui permet de talonner de près le F-150 de Ford. Malgré un produit complet, le renouvellement drastique du Nissan Titan viendra sûrement jouer dans les plates-bandes des modèles américains.

### Du nouveau en 2016

Aucun changement majeur. Ajout de la version Rebel.

| Châssis - Big Horn 4x4 cab. allongée (6.3') | |
|---|---|
| Emp / lon / lar / haut | 3569 / 5817 / 2017 / 1975 mm |
| Coffre / Réservoir | n.d. / 98 litres |
| Nbre coussins sécurité / ceintures | 6 / 6 |
| Suspension avant | ind., bras inégaux |
| Suspension arrière | essieu rigide, multibras |
| Freins avant / arrière | disque / disque |
| Direction | à crémaillère, ass. élect. |
| Diamètre de braquage | 13,9 m |
| Pneus avant / arrière | P275/60R20 / P275/60R20 |
| Poids / Capacité de remorquage | 2457 kg / 3656 kg (8060 lb) |
| Assemblage | Warren, MI |

| Composantes mécaniques | |
|---|---|
| **V6 3,0 l EcoDiesel** | |
| Cylindrée, soupapes, alim. | V6 3,0 litres 24 s turbo |
| Puissance / Couple | 240 ch / 420 lb-pi |
| Tr. base (opt) / rouage base (opt) | A8 / Prop (4x4) |
| Type / ville / route / $CO_2$ | Dié / 12,4 / 9,4 l/100 km / 5967 kg/an |
| **V6 3,6 l** | |
| Cylindrée, soupapes, alim. | V6 3,6 litres 24 s atmos. |
| Puissance / Couple | 305 ch / 269 lb-pi |
| Tr. base (opt) / rouage base (opt) | A8 / Prop (4x4) |
| Type / ville / route / $CO_2$ | Ord / 14,6 / 10,1 l/100 km / 5785 kg/an |
| **V8 5,7 l** | |
| Cylindrée, soupapes, alim. | V8 5,7 litres 16 s atmos. |
| Puissance / Couple | 395 ch / 410 lb-pi |
| Tr. base (opt) / rouage base (opt) | A6 / Prop (4x4) |
| Type / ville / route / $CO_2$ | Ord / 16,2 / 11,5 l/100 km / 6479 kg/an |

Photos : RAM Canada

## RAM **PROMASTER CITY**

**Prix :** 28 495 $ à 30 495 $ (2015)
**Catégorie :** Fourgonnette
**Garanties :**
3 ans/60 000 km, 5 ans/100 000 km
**Transport et prép. :** 1 795 $
**Ventes QC 2014 :** n.d.
**Ventes CAN 2014 :** n.d.

### Cote du Guide de l'auto

# 65 %

| Fiabilité | Appréciation générale |
|---|---|
| ■■■■■■■□□□ | n.d. |
| Sécurité | Agrément de conduite |
| n.d. | n.d. |
| Consommation | Système multimédia |
| n.d. | ■■■■■■■□□ |

### Cote d'assurance

n.d.

présentée par
***KANETIX.CA***

**+** Bon volume de charge • Puissance raisonnable • Proportions bien adaptées pour la ville • Prix abordable • Bonne économie d'essence

**−** Configuration «passagers» non recommandée • Aménagement intérieur minimaliste • Rouage intégral non disponible • Fiabilité globale des Fiat

### Concurrents
Chevrolet City Express, Ford Transit Connect, Nissan NV200

# Pratique et urbain

Benjamin Hunting

**C**ela a toujours semblé injuste : pourquoi, depuis des décennies, les propriétaires européens d'entreprise avaient-ils accès à des fourgons abordables et de format adapté pour le paysage urbain, alors que les Canadiens devaient choisir entre des Ford Econoline, grosses et peu manœuvrables, ou des fourgonnettes aux vitres placardées ? Cette injustice a été graduellement corrigée au cours des dernières années avec l'arrivée d'une foule de petits camions. Et aujourd'hui, le tout nouveau fourgon Ram ProMaster City 2016 vient se joindre aux pionniers comme le Ford Transit Connect et le Nissan NV200.

### UN ITALIEN AVEC UN NOUVEAU LOOK
On pourrait croire que l'appellation Ram est un ajout essentiellement nominatif, et que le ProMaster City – un design original de Fiat – a simplement été relooké pour s'intégrer aux autres produits de la marque. En réalité, les designers et ingénieurs de Chrysler ont apporté des changements significatifs avant que le véhicule ne soit importé sur nos terres. Par exemple, la plate-forme Fiat a été dotée de composantes de suspension améliorées, conçues non seulement pour s'attaquer à nos nids-de-poule omniprésents, mais également pour mieux résister aux sels de déglaçage. De même, le fourgon a eu droit à une approche plus intégrée en matière d'éclairage et de design de la partie avant par rapport à ce qui se fait habituellement pour les véhicules commerciaux simplement «rebadgés».

Côté motorisation, au lieu du diesel des modèles européens, les ProMaster City canadiens sont propulsés par un quatre cylindres de 2,4 litres qui produit 178 chevaux et un couple de 174 lb-pi. Il est relié à une boîte automatique à neuf rapports, et l'étagement de ceux-ci aide le fourgon à transporter de lourdes charges sans trop compromettre sa consommation d'essence. Le ProMaster City affiche 11,2 l/100 km en ville, et 8,1 l/100 km sur la route.

Fait intéressant : dans notre économie de plus en plus mondialisée, le logo à l'avant d'un véhicule ne reflète pas nécessairement l'endroit où il a été assemblé. Par exemple, les moteurs des ProMaster City sont montés aux États-Unis, envoyés par bateau de l'autre côté de l'Atlantique pour être installés dans les Ram, puis les véhicules sont expédiés au pays et livrés chez les concessionnaires canadiens. Cela semble être une façon de procéder populaire dans le secteur des fourgons compacts.

Le ProMaster City destiné au marché étasunien et le modèle de Ford sont construits en Turquie, mais dès qu'ils arrivent sur les quais aux États-Unis, on dénude leurs intérieurs pour les faire passer d'une configuration «passagers» à une configuration commerciale, ce qui permet d'éviter les droits de douane à l'importation.

### POUR TOUT TRANSPORTER, SAUF DES PERSONNES

Contrairement au Transit Connect, proposé avec deux longueurs d'empattement, le Ram ProMaster City est livré avec un empattement unique de 3 109 mm. En tout, l'espace de chargement mesure 2,2 m de long par 1,3 m de haut (pour un volume de 3 729 litres), ce qui permet de charger toutes sortes d'objets de grand format. L'accès à l'intérieur est facile grâce aux portes coulissantes de chaque côté et aux portières arrière avec ouverture à 180°.

Le ProMaster City affiche un poids nominal brut de 2 447 kg et sa suspension arrière entièrement indépendante – la seule offerte sur un fourgon compact spécialisé au Canada – contribue à adoucir le roulement même avec une pleine charge.

Ne vous attendez pas à d'aussi bonnes notes pour le transport des passagers, par contre. Dans la version avec une deuxième rangée de sièges (qui fait passer le nombre de places de deux à cinq), les places arrière sont serrées. De plus, les sièges sont trop avancés pour qu'on puisse facilement y accéder à partir de l'une ou l'autre des portes latérales. Chrysler offre un système d'infodivertissement à écran tactile, mais pour le reste, le ProMaster City demeure fidèle à ses racines commerciales, ce qui veut dire que même les compagnies de taxi devraient sans doute regarder aussi du côté des fourgonnettes comme la Grand Caravan avant de porter leur choix sur ce Ram en version «passagers».

Le Ram ProMaster City 2015 est un ajout bienvenu dans un créneau en expansion rapide. Pour les entrepreneurs et les gestionnaires de parcs automobiles, il offre beaucoup en matière de fonctionnalité et de frugalité et ses proportions sont bien adaptées à la conduite urbaine. Le seul facteur qui pourrait commander une mise en garde est la cote de fiabilité peu reluisante de la maison mère, Fiat.

### Châssis - Cargo Van ST

| | |
|---|---|
| Emp / lon / lar / haut | 3109 / 4740 / 1831 / 1880 mm |
| Coffre / Réservoir | 3729 litres / 61 litres |
| Nbre coussins sécurité / ceintures | 6 / 2 |
| Suspension avant | ind., jambes force |
| Suspension arrière | ind., multibras |
| Freins avant / arrière | disque / tambour |
| Direction | à crémaillère, assistée |
| Diamètre de braquage | 12,8 m |
| Pneus avant / arrière | P215/55R16 / P215/55R16 |
| Poids / Capacité de remorquage | 1596 kg / 907 kg (1999 lb) |
| Assemblage | Baltimore, MD |

### Composantes mécaniques

| | |
|---|---|
| Cylindrée, soupapes, alim. | 4L 2,4 litres 16 s atmos. |
| Puissance / Couple | 178 ch / 174 lb-pi |
| Tr. base (opt) / rouage base (opt) | A9 / Tr |
| 0-100 / 80-120 / V.Max | n.d. / n.d. / n.d. |
| 100-0 km/h | n.d. |
| Type / ville / route / $CO_2$ | Ord / 11,2 / 8,1 l/100 km / 4510 kg/an |

## Du nouveau en 2016

Nouveau modèle

Photos : RAM Canada

GHOST SERIES II

# ROLLS-ROYCE **GHOST SERIES II/WRAITH**

((SiriusXM))

**Prix:** 329 808 $ à 367 310 $ (2015)
**Catégorie:** Berline / Coupé
**Garanties:**
4 ans/illimité, 4 ans/illimité
**Transport et prép.:** n.d.
**Ventes QC 2014:** n.d.
**Ventes CAN 2014:** n.d.

## Cote du Guide de l'auto
# 69 %

| Fiabilité | Appréciation générale |
| n.d. | ■■■■■■□□□□ |
| **Sécurité** | **Agrément de conduite** |
| ■■■■■■■□□□ | ■■■■■■■□□□ |
| **Consommation** | **Système multimédia** |
| ■■■■□□□□□□ | ■■■■■■■□□□ |

## Cote d'assurance
■■■■■□□□□□
$$$                          $

présentée par
**KANETIX.CA**

➕ Confort d'un autre monde •
Exclusivité liée à la marque • Intérieur
somptueux • Style intemporel

➖ Pas assez sportive (Wraith) •
Ne se démarque pas assez (Ghost) •
Pas de transmission intégrale •
Véhicules toujours très lourds

## Concurrents
Ghost Series II: Bentley Flying Spur,
Mercedes-Maybach S600, Porsche Panamera
Wraith: Aston Martin Vanquish,
Bentley Continental GT, Mercedes-Benz
Classe S Coupé

# Versions « économiques » ?

Marc-André Gauthier

**U**n journaliste disait que le plus gros problème pour un propriétaire de Rolls-Royce Ghost, c'était qu'un jour, en attendant à un feu rouge, vienne s'immobiliser une Phantom juste à côté. C'est un bon point. Comment peut-on alors vouloir une «petite» Rolls-Royce?

Il est sans doute caricatural d'employer ce propos, mais la Ghost et la Wraith sont les voitures d'entrée de gamme chez Rolls-Royce. Même si elles sont dispendieuses, elles se vendent environ 100 000 $ de moins que l'immense Phantom. D'ailleurs, la Ghost et la Wraith ne sont-elles pas basées sur la même plate-forme que la BMW Série 7? De grâce, ne dites jamais ça à un ingénieur de Rolls-Royce. J'ai fait cette erreur et j'ai eu droit à un interminable sermon, comme quoi tout était revu et amélioré et bla, bla, bla...

La Wraith partage son architecture avec la Ghost, donc aussi bien dire que nous sommes devant un même modèle. En fait, la Ghost est la voiture urbaine de Rolls-Royce, et la Wraith, l'auto sportive.

### GHOST SERIES II
Ce n'est pas le titre d'un film d'horreur, mais bien le nom de cette berline, plus petite qu'une Phantom mais quand même très imposante. La voiture a été renouvelée pour 2015, et pour 2016, elle ne présente aucun changement.

Sous le capot de la Ghost, on retrouve un imposant V12 biturbo de 6,6 litres, développant 563 chevaux et 575 livres-pied de couple. Cette puissance acheminée aux roues arrière permet à la voiture de faire le 0-100 km/h en 5 secondes, grâce à une boîte automatique à 8 rapports.

L'habitacle a tout d'une vraie Rolls-Royce. Les matériaux choisis pour l'assemblage sont d'une qualité supérieure. D'ailleurs, le design est fort sympathique. Le tableau de bord ressemble à ce qu'aurait imaginé un ingénieur du début du XIXe siècle à qui on aurait demandé de dessiner l'intérieur d'une voiture dans 110 ans. Il est à la fois très moderne mais avec une touche vieillotte.

Une version à empattement allongé de la Ghost est également disponible. Il est paradoxal pour la compagnie anglaise de proposer ce modèle, puisque l'intérêt de posséder une Ghost est justement de posséder une Rolls-Royce plus compacte. Mais bon, tous les goûts sont dans la nature.

La conduite de la Ghost n'a rien d'excitant, mais elle réussit à nous faire oublier que nous nous baladons sur la terre. Je dois admettre que l'ingénieur avait raison : on ne voit pas de BMW Série 7 ici.

## WRAITH

La Wraith fait office de Rolls-Royce sportive. Elle n'a que deux portes, elle est légèrement plus petite que la Ghost, et son moteur V12 de 6,6 litres turbocompressé développe pas mal plus de puissance, 624 chevaux et un couple de 590 lb-pi, ce qui lui fait gagner 0,4 seconde sur le 0-100 km/h. Comme pour la Ghost, cette puissance va aux roues arrière, via une boîte automatique à 8 rapports.

Par rapport à une Phantom, c'est la Wraith qui se démarque le plus. À cause de son apparence, on la distingue plus facilement. En fait, c'est la voiture la plus dynamique de la gamme. Le comportement de la Wraith est intéressant. Bien entendu, il n'a rien de celui d'une auto sportive pure et dure, mais il est manifestement plus dynamique que celui de ses sœurs.

À l'intérieur, c'est le même univers parallèle hallucinant que seules des voitures de ce prix peuvent nous offrir. Il est possible d'orner sa Wraith d'un plafond étoilé lumineux. Un truc inutile, mais une belle touche esthétique.

Plus tôt cette année, Rolls-Royce a annoncé l'arrivée éventuelle d'une version cabriolet de la Wraith. Elle sera baptisée Dawn, un nom ayant été utilisé sur une Rolls pour la première fois à la fin des années 40. Cette nouvelle décapotable apparaîtra au début de 2016.

## SUR L'AVENIR DE LA MARQUE

Rolls-Royce tente par tous les moyens de rester l'une des marques les plus élitistes au monde, mais il faut savoir être de son temps. Si le constructeur souhaite continuer de fabriquer d'imposantes bagnoles comme la Phantom, c'est un choix défendable. Il n'en demeure pas moins que la Ghost est encore trop grosse pour être véritablement perçue comme une petite berline, et la Wraith n'offre pas le dynamisme qu'elle devrait avoir. Espérons que la Dawn sera plus spéciale.

### Châssis - Ghost Series II allongée

| | |
|---|---|
| Emp / lon / lar / haut | 3465 / 5569 / 1948 / 1550 mm |
| Coffre / Réservoir | 490 litres / 82 litres |
| Nbre coussins sécurité / ceintures | 6 / 5 |
| Suspension avant | ind., pneumatique, bras inégaux |
| Suspension arrière | ind., pneumatique, multibras |
| Freins avant / arrière | disque / disque |
| Direction | à crémaillère, ass. var. |
| Diamètre de braquage | 14,0 m |
| Pneus avant / arrière | P255/50R19 / P255/50R19 |
| Poids / Capacité de remorquage | 2570 kg / n.d. |
| Assemblage | Goodwood, GB |

### Composantes mécaniques

**Ghost**

| | |
|---|---|
| Cylindrée, soupapes, alim. | V12 6,6 litres 48 s turbo |
| Puissance / Couple | 563 ch / 575 lb-pi |
| Tr. base (opt) / rouage base (opt) | A8 / Prop |
| 0-100 / 80-120 / V.Max | 5,0 s (const) / n.d. / 250 km/h |
| 100-0 km/h | n.d. |
| Type / ville / route / $CO_2$ | Sup / 17,3 / 10,5 l/100 km / 6570 kg/an |

**Wraith**

| | |
|---|---|
| Cylindrée, soupapes, alim. | V12 6,6 litres 48 s turbo |
| Puissance / Couple | 624 ch / 590 lb-pi |
| Tr. base (opt) / rouage base (opt) | A8 / Prop |
| 0-100 / 80-120 / V.Max | 4,6 s (const) / n.d. / 250 km/h |
| 100-0 km/h | n.d. |
| Type / ville / route / $CO_2$ | Sup / 16,9 / 10,0 l/100 km / 6346 kg/an |

## Du nouveau en 2016

Aucun changement majeur. Arrivée prochaine d'une version décapotable de la Wraith, baptisée Dawn.

Photos : Jacques Duval, Rolls-Royce

WRAITH

DROPHEAD COUPÉ

## ROLLS-ROYCE **PHANTOM/PHANTOM COUPÉ/ DROPHEAD COUPÉ**

**Prix:** 407 400$ à 504 200$ (2015)
**Catégorie:** Berline, Cabriolet, Coupé
**Garanties:**
4 ans/illimité, 4 ans/illimité
**Transport et prép.:** n.d.
**Ventes QC 2014:** n.d.
**Ventes CAN 2014:** n.d.

Cote du Guide de l'auto

# 69%

Fiabilité
n.d.

Appréciation générale
■■■■■■■□□□

Sécurité
■■■■■■□□□□

Agrément de conduite
■■■■■■■□□□

Consommation
■■■■■□□□□□

Système multimédia
■■■■■■□□□□

Cote d'assurance
■■■■□□□□□□
$$$                    $

présentée par
**KANETIX.CA**

➕ Luxe superlatif • Moteur ultradoux •
Insonorisation très poussée • Matériaux
de très grande qualité • Surprenante
tenue de route

➖ Dimensions encombrantes •
Esthétique discutable • Prix
stratosphérique • Entretien prohibitif

**Concurrents**
Bentley Mulsanne

# Les trois mousquetaires

Denis Duquet

**L**orsque la très prestigieuse firme Rolls-Royce a été rachetée des Britanniques par le constructeur allemand BMW, l'orgueil de la nation en a pris un coup. Pourtant, on savait depuis un certain temps que la plupart des composantes mécaniques des voitures de cette marque provenaient de Munich. La première Rolls du règne BMW est apparue en 2003 en remplacement de la Silver Seraph. Cette nouvelle version du prestige sur roues à la britannique a été accueillie par des commentaires forts peu élogieux quant à sa silhouette pour le moins ostentatoire. Certains mentionnaient que cette voiture semblait être le résultat d'un mariage entre un corbillard et un camion Freightliner!

Hormis cela, il semble que le reste de la voiture était réussi puisque les ventes se sont emballées au fil des années, tant et si bien que la concurrence est pratiquement à genou et que les ventes de «Rolls» continuent de prospérer. Les modèles les plus prestigieux de la marque sont ceux de la famille Phantom. Qu'il s'agisse de la berline à empattement normal, à empattement long ou des modèles Coupé ou Drophead Coupé, bien des gens rêvent d'en posséder une.

### C'EST PARFOIS COMPLIQUÉ
Pourtant, même pour les gens qui ont des ressources financières à ne plus savoir qu'en faire, l'achat d'une Rolls-Royce s'avère une aventure assez compliquée. En effet, l'acheteur a devant lui une myriade d'options, d'éditions spéciales, de sélections de couleurs et de matériaux, tant et si bien que c'est un véritable supplice que de choisir sa future voiture.

C'est beaucoup plus facile sur le plan mécanique car ce colosse est propulsé par un moteur V12 de 6,7 litres signé BMW. Ses 453 chevaux sont gérés par une boîte automatique à huit rapports transférant cette puissance aux roues motrices arrière.

Les stylistes ont eu droit à de nombreuses critiques, mais ils ont dessiné une silhouette taillée au couteau qui met surtout en évidence la calandre traditionnelle de Rolls-Royce. Cette calandre est à la fois sa marque de commerce et la raison majeure de son prestige. Bien entendu, cette grille est coiffée de la statuette Spirit of ecstasy. Cette dernière — aussi onéreuse à produire que désirée des malfaiteurs et des collectionneurs — est protégée par un mécanisme qui la fait descendre dans un compartiment spécial quand la voiture est stationnée. Cette dame apparaît lorsqu'on lance le moteur.

Dans l'habitacle, même si la planche de bord semble inspirée des années 30, il y a toutes les technologies modernes en fait de sonorisation, de sécurité et de navigation par satellite. Chez Rolls-Royce on est particulièrement fier de l'écran d'affichage articulé qui peut être déployé ou pas, en fonction des besoins du conducteur ou du passager avant. Inutile d'insister sur la qualité des cuirs, des boiseries et de la finition!

Les places arrière sont confortables, les deux sièges sont séparés par une console comprenant différents espaces de rangement tandis que, selon les options, il est possible d'avoir un repose-pieds, une table de travail, des écrans vidéo et autres luxes. L'insonorisation est impressionnante. En doutiez-vous?

### QUAND LE COUPÉ PERD LA TÊTE

La gamme Phantom comprend deux autres modèles. D'abord un coupé doté de portes suicides (les pentures sont à l'arrière des portes et non à l'avant, ce qui signifie que les portes s'ouvrent dans le sens contraire de la pratique habituelle). La silhouette de ce Phantom Coupé est sage, contrairement à celle, audacieuse, du coupé Wraith qui, lui, cilble une clientèle plus jeune.

Puis vient le deuxième modèle — le plus original — de la famille Phantom : le cabriolet. Ou Drophead Coupé si l'on emploie le jargon des Britanniques. Ce gros cabriolet quatre places propose le même niveau de luxe et de confort que les autres versions à toit rigide, mais le fait qu'il soit construit en très petite série et doté d'une couverture tonneau (une fois le toit remisé dans le coffre, un panneau en bois exotique ou en aluminium plutôt qu'une simple capote de vinyle ou de cuir vient le recouvrir) lui permet de connaître un certain succès.

Posséder une Phantom quatre portes c'est déjà quelque chose, mais une Phantom cabriolet, ça vous assure une place dans le *Who's Who* de n'importe quel pays.

| Châssis - Phantom (Base) | |
|---|---|
| Emp / lon / lar / haut | 3570 / 5842 / 1990 / 1638 mm |
| Coffre / Réservoir | 460 litres / 100 litres |
| Nbre coussins sécurité / ceintures | 8 / 5 |
| Suspension avant | ind., pneumatique, double triangulation |
| Suspension arrière | ind., pneumatique, multibras |
| Freins avant / arrière | disque / disque |
| Direction | à crémaillère, ass. var. |
| Diamètre de braquage | 13,8 m |
| Pneus avant / arrière | P255/50R21 / P285/45R21 |
| Poids / Capacité de remorquage | 2649 kg / n.d. |
| Assemblage | Goodwood, GB |

| Composantes mécaniques | |
|---|---|
| **Base, Coupé, Drophead Coupé** | |
| Cylindrée, soupapes, alim. | V12 6,7 litres 48 s atmos. |
| Puissance / Couple | 453 ch / 531 lb-pi |
| Tr. base (opt) / rouage base (opt) | A8 / Prop |
| 0-100 / 80-120 / V.Max | 5,8 s (const) / 5,5 s / 240 km/h |
| 100-0 km/h | 40,0 m |
| Type / ville / route / $CO_2$ | Sup / 16,8 / 10,3 l/100 km / 6383 kg/an |

### Du nouveau en 2016

Aucun changement majeur. Version Serenity avec carrosserie laquée et intérieur relevé de tissus de soie.

PHANTOM

# SCION **IM**

**Prix:** 24 000 $ à 25 000 $
**Catégorie:** Hatchback
**Garanties:**
3 ans/60 000 km, 5 ans/100 000 km
**Transport et prép.:** 1 595 $
**Ventes QC 2014:** n.d.
**Ventes CAN 2014:** n.d.

## Cote du Guide de l'auto
# n.d.

| | |
|---|---|
| Fiabilité | Appréciation générale |
| n.d. | n.d. |
| Sécurité | Agrément de conduite |
| n.d. | n.d. |
| Consommation | Système multimédia |
| n.d. | n.d. |

## Cote d'assurance

n.d.

présentée par
**KANETIX.CA**

➕ Un seul groupe d'options! • Mécanique fiable, connue et éprouvée • Spacieuse à souhait • Joli style

➖ Un seul groupe d'options! • Moteur qui consomme trop si sollicité • Valeur de revente inconnue • Design qui ne convient pas à tous

## Concurrents
Ford Focus Hatchback, Hyundai Elantra GT, Kia Forte5, Mazda3 Sport, Mitsubishi Lancer Sportback, Subaru Impreza

# Mais d'où sort-elle ?

Marc-André Gauthier

**Q**uand on vous dit Scion, à quoi pensez-vous ? À une marque pour jeunes, sans doute. La marque fut introduite aux États-Unis, et ensuite au Canada, dans le but de rajeunir l'image de Toyota, en offrant des produits plutôt originaux. Certains eurent du succès, d'autres moins.

Cette année, Scion lance une voiture compacte à hayon. D'aucuns pourraient croire qu'il s'agit de la remplaçante de la regrettée Toyota Matrix mais ce n'est pas le cas. Cette Scion, c'est la iM, connue en Europe sous le nom de Toyota Auris. Elle offre des caractéristiques bien pensées et pourrait bien bouleverser l'ordre établi dans ce segment, dominé par les Honda Civic, Toyota Corolla, Mazda3 et autres Volkswagen Jetta.

### LES OPTIONS, C'EST POUR LES NULS
Quiconque cherche une nouvelle voiture le sait, les options, c'est compliqué. On doit choisir parmi plein d'ensembles et de versions, pour finir à payer le gros prix parce que l'on voulait une bonne chaîne stéréo, qui malheureusement venait obligatoirement avec des sièges en cuirs massant.

Eh bien, la Scion iM n'est pas de celles-là. En fait, lorsque vous achetez la voiture, vous avez deux choix à faire: est-ce que je veux la transmission manuelle ou la CVT, et est-ce que je veux un GPS ? C'est tout. Par exemple, toutes les Scions iM viennent avec des roues de 17 pouces et de jolies jupes qui donnent à la voiture un air vraiment «cool».

À l'intérieur, la caméra de recul, la climatisation automatique à deux zones, ainsi que l'écran multimédia sont de la partie. Ceux qui vont payer l'extra pour le GPS n'auront qu'une icône de plus dans leur menu d'application! Toutefois, pas de cuir au programme ni de toit ouvrant. Génial comme approche, non ?

## COMPORTEMENT ROUTIER IRRÉPROCHABLE

Comment roule cette nouvelle Scion? Lors du lancement, nous n'avons pas pu conduire la version dotée de la boîte manuelle à six rapports. Ce sera pour une autre fois. Nous avons plutôt essayé un modèle muni de la boîte CVT (à rapports continuellement variables) qui, en mode manuel, simule 7 rapports. Ces deux transmissions sont liées aux roues avant, alimentées par le même 4 cylindres de 1,8 litre que l'on retrouve dans la Corolla «Eco». Comme cette dernière, il développe 140 chevaux.

Par rapport à une Corolla, la Scion iM a des pneus plus larges, et une suspension arrière indépendante. Sur la route, la première chose qui frappe est la qualité de l'insonorisation. Même sur l'autoroute, il n'est pas nécessaire de hausser la voix pour communiquer avec son passager.

Les performances sont dans la moyenne. 140 chevaux ne font pas de la Scion iM une voiture rapide, mais elle ne manque pas de souffle si on lui en demande. D'ailleurs, la boîte CVT est bien adaptée. Elle est souple, et répond très rapidement en mode manuel. Un mode de conduite sport peut être sélectionné afin d'augmenter la sensibilité de l'accélérateur, et la rapidité de la réponse de la transmission.

## LA GOURMANDISE, C'EST VILAIN

Si l'on conduit en fonction des limites de vitesses, on s'en tire, au combiné, sous les 7,3 l/100 km. Sur l'autoroute, on parle de moins de 6,5 l/100 km. Cependant, comme tous les petits quatre cylindres, le moteur peut consommer plus de 10 l/100 km si on commence à le brasser. Et ça, c'est beaucoup pour une compacte.

La tenue de route est relevée. Dans les courbes, la voiture tient bien. Le châssis de la iM est parfaitement rigide et, comparé à ses rivales, c'est sans doute elle qui génère le moins de roulis. Cependant, la direction ne communique pas du tout avec le conducteur. C'est donc mi-figue mi-raisin à ce chapitre mais, dans l'ensemble, la conduite est toute en douceur. Que dire des suspensions juste assez fermes, mais tellement confortables, et ce malgré ses souliers de 17 pouces? Bravo Toyota. Oups, Scion.

En terminant, je dois spécifier que je mesure 6 pieds, et que je pèse 230 livres (j'y travaille...). Pourtant, j'étais super bien assis dans la iM, et à l'arrière aussi. On pourrait asseoir quatre gars comme moi dans la voiture!

Globalement, cette nouvelle voiture surprend. Scion propose quelque chose de très bien, et si vous cherchez un véhicule fiable, original, bien équipé et confortable, allez l'essayer tout de suite! Elle est offerte en plusieurs belles couleurs, en plus.

### Du nouveau en 2016

Nouveau modèle

| Châssis - Base (auto) | |
|---|---|
| Emp / lon / lar / haut | 2600 / 4330 / 1760 / 1475 mm |
| Coffre / Réservoir | 360 à 1199 litres / 53 litres |
| Nbre coussins sécurité / ceintures | 7 / 5 |
| Suspension avant | ind., jambes force |
| Suspension arrière | ind., double triangulation |
| Freins avant / arrière | disque / disque |
| Direction | à crémaillère, ass. élect. |
| Diamètre de braquage | 10,8 m |
| Pneus avant / arrière | P225/45R17 / P225/45R17 |
| Poids / Capacité de remorquage | 1384 kg / n.d. |
| Assemblage | Toyota City, JP |

| Composantes mécaniques | |
|---|---|
| Base, Base (auto) | |
| Cylindrée, soupapes, alim. | 4L 1,8 litre 16 s atmos. |
| Puissance / Couple | 140 ch / 126 lb-pi |
| Tr. base (opt) / rouage base (opt) | M6 (CVT) / Tr |
| 0-100 / 80-120 / V.Max | n.d. / n.d. / n.d. |
| 100-0 km/h | n.d. |
| Type / ville / route / CO$_2$ | Ord / 7,8 / 6,4 l/100 km / 3298 kg/an |

SCION IM

Photos: Marc-André Gauthier

# SCION **TC**

**(((SiriusXM)))**

**Prix:** 23 410 $ à 24 710 $ (2015)
**Catégorie:** Coupé
**Garanties:**
3 ans/60 000 km, 5 ans/100 000 km
**Transport et prép.:** 1 595 $
**Ventes QC 2014:** 382 unités
**Ventes CAN 2014:** 1 179 unités

## Cote du Guide de l'auto

# 66 %

| Fiabilité | Appréciation générale |
|---|---|
| ■■■■■■■■□□ | ■■■■■■□□□□ |
| Sécurité | Agrément de conduite |
| ■■■■■■■□□□ | ■■■■■□□□□□ |
| Consommation | Système multimédia |
| ■■■■□□□□□□ | ■■■■■□□□□□ |

## Cote d'assurance

■■■■■■□□□□
$$$                          $

présentée par
**KANETIX.CA**

**+** Physique assez avantageux • Sièges confortables • Places arrière étonnantes pour un petit coupé • Phares puissants • Fiabilité sans faille

**−** Comportement sans conviction • Consommation trop élevée • Visibilité arrière problématique • Certains plastiques très bas de gamme

## Concurrents
Honda Civic Coupé, Honda CR-Z, Hyundai Veloster, Kia Forte Koup

# Prochain !

Alain Morin

**L**orsque la marque Scion est débarquée au pays à l'automne 2010, tous les espoirs étaient permis. Certes, les modèles xB et xD étaient déjà dépassés au chapitre du raffinement, mais le coupé tC, sans être un parangon de peaufinage, pouvait espérer un meilleur avenir que ses deux comparses. C'est ce qui est arrivé, et des trois modèles initialement présentés, seul le tC demeure.

Même après toutes ces années, une éternité et demie dans le domaine de l'automobile, le physique de la tC est encore d'actualité et les couleurs proposées lui vont à ravir. L'habitacle accuse davantage son âge. La qualité de certains plastiques est franchement désolante et l'instrumentation est réduite à sa plus simple expression. Le volant, par contre, se prend bien en main et les commandes sont faciles à utiliser, sauf celles de la radio qui demandent un certain temps d'acclimatation. Temps d'acclimatation, immobile dans la cour du concessionnaire, avant de prendre la route pour la première fois. Pas en farfouillant du doigt, un œil sur la radio et l'autre accroché à l'arrière du véhicule qui précède...

Les sièges avant s'avèrent confortables et trouver une position de conduite idéale ne cause pas de problèmes. Même les places arrière font dans le douillet et l'espace est étonnamment grand pour un coupé. Il est certain qu'après une heure sur une route le moindrement cahoteuse, vous pourriez avoir une autre opinion de ces places arrière... Le coffre n'est pas tellement grand à cause du hayon très incliné mais, encore là, il faut relativiser. Après tout, on n'achète pas un coupé pour faire du déménagement. La visibilité tout le tour, on s'en doute, n'est pas particulièrement bonne.

## BOF...
La tC est mue par un quatre cylindres de 2,5 litres développant 179 chevaux, une écurie suffisante pour traîner les quelque 1 400 kilos qui lui sont imposés. Deux boîtes à six rapports sont proposées, une

automatique qui peut être commandée par des palettes placées derrière le volant et une manuelle. Les roues motrices sont à l'avant.

Sans être un monstre de puissance, le 2,5 litres se débrouille bien, autant en accélération qu'en reprises. Les rapports de la boîte manuelle sont bien adaptés mais, malheureusement, il faut être prêt à se battre avec un levier à la course un peu trop longue et un embrayage qui manque nettement de corps. L'automatique est plus agréable à utiliser, que ce soit en ville ou sur la grand-route où elle permet au moteur de tourner à un régime suffisamment bas pour ne pas obliger le conducteur et ses passagers à utiliser des bouchons pour les oreilles.

Attention toutefois... Si on active le mode manuel alors qu'on roule à 100 km/h, cette boîte rétrograde du sixième au quatrième rapport, faisant dramatiquement augmenter le régime du moteur, ce qui est désagréable, mais qui pourrait aussi causer une surprise sur une chaussée glissante. Peu importe la transmission, il serait surprenant de pouvoir s'en tirer sous les 9,0 l/100 km en conduite normale, ville/route. Une moyenne sous les 8,0 l/100 km serait nettement plus acceptable.

### ON S'EN REPARLE L'AN PROCHAIN

Malgré ses allures de matamore, la tC n'est pas une voiture sportive. Sa direction est précise quoique trop assistée et les suspensions contribuent à assurer une bonne tenue de route et un bon niveau de confort... quand le revêtement est impeccable. Lesdites suspensions ont plus de difficultés et brassent passablement les occupants quand la chaussée ne coopère pas. Et on sait qu'au Québec, nous n'avons pas la chaussée très coopérative. C'est là qu'on se rend compte que même si le moteur était plus puissant, cela ne servirait à rien, le châssis étant utilisé au maximum de ses capacités.

Et ce ne sont surtout pas les accessoires TRD qui vont y changer quoi que ce soit. Les ressorts courts, par exemple, ne font que ravager le confort. Si le châssis était suffisamment rigide, sans doute que ces ressorts ne seraient même pas offerts... Quant à l'échappement TRD, j'imagine qu'il est commandité par une compagnie se spécialisant dans les appareils auditifs.

La Scion tC est constituée d'éléments qui, séparément, fonctionnent bien mais qui, une fois réunis, manquent de conviction. Mal servie par une marque méconnue, la tC n'en a sans doute que pour quelques mois à vivre, reléguée dans l'ombre par la sportive FR-S et par la toute nouvelle iM. On s'en reparle l'an prochain...

## Châssis - Base

| | |
|---|---|
| Emp / lon / lar / haut | 2700 / 4485 / 1795 / 1415 mm |
| Coffre / Réservoir | 417 litres / 55 litres |
| Nbre coussins sécurité / ceintures | 8 / 5 |
| Suspension avant | ind., jambes force |
| Suspension arrière | ind., double triangulation |
| Freins avant / arrière | disque / disque |
| Direction | à crémaillère, ass. élect. |
| Diamètre de braquage | 11,2 m |
| Pneus avant / arrière | P225/45R18 / P225/45R18 |
| Poids / Capacité de remorquage | 1377 kg / n.d. |
| Assemblage | Toyota City, JP |

## Composantes mécaniques

| | |
|---|---|
| Cylindrée, soupapes, alim. | 4L 2,5 litres 16 s atmos. |
| Puissance / Couple | 179 ch / 172 lb-pi |
| Tr. base (opt) / rouage base (opt) | M6 (A6) / Tr |
| 0-100 / 80-120 / V.Max | 8,6 s / 5,9 s / n.d. |
| 100-0 km/h | 40,5 m |
| Type / ville / route / $CO_2$ | Ord / 10,2 / 7,6 l/100 km / 4154 kg/an |

### Du nouveau en 2016

Aucun changement majeur

Photos : Scion Canada

## SCION **XB**

((SiriusXM))

**Prix:** 21 033 $ à 22 053 $ (2015)
**Catégorie:** VUS
**Garanties:**
3 ans/60 000 km, 5 ans/100 000 km
**Transport et prép.:** 1 595 $
**Ventes QC 2014:** 152 unités
**Ventes CAN 2014:** 651 unités

### Cote du Guide de l'auto

# 69 %

| Fiabilité | Appréciation générale |
| --- | --- |
| ■■■■■■■□□□ | ■■■■■■■□□□ |
| Sécurité | Agrément de conduite |
| ■■■■■■■□□□ | ■■■■■■□□□□ |
| Consommation | Système multimédia |
| ■■■■□□□□□□ | ■■■■■■□□□□ |

### Cote d'assurance

■■■■■■■□□□          présentée par
$$$                    $            **KANETIX.CA**

➕ Lignes encore sympathiques •
Tenue de route agréable • Confort
étonnant • Très fiable • Grand volume
de chargement

➖ Qualité des plastiques franchement
désolante • Boîte automatique dépassée •
Consommation décevante • Carrière
terminée • Valeur de revente pourrait chuter

**Concurrents**
Kia Soul, Nissan Juke

# Parti sans laisser de trace

Alain Morin

**V**oilà. C'est terminé. Le Scion xB sera officiellement retiré de l'alignement Scion en 2015. En fait, il n'y aura même pas de modèle 2016. Surpris? Pas nous. Depuis deux ou trois ans, on se demandait toujours si cette boîte sur roues allait revenir tellement elle était dépassée par la concurrence. Si nous en parlons dans les pages de ce *Guide*, c'est uniquement parce qu'au moment où nous avons appris la nouvelle, fin juin 2015, il était trop tard pour modifier le plan du *Guide*. Enlever deux pages, ça peut paraître simple, mais dans les faits ramener les Nordiques à Québec, c'est de la petite bière à côté de ça...

### QUE RESTE-T-IL DE NOS AMOURS?

Et puis, il reste des unités invendues chez les concessionnaires. Alors, parlons du Scion xB. L'an passé, il ne s'en est vendu que 152 unités au Québec. Remarquez qu'il s'est vendu moins de Scion iQ et de xD, une citadine et un sous-compacte qui ne sont pas de retour non plus cette année. En tout, 1 096 modèles Scion ont trouvé preneurs au Québec. 3 962 au Canada. Des *peanuts*, comme on dit.

Faire l'essai d'un xB, au style à la fois original et pratique, ramène aux années 90 tant les plastiques sont minables. Le conducteur se retrouve devant un espace vide, les jauges se regroupant dans un module central sur le dessus du tableau de bord. Certains s'habituent à cette configuration avec une grande facilité et d'autres n'y parviendront jamais. Les boutons de chauffage du dernier exemplaire essayé étaient durs à tourner, ce qui m'a rappelé les commandes de ma Civic 1982.

Là où le xB marque des points, c'est au chapitre de l'espace intérieur, franchement impressionnant pour une voiture aussi petite. Car même s'il a l'air costaud en photos, le xB se situe à peu près entre une Corolla et une Yaris en termes de longueur. Le coffre, une fois les dossiers de la banquette arrière baissés est époustouflant tant il est grand. Sous le plancher, on retrouve un pratique bac de rangement. Les sièges, autant à l'avant qu'à l'arrière sont étonnamment confortables.

## FAUT BIEN PARLER DE LA MÉCANIQUE...

Juste au moment où on commençait à trouver des qualités au xB, il faut parler de la mécanique... Le seul moteur offert est un quatre cylindres de 2,4 litres développant 158 chevaux, une écurie somme toute correcte pour un véhicule d'à peine 1 400 kilos. Une accélération 0 à 100 km/h demande moins de 10 secondes, ce qui n'est pas mal. Par contre, avant de tenter l'expérience d'écraser le champignon, soyez avisé que vos tympans n'auront jamais été mis autant à mal, même dans une discothèque.

Comme si le manque de matériel insonore n'était pas suffisant, ce moteur est marié, en option, avec une boîte automatique à quatre rapports dont la seule qualité est d'être moins dispendieuse qu'une à cinq ou, folie suprême, qu'une à six rapports. À 100 km/h, le moteur tourne à 2 300 tr/min. On a déjà vu pire, mais le niveau sonore est tellement élevé qu'on a l'impression qu'il est près de la zone rouge.

Il y a aussi une manuelle à cinq rapports et nous la recommandons vivement. Ce n'est pas parce qu'elle est vraiment agréable à utiliser, mais elle est quand même mieux adaptée que l'automatique. Malheureusement, peu importe la transmission et malgré un pied droit léger comme une plume, obtenir une moyenne de consommation sous les 9,0 litres aux 100/km tient de l'utopie.

Curieusement, sur la route ce n'est pas «si pire que ça». Les suspensions assurent un confort correct et autorisent une bonne tenue de route, même si ça penche un peu dans les virages. La direction est assez précise et les freins font leur travail honnêtement. Pour ceux qui veulent s'exciter un peu, il y a les accessoires TRD. Évitez à tout prix ceux qui ont trait à la suspension et aux freins. Dans le premier cas, ils ne feront que rendre la voiture très inconfortable et dans le second, ils ne feront que vous rendre plus pauvre.

Le Scion xB, de toute évidence, était rendu au bout du rouleau. Certaines rumeurs parlent d'un nouveau modèle dès cette année. Comble de hasard, la iM, la nouvelle vedette de Scion, fait justement son apparition. Cette jolie berline *hatchback* est de dimensions similaires à celles du xB, bien qu'elle soit moins haute et infiniment plus moderne que la boîte carrée que Scion a commercialisée trop longtemps.

Toutefois, avant de fermer les lumières sur le xB, il convient de souligner, non de féliciter, le courage de Toyota (via sa division Scion) d'avoir mis en marché un véhicule aussi différent et franchement rafraîchissant bien que limité à plusieurs égards.

### Châssis - Base

| | |
|---|---|
| Emp / lon / lar / haut | 2600 / 4250 / 1760 / 1590 mm |
| Coffre / Réservoir | 329 litres / 53 litres |
| Nbre coussins sécurité / ceintures | 6 / 5 |
| Suspension avant | ind., jambes force |
| Suspension arrière | semi-ind., poutre torsion |
| Freins avant / arrière | disque / disque |
| Direction | à crémaillère, ass. élect. |
| Diamètre de braquage | 10,6 m |
| Pneus avant / arrière | P205/55R16 / P205/55R16 |
| Poids / Capacité de remorquage | 1373 kg / n.d. |
| Assemblage | Toyota City, JP |

### Composantes mécaniques

| | |
|---|---|
| Cylindrée, soupapes, alim. | 4L 2,4 litres 16 s atmos. |
| Puissance / Couple | 158 ch / 162 lb-pi |
| Tr. base (opt) / rouage base (opt) | M5 (A4) / Tr |
| 0-100 / 80-120 / V.Max | 9,8 s / 7,9 s / n.d. |
| 100-0 km/h | 43,7 m |
| Type / ville / route / $CO_2$ | Ord / 9,5 / 7,2 l/100 km / 3910 kg/an |

## Du nouveau en 2016

Modèle retiré du catalogue Scion. Pas de modèle 2016 existant.

Photos : Scion Canada

# smart SMART **FORTWO**

**Prix:** 15 500$ à 21 000$ (estimé)
**Catégorie:** Hatchback
**Garanties:**
4 ans/80 000 km, 4 ans/80 000 km
**Transport et prép.:** 817$
**Ventes QC 2014:** 344 unités
**Ventes CAN 2014:** 2 550 unités

## Cote du Guide de l'auto

# 67%

| Fiabilité | Appréciation générale |
|---|---|
| ■■■■■■□□□□ | ■■■■■■□□□□ |
| Sécurité | Agrément de conduite |
| ■■■■■■□□□□ | ■■■■■■■□□□ |
| Consommation | Système multimédia |
| ■■■■■□□□□□ | ■■■■■■■□□□ |

## Cote d'assurance

présentée par
■■■■■■■□□□ **KANETIX.CA**
$$$                           $

➕ Moteur plus puissant • Boîte à double embrayage plus souple • Faible consommation • Finition intérieure améliorée • Citadine exemplaire

➖ Prix élevé • Performances moyennes • Stabilité au freinage • Confort moyen • Vibrations du moteur au redémarrage (start-stop)

### Concurrents
BMW i3, Chevrolet Spark, Fiat 500, MINI Cooper, Mitsubishi i-MIEV

# Fidèle à ses origines

Gabriel Gélinas

**T**otalement revue, la nouvelle smart reste fidèle à ses origines et maintient le cap tout en étant bonifiée à bien des égards, notamment en ce qui a trait à sa motorisation plus tonique et à sa finition intérieure relevée de plusieurs crans. Élaborée sur la plate-forme de la Renault Twingo, la smart demeure une championne de la compacité et continue d'être une citadine par excellence qui se targue d'avoir un rayon de braquage ultra-compact de 6,95 mètres. Proposée en trois modèles appelés pure, passion et prime, la smart est dotée de trois niveaux d'équipements conséquents.

Cette franco-allemande a toujours eu une bouille sympathique et le nouveau modèle table sur cet aspect tout en étant plus affirmé côté design, ce qui lui a d'ailleurs valu un prix Red Dot Design Award. Les dimensions sont très semblables à celles de l'ancien modèle puisqu'elle garde la même longueur, mais le nouveau millésime est légèrement plus large, histoire de lui conférer une plus grande stabilité en virages et, surtout, d'offrir un peu plus d'espace entre le conducteur et le passager, quoique l'habitacle conserve son côté intimiste.

En prenant place à bord, on remarque tout de suite que le design de la planche de bord conserve son côté enjoué. On aime l'usage de matériaux qui ressemblent à ceux des espadrilles de course qui recouvrent une partie de cette planche. L'ensemble fait plus «premium» qu'auparavant et la smart reçoit un nouveau volant multifonctions, qui est réglable en hauteur mais non télescopique, qui est même recouvert de cuir sur les modèles passion et prime, le cuir recouvrant également les sièges chauffants du modèle prime. Le tachymètre se retrouve dans un globe logé sur le dessus de la planche de bord, seule note discordante qui fait bon marché dans cet habitacle où la vie à bord est agréable. Tous les modèles sont pourvus d'un écran central tactile en couleurs, d'un système de chauffage/climatisation automatique et de la connectivité Bluetooth. Par ailleurs, l'espace cargo demeure compté avec sa capacité limitée à 260 litres.

## MOTORISATION AMÉLIORÉE

Pour l'Amérique du Nord, smart ne propose que la version turbocompressée de son moteur trois cylindres de 898 centimètres cube développant 89 chevaux, soit 19 de plus que le modèle antérieur, alors que le couple progresse de 60 à 100 livres-pied. L'autre amélioration notoire est la nouvelle boîte automatique double embrayage à six rapports, qui est proposée en option, une manuelle à cinq vitesses étant de série sur tous les modèles. Lors d'une première prise en mains en Allemagne, les seuls modèles d'essai disponibles étaient tous équipés de la boîte à double embrayage qui s'est avérée remarquablement efficace en passant ses rapports en douceur. Ceci nous fait oublier l'effet de «chaise berçante» que l'on ressentait au volant du modèle antérieur à chaque passage de rapport de la transmission automatique lente et rétive. Cela dit, les performances demeurent moyennes, la voiture s'élançant lentement à chaque feu vert, alors que le moteur tourne à bas régime et ce n'est que lorsque les révolutions atteignent 2500 tours/minute que l'on sent le couple moteur se manifester avec un peu d'aplomb.

Pour ce qui est de la consommation, nous avons observé une moyenne 7,3 litres aux 100 kilomètres sur un parcours mixte, mais il est techniquement possible de réaliser une moyenne sous les 6,5 litres aux 100 en adoptant une conduite plus disciplinée. Le nouveau modèle se démarque aussi de l'ancien par son comportement routier amélioré, autant en tenue de route qu'en confort, grâce à de nouvelles suspensions qui ont progressé en débattement et à une direction qui est plus rapide. Mentionnons également que tous les modèles sont équipés du système Crosswind Assist, inauguré sur le Sprinter, qui contre les effets du vent latéral par un freinage sélectif afin de permettre à la voiture de garder le cap.

## UN CHAT EST UN CHAT

Malgré toutes ces améliorations, la smart ne peut pas faire abstraction des lois les plus élémentaires de la physique et sa conduite souffre quelquefois de son empattement ultra court de 1873 millimètres. En effet, on sent des ruades parfois sèches à la croisée de bosses et la stabilité peut devenir problématique lors des freinages très appuyés en situation d'urgence, forçant l'entrée en action du système de contrôle électronique de la stabilité. Par contre, son empattement très court et ses dimensions compactes en font une citadine exemplaire, et la smart n'a aucun problème à composer avec les rues étroites et la circulation dense des grands centres urbains.

Dans un premier temps, seuls les coupés seront disponibles au pays, les cabriolets n'arrivant qu'à l'été 2016, alors que le modèle à motorisation électrique suivra à la fin de l'année. Avec la nouvelle smart, Mercedes-Benz n'aura aucun mal à séduire les adeptes déjà conquis puisque le modèle 2016 corrige plusieurs défauts de l'ancien. Reste à voir si elle possède suffisamment d'atouts pour convaincre de nouveaux adeptes de prendre place à son bord.

### Du nouveau en 2016

Nouveau modèle. Cabriolet à venir à l'été 2016.
Modèle électrique à venir vers la fin de 2016.

### Châssis - Passion

| | |
|---|---|
| Emp / lon / lar / haut | 1873 / 2695 / 1663 / 1555 mm |
| Coffre / Réservoir | 260 à 350 litres / 35 litres |
| Nbre coussins sécurité / ceintures | 8 / 2 |
| Suspension avant | ind., jambes force |
| Suspension arrière | De Dion |
| Freins avant / arrière | disque / tambour |
| Direction | à crémaillère, assistée |
| Diamètre de braquage | 7,0 m |
| Pneus avant / arrière | P165/65R15 / P185/60R15 |
| Poids / Capacité de remorquage | 900 kg / n.d. |
| Assemblage | Hambach, FR |

### Composantes mécaniques

| | |
|---|---|
| Cylindrée, soupapes, alim. | 3L 0,9 litre 12 s atmos. |
| Puissance / Couple | 89 ch / 100 lb-pi |
| Tr. base (opt) / rouage base (opt) | M5 (A6) / Prop |
| 0-100 / 80-120 / V.Max | 10,4 s (const) / n.d. / 155 km/h |
| 100-0 km/h | n.d. |
| Type / ville / route / $CO_2$ | Sup / 4,9 / 3,7 l/100 km / 2006 kg/an |

Photos : Smart Canada

SUBARU BRZ

# SUBARU **BRZ** / SCION **FR-S**

((( SiriusXM )))

**Prix:** 27 395 $ à 29 395 $
**Catégorie:** Coupé
**Garanties:**
3 ans/60 000 km, 5 ans/100 000 km
**Transport et prép.:** 1 650 $
**Ventes QC 2014:** 527 unités*
**Ventes CAN 2014:** 2 481 unités**

Cote du Guide de l'auto

# 71 %

Fiabilité                    Appréciation générale

Sécurité                     Agrément de conduite

Consommation                 Système multimédia

Cote d'assurance                    présentée par
                                    **KANETIX.CA**
$$$                         $

➕ Suffisamment performante pour
s'amuser • Style jeune et dynamique •
Conduite enlevante • Consommation
raisonnable

➖ Coffre pratiquement décoratif • Pas
de places arrière... ou si peu • Manque
de couple à bas régime • 0-100 km/h
digne d'une grosse berline

**Concurrents**
Hyundai Genesis Coupe, Nissan Z,
Scion FR-S

# Brillant duo
# cherche acheteurs

Frédérick Boucher-Gaulin

**L**orsque Toyota a présenté son concept FT-86 en 2009,
nous connaissions déjà la chanson: un beau petit coupé
sportif à propulsion construit en partenariat avec
Subaru, mais il n'y avait presque aucune chance qu'un modèle
ciblant aussi bien les passionnés soit lancé; et si par un
quelconque miracle ce coupé se rendait un jour chez les
concessionnaires, il serait beaucoup trop cher pour nous,
pauvres mortels.

Quelle ne fut pas notre surprise de voir la Subaru BRZ (et sa sœur
jumelle la Scion FR-S) mise en vente en 2012 à moins de 30 000 $!
Aujourd'hui cependant, le conte de fées a pris une tournure plus
dramatique, puisque les ventes ne font que dégringoler.

### LA RECETTE DU SUCCÈS?

Ce n'est pas que le duo Toyobaru n'a pas les ingrédients pour plaire,
loin de là: son châssis a été développé par Toyota et son moteur
quatre cylindres à plat d'une cylindrée de 2,0 litres provient de chez
Subaru. Grâce à sa configuration en H, il peut être placé très bas dans
la voiture, abaissant ainsi le centre de gravité (et donnant à la BRZ son
profil particulier). Ce moulin déploie 200 chevaux et 151 livres-pied de
couple qui sont ensuite envoyés aux roues arrière via une boîte à
six rapports (manuelle ou automatique, au choix). Comme le petit
coupé ne pèse que 1 254 kg, cette puissance est suffisante pour le
déplacer, mais elle ne fait pas de lui une fusée: le 0-100 km/h est
accompli en 7,3 secondes, soit aussi rapidement qu'une Toyota Camry
V6. La puissance maximale est atteinte à 7 000 tours/minute et le cou-
ple entre 6 400 et 6 600; ce qui signifie qu'en conduite urbaine, il faut
constamment jouer du levier de vitesses.

Une fois sortie des centres urbains cependant, la FR-S/BRZ dévoile
son vrai visage: elle est faite pour enfiler les routes de campagne.
Conduire cette Subaru/Scion, c'est être transporté vers une autre
époque, un temps plus simple où il n'était pas nécessaire d'avoir

* Subaru BRZ: 212 unités / Scion FR-S: 315 unités  ** Subaru BRZ: 922 unités / Scion FR-S: 1 559 unités

600 chevaux pour s'amuser. En gardant les révolutions du moteur suffisamment hautes, on découvre un engin nerveux et parfaitement capable de propulser le coupé d'un virage à l'autre.

Le volant est direct et transmet énormément d'informations à vos doigts; les pédales sont parfaitement placées pour un pointe-talon réussi à chaque occasion. De son côté, la transmission a été calibrée pour être facile à engager alors que son pommeau a juste le bon poids. Les ingénieurs chargés de la conduite sont parvenus à rendre l'arrière «glissant», signifiant qu'il suffit d'un bon coup d'accélérateur en sortie de virage pour amorcer un dérapage contrôlé; on peut ensuite moduler la pédale de droite et l'angle du volant pour se prendre pour un champion de *Formula D*!

### UN STYLE BIEN NÉ

L'apparence du coupé est jeune et d'actualité — bien qu'elle n'ait pas été retouchée depuis son lancement — et attire encore les regards; le duo BRZ/FR-S a une silhouette élancée grâce son capot très bas, son arrière raccourci et sa ligne très basse, ce qui contribue à son profil sportif. L'habitacle est un des seuls points où la Subaru BRZ diffère de la Scion FR-S: si les formes sont similaires, il y a quelques différences au niveau des couleurs et des accents.

Sinon, on note que les sièges offrent énormément de support latéral, que la visibilité latérale et arrière est ordinaire (mais plutôt bonne à l'avant malgré la hauteur restreinte du pare-brise) et que, puisqu'il s'agit d'un petit coupé sportif, les places arrière sont tout simplement inutiles pour quiconque possédant des jambes.

### LE PROBLÈME DU PRODUIT DE NICHE

Le problème de la Toyobaru ne vient donc pas de la voiture en tant que telle, mais bien de sa mission. Elle a été conçue pour offrir un véhicule abordable et à propulsion aux adeptes de conduite sportive. Deux constructeurs ont dû unir leurs forces pour que ce modèle voie le jour, et les amateurs ont répondu en achetant une BRZ ou une FR-S dès la première année.

Malheureusement, tous ceux qui étaient prêts à vivre avec un petit coupé pas très pratique ont maintenant l'une des deux voitures. Et sans une grosse amélioration (comme un turbo, ou une version décapotable, peut-être?), il est certain que les ventes continueront de péricliter.

| Châssis - BRZ Sport-tech | |
|---|---|
| Emp / lon / lar / haut | 2570 / 4235 / 1775 / 1425 mm |
| Coffre / Réservoir | 196 litres / 50 litres |
| Nbre coussins sécurité / ceintures | 6 / 4 |
| Suspension avant | ind., jambes force |
| Suspension arrière | ind., multibras |
| Freins avant / arrière | disque / disque |
| Direction | à crémaillère, ass. élect. |
| Diamètre de braquage | 10,8 m |
| Pneus avant / arrière | P215/45R17 / P215/45R17 |
| Poids / Capacité de remorquage | 1260 kg / n.d. |
| Assemblage | Gunma, JP |

| Composantes mécaniques | |
|---|---|
| Cylindrée, soupapes, alim. | H4 2,0 litres 16 s atmos. |
| Puissance / Couple | 200 ch / 151 lb-pi |
| Tr. base (opt) / rouage base (opt) | M6 (A6) / Prop |
| 0-100 / 80-120 / V.Max | 7,3 s / 5,5 s / 221 km/h |
| 100-0 km/h | 40,8 m |
| Type / ville / route / $CO_2$ | Sup / 10,9 / 7,9 l/100 km / 4393 kg/an |

### Du nouveau en 2016

2 nouveaux coloris, accents argentés dans l'habitacle, écran de 8 pouces et caméra de recul (FR-S) Rouge flamme remplacé par rouge pur, accents argentés dans l'habitacle (BRZ)

SCION FR-S

# SUBARU **FORESTER**

**Prix:** 25 995 $ à 36 795 $
**Catégorie:** VUS
**Garanties:**
3 ans/60 000 km, 5 ans/100 000 km
**Transport et prép.:** 1 650 $
**Ventes QC 2014:** 2 984 unités
**Ventes CAN 2014:** 12 302 unités

## Cote du Guide de l'auto
# 75 %

| Fiabilité | Appréciation générale |
|---|---|
| Sécurité | Agrément de conduite |
| Consommation | Système multimédia |

## Cote d'assurance

présentée par
**KANETIX.CA**

$$$      $

**+** Comportement toutes-saisons impeccable • Habitacle spacieux et confortable • Version turbo XT performante • Boîte à variation continue efficace • Solidement construit et très fiable

**−** Moteur 2,5 litres en préretraite • Silhouette anonyme • Interface multimédia décevante • Repose-pied étroit vers le haut

## Concurrents
Chevrolet Equinox, Ford Escape, GMC Terrain, Honda CR-V, Hyundai Tucson, Jeep Cherokee, Kia Sportage, Mazda CX-5, Mitsubishi Outlander, Nissan Rogue, Toyota RAV4, Volkswagen Tiguan

# Le joueur le plus utile

Marc Lachapelle

**O**n aime souvent les choses en gros et grand sur ce continent. À preuve, les ventes du Outback qui ont doublé quand il a pris du coffre, il y a six ans. Pour plusieurs d'entre nous, le Forester est pourtant un choix plus sensé, à défaut d'être plus *sexy*. Il est plus agile, compact, maniable et presque aussi spacieux. Et c'est le seul des utilitaires Subaru à être offert avec un des moteurs turbo de la marque. Ce qui n'est pas rien.

Nul doute que le Forester vit dans l'ombre du Outback depuis que ce dernier est devenu plus costaud. À l'inverse, le XV Crosstrek attire les acheteurs qui cherchent quelque chose d'encore plus compact, maniable et accessible. Avec raison, sans l'ombre d'un doute. Malgré tout, c'est le Forester qui est le juste milieu, le pivot et le centre de gravité de cette gamme aussi exceptionnelle que discrète. Et pas seulement sur papier ou sur la seule foi des chiffres.

Côté discrétion, le Forester est certainement le champion avec cette carrosserie qui a tout le charme d'une boîte aux arêtes à peine adoucies. Impossible d'imaginer un coup de foudre au premier coup d'œil. Il doit faire ses conquêtes autrement. Par la conduite, surtout. Une comparaison directe avec les Outback et XV Crosstrek, menée au cœur du dernier hiver, sur des routes et des tracés de toutes formes et de toutes surfaces, a été particulièrement révélatrice.

### TOUJOURS PRÊT
Le rouage (véritablement) intégral est évidemment une force et un avantage certain pour les Subaru. Le différentiel central électronique du rouage jumelé à la boîte automatique à variation continue achemine normalement 60 % du couple aux roues avant et la répartition sera au plus égale (50/50) entre les deux essieux. Sur des routes étroites, ondulées, glacées et souvent bosselées, les trois frères Subaru en font le meilleur usage en amorçant les virages glacés et serrés avec juste une touche de sous-virage pour pivoter aussitôt après dans le sens voulu.

Ce sera la même chose avec la boîte manuelle qu'on peut toujours s'offrir avec le vénérable quatre cylindres de 2,5 litres, chose de plus en plus rare dans cette catégorie. Elle est effectivement livrée avec un rouage intégral à viscocoupleur qui répartit toujours le couple également (50/50, encore). Le XV Crosstrek, plus léger, est forcément le plus agile, lui qui offre déjà la meilleure tenue de route chez les utilitaires compacts. À l'opposé, le grand Outback trahit son poids et son gabarit sur de telles routes.

Entre les deux, c'est le Forester qui se révèle le plus équilibré et franchement le plus agréable à conduire de ce trio, quel que soit le tracé. Il est également le meilleur sur un parcours tout-terrain truffé de bosses, recouvert d'une bonne couche de neige et parcouru à bonne allure. Il faut mentionner que les trois frères profitent d'une excellente garde au sol de 220 mm (8,7 pouces) qui fait honte à bon nombre de ces quasi-camions qui jouent les machos avec leur allure de tank et leurs grosses roues. Surtout que l'accès aux sièges n'en est aucunement affecté. Plutôt le contraire, pour les places avant à tout le moins.

La suspension du Forester est la mieux amortie sur les bosses, qu'elles soient longues ou courtes. Il franchit également sans effort un monticule dont les fortes pentes permettent de vérifier du même coup l'efficacité du système X-Mode que partagent les Forester et Outback à boîte à variation continue. Ce système, qu'on enclenche en appuyant sur un bouton, adoucit la réponse de l'accélérateur électronique en montée et laisse ensuite le Forester redescendre à la vitesse d'une tortue en raquettes, sans qu'on ait à toucher la moindre pédale.

### TOUJOURS À L'AISE
En fait, le Forester se débrouille aussi bien dans les rodéos urbains que pour les expéditions de plein air en famille. Son volume cargo est presque égal à celui du Outback et on peut évidemment l'augmenter en repliant les dossiers d'une banquette arrière confortable et à peine moins spacieuse. Quant à la version XT, dotée d'un moteur turbocompressé qui produit 250 chevaux et 258 lb-pi, c'est un bolide, tout simplement. Un utilitaire sport éminemment pratique, performant en diable et doué pour le rallye, de surcroît. Rien d'étonnant quand on connaît le code génétique de la marque et les multiples talents de ses sœurs, les berlines WRX et STI.

Avec le Forester, tout est dans la substance plus que dans le style. On n'a rien contre, surtout dans ce pays où la conduite est souvent et longtemps éprouvante. Souhaitons quand même au Forester la belle silhouette qu'il mérite, au prochain tour. Inspirée par exemple du splendide prototype VIZIV 2 qu'on a vu au dernier Salon de l'auto à Montréal.

SUBARU FORESTER

### Châssis - 2.0XT Limited

| | |
|---|---|
| Emp / lon / lar / haut | 2640 / 4595 / 2046 / 1735 mm |
| Coffre / Réservoir | 892 à 1940 litres / 60 litres |
| Nbre coussins sécurité / ceintures | 7 / 5 |
| Suspension avant | ind., jambes force |
| Suspension arrière | ind., double triangulation |
| Freins avant / arrière | disque / disque |
| Direction | à crémaillère, ass. var. élect. |
| Diamètre de braquage | 10,6 m |
| Pneus avant / arrière | P225/55R18 / P225/55R18 |
| Poids / Capacité de remorquage | 1649 kg / -2 kg (-4 lb) |
| Assemblage | Gunma, JP |

### Composantes mécaniques

**2.5i**

| | |
|---|---|
| Cylindrée, soupapes, alim. | H4 2,5 litres 16 s atmos. |
| Puissance / Couple | 170 ch / 174 lb-pi |
| Tr. base (opt) / rouage base (opt) | M6 (CVT) / Int |
| 0-100 / 80-120 / V.Max | 9,0 s (est) / n.d. / 196 km/h |
| 100-0 km/h | n.d. |
| Type / ville / route / $CO_2$ | Ord / 9,6 / 7,5 l/100 km / 3981 kg/an |

**2.0XT Tourisme, 2.0XT Limited**

| | |
|---|---|
| Cylindrée, soupapes, alim. | H4 2,0 litres 16 s turbo |
| Puissance / Couple | 250 ch / 258 lb-pi |
| Tr. base (opt) / rouage base (opt) | CVT / Int |
| 0-100 / 80-120 / V.Max | 7,4 s / 5,3 s / 221 km/h |
| 100-0 km/h | 43,5 m |
| Type / ville / route / $CO_2$ | Sup / 10,2 / 8,5 l/100 km / 4340 kg/an |

### Du nouveau en 2016

Antenne type aileron, finition retouchée, commandes au volant, clignotants, pare-soleil, branchements et clé améliorés, nouvel écran tactile de 6,2 po, phares d'appoint pivotants.

Photos : Subaru Canada

XV CROSSTREK

## SUBARU **IMPREZA/XV CROSSTREK**

((( **SiriusXM** )))

**Prix :** 19 995 $ à 29 095 $ (2015)
**Catégorie :** Berline, Hatchback
**Garanties :**
3 ans/60 000 km, 5 ans/100 000 km
**Transport et prép. :** 1 710 $
**Ventes QC 2014 :** 5 886 unités\*
**Ventes CAN 2014 :** 14 437 unités\*\*

---

### Cote du Guide de l'auto
# 79 %

| Fiabilité | Appréciation générale |
|---|---|
| ■■■■■■■□□□ | ■■■■■■■□□□ |
| **Sécurité** | **Agrément de conduite** |
| ■■■■■■□□□□ | ■■■■■■□□□□ |
| **Consommation** | **Système multimédia** |
| ■■■■■■■□□□ | ■■■■■■□□□□ |

### Cote d'assurance
présentée par
■■■■■□□□□□
**KANETIX.CA**
$$$                               $

---

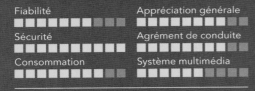 **Moteur peu polluant • Rouage intégral réputé • Enfin, ils ont changé la radio ! • Boîte CVT réussie • Sobre mais intéressante à conduire**

**—** Version hybride risible (XV Crosstrek) • Boîte manuelle à cinq rapports seulement • Puissance en manque d'une vingtaine de chevaux • Peinture fragile

---

### Concurrents
Chevrolet Cruze, Dodge Dart, Ford Focus, Honda Civic, Hyundai Elantra, Kia Forte, Mazda3, Mitsubishi Lancer, Nissan Sentra, Toyota Corolla, Volkswagen Jetta

## Une raison de plus

Alain Morin

**S**'il fallait choisir la voiture la plus logique présentement offerte sur le marché canadien, la palme reviendrait sans aucun doute à la Subaru Impreza. Ou peut-être à la Toyota Corolla. Peu importe. L'Impreza est sobre en dehors comme en dedans, sa mécanique est robuste, son rouage intégral est efficace et son prix, sans être le plus bas de sa catégorie, la place quand même à la portée de plusieurs bourses. Pour la passion par contre...

Attention ! L'Impreza n'est sans doute pas la plus passionnante, mais elle n'en demeure pas moins agréable à conduire et facile à vivre au quotidien. C'est déjà beaucoup. En fait, les versions les plus excitantes de l'Impreza, les WRX et WRX STI font désormais partie d'une gamme séparée. Remarquez cependant que les Impreza berline et familiale et la XV Crosstrek ont énormément à offrir. Voyons ça de plus près.

### UN PEU DE CHROME ET, SURTOUT, UN SYSTÈME AUDIO
Pour l'année-modèle 2015, l'Impreza, berline et familiale, a reçu quelques modifications esthétiques assez subtiles à l'avant. D'ailleurs, la meilleure façon de différencier un modèle 2014 d'un 2015 consiste en un petit « L » en chrome placé de chaque côté du bouclier avant qui a été ajouté cette année. Les changements au tableau de bord sont davantage marqués. Subaru a profité de l'occasion pour, enfin, se débarrasser de l'épouvantable système audio sans boutons qui aurait été plus à sa place dans une Scion usagée « tunée » par un jeune de 18 ans. Maintenant, on ne peut toujours pas qualifier le système audio d'ultra performant mais, au moins, ses boutons et ses commandes rotatives sont faciles à utiliser sans quitter la route des yeux. Le style général du tableau de bord est toujours sobre, et nul doute que si les designers avaient pu lui insuffler un peu plus de joie de vivre, personne n'aurait protesté.

Au chapitre de la sécurité, il est désormais possible d'obtenir, sur quelques versions, le système EyeSight qui ajoute à la sécurité en

---

\* Impreza : 3400 unités / XV-Crosstrek : 2486 unités   \*\*Impreza : 7515 unités / XV-Crosstrek : 6922 unités «scannant» la route devant et en alertant le conducteur ou même en freinant pour lui si la situation l'exige. Ce type de système peut assurément sauver des vies et éviter des blessures, mais il ne remplacera jamais deux yeux à leur affaire. Et ça ne vaut pas que dans une Subaru…

### MOTEUR PROPRE À DÉFAUT D'ÊTRE EXCITANT

Un seul moteur pour l'Impreza, soit un quatre cylindres de 2,0 litres dont les 148 chevaux et les 145 livres-pied de couple, des données identiques à celles de l'année dernière, gagnerait à être épaulé par une vingtaine d'autres équidés. De nos jours, une voiture qui met plus de dix secondes à faire le 0-100 km/h entre dans la catégorie Pathétique. Il faut plus de 11 secondes à l'Impreza pour faire cet exercice… On peut toutefois se consoler en sachant que ce moteur répond maintenant aux normes PZEV (Partial Zero Emission Vehicle).

La transmission de base est une manuelle à cinq rapports. Un sixième rapport ne serait pas de trop. À 100 km/h, en cinquième, le moteur tourne à 2 500 tr/min, beaucoup trop pour assurer une consommation raisonnable. Voilà pour les mauvaises nouvelles. Quant aux bonnes nouvelles cette boîte est offerte sur à peu près toutes les versions et ceux qui aiment changer les rapports eux-mêmes n'ont pas à se contenter d'une version de base dénudée; en plus, elle est toujours dotée du mécanisme anti-recul apprécié par plusieurs personnes depuis des décennies. L'autre transmission est de type continuellement variable (CVT). Beaucoup plus agréable au quotidien que celle d'une Nissan Altima essayée récemment, car elle ne handicape pas les performances. Bravo Subaru.

Il y a quelques années, en prenant une simple Legacy, en augmentant sa distance au sol, en lui donnant un style plus baroudeur et en la baptisant d'un nom viril (Outback), Subaru avait amené le sourire chez les concessionnaires sans qu'il lui en coûte une fortune. Le constructeur japonais refait donc le coup avec la XV Crosstrek, une Impreza haute sur pattes. Lors du match comparatif entre VUS sous-compacts, en début de ce *Guide*, cette XV Crosstrek s'est très bien débrouillée face à des rivales nettement plus dynamiques. Cette version de l'Impreza reçoit le 2,0 litres, mais a aussi droit à une version hybride supra décevante qui n'amène rien de positif. Même la promesse d'une consommation réduite n'est pas tenue.

Au courant de l'été 2015, Subaru commercialisera au Japon une Impreza Sport Hybrid. Bien que très peu d'informations aient transpiré des communiqués de presse, on est en droit de penser que sa motorisation hybride sera semblable celle de la XV Crosstrek. Ce serait dommage. Tellement dommage. Pour l'instant, rien ne nous dit qu'elle débarquera en Amérique. À suivre sur www.guideautoweb.com.

### Châssis - Impreza 2.0 Limited berline (CVT)

| | |
|---|---|
| Emp / lon / lar / haut | 2645 / 4585 / 1740 / 1465 mm |
| Coffre / Réservoir | 340 litres / 55 litres |
| Nbre coussins sécurité / ceintures | 7 / 5 |
| Suspension avant | ind., jambes force |
| Suspension arrière | ind., double triangulation |
| Freins avant / arrière | disque / disque |
| Direction | à crémaillère, ass. var. élect. |
| Diamètre de braquage | 10,6 m |
| Pneus avant / arrière | P205/50R17 / P205/50R17 |
| Poids / Capacité de remorquage | 1410 kg / n.d. |
| Assemblage | Gunma et Yajiima, JP |

### Composantes mécaniques

**Impreza**

| | |
|---|---|
| Cylindrée, soupapes, alim. | H4 2,0 litres 16 s atmos. |
| Puissance / Couple | 148 ch / 145 lb-pi |
| Tr. base (opt) / rouage base (opt) | M5 (CVT) / Int |
| 0-100 / 80-120 / V.Max | 11,5 s / n.d. / n.d. |
| 100-0 km/h | n.d. |
| Type / ville / route / $CO_2$ | Ord / 8,5 / 6,4 l/100 km / 3475 kg/an |

**XV Crosstrek**

| | |
|---|---|
| Cylindrée, soupapes, alim. | H4 2,0 litres 16 s atmos. |
| Puissance / Couple | 148 ch / 145 lb-pi |
| Tr. base (opt) / rouage base (opt) | M5 (CVT) / Int |
| 0-100 / 80-120 / V.Max | 12,3 / 8,8 / n.d. |
| 100-0 km/h | 45,3 m |
| Type / ville / route / $CO_2$ | Ord / 9,1 / 7,0 l/100 km / 3751 kg/an |

**XV Crosstrek Hybride**

| | |
|---|---|
| Cylindrée, soupapes, alim. | H4 2,0 litres 16 s atmos. |
| Puissance / Couple | 148 ch / 145 lb-pi |
| Tr. base (opt) / rouage base (opt) | CVT / Int |
| 0-100 / 80-120 / V.Max | 9,5 s (est) / n.d. / n.d. |
| 100-0 km/h | n.d. |
| Type / ville / route / $CO_2$ | Ord / 7,9 / 6,9 l/100 km / 3427 kg/an |

**Moteur électrique**

| | |
|---|---|
| Puissance / Couple | 13 chevaux (10 kW) / 48 lb-pi |
| Type de batterie | Nickel-Hydrure métallique (NiMH) |
| Énergie | n.d. |

### Du nouveau en 2016

Aucun changement majeur. À l'automne 2015, l'Impreza avait reçu plusieurs petites améliorations au chapitre du style et le 2,0 litres est devenu coté PZEV.

IMPREZA

# SUBARU **LEGACY**

**Prix:** 23 495 $ à 34 195 $ (2015)
**Catégorie:** Berline
**Garanties:**
3 ans/60 000 km, 5 ans/100 000 km
**Transport et prép.:** 1 595 $
**Ventes QC 2014:** 1 257 unités
**Ventes CAN 2014:** 2 924 unités

---

Cote du Guide de l'auto

## 77 %

Fiabilité       Appréciation générale
■■■■■■■□□□   ■■■■■■■□□□

Sécurité       Agrément de conduite
■■■■■■■□□□   ■■■■■■□□□□

Consommation      Système multimédia
■■■■■□□□□□   ■■■■■□□□□□

---

Cote d'assurance      présentée par
■■■■■■□□□□   **KANETIX.CA**
$$$         $

➕ Bénéfice de la transmission
intégrale • Bonnes places arrière •
Moteur discret • Fiabilité en progrès

➖ Ergonomie discutable • Lignes
banales • Moteur 3,6 litres peu puissant •
Peine à se démarquer de
la concurrence

---

**Concurrents**
Chevrolet Malibu, Chrysler 200,
Ford Fusion, Honda Accord, Hyundai
Sonata, Kia Optima, Mazda6, Nissan
Altima, Toyota Camry, Volkswagen Passat

# Sur les traces de Toyota

Jacques Duval

**B**ien que Subaru ait beaucoup de succès dans le monde du rallye, ce constructeur japonais se spécialise principalement dans les voitures tranquilles qui font tout bien, mais sans jamais d'éclat, imitant ainsi le leitmotiv de Toyota avec qui elle a cousiné dans l'aventure des Scion FR-S et Subaru BRZ.

J'en ai été témoin en menant un essai révélateur de leur modèle haut de gamme, la berline Legacy 3.6R qui m'a mené jusqu'au Saguenay lors d'un déplacement d'un bon millier de kilomètres. Soit dit en passant, la route qui mène là-bas et qui traverse le parc des Laurentides est l'une des plus belles au Québec. Peu fréquentée et avec un pavé table de billard, c'est l'endroit idéal pour avoir un peu de plaisir avec une voiture. Des plaisirs démodés...

Mais je m'éloigne du sujet, soit de vous dire si la Legacy est une voiture à laquelle on peut faire confiance quand le premier garage se situe à 175 km d'où vous êtes. Bien que j'aie reçu dans le passé plusieurs plaintes de clients insatisfaits de leur Subaru, ce constructeur semble avoir résolu ses manquements à la qualité. Le seul ennui ayant fait surface durant mon essai est la trappe du réservoir à essence qui s'est montrée récalcitrante à s'ouvrir.

## DES LIGNES BANALES
Dans sa nouvelle livraison, cette Legacy passe plutôt inaperçue et elle se fond dans le décor sans autre tape à l'œil que ses deux embouts d'échappement chromés.

N'y voyez pas une promesse de performances spectaculaires puisque le moteur six cylindres à plat de 3,6 litres n'affiche que 256 chevaux, ce qui est peu pour une telle cylindrée. La boîte automatique, malgré son système à variation continue, arrive à se faire oublier et réagit assez vivement pour signer un 0-100 km/h en 7,2 secondes seulement. Les versions moins luxueuses cédées autour de 25 000 $ à 30 000 $

se satisfont d'un quatre cylindres de 2,5 litres n'offrant qu'un modeste 175 chevaux. On pourra toutefois les marier à une boîte manuelle à six rapports. En matière de consommation, la Subaru Legacy peut sembler très frugale (capable dit-on, de franchir 1 000 km avec un seul plein), mais il faut savoir que le réservoir d'essence est énorme et qu'il vous en coûtera autour de 100 $ pour étancher sa soif de 8,2 litres aux 100 km.

En retour, ce six cylindres témoigne d'une bonne forme avec un couple suffisant pour assurer des dépassements sans sueurs froides. Louons aussi sa douceur et sa quiétude, telles, qu'une correspondante au téléphone ne croyait absolument pas que j'utilisais un cellulaire (mains libres) dans une auto pour lui parler. En bref, la Legacy 3.6R est remarquablement silencieuse sur la route. Rien à redire du freinage ou de la direction qui s'acquittent de leur tâche sans sourciller.

### UNE TRANSMISSION INTÉGRALE EFFICIENTE

Venons-en à la qualité maîtresse de toutes les Subaru (sauf la BRZ à propulsion), soit le rouage intégral d'une redoutable efficacité dans ce cas-ci. Avec de bons pneus de surcroît, le comportement routier est rassurant sans être excitant, en raison d'une suspension axée sur le confort.

À l'intérieur, cette Subaru n'échappe pas à la critique, d'abord à cause de certains commutateurs qui ne sautent pas aux yeux tels ceux du coffre, de l'antipatinage et surtout du déverrouillage du réservoir à essence. L'ordinateur de bord en remet avec sa lecture difficile et son décodage peu convivial. Finalement, le *ding-ding* vous avertissant que votre ceinture n'est pas attachée est tout à fait assommant.

Le volant reçoit le régulateur de vitesse et les palettes servant à passer manuellement les rapports de la boîte automatique. Toutefois, on s'en passerait tellement on s'en lasse vite. Par ailleurs, hourra pour les spacieuses places arrière, le grand coffre modulable, les généreux espaces de rangement et une finition soignée, sinon un peu fade.

À l'heure des comptes, la Subaru Legacy ravira sans aucun doute les partisans de la marque. Mais, vue sous un angle global, elle fait face à des adversaires mieux nanties (Accord, Camry, Sonata, Fusion, Mazda6, etc.) qu'elle aura du mal à faire oublier.

### Châssis - 3.6R Tourisme

| | |
|---|---|
| Emp / lon / lar / haut | 2750 / 4796 / 2080 / 1500 mm |
| Coffre / Réservoir | 425 litres / 70 litres |
| Nbre coussins sécurité / ceintures | 6 / 5 |
| Suspension avant | ind., jambes force |
| Suspension arrière | ind., double triangulation |
| Freins avant / arrière | disque / disque |
| Direction | à crémaillère, ass. var. élect. |
| Diamètre de braquage | 11,2 m |
| Pneus avant / arrière | P225/50R17 / P225/50R17 |
| Poids / Capacité de remorquage | 1677 kg / n.d. |
| Assemblage | Lafayette, IN |

### Composantes mécaniques

**2.5i**

| | |
|---|---|
| Cylindrée, soupapes, alim. | H4 2,5 litres 16 s atmos. |
| Puissance / Couple | 175 ch / 174 lb-pi |
| Tr. base (opt) / rouage base (opt) | M6 (CVT) / Int |
| 0-100 / 80-120 / V.Max | 10,0 s / 7,0 s / n.d. |
| 100-0 km/h | 43,3 m |
| Type / ville / route / $CO_2$ | Ord / 9,0 / 6,5 l/100 km / 3623 kg/an |

**3.6R**

| | |
|---|---|
| Cylindrée, soupapes, alim. | H6 3,6 litres 24 s atmos. |
| Puissance / Couple | 256 ch / 247 lb-pi |
| Tr. base (opt) / rouage base (opt) | CVT / Int |
| 0-100 / 80-120 / V.Max | 7,2 s / n.d. / n.d. |
| 100-0 km/h | n.d. |
| Type / ville / route / $CO_2$ | Ord / 11,9 / 8,2 l/100 km / 4708 kg/an |

## Du nouveau en 2016

Aucun changement majeur

Photos : Jacques Duval, Subaru Canada

# SUBARU **OUTBACK**

((SiriusXM))

**Prix:** 27 995 $ à 38 895 $ (2015)
**Catégorie:** VUS
**Garanties:**
3 ans/60 000 km, 5 ans/100 000 km
**Transport et prép.:** 1 650 $
**Ventes QC 2014:** 3 136 unités
**Ventes CAN 2014:** 8 688 unités

### Cote du Guide de l'auto

# 80 %

| Fiabilité | Appréciation générale |
|---|---|
| ■■■■■■□□□□ | ■■■■■■■□□□ |
| Sécurité | Agrément de conduite |
| ■■■■■■■□□□ | ■■■■■□□□□□ |
| Consommation | Système multimédia |
| ■■■■■■■□□□ | ■■■■■□□□□□ |

### Cote d'assurance

■■■■■■■■□□

présentée par
**KANETIX.CA**

$$$                              $

➕ Polyvalence inégalée • Moteur
2,5 litres frugal • Bonnes aptitudes
en conduite hors route • Bon niveau
de confort

➖ Puissance un peu juste (2,5 litres) •
Présentation plutôt terne de l'habitacle •
Niveau sonore en accélération (2,5 litres) •
Roulis en virages

**Concurrents**
Buick Enclave, Chevrolet Traverse,
Ford Flex, GMC Acadia, Mazda CX-9,
Toyota Venza, Volvo XC70

# L'alternative aux VUS

Gabriel Gélinas

**V**éritable croisement entre un VUS et une familiale classique, l'Outback de Subaru fait partie de ces véhicules hors normes qui redéfinissent les genres. Depuis son lancement en 1995, l'Outback s'est inscrit comme une solide alternative aux VUS et ne cesse de faire des convertis en misant sur un centre de gravité abaissé, conjugué à de sérieuses aptitudes en conduite hors route. Complètement redessiné l'an dernier, l'Outback poursuit sa route en 2016 en offrant une polyvalence inégalée, toutes catégories confondues.

L'Outback de Subaru est l'une des rares familiales qui a résisté au déferlement effréné des VUS que l'on peut véritablement qualifier de tsunami. En fait, il ne reste à peu près qu'elle, et quelques allemandes, dans ce cheptel de brebis égarées. Mais avec sa configuration de familiale classique jumelée à la garde au sol surélevée d'un VUS, l'Outback évoque une dichotomie qui n'est peut-être pas évidente à cerner pour l'automobiliste moyen déconcerté par les signaux divergents émanant de ce multisegment. Autrement dit, plusieurs ont le réflexe de dire «De kessé?» à la vue de l'Outback... Et pour cause. Avec son bouclier avant intégrant des phares d'appoint, elle a le physique de l'emploi. Dommage toutefois que sa calandre rappelle un peu trop celle d'une Hyundai.

### UNE GAMME ÉTOFFÉE
En prenant place à bord, on constate que la visibilité vers l'avant et sur les côtés est excellente en raison de la minceur des piliers de toit, et l'on accorde une bonne note pour la qualité des matériaux. Pour ce qui est du design, c'est plutôt terne et un peu *old school*, mais au moins les commandes sont bien disposées et facilement repérables. Comme l'Outback est disponible en neuf finitions dont l'échelle de prix varie entre moins de 30 000 $ et un peu plus de 40 000 $, la dotation d'équipement est conséquente. Toutefois, même la version de base est dotée d'une caméra de recul, d'une chaîne audio gérée par écran tactile, d'une connectivité Bluetooth et d'un régulateur de vitesse.

L'ensemble Technologie, qui comprend le système de sécurité EyeSight, est désormais disponible sur les versions à moteur quatre cylindres, et non plus uniquement sur les versions à moteur six cylindres. À l'image du système City Safety de Volvo, le EyeSight de Subaru comporte une paire de caméras localisées de part et d'autre du rétroviseur central, qui peuvent détecter un obstacle et déclencher le freinage automatique de la voiture si le conducteur est distrait et ne réagit pas assez promptement. Aussi, le système comporte des fonctionnalités comme l'alerte de déviation de trajectoire et peut maintenir une distance sécuritaire avec le véhicule qui précède si le régulateur de vitesse adaptatif est en fonction.

Des deux moteurs disponibles sur l'Outback, le quatre cylindres de 2,5 litres se révèle, sans surprise, comme le plus efficient pour ce qui est de la consommation avec des cotes de 9,3 l/100 km en ville et de 7,1 sur la route. Le six cylindres de 3,6 litres s'avère plus gourmand avec des cotes de 12,0 et 8,6, respectivement. Le moteur 2,5 litres livre des performances que l'on peut qualifier d'adéquates, sans plus, alors que le 3,6 litres permet à l'Outback de se déplacer avec plus d'aplomb.

### CONDUITE SÉCURITAIRE

Peu importe le moteur choisi, elle fait preuve d'une grande stabilité en conduite normale avec un comportement franc et précis, et elle se défend aussi très bien en conduite hors route, grâce à son rouage intégral qui assure une excellente motricité en toutes circonstances. Ce n'est que lorsqu'on attaque des virages à des vitesses vraiment élevées que l'Outback est affectée par un roulis important, nous rappelant qu'elle n'a aucune prétention sportive.

La vie à bord est très agréable avec des sièges confortables, à l'avant comme à l'arrière, et l'Outback est un modèle de polyvalence avec son espace cargo dont le volume passe de 1 005 litres, avec tous les sièges en place, à 2 075 lorsque les dossiers des places arrière sont repliés. À cela, on peut ajouter l'ingénieuse galerie de toit dont les traverses se déploient depuis les barres longitudinales, permettant de fixer une boîte de transport ou un kayak par exemple. Par ailleurs, la capacité de remorquage est de 1 224 kilos pour l'Outback à moteur 4 cylindres, et jusqu'à 1 360 kilos avec le moteur 6 cylindres.

Véritable hybride pour ce qui est de sa configuration, la plus récente Outback offre un degré de raffinement supérieur au modèle antérieur, d'excellentes cotes de sécurité active et passive et une polyvalence tous azimuts. Voilà qui en fait l'un des choix les plus avisés que l'on puisse faire.

### Châssis - 3.6R Limited

| | |
|---|---|
| Emp / lon / lar / haut | 2745 / 4817 / 2080 / 1680 mm |
| Coffre / Réservoir | 1005 à 2075 litres / 70 litres |
| Nbre coussins sécurité / ceintures | 8 / 5 |
| Suspension avant | ind., jambes force |
| Suspension arrière | ind., double triangulation |
| Freins avant / arrière | disque / disque |
| Direction | à crémaillère, ass. var. élect. |
| Diamètre de braquage | 11,0 m |
| Pneus avant / arrière | P225/60R18 / P225/60R18 |
| Poids / Capacité de remorquage | 1744 kg / 1360 kg (2998 lb) |
| Assemblage | Lafayette, IN |

### Composantes mécaniques

**2.5i**

| | |
|---|---|
| Cylindrée, soupapes, alim. | H4 2,5 litres 16 s atmos. |
| Puissance / Couple | 175 ch / 174 lb-pi |
| Tr. base (opt) / rouage base (opt) | M6 (CVT) / Int |
| 0-100 / 80-120 / V.Max | 10,8 s / 8,2 s / n.d. |
| 100-0 km/h | 42,4 m |
| Type / ville / route / $CO_2$ | Ord / 9,3 / 7,1 l/100 km / 3823 kg/an |

**3.6R**

| | |
|---|---|
| Cylindrée, soupapes, alim. | H6 3,6 litres 24 s atmos. |
| Puissance / Couple | 256 ch / 247 lb-pi |
| Tr. base (opt) / rouage base (opt) | CVT / Int |
| 0-100 / 80-120 / V.Max | 7,4 s (est) / n.d. / n.d. |
| 100-0 km/h | n.d. |
| Type / ville / route / $CO_2$ | Ord / 12,0 / 8,6 l/100 km / 4816 kg/an |

### Du nouveau en 2016

Aucun changement majeur

WRX

## SUBARU **WRX/STI**

**Prix :** 29 995 $ à 44 995 $ (2015)
**Catégorie :** Berline
**Garanties :**
3 ans/60 000 km, 5 ans/100 000 km
**Transport et prép. :** 1 650 $
**Ventes QC 2014 :** 869 unités
**Ventes CAN 2014 :** 2 642 unités

**Cote du Guide de l'auto**

# 80 %

| Fiabilité | Appréciation générale |
| n.d. | ■■■■■■□□□□ |
| Sécurité | Agrément de conduite |
| ■■■■■■■□□□ | ■■■■■■■□□□ |
| Consommation | Système multimédia |
| ■■■■■□□□□□ | ■■■■■■□□□□ |

**Cote d'assurance**

n.d.                    présentée par
**KANETIX.CA**

➕ Tenue de route précise et sûre •
Excellent rouage intégral • Moteurs
souples et puissants • Solides, confortables et pratiques

➖ Silhouette anguleuse et banale •
Repose-pied étroit vers le haut •
Roulement ferme (STI) • Louvoie sur
les roulières et ornières (STI)

**Concurrents**
Ford Focus ST, MINI Cooper JCW,
Mitsubishi Lancer Ralliart, Nissan Z,
Volkswagen Golf GTI

# Des sportives taillées sur mesure

Marc Lachapelle

**L**es sportives solides et performantes que sont les WRX et WRX STI ont été renouvelées avec sérieux et pertinence l'an dernier. À défaut des silhouettes racées que nous avaient promis quelques prototypes, elles rassemblent toutes les qualités qu'il faut pour être toujours les bolides les plus complets et polyvalents qu'on puisse trouver chez nous.

La WRX et sa jumelle non-identique, la WRX STI, sont à la fois très semblables et merveilleusement complémentaires. Pratiquement l'inverse de ce qu'elles étaient à la génération précédente. En jonglant habilement avec leurs composantes, jusque dans le menu détail, Subaru a réussi à leur donner des vocations, des profils et des caractères étonnamment différents. Et pourtant, elles se ressemblent tellement qu'on peine à les distinguer, direz-vous. Avec raison. Et c'est voulu.

### DIFFÉRENCE DE TAILLE SOUS LE CAPOT
À première vue, la WRX ressemble presque en tout point à celle que nous appellerons simplement, comme tout le monde, la STI. Entre autres parce que la différence la plus importante est bien cachée. Son moteur est effectivement une version nouvelle de 2,0 litres, à injection directe, du traditionnel quatre cylindres à plat turbocompressé de la WRX. Un groupe nettement plus doux et animé que l'ancien 2,5 litres, avec une sonorité plus aiguë. Ce « boxer » plus moderne produit 268 chevaux et un couple de 258 lb-pi à 2 000 tr/min, permettant à la WRX de boucler le 0-100 km/h en 6,33 secondes et de compléter le classique 1/4 de mille en 14,33 secondes avec une pointe de 157,1 km/h.

Tout ça avec sa boîte manuelle à 6 rapports parce qu'on peut maintenant s'offrir aussi une WRX avec une transmission automatique à variation continue (TVC), un tandem qui fonctionne impeccablement, n'en déplaise aux puristes. Je n'ai pas encore complété les mesures de performance habituelles avec ce modèle précis. J'ai cependant parcouru quelques centaines de kilomètres en conduite souvent très sportive à son volant, sur certaines des routes à la fois les plus belles et les plus exigeantes de la Colombie-Britannique. Assez pour confirmer, sans équivoque, que la boîte à variation continue est un choix parfaitement valable.

### LA STI : UN CRAN AU-DESSUS POUR LES MORDUS

Aussi douée que soit la WRX, les passionnés de conduite et les habitués des circuits vont certainement savourer la précision et la finesse légèrement supérieures des commandes de la STI, le mordant de ses pneus, le roulis minime en virage et l'efficacité inégalée d'un rouage intégral dont le différentiel central est réglable, le différentiel avant autobloquant et l'essieu arrière doté d'un différentiel de type Torsen. Avec transfert de couple par application sélective des freins, de surcroît.

Ils goûteront le punch de son moteur plus musclé, une version affinée du 2,5 litres turbo familier qui produit 305 chevaux et un couple de 290 lb-pi à 4 000 tr/min. Bon pour le 0-100 en 5,83 secondes et le 1/4 de mille franchi en 13,89 secondes, à 162,8 km/h. Ils apprécieront forcément la puissance et l'endurance des freins Brembo de la STI dont les disques plus grands, tous ventilés, sont pincés par des étriers à quatre pistons à l'avant et deux pistons à l'arrière. Le double de la WRX qui se débrouille quand même bien, avec une distance moyenne de 36,2 mètres en freinage d'urgence à 100 km/h pour les 35,7 mètres de la STI.

Ils pourront même escamoter l'immense aileron arrière en optant pour la version « de base » qui s'en passe, mais possède tous les éléments essentiels à la conduite, la performance et le comportement. C'est le choix pragmatique des amateurs sérieux. Le groupe Sport ajoute effectivement un toit ouvrant, donc quelques dizaines de kilos, en plus de réglages électriques pour les sièges, du système de détection d'obstacle pour l'arrière et les côtés de la voiture et de phares qui combinent des ampoules DEL et halogènes.

Le groupe Sport-tech rempile avec sellerie de cuir, jantes d'alliage BBS et une chaîne audio harman/kardon de 440 watts à 9 haut-parleurs avec un écran tactile de 7 pouces et une nuée de systèmes et connexions numériques. Il faut satisfaire aussi la clientèle moderne et branchée, après tout.

Contrairement à bon nombre de sportives de tout prix et de toute taille, les WRX et STI sont également des berlines étonnamment confortables, pratiques et spacieuses, avec un grand coffre qu'on peut allonger en repliant les dossiers arrière au besoin. Leurs commandes sont claires, simples, précises. Assez robustes, même. Elles vous mèneront partout, quelles que soient les conditions (ou presque), sans jamais rechigner. On peut même se les offrir sans verser de rançon princière. Qui dit mieux ?

### Du nouveau en 2016

Nouvelles couleurs, interfaces multimédia avec écrans tactiles plus grands de 6,2 ou 7 pouces, levier de clignotants électronique à impulsion unique, contrôles au volant modifiés.

### Châssis - Berline sport

| | |
|---|---|
| Emp / lon / lar / haut | 2650 / 4595 / 2053 / 1475 mm |
| Coffre / Réservoir | 340 litres / 60 litres |
| Nbre coussins sécurité / ceintures | 7 / 5 |
| Suspension avant | ind., jambes force |
| Suspension arrière | ind., double triangulation |
| Freins avant / arrière | disque / disque |
| Direction | à crémaillère, ass. var. élect. |
| Diamètre de braquage | 10,8 m |
| Pneus avant / arrière | P235/45R17 / P235/45R17 |
| Poids / Capacité de remorquage | 1491 kg / n.d. |
| Assemblage | Gunma et Yajima, JP |

### Composantes mécaniques

**WRX**

| | |
|---|---|
| Cylindrée, soupapes, alim. | H4 2,0 litres 16 s turbo |
| Puissance / Couple | 268 ch / 258 lb-pi |
| Tr. base (opt) / rouage base (opt) | M6 (CVT) / Int |
| 0-100 / 80-120 / V.Max | 6,3 s / 4,1 s / 240 km/h |
| 100-0 km/h | 36,2 m |
| Type / ville / route / CO$_2$ | Ord / 11,0 / 8,3 l/100 km / 4501 kg/an |

**STI**

| | |
|---|---|
| Cylindrée, soupapes, alim. | H4 2,5 litres 16 s turbo |
| Puissance / Couple | 305 ch / 290 lb-pi |
| Tr. base (opt) / rouage base (opt) | M6 / Int |
| 0-100 / 80-120 / V.Max | 5,8 s / 3,7 s / 264 km/h |
| 100-0 km/h | 35,7 m |
| Type / ville / route / CO$_2$ | Sup / 13,8 / 10,2 l/100 km / 5603 kg/an |

WRX STI

# TESLA **MODEL S**

**Prix :** 77 800 $ à 114 700 $ (2015)
**Catégorie :** Berline
**Garanties :**
4 ans/80 000 km, 4 ans/80 000 km
**Transport et prép. :** 1 170 $
**Ventes QC 2014 :** n.d.
**Ventes CAN 2014 :** n.d.

## Cote du Guide de l'auto

# 90 %

| Fiabilité | Appréciation générale |
|---|---|
| ■■■■■■■□□□ | ■■■■■■■■■□ |
| Sécurité | Agrément de conduite |
| ■■■■■■■■□□ | ■■■■■■■■■□ |
| Consommation | Système multimédia |
| ■■■■■■■■□□ | ■■■■■■■■□□ |

## Cote d'assurance

présentée par

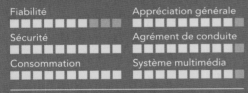

■■■■■■□□□□
$$$                    $

➕ Performances relevées ou stupé-
fiantes (P85D) • Transmission intégrale
inédite et efficace • Conduite sûre,
étonnamment agile • Écran de contrôle
fascinant • Confort et espace abondant

➖ Prix substantiel avec des options
(P85D) • Recharge rapide quasi indis-
pensable • Écran de contrôle distrayant •
Quelques détails de finition perfectibles •
Visibilité arrière limitée

**Concurrents**
Porsche Panamera S E-Hybrid

# Surdouées et survoltées

Marc Lachapelle

I y a soixante ans, la Citroën DS était la plus moderne des
voitures avec sa carrosserie fuselée ultra aérodynamique,
mais aussi une suspension, une transmission et des
contrôles comme on n'en avait jamais vu. Aujourd'hui, les
nouvelles déesses sont les berlines Model S de Tesla qui sont
aux avant-postes de la technique automobile et s'améliorent
constamment. Même pendant que leurs propriétaires
sommeillent. Et elles ont maintenant quatre roues motrices, si
vous préférez.

On ne devrait nullement s'étonner de ce que Tesla Motors et ses
créations progressent à un rythme presque conforme à la célèbre loi
de Moore. Celle qui affirme que la puissance des microprocesseurs
double tous les dix-huit mois dans le monde de l'informatique. Parce
que Tesla appartient d'emblée à une ère nouvelle pour cette invention
plus que centenaire qu'est l'automobile. Et parce qu'elle en redéfinit
elle-même constamment les règles.

Elon Musk, le meneur visionnaire de Tesla (et de SpaceX et du projet
Hyperloop), décrit d'ailleurs le nouveau rouage intégral des versions D
(pour Dual Motor ou moteur double) comme « numérique » alors que
les rouages à quatre roues motrices classiques seraient plutôt
« analogiques », selon lui, avec les liens mécaniques obligés entre
leurs essieux.

### UN ROUAGE INTÉGRAL INÉDIT ET PRÉCIS
Avec un deuxième moteur installé à l'avant du châssis en aluminium
des Model S, le couple livré à chacune des roues peut être modulé
instantanément, avec précision. Sans arbre de transmission ou
différentiel central pour alourdir la voiture ou encombrer son plancher.
Les bienfaits pour le comportement et la motricité sont multiples.

Le rythme d'évolution de Tesla est tel que notre collègue Jacques Duval,
qui souhaitait la venue d'une Model S à transmission intégrale dans

ces pages l'an dernier, en conduit maintenant une. Il a effectivement troqué sa première berline Tesla pour une P85D, le bolide absolu de la marque, dont la puissance combinée des deux moteurs est de 691 chevaux, soit 221 à l'avant et 470 aux roues arrière. Et le couple est de 243 + 443 lb-pi pour un total de 686 lb-pi. Rien de moins, en effet.

La première P85D mise à l'essai a bouclé le 0-100 km/h en 3,7 secondes et la deuxième (sans bride électronique à 130 km/h) a franchi le 1/4 de mille en 12,4 secondes avec une pointe de 176,4 km/h. La sensation est époustouflante, avec pour seul accompagnement le sifflement des moteurs électriques. Cette dernière a également freiné de 100 km/h sur 36,5 mètres en moyenne.

Des performances de grande sportive, assurément. Carrément hallucinantes pour une grande berline dont Tesla estime le poids à 2 239 kg. Le moteur avant ajoute 132 kg et rogne une bonne partie du coffre avant de la Model S. Avec les jantes optionnelles de 21 pouces et de larges pneus Michelin Pilot Sport, la P85D est d'une agilité étonnante et impeccablement sûre et stable en virage.

### LA TESLA DU PEUPLE, OU PRESQUE

À bien des égards, la nouvelle 70D est cependant plus intéressante puisqu'elle rend la Model S nettement plus accessible tout en offrant la transmission intégrale et une autonomie promise de 385 km. Donc à peine moins que les 405 km de la P85D. Avec ses 329 chevaux, elle sprinte de 0 à 100 km/h en 5,4 secondes et parcourt 1/4 de mille en 13,8 secondes à 163,6 km/h. Elle est moins incisive en virage que la P85D, mais son roulement plus souple ajoute au confort. La version 85D se situe entre les deux par son prix et ses 422 chevaux, mais les devance avec une autonomie de 435 km.

Dans les Model S, les réglages se font pratiquement tous sur l'écran vertical de 17 pouces qui trône au milieu du tableau de bord. L'affichage est net et la navigation logique et simple, mais quand même distrayante. Surtout au premier abord. Les contrôles au volant et les affichages, droit devant, sont fort utiles en complément. Toute inquiétude disparaîtra vraisemblablement lorsque les Tesla pourront exploiter pleinement le système Autopilot dont elles possèdent déjà les composantes physiques. Elles pourront alors se conduire et même se garer toutes seules, promet Elon Musk. Des sceptiques encore ?

Preuve additionnelle que les Model S ne sont comme aucune autre voiture : le logiciel d'exploitation de la P85D a été mis à jour pendant la nuit. Les détails de ces améliorations étaient affichés à l'écran le lendemain matin. Ils comprenaient un gain d'un dixième de seconde au sprint 0-100. Ça, je n'ai pas vérifié, mais je vous confirme la grande efficacité des Superchargeurs qui permettent une recharge presque complète en moins d'une heure. Le temps de siroter un café ou découvrir de nouvelles astuces par l'écran.

## Du nouveau en 2016

Aucun changement majeur. Nouveaux sièges avant offrant un meilleur maintien.

### Châssis - P85D

| | |
|---|---|
| Emp / lon / lar / haut | 2960 / 4970 / 2187 / 1445 mm |
| Coffre / Réservoir | 745 à 1645 litres / n.d. |
| Nbre coussins sécurité / ceintures | 8 / 5 |
| Suspension avant | ind., double triangulation |
| Suspension arrière | ind., multibras |
| Freins avant / arrière | disque / disque |
| Direction | à crémaillère, ass. var. électro. |
| Diamètre de braquage | 11,3 m |
| Pneus avant / arrière | P245/45R19 / P245/45R19 |
| Poids / Capacité de remorquage | 2239 kg / n.d. |
| Assemblage | Fremont, CA |

### Composantes mécaniques

#### 70D

| | |
|---|---|
| Puissance / Couple | 329 ch (245 kW) / n.d. |
| Tr. base (opt) / rouage base (opt) | Rapport fixe / Int |
| 0-100 / 80-120 / V.Max | 5,4 s / n.d. / 225 km/h |
| 100-0 km/h | n.d. |
| Type de batterie | Lithium-ion (Li-ion) |
| Énergie | 70 kWh |
| Temps de charge (120V / 240V) | 77,0 h / 10,4 h |
| Autonomie | 385 km |

#### 85D

| | |
|---|---|
| Puissance / Couple | 422 ch (315 kW) / n.d. |
| Tr. base (opt) / rouage base (opt) | Rapport fixe / Int |
| 0-100 / 80-120 / V.Max | 4,6 s / n.d. / 250 km/h |
| 100-0 km/h | n.d. |
| Type de batterie | Lithium-ion (Li-ion) |
| Énergie | 85 kWh |
| Temps de charge (120V / 240V) | 87,0 h / 11,8 h |
| Autonomie | 435 km |

#### P85D

| | |
|---|---|
| Puissance / Couple | 691 ch (515 kW) / 686 lb-pi |
| Tr. base (opt) / rouage base (opt) | Rapport fixe / Int |
| 0-100 / 80-120 / V.Max | 3,7 s / n.d. / 250 km/h |
| 100-0 km/h | 36,5 m |
| Type de batterie | Lithium-ion (Li-ion) |
| Énergie | 85 kWh |
| Temps de charge (120V / 240V) | 81,0 h / 10,9 h |
| Autonomie | 405 km |

#### 85

362 ch - 0-100: 5,6 - Batterie Li-ion - Énergie 85 kWh - Autonomie 460 km

# TOYOTA **4RUNNER**

**Prix :** 40 225 $ à 50 790 $ (2015)
**Catégorie :** VUS
**Garanties :**
3 ans/60 000 km, 5 ans/100 000 km
**Transport et prép. :** 1 930 $
**Ventes QC 2014 :** 355 unités
**Ventes CAN 2014 :** 4 022 unités

## Cote du Guide de l'auto

# 67 %

| Fiabilité | Appréciation générale |
|---|---|
| ■■■■■■■□□□ | ■■■■■■■□□□ |
| **Sécurité** | **Agrément de conduite** |
| ■■■■■■■□□□ | ■■■■■■□□□□ |
| **Consommation** | **Système multimédia** |
| ■■■■■□□□□□ | ■■■■■■■□□□ |

## Cote d'assurance

■■■■■■□□□□
$$$                    $

présentée par
**KANETIX.CA**

➕ Mécanique fiable • Tableau de
bord ergonomique • Conduite hors
route sans souci • Finition impeccable •
Version sept places

➖ Silhouette biscornue • Faible
dégagement pour la tête • Suspension
sautillante • Consommation
passablement élevée • Moteur rugueux

## Concurrents
Jeep Grand Cherokee, Jeep Wrangler,
Nissan Pathfinder

# Les sentiers l'attendent

Denis Duquet

**L**a plupart des constructeurs s'entendent pour dire que 95 % des véhicules utilitaires sport ne seront jamais conduits hors route. Les gens les achètent surtout en fonction de leur carrosserie à hayon, de leur garde au sol un peu plus élevée que la moyenne et bien entendu, dans la plupart des cas, en raison de leur rouage intégral qui permet d'affronter les hivers avec plus d'assurance. Le 4Runner cible une clientèle, le fameux 5 %, qui a l'intention de rouler hors route et même souvent sur des sentiers quasiment impraticables.

Pour remplir cette vocation, le 4Runner a conservé le châssis autonome de camionnette qui fait partie de sa fiche technique depuis le début. Mieux encore, certaines versions sont dotées d'un rouage quatre roues motrices à temps partiel qui est activé par un levier. Comme dans le bon vieux temps. Cependant, même si certaines composantes proposent toujours une mécanique *old school* pour employer un terme à la mode, les ingénieurs ont également concocté de nombreux systèmes à commande électronique afin de pouvoir affronter les pires conditions en conduite hors route.

### UNE SECTION AVANT TARABISCOTÉE
Lors de la refonte de ce modèle, on a été conservateur au chapitre des changements mécaniques, mais on s'est payé la traite sur le plan de l'esthétique. Selon moi, esthétique est un bien grand mot et même un terme généreux pour décrire le gâchis que constitue la section avant de ce véhicule avec le museau plat doté d'une large ouverture visant à laisser passer l'air juste sous une calandre minuscule. En plus, à l'arrière, on s'est contenté d'ajouter des feux à lentille cristalline pour répondre quelque peu au goût du jour. Et contrairement aux canons esthétiques en vogue, les passages de roue ne sont pratiquement pas bombés. Les stylistes ont préféré mettre l'accent sur le rebord en relief qui à leurs yeux, doit faire plus costaud. Notez, cependant, qu'il s'agit surtout d'une question de goût.

C'est mieux réussi dans l'habitacle alors que le plastique de couleur aluminium de la console verticale est en contraste avec le noir de la planche de bord. Les boutons de commande sont passablement gros et à la portée de la main. Quant aux cadrans indicateurs, ils sont à chiffres blancs sur fond noir et faciles à consulter.

Comme il se doit, la finition est excellente, mais plusieurs des matériaux utilisés tiennent plus du béton que du plastique... Il est possible de commander une version cinq ou sept places. La troisième rangée du modèle sept places est relativement accueillante et l'on y accède assez facilement puisque les sièges du milieu glissent avec aisance. Autre détail à souligner, la lunette arrière s'abaisse et c'est pratique soit pour déposer des colis à l'intérieur ou transporter des objets très longs sans avoir à ouvrir le hayon.

### INCREVABLE

Le choix de la mécanique n'est pas embarrassant puisqu'un seul moteur est au catalogue, il s'agit d'un robuste V6 4,0 litres produisant 270 chevaux et 278 livres-pied de couple. Il est rugueux mais d'une increvable fiabilité. Étant donné qu'il est associé à une boîte automatique à cinq rapports, sa consommation n'est pas exemplaire, surtout si vous tractez une remorque dont le poids peut aller jusqu'à 5 000 livres (2 268 kilos).

Le rouage 4X4 est à temps partiel, ce qui dénote une certaine rusticité de la mécanique et une conception surtout destinée à une conduite hors route assez agressive. Par contre, la version Limited plus luxueuse est équipée d'un rouage intégral permanent. Ce qui nous porte à croire que ce modèle cible des acheteurs voulant avant tout rouler sur la grande route plutôt que dans les sentiers.

### QUESTION DE PRIORITÉS

On s'en doute, le comportement routier est rustre avec une suspension qui sautille sur les bosses et une tenue de cap nettement perfectible. Sans oublier que les systèmes de traction et de stabilité électronique interviennent brusquement. Par ailleurs, plusieurs trouvent que la position de conduite n'est pas très confortable, d'autant plus que le dégagement pour la tête est limité. Et puis, il faut drôlement lever la jambe pour prendre place à bord!

En résumé, le 4Runner cible davantage une clientèle recherchant fiabilité, robustesse, capacité de conduite en hors route et qui ne priorise pas l'agrément de conduite. Ces gens-là seront heureux, mais les autres...

### Châssis - SR5 V6

| | |
|---|---|
| Emp / lon / lar / haut | 2790 / 4820 / 1925 / 1780 mm |
| Coffre / Réservoir | 1337 à 2540 litres / 87 litres |
| Nbre coussins sécurité / ceintures | 8 / 5 |
| Suspension avant | ind., double triangulation |
| Suspension arrière | essieu rigide, multibras |
| Freins avant / arrière | disque / disque |
| Direction | à crémaillère, ass. var. |
| Diamètre de braquage | 11,4 m |
| Pneus avant / arrière | P265/70R17 / P265/70R17 |
| Poids / Capacité de remorquage | 2111 kg / 2268 kg (5000 lb) |
| Assemblage | Hamura, JP |

### Composantes mécaniques

| | |
|---|---|
| Cylindrée, soupapes, alim. | V6 4,0 litres 24 s atmos. |
| Puissance / Couple | 270 ch / 278 lb-pi |
| Tr. base (opt) / rouage base (opt) | A5 / 4x4 (Int) |
| 0-100 / 80-120 / V.Max | 8,6 s / 6,6 s / n.d. |
| 100-0 km/h | 44,2 m |
| Type / ville / route / $CO_2$ | Ord / 14,2 / 11,1 l/100 km / 5890 kg/an |

## Du nouveau en 2016

Aucun changement majeur

Photos: Toyota Canada

# TOYOTA **AVALON**

**Prix:** 39 670 $ à 41 765 $ (2015)
**Catégorie:** Berline
**Garanties:**
3 ans/60 000 km, 5 ans/100 000 km
**Transport et prép.:** 1 495 $
**Ventes QC 2014:** 202 unités
**Ventes CAN 2014:** 996 unités

## Cote du Guide de l'auto

# 70%

| Fiabilité | Appréciation générale |
|---|---|
| Sécurité | Agrément de conduite |
| Consommation | Système multimédia |

### Cote d'assurance

présentée par
**KANETIX.CA**

$$$                    $

➕ Design plus moderne • Silence
de roulement • Sièges et suspension
confortables • Équipement complet •
Mécanique fiable

➖ Format encombrant • Conduite
soporifique • Long diamètre de braquage •
Consommation du V6 • Absence
d'une motorisation hybride

**Concurrents**
Chevrolet Impala, Chrysler 300,
Dodge Charger, Ford Taurus,
Nissan Maxima

# Techniques de relaxation

Jean-François Guay

**Q**uand l'Avalon a remplacé la Cressida qui fut la première voiture de luxe japonaise en Amérique du Nord, son principal argument de vente demeurait le même que sa devancière: cette grande berline peut accueillir trois personnes sur sa banquette avant!

Quatre générations plus tard, le vaisseau amiral du géant japonais demeure encore l'une des plus grandes voitures sur le marché, mais son pitch de vente a évolué. Toyota ne tente plus de vendre l'Avalon à des chefs de famille comptant de nombreux enfants. Plutôt à des chefs d'entreprise qui veulent relaxer et se déplacer en tout confort entre leur résidence et le bureau.

Comparativement aux années 1940, 1950, 1960 et 1970 où les membres d'une même famille devaient s'empiler les uns sur les autres dans une grande berline ou une familiale pour aller au Parc Belmont, il existe maintenant chez Toyota des véhicules mieux adaptés à leurs besoins comme le Highlander et la Sienna. Mine de rien, ces deux véhicules peuvent transporter jusqu'à huit personnes. Quant à l'Avalon, la banquette avant a finalement perdu sa troisième ceinture pour devenir une berline cinq places plus sécuritaire alors que son style s'est raffiné pour mieux répondre au goût des acheteurs nord-américains.

Les grandes berlines sans personnalité aux suspensions flasques n'ont plus la cote, ici. Désormais, les consommateurs recherchent des voitures qui combinent à la fois un certain dynamisme de conduite et une douceur de roulement. Et les prophètes de malheur qui prédisaient la disparition prochaine des grosses voitures peuvent aller se rhabiller! Le renouvellement successif des Chrysler 300, Chevrolet Impala, Dodge Charger, Ford Taurus, Hyundai Genesis et Nissan Maxima depuis trois ans démontrent que cette catégorie a repris du poil de la bête.

## UN DESIGN À LA MODE

Lors de son remodelage de 2013, l'Avalon s'était pliée aux exigences de sa clientèle qui désirait une voiture plus petite au tempérament plus enjoué. Au final, la carrosserie est plus distinctive qu'auparavant et moins austère, et s'avère l'une des plus aérodynamiques de la catégorie. Quant au design de son immense calandre, il s'est inspiré de sa petite sœur Corolla qui a été repris l'an dernier par la Camry.

Loin d'être satisfaits de leur travail pourtant fort bien réussi, les stylistes ont décidé de retoucher la calandre en 2016 en faisant une mise à niveau de la grille qui est plus large et plus basse. On trouve également de nouveaux phares à DEL alors que des clignotants placés à la verticale remplacent les phares antibrouillard aux extrémités. À l'arrière, de nouvelles garnitures chromées ornent le pare-chocs. Comme la plupart des consommateurs n'ont pas encore eu le temps d'assimiler la refonte d'il y a trois ans, il est probable que ce restylage passe inaperçu. Quoi qu'il en soit, l'Avalon paraît plus dynamique et la présence de nouvelles roues plus stylisées de 17 et 18 pouces accentue cette impression de sportivité.

## DES GÈNES DE LEXUS

Pour animer les roues avant de cette grande berline, Toyota fait appel aux services de son sempiternel V6 de 3,5 litres. Il est couplé à une boîte automatique à six rapports, laquelle apparaît obsolète par rapport aux transmissions à huit vitesses des Genesis, Charger et 300. Par rapport à la génération précédente, l'Avalon répond plus rapidement aux coups de volant grâce à un châssis plus rigide, une direction davantage communicative et des réglages de suspension plus ajustés. Il ne faut pas croire pour autant que l'on conduit une berline sport allemande. Plus légère que ses rivales américaines, les 268 chevaux de son moteur sont assez énergiques pour la catapulter de 0 à 100 km/h sous la barre des 7 secondes.

Quant à la motorisation hybride dérivée du groupe motopropulseur de la Camry Hybride, elle est réservée aux États-Unis. De toute façon, il serait peu probable que la venue de ce groupe électrogène augmente les parts de marché de l'Avalon au Canada. Toyota préfère diriger les acheteurs d'hybrides vers sa gamme Lexus, notamment, le modèle ES 300h avec qui l'Avalon partage sa plate-forme et son silence de roulement. D'ailleurs, l'Avalon représente une alternative pour les habitants des régions où il n'y a pas de concessionnaire Lexus et qui veulent profiter de la fiabilité et du luxe d'une Toyota.

À l'intérieur, l'instrumentation et les commandes sont faciles à comprendre. Les automobilistes qui trouvent trop compliqués les systèmes embarqués de Ford, GM et cie seront heureux de pouvoir changer les postes de la radio avec de gros boutons ronds !

### Du nouveau en 2016

Retouches esthétiques, phares à DEL, roues redessinées, nouvelles garnitures en similibois sur le tableau de bord, système de surveillance de la pression pour chaque pneu.

### Châssis - Limited

| | |
|---|---|
| Emp / lon / lar / haut | 2820 / 4960 / 1835 / 1460 mm |
| Coffre / Réservoir | 453 litres / 64 litres |
| Nbre coussins sécurité / ceintures | 10 / 5 |
| Suspension avant | ind., jambes force |
| Suspension arrière | ind., jambes force |
| Freins avant / arrière | disque / disque |
| Direction | à crémaillère, ass. var. élect. |
| Diamètre de braquage | 12,2 m |
| Pneus avant / arrière | P225/45R18 / P225/45R18 |
| Poids / Capacité de remorquage | 1608 kg / n.d. |
| Assemblage | Georgetown, KY |

### Composantes mécaniques

| | |
|---|---|
| Cylindrée, soupapes, alim. | V6 3,5 litres 24 s atmos. |
| Puissance / Couple | 268 ch / 248 lb-pi |
| Tr. base (opt) / rouage base (opt) | A6 / Tr |
| 0-100 / 80-120 / V.Max | 7,0 s / n.d. / n.d. |
| 100-0 km/h | n.d. |
| Type / ville / route / $CO_2$ | Ord / 11,2 / 7,6 l/100 km / 4410 kg/an |

Photos : Toyota Canada

## TOYOTA **CAMRY**

**Prix:** 25 735 $ à 36 435 $ (2015)
**Catégorie:** Berline
**Garanties:**
3 ans/60 000 km, 5 ans/100 000 km
**Transport et prép.:** 1 495 $
**Ventes QC 2014:** n.d.
**Ventes CAN 2014:** 16 029 unités

### Cote du Guide de l'auto

# 73 %

Fiabilité
■■■■■■■■□□

Appréciation générale
■■■■■■■□□□

Sécurité
■■■■■■■■□□

Agrément de conduite
■■■■■■□□□□

Consommation
■■■■■■■□□□

Système multimédia
■■■■■□□□□□

### Cote d'assurance
■■■■■■■□□□
$$$        $

présentée par
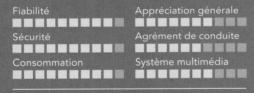

➕ Silhouette élégante • Fiabilité
remarquable • Agrément de conduite
en progrès • Silence de roulement

➖ Groupes d'options onéreux •
Direction un peu trop assistée •
Pneumatiques moyens • Volant
peu esthétique

### Concurrents
Chevrolet Malibu, Chrysler 200, Ford
Fusion, Honda Accord, Hyundai Sonata,
Kia Optima, Mazda6, Nissan Altima,
Subaru Legacy, Volkswagen Passat

# Ambitions sportives?

Denis Duquet

**Il n'y a pas si longtemps, la Camry était reconnue pour son apparence pour le moins discrète, sa mécanique fiable et une conduite aseptisée. Mais puisque la concurrence se faisait de plus en plus féroce dans cette catégorie et pour satisfaire le grand patron de Toyota qui voulait des Toyota plus excitantes, les designers ont décidé à l'automne 2014 d'effectuer une révision importante. Quoi que l'on en dise, cette berline intermédiaire domine toujours le marché américain au chapitre des ventes.**

Habituellement, après trois ans sur le marché, les constructeurs japonais se contentent d'une légère révision esthétique et de quelques peaufinages mécaniques. Dans le cas de la Camry, Toyota a fait davantage. La populaire intermédiaire a bénéficié d'une carrosserie toute nouvelle; seul le toit a été conservé, tout en continuant de faire confiance aux éléments mécaniques qui étaient déjà éprouvés. En fait, c'est un peu la même recette qui avait été utilisée pour la Corolla, modifiée l'année précédente. Compte tenu des chiffres de vente de ces deux modèles, il faut en conclure que cette approche rapporte des dividendes.

### TOUT EST DANS LA CALANDRE
Auparavant, les stylistes de Toyota semblaient avoir comme directives d'être politiquement corrects et de concocter des voitures aux lignes équilibrées et passant inaperçues. Les choses ont changé et c'est surtout au niveau de la grille de calandre et de la section avant que les modifications sont les plus importantes. Le bouclier avant est nettement plus agressif qu'avant avec une section noire en relief, de larges prises d'air et des phares antibrouillard situés dans des nacelles verticales en forme de L inversés qui donnent un air menaçant à cette voiture. Ses roues en alliage ont été redessinées et sont d'allure plus sportive, tandis qu'une ligne de caractère placée sous la ceinture de caisse rompt la monotonie des parois latérales.

Somme toute, cette présentation extérieure est bien équilibrée et permet de mieux démarquer la voiture dans la circulation. L'habitacle a été complètement transformé avec une console verticale élargie dotée de nouvelles commandes qui sont plus faciles d'utilisation. De plus, le système d'infodivertissement Entune a été amélioré. Sa présentation n'est pas la trouvaille du siècle, mais il est aisé de s'y retrouver.

Certains modèles sont munis du système de recharge sans fil qui respecte le standard Qi, lequel permet de recharger un téléphone cellulaire en le déposant simplement sur le pavé de recharge. Cette seule caractéristique incitera assurément quelques personnes à se procurer une Camry !

Les cadrans indicateurs sont à affichage électronique et comprennent dans leur partie médiane un minicentre d'information qui est apprécié. Digne de mention, la qualité des matériaux a vraiment été améliorée et il y a de moins en moins de plastiques durs, jadis une caractéristique incontournable de la Camry.

### LA FIABILITÉ AVANT TOUT
Les quatre cylindres de 2,5 litres et V6 de 3,5 litres ont pratiquement atteint l'âge de la retraite. Mais grâce à des raffinements mécaniques et en raison d'une fiabilité pratiquement hors-norme, ces groupes propulseurs sont de retour. Le quatre cylindres produit 178 chevaux alors que le V6 en sort 90 de plus. Les performances sont adéquates pour la catégorie tandis que la transmission automatique à six vitesses procure des passages de rapport pratiquement indétectables.

On a également conservé la motorisation hybride constituée d'un quatre cylindres de 2,5 litres de cycle Atkinson associé à un moteur électrique portant ainsi la puissance totale à 200 chevaux. L'hybride est couplé à une transmission automatique à rapports continuellement variables, une pratique courante pour ce type de motorisation.

La plate-forme a été renforcée à l'aide de multiples soudures et les suspensions ont été légèrement revues. On nous assure chez Toyota que la direction est moins assistée qu'avant.

Peu importe le modèle choisi, les progrès en fait d'agrément de conduite et de tenue de route sont notables. Toyota n'a pas transformé la Camry en modèle sport, mais l'amalgame des modifications et des améliorations en font une bien meilleure voiture.

| Châssis - XLE V6 | |
|---|---|
| Emp / lon / lar / haut | 2775 / 4850 / 1820 / 1470 mm |
| Coffre / Réservoir | 436 litres / 64 litres |
| Nbre coussins sécurité / ceintures | 10 / 5 |
| Suspension avant | ind., jambes force |
| Suspension arrière | ind., jambes force |
| Freins avant / arrière | disque / disque |
| Direction | à crémaillère, ass. var. élect. |
| Diamètre de braquage | 11,2 m |
| Pneus avant / arrière | P215/55R17 / P215/55R17 |
| Poids / Capacité de remorquage | 1528 kg / n.d. |
| Assemblage | Georgetown, KY |

| Composantes mécaniques | |
|---|---|
| **Hybride** | |
| Cylindrée, soupapes, alim. | 4L 2,5 litres 16 s atmos. |
| Puissance / Couple | 156 ch / 156 lb-pi |
| Tr. base (opt) / rouage base (opt) | CVT / Tr |
| 0-100 / 80-120 / V.Max | 8,6 s / 7,0 s / n.d. |
| 100-0 km/h | 42,1 m |
| Type / ville / route / $CO_2$ | Ord / 4,7 / 5,1 l/100 km / 2250 kg/an |
| **Moteur électrique** | |
| Puissance / Couple | 141 ch (105 kW) / 199 lb-pi |
| Type de batterie | Nickel-hydrure métallique (NiMH) |
| Énergie | 1,6 kWh |
| | |
| **LE, SE, XSE, XLE** | |
| Cylindrée, soupapes, alim. | 4L 2,5 litres 16 s atmos. |
| Puissance / Couple | 178 ch / 170 lb-pi |
| Tr. base (opt) / rouage base (opt) | A6 / Tr |
| 0-100 / 80-120 / V.Max | 9,1 s / 6,0 s / 220 km/h |
| 100-0 km/h | 43,2 m |
| Type / ville / route / $CO_2$ | Ord / 8,2 / 5,5 l/100 km / 3213 kg/an |
| **XLE V6** | |
| Cylindrée, soupapes, alim. | V6 3,5 litres 24 s atmos. |
| Puissance / Couple | 268 ch / 248 lb-pi |
| Tr. base (opt) / rouage base (opt) | A6 / Tr |
| 0-100 / 80-120 / V.Max | 7,4 s / 6,1 s / 220 km/h |
| 100-0 km/h | 42,8 m |
| Type / ville / route / $CO_2$ | Ord / 9,7 / 6,5 l/100 km / 3810 kg/an |

## Du nouveau en 2016
Aucun changement majeur. Version Édition spéciale.

Photos : Dominic Dubreuil, Toyota Canada

# TOYOTA **COROLLA**

((SiriusXM))

**Prix:** 17 740 $ à 22 220 $ (2015)
**Catégorie:** Berline
**Garanties:**
3 ans/60 000 km, 5 ans/100 000 km
**Transport et prép.:** 1 495 $
**Ventes QC 2014:** 17 055 unités
**Ventes CAN 2014:** 48 881 unités

---

Cote du Guide de l'auto

## 70 %

Fiabilité ▪▪▪▪▪▪▪▪□□

Appréciation générale ▪▪▪▪▪▪▪□□□

Sécurité ▪▪▪▪▪▪▪□□□

Agrément de conduite ▪▪▪▪▪▪□□□□

Consommation ▪▪▪▪▪▪▪▪□□

Système multimédia ▪▪▪▪▪□□□□□

---

Cote d'assurance
▪▪▪▪▪▪▪▪□□
$$$                            $

présentée par
**KANETIX.CA**

➕ Style plus affirmé qu'avant •
Fiabilité légendaire • Valeur de revente
extrême • Consommation retenue •
Habitacle invitant

➖ Style pas encore assez affirmé •
Accélérations bruyantes (CVT) •
Moteur en manque de chevaux •
Petite ouverture du coffre • Assise de la
banquette arrière très basse

**Concurrents**
Chevrolet Cruze, Dodge Dart, Ford Focus,
Honda Civic, Hyundai Elantra, Kia Forte,
Mazda3, Mitsubishi Lancer, Nissan Sentra,
Subaru Impreza, Volkswagen Jetta

## *Business as usual*

Alain Morin

**C**ette année, le Guide de l'auto fête sa cinquantième parution. Feuilleter ces différents bouquins amène à réfléchir sur l'évolution de l'automobile et de la société par le fait même. Pour les plus jeunes, je tiens à spécifier qu'il y avait des automobiles en 1967, première année du *Guide de l'auto*. Et elles ne fonctionnaient pas au charbon ni à la vapeur, mais bien à l'essence. Avec plomb par contre.

De toutes les voitures présentes sur le marché à ce moment, combien sont encore parmi nous sans jamais avoir connu une interruption de production? Il y a la Chevrolet Corvette, la Ford Mustang et la Toyota Corolla. Point à la ligne. À la limite, on pourrait ajouter la Volkswagen Beetle, devenue New un moment donné. Passons.

Si la Corvette et la Mustang ont connu des jours difficiles dans les années 70, les choses ont toujours semblé mieux aller pour la petite Toyota, débarquée en Amérique en 1968. Dans son Guide de la même année, Jacques Duval ne tarissait pas d'éloges pour cette «première voiture japonaise (...) qui a une personnalité bien à elle». Au fil des années, la Corolla a pris du volume, du poids et de la puissance.

En cela, elle représente le parfait reflet de l'évolution de l'automobile depuis près de 50 ans. En 1968, une Corolla possédait un quatre cylindres (elle possédera toujours un quatre cylindres) de 60 chevaux et pesait 1 600 livres (726 kilos). En 1978, son moteur faisait toujours 60 chevaux (mais ils sont calculés différemment depuis 1972) et pesait 873 kilos. En 1988, on parle de 90 chevaux pour déplacer 1 004 kilos. 1 998? 120 chevaux et 1 079 kilos. Pour 2008, ce sera 126 chevaux pour 1 155 kilos. Cette année, la Corolla de base possède 132 chevaux qui déplacent 1 290 kilos. La compacte de Toyota constitue un intéressant point de repère.

## POUR UN STYLE ÉCLATÉ, ALLEZ CHEZ LAMBORGHINI

Entièrement renouvelée en 2014, la Corolla s'est mise au goût du jour. Elle présente une carrosserie moins anonyme qu'avant, même si ce n'est toujours pas très éclaté comme style. Toutefois, avouons qu'une Corolla « jazzée » au possible ne connaîtrait pas de succès. L'habitacle aussi a connu sa part de changements et le tableau de bord a été entièrement revampé. Son style n'est pas au goût de tous, mais personne ne peut nier la qualité de l'assemblage, le bel éclairage bleuté la noirceur venue ou la facilité avec laquelle on peut manier les gros boutons de la climatisation ou de la radio.

Lors de la refonte de 2014, les dimensions de la populaire japonaise ont pris du galon, ce qui fait bien l'affaire des gens assis à l'arrière qui ont un peu plus d'espace pour s'étirer les jambes. Si le support des cuisses était meilleur, ce serait encore mieux. Et si l'assise n'était pas si basse pourrions-nous ajouter. Les personnes âgées ou celles ayant de la difficulté à se déplacer pourraient ne pas apprécier ces caractéristiques. Par contre, à l'avant, même après un trajet de plus de trois heures sans aucun arrêt, le siège du conducteur n'a pas eu d'effet néfaste sur mon douillet derrière, ce qui est quand même assez rare dans cette catégorie de voitures. Bravo Toyota!

## DU VIEUX, C'EST PAS TOUJOURS MAUVAIS

Sous le capot, le bon vieux quatre cylindres de 1,8 litre qui produit 132 chevaux dans sa version ordinaire, et 140 dans la livrée ECO grâce au système Valvematic qui fait varier l'ouverture des soupapes. La grande majorité des Corolla reçoit une boîte automatique continuellement variable (CVT) au fonctionnement ma foi, fort honnête.

Ce n'est qu'en accélération vive que le niveau sonore nous rappelle les limites de ce type de boîte. Mais gageons que bien des propriétaires de Corolla n'y verront que du feu. Une manuelle est offerte, mais les temps étant ce qu'ils sont, elle n'est pas très populaire, même si elle se comporte très bien. Enfin, en option sur le modèle de base, donc très peu populaire, on retrouve une automatique à quatre rapports. Peu importe la transmission, la consommation d'essence est toujours retenue, et c'est particulièrement vrai avec la version ECO.

Même si son comportement routier s'est bonifié avec les années, une Corolla demeure une Corolla. La direction est toujours un peu floue au centre et peu communicative, les suspensions sont calibrées pour offrir davantage de confort que de tenue de route et les freins font un travail honnête tant qu'on n'en abuse pas.

La Corolla d'aujourd'hui n'a rien à envier à quelque voiture que ce soit. Elle est confortable, économique à la pompe et d'une proverbiale fidélité... trois éléments qui ne sont pas donnés à toutes et qui font partie de sa génétique.

### Du nouveau en 2016

Aucun changement majeur

### Châssis - S

| | |
|---|---|
| Emp / lon / lar / haut | 2700 / 4650 / 1776 / 1455 mm |
| Coffre / Réservoir | 368 litres / 50 litres |
| Nbre coussins sécurité / ceintures | 8 / 5 |
| Suspension avant | ind., jambes force |
| Suspension arrière | semi-ind., poutre torsion |
| Freins avant / arrière | disque / tambour |
| Direction | à crémaillère, ass. var. élect. |
| Diamètre de braquage | 11,5 m |
| Pneus avant / arrière | P215/45R17 / P215/45R17 |
| Poids / Capacité de remorquage | 1285 kg / n.d. |
| Assemblage | Cambridge, ON |

### Composantes mécaniques

**CE, S, LE**

| | |
|---|---|
| Cylindrée, soupapes, alim. | 4L 1,8 litre 16 s atmos. |
| Puissance / Couple | 132 ch / 128 lb-pi |
| Tr. base (opt) / rouage base (opt) | M6 (A4, CVT) / Tr |
| 0-100 / 80-120 / V.Max | 10,5 s / 7,3 s / n.d. |
| 100-0 km/h | 44,6 m |
| Type / ville / route / $CO_2$ | Ord / 6,8 / 4,9 l/100 km / 2735 kg/an |

**LE ECO**

| | |
|---|---|
| Cylindrée, soupapes, alim. | 4L 1,8 litre 16 s atmos. |
| Puissance / Couple | 140 ch / 126 lb-pi |
| Tr. base (opt) / rouage base (opt) | CVT / Tr |
| 0-100 / 80-120 / V.Max | 10,9 s / n.d. / n.d. |
| 100-0 km/h | n.d. |
| Type / ville / route / $CO_2$ | Ord / 6,5 / 4,6 l/100 km / 2597 kg/an |

# TOYOTA **HIGHLANDER**

**Prix :** 33 890 $ à 54 905 $ (2015)
**Catégorie :** VUS
**Garanties :**
3 ans/60 000 km, 5 ans/100 000 km
**Transport et prép. :** 1 495 $
**Ventes QC 2014 :** 1 166 unités
**Ventes CAN 2014 :** 9 749 unités

## Cote du Guide de l'auto

# 74 %

| Fiabilité | Appréciation générale |
|---|---|
| ■■■■■■■□□□ | ■■■■■■■□□□ |
| Sécurité | Agrément de conduite |
| ■■■■■■■□□□ | ■■■■■□□□□□ |
| Consommation | Système multimédia |
| ■■■■■□□□□□ | ■■■■■□□□□□ |

## Cote d'assurance

■■■■■■■□□□     présentée par
$$$             $    **KANETIX.CA**

**➕** Comportement routier sûr et stable • Places avant superbes • Très pratique et spacieux • Douceur et silence de roulement • Fiabilité et qualité d'assemblage

**➖** La marche est haute pour grimper à bord • Versions hybrides chères • Réglages climatisation et volume agaçants • Troisième banquette vaguement symbolique • Hayon électrique parfois rébarbatif

**Concurrents**
Buick Enclave, Chevrolet Traverse, Ford Flex, GMC Acadia, Honda Pilot, Mazda CX-9, Nissan Murano

## Un faux costaud pratique et raffiné

Marc Lachapelle

**L**e Highlander est ce premier de classe qui collectionne les bonnes notes, mais aimerait bien cesser de passer inaperçu. Il s'offre alors un veston à la mode avec des épaules bien rembourrées, un pantalon ajusté, des souliers pointus et une paire de verres fumés. Toujours logique, il passe au gym plus souvent pour mieux habiter ses nouvelles fringues. Résultat : on le remarque davantage et ses devoirs sont quand même toujours impeccables. Tout le monde est content.

C'est à peu près l'histoire de la troisième génération du Highlander qui en est déjà à sa troisième année. En le redessinant, les stylistes lui ont d'abord greffé une de ces grandes calandres en trapèze qui ont fini par donner un caractère certain aux produits Toyota tout en confirmant leur identité. Ils ont flanqué cette calandre aux lamelles noires de grands blocs optiques allongés qui se terminent en pointe sur les ailes.

Au sommet de la calandre, une barre transversale chromée trace un lien visuel entre les phares et souligne une impression de largeur qui n'est pas une illusion. Le Highlander est effectivement plus large que l'ancien de 1,27 cm mais surtout plus long de 7,5 cm. Cette allure plus costaude, qui lui va bien et l'extrait enfin de l'anonymat le plus complet, lui vient de son profil plus anguleux et de ses ailes nettement plus galbées.

À l'arrière, un nouveau hayon coiffé d'une grande visière avec d'autres grands blocs optiques enveloppants au milieu. Ce nouveau hayon électrique est censé s'élever à une des huit hauteurs réglables. Il a refusé obstinément de s'ouvrir de plus du trois-quarts sur un des modèles essayés, même en suivant les indications du manuel. C'est le seul pépin ou désagrément subi dans un véhicule dont la vocation est, au contraire, d'accéder à vos désirs et de vous faciliter la tâche. Le Highlander a les cotes de satisfaction et de fiabilité voulues pour le démontrer.

## VOUS ÊTES LES BIENVENUS À BORD

Tant mieux pour la silhouette plus agréable et ses effets, parce que la force première de cette série est un habitacle aussi vaste que confortable et pratique. Comme il se doit pour un véhicule à vocation éminemment familiale. Les concepteurs ont d'abord exploité à fond le substantiel gain en largeur de 10,9 cm à l'intérieur. Les sièges avant offrent un solide amalgame de confort et de maintien. Le conducteur y profite d'une position de conduite juste, d'un large repose-pied et d'un volant bien moulé, drapé de cuir lisse.

À la deuxième rangée, le coussin est plutôt bas pour les sièges capitaine, mais l'espace pour les pieds très suffisant. On peut choisir aussi une banquette à trois places dont le dossier se replie en sections asymétriques (60/40). Les deux s'avancent de 7 cm pour faciliter l'accès à la troisième rangée en l'obstruant pour la deuxième. La banquette arrière est censée pouvoir accueillir trois passagers, mais c'est un sort cruel. Elle se replie aussi en deux sections et passera le plus clair de son temps dans cette position.

Le tableau de bord est moderne, la finition et la qualité des matériaux superbes. Les commandes et contrôles sont efficaces et bien finis dans l'ensemble. Avec un bouton minuscule pour le volume de la chaîne audio, les contrôles au volant sont doublement utiles. La molette lilliputienne pour le réglage de la température et le basculeur pour régler la force du ventilateur, c'est agaçant aussi.

Les rangements de toutes formes sont nombreux, pratiques et appréciés. Une tablette fait même les trois-quarts du tableau de bord en largeur, avec des trous pour passer les fils de vos bidules numériques. La soute cargo est plus grande du tiers que l'ancienne et on peut créer une véritable caverne en repliant les dossiers des deux dernières rangées.

## LA ROUTE ET LA VILLE SANS SURPRISES

Le Highlander se débrouille fort bien sur la route aussi, avec un bel aplomb en virage, sans mollesse, et une bonne tenue de cap. Amenez-en des kilomètres. La modulation des freins, fine et progressive sur les V6, devient plus abrupte avec les modèles hybrides lorsque s'y ajoute la récupération de l'énergie cinétique pour recharger la batterie de propulsion. Très courant chez les hybrides.

Il est performant aussi, avec un sprint 0-100 km/h de 7,9 secondes. Surtout pour un quasi-camion qui pèse plus de deux tonnes américaines (même la version LE à roues avant motrices). La version hybride fait aussi bien et consomme nettement moins, surtout en ville. Vous devrez bien sûr y mettre le prix, à équipement et modèle égaux. Or, la valeur et la fiabilité font toujours partie de l'équation avec le Highlander. C'est toujours comme ça avec les premiers de classe.

### Châssis - Hybride Limited

| | |
|---|---|
| Emp / lon / lar / haut | 2790 / 4855 / 1925 / 1780 mm |
| Coffre / Réservoir | 385 à 2339 litres / 65 litres |
| Nbre coussins sécurité / ceintures | 8 / 7 |
| Suspension avant | ind., jambes force |
| Suspension arrière | ind., double triangulation |
| Freins avant / arrière | disque / disque |
| Direction | à crémaillère, ass. var. élect. |
| Diamètre de braquage | 11,8 m |
| Pneus avant / arrière | P245/55R19 / P245/55R19 |
| Poids / Capacité de remorquage | 2205 kg / 1587 kg (3498 lb) |
| Assemblage | Princeton, IN |

### Composantes mécaniques

**Hybride**

| | |
|---|---|
| Cylindrée, soupapes, alim. | V6 3,5 litres 24 s atmos. |
| Puissance / Couple | 231 ch / 215 lb-pi |
| Tr. base (opt) / rouage base (opt) | CVT / Int |
| 0-100 / 80-120 / V.Max | n.d. / n.d. / n.d. |
| 100-0 km/h | n.d. |
| Type / ville / route / $CO_2$ | Ord / 6,8 / 7,2 l/100 km / 3211 kg/an |
| Moteur électrique | |
| Puissance / Couple | 68 ch (51 kW) / 103 lb-pi |
| Type de batterie | Nickel-hydrure métallique (NiMH) |
| Énergie | 4,5 kWh |

**2RM, 4RM**

| | |
|---|---|
| Cylindrée, soupapes, alim. | V6 3,5 litres 24 s atmos. |
| Puissance / Couple | 270 ch / 248 lb-pi |
| Tr. base (opt) / rouage base (opt) | A6 / Tr (Int) |
| 0-100 / 80-120 / V.Max | 7,9 s / 6,1 s / n.d. |
| 100-0 km/h | 42,2 m |
| Type / ville / route / $CO_2$ | Ord / 11,5 / 8,2 l/100 km / 4607 kg/an |

## Du nouveau en 2016

Aucun changement majeur

Photos : Toyota Canada

HYBRIDE

PRIUS C

## TOYOTA **PRIUS/PRIUS V/PRIUS C**

((SiriusXM))

**Prix :** 28 040 $ à 36 125 $ (2015)
**Catégorie :** Hatchback
**Garanties :**
3 ans/60 000 km, 5 ans/100 000 km
**Transport et prép. :** 1 495 $
**Ventes QC 2014 :** 2 379 unités*
**Ventes CAN 2014 :** 6 963 unités**

### Cote du Guide de l'auto
# 71 %

Fiabilité ■■■■■■■■□□

Appréciation générale ■■■■■■□□□□

Sécurité ■■■■■■■■□□

Agrément de conduite ■■■■■□□□□□

Consommation ■■■■■■■■□□

Système multimédia ■■■■■■■□□□

### Cote d'assurance
■■■■■■■■□□
présentée par
**KANETIX.CA**
$$$                    $

➕ Efficacité du système hybride •
Gamme complète • Design en net
progrès • Consommation dérisoire
(ville) • Fiabilité assurée

➖ Conduite amorphe •
Puissance juste • Reprises anémiques •
Prix encore élevés

### Concurrents
Lexus CT, Ford Fusion Hybride, Hyundai
Sonata Hybride, Kia Optima Hybride

# L'équipe d'étoiles

Guy Desjardins

**L**a Prius a fait du chemin depuis son lancement en 2001. Plusieurs véhicules ont littéralement parcouru des millions de kilomètres au moyen du système hybride de Toyota. Sa fiabilité n'est donc plus à prouver, les ingénieurs peuvent désormais passer à la vitesse supérieure.

La gamme Prius s'est étendue au fil des dernières années. À la Prius originale, se sont ajoutées les versions « Plug in », v et c. Tous ces modèles partagent de nombreux éléments, dont le système hybride du constructeur nippon. Essentiellement composé de deux moteurs, un à essence et l'autre électrique, la cylindrée varie selon les modèles.

**ON PASSE LE BALAI**
Chez Toyota, on s'est souvent contenté de voguer sur le succès et la fiabilité de ces modèles en retardant les refontes esthétiques, jugées secondaires à l'augmentation des ventes. Dans le cas de la Prius, elle n'a subi que deux refontes majeures depuis son lancement. Celle de 2004 avait permis de redonner un style plus américain au modèle alors que la dernière, en 2010, s'attardait à raffiner le modèle. L'an dernier, la volumineuse Prius v profitait d'un *lifting* complet à l'avant et de nouveaux feux à l'arrière.

Ce remodelage ne permettra cependant pas à la « V » d'attirer de nouveaux prospects puisqu'il reste assez discret dans l'ensemble, la version 2016 n'ajoutant rien de spectaculaire. On note évidemment une présentation beaucoup plus dynamique avec des lignes ciselées et l'ajout d'éclairage à DEL. La Prius v adopte également la nouvelle identité visuelle du constructeur à l'avant, ce que les Corolla et Camry ont fait récemment.

Mais la Prius v se démarque avant tout par son volume intérieur extraordinaire, autant pour les passagers que pour le cargo à l'arrière. L'espace pour les jambes se compare avantageusement à celui de véhicules de catégorie supérieure. La position élevée de l'assise, jumelée au généreux dégagement au niveau de la tête donnent une agréable impression de vastitude à l'habitacle malgré la présence de batteries sous la banquette

---

* Prius : 646 unités / Prius V : 650 unités
Prius C : 1083 unités

** Prius : 1895 unités / Prius V : 2292 unités
Prius C : 2776 unités

arrière. Quant à la Prius hybride branchable, sa production est désormais terminée, les modèles 2015 seront écoulés au cours de 2016 en attendant sa refonte complète qui devrait aboutir quelque part en 2017 ou 2018. On s'en reparle !

### ON VISE LA JEUNESSE

Cette année, c'est au tour de la Prius originale de passer sous le bistouri. Elle profite d'un remodelage complet avec comme but avoué d'abaisser l'âge moyen des acheteurs. Son look nettement plus dynamique et stylisé plaira sûrement à de jeunes professionnels qui cherchent de moins en moins le prestige et la performance, étant davantage sensibilisés aux problèmes climatiques et confrontés à la montée du prix du pétrole. Toyota nous avait promis l'arrivée de la Prius de nouvelle génération dès la fin 2015, mais suite à de nombreux retours aux planches à dessin (le président Akio Toyoda aurait refusé plusieurs esquisses), le modèle ne sera probablement pas disponible chez les concessionnaires avant le printemps 2016.

Au cœur des Prius se trouve un système hybride sophistiqué. De nombreuses années de recherches et d'essais ont permis à Toyota de garantir une excellente fiabilité. Le fonctionnement théorique a largement été décrit dans de précédentes parutions du Guide et sur de nombreux sites web. Il s'agit d'une motorisation à essence combinée à un moteur électrique qui lui vient en aide. À basse vitesse, seul le moteur électrique fonctionne. En ville, le système permet de substantielles économies mais sur l'autoroute, le système ne fait pas mieux que certains véhicules à essence qui réussissent à égaler la Prius en consommant aussi peu que 5,0 litres/100 km.

Outre le nouveau design, Toyota proposera en option une batterie de plus grande capacité permettant d'augmenter l'autonomie en mode 100 % électrique. Équipée de cette batterie au lithium-ion, la Prius pourra rouler sur une distance de 60 km avant que le moteur à essence ne démarre.

Toyota commercialise également la Prius c, basée sur le châssis de la Yaris *Hatchback*. Le plus petit modèle de la gamme propose un quatre cylindres de 1,5 litre jumelé à un moteur électrique ajoutant 60 chevaux aux 73 livrés par le moteur à essence, pour donner une puissance combinée de 99 chevaux. La cavalerie hybride de la Prius c transige aux roues avant via une boîte automatique à variation continue, lui permettant d'obtenir une consommation sous les 4,0 litres/100 km.

La famille Prius propose un éventail de modèles répondant à la plupart des besoins. L'efficacité et le confort surpassent nettement l'agrément de conduite, mais si vous êtes préoccupé par l'environnement, la gamme Prius s'avère le choix sensé.

### Châssis - Technologie

| | |
|---|---|
| Emp / lon / lar / haut | 2700 / 4480 / 1745 / 1490 mm |
| Coffre / Réservoir | 612 litres / 45 litres |
| Nbre coussins sécurité / ceintures | 7 / 5 |
| Suspension avant | ind., jambes force |
| Suspension arrière | semi-ind., poutre torsion |
| Freins avant / arrière | disque / disque |
| Direction | à crémaillère, ass. var. élect. |
| Diamètre de braquage | 10,4 m |
| Pneus avant / arrière | P195/65R15 / P195/65R15 |
| Poids / Capacité de remorquage | 1397 kg / n.d. |
| Assemblage | Toyota City, JP |

### Composantes mécaniques

**Prius, Prius V**

| | |
|---|---|
| Cylindrée, soupapes, alim. | 4L 1,8 litre 16 s atmos. |
| Puissance / Couple | 98 ch / 105 lb-pi |
| Tr. base (opt) / rouage base (opt) | CVT / Tr |
| 0-100 / 80-120 / V.Max | 10,8 s / 8,5 s / 180 km/h |
| 100-0 km/h | 43,6 m |
| Type / ville / route / $CO_2$ | Ord / 4,7 / 4,6 l/100 km / 2178 kg/an |

**Moteur électrique**

| | |
|---|---|
| Puissance / Couple | 80 ch (60 kW) / 153 lb-pi |
| Type de batterie | Lithium-ion (Li-ion) |
| Énergie | 1,3 kWh |

**Prius c**

| | |
|---|---|
| Cylindrée, soupapes, alim. | 4L 1,5 litre 16 s atmos. |
| Puissance / Couple | 73 ch / 82 lb-pi |
| Tr. base (opt) / rouage base (opt) | CVT / Tr |
| 0-100 / 80-120 / V.Max | 11,7 s / 9,7 s / n.d. km/h |
| 100-0 km/h | 40,9 m |
| Type / ville / route / $CO_2$ | Ord / 3,6 / 4,0 l/100 km / 1739 kg/an |

**Moteur électrique**

| | |
|---|---|
| Puissance / Couple | 60 ch (45 kW) / 125 lb-pi |
| Type de batterie | Nickel-hydrure métal |
| Énergie | 19,3 kWh |

### Du nouveau en 2016

Nouveau modèle (Prius), aucun changement majeur pour les Prius v et Prius c. Version hybride branchable discontinuée pour le moment.

PRIUS

PRIUS V

Photos : Toyota Canada

# TOYOTA **RAV4**

**Prix:** 25 920 $ à 36 000 $ (2015)
**Catégorie:** VUS
**Garanties:**
3 ans/60 000 km, 5 ans/100 000 km
**Transport et prép.:** 1 495 $
**Ventes QC 2014:** 8 535 unités
**Ventes CAN 2014:** 36 639 unités

## Cote du Guide de l'auto

# 76 %

| Fiabilité | Appréciation générale |
|---|---|
| ■■■■■■■■□□ | ■■■■■■■□□□ |
| Sécurité | Agrément de conduite |
| ■■■■■■■□□□ | ■■■■■□□□□□ |
| Consommation | Système multimédia |
| ■■■■■■■□□□ | ■■■■■■□□□□ |

## Cote d'assurance

■■■■■■□□□□                   présentée par

$$$                                $

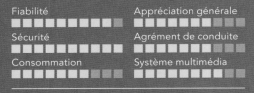

➕ Fiabilité à toute épreuve • Véhicule logeable • Bonne économie d'essence • Version hybride intéressante

➖ Les options coûtent cher • Design quelconque • Aucun plaisir de conduite • Habitacle en manque de raffinement

## Concurrents

Chevrolet Equinox, Ford Escape, GMC Terrain, Honda CR-V, Hyundai Tucson, Jeep Cherokee, Kia Sportage, Mazda CX-5, Mitsubishi Outlander, Nissan Rogue, Subaru Forester, Volkswagen Tiguan

# Quand on ne risque rien…

Marc-André Gauthier

**L**e segment des VUS compacts, c'est du sérieux au Québec. La prochaine fois que vous prendrez le volant, comptez le nombre de Nissan Rogue, de Mazda CX-5, de Honda CR-V, etc., que vous croisez. Vous serez surpris de voir combien il y en a!

Autant dire que c'est un segment où la concurrence fait rage. Toyota le connaît bien, puisqu'elle y oppose aux autres le RAV4 depuis bon nombre d'années. Par le passé, ce dernier avait des airs d'aventurier, et un joli style carré qui lui conférait beaucoup de charme. Il était polyvalent, avec un V6 sous le capot, capable de transporter jusqu'à 7 personnes.

Pour l'année-modèle 2014, Toyota a beaucoup repensé son petit VUS, et la motorisation V6 ainsi que la troisième banquette ont disparu. Maintenant, on ne retrouve qu'un quatre cylindres de 2,5 litres et un aménagement pour 5 personnes.

### MANQUE D'AUDACE

Sans dire que le RAV4 est ennuyeux, il n'a plus le charme carré des premières générations. Pour 2016, quelques petits changements ici et là. De profil, le RAV4 paraît bien, mais de face, le design du véhicule est trop quelconque. RAV signifie «Recreational Active Vehicle». En français, ça donne quelque chose comme «Véhicule récréatif actif». Autrement dit, il est supposé être un véhicule que l'on peut conduire hors des sentiers battus au besoin, là où une Corolla ne pourrait aller, par exemple. À le regarder, on a plutôt l'impression qu'il s'agit d'un véhicule pour aller se promener sur la rue Panet à Montréal, et moins sur la route du chalet.

Quant à l'habitacle du RAV4, Toyota a opté pour un tableau de bord avec une partie surélevée pour le système d'infodivertissement, qui cache en dessous de lui les autres commandes, comme l'activation des sièges chauffants. À moins de connaître l'emplacement des boutons, ce n'est pas très intuitif.

La motricité du RAV4 est assurée par un quatre cylindres de 2,5 litres développant 176 chevaux et 172 livres-pied de couple. On retrouve ce moteur dans la plupart des véhicules Toyota. Il fait ce qu'il a à faire sans éclat, mais sans grands défauts, non plus. C'est une pièce mécanique purement pratique. Heureusement, il est accouplé à une boîte automatique à 6 rapports qui préserve un minimum d'agrément en offrant un mode manuel.

Cette boîte achemine la puissance aux roues avant, mais un rouage intégral est offert en option. Ce dernier n'est d'ailleurs pas mauvais du tout. En conduite normale, il favorise les roues avant, mais peut répartir la puissance vers les roues arrière si une perte d'adhérence est détectée. Un bouton « Lock » sur la planche de bord permet, à moins de 40 km/h, de fixer une répartition constante de la puissance aux quatre roues, permettant de mieux affronter des conditions climatiques difficiles. Donc même s'il n'a pas l'air très aventurier, le RAV4 peut quand même se rendre au chalet sans problème !

Au sujet de la consommation d'essence, Toyota annonce que vous ferez 10 l/100 km en ville, et 7,6 l/100 km sur la route. Dans la vraie vie, il faut ajouter pratiquement 1 litre à ces deux valeurs. Cependant, avec une moyenne combinée de 8,9 l/100 km, le RAV4 demeure l'un des meilleures de sa catégorie.

**POUR 2016, UN SYSTÈME HYBRIDE**
Histoire d'attirer une nouvelle clientèle, Toyota introduit en 2016 une version hybride du RAV4. Sous son capot, on retrouve la même motorisation que dans la Camry hybride, c'est-à-dire un quatre cylindres de 2,5 litres relié à un moteur électrique. Au combiné, ces deux moteurs sont bons pour environ 200 chevaux.

Cet ensemble fait soudainement du RAV4 un véhicule des plus intéressants, puisque 200 étalons « écologiques » lui permettraient de rivaliser davantage avec le Ford Escape EcoBoost et ses 240 chevaux.

S'il faut retenir une chose du RAV4, c'est que sur un plan purement émotif, ce n'est pas un véhicule qui marque les esprits. Mais d'un côté pratique, il n'a aucun défaut majeur, il est fiable comme « ça ne se peut pas », il est logeable, et lorsque vous voudrez le vendre dans 5 ans, vous bénéficierez de l'une des meilleures valeurs de revente de son segment.

En dessinant ce véhicule, Toyota n'a rien risqué, et a préféré jouer conservateur. Si vous ne voulez vous-même rien risquer, ce petit VUS est pour vous.

### Châssis - 2RM LE

| | |
|---|---|
| Emp / lon / lar / haut | 2660 / 4570 / 1845 / 1660 mm |
| Coffre / Réservoir | 1090 à 2080 litres / 60 litres |
| Nbre coussins sécurité / ceintures | 8 / 5 |
| Suspension avant | ind., jambes force |
| Suspension arrière | ind., double triangulation |
| Freins avant / arrière | disque / disque |
| Direction | à crémaillère, ass. élect. |
| Diamètre de braquage | 10,6 m |
| Pneus avant / arrière | P225/65R17 / P225/65R17 |
| Poids / Capacité de remorquage | 1545 kg / 680 kg (1499 lb) |
| Assemblage | Woodstock, ON |

### Composantes mécaniques

**4RM hybride**

| | |
|---|---|
| Cylindrée, soupapes, alim. | 4L 2,5 litres 16 s atmos. |
| Puissance / Couple | 156 ch / 156 lb-pi |
| Tr. base (opt) / rouage base (opt) | CVT / Int |
| 0-100 / 80-120 / V.Max | n.d. / n.d. / n.d. |
| 100-0 km/h | n.d. |
| Type / ville / route / $CO_2$ | Ord / 7,8 / 7,0 l/100 km / 3422 kg/an |

**Moteur électrique**

| | |
|---|---|
| Puissance / Couple | 141 ch (105 kW) / 199 lb-pi |
| Type de batterie | Nickel-hydrure métallique (NiMH) |
| Énergie | 1,6 kWh |

**LE, XLE, Limited**

| | |
|---|---|
| Cylindrée, soupapes, alim. | 4L 2,5 litres 16 s atmos. |
| Puissance / Couple | 176 ch / 172 lb-pi |
| Tr. base (opt) / rouage base (opt) | A6 / Tr (Int) |
| 0-100 / 80-120 / V.Max | 9,9 s. / 6,9 s / n.d. |
| 100-0 km/h | 44,1 m |
| Type / ville / route / $CO_2$ | Ord / 10,7 / 8,3 l/100 km / 4425 kg/an |

### Du nouveau en 2016

Changements esthétiques, nouvelle version SE aux accents sportifs, nouvelle version hybride

Photos : Alain Morin

### TOYOTA **SEQUOIA**

**Prix :** 55 600 $ à 70 490 $ (2015)
**Catégorie :** VUS
**Garanties :**
3 ans/60 000 km, 5 ans/100 000 km
**Transport et prép. :** 1 495 $
**Ventes QC 2014 :** 67 unités
**Ventes CAN 2014 :** 713 unités

Cote du Guide de l'auto

# 60 %

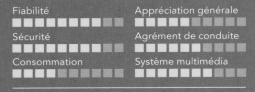

| Fiabilité | Appréciation générale |
| Sécurité | Agrément de conduite |
| Consommation | Système multimédia |

Cote d'assurance

présentée par
**KANETIX.CA**

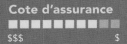

$$$                    $

➕ Confort et silence de roulement •
Habitacle facile d'accès • Grand espace
de chargement • Bonne capacité de
remorquage • Fiabilité exemplaire

➖ Consommation importante •
Format encombrant • Tableau de bord
suranné • Tenue de route moyenne •
Absence de motorisations
moins énergivores

**Concurrents**
Chevrolet Tahoe, Dodge Durango, Ford
Expedition, GMC Yukon, Nissan Armada

# Sonnez les matines !

Jean-François Guay

**A**lors que les Chevrolet Tahoe, Dodge Durango, GMC Yukon et Ford Expedition ont le vent dans les voiles, les ventes du Toyota Sequoia tournent en rond. Mais, c'était prévisible... Pendant que les constructeurs américains peaufinaient leurs modèles, Toyota pelletait par en avant en attendant que la catégorie des grands VUS meure de sa belle mort. Sauf que la crise du baril de pétrole a donné une seconde chance à ces mastodontes.

D'ailleurs, qui aurait prédit que la baisse des prix de l'essence coïnciderait avec la refonte des grands VUS de General Motors ? Mais qu'importe, pendant que le géant japonais dormait au gaz, Ford réagissait rapidement en rajeunissant les lignes de son Expedition en plus de remplacer son V8 par un V6 EcoBoost. De son côté, Dodge avait vu venir la vague il y a deux ans en boulonnant un V6 et une boîte automatique à huit rapports dans le Durango. Chez Toyota ? Rien...

On peut juste espérer que le Sequoia profitera un jour ou l'autre des retouches esthétiques apportées à son frère Tundra. Du côté de la mécanique, le défi est de taille pour Toyota qui doit faire face aux nouveaux V8 de GM, lesquels ont reçu des technologies de pointe comme l'injection directe, la désactivation de cylindres, la distribution à calage variable en continu et un système de combustion avancée ; sans compter l'apparition de boîtes de vitesses plus sophistiquées.

**UN SEUL MOTEUR**
Tant chez nous qu'aux États-Unis, les faibles ventes du Sequoia ne justifient plus la possibilité d'offrir le choix entre deux moteurs. Ainsi, seul le V8 de 5,7 litres a le mandat de propulser le Sequoia depuis que le V8 de 4,6 litres a été supprimé en 2013.

Même si la concurrence a fait plusieurs avancées technologiques, il ne faut pas croire que le V8 de 5,7 litres est caduc comme en font foi certaines de ses composantes : double arbre à cames en tête, 32 soupapes, double système de distribution à calage variable intelligent, injection électronique multipoint séquentielle, système de commande électronique intelligent du papillon des gaz, etc. Développant 381 chevaux et 401 livres-pied de couple, ce moteur permet, de concert avec la boîte automatique à six rapports, de tracter une roulotte ou un bateau pesant jusqu'à 3 220 kilos (7 100 lb). Par rapport à ses rivaux, sa capacité de remorquage est inférieure à celles des grands VUS de GM, Ford et Nissan, mais elle rivalise avec celle du Dodge Durango.

Même s'il est plus lourd et encombrant que le Toyota 4Runner pour faire du hors route, le Sequoia n'est pas piqué des vers non plus. Il est pourvu d'une mécanique similaire à son frère dont un rouage à quatre roues motrices temporaires, un boîtier de transfert à deux rapports, un verrou de différentiel central, un différentiel arrière à glissement limité automatique ainsi que des plaques protectrices pour le moteur et la boîte de transfert.

Dans la lignée des baroudeurs de Toyota, sa garde au sol de 24,1 centimètres est élevée et surclasse celles de ses rivaux américains. Seul le Nissan Armada offre une hauteur supérieure. Heureusement, nul besoin d'un escabeau pour monter dans le Sequoia puisque les marchepieds font partie de l'équipement de série, un bien pour un mal puisque cet accessoire est vulnérable aux bosses et ornières en conduite tout terrain.

### UN MOBILIER DÉSUET

Les cinq portes du Sequoia s'ouvrent sur un vaste habitacle où peuvent s'engouffrer huit occupants avec leurs bagages. En ce qui concerne la décoration, le tableau de bord mérite quelques critiques car il apparaît défraîchi. Ce vieux mobilier est un héritage du Tundra, lequel s'est modernisé récemment. Le Sequoia aurait avantage à imiter ce dernier, car son bloc d'instrumentation au fini gris comportant cinq cadrans individuels est maintenant révolu.

L'ergonomie n'est pas sans faille, sauf exception, le conducteur devra étirer le bras droit pour atteindre certaines commandes de la ventilation, de l'audio et du système de navigation. Heureusement, les commandes de l'audio sont intégrées au volant, ce qui permettra d'éviter quelques distractions. Parmi les astuces, la deuxième rangée de sièges est coulissante et permet d'augmenter l'espace pour les passagers de la troisième banquette.

Sur la route, la douceur des suspensions et le silence de roulement se comparent à ceux de son cousin Lexus LX. En ville, il est plus facile à manœuvrer et à garer que ses rivaux Expedition et Armada à cause d'un empattement et d'un rayon de braquage plus court. Bien entendu, la lourdeur du Sequoia se ressent sur les routes sinueuses où le roulis et le manque de précision de la direction vous obligent à rester vigilant.

### Du nouveau en 2016

Aucun changement majeur

## Châssis - SR5 5.7L V8

| | |
|---|---|
| Emp / lon / lar / haut | 3100 / 5210 / 2030 / 1955 mm |
| Coffre / Réservoir | 535 à 3400 litres / 100 litres |
| Nbre coussins sécurité / ceintures | 8 / 8 |
| Suspension avant | ind., double triangulation |
| Suspension arrière | ind., double triangulation |
| Freins avant / arrière | disque / disque |
| Direction | à crémaillère, ass. var. |
| Diamètre de braquage | 12,5 m |
| Pneus avant / arrière | P275/65R18 / P275/65R18 |
| Poids / Capacité de remorquage | 2707 kg / 3220 kg (7098 lb) |
| Assemblage | Princeton, IN |

## Composantes mécaniques

| | |
|---|---|
| Cylindrée, soupapes, alim. | V8 5,7 litres 32 s atmos. |
| Puissance / Couple | 381 ch / 401 lb-pi |
| Tr. base (opt) / rouage base (opt) | A6 / 4x4 |
| 0-100 / 80-120 / V.Max | 7,1 s / 6,1 s / n.d. |
| 100-0 km/h | 42,9 m |
| Type / ville / route / $CO_2$ | Ord / 18,8 / 14,0 l/100 km / 7654 kg/an |

Photos: Toyota Canada

# TOYOTA **SIENNA**

**Prix :** 32 605 $ à 47 790 $ (2015)
**Catégorie :** Fourgonnette
**Garanties :**
3 ans/60 000 km, 5 ans/100 000 km
**Transport et prép. :** 1 495 $
**Ventes QC 2014 :** 2 143 unités
**Ventes CAN 2014 :** 11 596 unités

## Cote du Guide de l'auto
# 71 %

Fiabilité
■■■■■■■■□□
Sécurité
■■■■■■■□□□
Consommation
■■■■■■□□□□

Appréciation générale
■■■■■■■□□□
Agrément de conduite
■■■■■□□□□□
Système multimédia
■■■■■■■□□□

## Cote d'assurance
■■■■■■■□□□
$$$                          $

présentée par
**KANETIX.CA**

**+** Fiabilité assurée • Moteur V6 bien adapté • Rouage intégral disponible • Bonne habitabilité • Habitacle confortable

**−** Sensible aux vents latéraux • Conduite ennuyante • Certains plastiques durs • Sièges médians peu manœuvrables • Modèle en sursis

## Concurrents
Chrysler Town & Country, Dodge Grand Caravan, Honda Odyssey, Kia Sedona

# Entre le bonheur et la platitude

Denis Duquet

La Sienna a été modifiée pour 2015. Malgré les communiqués de presse enthousiastes de Toyota, ces changements se sont limités à quelques retouches esthétiques, à une révision assez sommaire de la planche de bord et, le détail le plus important, à une amélioration de la qualité des matériaux de l'habitacle. Pour le reste, tout est demeuré pareil, incluant le retour du moteur V6 de 3,5 litres sans oublier la disponibilité du rouage intégral, le seul à être offert dans cette catégorie.

Ces petites améliorations sont en harmonie avec la philosophie de ce constructeur qui est très conservateur. On préfère améliorer prudemment le produit afin de garantir cette fiabilité incontournable qui rassure les clients potentiels et explique pourquoi il se vend autant de véhicules Toyota sur la planète. Cependant, une nouvelle génération de la Sienna a déjà été annoncée et il s'agira alors d'une refonte complète.

L'ensemble sera carrément plus moderne et plus attrayant. Et on peut espérer, si l'on se fie aux récents produits proposés par Toyota, que l'agrément de conduite sera plus relevé qu'il ne l'est présentement. Toutefois, cette nouvelle mouture n'a pas encore été officiellement présentée et il se passera encore plusieurs mois avant qu'elle ne soit disponible.

### PRENEZ VOS AISES
Le futur, c'est bien beau mais il ne faut pas oublier la génération actuelle. Sans être d'un design spectaculaire, l'habitacle de la Sienna demeure toujours en harmonie avec ce qui se fait ailleurs dans cette catégorie. Toyota a récemment modifié quelques matériaux afin de les rendre plus souples, notamment sur la planche de bord, mais ça pourrait être encore bien mieux. Cependant, la plupart des commandes sont faciles à rejoindre, leur manipulation est aisée tandis que le levier de vitesses placé sur la planche de bord est à la portée de la main.

Il faut également ajouter que les sièges avant sont confortables même si leur support latéral laisse fortement à désirer. Les occupants des places médianes pourront prendre leurs aises puisque l'espace ne fait pas défaut. Bien entendu, la troisième rangée est quelque peu exigüe.

Cette troisième banquette se remise sans problème dans le plancher en deux sections et facilite ainsi le transport d'objets encombrants. Par contre, si ceux-ci sont trop longs, vous devrez enlever les sièges intermédiaires, et cela nécessite des bras solides et une bonne dose de patience... Et encore faut-il les remiser quelque part une fois qu'on les a enlevés. Comme tout véhicule Toyota qui se respecte, le nombre d'espaces de rangement est généreux, même si la Sienna de base est plutôt austère et dépourvue de tout fla-fla.

### MOTEUR PERFORMANT, MOTRICITÉ PERFECTIBLE

Cette année, Toyota a créé une publicité vantant les mérites de son rouage intégral, soulignant le fait que la Sienna était la seule fourgonnette dotée d'un tel système. Ce dernier est efficace et transparent, sans trop accroître la consommation de carburant puisque celle-ci est d'environ un litre de plus aux 100 km par rapport à la version à roues motrices avant. Compte tenu de nos hivers, le rouage intégral est toujours apprécié !

La dernière Sienna que j'ai récemment pu conduire était une traction. Et j'ai pu constater à regret que la motricité des roues avant laissait fortement à désirer. En accélérant sous certaines conditions, les roues patinaient immédiatement avant que le système d'antipatinage n'entre en jeu. De plus, la direction aurait pu être vraiment plus précise. En outre, un ralenti plus élevé que la moyenne m'a obligé à être sur mes gardes, et ce, que la transmission soit en marche avant ou arrière. Ce n'est pas dramatique, mais c'est agaçant.

En ce qui a trait à la conduite elle-même, à part une sensibilité au vent latéral et un freinage qui pourrait être plus puissant, le véhicule se conduit sans trop de mauvaises surprises. Par contre, dans un virage très serré, on a intérêt à respecter les limites de vitesse affichées.

Malgré tout, la Sienna demeure toujours compétitive par rapport à la concurrence. Néanmoins, après six ans de bons et loyaux services, il est temps de penser à un modèle plus inspirant et au comportement routier supérieur.

### Châssis - XLE AWD 7 places

| | |
|---|---|
| Emp / lon / lar / haut | 3030 / 5085 / 1985 / 1810 mm |
| Coffre / Réservoir | 1110 à 4250 litres / 79 litres |
| Nbre coussins sécurité / ceintures | 7 / 7 |
| Suspension avant | ind., jambes force |
| Suspension arrière | semi-ind., poutre torsion |
| Freins avant / arrière | disque / disque |
| Direction | à crémaillère, ass. var. élect. |
| Diamètre de braquage | 11,4 m |
| Pneus avant / arrière | P235/55R18 / P235/55R18 |
| Poids / Capacité de remorquage | 2115 kg / 680 kg (1499 lb) |
| Assemblage | Princeton, IN |

### Composantes mécaniques

| | |
|---|---|
| Cylindrée, soupapes, alim. | V6 3,5 litres 24 s atmos. |
| Puissance / Couple | 266 ch / 245 lb-pi |
| Tr. base (opt) / rouage base (opt) | A6 / Tr (Int) |
| 0-100 / 80-120 / V.Max | 8,8 s / 5,3 s / n.d. |
| 100-0 km/h | 42,6 m |
| Type / ville / route / $CO_2$ | Ord / 13,0 / 9,5 l/100 km / 5256 kg/an |

### Du nouveau en 2016

Aucun changement majeur. Nouveau modèle à l'horizon.

# TOYOTA **TACOMA**

**Prix :** 25 650 $ à 33 585 $ (2015)
**Catégorie :** Camionnette
**Garanties :**
3 ans/60 000 km, 5 ans/100 000 km
**Transport et prép. :** 1 495 $
**Ventes QC 2014 :** 1 277 unités
**Ventes CAN 2014 :** 9 973 unités

---

Cote du Guide de l'auto

## 69 %

Fiabilité
■■■■■■■□□□

Appréciation générale
■■■■■■■□□□

Sécurité
■■■■■■□□□□

Agrément de conduite
■■■■■■■□□□

Consommation
■■■■■■□□□□

Système multimédia
■■■■■■■□□□

---

Cote d'assurance
■■■■■■■□□□
$$$      $

présentée par
**KANETIX.CA**

➕ Moteur quatre cylindres intéressant • Nouveau design réussi • Disponibilité d'un ensemble hors route • Fiabilité reconnue

➖ Faible capacité de remorquage à prévoir avec le 4 cylindres • Design conservateur de l'habitacle • Pas beaucoup d'équipement de série • Durabilité au travail du V6 à cycle Atkinson ?

**Concurrents**
Chevrolet Colorado, GMC Canyon, Nissan Frontier

# Tous les espoirs sont permis

*Marc-André Gauthier*

**D**ans le monde entier, on trouve des petites camionnettes Toyota. En Amérique du Nord, cependant, on aime les gros *pick-up*. Certes, il fut un temps où les camionnettes compactes comme le Tacoma avaient la cote, mais les modèles plus grands ont pris le dessus. Juste retour du balancier, il est redevenu intéressant de posséder un plus petit *pick-up,* d'autant plus qu'un tel véhicule est presque aussi pratique qu'une grande camionnette.

Toyota, donc, fabrique le Tundra dans l'espoir de concurrencer le Ram 1500, le Ford F -150, le Chevrolet Silverado et le GMC Sierra. Comment vont les affaires ? Pas trop mal. Les ventes vont bien, mais on ne parle pas de réelle concurrence. Le Tundra est une camionnette compétente, mais dans tous les matchs comparatifs, il se fait déclasser par les Américains. Il faut se rendre à l'évidence, peut-être que Toyota a plus de difficultés avec les gros *pick-up* qu'avec les petits.

Dans le secteur des petites camionnettes, justement, General Motors vient de relancer les Chevrolet Colorado et GMC Canyon, et le résultat est impressionnant. La petite camionnette actuelle de Toyota, le Tacoma, doit faire face à des adversaires de taille. Mais une nouvelle génération arrive, et tout porte à croire que ce sera l'occasion d'assister à tout le savoir-faire de la marque japonaise. D'ailleurs, Toyota fait des pieds et des mains pour promouvoir le Tacoma 2016. Au courant de l'été, elle a mis en place une caravane qui se promène à travers le Canada pour faire la promotion du véhicule au niveau local. Après tout, quoi de mieux que de toucher à la matière ?

**UNE MÉCANIQUE INTÉRESSANTE**
Non, je ne parle pas ici de mécanique hybride ou de mécanique électrique, qui aurait été des plus audacieuses. Mais en attendant, Toyota semble être sur la piste de quelque chose.

En fait, les acheteurs du Tacoma auront le choix entre deux motorisations. La première consiste en un moteur quatre cylindres de 2,7 litres, et l'autre, un moteur V6 de 3,5 litres à cycle Atkinson.

Ce dernier ne combine pas de compresseur volumétrique ou de turbo-compresseur comme c'est la mode, mais plutôt deux types de distribution du carburant. En effet, la distribution de carburant du moteur s'adapte à la demande en puissance faite au moteur, de sorte à maximiser l'économie d'essence. De plus, avec son cycle Atkinson, plus efficace que le traditionnel cycle Otto, mais moins dense au niveau de la puissance, ce V6 de 3,5 litres devrait être plus économique que le V6 de 4,0 litres qu'il remplace. Au moment d'écrire ces lignes, c'est toute l'information que nous avions côté technique. La puissance de ce moteur est pour le moment hypothétique, mais elle devrait dépasser les 270 chevaux, ce qui laisserait l'ancienne mécanique de 236 chevaux loin derrière. Une boîte automatique à six rapports sera proposée avec les deux moteurs, et le V6 pourra également être assorti d'une manuelle à six rapports.

L'offre d'un moteur quatre cylindres est intéressante pour certains acheteurs, incluant des municipalités, puisque la charge utile de la caisse demeure presque identique à celle des versions à moteur V6. Ce quatre cylindres est le même que celui qui était offert les années passées. C'est au chapitre de la capacité de remorquage que le plus gros moteur constitue évidemment un choix plus logique. Malheureusement, Toyota n'a pas divulgué ces données avant la date d'impression du *Guide de l'auto*.

### MIEUX ADAPTÉ

L'apparence et la finition des habitacles des camionnettes Toyota ne sont pas toujours optimales. Même s'il s'agit d'un véhicule de travail, la clientèle s'attend à un design et un niveau de luxe plus relevé qu'autrefois. Pour 2016, le Tacoma offre toujours un look robuste, ce qui est bien, mais il est en même temps beaucoup plus raffiné. Le Tacoma pourra également être équipé pour rouler hors des sentiers battus, par l'entremise des classiques ensembles TRD.

Si la mécanique du Tacoma s'avère aussi économique que promis, nul doute que cette camionnette trouvera son lot de preneurs. Après tout, ce n'est pas parce que nous avons beaucoup de choses à transporter que nous avons besoin de la puissance d'un V8.

Si le segment des camionnettes compactes s'avère être un filon, la réaction des constructeurs américains risque d'être vive et sans pitié. Mais bon, Toyota semble ici être sur une bonne piste. Elle connaît bien ce segment, et ça paraît.

| Châssis - 4X4 V6 cab. double (auto) | |
|---|---|
| Emp / lon / lar / haut | 3570 / 5620 / 1895 / 1780 mm |
| Boîte / Réservoir | 1866 mm (73,5 pouces) / 80 litres |
| Nbre coussins sécurité / ceintures | 6 / 5 |
| Suspension avant | ind., double triangulation |
| Suspension arrière | essieu rigide, ress. à lames |
| Freins avant / arrière | disque / tambour |
| Direction | à crémaillère, ass. var. |
| Diamètre de braquage | 14,2 m |
| Pneus avant / arrière | P245/75R16 / P245/75R16 |
| Poids / Capacité de remorquage | 1914 kg / 1587 kg (3498 lb) |
| Assemblage | San Antonio, TX |

| Composantes mécaniques | |
|---|---|
| **Base** | |
| Cylindrée, soupapes, alim. | 4L 2,7 litres 16 s atmos. |
| Puissance / Couple | 159 ch / 180 lb-pi |
| Tr. base (opt) / rouage base (opt) | M5 (A4) / Prop (4x4) |
| 0-100 / 80-120 / V.Max | 10,9 s (est) / 9,0 s (est) / n.d. |
| 100-0 km/h | 39,5 m (estimé) |
| Type / ville / route / $CO_2$ | Ord / 12,9 / 11,5 l/100 km / 5644 kg/an |
| **V6** | |
| Cylindrée, soupapes, alim. | V6 3,5 litres 24 s atmos. |
| Puissance / Couple | 270 ch / 248 lb-pi |
| Tr. base (opt) / rouage base (opt) | M6 (A6) / 4x4 |
| 0-100 / 80-120 / V.Max | 7,3 s (est) / n.d. / n.d. |
| 100-0 km/h | n.d. |
| Type / ville / route / $CO_2$ | Ord / 14,8 / 11,6 l/100 km / 6146 kg/an |

## Du nouveau en 2016

Nouveau modèle

Photos : Toyota Canada

# TOYOTA **TUNDRA**

**Prix :** 29 140 $ à 51 620 $ (2015)
**Catégorie :** Camionnette
**Garanties :**
3 ans/60 000 km, 5 ans/100 000 km
**Transport et prép. :** 1 495 $
**Ventes QC 2014 :** 1 981 unités
**Ventes CAN 2014 :** 9 769 unités

## Cote du Guide de l'auto

# 68 %

| Fiabilité | Appréciation générale |
|---|---|
| ■■■■■■□□□□ | ■■■■■■■□□□ |
| Sécurité | Agrément de conduite |
| ■■■■■■■□□□ | ■■■■■■□□□□ |
| Consommation | Système multimédia |
| ■■■■■□□□□□ | ■■■■■■□□□□ |

## Cote d'assurance

■■■■■□□□□□        présentée par
$$$                    $        **KANETIX.CA**

➕ Choix de modèles et versions •
Mécanique fiable et efficace •
Configuration simple • Habitacle plus
raffiné • Finition en progrès

➖ Consommation élevée • Conduite
empesée • Absence d'un V6 à essence •
Absence d'un moteur diesel • Détails
ergonomiques à revoir

**Concurrents**
Chevrolet Silverado, Ford F-150, GMC
Sierra, Nissan Titan, RAM 1500

# L'instinct du tueur a fait défaut

Jean-François Guay

**M**algré les succès de Toyota à l'échelle de la planète, il existe une catégorie où le géant japonais ne réussit pas à s'imposer. Laquelle 602 ? Vous l'avez deviné : celle des camionnettes pleine grandeur. Reconnu comme étant le dernier bastion des constructeurs américains, autant Ford, GM que Chrysler ne laissent aucune chance à Toyota. Pourtant, ce n'est pas parce que les ingénieurs japonais n'ont pas essayé. Lorsque ces derniers font un pas en avant, ceux des Trois Grands partent au pas de course pour maintenir leur avance.

Pire encore, Nissan fait un pied de nez à Toyota cette année en dévoilant un Titan à moteur diesel. Pour se démarquer de la concurrence, il y a longtemps qu'on conseille à Toyota d'affranchir le Tundra avec le diesel. Mais non, Toyota a toujours fait la sourde oreille. Or, l'occasion du siècle s'est présentée en 2009 et 2010 quand GM et Chrysler étaient étendues au tapis à cause de la crise financière. À l'époque, le lancement d'un petit moteur diesel aurait porté un dur coup au Ram 1500, lequel s'est repris de belle façon depuis en offrant une telle motorisation. Il faut croire que Toyota n'a pas l'instinct du tueur dans l'arène des *pick-up* ! Si Toyota avait mis autant d'effort à développer un moteur diesel dans le Tundra qu'à peaufiner ses véhicules hybrides, il aurait mis la main ad vitam aeternam sur le titre de numéro un mondial des constructeurs.

## LES VENTES

Il est bon de mentionner que la refonte du Tundra en 2014 lui a permis d'augmenter ses ventes de 44 % au Québec, et ce, dès la première année. Statistiquement parlant, il se vend au Québec un Tundra pour deux Chevrolet Silverado 1500, trois GMC Sierra 1500, cinq Ram 1500 et neuf Ford F-150. Les chiffres démontrent également que le Tundra est huit fois plus populaire que le Nissan Titan. Reste à savoir si le nouveau Titan fera une percée. Et si oui, au détriment de quel modèle ? Toyota doit se croiser les doigts... Mais, attendons voir la réaction des consommateurs.

Il y a deux ans, les changements les plus notables concernaient le dessin de la calandre, du capot, des phares et des feux arrière. L'intérieur est désormais mieux agencé et ressemble au F-150. Pour faciliter la manipulation de certaines fonctions (avec le port de gants par exemple), la taille de certains boutons ou commandes a été amplifiée. Les espaces de rangement sont nombreux et la console centrale dissimule un vaste coffre. On trouve également une cache sous la banquette arrière.

## UNE CONFIGURATION FACILE

Par rapport aux camionnettes américaines dont le catalogue des spécifications techniques est aussi épais qu'un vieux bottin téléphonique, la configuration d'un Tundra est beaucoup plus facile. Au départ, l'acheteur doit choisir entre dix modèles de carrosseries et châssis pré-assemblés; lesquels varient selon le type de cabine (régulière, Double Cab ou CrewMax), la longueur de la benne (5,5 pi, 6,5 pi et 8 pi) et le mode de propulsion (4x2 ou 4x4). Par la suite, il suffit d'opter pour l'équipement et le degré de finition entre sept versions offertes : standard, SR5, SR5 Plus, TRD, Limited, Platinum et 1794. Cela paraît compliqué ? Sachez que les modèles américains offrent deux sinon trois, quatre fois plus de combinaisons possibles à cause, notamment, de la multiplication des moteurs et des rapports de pont.

La mécanique du Tundra est simple. On trouve deux moteurs V8 et une boîte automatique à six rapports. Le V8 de 4,6 litres développe 310 chevaux et 327 livres-pied de couple. La capacité de remorquage du 4,6 litres avec un ratio de différentiel de 3,91 est de 3 085 kilos (6 800 lb). Quant au V8 de 5,7 litres, il produit 381 chevaux et 401 livres-pied de couple. Deux rapports de pont sont offerts : 4,10 ou 4,30 avec le groupe remorquage. Le poids maximum tractable est de 4 763 kilos (10 500 lb) avec l'équipement approprié.

La puissance se manifeste au moindre coup d'accélérateur. En revanche, les motoristes n'ont développé aucune technologie pour rivaliser avec les modèles américains qui ont réussi à réduire leur consommation grâce à des astuces comme l'injection directe, la désactivation des cylindres, une boîte à huit rapports, des V6 à essence ou diesel, etc. Malgré tout, on ne peut rien reprocher aux groupes motopropulseurs de Toyota, lesquels sont généralement fiables et efficaces.

Sur la route, le Tundra est parfois empesé et manque d'agilité. Les réactions de la direction et des suspensions donnent l'impression de conduire une camionnette 3/4 de tonne plutôt qu'une camionnette d'une demi-tonne. Mieux vaut charger la benne lourdement pour améliorer le comportement routier.

### Châssis - 4X2 4.6L cab. double

| | |
|---|---|
| Emp / lon / lar / haut | 3700 / 5810 / 2030 / 1930 mm |
| Boîte / Réservoir | 2000 mm (78,7 pouces) / 100 litres |
| Nbre coussins sécurité / ceintures | 8 / 6 |
| Suspension avant | ind., double triangulation |
| Suspension arrière | essieu rigide, ress. à lames |
| Freins avant / arrière | disque / disque |
| Direction | à crémaillère, ass. var. |
| Diamètre de braquage | 13,4 m |
| Pneus avant / arrière | P255/70R18 / P255/70R18 |
| Poids / Capacité de remorquage | 2306 kg / 3715 kg (8190 lb) |
| Assemblage | San Antonio, TX |

### Composantes mécaniques

**4.6**

| | |
|---|---|
| Cylindrée, soupapes, alim. | V8 4,6 litres 32 s atmos. |
| Puissance / Couple | 310 ch / 327 lb-pi |
| Tr. base (opt) / rouage base (opt) | A6 / Prop (4x4) |
| 0-100 / 80-120 / V.Max | 10,9 s / 9,0 s / n.d. |
| 100-0 km/h | 39,5 m (est) |
| Type / ville / route / $CO_2$ | Ord / 15,0 / 10,4 l/100 km / 5980 kg/an |

**5.7**

| | |
|---|---|
| Cylindrée, soupapes, alim. | V8 5,7 litres 32 s atmos. |
| Puissance / Couple | 381 ch / 401 lb-pi |
| Tr. base (opt) / rouage base (opt) | A6 / Prop (4x4) |
| 0-100 / 80-120 / V.Max | 7,3 s / 6,2 s / n.d. |
| 100-0 km/h | 40,3 m |
| Type / ville / route / $CO_2$ | Ord / 16,6 / 12,2 l/100 km / 6716 kg/an |

### Du nouveau en 2016

Aucun changement majeur. Réservoir à essence de plus grande capacité.

Photos : Frédérick Gaulin

# TOYOTA **VENZA**

((SiriusXM))

**Prix :** 31 425 $ à 34 980 $ (2015)
**Catégorie :** VUS
**Garanties :**
3 ans/60 000 km, 5 ans/100 000 km
**Transport et prép. :** 1 495 $
**Ventes QC 2014 :** 1 189 unités
**Ventes CAN 2014 :** 7 610 unités

## Cote du Guide de l'auto
# 72 %

| Fiabilité | Appréciation générale |
|---|---|
| ■■■■■■■□□□ | ■■■■■■■□□□ |
| Sécurité | Agrément de conduite |
| ■■■■■■■■□□ | ■■■■■■■□□□ |
| Consommation | Système multimédia |
| ■■■■■□□□□□ | ■■■■■■■□□□ |

## Cote d'assurance
■■■■■■■□□□
$$$                              $

présentée par
**KANETIX.CA**

➕ Polyvalence assurée • Fiabilité
impressionnante • Rouage intégral •
Finition soignée • Nombreux espaces
de rangement

➖ Modèle en sursis • Visibilité arrière
médiocre • Plastiques ultra durs •
Moteur quatre cylindres un peu juste •
Véhicule lourd

## Concurrents
Dodge Journey, Ford Edge,
Hyundai Santa Fe, Nissan Murano

# De retour !

Denis Duquet

**O**n avait annoncé la disparition de la Venza de notre marché, mais il s'agissait d'une fausse rumeur puisque ce modèle continuera d'être commercialisé en 2016. Et c'est tant mieux, car la Venza n'est pas sans posséder des caractéristiques uniques qui sont en mesure de combler les besoins de bien des gens.

En effet, on peut la qualifier de fourgonnette sans portes coulissantes ou de VUS aux allures de fourgonnette ou encore un véhicule multi-segment au style relativement sportif. À vous de décider dans quelle catégorie vous considérez la Venza.

Comme il s'agit certainement d'un modèle en fin de carrière, les dirigeants de Toyota ont fait appel à une vieille astuce, soit de concocter une version spéciale offrant une identification particulière ainsi qu'un niveau d'équipement relevé pour intéresser les acheteurs. En effet, l'édition Bois rouge (ou Redwood), toute nouvelle cette année, permet à Toyota d'offrir un modèle distinctif à peu de frais.

## L'ÉDITION BOIS ROUGE
La Venza de base arrive déjà bien équipée. La XLE, la plus cossue, affiche un niveau d'équipement encore bien plus relevé : contrôle automatique de la température à deux zones, garnitures argentées à motifs ondulés ainsi que les poignées intérieures des portières chromées. Il faut souligner le système d'éclairage d'accueil dans les portières, tandis que des lampes de lecture sont également incorporées. Le système audio comprenant six haut-parleurs, un correcteur automatique de niveau sonore et des commandes audio au volant est associé à un écran tactile de 6,1 pouces. Bien entendu, tous les accessoires électroniques populaires de nos jours font partie de l'équipement de série.

L'édition spéciale Bois rouge ajoute un intérieur couleur... bois rouge et des sièges en cuir perforé en plus d'emblèmes ici et là permettant de l'identifier.

## POLYVALENCE ASSURÉE

Parfois, lorsqu'on tente de concevoir un véhicule capable de tout faire, cela a pour effet de déstabiliser les acheteurs et les ventes en souffrent. Dans le cas qui nous concerne, la Venza jouit d'une bonne popularité au Canada, mais ses ventes aux États-Unis sont couci-couça. Il semble que les gens optent soit pour la fourgonnette Sienna ou encore pour le VUS Highlander.

C'est dommage, car la Venza a beaucoup à offrir. Au chapitre de l'esthétique, elle a été le premier véhicule Toyota depuis des années à offrir une silhouette dynamique et intéressante. De plus, son habitacle très spacieux permet d'accommoder occupants et bagages de façon harmonieuse.

La position de conduite surélevée est bonne et l'accès aux commandes est sans problème. Toutefois, la visibilité arrière est exécrable et il faut constamment utiliser les rétroviseurs extérieurs pour savoir ce qui se passe derrière. Pas surprenant que depuis l'an dernier, la caméra de recul soit de série sur tous les modèles.

Deux moteurs sont offerts. Il s'agit du quatre cylindres de 2,7 litres produisant 182 chevaux et du V6 de 3,5 litres d'une puissance de 268 chevaux. Dans les deux cas, une boîte automatique à six rapports avec mode de changement séquentiel est de série, tandis que la transmission intégrale est également disponible.

Le quatre cylindres de 2,7 litres peine à la tâche lorsque le véhicule est lourdement chargé ou en terrain montagneux. Le rouage intégral ne fait rien pour améliorer les choses. Le moteur est alors sollicité davantage et sa consommation devient presque équivalente à celle du V6. Si vous prévoyez voyager souvent avec plusieurs personnes et leurs bagages, ce dernier moteur est le choix qui s'impose.

Le comportement routier est sans histoire pour autant que vous conduisiez en tenant compte des limites de vitesse affichées. Certains vont trouver que la suspension est trop ferme alors que le débattement semble trop court lorsque la suspension est confrontée à des trous et des bosses. Finalement, la direction n'est pas tellement communicative et on apprécierait un meilleur *feedback* de la route, bien que dans l'ensemble et en comparaison avec plusieurs autres véhicules de cette catégorie, la Venza s'en tire pas trop mal à ce chapitre.

La production de la Venza devrait bientôt cesser pour de bon. C'est donc le temps de profiter des nombreuses offres spéciales qui seront présentées tout au long de l'année et qui vous permettront d'acquérir un véhicule fort intéressant à prix compétitif.

### Châssis - Base

| | |
|---|---|
| Emp / lon / lar / haut | 2775 / 4800 / 1905 / 1610 mm |
| Coffre / Réservoir | 870 à 1990 litres / 67 litres |
| Nbre coussins sécurité / ceintures | 7 / 5 |
| Suspension avant | ind., jambes force |
| Suspension arrière | ind., jambes force |
| Freins avant / arrière | disque / disque |
| Direction | à crémaillère, ass. élect. |
| Diamètre de braquage | 11,9 m |
| Pneus avant / arrière | P245/55R19 / P245/55R19 |
| Poids / Capacité de remorquage | 1705 kg / 1134 kg (2500 lb) |
| Assemblage | Georgetown, KY |

### Composantes mécaniques

**Base**

| | |
|---|---|
| Cylindrée, soupapes, alim. | 4L 2,7 litres 16 s atmos. |
| Puissance / Couple | 182 ch / 182 lb-pi |
| Tr. base (opt) / rouage base (opt) | A6 / Tr (Int) |
| 0-100 / 80-120 / V.Max | 10,5 s / 7,5 s / n.d. |
| 100-0 km/h | 42,1 m |
| Type / ville / route / $CO_2$ | Ord / 11,6 / 9,2 l/100 km / 4839 kg/an |

**V6**

| | |
|---|---|
| Cylindrée, soupapes, alim. | V6 3,5 litres 24 s atmos. |
| Puissance / Couple | 268 ch / 246 lb-pi |
| Tr. base (opt) / rouage base (opt) | A6 / Tr (Int) |
| 0-100 / 80-120 / V.Max | 8,4 s / 6,8 s / n.d. |
| 100-0 km/h | 43,0 m |
| Type / ville / route / $CO_2$ | Ord / 12,8 / 9,3 l/100 km / 5164 kg/an |

### Du nouveau en 2016

Aucun changement majeur. Édition Bois rouge. Modèle en fin de carrière.

Photos : Toyota Canada, Alain Morin

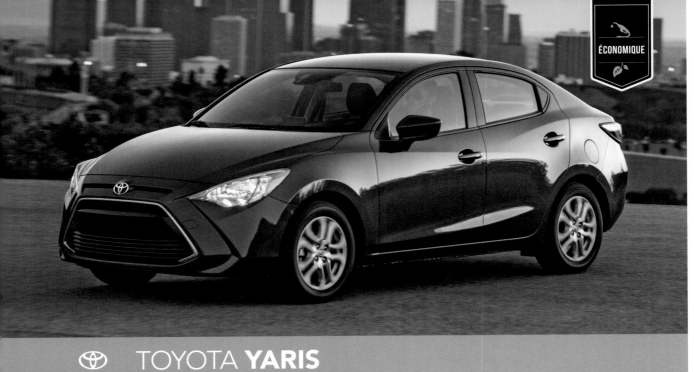

## TOYOTA **YARIS**

**Prix :** 16 265 $ à 19 500 $ (2015)
**Catégorie :** Berline, Hatchback
**Garanties :**
3 ans/60 000 km, 5 ans/100 000 km
**Transport et prép. :** 1 495 $
**Ventes QC 2014 :** 5 129 unités
**Ventes CAN 2014 :** 8 530 unités

### Cote du Guide de l'auto
# 70 %

Fiabilité

Sécurité

Consommation

Appréciation générale

Agrément de conduite

Système multimédia

### Cote d'assurance

présentée par
**KANETIX.CA**

$$$                           $

➕ Consommation parcimonieuse •
Design extérieur réussi (hatchback) •
Boîte manuelle ludique • Belle
maniabilité en ville • Fiabilité assurée

➖ Confort des sièges arrière •
Performances en retrait • Design avant
discutable (berline) • Boîte automatique
désuète (Hatchback)

**Concurrents**
Chevrolet Sonic, Ford Fiesta,
Honda Fit, Hyundai Accent, Kia Rio,
Nissan Versa Note, Toyota Prius c

# Enfin, la berline !

Guy Desjardins

**O**n croyait bien que la berline Yaris ne reviendrait jamais. On nous la promettait depuis maintenant plus de deux ans. La refonte esthétique de la version *hatchback* effectuée l'an passé semblait le moment idéal pour réintroduire la berline sur le marché, mais Toyota en a décidé autrement en reportant son lancement à cette année.

Quant au design extérieur de la Yaris à hayon, désormais assemblée en France, il a bien évolué depuis la toute première Echo. Aujourd'hui, ses phares avant surdimensionnés, son unique balai d'essuie-glace et sa voie élargie rendent la voiture plus attrayante qu'à ses débuts. L'élément le plus notable reste cependant la nouvelle présentation de la partie avant, une allure renouvelée l'an passé, autant pour la calandre que pour la partie sous le pare-chocs.

### AUCUN AIR DE FAMILLE
Étonnamment, le constructeur japonais ne s'est pas contenté d'ajouter un coffre à l'arrière de la version *hatchback* pour créer la berline, ce qui aurait été tout de même une avenue intéressante. En réalité, la nouvelle Yaris berline est un clone de la toute nouvelle Mazda2, conçue au Japon et construite au Mexique.

La carrosserie résultante expose plutôt des lignes arrondies et de nombreuses courbes, qui distancent son design de la tendance que prenait Toyota avec le remodelage un peu plus ciselé de ses modèles. La partie avant adopte également un design qui ne reprend rien de sa sœur *hatchback* qui montre, à notre avis, un faciès nettement plus harmonieux. Ce dédoublement de personnalité vise sûrement deux types de clientèle, l'une visiblement plus jeune et extravertie que l'autre. À vous d'en juger !

À l'intérieur, la Yaris *hatchback* s'est considérablement améliorée avec la refonte de 2015. Le tableau de bord a pris de l'expansion et s'étend davantage vers le passager, laissant place à des buses de ventilation et des boutons de contrôle beaucoup mieux répartis sur la console centrale. L'habitacle de la berline propose un aménagement bien différent. La console centrale, le tableau de bord et l'écran d'affichage ne peuvent cacher leurs origines stylistiques de Mazda.

Au cœur de toutes les Yaris se trouve une motorisation de 1,5 litre, un quatre cylindres dont la puissance dépasse tout juste la centaine de chevaux. Couplées à ce moteur, deux nouvelles boîtes de vitesses se chargent d'acheminer les chevaux aux roues avant. Bien que l'automatique à 6 rapports doive s'avérer efficace, c'est plutôt la version manuelle, proposant également 6 rapports, qui permettra au conducteur de s'amuser davantage.

Ça, c'est pour la Yaris berline qui compte sur sa mécanique Mazda. La Yaris *hatchback*, elle, doit se contenter de sa vieille boîte automatique à 4 rapports et de la manuelle à 5 vitesses.

### TENUE DE ROUTE AMÉLIORÉE

Les dimensions très réduites de la Yaris ne l'empêchent pas d'offrir une tenue de route solide. Son raffinement surpasse la plupart de ses concurrents, même si on lui trouve tout de même quelques faiblesses au niveau de la suspension. Évidemment, la présence d'une poutre de torsion de nouvelle génération sur la Yaris à hayon améliore grandement le confort. Assis au volant de cette dernière, on remarque une fabrication sérieuse et un choix de matériaux qui semble avoir réellement bénéficié d'évaluations exhaustives. Les sièges avant proposent un confort suffisant alors que ceux à l'arrière disposent d'une assise ferme.

Quant à la berline, il faudra attendre son lancement pour en faire l'essai. On soupçonne évidemment un comportement routier «à saveur» Mazda, donc plus sportif. En passant, soulignons que le marché américain n'aura pas droit à la Yaris berline, la voiture sera plutôt vendue comme étant la Scion iA.

La Yaris *hatchback*, toujours proposée en versions à trois et à cinq portes, montre de très belles qualités. Sa cure de rajeunissement lui va à merveille et lui permet de se démarquer de la concurrence. Quant à la nouvelle berline, elle ajoute du volume à l'habitacle et un coffre décent. Bref, deux modèles intéressants pour leur maniabilité et leur consommation réduite de carburant, mais qui seront vraisemblablement dotés de caractères différents.

### Châssis - Berline (auto)

| | |
|---|---|
| Emp / lon / lar / haut | 2570 / 4361 / 1694 / 1486 mm |
| Coffre / Réservoir | n.d. / 44 litres |
| Nbre coussins sécurité / ceintures | 9 / 5 |
| Suspension avant | ind., jambes force |
| Suspension arrière | semi-ind., poutre torsion |
| Freins avant / arrière | disque / tambour |
| Direction | à crémaillère, ass. var. élect. |
| Diamètre de braquage | 9,8 m |
| Pneus avant / arrière | P185/60R16 / P185/60R16 |
| Poids / Capacité de remorquage | 1098 kg / n.d. |
| Assemblage | Salamanca, MX |

### Composantes mécaniques

**Berline**

| | |
|---|---|
| Cylindrée, soupapes, alim. | 4L 1,5 litre 16 s atmos. |
| Puissance / Couple | 106 ch / 103 lb-pi |
| Tr. base (opt) / rouage base (opt) | M6 (A6) / Tr |
| 0-100 / 80-120 / V.Max | n.d. / n.d. / n.d. |
| 100-0 km/h | n.d. |
| Type / ville / route / $CO_2$ | Ord / 7,1 / 5,6 l/100 km / 2956 kg/an |

**Hatchback**

| | |
|---|---|
| Cylindrée, soupapes, alim. | 4L 1,5 litre 16 s atmos. |
| Puissance / Couple | 106 ch / 103 lb-pi |
| Tr. base (opt) / rouage base (opt) | M5 (A4) / Tr |
| 0-100 / 80-120 / V.Max | 10,3 s / n.d. / n.d. |
| 100-0 km/h | 41,8 m |
| Type / ville / route / $CO_2$ | Ord / 7,7 / 6,3 l/100 km / 3252 kg/an |

## Du nouveau en 2016

Aucun changement majeur pour la Yaris *Hatchback*. Retour de la berline Yaris.

## ⓋⓌ VOLKSWAGEN **BEETLE**

((( SiriusXM )))

**Prix :** 19 990 $ à 30 550 $ (2015)
**Catégorie :** Cabriolet, Coupé
**Garanties :**
4 ans/80 000 km, 5 ans/100 000 km
**Transport et prép. :** 1 395 $
**Ventes QC 2014 :** 690 unités
**Ventes CAN 2014 :** 2 044 unités

**Cote du Guide de l'auto**

# 73 %

| Fiabilité | Appréciation générale |
| --- | --- |
| ■■■■■□□□□□ | ■■■■■■■□□□ |
| Sécurité | Agrément de conduite |
| ■■■■■■□□□□ | ■■■■■■■□□□ |
| Consommation | Système multimédia |
| ■■■■■■□□□□ | ■■■■■■□□□□ |

**Cote d'assurance**

■■■■■■□□□□
$$$                              $

présentée par
**KANETIX.CA**

➕ Conduite agréable • Version Classic intéressante • Silhouette unique • Bon choix de moteurs • Finition impeccable

➖ Piètre visibilité arrière • Places arrière exiguës • Certaines commandes mal placées • Boîte manuelle cinq rapports (1,8 litre)

**Concurrents**
Fiat 500, MINI Cooper

# Double retro

Denis Duquet

C hez Volkswagen, on ne se laisse pas influencer par les autres constructeurs, tant en fait de style que de technologie. Souvent, ses nouvelles voitures ont une allure assez conservatrice, mais elles proposent des solutions technologiques originales et parfois avant-gardistes. De plus, l'une des forces de Volkswagen est sa capacité de concocter des modèles spéciaux qui sont non seulement appréciés du public, mais qui ont une grande longévité.

Nous en avons la preuve avec la Beetle Classic qui est venue s'ajouter à la gamme Beetle l'an dernier. Avec la Classic, on fait un véritable retour en arrière puisqu'elle est inspirée de la légendaire Coccinelle, mais adaptée au goût du jour. De plus, elle adopte la présentation intérieure des modèles de jadis. Pourtant, au lieu d'être caricaturaux, les résultats sont fort intéressants et ce modèle a connu beaucoup de popularité en 2015. À tel point qu'il est reconduit cette année.

### CLASSIQUE BEETLE

La Beetle Classic est simple. Un seul moteur offert, deux transmissions, quatre couleurs, un style de jantes, un ensemble de couleurs pour l'habitacle et deux options. C'est tout. En effet, un seul moteur est disponible, il s'agit du quatre cylindres 1,8 litre turbo produisant 170 chevaux et il est associé de série à la boîte manuelle à cinq rapports, tandis que l'automatique à six rapports est offerte en option.

Avec la Classic, vous n'aurez pas l'embarras du choix en fait de jantes, car une seule est offerte : une jante en acier dotée d'un enjoliveur central comme c'était le cas il y a 50 ans. En fait, à part la boîte automatique, la seule autre option digne de mention, est un toit panoramique. De plus, d'ici la fin de l'année et tout au long de 2016, il sera également possible de commander cette version pour le moins originale avec la décapotable. Amateurs de nostalgie et de rétrospective, vous serez servis à souhait.

Dans l'habitacle, la présentation est plus ou moins similaire à celle des autres modèles, à l'exception des sièges dont le tissu beige et les garnitures en cuir brun sont directement inspirés des années 60. Le résultat est d'un bel effet et ces sièges sont aussi confortables que ceux des autres modèles.

Et comme sur toutes les Beetle, une impression de solidité et de durabilité se dégage de l'ensemble. La planche de bord est d'une élégance classique et d'une ergonomie fort conviviale. Il faut également souligner la présence de deux coffres à gants superposés, ce qui ajoute au caractère pratique de cette voiture.

### VALABLE POUR TOUTES LES BEETLE

Peu importe le modèle, les places arrière ne sont certainement pas recommandées pour effectuer de longs trajets lorsque deux adultes de taille moyenne tentent de s'y glisser. Le meilleur moyen d'utiliser la banquette arrière est de replier le dossier afin de profiter d'un espace de chargement digne de ce nom. En plus, la visibilité arrière sera bonifiée par la disparition des appuie-têtes qui seront remisés également. Parlant de visibilité, mieux vaut vous habituer à consulter les rétroviseurs extérieurs qui, heureusement, sont de bonne dimension.

Peu importe le modèle, la conduite est typique de la majorité des produits Volkswagen, alors qu'on a l'impression d'être le maître à bord. Le *feedback* de la route nous fait apprécier ce coupé aux formes de jadis. La position de conduite est exemplaire et la visibilité avant est bonne. La tenue de route est sans surprise alors que la voiture enchaîne les virages avec aplomb.

La famille Beetle, incluant le coupé et la décapotable, change peu pour 2016 et il sera toujours possible de commander les versions conventionnelles et leur moteur 1,8 litre de 170 chevaux (comme sur la Classic) avec une boîte manuelle à cinq rapports. Aux dernières nouvelles, Volkswagen laisserait tomber son 2,0 litres turbocompressé de 210 chevaux.

Toutefois, on constate avec bonheur que le diesel (TDI) est encore au catalogue. Les amateurs de diesel pourront donc se rabattre sur le quatre cylindres 2,0 litres turbocompressé d'une puissance de 150 chevaux et un couple de 236 livres-pied. Il peut être commandé de série avec une boîte manuelle à six rapports tandis que l'automatique à six vitesses est offerte en option. Ce moteur est particulièrement brillant, surtout grâce à sa consommation réduite et à sa grande autonomie.

Oui, la Beetle est un classique qui n'est pas à la veille de s'en aller !

## Châssis - Classic

| | |
|---|---|
| Emp / lon / lar / haut | 2537 / 4278 / 1808 / 1486 mm |
| Coffre / Réservoir | 436 à 847 litres / 55 litres |
| Nbre coussins sécurité / ceintures | 4 / 4 |
| Suspension avant | ind., jambes force |
| Suspension arrière | ind., multibras |
| Freins avant / arrière | disque / disque |
| Direction | à crémaillère, assistée |
| Diamètre de braquage | 10,8 m |
| Pneus avant / arrière | P215/55R17 / P215/55R17 |
| Poids / Capacité de remorquage | 1337 kg / n.d. |
| Assemblage | Puebla, MX |

## Composantes mécaniques

**2.0 TDI**

| | |
|---|---|
| Cylindrée, soupapes, alim. | 4L 2,0 litres 16 s turbo |
| Puissance / Couple | 150 ch / 236 lb-pi |
| Tr. base (opt) / rouage base (opt) | M6 (A6) / Tr |
| 0-100 / 80-120 / V.Max | 9,3 s / 6,6 s / 202 km/h |
| 100-0 km/h | 42,7 m |
| Type / ville / route / $CO_2$ | Dié / 7,7 / 5,8 l/100 km / 3696 kg/an |

**1.8**

| | |
|---|---|
| Cylindrée, soupapes, alim. | 4L 1,8 litre 16 s turbo |
| Puissance / Couple | 170 ch / 184 lb-pi |
| Tr. base (opt) / rouage base (opt) | M5 (A6) / Tr |
| 0-100 / 80-120 / V.Max | n.d. / n.d. / n.d. |
| 100-0 km/h | n.d. |
| Type / ville / route / $CO_2$ | Ord / 9,8 / 7,3 l/100 km / 3991 kg/an |

## Du nouveau en 2016

Aucun changement majeur, Cabriolet Classic sera introduit fin 2015.

Photos : Volkswagen Canada

# VOLKSWAGEN CC

**Prix :** 42 375 $ (2015)
**Catégorie :** Berline
**Garanties :**
4 ans/80 000 km, 5 ans/100 000 km
**Transport et prép. :** 1 395 $
**Ventes QC 2014 :** n.d.
**Ventes CAN 2014 :** n.d.

---

### Cote du Guide de l'auto

# 72 %

| Fiabilité | Appréciation générale |
|---|---|
| ■■■■■□□□□□ | ■■■■■■■□□□ |
| **Sécurité** | **Agrément de conduite** |
| ■■■■■■□□□□ | ■■■■■■■□□□ |
| **Consommation** | **Système multimédia** |
| ■■■■■■□□□□ | ■■■■■■■□□□ |

---

### Cote d'assurance

présentée par
**KANETIX.CA**

■■■■■■□□□□
$$$       $

➕ Style encore d'actualité • Maintenant livrée avec un port USB! • Bonne tenue de route • Habitabilité surprenante • 2,0 litres relativement économique

➖ Modèle en fin de carrière • Accès ardu aux places arrière • Rouage intégral éliminé • Suspensions quelquefois dures • Essence super requise

---

### Concurrents
Acura TLX, Audi A4, BMW Série 3, Lexus IS, Mercedes-Benz Classe C

## Le cycle de la vie

*Alain Morin*

**I est intéressant de relater la vie d'une voiture de ses débuts jusqu'à sa fin, « dust to dust » comme on dit en latin. Au départ, ce n'est qu'une idée. Puis, on fait des réunions. Puis, on fait davantage de réunions. Les designers font des esquisses, les ingénieurs cherchent la plate-forme parfaite, les comptables tempèrent les passions. Quand tout est ficelé, le président donne son imprimatur.**

Et là, ça décolle ! Exalté, le département de marketing crée des pages et des pages de documents qui parlent de la future voiture comme de la plus belle création que la Terre n'ait jamais portée, l'Internet s'enflamme. Dévoilement dans un grand salon de l'auto, les journalistes sont heureux, ils auront du matériel à vendre. Les concessionnaires sont heureux, ils auront du matériel à vendre. Au début, c'est la folie furieuse et les salles de démonstration sont bondées. Puis, l'attrait de la nouveauté s'estompe. Petit *facelift* quelques années plus tard, question de susciter un peu d'intérêt autour du modèle. Ensuite, il devient encombrant ce modèle. Pour limiter les coûts et en attendant la relève, on supprime les versions et les motorisations les moins populaires. Puis, sans qu'on s'en rende compte, la vedette s'éteint dans son sommeil.

### POUR LA SUITE DES CHOSES
La Volkswagen CC, qui s'appelait Passat CC dans une autre vie, ne s'est pas encore éteinte, mais on sent que la fin est proche. Cette année, par exemple, un seul moteur et une seule transmission sont offerts. Dans les derniers salons, Volkswagen a traîné une foule de concepts, tous avec des noms qui se ressemblent. L'un de ceux-là, le Sport Coupe GTE présenté au Salon de Genève (qui s'apparente au C Coupe GTE Concept réservé à la Chine semble-t-il) serait la prochaine CC et n'aurait plus rien à voir avec la Passat. Car même si la Passat CC est devenue simplement CC en 2012, elle a conservé le châssis de ladite Passat. C'est simple, non ?

Quoi qu'il en soit, la CC continue son petit bonhomme de chemin. Ses lignes joliment arrondies sont toujours d'actualité et font que pratiquement plus personne ne l'associe à la Passat, devenue assez ordinaire, merci. Dans l'habitacle de la CC, les matériaux sont de belle facture, l'assemblage est réussi et le design... parfaitement Volkswagen. Le tableau de bord, par exemple, malgré un beau mariage de couleurs et matériaux, a été dessiné par des gens plus logiques que passionnés. Ou des passionnés de logique. Cependant, quand on vient juste de conduire une toute nouvelle Golf, on se rend compte que le temps a fait son œuvre. Par exemple, le levier du régulateur de vitesse de la CC est à des lieux de la simplicité d'opération des commandes de la Golf.

Les sièges, fidèles à la réputation allemande, sont fermes mais confortables. L'espace à l'avant ne fait pas défaut mais on ne peut pas en dire autant à l'arrière. Remarquez que la CC est une voiture plutôt imposante et que le dégagement pour les jambes et la tête est correct. C'est l'entrée et la sortie qui risquent de faire sourire les passants... Quant au coffre, son ouverture est passablement grande et sa contenance fort acceptable.

### ADIEU V6
Cette année, un seul moteur est proposé. Encore une fois, la logique a primé. Adieu le V6 de 3,6 litres qui n'a jamais été reconnu comme un modèle de sobriété. Volkswagen lui a préféré le 2,0 litres turbocompressé dont la puissance et le couple sont amplement suffisants pour réaliser des accélérations et reprises dignes de ce nom. Sans aucun doute à cause de ventes trop faibles, la boîte manuelle n'est plus offerte. Seule l'automatique à six rapports demeure.

La fin du V6 signifie aussi la fin du rouage intégral. Désormais, seules les roues avant sont motrices. Notre dernière prise en main d'une CC s'est faite l'hiver dernier, au pire d'une crise frigorifique. Sans trop faire attention à la consommation, nous avons obtenu une moyenne de 9,3 l/100 km en roulant environ 80 % du temps sur l'autoroute. En été et avec une conduite relaxe, il est parfaitement envisageable d'obtenir 8,5 l/100 km, comme nous l'avons déjà fait.

Malgré son moteur turbo et sa suspension assez dure, la CC n'est pas une voiture sport. Par contre, elle amènera ses occupants à bon port sans le moindre souci et avec classe, ce qui n'est pas rien. Il y a fort à parier qu'il s'agit de la dernière année de production de la CC dans sa livrée actuelle. Déjà, dans les officines de Volkswagen, on doit commencer à créer pages et des pages de documents qui parlent de la future voiture comme de la plus belle création que la Terre n'ait jamais portée...

| Châssis - 2.0 TSI Highline DSG | |
| --- | --- |
| Emp / lon / lar / haut | 2711 / 4799 / 1855 / 1417 mm |
| Coffre / Réservoir | 400 litres / 70 litres |
| Nbre coussins sécurité / ceintures | 8 / 5 |
| Suspension avant | ind., jambes force |
| Suspension arrière | ind., multibras |
| Freins avant / arrière | disque / disque |
| Direction | à crémaillère, ass. var. élect. |
| Diamètre de braquage | 11,4 m |
| Pneus avant / arrière | P235/45R17 / P235/45R17 |
| Poids / Capacité de remorquage | 1528 kg / n.d. |
| Assemblage | Emden, DE |

| Composantes mécaniques | |
| --- | --- |
| Cylindrée, soupapes, alim. | 4L 2,0 litres 16 s turbo |
| Puissance / Couple | 200 ch / 207 lb-pi |
| Tr. base (opt) / rouage base (opt) | A6 / Tr |
| 0-100 / 80-120 / V.Max | 7,6 s / n.d. / 209 km/h |
| 100-0 km/h | n.d. |
| Type / ville / route / $CO_2$ | Sup / 10,7 / 7,7 l/100 km / 4301 kg/an |

### Du nouveau en 2016

Abandon du V6, du rouage intégral et de la boîte manuelle. Disparition de quelques niveaux d'équipement et de couleurs. Ajout d'un port USB et de quelques technologies multimédia.

# VOLKSWAGEN **GOLF**

(((SiriusXM)))

**Prix:** 18 995 $ à 39 995 $ (2015)
**Catégorie:** Familiale, Hatchback
**Garanties:**
4 ans/80 000 km, 5 ans/100 000 km
**Transport et prép.:** 1 395 $
**Ventes QC 2014:** 4 261 unités
**Ventes CAN 2014:** 12 184 unités

## Cote du Guide de l'auto
# 81 %

Fiabilité
■■■■■□□□□□

Appréciation générale
■■■■■■■■□□

Sécurité
■■■■■■■□□□

Agrément de conduite
■■■■■■■■□□

Consommation
■■■■■■■□□□

Système multimédia
■■■■■■□□□□

## Cote d'assurance
■■■■■■■□□□
$$$                                   $

présentée par
**KANETIX.CA**

➕ Plaisir de conduite garanti • Places arrière très accueillantes • Panoplie de modèles • L'économie du diesel

➖ Fiabilité inégale • Version électrique non offerte • Grands écarts de prix • Boîte automatique perfectible (TSI)

## Concurrents
Ford Focus, Hyundai Elantra,
Kia Forte5, Mazda3 Sport, Mitsubishi
Lancer Sportback, Subaru Impreza

# Pur plaisir

Jacques Duval

Il existe une statistique fort révélatrice au sujet de la Volkswagen Golf. C'est la voiture la plus vendue au Canada avec une boîte de vitesses manuelle. Qui plus est, ce sont les Québécois qui optent le plus souvent pour un tel équipement. Voilà qui explique ce que j'écrivais il n'y a pas si longtemps après avoir conduit une Golf GTI de précédente génération. «Avec ses 200 chevaux (210 aujourd'hui), sa direction vive comme le discours de Louis-José Houde et sa grande prédilection pour les routes tordues, elle déclenche chez vous une dépendance dont on ne peut se défaire avec une simple Nicorette».

Nul besoin d'en rajouter pour faire la preuve que la Golf affiche un agrément de conduite qui réussit à faire oublier que sa fiche en matière de fiabilité n'est pas au sommet des sondages.

Bien sûr, les versions GTI et R, cette dernière avec 292 chevaux et la transmission intégrale, sont les mieux nanties à tous points de vue, mais la TSI et même la TDI à moteur diesel ont de nombreux adeptes. Cette dernière notamment est d'une sobriété à donner des maux de tête aux pétrolières. Avec un réservoir à carburant un peu plus généreux, on établirait de nouveaux records de distance avec un seul plein.

### BON MOTEUR DE BASE
La TSI, quant à elle, tire un très bon parti de son moteur de 1,8 litre turbocompressé de 170 chevaux, au point où on le croirait plus puissant que les chiffres officialisés par Volkswagen. Son seul handicap réside du côté des accélérations en raison d'un léger temps de réponse. Je dois préciser que la voiture d'essai misait sur la boîte automatique à six rapports qui, dans le cas présent, ne semble pas assez efficace pour faire oublier la boîte mécanique.

Quoi qu'il en soit, la consommation est fortement tributaire de la conduite pratiquée. En mode «plaisir», on aura du mal à faire mieux que 8,2 litres aux 100 km tandis qu'une certaine modération vous récompensera d'une moyenne d'environ 6,8 litres aux 100 km. Puisque l'on en est au chapitre de la consommation, comment expliquer que VW prive le marché canadien de la Golf électrique, réservée exclusivement au marché américain?

Selon moi, il s'en vendrait des tonnes et il se pourrait même que je sois preneur. Imaginez pouvoir ajouter le plaisir de la propulsion électrique à une petite voiture déjà emballante à conduire. Allez, sortez vos pancartes et allez protester chez les concessionnaires de la marque.

Pour revenir à nos versions essence, mentionnons que le freinage et la direction ne commandent aucune remarque négative, comme sur la plupart des voitures modernes. Seul le volant s'embarrasse de trop nombreux *pitons* (14) dont le toucher exige quasiment des doigts de fée. Quoique j'aie réussi à programmer sans mal l'ordinateur de bord et ses nombreuses fonctions, une première pour le «techno-nouille» que je suis.

Au chapitre des reprises, on se sent rassuré quand vient le moment de doubler, une manœuvre qui s'effectue en un peu plus de 6 secondes. La TSI de cet essai m'est apparue comme une sorte de compromis entre la Golf la plus ordinaire et la version GTI qui s'adresse aux vrais mordus. Sa suspension dont le débattement sur mauvais terrain procure un confort appréciable sans que la tenue de route s'en ressente de façon notable. À la limite, l'arrière confirme la présence d'un léger survirage. Il n'y a cependant pas de souci à se faire pour une si légère incartade.

### REDOUTABLE MANIABILITÉ
Surtout, que l'attrait premier de cette Volks est son comportement en ville ou sur des routes de campagne où son agilité nous remplit d'aise. Sa maniabilité de tous les instants est un délice et demeure l'argument suprême auprès de ceux et celles qui font confiance à la Golf et cela, malgré la litanie de problèmes ayant affecté la marque allemande au cours de la précédente décennie. S'il faut en juger par la qualité de l'assemblage de notre VW Golf, le constructeur allemand semble avoir fait de beaux progrès, témoin l'absence totale de bruits de caisse, quelle que soit la profondeur de nos nids-de-poule. Trop occupé pour m'arrêter à des détails aussi triviaux que la banquette arrière, j'imagine que vous savez qu'il y a là moins d'espace que dans une Mercedes Classe S.

Au moment de baisser le rideau, je vous dirais que si l'agrément de conduite fait partie de votre individualité, vous serez comblé par cette TSI et encore plus par la GTI. Par ailleurs, si le plaisir de conduire vous laisse béat, achetez-vous une Sentra, une Corolla ou toute autre sous-compacte sans saveur.

### Du nouveau en 2016
Nouveau système d'infodivertissement avec port USB ainsi qu'intégration Apple CarPlay et Android Auto

### Châssis - Trendline 3-portes

| | |
|---|---|
| Emp / lon / lar / haut | 2637 / 4268 / 1790 / 1443 mm |
| Coffre / Réservoir | 490 à 1520 litres / 50 litres |
| Nbre coussins sécurité / ceintures | 6 / 5 |
| Suspension avant | ind., jambes force |
| Suspension arrière | ind., multibras |
| Freins avant / arrière | disque / disque |
| Direction | à crémaillère, ass. var. élect. |
| Diamètre de braquage | 10,9 m |
| Pneus avant / arrière | P195/65R15 / P195/65R15 |
| Poids / Capacité de remorquage | 1318 kg / n.d. |
| Assemblage | Puebla, MX |

### Composantes mécaniques

**TDI**

| | |
|---|---|
| Cylindrée, soupapes, alim. | 4L 2,0 litres 16 s turbo |
| Puissance / Couple | 150 ch / 236 lb-pi |
| Tr. base (opt) / rouage base (opt) | M6 (A6) / Tr |
| 0-100 / 80-120 / V.Max | 8,6 s / 9,0 s / 216 km/h |
| 100-0 km/h | n.d. |
| Type / ville / route / $CO_2$ | Dié / 7,7 / 5,2 l/100 km / 3551 kg/an |

**Trendline, Comfortline, Highline**

| | |
|---|---|
| Cylindrée, soupapes, alim. | 4L 1,8 litre 16 s turbo |
| Puissance / Couple | 170 ch / 185 lb-pi |
| Tr. base (opt) / rouage base (opt) | M5 (A6) / Tr |
| 0-100 / 80-120 / V.Max | 8,4 s / 5,4 s / n.d. |
| 100-0 km/h | 41,4 m |
| Type / ville / route / $CO_2$ | Ord / 9,3 / 6,4 l/100 km / 3678 kg/an |

**GTI**

| | |
|---|---|
| Cylindrée, soupapes, alim. | 4L 2,0 litres 16 s turbo |
| Puissance / Couple | 210 ch / 258 lb-pi |
| Tr. base (opt) / rouage base (opt) | M6 (A6) / Tr |
| 0-100 / 80-120 / V.Max | 6,8 s / 3,9 s / 246 km/h |
| 100-0 km/h | 45,6 m |
| Type / ville / route / $CO_2$ | Sup / 9,4 / 6,9 l/100 km / 3807 kg/an |

**R 5-portes**

| | |
|---|---|
| Cylindrée, soupapes, alim. | 4L 2,0 litres 16 s turbo |
| Puissance / Couple | 292 ch / 280 lb-pi |
| Tr. base (opt) / rouage base (opt) | A6 / Int |
| 0-100 / 80-120 / V.Max | 5,1 s (est)/ 5,0 s (est) / 250 km/h |
| 100-0 km/h | n.d. |
| Type / ville / route / $CO_2$ | Sup / 10,2 / 7,8 l/100 km / 4195 kg/an |

Photos: Dominic Dubreuil, Volkswagen Canada

# VOLKSWAGEN **JETTA**

**Prix:** 14 990 $ à 34 190 $ (2015)
**Catégorie:** Berline
**Garanties:**
4 ans/80 000 km, 5 ans/100 000 km
**Transport et prép.:** 1 395 $
**Ventes QC 2014:** 10 537 unités
**Ventes CAN 2014:** 31 042 unités

### Cote du Guide de l'auto

# 75 %

Fiabilité

Appréciation générale

Sécurité

Agrément de conduite

Consommation

Système multimédia

### Cote d'assurance

présentée par
**KANETIX.CA**

$$$                                    $

➕ Rapport équipement/prix amélioré • Faible consommation (moteur TDI) • Style amélioré (carrosserie et habitacle) • Moteur 1,8 litre turbocompressé performant

➖ Dynamique moins inspirée que celle de la Golf • Moins confortable qu'une Golf • Design toujours conservateur • Certains matériaux bon marché dans l'habitacle

### Concurrents

Chevrolet Cruze, Dodge Dart, Ford Focus, Honda Civic, Hyundai Elantra, Kia Forte, Mazda3, Mitsubishi Lancer, Nissan Sentra, Subaru Impreza, Toyota Corolla

# En mode rattrapage

Gabriel Gélinas

La Volkswagen Jetta affiche une nouvelle plastique depuis l'an dernier. Pourquoi? En partie pour lui donner une allure plus «premium», mais ce n'est pas la vraie raison qui explique cette transformation. La vraie raison, c'est que la structure monocoque de la Jetta a été revue afin que la voiture soit conforme aux récentes normes de protection accordée aux occupants en cas de collision. Cette Jetta mérite donc une cote cinq étoiles de la part de l'agence fédérale américaine National Highway Transport Safety Administration (NHTSA), ainsi que la plus haute note attribuée par le Insurance Institute for Highway Safety (IIHS) dont les exigences sont plus élevées.

Alors que les ingénieurs se préoccupaient des changements à apporter à la structure, les designers ont reçu le feu vert pour procéder à un *lifting* de façon à ce qu'une certaine filiation soit assurée entre la Jetta et la Passat, tout en améliorant le coefficient aérodynamique de la première. La Jetta reçoit également le moteur turbocompressé de 1,8 litre carburant à l'essence ainsi qu'un nouveau moteur turbodiesel de 2,0 litres carburant au gazole. Toutefois, la finition de base est désormais animée par un moteur quatre cylindres turbocompressé de 1,4 litre développant 150 chevaux, ce qui représente une nette amélioration par rapport au désuet moteur quatre cylindres atmosphérique de 2,0 litres qui a été mis au rancart.

Avec le restylage, Volkswagen réduit aussi l'écart avec la concurrence puisque la Jetta est disponible avec des systèmes d'aide à la conduite, qui sont cependant offerts en option, et que des améliorations sont apportées à la présentation de l'habitacle afin de lui donner un cachet plus haut de gamme.

### UN STYLE QUI DEMEURE CONSERVATEUR
Côté style, la calandre affiche maintenant trois baguettes horizontales, des phares au bixénon et des feux de jour de type DEL sont livrables

en option, et des volets actifs intégrés à la partie avant permettent d'améliorer le coefficient aérodynamique. À l'arrière, on note un nouveau couvercle de coffre ainsi qu'un pare-chocs et des feux redessinés. En prenant place dans la voiture, on remarque le nouveau design de la console centrale, l'aspect plus moderne du bloc d'instruments et le recouvrement plus souple de la planche de bord, mais aussi que les portières comprennent encore des plastiques durs. Tout de même, la vie à bord s'annonce plus agréable, et il faut croire que nos récriminations concernant l'absence d'un port USB à bord de la Jetta ont été entendues à Wolfsburg, puisque les modèles 2016 en seront pourvus.

### DES MOTEURS PLUS PERFORMANTS

Les nouveaux moteurs sont très efficaces sous le capot de la Jetta, comme c'est le cas de la Golf. Avec 170 chevaux, le 1,8 litre à essence turbocompressé n'éprouve aucune difficulté à accélérer la Jetta. En outre, la programmation contrôlant la boîte automatique s'assure que le passage aux rapports supérieurs se fasse rapidement afin de bonifier la consommation, annoncée en conduite combinée à environ 7,9 litres aux 100 kilomètres avec la boîte automatique à six rapports et à 8,0 avec la manuelle à cinq vitesses.

Le choix des «gros rouleurs» se portera sur le 2,0 litres turbodiesel qui déballe 150 chevaux, mais surtout un couple plus abondant que le moteur à essence, tout en livrant une cote de consommation moyenne chiffrée à 6,5 litres aux 100 kilomètres, peu importe la boîte de vitesses. Sur le plan technique, le moteur turbodiesel est très avancé avec son calage variable des soupapes, ses injecteurs de carburant à très haute pression et son système de traitement des gaz d'échappement avec filtre à particules, développé pour se conformer aux normes antipollution nord-américaines.

Pour ce qui est du comportement routier, on note que cette Jetta redessinée est plus silencieuse et agréable à conduire que le modèle précédent, mais que la Golf est supérieure en ce qui a trait au confort ainsi qu'à la tenue de route. Avec la Jetta, on obtient une bonne expérience de conduite, mais elle n'est pas aussi satisfaisante que celle livrée par la Golf puisque la direction de la Jetta est rapide et linéaire, mais ne donne pas autant de *feedback* que celle de la Golf. Quant à la GLI, précisons qu'elle est animée par le moteur turbocompressé emprunté à la Golf GTI et qu'elle reçoit de nouveaux pare-chocs, histoire de marquer la filiation avec la GTI.

Avec ses nouveaux moteurs, un style plus raffiné et un rapport équipement/prix favorable, la Jetta devrait permettre à la marque d'améliorer les chiffres de ventes de son *best-seller* en sol canadien.

### Du nouveau en 2016

Abandon du moteur atmosphérique de 2,0 litres, nouveau moteur turbo de 1,4 litre, nouveau système d'infodivertissement et ajout d'un port USB

## Châssis - 2.0 TDI Highline (auto)

| | |
|---|---|
| Emp / lon / lar / haut | 2651 / 4656 / 1778 / 1453 mm |
| Coffre / Réservoir | 440 litres / 55 litres |
| Nbre coussins sécurité / ceintures | 6 / 5 |
| Suspension avant | ind., jambes force |
| Suspension arrière | ind., multibras |
| Freins avant / arrière | disque / disque |
| Direction | à crémaillère, ass. var. élect. |
| Diamètre de braquage | 11,1 m |
| Pneus avant / arrière | P225/45R17 / P225/45R17 |
| Poids / Capacité de remorquage | 1495 kg / n.d. |
| Assemblage | Puebla, MX |

## Composantes mécaniques

**Trendline, Trendline +, Comfortline (données estimées)**

| | |
|---|---|
| Cylindrée, soupapes, alim. | 4L 1,4 litre 16 s turbo |
| Puissance / Couple | 150 ch / 185 lb-pi |
| Tr. base (opt) / rouage base (opt) | M6 (A7) / Tr |
| 0-100 / 80-120 / V.Max | 8,6 s / n.d. / 220 km/h |
| 100-0 km/h | n.d. |
| Type / ville / route / $CO_2$ | Sup / 6,8 / 4,4 l/100 km / 2631 kg/an |

**1.8 Highline**

| | |
|---|---|
| Cylindrée, soupapes, alim. | 4L 1,8 litre 16 s turbo |
| Puissance / Couple | 170 ch / 184 lb-pi |
| Tr. base (opt) / rouage base (opt) | M5 (A6) / Tr |
| 0-100 / 80-120 / V.Max | n.d. / n.d. / n.d. |
| 100-0 km/h | n.d. |
| Type / ville / route / $CO_2$ | Ord / 9,3 / 6,3 l/100 km / 3657 kg/an |

**GLI**

| | |
|---|---|
| Cylindrée, soupapes, alim. | 4L 2,0 litres 16 s turbo |
| Puissance / Couple | 210 ch / 207 lb-pi |
| Tr. base (opt) / rouage base (opt) | M6 (A6) / Tr |
| 0-100 / 80-120 / V.Max | 6,6 s / 5,0 s / 201 km/h |
| 100-0 km/h | 44,2 m |
| Type / ville / route / $CO_2$ | Sup / 10 / 7,3 l/100 km / 4041 kg/an |

**Hybride Highline**
4L - 1,4 litre - 150 ch/184 lb-pi - A7 - 0-100: 9,0 s - 5,6/4,9 l/100 km
**Moteur électrique**
27 ch/114 lb-pi - Batterie Li-ion - 1,1 kWh

**2.0 TDI**
4L - 2,0 litre - 150 ch/236 lb-pi - (M6) A6 - 0-100: n.d. - 7,5/5,3 l/100 km

Photos: Volkswagen Canada

DIESEL

## VOLKSWAGEN **PASSAT**

((( SiriusXM )))

**Prix :** 23 975 $ à 35 570 $ (2015)
**Catégorie :** Berline
**Garanties :**
4 ans/80 000 km, 5 ans/100 000 km
**Transport et prép. :** 1 395 $
**Ventes QC 2014 :** 1 937 unités
**Ventes CAN 2014 :** 7 502 unités

### Cote du Guide de l'auto

# 79 %

Fiabilité
■■■■■■■■□□

Appréciation générale
■■■■■■■■□□

Sécurité
■■■■■■■□□□

Agrément de conduite
■■■■■■■□□□

Consommation
■■■■■■■□□□

Système multimédia
■■■■■■■□□□

### Cote d'assurance
■■■■■■■□□□
$$$                           $

présentée par
**KANETIX.CA**

**+** Tenue de route exemplaire • Performances et sonorité intéressants (V6) • Moteur fougueux (1.8 TSI) • Habitacle spacieux et coffre immense

**−** Style conservateur • Moteur diesel onéreux • Manque de caractère • Équipement technologique à revoir

### Concurrents
Buick Lacrosse, Chevrolet Malibu, Chrysler 200, Dodge Avenger, Ford Fusion, Honda Accord, Hyundai Sonata, Kia Optima, Mazda6, Nissan Altima, Subaru Legacy, Toyota Camry

# L'Américaine se ressaisit

Guy Desjardins

L'arrivée de la variante européenne CC dans la gamme Passat et le désir de dominer le marché nord-américain ont mis la table à la conception d'une berline purement américaine. Un style neutre et un habitacle généreux semblent être gage de succès si l'on se fie aux ventes des Toyota Camry, Honda Accord et Nissan Altima. Alors que les fabricants de Detroit calquent le comportement des voitures européennes, Volkswagen imite les fabricants japonais et américanise sa Passat en proposant une version exclusive au marché nord-américain.

Par rapport à la version qui arpente les routes du Vieux Continent, notre Passat mise sur une carrosserie plus conservatrice, un habitacle dépouillé, une tenue de route aseptisée et des pneus plus confortables. Bref, une pure américaine, conçue et fabriquée à Chattanooga au Tennessee. Censée rivaliser avec les grandes berlines américaines, les ventes de cette Passat n'ont jamais atteint les objectifs de Volkswagen en 2014, forçant le groupe à repenser sa stratégie l'an dernier pour réagir rapidement en 2016. On revoit donc l'allure de la Passat afin de la rendre plus attrayante, ciblant toujours des clients qui ne cherchent pas la conduite ferme et dynamique tant prisée par nos cousins d'outre-mer.

### MOTUS ET BOUCHE COUSUE
Volkswagen n'a pratiquement pas dévoilé d'information officielle sur la Passat 2016. On sait qu'elle subira une profonde refonte (VW parle de *significant refresh*) sans toutefois changer radicalement de design. Plusieurs éléments d'architecture seront empruntés sans doute à sa prestigieuse cousine, la Audi A6. Et même si la version américaine nous est exclusive, il y a de très fortes chances qu'elle revête une carrosserie similaire à la nouvelle Passat européenne, nettement plus intéressante et surtout disponible en version familiale. D'après de récents documents, Volkswagen confirme que notre Passat restera un modèle exclusivement *made in USA*, ce qui prouve l'acharnement du constructeur allemand à vouloir conquérir les États-Unis.

Selon nos plus récentes informations, les modifications pour 2016 incluent une partie avant remodelée avec des phares plus effilés, une carrosserie légèrement plus basse et plus large, des feux arrière à DEL et un habitacle plus cossu. Afin de mieux se frotter à la concurrence, la Passat devrait recevoir une mise à jour de ses systèmes électroniques d'aide à la conduite sécuritaire ainsi qu'un système d'infodivertissement plus moderne. Sa commercialisation débutera sur notre continent à la toute fin de 2015, bien après la saison habituelle des lancements.

### JUSQU'EN DÉCEMBRE

Entre-temps, le modèle de l'an dernier demeure au catalogue et propose les traditionnelles trois versions du fabricant : Trendline, Comfortline et Highline. Selon le niveau d'équipement choisi, il vous faudra ensuite décider lequel des trois moteurs répond à vos besoins.

Celui en entrée de gamme, un 4 cylindres turbo de 1,8 litre, réalise de bonnes performances, mais convient nettement plus au gabarit de la Jetta ou de la Golf. Il réussit toutefois à déplacer adéquatement la berline grâce à la puissance du turbo qui ajoute du punch aux prestations.

Les versions haut de gamme comptent sur un V6 de 3,6 litres dont le raffinement et la sonorité sont dignes d'une grande berline. Avec sa puissance additionnelle, le résultat est mieux équilibré, la voiture moins nerveuse et le moteur plus docile. En pleine accélération, la Passat V6 procure nettement plus de frissons au conducteur.

### PLACE AU DIESEL

Mais que serait une Volkswagen sans la possibilité de lui greffer une mécanique diesel ? La version TDI hérite d'un moteur 4 cylindres turbo de 2,0 litres dont la plus grande qualité est de consommer moins de 7 litres aux 100 km. Équipée de la sorte, la Passat livre des performances qui se situent dans la normale. Sur l'autoroute toutefois, la voiture épate et s'avère très silencieuse grâce à des révolutions-moteur près des 1 250 tr/min. Toutefois, un prix d'achat plus élevé ne favorise pas l'achat d'un diesel, à moins de parcourir de très longues distances.

La Passat revampée devrait marquer un retour vers la philosophie allemande. Une conduite plus directe, une allure fougueuse et une suspension légèrement plus ferme. Bref, la Passat s'était un peu trop américanisée pour plusieurs, mais reprendrait le droit chemin, calquée sur la nouvelle Passat européenne. Du moins, c'est ce qu'on aimerait.

## Châssis - 3.6 Comfortline

| | |
|---|---|
| Emp / lon / lar / haut | 2803 / 4868 / 1835 / 1487 mm |
| Coffre / Réservoir | 450 litres / 70 litres |
| Nbre coussins sécurité / ceintures | 6 / 5 |
| Suspension avant | ind., jambes force |
| Suspension arrière | ind., multibras |
| Freins avant / arrière | disque / disque |
| Direction | à crémaillère, ass. élect. |
| Diamètre de braquage | 11,1 m |
| Pneus avant / arrière | P215/55R17 / P215/55R17 |
| Poids / Capacité de remorquage | 1563 kg / n.d. |
| Assemblage | Chattanooga, TN |

## Composantes mécaniques

**TDI**

| | |
|---|---|
| Cylindrée, soupapes, alim. | 4L 2,0 litres 16 s turbo |
| Puissance / Couple | 150 ch / 236 lb-pi |
| Tr. base (opt) / rouage base (opt) | M6 (A6) / Tr |
| 0-100 / 80-120 / V.Max | 10,0 s / 7,4 s / n.d. |
| 100-0 km/h | 45,1 m |
| Type / ville / route / $CO_2$ | Dié / 7,9 / 5,6 l/100 km / 3158 kg/an |

**1.8 TSI**

| | |
|---|---|
| Cylindrée, soupapes, alim. | 4L 1,8 litre 16 s turbo |
| Puissance / Couple | 170 ch / 184 lb-pi |
| Tr. base (opt) / rouage base (opt) | M5 (A6) / Tr |
| 0-100 / 80-120 / V.Max | 8,0 s (est) / 6,2 s (est) / n.d. |
| 100-0 km/h | n.d. |
| Type / ville / route / $CO_2$ | Ord / 9,8 / 6,6 l/100 km / 3846 kg/an |

**3.6**

| | |
|---|---|
| Cylindrée, soupapes, alim. | V6 3,6 litres 24 s atmos. |
| Puissance / Couple | 280 ch / 258 lb-pi |
| Tr. base (opt) / rouage base (opt) | A6 / Tr |
| 0-100 / 80-120 / V.Max | 6,5 s / 5,8 s (est) / n.d. |
| 100-0 km/h | n.d. |
| Type / ville / route / $CO_2$ | Sup / 11,9 / 8,5 l/100 km / 4770 kg/an |

## Du nouveau en 2016

Refonte du modèle vers la fin de 2015

# ⓌVOLKSWAGEN **TIGUAN**

**Prix :** 24 990 $ à 38 490 $ (2015)
**Catégorie :** VUS
**Garanties :**
4 ans/80 000 km, 5 ans/100 000 km
**Transport et prép. :** 1 610 $
**Ventes QC 2014 :** 2 951 unités
**Ventes CAN 2014 :** 10 096 unités

---

Cote du Guide de l'auto

# 74 %

| Fiabilité | Appréciation générale |
|---|---|
| ■■■■■■■□□□ | ■■■■■■■□□□ |
| Sécurité | Agrément de conduite |
| ■■■■■■■□□□ | ■■■■■■□□□□ |
| Consommation | Système multimédia |
| ■■■■■■■□□□ | ■■■■■■■□□□ |

---

Cote d'assurance

■■■■■■■□□□          présentée par
$$$                        $     **KANETIX.CA**

---

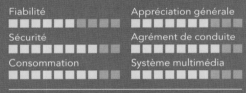 Bonne tenue de route • Finition exemplaire • Moteur impeccable • Rouage intégral efficace • Bonne position de conduite

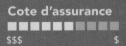 Essence super recommandée • Coffre à bagages limité • Modèle en sursis • Certaines commandes à revoir

---

### Concurrents

Chevrolet Equinox, Ford Escape, GMC Terrain, Honda CR-V, Hyundai Tucson, Jeep Cherokee, Kia Sportage, Mazda CX-5, Mitsubishi Outlander, Nissan Rogue, Subaru Forester, Toyota RAV4

# Simplicité exemplaire

Denis Duquet

**H**uit années, c'est pratiquement une éternité dans le monde de l'automobile alors qu'en général les modèles connaissent une refonte complète tous les six ans avec, entre-temps, une révision tout de même importante après quelques années. Bien entendu, les rumeurs d'un nouveau Tiguan sont nombreuses depuis plusieurs années, mais le constructeur de Wolfsburg persiste et signe avec son VUS compact. En fait, il n'a pas tort, car ce modèle est toujours très compétitif face à une concurrence qui se renouvelle sans cesse.

Contrairement à tous les autres véhicules du genre ou presque, le Tiguan ne tente pas de nous convaincre qu'il est un baroudeur pur et dur, capable d'affronter les sentiers les plus mal entretenus. Non, ses dimensions légèrement inférieures à la moyenne de la catégorie le font apprécier en conduite urbaine et contribuent à une tenue de route pratiquement sans reproche.

### SOBRIÉTÉ, SOBRIÉTÉ

Les stylistes qui ont dessiné le Tiguan ont joué la carte de l'élégance et de la sobriété au détriment du style tape-à-l'œil de certains concurrents. Les angles sont arrondis et la calandre est très discrète avec ses deux bâtonnets horizontaux au centre desquels est ancré l'écusson de la marque.

L'ensemble des lignes contribue à lui conférer une silhouette qui se situe entre une berline et un utilitaire. Le résultat est élégant et permet au véhicule de demeurer dans la lutte depuis des années sans avoir l'air démodé. Pareillement à l'intérieur où la planche de bord est ultra-sobre, ce qui n'est pas nécessairement un défaut. Chaque chose est à sa place, l'écran principal n'est pas le plus grand mais il est quand même de dimensions correctes, les matériaux sont de qualité et l'assemblage sérieux. La nacelle abritant les instruments intègre de larges cadrans indicateurs à chiffres blancs sur fond noir. Ils sont séparés au centre par un écran d'information qui s'avère fort utile. Les buses de ventilation circulaires sont nombreuses et faciles à orienter dans toutes les directions.

De bonnes notes également pour les sièges avant qui sont fermes et qui se révèlent confortables même après de longues heures de route. En plus, leur support latéral est bon. Et malgré de modestes dimensions extérieures, les places arrière offrent un généreux dégagement pour les jambes et la tête. Ce confort de la banquette arrière se paie en quelque sorte au niveau du coffre à bagages dont les dimensions sont inférieures à la moyenne de la catégorie. Notons au passage la présence d'un passe-ski qui permet à quatre adultes de voyager confortablement tout en transportant leurs skis de façon sécuritaire.

### EFFICACITÉ ET SIMPLICITÉ

Si vous êtes de ceux qui ne savent jamais quel groupe propulseur choisir, le Tiguan vous facilitera la vie alors qu'il ne ronronne qu'avec un seul moteur, soit le quatre cylindres 2,0 litres turbocompressé d'une puissance de 200 chevaux et d'un couple de 207 livres-pied. Contrairement à la tendance actuelle de n'offrir que des boîtes automatiques, il peut être associé à une manuelle à six rapports. Cependant, cette transmission se limite au modèle Trendline à traction avant.

Toutes les autres versions sont disponibles avec la boîte automatique à six rapports, laquelle effectue du bon travail. Il faut ajouter qu'il est possible de commander le rouage intégral 4Motion sur tous les modèles de la gamme, que ce soit en option ou en équipement de série. Cette année, cependant, ce rouage, qui a fait ses preuves depuis longtemps, a été éliminé de la version Trendline. Il est transparent et efficace à la fois. De plus, il n'alourdit pas tellement la voiture, de sorte qu'il n'affecte pas beaucoup les performances ni la consommation de carburant qui est relativement faible. Pour de meilleures accélérations et reprises, Volkswagen recommande de l'essence super.

Sur la route, la direction s'avère d'une grande précision tandis que le Tiguan s'accroche dans les virages avec détermination. On ne se croirait pas au volant d'un véhicule ayant un centre de gravité élevé tant son comportement routier est impressionnant. Des jantes de 18 pouces peuvent être commandées par le biais de groupes d'options, mais l'on peut facilement s'accommoder de celles de 17 pouces livrées de série. Contenu de la qualité de nos routes, ce pneu au profil plus élevé aide sensiblement au confort.

Un jour, un modèle succédera au Tiguan, mais en attendant, il est difficile de trouver à redire.

| Châssis - Trendline | |
|---|---|
| Emp / lon / lar / haut | 2604 / 4427 / 1809 / 1683 mm |
| Coffre / Réservoir | 674 à 1589 litres / 64 litres |
| Nbre coussins sécurité / ceintures | 6 / 5 |
| Suspension avant | ind., jambes force |
| Suspension arrière | ind., multibras |
| Freins avant / arrière | disque / disque |
| Direction | à crémaillère, ass. élect. |
| Diamètre de braquage | 11,9 m |
| Pneus avant / arrière | P215/65R16 / P215/65R16 |
| Poids / Capacité de remorquage | 1539 kg / 998 kg (2200 lb) |
| Assemblage | Wolfsburg, DE |

| Composantes mécaniques | |
|---|---|
| Cylindrée, soupapes, alim. | 4L 2,0 litres 16 s turbo |
| Puissance / Couple | 200 ch / 207 lb-pi |
| Tr. base (opt) / rouage base (opt) | M6 (A6) / Tr (Int) |
| 0-100 / 80-120 / V.Max | 9,2 s / 7,2 s / 200 km/h |
| 100-0 km/h | 44,3 m |
| Type / ville / route / $CO_2$ | Sup / 9,8 / 7,4 l/100 km / 4048 kg/an |

## Du nouveau en 2016

Aucun changement majeur, nouveau modèle prévu bientôt.

# VOLKSWAGEN **TOUAREG**

((SiriusXM))

**Prix :** 55 075 $ à 68 575 $ (2015)
**Catégorie :** VUS
**Garanties :**
4 ans/80 000 km, 5 ans/100 000 km
**Transport et prép. :** 1 610 $
**Ventes QC 2014 :** 486 unités
**Ventes CAN 2014 :** 2 332 unités

## Cote du Guide de l'auto

# 74 %

Fiabilité
■■■■■■■□□□

Appréciation générale
■■■■■■■□□□

Sécurité
■■■■■■■□□□

Agrément de conduite
■■■■■■□□□□

Consommation
■■■■■■□□□□

Système multimédia
■■■■■■□□□□

## Cote d'assurance
■■■■■■■□□□
$$$                    $

présentée par
**KANETIX.CA**

➕ Version TDI attrayante • Bonne
aptitude en hors route • Bon niveau
d'équipement • Design pratique

➖ Essence super recommandée •
Tableau de bord sobre • Manque
de prestige • Commence à vieillir

### Concurrents
Acura MDX, Audi Q7, BMW X5,
Cadillac SRX, Infiniti QX70, Lexus RX,
Mercedes-Benz Classe M, Porsche
Cayenne, Toyota Highlander,
Volvo XC90

## Mêmes ingrédients, recette inchangée

Sylvain Raymond

**A**fin d'augmenter ses parts de marché, Volkswagen a adopté une nouvelle stratégie ces dernières années : démocratiser au maximum ses véhicules. Le Touareg semble échapper à cette orientation lui qui conserve sa vocation première, rivaliser avec ce qui se fait de mieux chez les VUS de luxe intermédiaires. Partageant plusieurs caractéristiques avec son proche cousin, le Porsche Cayenne, le Touareg n'a jamais été dépourvu d'attraits.

Pour 2016, il offre peu de changements, car il a profité d'une subtile évolution l'an passé. Le plus luxueux et dispendieux modèle vendu par Volkswagen ici garde ses lignes plutôt carrées, ce qui lui confère un style classique et moins sportif que plusieurs rivaux. On dit souvent que ce sont les roues qui donnent un style dynamique à un véhicule. Dans le cas du Touareg, c'est très conservateur. À l'avant, la grille à barres horizontales est plus imposante et elle connecte les phares trapézoïdaux qui incorporent désormais une barre lumineuse aux DEL. Le tout est très chic et en général, le Touareg ne paraît pas trop mal dans la jungle urbaine.

À bord, l'habitacle est accueillant et luxueux. L'ergonomie est sans reproche, toutes les commandes étant facilement accessibles et bien disposées pour le conducteur. Il n'y a rien de très techno à bord, ce qui trahit l'âge du modèle, mais au moins, tout est simple à comprendre et à utiliser. Plusieurs compartiments de rangement rendent l'intérieur du Touareg pratique et logeable. Il est allemand donc, bien pensé !

Contrairement à certains concurrents, le Touareg ne dispose pas de troisième banquette, et est donc limité à transporter uniquement cinq personnes, quatre avec plus de confort. Cependant, tous profitent d'amplement d'espace et le design haut et angulaire du véhicule n'y est pas étranger. Le volume de chargement est convenable et pratique. Il y a peu de racoins, ce qui minimise les pertes d'espace. Familial, le Touareg ? Tout à fait !

## UN BON DUO DE MOTEURS

Outre le choix d'un niveau d'équipement, il n'y a pas de véritable casse-tête à propos du choix de moteurs. Oubliez la livrée hybride offerte ailleurs, on ne l'a pas au Canada. Le six cylindres de 3,6 litres qui équipe de série le Touareg développe 280 chevaux et un couple de 266 lb-pi. C'est une puissance en ligne avec ce que propose la concurrence et le moteur est bien appuyé par sa boîte automatique à huit rapports, la seule offerte.

Si vous êtes disposé à allonger quelques dollars supplémentaires en échange d'une meilleure économie de carburant et surtout d'un couple supérieur, il est difficile de résister à l'attrait du V6 TDI de 3,0 litres. Ses 240 chevaux n'ont rien pour écrire à sa mère, mais c'est surtout son couple de 406 lb-pi qui le rend aussi efficace, surtout si vous devez remorquer. Toutes les versions peuvent tracter jusqu'à 7 716 lb (3 500 kg), mais contrairement au moteur à essence qui tend à consommer plus quand il doit travailler plus fort, la consommation du V6 TDI bronchera à peine dans les mêmes conditions. Un incontournable si vous avez roulotte, bateau ou VTT à tracter.

Tous les Touareg viennent de série avec le rouage intégral 4MOTION, une excellente nouvelle. Engagé en permanence, ce système distribue de manière optimale la puissance aux roues : en condition normale, il envoie 40 % du couple aux roues arrière et 60 % à l'avant. Sur la route, la boîte automatique à huit rapports se tire bien d'affaire, offrant des changements doux. Le Touareg est monté sur un châssis d'une rigidité exemplaire. Aucune vibration n'est perceptible, même sur les chemins plus chaotiques. On pourrait croire qu'il a été conçu spécifiquement pour nos routes !

## UNE DÉCISION LOGIQUE

Même si la majorité de la population ne sortira jamais des sentiers battus au volant du Touareg, il demeure très compétent en hors route. Nous avons eu la chance de le mettre à l'épreuve lors d'un récent périple dans les montagnes de la Sierra Nevada au sud de l'Espagne. Le Touareg, qui tire son nom des peuples nomades du Sahara, a franchi sans gêne plusieurs chemins assez périlleux. Toutefois, nos modèles comportaient quelques exclusivités, notamment une suspension pneumatique et un mode gamme basse pour les conditions extrêmes, des systèmes qui ne sont plus offerts au Canada depuis quelques années. On sait fort bien que peu d'acheteurs joueront dans la boue !

Le Touareg continue de s'appuyer sur sa recette, mais Volkswagen devra le moderniser tôt ou tard s'il compte demeurer compétitif face à des rivaux drôlement compétents. Au moins, on a réglé les problèmes de fiabilité des premières générations.

### Châssis - TDI Highline

| | |
|---|---|
| Emp / lon / lar / haut | 2893 / 4795 / 1940 / 1732 mm |
| Coffre / Réservoir | 909 à 1812 litres / 100 litres |
| Nbre coussins sécurité / ceintures | 6 / 5 |
| Suspension avant | ind., double triangulation |
| Suspension arrière | ind., multibras |
| Freins avant / arrière | disque / disque |
| Direction | à crémaillère, assistée |
| Diamètre de braquage | 11,9 m |
| Pneus avant / arrière | P255/55R18 / P255/55R18 |
| Poids / Capacité de remorquage | 2256 kg / 3500 kg (7716 lb) |
| Assemblage | Bratislava, SK |

### Composantes mécaniques

**TDI**

| | |
|---|---|
| Cylindrée, soupapes, alim. | V6 3,0 litres 24 s turbo |
| Puissance / Couple | 240 ch / 406 lb-pi |
| Tr. base (opt) / rouage base (opt) | A8 / Int |
| 0-100 / 80-120 / V.Max | 9,1 s / 6,7 s / n.d. |
| 100-0 km/h | 40,8 m |
| Type / ville / route / $CO_2$ | Dié / 12,0 / 8,1 l/100 km / 5532 kg/an |

**V6**

| | |
|---|---|
| Cylindrée, soupapes, alim. | V6 3,6 litres 24 s atmos. |
| Puissance / Couple | 280 ch / 266 lb-pi |
| Tr. base (opt) / rouage base (opt) | A8 / Int |
| 0-100 / 80-120 / V.Max | 9,0 s / 6,3 s / n.d. |
| 100-0 km/h | 42,9 m |
| Type / ville / route / $CO_2$ | Sup / 14,3 / 10,3 l/100 km / 5750 kg/an |

## Du nouveau en 2016

Aucun changement majeur

Photos: Volkswagen Canada

V60

![Volvo logo] VOLVO **S60/V60**

((SiriusXM))

**Prix :** 39 800 $ à 66 895 $ (2015)
**Catégorie :** Familiale, Berline
**Garanties :**
4 ans/80 000 km, 4 ans/80 000 km
**Transport et prép. :** n.d.
**Ventes QC 2014 :** 523 unités*
**Ventes CAN 2014 :** 1 916 unités**

Cote du Guide de l'auto

# 75 %

| Fiabilité | Appréciation générale n.d. |
| Sécurité | Agrément de conduite |
| Consommation n.d. | Système multimédia n.d. |

Cote d'assurance

présentée par
**KANETIX.CA**

$$$                    $

➕ Moteurs Drive-E très efficaces • La familiale est aussi pratique qu'un VUS • Les versions Polestar sont très rapides • Très bon choix de groupes motopropulseurs

➖ Options font rapidement grimper la facture • T6 Drive-E FWD non disponible pour la V60 • Pas de rouage intégral avec moteurs Drive-E

## Concurrents
Volvo S60 : Acura TLX, Audi A4, BMW Série 3, Cadillac ATS, Infiniti Q50, Lexus IS, Mercedes-Benz Classe C

Volvo V60 : Audi allroad, Subaru Outback

# Alternative intéressante

Benjamin Hunting

**V**olvo a salué son retour dans le marché des voitures familiales en 2015 avec la V60, la jumelle mécanique de la berline S60. Toutefois, l'espace de chargement supplémentaire de la V60 n'était pas la seule nouveauté pour la plate-forme la plus populaire du fabricant suédois. En effet, elle est maintenant disponible avec deux moteurs quatre cylindres économes en carburant, issus de la famille de groupes motopropulseurs Drive-E.

De plus, les deux modèles sont offerts en version haute performance Polestar dans le but d'ébranler un peu les murs à Ingolstadt et à Munich. Volvo est au cœur d'une période de renaissance en matière de design et, bien que les V60 et S60 ne soient pas à la hauteur de leurs rivales de luxe dans chacune des catégories, ces deux modèles représentent tout de même une alternative intéressante aux véhicules haut de gamme traditionnels.

### LA TECHNOLOGIE DRIVE-E
Dans la quête de Volvo pour se donner une image de marque qui ne soit plus uniquement centrée sur la sécurité, la firme a mis au point des groupes motopropulseurs de plus en plus efficaces pour toute sa gamme. Le moteur de base des V60 et S60 est un quatre cylindres turbo de 2,0 litres qui produit 240 chevaux et un couple de 258 lb-pi (T5 Drive-E FWD) tout en affichant une consommation de 6,6 l/100 km sur la route. Toutefois, le moteur le plus impressionnant se trouve sous le capot de la T6 Drive-E FWD. Il s'agit du même moteur, mais doté d'un compresseur volumétrique et d'un turbocompresseur. Il livre 302 chevaux et un couple de 295 lb-pi tout en obtenant des cotes de consommation à peine plus élevées. Les deux moteurs sont annexés à une boîte automatique à huit rapports.

Malheureusement, la version T6 Drive-E FWD est réservée à la berline. La V60 familiale est offerte avec un choix de moteurs optionnels plus traditionnels : un cinq cylindres turbo de 250 chevaux, ou un six cylindres turbo de 3,0 litres, qui régit 300 (T6) ou 325 chevaux (T6 R-Design), reliés à une boîte automatique à six rapports avec rouage intégral de série (aussi disponible avec la berline S60).

Évidemment, la firme suédoise n'a pas concentré tous ses efforts technologiques uniquement sur la frugalité. De concert avec Polestar, son partenaire de course de longue date, Volvo a produit une série limitée de V60 et S60 aux performances nettement plus sportives.

Cette sportivité accrue provient en bonne partie du six cylindres de 3,0 litres, dérivé du T6 R-Design, qui génère 350 chevaux et un couple de 354 lb-pi. Les Polestar sont livrées avec rouage intégral, amortisseurs Öhlins (à ajustements manuels), freins avant énormes et système d'échappement sport. Au final, on se retrouve avec des machines capables de bondir de 0 à 100 km/h en moins de cinq secondes, tout en demeurant aussi conviviales que leurs cousines pour la conduite de tous les jours.

### LE PASSÉ RENCONTRE LE PRÉSENT

Le secteur où Volvo n'a pas investi trop d'argent en matière de développement ? L'aménagement intérieur des S60 et V60 traîne encore de la patte par rapport à celui de ses rivales chez BMW (Série 3), Audi (A4) et Mercedes-Benz (Classe C). Loin d'être inconfortable, l'environnement visuel de la berline et de la familiale est plutôt austère. Le système d'infodivertissement n'est pas à la hauteur non plus. Il est doté d'un écran trop petit et de boutons beaucoup trop nombreux dans la console centrale pour qu'on puisse les utiliser facilement.

Au moins, le côté pratique de la familiale peut concurrencer les multisegments et les VUS qui menacent constamment de mener ce type de carrosserie à l'extinction : la V60 fournit un espace de chargement total de 1 240 litres quand on abaisse les dossiers des sièges arrière. Soulignons également l'implication continue de Volvo en matière de sécurité active ; une panoplie complète de systèmes de protection électroniques est offerte pour les S60 et V60.

Les Volvo V60 et S60 réussissent presque à entrer dans la catégorie des voitures supérieures. Avec l'avantage indéniable des déclinaisons Drive-E qui font pencher la balance de la frugalité en leur faveur, ces prétendantes scandinaves au marché des véhicules de luxe ont de solides assises. Par contre, à l'exception des modèles Polestar, le sentiment d'implication du pilote n'est pas encore à la hauteur de celui de BMW. De plus, il est difficile de justifier le prix élevé de la berline et de la familiale compte tenu de la finition intérieure et du niveau d'ensemble des équipements. Assurez-vous de bien définir vos priorités de conduite avant d'opter pour une Volvo d'entrée de gamme.

### Châssis - V60 T5 Drive-E FWD

| | |
|---|---|
| Emp / lon / lar / haut | 2776 / 4635 / 2097 / 1484 mm |
| Coffre / Réservoir | 430 à 1240 litres / 68 litres |
| Nbre coussins sécurité / ceintures | 6 / 5 |
| Suspension avant | ind., jambes force |
| Suspension arrière | ind., multibras |
| Freins avant / arrière | disque / disque |
| Direction | à crémaillère, ass. var. élect. |
| Diamètre de braquage | 11,3 m |
| Pneus avant / arrière | P215/50R17 / P215/50R17 |
| Poids / Capacité de remorquage | 1603 kg / 1500 kg (3306 lb) |
| Assemblage | Gand, BE |

### Composantes mécaniques

**T5 Drive-E FWD**

| | |
|---|---|
| Cylindrée, soupapes, alim. | 4L 2,0 litres 16 s turbo |
| Puissance / Couple | 240 ch / 258 lb-pi |
| Tr. base (opt) / rouage base (opt) | A8 / Tr |
| 0-100 / 80-120 / V.Max | 7,0 s / 6,1 s / 210 km/h |
| 100-0 km/h | 44,0 m |
| Type / ville / route / CO$_2$ | Ord / 9,4 / 6,4 l/100 km / 3703 kg/an |

**T6 AWD R-Design**

| | |
|---|---|
| Cylindrée, soupapes, alim. | 6L 3,0 litres 24 s turbo |
| Puissance / Couple | 325 ch / 354 lb-pi |
| Tr. base (opt) / rouage base (opt) | A6 / Int |
| 0-100 / 80-120 / V.Max | 6,2 s / n.d. / 210 km/h |
| 100-0 km/h | n.d. |
| Type / ville / route / CO$_2$ | Sup / 12,4 / 8,4 l/100 km / 4876 kg/an |

**Polestar**

| | |
|---|---|
| Cylindrée, soupapes, alim. | 6L 3,0 litres 24 s turbo |
| Puissance / Couple | 350 ch / 354 lb-pi |
| Tr. base (opt) / rouage base (opt) | A6 / Int |
| 0-100 / 80-120 / V.Max | 5,3 s / 4,7 s / 250 km/h |
| 100-0 km/h | 36,8 m |
| Type / ville / route / CO$_2$ | Sup / 13,1 / 9,0 l/100 km / 5177 kg/an |

**T5 AWD**

5L - 2,5 litres - 250 ch/266 lb-pi - A6 - 0-100: 6,8 s (const) - 11,8/8,1 l/100 km

**T6 AWD**

6L - 3,0 litres - 300 ch/325 lb-pi - A6 - 0-100: 6,0 s (const) - n.d. l/100 km

## Du nouveau en 2016

Aucun changement majeur

S60

## VOLVO **S80**

**Prix :** 49 000 $ à 56 000 $ (2015)
**Catégorie :** Berline
**Garanties :**
4 ans/80 000 km, 4 ans/80 000 km
**Transport et prép. :** 1 715 $
**Ventes QC 2014 :** 11 unités
**Ventes CAN 2014 :** 68 unités

### Cote du Guide de l'auto

# 59 %

Fiabilité

Appréciation générale

Sécurité

Agrément de conduite

Consommation

Système multimédia

### Cote d'assurance

présentée par
**KANETIX.CA**

$$$                    $

➕ Sièges très confortables • Technologies de sécurité avancées • Habitacle luxueux et spacieux • Consommation à la baisse avec moteur Drive-E

➖ Absence d'une transmission intégrale (Drive-E) • Direction vague • Long rayon de braquage (T6 AWD) • Faible valeur de revente • Modèle en fin de carrière

### Concurrents

Acura RLX, Audi A6, BMW Série 5, Cadillac CTS, Infiniti Q70, Jaguar XF, Lexus GS, Lincoln MKS, Mercedes-Benz Classe E

# L'art de cacher son âge

Jean-François Guay

**À** moins que vous soyez l'un des rares automobilistes à s'être procuré une S80 flambant neuve au cours de la dernière année, il est fort probable que votre jugement envers cette Volvo soit influencé par vos vieilles perceptions. Or, même si la S80 semble avoir peu changé depuis l'introduction de la deuxième génération en 2007, diverses composantes ont évolué depuis que cette Volvo est passée dans le giron du constructeur chinois Geely en 2010. La dernière innovation est d'ordre mécanique et s'appelle Drive-E. Eh non, il ne s'agit pas d'une motorisation électrique ni d'une hybride à cause de son « E », mais d'un moteur quatre cylindres à essence. Volvo réserve plutôt l'appellation T8 à sa nouvelle technologie hybride rechargeable, ce qui semble faire référence à une motorisation V8. Comme quoi, le nom d'un produit est parfois trompeur...

À part la berline S60, la S80 est la seule autre voiture survivante de l'ère suédoise depuis que les S40, V50, C30 et C70 sont passées une après l'autre dans le tordeur chinois. Si la S80 semble laissée pour compte depuis quelques années, c'est parce que sa remplaçante arrivera bientôt. Selon les dernières rumeurs, ce concept (ou nouveau modèle) pointera sa grille dans les prochains salons automobiles. Pour l'instant, on sait que cette héritière portera le nom de S90 et qu'elle s'inscrira dans la nouvelle nomenclature des véhicules Volvo. Sans surprise, elle adoptera le code stylistique développé par le récent XC90, à savoir sa calandre à bandes verticales et ses phares imprégnés du faisceau lumineux du marteau Mjöllnir de Thor. Un beau clin d'œil que Volvo fait au dieu du tonnerre de la mythologie scandinave. À quand le bouclier du Capitaine America chez Ford ou GM ?

#### DÉCOR DÉMODÉ

En attendant la relève, la S80 s'est donnée comme objectif de survivre dans le segment contingenté des berlines de luxe. Consciente qu'elle n'a plus la même force d'attraction qu'autrefois pour rivaliser avec les ténors de la catégorie que sont les BMW Série 5 et Mercedes-Benz Classe E, la S80 mise désormais sur des tarifs et une consommation de carburant à la baisse, et son exclusivité pour conquérir des acheteurs.

Il y a deux ans, les stylistes ont redessiné la calandre, les phares et les pare-chocs afin de la rendre aussi jeune que les S60 et XC60, lesquelles avaient reçu un traitement similaire à l'époque. Cette chirurgie esthétique avait été précédée d'un léger restylage de l'habitacle. Au fil des ans, la console centrale «flottante» typique de Volvo et les sièges de la S80 ont bien vieilli, tout comme le gros boudin du volant à trois branches et le levier de vitesses. En contrepartie, on dénote que la forme rectiligne du tableau de bord, le design de certaines commandes et de l'écran de navigation paraissent d'une autre époque. Pour embellir le décor fade de cette suédoise, le truc n'est pas de passer chez IKEA, mais d'opter pour une sellerie en cuir et des garnitures dont la couleur et la texture contrasteront avec la timidité de la planche de bord.

Les passagers prennent place dans un environnement feutré grâce au confort des baquets et de la banquette, lesquels se classent toujours parmi les meilleurs de l'industrie. Si les places avant sont dégagées et faciles d'accès, les passagers arrière trouveront l'espace un peu juste pour les pieds et la tête.

### GREFFE DE CŒUR

Dans l'espoir de redonner un second souffle à sa grande berline, Volvo a joué le tout pour le tout l'an dernier en remplaçant le six cylindres de 3,2 litres par un quatre cylindres turbo de 2,0 litres. Développant 240 chevaux et un couple de 258 livres-pied, ce moteur à injection directe avec boîte automatique à huit rapports est confiné à la version T5 Drive-E à traction. Pour profiter du rouage intégral, il faut choisir la version T6 AWD avec son six cylindres turbo de 3,0 litres et sa boîte automatique à six rapports.

Il est dommage que le 2,0 litres ne puisse être couplé à la transmission intégrale, car une S80 sans la présence de ce mécanisme est un fort mauvais calcul. On le répète, le marché est ultra concurrentiel et une berline de la trempe de la S80, d'autant plus qu'elle est associée à la Suède — un pays de neige —, se doit d'offrir un rouage intégral de série.

Sur la route, la S80 assure une conduite sans surprise, quoique la suspension trépigne de temps à autre. Le roulis est réduit à sa plus simple expression, de même que les bruits éoliens et de roulement. Le dosage de la direction est toutefois trop souple et le long rayon de braquage de la T6 AWD (un mètre de plus que la T5) la pénalise sur un parcours urbain.

| Châssis - T6 AWD | |
|---|---|
| Emp / lon / lar / haut | 2835 / 4851 / 2106 / 1493 mm |
| Coffre / Réservoir | 422 litres / 70 litres |
| Nbre coussins sécurité / ceintures | 6 / 5 |
| Suspension avant | ind., jambes force |
| Suspension arrière | ind., multibras |
| Freins avant / arrière | disque / disque |
| Direction | à crémaillère, assistée |
| Diamètre de braquage | 12,2 m |
| Pneus avant / arrière | P245/40R18 / P245/40R18 |
| Poids / Capacité de remorquage | 1842 kg / 1590 kg (3505 lb) |
| Assemblage | Torslanda, SE |

| Composantes mécaniques | |
|---|---|
| **T5 Drive-E FWD** | |
| Cylindrée, soupapes, alim. | 4L 2,0 litres 16 s turbo |
| Puissance / Couple | 240 ch / 258 lb-pi |
| Tr. base (opt) / rouage base (opt) | A8 / Tr |
| 0-100 / 80-120 / V.Max | 8,0 s (est) / n.d. / n.d. |
| 100-0 km/h | n.d. |
| Type / ville / route / $CO_2$ | Ord / 9,4 / 6,4 l/100 km / 3703 kg/an |
| **T6 AWD** | |
| Cylindrée, soupapes, alim. | 6L 3,0 litres 24 s turbo |
| Puissance / Couple | 300 ch / 325 lb-pi |
| Tr. base (opt) / rouage base (opt) | A6 / Int |
| 0-100 / 80-120 / V.Max | 6,4 s / n.d. / 250 km/h |
| 100-0 km/h | 38,0 m |
| Type / ville / route / $CO_2$ | Sup / 11,7 / 8 l/100 km / 4600 kg/an |

## Du nouveau en 2016

Aucun changement majeur, nouvelle génération en préparation

Photos: Volvo Canada

## VOLVO **XC60**

**Prix :** 41 600 $ à 47 100 $ (2015)
**Catégorie :** VUS
**Garanties :**
4 ans/80 000 km, 4 ans/80 000 km
**Transport et prép. :** 1 815 $
**Ventes QC 2014 :** 313 unités
**Ventes CAN 2014 :** 1 542 unités

### Cote du Guide de l'auto

# 74 %

Fiabilité
■■■■■■■□□□

Appréciation générale
■■■■■■■□□□

Sécurité
■■■■■■■■□□

Agrément de conduite
■■■■■■■□□□

Consommation
■■■■■■□□□□

Système multimédia
■■■■■■■□□□

### Cote d'assurance
■■■■■■■■□□
présentée par
**KANETIX.CA**
$$$                    $

➕ Systèmes de sécurité avancés •
Design épuré • Motorisations bien
adaptées • Rouage intégral disponible

➖ Agrément de conduite mitigé •
Certaines commandes à revoir • Bruit
de roulement sur routes dégradées •
Valeur de revente moins élevée que
la concurrence

### Concurrents
Acura RDX, Audi Q5, BMW X3,
BMW X4, Land Rover Range Rover
Evoque, Mercedes-Benz Classe GLK,
Porsche Macan

# Un nouveau souffle

Gabriel Gélinas

**P**our l'année-modèle 2016, le XC90 se positionne comme
la nouvelle *star* de Volvo, mais pour ce qui est du volume
de ventes au Canada, le XC60 demeure le véhicule le
plus populaire de la marque suédoise, et poursuit sa route
après avoir subi une transformation esthétique en 2014 et
mécanique en 2015. Dans ce créneau, les concurrents les plus
sérieux et les plus populaires sont les Audi Q5, BMW X3 et
Mercedes-Benz GLC (né GLK), le Porsche Macan, plus typé,
s'ajoutant l'an dernier.

Il était encore possible en 2015 de commander un XC60 animé par un
des moteurs à six cylindres en ligne de la marque mais c'est maintenant
chose du passé. Ces motorisations ont été délaissées en cours d'année
pour faire place exclusivement au nouveau moteur à quatre cylindres
en ligne suralimenté par turbocompresseur dans le modèle T5 et
suralimenté à la fois par turbo et compresseur volumétrique dans le T6.
C'est une toute nouvelle approche qui évoque le *downsizing* pour
le constructeur suédois qui mise dorénavant exclusivement sur des
motorisations à quatre cylindres en vue de réduire la consommation
avec une cylindrée limitée tout en offrant autant de puissance grâce à
la suralimentation.

### LE MEILLEUR DES DEUX MONDES ?
Au volant d'un XC60 T6 à traction avant, j'ai été agréablement surpris
par le couple livré dès l'accélération initiale alors que le compresseur
volumétrique (en anglais *supercharger*) entre en action. Quand le
régime moteur devient plus élevé, c'est le turbocompresseur qui prend
l'avant-scène et la poussée vers l'avant demeure convaincante, tout en
faisant preuve d'une belle linéarité et d'une grande souplesse. Par
contre, sa sonorité n'est pas aussi évocatrice que celle du moteur
six cylindres en ligne qui animait le XC60 T6 auparavant. C'est donc
réussi sur le plan des performances, mais ça l'est moins côté consom-
mation si l'on sollicite trop fortement le turbocompresseur.

Quant à la boîte automatique, elle se révèle très efficace en conduite normale tandis qu'elle passe les rapports en douceur, cependant, elle est déclassée par les boîtes à double embrayage qui sont plus rapides en conduite sportive. De plus, les paliers de commande de changement de vitesse sont petits et deviennent difficiles à actionner lorsque l'on tourne le volant, un impair regrettable qui vient gommer un peu de sportivité à l'ensemble. Même constat pour ce qui est du comportement routier. Le XC60 est doté d'un châssis très rigide et de suspensions relativement fermes, mais il devient vite évident que la conduite sportive n'est pas sa vocation première. Ses suspensions procurent toutefois un bon niveau de confort en à peu près toutes circonstances, sauf quand on le conduit sur des routes dégradées où le bruit de roulement filtre un peu trop dans l'habitacle.

Le système City Safety, développé par Volvo, répond présent et assure une sécurité active plus qu'efficace lors de la conduite en ville si la vitesse est inférieure à 50 kilomètres/heure. En cas de besoin, le XC60 peut freiner et s'immobiliser automatiquement si le conducteur ne réagit pas assez rapidement lorsque le système détecte la présence d'un obstacle.

### LE LUXE À LA SCANDINAVE

Comme constructeur suédois, Volvo a une conception toute scandinave du design et du luxe que l'on peut qualifier d'épuré dans les deux cas. La console flottante reprend du service à bord du XC60 et donne un certain style à l'ensemble, mais les boutons de commande sont beaucoup trop petits. Il faut donc un peu de temps avant d'apprivoiser cet agencement singulier et de pouvoir actionner les commandes au toucher sans les regarder, ce qui représente une faute au niveau de l'ergonomie. Notons toutefois que cette faute a été corrigée dans l'habitacle du nouveau XC90 et souhaitons que ce design simplifié adopté par le VUS de grande taille fasse école chez le XC60 et les autres modèles de la marque lors d'une éventuelle refonte.

Rien à redire pour ce qui est des sièges, le confort étant souverain aux deux places avant et juste correct à l'arrière où la banquette est plus ferme. Soulignons en terminant que, comme les marques allemandes, Volvo facture à grands frais certains équipements qui sont vendus en option à titre individuel ou en groupe, comme l'ensemble Technologie qui comprend le régulateur de vitesse adaptatif ou le système de détection de la présence d'un piéton ou d'un cycliste.

Avec un style distinctif, le XC60 de Volvo propose une expérience qui est en phase avec le credo de la marque en étant solide, sécuritaire et raisonnablement performant.

### Châssis - T6 Drive-E TA

| | |
|---|---|
| Emp / lon / lar / haut | 2774 / 4644 / 2120 / 1713 mm |
| Coffre / Réservoir | 873 litres / 70 litres |
| Nbre coussins sécurité / ceintures | 6 / 5 |
| Suspension avant | ind., jambes force |
| Suspension arrière | ind., multibras |
| Freins avant / arrière | disque / disque |
| Direction | à crémaillère, assistée |
| Diamètre de braquage | 11,7 m |
| Pneus avant / arrière | P235/60R18 / P235/60R18 |
| Poids / Capacité de remorquage | 1834 kg / 1588 kg (3500 lb) |
| Assemblage | Gand, BE |

### Composantes mécaniques

**T5 Drive-E TA**

| | |
|---|---|
| Cylindrée, soupapes, alim. | 4L 2,0 litres 16 s turbo |
| Puissance / Couple | 240 ch / 266 lb-pi |
| Tr. base (opt) / rouage base (opt) | A8 / Tr |
| 0-100 / 80-120 / V.Max | 7,2 s (est) / n.d. / 210 km/h |
| 100-0 km/h | n.d. |
| Type / ville / route / $CO_2$ | Ord / 8,8 / 7,6 l/100 km / 3800 kg/an |

**T6 Drive-E TA**

| | |
|---|---|
| Cylindrée, soupapes, alim. | 4L 2,0 litres 16 s turbo et surcompressé |
| Puissance / Couple | 302 ch / 295 lb-pi |
| Tr. base (opt) / rouage base (opt) | A8 / Tr |
| 0-100 / 80-120 / V.Max | 6,9 s (est) / n.d. / 210 km/h |
| 100-0 km/h | n.d. |
| Type / ville / route / $CO_2$ | Ord / 9,4 / 7,8 l/100 km / 3993 kg/an |

### Du nouveau en 2016

Moteurs six cylindres abandonnés.

Photos: Volvo Canada

# VOLVO **XC70**

**Prix:** 42 100 $ à 47 900 $ (2015)
**Catégorie:** VUS
**Garanties:**
4 ans/80 000 km, 4 ans/80 000 km
**Transport et prép.:** 1 715 $
**Ventes QC 2014:** 141 unités
**Ventes CAN 2014:** 512 unités

## Cote du Guide de l'auto

# 76 %

Fiabilité
■■■■■■■■□□

Appréciation générale
■■■■■■■□□□

Sécurité
■■■■■■■■■□

Agrément de conduite
■■■■■■■■□□

Consommation
■■■■■■□□□□

Système multimédia
■■■■■■■■□□

### Cote d'assurance
■■■■■■■□□□
$$$                    $

présentée par
**KANETIX.CA**

➕ Rouage intégral • Moteur de 3,0 litres • Robustesse et durabilité • Banquette divisée 40/20/40 • Sièges confortables

➖ Absence de la transmission intégrale (Drive-E) • Conduite aseptisée • Long diamètre de braquage • Consommation du 3,0 litres • Tarifs élevés

**Concurrents**
Audi allroad, Subaru Outback

# Modèle fétiche

Jean-François Guay

**A**ppelée *break*, *estate* ou *station wagon* ailleurs dans le monde, la familiale est de moins en moins populaire au Québec (et en Amérique du Nord) à cause, notamment, de la prolifération des véhicules multisegments. Sans la persistance de Volvo, il y a longtemps que les familiales seraient disparues de notre paysage routier. À part la récente V60, Volvo offre un seul autre modèle de cette catégorie sur notre marché : la XC70. Quant aux V40 et V70, elles sont toujours en production, mais leur distribution est confinée à d'autres continents comme l'Europe, l'Amérique du Sud et l'Asie.

L'histoire de la marque suédoise comporte de nombreux modèles qui ont contribué à sa notoriété. Au début des années 1950, Volvo a commencé à concevoir des familiales comme la Duett pour enchaîner avec les modèles des séries 140, 240, 740, 850 et V70. On se souviendra que la plupart de ces modèles ont été assemblés à Halifax en Nouvelle-Écosse, où Volvo a fait tourner son usine canadienne de 1963 à 1998. Pour l'heure, le constructeur a décidé d'ouvrir une nouvelle usine en Amérique du Nord, plus précisément en Caroline du Sud, avec comme objectif de vendre 100 000 véhicules par année sur notre continent. Un défi ambitieux quand on regarde les ventes actuelles.

### UNE FAMILIALE QUI S'ASSUME
Par rapport aux VUS et multisegments, la XC70 se classe dans une catégorie à part en se définissant comme une familiale tout-terrain. Fière d'elle-même, elle n'a jamais tenté de cacher son orientation comme la Subaru Outback l'a fait en s'affichant comme un multisegment sport compact. Or, c'est l'Outback qui avait lancé la vague des familiales tout-terrain en 1995 ; en reprenant l'idée inaugurée par l'AMC Eagle en 1980. Par la suite, la XC70 avait suivi en 1997 pour être rejointe par l'Audi A6 allroad de 2000 à 2005.

Durant tout ce temps, la XC70 a bravement continué son petit bonhomme de chemin. Mais celle qui fêtera bientôt ses 20 ans n'est pas sûre de son avenir. On peut juste espérer que Volvo assurera la survie de son modèle fétiche. D'ailleurs, le Concept Estate laisse entrevoir le destin que lui réserve Volvo. Sous cette forme ou une autre, la XC70 ferait équipe avec la future berline S90 sous le nom de V90 Cross-Country.

## UNE VERSION DE BASE SANS ROUAGE INTÉGRAL

Pour déplacer un poids qui frise les deux tonnes, le moteur de base est un tout nouveau quatre cylindres turbo de 2,0 litres qui développe 240 chevaux et un couple de 258 livres-pied. La venue de cette motorisation appelée Drive-E vise essentiellement à réduire la consommation d'essence, puisque sa présence ampute la version T5 d'un rouage intégral.

Une XC70 à traction? On aura tout vu! Une première dans l'histoire de ce modèle. D'ailleurs, il est peu probable que les acheteurs optent pour ce moteur, aussi vertueux soit-il avec sa boîte automatique à huit rapports. Au lieu de dénaturer la XC70 de cette façon, Volvo aurait dû conserver le six cylindres de 3,2 litres comme motorisation de base.

De toute manière, le six cylindres turbo de 3,0 litres convient mieux à la vocation de cette familiale tout-terrain dont la capacité de remorquage atteint 1 588 kilos (3 500 lb). Arrimé à une boîte automatique à six rapports, ce moteur produit 300 chevaux et 325 livres-pied de couple. Même s'il consomme environ 25 % plus d'essence que le 2,0 litres, le 3,0 litres est un impératif!

Dans la neige ou les sentiers boueux, cette XC70 est une bonne baroudeuse avec sa transmission intégrale Haldex, ses aides à la conduite et sa garde au sol de 21 centimètres qui dépasse la hauteur d'un Ford Explorer ou d'un Audi Q5. La souplesse de la suspension et le long débattement des amortisseurs invitent à conduire tranquillement. Si vous recherchez une familiale au comportement routier sportif, vous êtes à la mauvaise enseigne, car la XC70 ne partage aucun gène avec sa regrettée sœur, la V70 R Turbo. En ce cas, mieux vaut s'intéresser à l'Audi A4 allroad ou à un multisegment sport germanique.

Volvo n'est pas reconnue seulement pour le perfectionnement de ses systèmes de sécurité actifs et passifs, mais également pour confectionner les meilleurs sièges de l'industrie. Même si la marque suédoise a été rattrapée par la concurrence (Lexus et Lincoln), les baquets de la XC70 font honneur à sa réputation. L'espace utilitaire est généreux et la modularité des dossiers de la banquette arrière, divisés 40/20/40, agrémente les sorties à la montagne en facilitant le transport des skis et planches à neige. Il en sera de même pour le *gentleman-farmer* qui désire charrier ses outils ou aller en excursion du dimanche.

## Du nouveau en 2016

Aucun changement majeur

| Châssis - T6 AWD | |
|---|---|
| Emp / lon / lar / haut | 2815 / 4838 / 2119 / 1604 mm |
| Coffre / Réservoir | 575 à 1600 litres / 70 litres |
| Nbre coussins sécurité / ceintures | 6 / 5 |
| Suspension avant | ind., jambes force |
| Suspension arrière | ind., multibras |
| Freins avant / arrière | disque / disque |
| Direction | à crémaillère, assistée |
| Diamètre de braquage | 11,5 m |
| Pneus avant / arrière | P235/50R18 / P235/50R18 |
| Poids / Capacité de remorquage | 1887 kg / 750 kg (1653 lb) |
| Assemblage | Torslanda, SE |

| Composantes mécaniques | |
|---|---|
| **T5 TA** | |
| Cylindrée, soupapes, alim. | 4L 2,0 litres 16 s turbo |
| Puissance / Couple | 240 ch / 258 lb-pi |
| Tr. base (opt) / rouage base (opt) | A8 / Tr |
| 0-100 / 80-120 / V.Max | 6,8 s (const) / n.d. / 210 km/h |
| 100-0 km/h | 39,0 m |
| Type / ville / route / CO$_2$ | Ord / 9,8 / 7,6 l/100 km / 4053 kg/an |
| **T6 AWD** | |
| Cylindrée, soupapes, alim. | 6L 3,0 litres 24 s turbo |
| Puissance / Couple | 300 ch / 325 lb-pi |
| Tr. base (opt) / rouage base (opt) | A6 / Int |
| 0-100 / 80-120 / V.Max | 6,5 s (const) / n.d. / 210 km/h |
| 100-0 km/h | 39,0 m |
| Type / ville / route / CO$_2$ | Ord / 13,8 / 9,9 l/100 km / 5540 kg/an |

Photos : Volvo Canada

**HYBRIDE**

## VOLVO **XC90**

(((SiriusXM)))

**Prix:** 60 700 $ à 73 400 $
**Catégorie:** VUS
**Garanties:**
4 ans/80 000 km, 4 ans/80 000 km
**Transport et prép.:** 1 195 $
**Ventes QC 2014:** 50 unités
**Ventes CAN 2014:** 427 unités

Cote du Guide de l'auto

# 72 %

| Fiabilité | Appréciation générale |
|---|---|
| Sécurité | Agrément de conduite |
| Consommation | Système multimédia |

Cote d'assurance

$$$                    $

présentée par
**KANETIX.CA**

**+** Lignes jolies (vous pouvez penser le contraire) • Habitacle silencieux • Boîte 8 rapports au point (T6) • Sièges très confortables • Plate-forme solide

**−** Consommation quand même élevée • Fiabilité à prouver • Valeur de revente risque d'être basse • Système d'infodivertissement frustrant

**Concurrents**
Acura MDX, Audi Q7, BMW X5, BMW X6, Infiniti QX70, Jeep Grand Cherokee, Lexus RX, Mercedes-Benz Classe M, Porsche Cayenne, Volkswagen Touareg

# L'avant-garde, façon suédoise

Alain Morin

**«N**ous lui souhaitons d'être à la fois avant-gardiste mais pas trop, puissante mais économique à la pompe, sécuritaire mais pas trop lourde, prestigieuse mais de prix réaliste». Tel était le message que le *Guide de l'auto* de l'an dernier voulait passer à Volvo pour son futur XC90. Un an plus tard, pouvons-nous dire que la mission est réussie?

Oui et non. Tout d'abord, précisons que ce nouveau VUS intermédiaire est plus joli en personne qu'en photo. Il s'agit d'une évaluation purement subjective et vous avez le droit de penser le contraire. Le tableau de bord est sans doute l'un des plus épurés jamais construit (si l'on fait abstraction des créations d'avant 1910). Les appliqués de bois, les cuirs et le chrome forment un tout harmonieux et savamment assemblé, et mettent en évidence l'écran vertical qui est, en fait, une tablette. Cette disposition verticale est nettement plus logique que l'horizontale habituelle, par exemple quand on suit une route avec l'aide du GPS. Bien que plusieurs confrères aient encensé le système Sensus de Volvo, je ne l'ai pas trouvé très convivial. Je plains la personne qui n'a aucune expérience avec une tablette (ça se trouve) d'utiliser celle-ci. Bref, un cours s'impose avant de quitter le concessionnaire avec votre nouveau XC90. Non, AVANT de l'acheter...

**AH, LES SIÈGES DE VOLVO...**
Cependant, cela n'altère en rien le confort des sièges, autant à l'avant qu'à la seconde rangée. Certaines contrées proposent des XC90 à cinq places mais, en Amérique, seule la version à sept places est offerte. Les gens prenant place à la troisième rangée trouveront que l'espace pour la tête est correct et, pour avoir le moindrement d'espace pour loger leurs pieds, la collaboration de la personne assise juste devant est obligatoire. Une fois le dossier de la troisième rangée de sièges relevée, il reste suffisamment de jeu pour y empiler plusieurs sacs d'épicerie.

Le châssis du XC90 est tout nouveau. Baptisé SPA (Scalable Product Architecture), il servira de base aux futures S60, S80 et possiblement à d'autres modèles. Les ingénieurs y ont accroché des suspensions indépendantes aux quatre roues et un moteur à la fiche technique surprenante. Ce petit quatre cylindres de 2,0 litres, qui équipe la livrée T6, est à la fois turbocompressé et surcompressé. Il a beau être assez puissant – 320 chevaux et 295 livres-pied de couple –, il est responsable du déplacement de plus de 2 200 kilos… Durant ma semaine d'essai, la consommation moyenne s'est établie à 11,6 l/100 km d'essence super.

### UNE VERSION HYBRIDE

L'autre moteur (T8) est celui du T6, mais auquel on a ajouté deux moteurs électriques. Un situé entre le moteur et la transmission et un second entre les roues arrière, ce qui en fait un hybride toutes roues motrices. Selon Volvo, il serait possible de parcourir 32 km en mode électrique uniquement, mais permettez-nous d'être sceptiques. Ce modèle débarquera chez les concessionnaires canadiens à l'automne 2015.

Étonnamment, sur la route, le XC90 semble plus léger qu'il est en réalité. Félicitons la direction parfaitement dosée et les suspensions bien calibrées. Attention, «bien calibrées» ça ne veut pas dire sportives. Le XC90 tient très bien la route, sans roulis exagéré. Mais il est vite évident que les circuits ne sont pas sa tasse de thé malgré un mode Dynamic qui raffermit la direction, rend l'accélérateur plus sensible et ordonne à la gestion électronique du moteur d'être un peu plus agressive. Il y a aussi un mode Eco, vraiment Eco et qui ne sera utilisé qu'en de rares occasions. Toujours dans un but écologique, quand le véhicule est à l'arrêt, le moteur stoppe, gracieuseté d'un système Start/Stop. Comme chaque remise en route engendre des vibrations, il n'est pas long qu'on désire désengager ce système. Or, il faut trouver comment faire… Et après quelques mots sans doute inconnus de la langue suédoise, on finit par tomber sur l'icône tant désiré.

On voulait le nouveau XC90 avant-gardiste? Il l'est au chapitre de la motorisation et de l'infordivertissement avec sa tablette. On le voulait puissant et économique à la pompe? Dans les deux cas, il l'est mais pas exagérément. On le voulait sécuritaire? Il l'est presque. Si ce n'était de cette tablette qui demande de quitter la route des yeux chaque fois qu'on veut s'en servir, il aurait une note parfaite. On le voulait prestigieux? Le nom Volvo n'a plus la même aura qu'il y a quelques décennies. On le voulait à un prix réaliste? Il l'est. Heureusement, car à prix égal, bien des gens vont lui préférer un BMW ou un Mercedes-Benz.

### Châssis - T6 AWD Momentum

| | |
|---|---|
| Emp / lon / lar / haut | 2984 / 4950 / 2140 / 1775 mm |
| Coffre / Réservoir | 249 à 2427 litres / 71 litres |
| Nbre coussins sécurité / ceintures | 7 / 7 |
| Suspension avant | ind., jambes force |
| Suspension arrière | ind., multibras |
| Freins avant / arrière | disque / disque |
| Direction | à crémaillère, assistée |
| Diamètre de braquage | 12,5 m |
| Pneus avant / arrière | P235/60R19 / P235/60R19 |
| Poids / Capacité de remorquage | 2760 kg / 2250 kg (4960 lb) |
| Assemblage | Torslanda, SE |

### Composantes mécaniques

**T8 PHEV AWD**

| | |
|---|---|
| Cylindrée, soupapes, alim. | 4L 2,0 litres 16 s turbo et surcompressé |
| Puissance / Couple | 320 ch / 295 lb-pi |
| Tr. base (opt) / rouage base (opt) | A8 / Int |
| 0-100 / 80-120 / V.Max | 5,9 s (const) / n.d. / 210 km/h |
| 100-0 km/h | 36,0 m |
| Type / ville / route / $CO_2$ | Ord / n.d. / n.d. l/100 km / 1280 kg/an |

**Moteur électrique**

| | |
|---|---|
| Puissance / Couple | 80 ch (60 kW) / 177 lb-pi |
| Type de batterie | Lithium-ion (Li-ion) |
| Énergie | 9,2 kWh |
| Temps de charge (120V / 240V) | 10,0 h / 5,0 h |
| Autonomie | 32 km |

**T6 AWD**

| | |
|---|---|
| Cylindrée, soupapes, alim. | 4L 2,0 litres 16 s turbo et surcompressé |
| Puissance / Couple | 320 ch / 295 lb-pi |
| Tr. base (opt) / rouage base (opt) | A8 / Int |
| 0-100 / 80-120 / V.Max | 7,9 s / 6,5 s / 210 km/h |
| 100-0 km/h | 38,5 m |
| Type / ville / route / $CO_2$ | Ord / 11,8 / 9,5 l/100 km / 4952 kg/an |

## Du nouveau en 2016

Nouveau modèle

Photos : Alain Morin

À VENIR...

# ALFA ROMEO **GIULIA**

**A**lfa Romeo revient en Amérique avec force ; avec sa 4C (et sa variante sans toit, la Spyder) ainsi que des rumeurs concernant un petit roadster, le manufacturier italien vient de dévoiler sa Giulia, une séduisante berline destinée à faire compétition à la BMW M3, Audi RS4 et autres Mercedes-AMG C63. La version la plus performante sera la Quadrofoglio, une bagnole de 510 chevaux mue par un six cylindres qui sera disponible avec une boîte manuelle à six rapports et qui pourra franchir le 0-100 km/h en 3,9 secondes. Grâce à une répartition de poids parfaite de 50/50 et à une cure d'amaigrissement aidée par un toit, un capot et un arbre de transmission en fibre de carbone, la Giulia devrait être diablement amusante à conduire !

# ASTON MARTIN **LAGONDA**

L e nom Lagonda a un riche héritage; il s'agissait au départ d'une marque anglaise produisant des voitures luxueuses; à la fin des années 40, la petite firme fut rachetée par Aston Martin. Par la suite, le nom Lagonda a été apposé sur quelques concepts et sur une berline au début des années 90. Aujourd'hui, Aston Martin a décidé de lancer une nouvelle berline dont la production sera ultra-limitée; le nom Lagonda semblait approprié. Seulement 200 unités seront construites, et chacune sera motorisée par un V12 de 6,0 litres et basée sur la plate-forme VH de la marque. La puissance exacte n'a pas été annoncée, mais on peut s'attendre à un chiffre près de 550. Aston Martin annonce cette nouvelle venue comme étant la plus distinguée des berlines. La Lagonda sera construite dans une usine dédiée à Gaydon; la même qui a servi à construire la One-77.

# BENTLEY **BENTAYGA**

Dans le marché d'aujourd'hui, les marques luxueuses qui veulent augmenter leurs parts de marché n'ont qu'à lancer un VUS; qu'on parle du Porsche Cayenne ou du Audi Q7, ce type de véhicule génère beaucoup de revenus. Bentley sera la prochaine à se lancer dans ce segment avec le Bentayga, un VUS ultra-luxueux destiné à ceux qui veulent le luxe d'une Continental GT, mais qui désirent plus d'espace et une hauteur de caisse supérieure. Le Bentayga sera le premier VUS de Bentley, et sera propulsé par la plus récente génération du W12 conçu par la maison-mère Volkswagen (le camion Bentley sera d'ailleurs la première application de ce nouveau moulin). Le style final n'a pas encore été dévoilé, mais il semblerait que le manufacturier ait décidé d'écouter ses clients et de ne pas se baser sur le concept EXP 9F qu'on avait découvert à Genève en 2012.

Durant le Salon de New York, Cadillac a révélé la CT6, une nouvelle berline luxueuse qui trônera au sommet de sa gamme et livrera bataille aux BMW Série 7, Audi A8 et autres Mercedes-Benz Classe S. Environ 100 kilos plus légère que ses rivales germaniques, la CT6 sera faite majoritairement d'aluminium. Pour la déplacer, Cadillac a trois motorisations en tête : un quatre cylindres turbo-compressé de 265 chevaux, un V6 de 3,6 litres (335 chevaux) et un autre V6, celui-ci dopé par deux turbos pour générer 400 équidés. Ces chevaux seront envoyés aux roues arrière (ou aux quatre coins du véhicule, en option) via une boîte automatique à huit rapports. Du côté des nouveautés, on retrouve une chaîne audio Bose Panaray à 34 haut-parleurs (!) et un système appelé *Active Rear Steer*, qui fait pivoter les roues arrière, diminuant le rayon de braquage.

# JAGUAR **XE**

La nouvelle berline intermédiaire de Jaguar, la XE, a un mandat bien clair : avoir la BMW Série 3 et la Mercedes-Benz Classe C dans son collimateur. Pour livrer bataille aux allemandes, la XE a droit à une large sélection de moteurs : on retrouve parmi eux deux quatre cylindres turbocompressés (200 et 240 chevaux) et un V6 de 3,0 litres suralimenté générant 340 chevaux. Avec une boîte automatique à huit rapports et le rouage intégral optionnel (la propulsion arrière est de série), la voiture atteint 100 km/h en 4,9 secondes. En Europe, des motorisations diesel sont aussi au programme (tout comme une transmission manuelle). Avec un châssis fait d'aluminium, la Jaguar XE sera tournée vers le futur ; elle sera d'ailleurs la première voiture de la marque à être équipée d'une direction à assistance électrique de nouvelle génération, dixit le document de presse. Dès qu'on aura fait l'essai de la voiture, on vous dira de quoi il en retourne.

# KOENIGSEGG **REGERA**

**K**oenigsegg a finalement cédé sous la pression; lors du Salon de l'Auto de Genève, le manufacturier suédois a dévoilé sa toute première voiture hybride. Cependant, n'allez pas penser qu'il s'agit d'une Prius endimanchée! La Regera abrite 3 moteurs électriques (un sur chaque roue arrière, plus un sur le vilebrequin du V8 de 5,0 litres); la puissance totale annoncée est de 1500 chevaux, mais ce n'est pas l'aspect le plus intéressant du bolide. Pour ne pas être trop lourde malgré l'ajout de tout ce matériel électrique, la Regera n'a pas de transmission. Le moteur à essence est directement relié à l'essieu, et les moteurs électriques sont donc nécessaires pour démarrer. Côté performance, cette Koenigsegg passe de 0 à 100 km/h en 2,8 secondes, fait 150-250 km/h en 3,2 secondes et 0-400 km/h en 20 secondes! Seulement 20 Regera seront produites.

# MAZDA **2**

La La Mazda2 a été très bien reçue lors de son lancement sur nos côtes en 2011. Elle n'était cependant pas très moderne, datant déjà de 2007 au Japon. Elle était donc plus que due pour une cure de jouvence! Lors d'un dévoilement montréalais, en janvier dernier, la nouvelle Mazda2 a été présentée; le manufacturier d'Hiroshima a décidé de revoir entièrement sa citadine en lui offrant des dimensions plus généreuses, des lignes plus en phase avec ses autres véhicules et de nouvelles technologies. La Mazda2 2016 sera 110 mm plus longue et 25 mm plus haute que celle qu'elle remplace (on parle ici du modèle 2014, puisqu'il n'y a pas de 2015; on passe directement à 2016). Pour déplacer la petite voiture, Mazda fera confiance à un quatre cylindres SKYACTIV de 1,5 litre associé à une boîte à six rapports automatique ou manuelle.

# MERCEDES-BENZ **METRIS**

**M**ercedes-Benz trône au sommet du segment des fourgons pleine grandeur avec son Sprinter depuis plusieurs années; le manufacturier allemand vend une quantité impressionnante de ce véhicule à travers le globe. Comme le marché nord-américain découvre actuellement l'utilité des fourgons intermédiaires, Mercedes-Benz a décidé qu'il était temps d'importer son Vito ici; en traversant l'Atlantique, Il recevra le nom de Metris. Disponible en versions cargo ou passagers, le Metris sera propulsé par un quatre cylindres à essence de 1,9 litre de 211 chevaux envoyant sa puissance aux roues arrière (des versions à traction avant sont disponibles ailleurs dans le monde). Ce rival des Ford Transit Connect, Ram ProMaster City, Nissan NV200 et autres Chevrolet City Express sera équipé du système de stabilité du Sprinter, ce qui l'aidera à résister aux vents latéraux.

# NISSAN **JUKE-R 2.0**

On se souvient du Nissan Juke-R; ce petit multisegment à l'apparence étrange cachait un secret, puisqu'il était en fait équipé du moteur V6 de 3,8 litres, de la boîte automatique et du rouage intégral de la Nissan GT-R. Ceci lui donnait une puissance de 545 chevaux et des performances suffisantes pour humilier plusieurs étalons italiens. Nissan remet ça pour 2016; en utilisant la mécanique de la GT-R Nismo, c'est maintenant 592 chevaux qui se cachent sous la bouille sympathique du Juke-R (qui porte d'ailleurs le nom de Juke-R 2.0). Le petit véhicule est maintenant basé sur le Juke 2016, ce qui fait qu'il a un avant différent de l'ancien modèle. Nissan s'attend à ce que le Juke-R 2.0 atteigne 100 km/h en moins de 3 secondes en route vers une vitesse de pointe de plus de 320 km/h! Ces performances sont estimées. Nous nous portons volontaires pour les confirmer... ou les infirmer.

**N**issan prend un pari risqué avec son Titan revu et corrigé pour 2016: la marque japonaise entend s'attaquer aux trois grands meneurs du segment des grandes camionnettes. Pour ce faire, Nissan a doté son camion de composantes de calibre industriel: avec une construction en acier, un essieu arrière développé par American Axle Manufacturing Design ainsi que trois types de cabines, deux longueurs de boîtes et trois motorisations, le Titan aura beaucoup d'éléments pour plaire. Nissan a aussi enrôlé les services d'un motoriste de renom pour doter son camion d'un engin diesel: c'est un V8 Cummins de 5,0 litres qui trônera sous le capot du Titan XD. Avec ce moulin, la capacité de remorquage sera de 5 440 kilos (12 000 livres), et on peut charger jusqu'à 907 kilos (2 000 livres) dans la boîte.

# FORD MUSTANG SHELBY **GT350 R**

Juste au cas où vous trouviez que la Mustang Shelby GT350 avec son V8 atmosphérique de 5,2 litres, son vilebrequin plat, ses suspensions magnétiques et son ensemble aérodynamique en fibre de carbone n'était pas assez performante pour vous, Ford a concocté la GT350 R, une version encore plus destinée à la piste. En retirant le climatiseur, la chaîne stéréo, les sièges arrière, le plancher du coffre, tous les tapis, la caméra de recul et le pneu de secours, les ingénieurs ont allégé la GT350R de 60 kilos. Le coupé sera aussi la première voiture produite en série à être équipé de roues faites de fibre de carbone. Des appuis aérodynamiques et un aileron seront aussi fabriqués de ce matériau et apposés sur la Shelby. Les suspensions magnétiques ont aussi été rigidifiées pour permettre une adhérence maximale, au détriment du confort. Côté puissance, on parle de plus de 500 chevaux et d'au-delà de 400 livres-pied de couple.

# VOLKSWAGEN **BEETLE DUNE**

**V**olkswagen a récemment annoncé une belle surprise; le concept Beetle Dune sera produit en série! Et qu'est-ce que la Beetle Dune ? Essentiellement, il s'agit d'une Beetle ordinaire qui est relevée de quelques centimètres; le concept avait droit à des plaques de protection en aluminium, des jantes de 19 pouces et un moteur turbocompressé de 200 chevaux transmettant sa puissance aux roues avant. Il n'y a pas de rouage intégral au programme, malheureusement. On peut donc dire adieu aux performances hors route, mais les amateurs de conduite cheveux au vent seront heureux d'apprendre qu'une version décapotable sera produite. Au moment d'écrire ces lignes, les spécifications finales n'ont pas été dévoilées, mais on peut supposer que la liste d'équipement et les motorisations seront basées sur la Beetle ordinaire.

STATISTIQUES

LISTE DE PRIX

### ACURA

| | | |
|---|---|---|
| ILX | 29 490 $ | |
| ILX Technologie | 33 490 $ | |
| ILX A-Spec | 34 890 $ | |
| MDX | 52 990 $ | |
| MDX Technologie | 59 990 $ | |
| MDX Elite | 64 990 $ | |
| NSX | 150 000 $ est. | |
| RDX | 41 990 $ | |
| RDX Elite | 46 590 $ | |
| RLX | 52 141 $ | x |
| RLX Technologie | 58 141 $ | x |
| RLX Sport Hybride | 72 141 $ | x |
| TLX | 37 141 $ | |
| TLX Technologie | 43 841 $ | |
| TLX Elite | 47 441 $ | |
| TLX SH-AWD | 42 141 $ | |
| TLX SH-AWD Elite | 49 641 $ | |

### ALFA ROMEO

| | | |
|---|---|---|
| 4C Spider | 75 995 $ | x |
| 4C Coupe | 61 995 $ | x |

### ASTON MARTIN

| | | |
|---|---|---|
| DB9 | 199 600 $ | |
| DB9 Volante | 215 600 $ | |
| Rapide S | 215 500 $ | |
| V8 Vantage GT | 104 000 $ | |
| V8 Vantage S | 140 500 $ | |
| V8 Vantage Roadster GT | 119 500 $ | |
| V8 Vantage Roadster | 139 600 $ | |
| V8 Vantage Roadster S | 155 500 $ | |
| V12 Vantage S | 194 350 $ | |
| V12 Vantage Roadster S | 209 700 $ | |
| Vanquish | 300 300 $ | |
| Vanquish Volante | 319 800 $ | |

### AUDI

| | | |
|---|---|---|
| A3 Berline 1.8T Komfort | 31 600 $ | |
| A3 Berline 2.0T Komfort quattro | 36 400 $ | |
| A3 Berline 2.0 TDI Komfort | 35 400 $ | |
| A3 Cabriolet 2.0T Komfort quattro | 42 600 $ | |
| A4 Berline 2.0T FWD Komfort CVT | 38 500 $ | |
| A4 Berline 2.0T Komfort quattro man | 41 200 $ | |
| A4 Allroad 2.0T Komfort quattro | 46 600 $ | |
| A4 Allroad 2.0T Technik quattro | 53 000 $ | |
| A5 Coupé 2.0T Komfort quattro man | 44 700 $ | |
| A5 Coupé 2.0T Komfort quattro Tiptronic | 46 300 $ | |
| A5 Cabriolet 2.0T Progressiv quattro | 60 400 $ | |
| A5 Cabriolet 2.0T Technik quattro | 64 500 $ | |
| A6 Berline 2.0T Progressiv quattro | 56 900 $ | |
| A6 Berline 3.0T Progressiv quattro | 63 700 $ | |
| A6 Berline 3.0 TDI Technik quattro | 72 600 $ | |
| A7 3.0T Progressiv quattro | 74 500 $ | |
| A7 3.0 TDI Progressiv quattro | 76 900 $ | |
| A8 3.0T quattro | 85 300 $ | |
| A8L 3.0T quattro | 92 800 $ | |
| A8 3.0 TDI quattro | 90 600 $ | |
| A8L 4.0T quattro | 110 700 $ | |
| Q3 2.0T FWD Progressiv | 35 800 $ | |
| Q3 2.0T Progressiv quattro | 38 300 $ | |
| Q3 2.0T Technik quattro | 40 900 $ | |
| Q5 2.0T Komfort quattro | 42 600 $ | |
| Q5 3.0T Progressiv quattro | 47 400 $ | |
| Q5 3.0 TDI Progressiv quattro | 49 900 $ | |
| Q5 2.0T Hybride quattro | 58 500 $ | |
| Q7 3.0T Vorsprung Edition quattro | 63 600 $ | |
| Q7 3.0 TDI Progressiv quattro | 64 200 $ | |
| Q7 3.0 TDI Vorsprung Edition quattro | 67 500 $ | |
| R8 Coupe 5.2 V10 man | 170 500 $ | |
| R8 Coupe 5.2 V10 S-tronic | 182 000 $ | |
| R8 Coupe 5.2 V10 Plus S-tronic | 201 200 $ | |
| R8 Spyder 5.2 man | 184 600 $ | |
| R8 Spyder 5.2 S-tronic | 196 100 $ | |
| RS 5 Coupé 4.2 quattro | 84 000 $ | |
| RS 5 Cabriolet 4.2 quattro | 96 000 $ | |
| RS 7 4.0T quattro | 118 300 $ | |
| S3 Berline 2.0T Progressiv quattro | 45 400 $ | |
| S3 Berline 2.0T Technik quattro | 48 900 $ | |
| S4 3.0T Progressiv quattro man | 55 200 $ | |
| S4 3.0T Technik quattro S-tronic | 59 200 $ | |
| S5 Coupé 3.0T Progressiv quattro man | 57 800 $ | |
| S5 Coupé 3.0T Technik quattro S-tronic | 63 700 $ | |
| S5 Cabriolet 3.0T Technik quattro | 75 500 $ | |
| S6 4.0T quattro | 88 500 $ | |
| S7 4.0T quattro | 95 400 $ | |
| S8 4.0T quattro | 128 900 $ | |
| SQ5 3.0T Progressiv quattro | 58 500 $ | |
| SQ5 3.0T Technik quattro | 60 700 $ | |
| TT Coupé 2.0T quattro | 51 600 $ | x |
| TT Coupé 2.0T quattro S line Competition | 53 000 $ | x |
| TT Roadster 2.0T quattro S line Competition | 56 000 $ | x |
| TTS Coupé 2.0T quattro | 60 800 $ | x |
| TTS Roadster 2.0T quattro Competition | 67 600 $ | x |

### BENTLEY

| | | |
|---|---|---|
| Continental GT | 236 100 $ | |
| Continental GT V8 | 218 400 $ | |
| Continental GT Speed | 263 400 $ | |
| Continental GT Convertible | 259 800 $ | |
| Continental GT Convertible V8 | 240 300 $ | |
| Continental GT Convertible Speed | 289 800 $ | |
| Continental Flying Spur V8 | 221 100 $ | |
| Continental Flying Spur W12 | 244 500 $ | |
| Mulsanne | 334 100 $ | |
| Mulsanne Speed | 369 200 $ | |

### BMW

| | | |
|---|---|---|
| i3 | 45 300 $ | |
| i8 | 150 000 $ | |
| M3 Berline | 74 000 $ | |
| M4 Coupé | 75 000 $ | |
| M4 Cabriolet | 84 500 $ | |
| M5 Berline | 102 500 $ | |
| M6 Coupé | 124 900 $ | |
| M6 Gran Coupé | 127 900 $ | |
| M6 Cabriolet | 128 900 $ | |
| Série 2 Coupé 228i | 36 000 $ | x |
| Série 2 Convertible 228i xDrive | 45 200 $ | x |
| Série 2 Coupé M235i xDrive | 48 750 $ | x |
| Série 2 Convertible 235i | 51 900 $ | x |
| Série 3 320i | 35 990 $ | x |
| Série 3 328i xDrive | 46 200 $ | x |
| Série 3 328d xDrive | 47 700 $ | x |
| Série 3 328i xDrive Gran Turismo | 48 990 $ | |
| Série 3 335i xDrive | 53 800 $ | x |
| Série 3 335i xDrive Gran Turismo | 56 990 $ | |
| Série 3 ActiveHybrid3 | 58 300 $ | x |
| Série 3 Touring 328i xDrive | 47 850 $ | x |
| Série 3 Touring 328d xDrive | 49 350 $ | x |
| Série 4 Coupé 428i xDrive | 49 300 $ | |
| Série 4 Coupé 435i xDrive | 55 900 $ | |
| Série 4 Gran Coupé 428i xDrive | 49 300 $ | |
| Série 4 Gran Coupé 435i xDrive | 55 900 $ | |
| Série 4 Cabriolet 428i xDrive | 60 100 $ | |
| Série 5 528i xDrive | 60 500 $ | |
| Série 5 535i xDrive | 67 000 $ | |
| Série 5 ActiveHybrid5 | 71 150 $ | x |
| Série 5 535d xDrive | 68 500 $ | |
| Série 5 550i xDrive Gran Turismo | 81 900 $ | x |
| Série 6 Gran Coupé 640i xDrive | 89 900 $ | |
| Série 6 Coupé 650i xDrive | 99 500 $ | |
| Série 6 Cabriolet 650i xDrive | 110 500 $ | |
| Série 7 740Li xDrive | 100 100 $ | x |
| Série 7 750Li xDrive | 113 700 $ | x |
| Série 7 ActiveHybrid 7 L | 133 700 $ | x |
| Série 7 760Li | 182 600 $ | x |
| X1 2.8i xDrive | 36 990 $ | x |
| X1 3.5i xDrive | 39 990 $ | x |
| X3 2.8i xDrive | 44 350 $ | |
| X3 2.8d xDrive | 46 050 $ | |
| X3 3.5i xDrive | 49 950 $ | |
| X4 2.8i xDrive | 47 050 $ | |
| X4 3.5i xDrive | 55 700 $ | |
| X5 3.5i xDrive | 65 500 $ | |
| X5 3.5d xDrive | 67 000 $ | |
| X5 5.0i xDrive | 77 700 $ | |
| X5 M | 105 900 $ | |
| X6 3.5i xDrive | 68 890 $ | |
| X6 5.0i xDrive | 83 190 $ | |
| X6 M | 108 200 $ | |
| Z4 2.8i | 56 200 $ | |
| Z4 3.5i | 66 900 $ | |
| Z4 3.5is | 77 900 $ | |

### BUICK

| | | |
|---|---|---|
| Enclave | 48 060 $ | |
| Enclave (TI) | 51 060 $ | |
| Encore Commodité | 29 785 $ | |
| Encore Commodité (TI) | 31 785 $ | |
| Encore Haut de gamme (TI) | 37 245 $ | |
| LaCrosse | 37 745 $ | |
| LaCrosse (TI) | 43 845 $ | |
| Regal Turbo | 35 045 $ | x |
| Regal Turbo (TI) | 37 325 $ | x |
| Regal eAssist | 36 675 $ | x |
| Regal GS | 42 600 $ | x |
| Regal GS (TI) | 44 875 $ | x |
| Verano | 23 790 $ | |
| Verano Cuir | 29 595 $ | |

### CADILLAC

| | | |
|---|---|---|
| ATS 2.0 Turbo | 40 065 $ | x |
| ATS 2.5 | 38 260 $ | x |
| ATS 3.6 Luxe | 47 005 $ | x |
| ATS Coupé 2.0 Turbo | 45 590 $ | x |
| ATS Coupé 3.6 Luxe | 52 835 $ | x |
| CTS 2.0 Turbo | 50 880 $ | x |
| CTS 3.6 Luxe | 58 405 $ | x |
| CTS 3.6 Haut de gamme | 69 030 $ | x |
| CTS-V | 77 960 $ | x |
| ELR | 80 050 $ | x |
| Escalade | 84 345 $ | |
| Escalade ESV | 87 745 $ | |
| Escalade ESV Platinum | 107 185 $ | |
| SRX | 43 480 $ | x |
| SRX Luxe | 50 655 $ | x |
| SRX Luxe (TI) | 53 280 $ | x |
| XTS | 53 220 $ | x |
| XTS Luxe (TI) | 57 745 $ | x |
| XTS Platine biturbo V sport (TI) | 76 670 $ | x |

### CHEVROLET

| | | |
|---|---|---|
| Camaro LS | 31 095 $ | |
| Camaro SS | 41 390 $ | |
| Camaro ZL1 | 61 910 $ | |
| Camaro Z/28 | 79 900 $ | |
| Camaro Convertible SS | 47 850 $ | |
| Camaro Convertible ZL1 | 67 650 $ | |
| City Express LS | 27 995 $ | x |
| Colorado | 21 945 $ | x |
| Colorado Z71 | 31 995 $ | x |
| Colorado cabine multiplace 4RM | 33 195 $ | x |
| Colorado cab multi Z71 4RM | 38 595 $ | x |
| Corvette Coupé Stingray LT | 63 645 $ | x |
| Corvette Coupé Stingray Z51 LT | 69 395 $ | x |
| Corvette Z06 | 91 145 $ | x |
| Corvette Cabriolet LT | 62 395 $ | x |
| Corvette Cabriolet Z51 LT | 67 430 $ | x |
| Corvette Cabriolet Z06 | 89 995 $ | x |
| Cruze LS | 17 845 $ | x |
| Cruze LT | 21 445 $ | x |
| Cruze Eco | 23 045 $ | x |
| Cruze LTZ | 28 695 $ | x |
| Cruze Diesel | 26 995 $ | x |
| Equinox LS | 28 325 $ | x |
| Equinox LS (TI) | 30 525 $ | x |
| Equinox LTZ | 37 825 $ | x |
| Equinox LTZ (TI) | 39 125 $ | x |
| Impala LS | 30 395 $ | x |
| Impala LS ECO | 33 300 $ | x |
| Impala LZ | 38 395 $ | x |
| Malibu LS | 26 945 $ | x |
| Malibu LZ | 34 945 $ | x |
| Silverado 1500 multi courte 2RM | 34 690 $ | x |
| Silverado 1500 multi courte 4RM | 38 455 $ | x |
| Silverado 1500 multi longue 4RM | 51 900 $ | x |
| Sonic Berline LS man | 15 795 $ | x |
| Sonic Berline LTZ man | 23 070 $ | x |
| Sonic 5 portes LS man | 16 295 $ | x |
| Sonic 5 portes LTZ man | 23 570 $ | x |
| Sonic 5 portes RS man | 25 895 $ | x |
| Spark LS man | 13 995 $ | x |
| Spark EV | 19 185 $ US | x |
| Suburban 1500 LS | 54 555 $ | x |
| Suburban 1500 LS (4RM) | 57 855 $ | x |
| Suburban 1500 LTZ (4RM) | 72 785 $ | x |
| Tahoe LS | 51 565 $ | x |
| Tahoe LS (4RM) | 54 865 $ | x |
| Tahoe LTZ (4RM) | 69 795 $ | x |
| Traverse LS | 35 245 $ | x |
| Traverse LS (TI) | 38 245 $ | x |
| Traverse LTZ | 48 495 $ | x |
| Traverse LTZ (TI) | 51 495 $ | x |
| Trax LTZ | 30 295 $ | x |
| Trax LTZ AWD | 32 295 $ | x |
| Volt | 40 345 $ | x |

### CHRYSLER

| | | |
|---|---|---|
| 200 LX | 22 495 $ | |
| 200 S | 27 895 $ | |
| 200 C | 28 895 $ | |
| 200 S AWD | 32 395 $ | |
| 200 C AWD | 33 395 $ | |
| 300 Touring | 34 595 $ | x |
| 300 Touring AWD | 39 090 $ | x |
| 300 C Platinum | 41 595 $ | x |
| 300 C Platinum AWD | 43 795 $ | x |
| Town & Country Touring | 43 895 $ | |
| Town & Country Limited | 49 895 $ | |

### DODGE

| | | |
|---|---|---|
| Challenger SXT | 29 995 $ | x |
| Challenger R/T | 37 995 $ | x |
| Challenger Scat Pack | 46 995 $ | x |
| Challenger SRT 392 | 52 995 $ | x |
| Challenger SRT Hellcat | 71 890 $ | x |
| Charger SE | 33 495 $ | x |
| Charger SXT | 36 595 $ | x |
| Charger R/T | 40 495 $ | x |
| Charger Scat Pack | 47 495 $ | x |
| Charger SRT 392 | 51 495 $ | x |
| Charger SRT Hellcat | 75 285 $ | x |
| Dart SE | 16 495 $ | |
| Dart GT | 22 495 $ | |
| Dart Limited | 23 495 $ | |
| Durango SXT | 41 395 $ | x |
| Durango R/T | 51 395 $ | x |
| Durango Citadel | 54 395 $ | x |
| Grand Caravan | 27 995 $ | |
| Grand Caravan Crew | 37 795 $ | |
| Grand Caravan R/T | 42 995 $ | |
| Journey SE | 21 495 $ | |
| Journey Crossroad AWD | 36 395 $ | |
| Journey R/T AWD | 35 495 $ | |
| Journey R/T Rallye AWD | 36 195 $ | |
| Viper | 92 995 $ | x |
| Viper GTC | 102 995 $ | x |
| Viper GTS | 114 995 $ | x |

### FERRARI

| | | |
|---|---|---|
| California | 265 000 $ | |
| F12 Berlinetta | 398 000 $ | |
| FF | 298 000 $ | |

### FIAT

| | | |
|---|---|---|
| 500 Pop | 16 995 $ | |
| 500 Sport Turbo | 22 395 $ | |
| 500 Abarth | 25 995 $ | |
| 500 Cabrio Pop | 20 995 $ | |
| 500 Cabrio Abarth | 29 995 $ | |
| 500L Pop | 20 495 $ | |
| 500L Lounge | 26 495 $ | |
| 500X Pop | 21 495 $ | |
| 500X Trekking Plus | 30 490 $ | |
| 500X Sport AWD | 29 190 $ | |
| 500X Trekking Plus AWD | 32 690 $ | |

### FORD

| | | |
|---|---|---|
| C-Max SE | 25 844 $ | x |
| C-Max Energi | 34 299 $ | x |
| Edge SE | 31 529 $ | |
| Edge SE (TI) | 33 349 $ | |
| Edge Titanium | 37 297 $ | |
| Edge Titanium (TI) | 39 077 $ | |
| Edge Sport | 42 637 $ | |
| Escape S | 24 553 $ | |
| Escape S Ecoboost | 27 283 $ | |
| Escape SE Ecoboost 1 6 litre | 26 389 $ | |
| Escape SE Ecoboost 1 6 litre (4RM) | 28 347 $ | |
| Escape SE Ecoboost 2 0 litres | 27 249 $ | |
| Escape SE Ecoboost 2 0 litres (4RM) | 29 207 $ | |
| Expedition SSV | 48 999 $ | |
| Expedition SSV MAX | 51 399 $ | |
| Expedition XLT | 51 899 $ | |
| Expedition Platinum MAX | 70 499 $ | |
| Explorer | 32 999 $ | |
| Explorer (TI) | 35 999 $ | |
| Explorer XLT | 36 999 $ | |
| Explorer XLT (TI) | 39 999 $ | |
| Explorer Sport | 50 499 $ | |
| Explorer Platinum | 58 599 $ | |
| F150 XL | 25 628 $ | x |
| F150 XLT | 28 177 $ | x |
| F150 Lariat | 39 265 $ | x |
| F150 King Ranch | 54 869 $ | x |

| | | |
|---|---|---|
| F150 Platinum | 57 105 $ | x |
| Fiesta berline S | 15 399 $ | |
| Fiesta hatchback S | 15 399 $ | |
| Fiesta hatchback ST | 24 999 $ | |
| Flex SEL | 36 477 $ | x |
| Flex SEL (TI) | 38 257 $ | x |
| Flex Limited | 48 644 $ | x |
| Focus 5 portes SE | 19 249 $ | |
| Focus 5 portes ST | 30 399 $ | |
| Focus 5 portes Électrique | 31 999 $ | |
| Focus Berline S | 16 849 $ | |
| Focus Berline Titanium | 26 299 $ | |
| Fusion S | 23 523 $ | |
| Fusion SE Ecoboost 1 5 litre | 25 659 $ | |
| Fusion SE Ecoboost 2 0 litres | 27 680 $ | |
| Fusion SE Ecoboost 2 0 litres (TI) | 30 048 $ | |
| Fusion Hybride S | 28 332 $ | |
| Fusion Energi SE | 36 965 $ | |
| Mustang Coupé V6 | 25 399 $ | |
| Mustang Coupé Ecoboost | 28 399 $ | |
| Mustang Coupé GT | 37 399 $ | |
| Mustang Cabriolet V6 | 30 399 $ | |
| Mustang Cab Ecoboost Premium | 39 449 $ | |
| Mustang Cabriolet GT Premium | 48 449 $ | |
| Mustang Shelby GT350 | 62 599 $ | |
| Shelby GT500 Coupe | 63 399 $ | x |
| Shelby GT500 Cabriolet | 68 399 $ | x |
| Taurus SE | 30 084 $ | |
| Taurus SE Ecoboost | 30 944 $ | |
| Taurus SEL (TI) | 34 159 $ | |
| Taurus SHO (TI) | 43 059 $ | |
| Transit Connect XL Cargo | 28 199 $ | |
| Transit Connect XL Wagon | 29 999 $ | |

## GMC

| | | |
|---|---|---|
| Acadia SLE | 38 445 $ | x |
| Acadia SLE (TI) | 41 445 $ | x |
| Acadia Denali (TI) | 57 945 $ | x |
| Canyon SL allongé (2RM) | 22 645 $ | x |
| Canyon SLE multiplace (2RM) | 32 745 $ | x |
| Canyon SLE multiplace (4RM) | 38 395 $ | x |
| Canyon SLT allongé (4RM) | 38 545 $ | x |
| Sierra 1500 (2RM) | 29 200 $ | x |
| Sierra 1500 multiplace (4RM) | 39 070 $ | x |
| Sierra 1500 SLT multiplace (4RM) | 52 180 $ | x |
| Terrain SLE | 30 245 $ | x |
| Terrain SLE (TI) | 32 445 $ | x |
| Terrain Denali | 41 745 $ | x |
| Terrain Denali (TI) | 42 945 $ | x |
| Yukon SLE | 53 090 $ | x |
| Yukon SLE (4RM) | 56 390 $ | x |
| Yukon Denali (TI) | 75 540 $ | x |
| Yukon XL SLE | 56 080 $ | x |
| Yukon XL SLE (4RM) | 59 380 $ | x |
| Yukon XL Denali (TI) | 78 530 $ | x |

## HONDA

| | | |
|---|---|---|
| Accord Coupé EX | 28 481 $ | x |
| Accord Coupé EX-L | 32 181 $ | x |
| Accord Coupé V6 EX-L | 37 581 $ | x |
| Accord LX | 25 901 $ | |
| Accord Sport | 28 101 $ | |
| Accord EX-L | 31 501 $ | |
| Accord Touring | 32 901 $ | |
| Accord V6 EX-L | 34 981 $ | |
| Accord V6 Touring | 37 481 $ | |
| Accord Hybride | 31 841 $ | |
| Accord Hybride Touring | 37 941 $ | |
| Civic Berline DX | 17 301 $ | |
| Civic Berline Touring | 27 201 $ | |
| Civic Berline Si | 28 501 $ | |
| Civic Berline Hybride | 28 851 $ | x |
| Civic Coupé LX | 20 601 $ | |
| Civic Coupé EX-L | 27 601 $ | |
| Civic Coupé Si | 28 501 $ | |
| CR-V LX | 27 841 $ | |
| CR-V LX (4RM) | 30 201 $ | |
| CR-V EX-L | 35 741 $ | |
| CR-V Touring | 38 391 $ | |
| CR-Z | 24 541 $ | x |
| CR-Z Premium | 27 041 $ | x |
| Fit DX man | 16 126 $ | x |
| Fit LX man | 19 026 $ | x |
| Fit EX man | 20 926 $ | x |
| Fit EX-L man | 23 026 $ | x |
| HR-V LX | 22 541 $ | |
| HR-V EX | 25 041 $ | |
| HR-V LX (4RM) | 26 141 $ | |
| HR-V EX (4RM) | 28 641 $ | |
| HR-V EX-L | 31 841 $ | |
| Odyssey LX | 32 201 $ | x |
| Odyssey EX | 37 251 $ | x |
| Odyssey EX-L | 44 261 $ | x |
| Odyssey Touring | 50 261 $ | x |
| Pilot LX | 37 341 $ | |
| Pilot LX (4RM) | 40 341 $ | |
| Pilot EX | 43 341 $ | |
| Pilot SE | 44 651 $ | |
| Pilot EX-L | 46 341 $ | |
| Pilot Touring | 52 341 $ | |

## HYUNDAI

| | | |
|---|---|---|
| Accent 5 portes L man | 13 599 $ | x |
| Accent 5 portes GL man | 16 249 $ | x |
| Accent 5 portes GLS man | 18 299 $ | x |
| Accent 5 portes SE | 18 499 $ | x |
| Accent Berline L man | 13 249 $ | x |
| Accent Berline LE | 15 649 $ | x |
| Accent Berline SE | 18 149 $ | x |
| Accent Berline GLS | 19 199 $ | x |
| Elantra Berline L man | 15 749 $ | |
| Elantra Berline GL man | 18 449 $ | |
| Elantra Berline GLS man | 20 849 $ | |
| Elantra Berline Limited | 25 549 $ | |
| Elantra GT L man | 18 449 $ | |
| Elantra GT GL man | 19 749 $ | |
| Elantra GT GLS man | 22 049 $ | |
| Elantra GT Limited | 27 099 $ | |
| Equus Signature | 63 900 $ | |
| Equus Ultimate | 71 000 $ | |
| Genesis 3.8 Premium | 43 000 $ | x |
| Genesis 3.8 Technologie | 53 000 $ | x |
| Genesis 5.0 Ultimate | 62 000 $ | x |
| Genesis Coupe 3.8 R-Spec | 29 499 $ | x |
| Genesis Coupe 3.8 Premium | 32 199 $ | x |
| Genesis Coupe 3.8 GT | 37 199 $ | x |
| Santa Fe Sport 2.4 FWD | 27 149 $ | |
| Santa Fe Sport 2.4 Premium FWD | 29 249 $ | |
| Santa Fe Sport 2.4 Premium AWD | 31 249 $ | |
| Santa Fe Sport 2.0T SE | 36 699 $ | |
| Santa Fe Sport 2.0T Limited | 40 099 $ | |
| Santa Fe XL FWD | 30 449 $ | |
| Santa Fe XL Premium | 35 399 $ | |
| Santa Fe XL Limited | 43 549 $ | |
| Sonata GL | 23 999 $ | x |
| Sonata Sport | 28 399 $ | x |
| Sonata Sport 2.0T | 30 999 $ | x |
| Sonata Limited | 32 999 $ | x |
| Sonata Sport 2.0T Ultimate | 34 799 $ | x |
| Sonata Hybrid | 28 499 $ | x |
| Sonata Hybrid Technologie | 34 499 $ | x |
| Tucson GL FWD man | 21 999 $ | x |
| Tucson GL AWD | 25 999 $ | x |
| Tucson GLS FWD | 27 449 $ | x |
| Tucson GLS AWD | 29 449 $ | x |
| Tucson Limited AWD | 33 999 $ | x |
| Veloster man | 18 399 $ | |
| Veloster SE man | 19 999 $ | |
| Veloster Ensemble Technologie man | 23 999 $ | |
| Veloster Turbo man | 26 999 $ | |
| Veloster Turbo Édition Rallye | 26 999 $ | |

## INFINITI

| | | |
|---|---|---|
| Q50 3.7 | 39 595 $ | x |
| Q50 3.7 Premium TI | 45 495 $ | x |
| Q50 S 3.7 | 49 545 $ | x |
| Q50 S 3.7 TI | 50 045 $ | x |
| Q50 Hybride Privilège TI | 51 595 $ | x |
| Q60 Coupe Privilège | 48 895 $ | x |
| Q60 Coupe Sport TI | 53 895 $ | x |
| Q60 Cabriolet Sport | 60 495 $ | x |
| Q60 Cabriolet IPL | 67 300 $ | x |
| Q70 3.7 Privilège | 62 195 $ | x |
| Q70 3.7 Sport | 69 195 $ | x |
| Q70L 5.6 | 70 495 $ | x |
| Q70 Hybride | 70 595 $ | x |
| QX50 | 37 045 $ | x |
| QX60 | 45 095 $ | x |
| QX60 TI | 47 595 $ | x |
| QX60 Hybride Privilège TI | 56 595 $ | x |
| QX70 3.7 | 55 595 $ | x |
| QX70 3.7 Sport | 62 245 $ | x |
| QX80 | 76 295 $ | x |

## JAGUAR

| | | |
|---|---|---|
| F-Type Coupé | 77 500 $ | |
| F-Type Coupé S | 88 500 $ | |
| F-Type Coupé S (TI) | 96 500 $ | |
| F-Type Coupé R | 117 500 $ | |
| F-Type Cabriolet | 80 500 $ | |
| F-Type Cabriolet S | 91 500 $ | |
| F-Type Cabriolet S (TI) | 99 500 $ | |
| F-Type Cabriolet R | 120 500 $ | |
| XF 2.0T | 53 500 $ | |
| XF 3.0 (TI) | 61 500 $ | |
| XFR | 88 500 $ | |
| XFR-S | 104 500 $ | |
| XJ (TI) | 89 490 $ | |
| XJL (TI) | 96 490 $ | |
| XJ Supercharged | 102 990 $ | |
| XJL Supercharged | 105 990 $ | |
| XJR | 119 990 $ | |
| XJR (emp long) | 122 990 $ | |

## JEEP

| | | |
|---|---|---|
| Cherokee Sport | 24 495 $ | |
| Cherokee Sport 4X4 | 26 695 $ | |
| Cherokee Trailhawk 4X4 | 32 695 $ | |
| Cherokee Limited 4X4 | 33 895 $ | |
| Compass Sport | 16 995 $ | x |
| Compass Sport 4X4 | 23 295 $ | x |
| Grand Cherokee Laredo | 41 395 $ | x |
| Grand Cherokee Summit | 63 495 $ | x |
| Grand Cherokee SRT8 | 66 495 $ | x |
| Patriot Sport | 18 495 $ | |
| Patriot Sport 4X4 | 22 695 $ | |
| Renegade Sport | 19 995 $ | x |
| Renegade North | 25 995 $ | x |
| Renegade Sport 4X4 | 25 995 $ | x |
| Renegade North 4X4 | 27 495 $ | x |
| Renegade Trailhawk 4X4 | 31 145 $ | x |
| Wrangler Sport | 21 495 $ | x |
| Wrangler Sahara | 33 170 $ | x |
| Wrangler Rubicon | 36 170 $ | x |
| Wrangler Unlimited Sport | 29 995 $ | x |
| Wrangler Unlimited Rubicon | 38 570 $ | x |

## KIA

| | | |
|---|---|---|
| Cadenza | 37 995 $ | x |
| Cadenza Premium | 45 395 $ | x |
| Forte LX man | 15 995 $ | |
| Forte SX | 26 695 $ | |
| Forte5 LX+ man | 19 495 $ | |
| Forte5 EX | 22 495 $ | |
| Forte5 SX Luxe | 28 795 $ | |
| Forte Koup EX man | 21 295 $ | |
| Forte Koup SX man | 24 195 $ | |
| K900 V6 | 49 995 $ | x |
| K900 V8 Elite | 69 995 $ | x |
| Optima LX | 24 795 $ | x |
| Optima SX | 33 195 $ | x |
| Optima SX Turbo | 34 895 $ | x |
| Optima Hybride EX | 27 495 $ | x |
| Rio LX man | 14 295 $ | |
| Rio LX+ man | 15 895 $ | |
| Rio SX | 20 395 $ | |
| Rio5 LX man | 14 695 $ | |
| Rio5 LX+ man | 16 295 $ | |
| Rio5 LX+ ECO | 18 395 $ | |
| Rio5 SX Navigation | 22 995 $ | |
| Rondo LX man | 21 295 $ | x |
| Rondo EX Luxe | 29 295 $ | x |
| Sedona L | 27 695 $ | |
| Sedona LX | 30 195 $ | |
| Sedona SXL+ | 46 195 $ | |
| Sorento LX | 27 495 $ | |
| Sorento LX (TI) | 29 495 $ | |
| Sorento LX+ Turbo | 30 695 $ | |
| Sorento LX+ V6 (TI) | 33 895 $ | |
| Sorento SX | 42 095 $ | |
| Sorento SX+ V6 (TI) | 46 695 $ | |
| Soul LX | 16 995 $ | x |
| Soul LX+ | 18 795 $ | x |
| Soul SX | 23 795 $ | x |
| Soul SX Luxe | 27 295 $ | x |
| Sportage LX man | 22 995 $ | x |
| Sportage LX (TI) | 27 495 $ | x |
| Sportage EX | 28 495 $ | x |
| Sportage EX (TI) | 30 795 $ | x |
| Sportage SX | 32 695 $ | x |
| Sportage SX Luxe | 38 495 $ | x |

## LAMBORGHINI

| | | |
|---|---|---|
| Aventador LP700-4 | 440 500 $ | |
| Huracán LP610-4 | 295 000 $ | |

## LAND ROVER

| | | |
|---|---|---|
| Discovery Sport SE | 44 147 $ | |
| Discovery Sport HSE Luxe | 52 647 $ | |
| LR4 | 62 647 $ | |
| Range Rover | 103 247 $ | |
| Range Rover Supercharged | 118 247 $ | |
| Range Rover Autobiography | 153 247 $ | |
| Range Rover Autobiography allongé | 158 247 $ | |
| Range Rover Evoque Pure | 50 352 $ | |
| Range Rover Evoque Autobiography | 67 252 $ | |
| Range Rover Evoque Coupé Prestige | 64 962 $ | |
| Range Rover Evoque Coupé Autobiography | 68 352 $ | |
| Range Rover Sport HSE | 82 647 $ | |
| Range Rover Sport Supercharged | 95 147 $ | |
| Range Rover Sport Autobiography Dynamic | 107 647 $ | |
| Range Rover Sport SVR | 127 647 $ | |

## LEXUS

| | | |
|---|---|---|
| CT 200h | 33 120 $ | x |
| CT 200h Technologie | 41 520 $ | x |
| ES 300h | 46 270 $ | x |
| ES 350 | 41 920 $ | x |
| ES 350 Technologie | 54 020 $ | x |
| GS 350 RWD | 54 370 $ | x |
| GS 350 AWD | 57 070 $ | x |
| GS 350 AWD F-Sport | 62 120 $ | x |
| GS 450h | 67 070 $ | x |
| GX 460 | 61 070 $ | x |
| IS 250 RWD | 39 470 $ | x |
| IS 250 AWD | 42 070 $ | x |
| IS 350 RWD | 46 670 $ | x |
| IS 350 F-Sport RWD | 47 820 $ | x |
| IS 350 AWD | 46 170 $ | x |
| IS 350 F-Sport AWD | 49 670 $ | x |
| LS 460 | 86 820 $ | x |
| LS 460 (TI) | 90 120 $ | x |
| LS 460 L (TI) | 103 320 $ | x |
| LS 600h L Executive | 154 020 $ | x |
| LX 570 | 97 620 $ | x |
| NX 200t | 43 694 $ | x |
| NX 200t F-Sport | 53 094 $ | x |
| NX 300h | 61 694 $ | x |
| RC 350 | 59 894 $ | x |
| RC 350 AWD | 56 844 $ | x |
| RX 350 Sportdesign | 52 770 $ | x |
| RX 350 F Sport | 61 070 $ | x |
| RX 450h Sportdesign | 64 820 $ | x |

## LINCOLN

| | | |
|---|---|---|
| MKC Ecoboost 2.0 (TI) | 38 483 $ | x |
| MKC Ecoboost 2.3 (TI) | 46 893 $ | x |
| MKS V6 3.7 (TI) | 45 116 $ | x |
| MKS V6 3.5 EcoBoost (TI) | 53 306 $ | |
| MKT Ecoboost (TI) | 48 821 $ | |
| MKT Ecoboost Elite (TI) | 51 809 $ | |
| MKX (TI) | 45 890 $ | |
| MKZ Ecoboost 2.0L Premiere | 38 640 $ | |
| MKZ V6 3.7L Select | 40 660 $ | |
| MKZ Hybride Premiere | 38 460 $ | |
| Navigator | 72 313 $ | x |
| Navigator L | 75 014 $ | x |

## LOTUS

| | | |
|---|---|---|
| Evora 400 | 125 000 $ (estimé) | |

## MASERATI

| | | |
|---|---|---|
| Ghibli | 82 600 $ | |
| Ghibli S | 91 950 $ | |
| Gran Turismo | 172 950 $ | |
| Gran Turismo Convertible | 167 450 $ | |
| Quattroporte | 125 000 $ | |
| Quattroporte S | 128 300 $ | |
| Quattroporte Sport GT S | 136 000 $ | |

## MAZDA

| | | |
|---|---|---|
| CX-3 GX | 22 690 $ | |
| CX-3 GS | 26 190 $ | |
| CX-3 GT | 30 990 $ | |
| CX-5 GX man | 24 890 $ | |
| CX-5 GX (TI) | 30 090 $ | |
| CX-5 GS | 31 140 $ | |
| CX-5 GS (TI) | 33 140 $ | |
| CX-5 GT (TI) | 36 790 $ | |
| CX-9 GS | 35 890 $ | x |
| CX-9 GT (TI) | 47 890 $ | x |
| Mazda3 berline GX man | 17 690 $ | x |
| Mazda3 berline GS man | 21 490 $ | x |
| Mazda3 berline GT man | 27 690 $ | x |
| Mazda3 Sport GX man | 18 690 $ | x |
| Mazda3 Sport GS man | 22 490 $ | x |
| Mazda3 Sport GT man | 28 690 $ | x |
| Mazda5 GS man | 23 890 $ | x |
| Mazda5 GT man | 28 690 $ | x |
| Mazda6 GX man | 26 390 $ | |
| Mazda6 GS man | 29 690 $ | |
| Mazda6 GT man | 34 590 $ | |
| MX-5 GX man | 31 245 $ | x |
| MX-5 GS man | 37 840 $ | x |
| MX-5 GT man | 42 045 $ | x |

## MCLAREN

| | | |
|---|---|---|
| 650S Coupé | 287 000 $ | |
| 650S Spider | 305 500 $ | |

## MERCEDES-BENZ

| | | |
|---|---|---|
| AMG GT S | 149 900 $ | |
| B250 | 31 300 $ | x |
| B250 4MATIC | 33 500 $ | x |
| C300 Berline 4MATIC | 42 250 $ | x |
| C400 Berline 4MATIC | 52 800 $ | x |
| C63 Berline AMG | 74 000 $ | x |
| C250 Coupé | 44 650 $ | x |
| C350 Coupé 4MATIC | 56 050 $ | x |
| C63 Coupé AMG Edition 507 | 76 600 $ | x |
| CLA250 | 34 300 $ | x |
| CLA250 4MATIC | 36 500 $ | x |
| CLA45 AMG | 50 600 $ | x |

| | | |
|---|---|---|
| CLS550 | 85 000 $ | x |
| CLS63 AMG 4MATIC | 113 500 $ | x |
| E250 Berline 4MATIC BlueTEC | 64 500 $ | |
| E300 Berline 4MATIC | 65 500 $ | |
| E400 Berline 4MATIC | 72 900 $ | |
| E550 Berline 4MATIC | 79 800 $ | |
| E63 Berline AMG S-Model | 113 800 $ | |
| E400 Familiale 4MATIC | 77 000 $ | |
| E63 Familiale AMG S-Model | 116 300 $ | |
| E400 Coupé 4MATIC | 64 500 $ | |
| E550 Cabriolet | 81 500 $ | |
| G550 | 122 600 $ | x |
| G63 AMG | 152 700 $ | x |
| GLA250 4MATIC | 37 200 $ | x |
| GLA45 AMG 4MATIC | 50 500 $ | x |
| GLC250 BlueTEC 4MATIC | 48 600 $ | x |
| GLC350 4MATIC | 50 700 $ | x |
| GLE350 BlueTEC 4MATIC | 61 400 $ | x |
| GLE400 4MATIC | n.d. | |
| GLE550 4MATIC | 78 500 $ | x |
| GLE63 AMG | 103 200 $ | x |
| GLE350d Coupé 4MATIC | 72 300 $ | |
| GL350 BlueTEC | 74 900 $ | x |
| GL450 4MATIC | 77 100 $ | x |
| GL550 4MATIC | 99 100 $ | x |
| GL63 AMG | 128 400 $ | x |
| Maybach S 600 | 231 200 $ | |
| S400 4MATIC | 100 200 $ | x |
| S550 4MATIC empattement court | 108 200 $ | x |
| S65 AMG | 249 500 $ | x |
| S550 Coupe 4MATIC | 147 500 $ | x |
| S63 Coupe AMG | 174 800 $ | x |
| SL550 | 123 400 $ | x |
| SL65 AMG | 242 500 $ | x |
| SLC350 | 67 200 $ | x |
| SLC55 AMG | 81 000 $ | x |
| Sprinter 2500 Fourgon | 39 900 $ | x |
| Sprinter 2500 Combi | 47 300 $ | x |

## MINI

| | | |
|---|---|---|
| Cooper | 21 490 $ | |
| Cooper S | 25 740 $ | |
| Cooper John Cooper Works | 33 240 $ | |
| Cooper Cabriolet | 29 500 $ | x |
| Cooper Cabriolet S | 34 150 $ | x |
| Cooper Cabriolet John Cooper Works | 42 900 $ | x |
| Cooper 5 portes | 22 740 $ | |
| Cooper 5 portes S | 26 990 $ | |
| Cooper Clubman | 24 950 $ | x |
| Cooper Clubman S | 29 950 $ | x |
| Cooper Clubman John Cooper Works | 38 400 $ | x |
| Cooper Countryman S ALL4 | 29 950 $ | |
| Cooper Countryman John Cooper Works ALL4 | 38 500 $ | |
| Cooper Paceman S ALL4 | 31 200 $ | |
| Cooper Paceman John Cooper Works ALL4 | 39 600 $ | |

## MITSUBISHI

| | | |
|---|---|---|
| i-MiEV ES | 27 998 $ | |
| i-MiEV ES Navigation | 29 998 $ | |
| Lancer DE man | 14 998 $ | |
| Lancer GT AWC man | 27 998 $ | |
| Lancer Ralliart | 32 398 $ | |
| Lancer Sportback SE | 19 798 $ | |
| Lancer Sportback GT | 24 298 $ | |
| Mirage ES | 12 498 $ | |
| Mirage SE | 15 998 $ | |
| Outlander ES (2RM) | 25 998 $ | |
| Outlander ES (4RM) | 27 998 $ | |
| Outlander GT Navigation (4RM) | 38 498 $ | |
| RVR ES (2RM) | 19 998 $ | |
| RVR SE (2RM) | 23 598 $ | |
| RVR SE (4RM) | 25 698 $ | |
| RVR GT (4RM) | 28 898 $ | |

## NISSAN

| | | |
|---|---|---|
| 370Z Coupé | 29 998 $ | x |
| 370Z Roadster Tourisme | 49 318 $ | x |
| Altima Berline 2.5 | 25 493 $ | x |
| Altima Berline 2.5 S | 26 693 $ | x |
| Altima Berline 3.5 SL | 35 293 $ | x |
| Armada Platine | 62 898 $ | x |
| Frontier King Cab S | 20 998 $ | x |
| Frontier King Cab SV | 23 898 $ | x |
| Frontier King Cab PRO-4X 4X4 | 29 998 $ | x |
| Frontier Cabine double SV | 27 748 $ | x |
| Frontier Cabine double PRO-4X | 35 148 $ | x |
| Frontier Cabine double SL 4X4 | 37 598 $ | x |
| GT-R Premium | 110 900 $ | x |
| GT-R Black Edition | 120 400 $ | x |
| Juke SV | 21 793 $ | x |
| Juke SV (TI) | 25 273 $ | x |
| Juke NISMO | 26 793 $ | x |
| Juke NISMO (TI) | 30 273 $ | x |
| Juke NISMO RS | 30 093 $ | x |
| Leaf S | 33 888 $ | x |
| Leaf SL | 40 638 $ | x |
| Maxima SV | 40 380 $ | x |
| Micra S | 11 398 $ | x |
| Micra SV | 15 198 $ | x |
| Micra SR | 17 248 $ | x |
| Murano S | 29 998 $ | x |
| Murano SV | 33 998 $ | x |
| Murano Platine | 43 498 $ | x |
| NV Tourisme | 38 398 $ | x |
| NV200 | 22 748 $ | x |
| Pathfinder S | 31 658 $ | x |
| Pathfinder S 4x4 | 33 658 $ | x |
| Pathfinder Platine | 44 258 $ | x |
| Pathfinder Hybride SV | 41 408 $ | x |
| Pathfinder Hybride Platine | 51 358 $ | x |
| Rogue S | 25 228 $ | x |
| Rogue S (TI) | 27 228 $ | x |
| Rogue SL (TI) | 32 728 $ | x |
| Sentra S | 16 665 $ | x |
| Sentra SV | 19 565 $ | x |
| Titan King Cab S | 34 198 $ | x |
| Titan King Cab SV | 38 848 $ | x |
| Titan King Cab PRO-4X 4X4 | 43 998 $ | x |
| Titan Cabine double S 4X4 | 39 998 $ | x |
| Titan Cabine double SV 4X4 | 44 948 $ | x |
| Titan Cabine double PRO-4X 4X4 | 46 698 $ | x |
| Titan Cabine double SL 4X4 | 52 148 $ | x |
| Versa Note S man | 15 965 $ | x |
| Versa Note SV man | 17 765 $ | x |
| Versa Note SR CVT | 20 365 $ | x |
| Versa Note SL man | 19 765 $ | x |
| Xterra PRO-4X | 37 398 $ | x |

## PAGANI

| | | |
|---|---|---|
| Huayra | 1 400 000 $ | |

## PORSCHE

| | | |
|---|---|---|
| 911 Carrera | 96 200 $ | |
| 911 Carrera Cabriolet | 109 800 $ | |
| 911 Carrera 4 | 103 900 $ | |
| 911 Carrera 4 Cabriolet | 117 400 $ | |
| 911 Carrera S | 112 800 $ | |
| 911 Carrera S Cabriolet | 126 400 $ | |
| 911 Carrera 4S | 120 500 $ | |
| 911 Carrera 4S Cabriolet | 134 100 $ | |
| 911 Carrera GTS | 130 300 $ | |
| 911 Carrera GTS Cabriolet | 143 900 $ | |
| 911 Carrera 4 GTS | 137 900 $ | |
| 911 Carrera 4 GTS Cabriolet | 151 500 $ | |
| 911 Carrera Targa 4 | 117 400 $ | |
| 911 Carrera Targa 4S | 134 100 $ | |
| 911 Carrera Targa 4 GTS | 151 500 $ | |
| 911 Carrera Turbo | 172 400 $ | |
| 911 Carrera Turbo Cabriolet | 186 000 $ | |
| 911 Carrera Turbo S | 208 500 $ | |
| 911 Carrera Turbo S Cabriolet | 222 000 $ | |
| 911 GT3 | 148 800 $ | |
| 911 GT3 RS | 200 700 $ | |
| Boxster | 59 400 $ | |
| Boxster S | 72 900 $ | |
| Boxster GTS | 85 100 $ | |
| Boxster Spyder | 93 700 $ | |
| Cayenne | 67 400 $ | |
| Cayenne Diesel | 72 000 $ | |
| Cayenne S | 84 500 $ | |
| Cayenne S E-Hybrid | 87 700 $ | |
| Cayenne GTS | 108 200 $ | |
| Cayenne Turbo | 129 500 $ | |
| Cayenne Turbo S | 178 100 $ | |
| Cayman | 59 900 $ | |
| Cayman S | 73 100 $ | |
| Cayman GTS | 85 800 $ | |
| Cayman GT4 | 96 500 $ | |
| Macan S | 57 200 $ | |
| Macan Turbo | 83 400 $ | |
| Panamera | 89 500 $ | |
| Panamera 4 | 94 800 $ | |
| Panamera S | 106 600 $ | |
| Panamera S E-Hybride | 110 000 $ | |
| Panamera 4S | 112 500 $ | |
| Panamera 4S Executive | 143 600 $ | |
| Panamera GTS | 129 400 $ | |
| Panamera Turbo | 161 500 $ | |
| Panamera Turbo Executive | 184 100 $ | |
| Panamera Turbo S | 206 000 $ | |
| Panamera Turbo S Executive | 229 100 $ | |

## RAM

| | | |
|---|---|---|
| 1500 Cab régulière ST 4X2 | 29 095 $ | |
| 1500 Cab régulière SLT 4X4 | 38 895 $ | |
| 1500 Cabuine régulière Sport 4X4 | 44 995 $ | |
| 1500 Cab Quad Laramie 4X4 | 53 895 $ | |
| 1500 Cab Crew Longhorn 4X2 | 56 495 $ | |
| 1500 Cab Crew Longhorn 4X4 | 60 495 $ | |
| Promaster City Cargo ST | 28 495 $ | |
| Promaster City Wagon SLT | 30 495 $ | |

## ROLLS-ROYCE

| | | |
|---|---|---|
| Ghost | 329 808 $ | |
| Ghost empattement long | 367 310 $ | |
| Phantom | 468 510 $ | |
| Phantom Coupé | 504 200 $ | |
| Phantom Drophead Coupé | 551 742 $ | |
| Wraith | 338 129 $ | |

## SCION

| | | |
|---|---|---|
| FR-S | 27 093 $ | |
| iM | 19 995 $ est. | |
| tC | 23 133 $ | |

## SMART

| | | |
|---|---|---|
| Fortwo Coupé Pure | 14 800 $ | x |
| Fortwo Coupe Passion | 18 150 $ | x |

## SUBARU

| | | |
|---|---|---|
| BRZ | 27 395 $ | |
| BRZ Sport-tech | 29 395 $ | |
| Forester 2.5i | 25 995 $ | |
| Forester 2.5i Commodité | 28 795 $ | |
| Forester 2.5i Commodité PZEV | 29 495 $ | |
| Forester 2.5i Touring | 29 995 $ | |
| Forester 2.5i Limited | 34 495 $ | |
| Forester 2.0XT Touring | 33 495 $ | |
| Forester 2.0XT Limited | 36 795 $ | |
| Impreza 5 portes 2.0i | 20 895 $ | x |
| Impreza 5 portes 2.0i Limited | 27 795 $ | x |
| Impreza berline 2.0i | 19 995 $ | x |
| Impreza berline 2.0i Limited | 26 895 $ | x |
| Legacy 2.5i | 23 495 $ | |
| Legacy 2.5i PZEV | 25 495 $ | |
| Legacy 2.5i Limited | 31 295 $ | |
| Legacy 3.6R Touring | 30 795 $ | |
| Legacy 3.6R Limited | 34 295 $ | |
| Outback 2.5i | 27 995 $ | |
| Outback 2.5i CVT | 29 295 $ | |
| Outback 2.5i CVT PZEV | 29 995 $ | |
| Outback 2.5i Touring Technologie | 33 695 $ | |
| Outback 2.5i Limited | 35 995 $ | |
| Outback 2.5i Limited Technologie | 37 195 $ | |
| Outback 3.6R Limited | 38 895 $ | |
| Outback 3.6R Limited Technologie | 40 195 $ | |
| WRX | 29 995 $ | |
| WRX Sport | 32 795 $ | |
| WRX Sport-tech | 36 095 $ | |
| WRX STI | 37 995 $ | |
| WRX STI Sport | 40 795 $ | |
| WRX STI Sport-tech | 45 395 $ | |
| XV Crosstrek Tourisme | 24 495 $ | x |
| XV Crosstrek Limited | 28 995 $ | x |
| XV Crosstrek Hybride | 29 995 $ | x |

## TELSA

| | | |
|---|---|---|
| Model S 60 | 77 800 $ | |
| Model S 85 | 88 500 $ | |
| Model S P85 | 103 300 $ | |

## TOYOTA

| | | |
|---|---|---|
| 4Runner | 39 815 $ | x |
| Avalon XLE | 39 200 $ | x |
| Avalon Limited | 41 295 $ | x |
| Avalon Limited Premium | 44 245 $ | x |
| Camry LE | 25 595 $ | x |
| Camry XLE | 32 405 $ | x |
| Camry SE V6 | 31 655 $ | x |
| Camry XLE V6 | 35 470 $ | x |
| Camry Hybride LE | 29 605 $ | x |
| Camry Hybride XLE | 31 460 $ | x |
| Corolla CE man | 17 640 $ | x |
| Corolla S man | 20 960 $ | x |
| Corolla LE | 21 245 $ | x |
| Highlander LE FWD | 33 595 $ | x |
| Highlander LE AWD | 36 095 $ | x |
| Highlander Limited AWD | 47 015 $ | x |
| Highlander Hybride LE | 45 635 $ | x |
| Highlander Hybride Limited | 54 610 $ | x |
| Prius | 27 950 $ | x |
| Prius Plug-In | 37 550 $ | x |
| Prius Plug-In Technologie | 42 785 $ | x |
| Prius c | 22 285 $ | x |
| Prius c Technologie | 25 260 $ | x |
| Prius v | 29 325 $ | x |
| Prius v Technologie | 39 020 $ | x |
| RAV4 LE | 25 785 $ | x |
| RAV4 LE (4RM) | 28 050 $ | x |
| RAV4 Limited (4RM) | 35 125 $ | x |
| RAV4 Limited Tech (4RM) | 37 260 $ | x |
| Sequoia SR5 | 55 300 $ | x |
| Sienna 7 places | 31 035 $ | x |
| Sienna LE 8 places | 35 280 $ | x |
| Sienna LE AWD 7 places | 38 105 $ | x |
| Sienna SE 8 places | 39 120 $ | x |
| Sienna XLE Limited AWD 7 places | 52 535 $ | x |
| Tacoma Access Cab 4X2 man | 24 365 $ | x |
| Tacoma Access Cab 4X4 man | 29 360 $ | x |
| Tacoma Access Cab V6 4X4 man | 30 345 $ | x |
| Tacoma Access Cab V6 4X4 TRD man | 36 440 $ | x |
| Tacoma Double Cab V6 4X4 | 31 835 $ | x |
| Tacoma D. Cab V6 4X4 Sport TRD | 38 275 $ | x |
| Tundra Cab régulière 4X2 5 7 litres | 28 865 $ | x |
| Tundra Cab double 4X2 4 6 litres | 32 865 $ | x |
| Tundra Cab double SR5 4X4 5 7 litres | 40 610 $ | x |
| Tundra CrewMax SR5 4X4 5 7 litres | 44 150 $ | x |
| Tundra Cab d Ltd 4X4 5 7 litres | 49 250 $ | x |
| Tundra CrewMax Plat 4X4 5 7 | 56 000 $ | x |
| Venza | 30 610 $ | x |
| Venza (TI) | 32 410 $ | x |
| Venza V6 | 32 365 $ | x |
| Venza V6 (TI) | 34 165 $ | x |
| Venza V6 Limited (TI) | 40 460 $ | x |
| Yaris Hatchback 3 portes CE man | 15 875 $ | x |
| Yaris Hatchback 5 portes LE man | 16 515 $ | x |
| Yaris Hatchback 5 portes SE man | 20 975 $ | x |

## VOLKSWAGEN

| | | |
|---|---|---|
| Beetle 1.8T Trendline | 19 990 $ | |
| Beetle 2.0 TDI Comfortline | 26 290 $ | |
| Beetle 2.0T Sportline | 30 510 $ | |
| Beetle Cabriolet 1.8T Trendline+ | 26 850 $ | |
| Beetle Cabriolet 2.0T Sportline | 35 575 $ | |
| CC 2.0T Sportline man | 36 375 $ | x |
| CC 2.0T Highline man | 40 975 $ | x |
| Golf 3 portes 1.8T Trendline man | 18 995 $ | |
| Golf 5 portes 1.8T Trendline man | 19 995 $ | |
| Golf 5 portes 2.0 TDI Trendline man | 23 095 $ | |
| Golf Familiale 2.5L Trendline man | 23 575 $ | |
| Golf Familiale 2.0 TDI Trendline man | 26 375 $ | |
| Golf Familiale 2.5L Comfortline man | 25 275 $ | |
| GTI 2.0T 3 portes man | 27 995 $ | |
| GTI 2.0T 5 portes man | 32 895 $ | |
| Jetta 2.0L Trendline | 14 990 $ | x |
| Jetta 2.0 TDI Trendline+ | 22 490 $ | x |
| Jetta 1.8T Comfortline | 22 290 $ | x |
| Jetta 2.0 TDI Comfortline | 24 590 $ | x |
| Jetta GLI | 28 290 $ | |
| Jetta Turbo Hybride Trendline | 28 490 $ | x |
| Passat 1.8T Trendline | 23 975 $ | x |
| Passat 2.0 TDI Trendline | 26 575 $ | x |
| Passat 3.6 Highline | 35 475 $ | x |
| Tiguan Trendline man | 24 990 $ | |
| Tiguan Highline | 38 490 $ | |
| Touareg Comfortline | 50 975 $ | |
| Touareg Execline | 60 975 $ | |
| Golf Fam 2.0 TDI Trend man | 26 375 $ | x |
| GTI 2.0T 3 portes Autobahn man | 31 995 $ | |
| GTI 2.0T 5 portes Autobahn man | 32 895 $ | |
| Jetta 2.0L Trendline | 14 990 $ | |
| Jetta 2.0 TDI Trendline+ | 22 490 $ | |
| Jetta 1.8T Comfortline | 22 290 $ | |
| Jetta Turbo Hybride Highline | 35 300 $ | x |
| Passat 1.8T Trendline | 23 975 $ | |
| Passat 2.0 TDI Trendline | 26 575 $ | |
| Passat 3.6 Comfortline | 30 575 $ | |
| Tiguan Trendline man | 24 990 $ | |
| Touareg Comfortline | 50 975 $ | |
| Touareg Execline | 60 975 $ | |

## VOLVO

| | | |
|---|---|---|
| S60 T5 | 38 400 $ | |
| S60 T5 SE AWD | 50 950 $ | |
| S60CC T5 AWD | 49 450 $ | |
| S60 T6 | 43 600 $ | |
| S60 T6 AWD | 45 900 $ | |
| S60 T6 Polestar AWD | 65 395 $ | |
| S80 T5 Premier | 50 450 $ | |
| V60 T5 | 40 200 $ | |
| V60 T5 AWD | 42 400 $ | |
| V60CC T5 AWD | 44 100 $ | |
| V60 T6 AWD | 46 750 $ | |
| V60 T6 Polestar AWD | 67 295 $ | |
| XC60 T5 | 41 600 $ | |
| XC60 T5 SE AWD | 55 950 $ | |
| XC60 T6 AWD | 49 250 $ | |
| XC70 T5 | 42 750 $ | |
| XC70 T5 AWD | 45 050 $ | |
| XC90 T6 AWD | 60 700 $ | |
| XC90 T8 AWD | 73 400 $ | |

NOTE : LES PRIX IDENTIFIÉS AVEC UN X SONT LES PRIX DES MODÈLES 2015. IL NE S'AGIT PAS D'UNE LISTE EXHAUSTIVE. POUR PLUS DE RENSEIGNEMENTS, VEUILLEZ CONTACTER LE CONCESSIONNAIRE.

# SALON DE L'AUTO 2016

**15 AU 24 JANVIER**

PALAIS DES CONGRÈS DE MONTRÉAL

On vous prépare une belle brochette de nouveaux modèles pour le salon 2016!

salonautomontreal.com

| MODÈLE | VARIANTE | LONGUEUR (MM) | LARGEUR (MM) | HAUTEUR (MM) | EMPATTEMENT (MM) | POIDS (KG) | CAPACITÉ REMORQUAGE (KG) | MOTEUR | CYLINDRÉE (LITRE) | ALIMENTATION | PUISSANCE (CH) | COUPLE (LB-PI) | TRANSMISSION BASE | ROUAGE BASE | CONSOMMATION VILLE (L/100 KM) | CONSOMMATION ROUTE (L/100 KM) |
|---|---|---|---|---|---|---|---|---|---|---|---|---|---|---|---|---|
| **ACURA** | | | | | | | | | | | | | | | | |
| ILX | A-SPEC | 4620 | 1794 | 1412 | 2670 | 1424 | | 4L | 2,4 | ATMO | 201 | 180 | AUTO, 8 | TR | 9,3 | 6,6 |
| ILX | TECH | 4620 | 1794 | 1412 | 2670 | 1415 | | 4L | 2,4 | ATMO | 201 | 180 | AUTO, 8 | TR | 9,3 | 6,6 |
| MDX | BASE | 4917 | 1962 | 1716 | 2820 | 1907 | 1588 | V6 | 3,5 | ATMO | 290 | 267 | AUTO, 9 | INT | 12,7 | 9,1 |
| MDX | TECHNOLOGIE | 4917 | 1962 | 1716 | 2820 | 1915 | 1588 | V6 | 3,5 | ATMO | 290 | 267 | AUTO, 9 | INT | 12,7 | 9,1 |
| RDX | BASE TI | 4685 | 1872 | 1650 | 2685 | 1770 | 680 | V6 | 3,5 | ATMO | 279 | 252 | AUTO, 6 | INT | 12,4 | 8,4 |
| RDX | TECHNOLOGIE TI | 4685 | 1872 | 1650 | 2685 | 1783 | 680 | V6 | 3,5 | ATMO | 279 | 252 | AUTO, 6 | INT | 12,4 | 8,4 |
| RLX | ELITE | 4982 | 1890 | 1465 | 2850 | 1816 | | V6 | 3,5 | ATMO | 310 | 272 | AUTO, 6 | TR | 11,9 | 7,9 |
| RLX | TECHNOLOGIE | 4982 | 1890 | 1465 | 2850 | 1800 | | V6 | 3,5 | ATMO | 310 | 272 | AUTO, 6 | TR | 11,9 | 7,9 |
| TLX | BASE | 4832 | 2091* | 1447 | 2775 | 1579 | | 4L | 2,4 | ATMO | 206 | 182 | AUTO, 8 | TR | 9,6 | 6,6 |
| TLX | V6 TECHNOLOGIE | 4832 | 2091* | 1447 | 2775 | 1635 | | V6 | 3,5 | ATMO | 290 | 267 | AUTO, 9 | TR | 11,2 | 6,9 |
| **ALFA ROMEO** | | | | | | | | | | | | | | | | |
| 4C | COUPÉ | 4000 | 1868 | 1183 | 2380 | 1118 | | 4L | 1,7 | TURBO | 237 | 258 | AUTO, 6 | PR | 9,8 | 5 |
| 4C | COUPÉ LAUNCH EDITION | 4000 | 1868 | 1183 | 2380 | 1050 | | 4L | 1,7 | TURBO | 237 | 258 | AUTO, 6 | PR | 9,8 | 5 |
| **ASTON MARTIN** | | | | | | | | | | | | | | | | |
| DB9 | COUPÉ | 4720 | 2061* | 1282 | 2740 | 1785 | | V12 | 6 | ATMO | 510 | 457 | AUTO, 6 | PR | 21,6 | 10 |
| DB9 | VOLANTE | 4720 | 2061* | 1282 | 2740 | 1890 | | V12 | 6 | ATMO | 510 | 457 | AUTO, 6 | PR | 21,6 | 10 |
| RAPIDE | S | 5019 | 2140* | 1360 | 2989 | 1990 | | V12 | 6 | ATMO | 552 | 465 | AUTO, 8 | PR | 16,8 | 10,7 |
| VANQUISH | COUPÉ 2+0 | 4728 | 2067* | 1294 | 2740 | 1739 | | V12 | 6 | ATMO | 568 | 465 | AUTO, 8 | PR | 19,3 | 9,1 |
| VANQUISH | VOLANTE | 4728 | 2067* | 1294 | 2740 | 1844 | | V12 | 6 | ATMO | 568 | 465 | AUTO, 8 | PR | 19,3 | 9,1 |
| VANTAGE | V12 COUPÉ S | 4385 | 2022* | 1250 | 2600 | 1665 | | V12 | 6 | ATMO | 565 | 457 | AUTO, 7 | PR | 24,1 | 11,6 |
| VANTAGE | V8 COUPÉ | 4385 | 2022* | 1260 | 2600 | 1630 | | V8 | 4,7 | ATMO | 420 | 346 | MAN, 6 | PR | 16,3 | 10,4 |
| **AUDI** | | | | | | | | | | | | | | | | |
| A3 | BERLINE 1.8 TFSI KOMFORT | 4456 | 1960* | 1416 | 2637 | 1440 | | 4L | 1,8 | TURBO | 170 | 199 | AUTO, 6 | TR | 10 | 7,1 |
| A3 | BERLINE 2.0 TFSI QUATTRO TECHNIK | 4456 | 1960* | 1416 | 2637 | 1525 | | 4L | 2 | TURBO | 220 | 258 | AUTO, 6 | INT | 9,8 | 7,2 |
| A3 | CABRIOLET 2.0 TFSI QUATTRO KOMFORT | 4421 | 1960* | 1409 | 2595 | 1625 | | 4L | 2 | TURBO | 220 | 258 | AUTO, 6 | INT | 10,1 | 7,5 |
| A3 | CABRIOLET 2.0 TFSI QUATTRO TECHNIK | 4421 | 1960* | 1409 | 2595 | 1625 | | 4L | 2 | TURBO | 220 | 258 | AUTO, 6 | INT | 10,1 | 7,5 |
| A3 | S3 BERLINE 2.0 TFSI QUATTRO PROGRESSIV | 4469 | 1960* | 1392 | 2631 | 1565 | | 4L | 2 | TURBO | 290 | 280 | AUTO, 6 | INT | 10,1 | 7,7 |
| A3 | S3 BERLINE 2.0 TFSI QUATTRO TECHNIK | 4469 | 1960* | 1392 | 2631 | 1565 | | 4L | 2 | TURBO | 290 | 280 | AUTO, 6 | INT | 10,1 | 7,7 |
| A3 | SPORTBACK 2.0 TDI | 4310 | 1966* | 1426 | 2637 | 1395 | | 4L | 2 | TURBO | 150 | 251 | AUTO, 6 | TR | 5,2 | 4 |
| A3 | SPORTBACK E-TRON | 4312 | 1966* | 1424 | 2630 | 1615 | | 4L | 1,4 | TURBO | 150 | 184 | AUTO, 6 | TR | 7,9 | 8,7 |
| A4 | 2.0 TFSI BERLINE MULTI-TRONIC | 4701 | 2040* | 1427 | 2808 | 1625 | | 4L | 2 | TURBO | 220 | 258 | CVT | TR | 9,8 | 7,4 |
| A4 | 2.0 TFSI BERLINE QUATTRO TIPTRONIC | 4701 | 2040* | 1427 | 2808 | 1675 | | 4L | 2 | TURBO | 220 | 258 | AUTO, 8 | INT | 10,7 | 7,6 |
| A4 | ALLROAD | 4721 | 2006* | 1473 | 2805 | 1769 | 750 | 4L | 2 | TURBO | 220 | 258 | AUTO, 8 | INT | 11,2 | 7,8 |
| A4 | S4 BERLINE QUATTRO | 4716 | 2040* | 1406 | 2811 | 1755 | | V6 | 3 | SURCOMP | 333 | 325 | MAN, 6 | INT | 13,8 | 9 |
| A4 | S4 BERLINE QUATTRO TIPTRONIC | 4716 | 2040* | 1406 | 2811 | 1785 | | V6 | 3 | SURCOMP | 333 | 325 | AUTO, 7 | INT | 13,1 | 8,4 |
| A5 | 2.0 TFSI PREMIUM QUATTRO | 4626 | 2020 | 1372 | 2751 | 1625 | | 4L | 2 | TURBO | 220 | 258 | MAN, 6 | INT | 9,5 | 6,3 |
| A5 | S5 3.0T QUATTRO CABRIOLET S TRONIC | 4640 | 2020 | 1380 | 2751 | 1955 | | V6 | 3 | SURCOMP | 333 | 325 | AUTO, 7 | INT | 11,8 | 8 |
| A5 | S5 CABRIOLET | 4640 | 2020 | 1380 | 2751 | 1955 | | V6 | 3 | SURCOMP | 333 | 325 | AUTO, 7 | INT | 11,8 | 8 |
| A6 | 2.0T | 4915 | 2086* | 1468 | 2912 | 1795 | | 4L | 2 | TURBO | 252 | 273 | AUTO, 7 | INT | 10,7 | 7,4 |
| A6 | S6 | 4931 | 2086* | 1443 | 2916 | 2035 | | V8 | 4 | TURBO | 450 | 406 | AUTO, 7 | INT | 13,1 | 8,7 |
| A7 | 3.0 TDI QUATTRO | 4969 | 2139* | 1420 | 2914 | 1979 | 750 | V6 | 3 | TURBO | 240 | 428 | AUTO, 7 | INT | 9,6 | 6,2 |
| A7 | 4.0 TFSI S7 QUATTRO | 4969 | 2139* | 1420 | 2914 | 2074 | | V8 | 4 | TURBO | 450 | 406 | AUTO, 7 | INT | 13,8 | 8,7 |
| A8 | 3.0 TDI QUATTRO | 5135 | 2111* | 1460 | 2992 | 2045 | | V6 | 3 | TURBO | 240 | 429 | AUTO, 8 | INT | 9,8 | 6,4 |
| A8 | 3.0 TFSI QUATTRO | 5135 | 2111* | 1460 | 2992 | 1980 | | V6 | 3 | SURCOMP | 333 | 326 | AUTO, 8 | INT | 12,6 | 8 |
| A8 | 4.0 TFSI QUATTRO | 5135 | 2111* | 1460 | 2992 | 2045 | | V8 | 4 | TURBO | 435 | 444 | AUTO, 8 | INT | 12,9 | 8 |
| A8 | 6.3L W12 | 5265 | 2111* | 1471 | 3122 | 2185 | | W12 | 6,3 | ATMO | 500 | 463 | AUTO, 8 | INT | 16,8 | 11,2 |
| Q3 | 2.0 QUATTRO | 4385 | 1831 | 1590 | 2603 | 1670 | 750 | 4L | 2 | TURBO | 200 | 207 | AUTO, 6 | INT | 11,9 | 8,4 |
| Q3 | 2.0 TA | 4385 | 1831 | 1590 | 2603 | 1585 | 750 | 4L | 2 | TURBO | 200 | 207 | AUTO, 6 | TR | 12 | 7,7 |
| Q5 | 2.0 QUATTRO | 4639 | 2089* | 1655 | 2807 | 1850 | 2000 | 4L | 2 | TURBO | 220 | 258 | AUTO, 8 | INT | 10,5 | 7,2 |
| Q5 | 3.0 QUATTRO | 4639 | 2089* | 1655 | 2807 | 1975 | 2400 | V6 | 3 | SURCOMP | 272 | 295 | AUTO, 8 | INT | 11,4 | 7,8 |
| Q5 | HYBRIDE | 4639 | 2089* | 1652 | 2807 | 2010 | 2000 | 4L | 2 | TURBO | 211 | 258 | AUTO, 8 | INT | 9,8 | 7,9 |
| Q5 | TDI | 4639 | 2089* | 1655 | 2807 | 2030 | 2400 | V6 | 3 | TURBO | 240 | 428 | AUTO, 8 | INT | 10 | 7,5 |
| Q7 | 3.0 TDI QUATTRO PROGRESSIV | 5052 | 1968 | 1741 | 2994 | 2060 | 2500 | V6 | 3 | TURBO | 272 | 443 | AUTO, 8 | INT | 6,7 | 6 |
| Q7 | 3.0 TFSI QUATTRO PROGRESSIV | 5052 | 1968 | 1741 | 2994 | 2030 | 2500 | V6 | 3 | SURCOMP | 333 | 325 | AUTO, 8 | INT | 10 | 7,3 |
| R8 | V10 COUPÉ | 4426 | 1940 | 1240 | 2650 | 1595 | | V10 | 5,2 | ATMO | 540 | 398 | AUTO, 7 | INT | 16,7 | 8,4 |
| R8 | V10 PLUS COUPÉ | 4426 | 1940 | 1240 | 2650 | 1555 | | V10 | 5,2 | ATMO | 610 | 413 | AUTO, 7 | INT | 17,5 | 9,3 |
| TT | COUPÉ | 4177 | 1966* | 1353 | 2505 | 1410 | | 4L | 2 | TURBO | 220 | 273 | AUTO, 6 | INT | 8,3 | 5,4 |
| TT | S ROADSTER | 4191 | 1966* | 1345 | 2505 | 1545 | | 4L | 2 | TURBO | 290 | 280 | AUTO, 6 | INT | 9,3 | 6,1 |
| **BENTLEY** | | | | | | | | | | | | | | | | |
| CONTINENTAL | GT | 4806 | 2227* | 1404 | 2746 | 2320 | | W12 | 6 | TURBO | 582 | 531 | AUTO, 8 | INT | 18,1 | 11,8 |
| CONTINENTAL | GT CONVERTIBLE | 4806 | 2227* | 1403 | 2746 | 2495 | | W12 | 6 | TURBO | 582 | 531 | AUTO, 8 | INT | 19,6 | 11,8 |
| CONTINENTAL | GT SPEED | 4806 | 2227* | 1394 | 2746 | 2320 | | W12 | 6 | TURBO | 626 | 607 | AUTO, 8 | INT | 18,1 | 11,8 |
| CONTINENTAL | GT V8 | 4806 | 2227* | 1404 | 2746 | 2295 | | V8 | 4 | TURBO | 500 | 487 | AUTO, 8 | INT | 15,7 | 9,8 |
| CONTINENTAL | GT V8 S CONVERTIBLE | 4806 | 2227* | 1403 | 2746 | 2470 | | V8 | 4 | TURBO | 521 | 502 | AUTO, 8 | INT | 16,8 | 9,8 |
| FLYING SPUR | V8 | 5299 | 2208* | 1488 | 3066 | 2425 | | V8 | 4 | TURBO | 500 | 487 | AUTO, 8 | INT | 16,8 | 9,8 |
| MULSANNE | BASE | 5575 | 2208* | 1521 | 3266 | 2685 | | V8 | 6,8 | TURBO | 505 | 752 | AUTO, 8 | PR | 19,6 | 12,4 |
| MULSANNE | SPEED | 5575 | 2208* | 1521 | 3266 | 2685 | | V8 | 6,8 | TURBO | 530 | 811 | AUTO, 8 | PR | 19,6 | 12,4 |
| **BMW** | | | | | | | | | | | | | | | | |
| I3 | LOFT DESIGN | 4008 | 2039* | 1578 | 2570 | 1297 | | 0 | | | 0 | 0 | RAP. FIXE | PR | 0 | 0 |
| I3 | RANGE EXTENDER | 4008 | 2039* | 1578 | 2570 | 1420 | | 2L | 0,7 | ATMO | 38 | 41 | RAP. FIXE | PR | 5,7 | 6,3 |
| I8 | BASE | 4697 | 1942 | 1291 | 2800 | 1567 | | 3L | 1,5 | TURBO | 228 | 236 | AUTO, 6 | INT | 8,4 | 8,1 |
| SÉRIE 2 | 228I XDRIVE CABRIOLET | 4432 | 1984* | 1413 | 2690 | 1708 | | 4L | 2 | TURBO | 241 | 258 | AUTO, 8 | INT | 10,6 | 7,2 |
| SÉRIE 2 | M235I COUPÉ | 4454 | 1984* | 1408 | 2690 | 1545 | | 6L | 3 | TURBO | 322 | 332 | MAN, 6 | PR | 12,4 | 8,4 |
| SÉRIE 3 | 320I BERLINE | 4627 | 2031* | 1429 | 2810 | 1474 | | 4L | 2 | TURBO | 181 | 200 | AUTO, 8 | PR | 10 | 6,5 |
| SÉRIE 3 | 320I XDRIVE BERLINE | 4627 | 2031* | 1434 | 2810 | 1565 | | 4L | 2 | TURBO | 181 | 200 | AUTO, 8 | INT | 10,3 | 6,7 |
| SÉRIE 3 | 328D XDRIVE BERLINE | 4627 | 2031* | 1434 | 2810 | 1642 | | 4L | 2 | TURBO | 180 | 280 | AUTO, 8 | INT | 7,6 | 5,5 |
| SÉRIE 3 | 328I BERLINE | 4627 | 2031* | 1429 | 2810 | 1524 | | 4L | 2 | TURBO | 241 | 255 | AUTO, 8 | PR | 10 | 6,5 |
| SÉRIE 3 | 340I XDRIVE BERLINE | 4627 | 2031* | 1434 | 2810 | 1676 | | 6L | 3 | TURBO | 320 | 330 | AUTO, 8 | INT | 10,7 | 6,3 |
| SÉRIE 3 | M3 BERLINE | 4671 | 2037* | 1430 | 2812 | 1595 | | 6L | 3 | TURBO | 425 | 406 | MAN, 6 | PR | 13,7 | 9 |
| SÉRIE 4 | 428I CABRIOLET | 4638 | 2017* | 1384 | 2810 | 1812 | | 4L | 2 | TURBO | 241 | 258 | AUTO, 8 | PR | 10,3 | 6,9 |
| SÉRIE 4 | 428I COUPÉ | 4638 | 2017* | 1377 | 2810 | 1551 | | 4L | 2 | TURBO | 241 | 258 | MAN, 6 | PR | 9 | 5,5 |
| SÉRIE 4 | 428I GRAN COUPÉ | 4638 | 1825 | 1389 | 2810 | 1637 | | 4L | 2 | TURBO | 241 | 258 | AUTO, 8 | PR | 9 | 5,5 |
| SÉRIE 4 | 428I XDRIVE GRAN COUPÉ | 4638 | 1825 | 1389 | 2810 | 1696 | | 4L | 2 | TURBO | 241 | 258 | AUTO, 8 | INT | 9,4 | 6,1 |
| SÉRIE 4 | 435I CABRIOLET | 4638 | 2017* | 1384 | 2810 | 1864 | | 6L | 3 | TURBO | 300 | 300 | AUTO, 8 | PR | 11,8 | 7,8 |
| SÉRIE 4 | 435I XDRIVE COUPÉ | 4638 | 2017* | 1377 | 2810 | 1703 | | 6L | 3 | TURBO | 300 | 300 | AUTO, 8 | INT | 10,3 | 6,5 |

| MODÈLE | VARIANTE | LONGUEUR (MM) | LARGEUR (MM) | HAUTEUR (MM) | EMPATTEMENT (MM) | POIDS (KG) | CAPACITÉ REMORQUAGE (KG) | MOTEUR | CYLINDRÉE (LITRE) | ALIMENTATION | PUISSANCE (CH) | COUPLE (LB-PI) | TRANSMISSION BASE | ROUAGE BASE | CONSOMMATION VILLE (L/100 KM) | CONSOMMATION ROUTE (L/100 KM) |
|---|---|---|---|---|---|---|---|---|---|---|---|---|---|---|---|---|
| **BMW** | | | | | | | | | | | | | | | | |
| SÉRIE 4 | M4 CABRIOLET | 4671 | 2014* | 1386 | 2812 | 1843 | | 6L | 3 | TURBO | 425 | 406 | MAN, 6 | PR | 12,4 | 7,2 |
| SÉRIE 4 | M4 COUPÉ | 4671 | 2014* | 1383 | 2812 | 1497 | | 6L | 3 | TURBO | 425 | 406 | MAN, 6 | PR | 11,6 | 7,4 |
| SÉRIE 5 | 528I | 4899 | 2094 | 1464 | 2968 | 1730 | 750 | 4L | 2 | TURBO | 241 | 258 | AUTO, 8 | PR | 8,6 | 5,7 |
| SÉRIE 5 | 528I XDRIVE | 4899 | 2094 | 1464 | 2968 | 1815 | 750 | 4L | 2 | TURBO | 241 | 258 | AUTO, 8 | INT | 8,8 | 5,9 |
| SÉRIE 5 | 535D XDRIVE | 4899 | 2094* | 1464 | 2968 | 1930 | | 6L | 3 | TURBO | 255 | 413 | AUTO, 8 | INT | 7,9 | 5,3 |
| SÉRIE 5 | 535I GT XDRIVE | 4999 | 2132 | 1559 | 3070 | 2135 | | 6L | 3 | TURBO | 300 | 300 | AUTO, 8 | INT | 11,1 | 7,6 |
| SÉRIE 5 | 550I XDRIVE | 4899 | 2094 | 1464 | 2968 | 2050 | 750 | V8 | 4,4 | TURBO | 445 | 480 | AUTO, 8 | INT | 13,8 | 8,3 |
| SÉRIE 5 | ACTIVEHYBRID 5 | 4899 | 2094 | 1464 | 2968 | 1980 | | 6L | 3 | TURBO | 300 | 300 | AUTO, 8 | PR | 8,3 | 6,4 |
| SÉRIE 5 | M BERLINE | 4916 | 2119 | 1456 | 2964 | 1990 | 750 | V8 | 4,4 | TURBO | 560 | 500 | AUTO, 7 | PR | 13,2 | 8,6 |
| SÉRIE 6 | 640I GRAN COUPÉ XDRIVE | 5009 | 2081* | 1392 | 2968 | 1980 | | 6L | 3 | TURBO | 315 | 330 | AUTO, 8 | INT | 12,1 | 8,1 |
| SÉRIE 6 | 650I GRAN COUPÉ XDRIVE | 5009 | 2081* | 1392 | 2968 | 2089 | | V8 | 4,4 | TURBO | 445 | 480 | AUTO, 8 | INT | 15,1 | 9,8 |
| SÉRIE 6 | 650I XDRIVE CABRIOLET | 4896 | 2081* | 1365 | 2855 | 2109 | | V8 | 4,4 | TURBO | 445 | 480 | AUTO, 8 | INT | 15,1 | 9,8 |
| SÉRIE 6 | B6 XDRIVE GRAN COUPE | 5007 | 2081* | 1398 | 2968 | 2168 | | V8 | 4,4 | TURBO | 600 | 590 | AUTO, 8 | INT | 14,3 | 8,2 |
| SÉRIE 6 | M6 CABRIOLET | 4903 | 2106* | 1368 | 2851 | 2045 | | V8 | 4,4 | TURBO | 560 | 500 | AUTO, 7 | PR | 17,3 | 8,6 |
| SÉRIE 6 | M6 COUPÉ | 4903 | 2106* | 1374 | 2851 | 1930 | | V8 | 4,4 | TURBO | 560 | 500 | AUTO, 7 | PR | 17,3 | 11,5 |
| SÉRIE 6 | M6 GRAN COUPÉ | 5011 | 2106* | 1393 | 2964 | 2009 | | V8 | 4,4 | TURBO | 560 | 500 | AUTO, 7 | PR | 17,3 | 11,5 |
| SÉRIE 7 | 740LI XDRIVE | 5248 | 2169* | 1478 | 3210 | 1920 | | 6L | 3 | TURBO | 320 | 330 | AUTO, 8 | INT | 9,7 | 5,5 |
| SÉRIE 7 | 750LI XDRIVE | 5248 | 2169* | 1478 | 3210 | 2095 | | V8 | 4,4 | TURBO | 445 | 480 | AUTO, 8 | INT | 11,9 | 6,5 |
| X1 | XDRIVE 28I | 4455 | 2060* | 1588 | 2670 | 1664 | | 4L | 2 | TURBO | 228 | 258 | AUTO, 8 | INT | 7,8 | 5,8 |
| X3 | XDRIVE 28D | 4657 | 2098* | 1661 | 2810 | 1820 | 750 | 4L | 2 | TURBO | 180 | 280 | AUTO, 8 | INT | 6,2 | 5 |
| X3 | XDRIVE 28I | 4657 | 2098* | 1661 | 2810 | 1845 | 750 | 4L | 2 | TURBO | 241 | 258 | AUTO, 8 | INT | 9,1 | 6,2 |
| X3 | XDRIVE 35I | 4657 | 2098* | 1661 | 2810 | 1890 | 750 | 6L | 3 | TURBO | 300 | 300 | AUTO, 8 | INT | 10,7 | 6,9 |
| X4 | XDRIVE 28I | 4680 | 2088* | 1624 | 2810 | 1873 | 750 | 4L | 2 | TURBO | 241 | 258 | AUTO, 8 | INT | 11,1 | 8,4 |
| X4 | XDRIVE 35I | 4680 | 2088* | 1624 | 2810 | 1932 | 750 | 6L | 3 | TURBO | 300 | 300 | AUTO, 8 | INT | 12,5 | 8,7 |
| X5 | M | 4880 | 1985 | 1717 | 2933 | 2350 | 750 | V8 | 4,4 | TURBO | 567 | 553 | AUTO, 8 | INT | 16,6 | 12,1 |
| X5 | XDRIVE 35D | 4908 | 2184* | 1762 | 2933 | 2236 | 750 | 6L | 3 | TURBO | 255 | 413 | AUTO, 8 | INT | 9,8 | 7,2 |
| X5 | XDRIVE 40E | 4886 | 2184* | 1762 | 2933 | 2305 | | 4L | 2 | TURBO | 241 | 258 | AUTO, 8 | INT | N.D. | N.D. |
| X5 | XDRIVE 50I | 4908 | 2184* | 1762 | 2933 | 2336 | 750 | V8 | 4,4 | TURBO | 445 | 479 | AUTO, 8 | INT | 16 | 10,9 |
| X6 | M | 4909 | 2170* | 1689 | 2933 | 2340 | 750 | V8 | 4,4 | TURBO | 567 | 553 | AUTO, 8 | INT | 16,6 | 12,1 |
| X6 | XDRIVE 50I | 4909 | 2170* | 1702 | 2933 | 2345 | 750 | V8 | 4,4 | TURBO | 445 | 480 | AUTO, 8 | INT | 16 | 10,9 |
| Z4 | SDRIVE 28I | 4239 | 1951* | 1291 | 2496 | 1480 | | 4L | 2 | TURBO | 241 | 258 | MAN, 6 | PR | 9 | 5,6 |
| Z4 | SDRIVE 35IS | 4244 | 1951* | 1284 | 2496 | 1610 | | 6L | 3 | TURBO | 335 | 332 | AUTO, 7 | PR | 12,4 | 8,5 |
| **BUICK** | | | | | | | | | | | | | | | | |
| ENCLAVE | CUIR TA | 5128 | 2202* | 1821 | 3020 | 2143 | 907 | V6 | 3,6 | ATMO | 288 | 270 | AUTO, 6 | TR | 14,2 | 9,9 |
| ENCLAVE | CUIR TI | 5128 | 2202* | 1821 | 3020 | 2233 | 907 | V6 | 3,6 | ATMO | 288 | 270 | AUTO, 6 | INT | 14,6 | 10,2 |
| ENCORE | COMMODITÉ TA | 4278 | 1774 | 1658 | 2555 | 1468 | | 4L | 1,4 | TURBO | 138 | 148 | AUTO, 6 | TR | 9,5 | 7,2 |
| ENCORE | COMMODITÉ TI | 4278 | 1774 | 1658 | 2555 | 1523 | | 4L | 1,4 | TURBO | 138 | 148 | AUTO, 6 | INT | 10,2 | 8 |
| LACROSSE | CUIR TA | 5001 | 1857 | 1504 | 2837 | 1772 | 454 | V6 | 3,6 | ATMO | 304 | 264 | AUTO, 6 | TR | 13,7 | 8,6 |
| LACROSSE | CUIR TI | 5001 | 1857 | 1504 | 2837 | 1904 | 454 | V6 | 3,6 | ATMO | 304 | 264 | AUTO, 6 | INT | 13,9 | 9,1 |
| LACROSSE | EASSIST | 5001 | 1857 | 1504 | 2837 | 1708 | | 4L | 2,4 | ATMO | 182 | 172 | AUTO, 6 | TR | 9,6 | 6,5 |
| REGAL | EASSIST | 4831 | 1857 | 1483 | 2738 | 1633 | | 4L | 2,4 | ATMO | 182 | 172 | AUTO, 6 | TR | 8,3 | 5,4 |
| REGAL | GS | 4831 | 1857 | 1483 | 2738 | 1615 | | 4L | 2 | TURBO | 259 | 295 | AUTO, 6 | TR | 10,1 | 6,6 |
| REGAL | GS TI | 4831 | 1857 | 1483 | 2738 | 1683 | | 4L | 2 | TURBO | 259 | 295 | AUTO, 6 | INT | 10,9 | 7,3 |
| REGAL | TURBO TI | 4831 | 1857 | 1483 | 2738 | 1733 | | 4L | 2 | TURBO | 259 | 295 | AUTO, 6 | INT | 10,9 | 7,3 |
| VERANO | BASE | 4671 | 1815 | 1484 | 2685 | 1497 | 454 | 4L | 2,4 | ATMO | 180 | 171 | AUTO, 6 | TR | 11,1 | 7,4 |
| VERANO | TURBO | 4671 | 1815 | 1476 | 2685 | 1610 | | 4L | 2 | TURBO | 250 | 260 | AUTO, 6 | TR | 11,4 | 7,9 |
| **CADILLAC** | | | | | | | | | | | | | | | | |
| ATS | 2.0 TURBO | 4643 | 1806 | 1420 | 2776 | 1530 | | 4L | 2 | TURBO | 272 | 295 | AUTO, 8 | PR | 11,1 | 7,9 |
| ATS | 2,5 | 4643 | 1806 | 1420 | 2776 | 1505 | | 4L | 2,5 | ATMO | 202 | 191 | AUTO, 8 | PR | 11,1 | 7,2 |
| ATS | 3.6 V6 | 4643 | 1806 | 1420 | 2776 | 1570 | 454 | V6 | 3,6 | ATMO | 321 | 275 | AUTO, 8 | PR | 12,8 | 8,4 |
| ATS | 3.6 V6 TI | 4643 | 1806 | 1420 | 2776 | 1646 | 454 | V6 | 3,6 | ATMO | 321 | 275 | AUTO, 8 | INT | 12,8 | 8,9 |
| ATS | ATS-V BERLINE | 4673 | 1811 | 1415 | 2776 | 1600 | | V6 | 3,6 | TURBO | 464 | 445 | MAN, 6 | PR | N.D. | N.D. |
| ATS | ATS-V COUPÉ | 4691 | 1841 | 1384 | 2776 | 1600 | | V6 | 3,6 | TURBO | 464 | 445 | MAN, 6 | PR | N.D. | N.D. |
| CT6 | 2.0 TURBO | 5184 | 1879 | 1472 | 3109 | 1600 | | | | | | | AUTO, 8 | PR | N.D. | N.D. |
| CT6 | V6 3.0 TI | 5184 | 1879 | 1472 | 3109 | 1680 | | V6 | 3 | TURBO | 400 | 400 | AUTO, 8 | INT | N.D. | N.D. |
| CT6 | V6 3.6 TI | 5184 | 1879 | 1472 | 3109 | 1680 | | V6 | 3,6 | ATMO | 335 | 284 | AUTO, 8 | INT | N.D. | N.D. |
| CTS | #NOM? | 5021 | 1833 | 1454 | 2910 | 1880 | | V8 | 6,2 | SURCOMP | 640 | 630 | AUTO, 8 | PR | 15 | 10,6 |
| CTS | 2.0L | 4966 | 1833 | 1454 | 2910 | 1640 | | 4L | 2 | TURBO | 272 | 295 | AUTO, 8 | PR | 11,5 | 7,9 |
| CTS | 3.6L TI | 4966 | 1833 | 1454 | 2910 | 1768 | 454 | V6 | 3,6 | ATMO | 321 | 275 | AUTO, 8 | INT | 12,8 | 8,9 |
| ELR | BASE | 4724 | 1847 | 1420 | 2695 | 1844 | | 4L | 1,4 | AUCUNE | 84 | 0 | | TR | 7,6 | 6,7 |
| ESCALADE | BASE | 5179 | 2045 | 1890 | 2946 | 2649 | 3674 | V8 | 6,2 | ATMO | 420 | 460 | AUTO, 8 | INT | 15,9 | 11,1 |
| ESCALADE | ESV | 5697 | 2045 | 1890 | 3302 | 2740 | 3583 | V8 | 6,2 | ATMO | 420 | 460 | AUTO, 8 | INT | 16,4 | 11,7 |
| SRX | DE LUXE TA | 4834 | 1910 | 1669 | 2807 | 2480 | 1136 | V6 | 3,6 | ATMO | 308 | 265 | AUTO, 6 | TR | 12,7 | 8,3 |
| SRX | DE LUXE TI | 4834 | 1910 | 1669 | 2807 | 2520 | 1136 | V6 | 3,6 | ATMO | 308 | 265 | AUTO, 6 | INT | 13,2 | 8,8 |
| SRX | TA | 4834 | 1910 | 1669 | 2807 | 2480 | 1136 | V6 | 3,6 | ATMO | 308 | 265 | AUTO, 6 | TR | 12,7 | 8,3 |
| XTS | 3.6 TA | 5131 | 1852 | 1510 | 2837 | 1817 | 454 | V6 | 3,6 | ATMO | 304 | 264 | AUTO, 6 | TR | 13,6 | 8,6 |
| XTS | VSPORT BITURBO HAUT DE GAMME | 5131 | 1852 | 1510 | 2837 | 1912 | 454 | V6 | 3,6 | TURBO | 410 | 369 | AUTO, 6 | INT | 14,8 | 9,9 |
| **CHEVROLET** | | | | | | | | | | | | | | | | |
| CAMARO | LT 2.0 | 4784 | 1897 | 1348 | 2811 | 1600 | | 4L | 2 | TURBO | 275 | 295 | MAN, 6 | PR | 13,5 | 7,8 |
| CAMARO | LT V6 | 4784 | 1897 | 1348 | 2811 | 1620 | | V6 | 3,6 | ATMO | 335 | 284 | MAN, 6 | PR | 14,7 | 8,5 |
| CAMARO | SS | 4784 | 1897 | 1348 | 2811 | 1650 | | V8 | 6,2 | ATMO | 455 | 455 | MAN, 6 | PR | 16 | 9,3 |
| CITY EXPRESS | LS | 4733 | 2010* | 1872 | 2925 | 1456 | | 4L | 2 | ATMO | 131 | 139 | CVT | TR | 8,7 | 7,1 |
| COLORADO | LT 4X4 CAB. ALLONGÉE (6.2') | 5403 | 1886 | 1785 | 3259 | 1878 | 1588 | 4L | 2,5 | ATMO | 200 | 191 | AUTO, 6 | 4X4 | 12,2 | 9,1 |
| COLORADO | LT 4X4 CAB. MULTIPLACE (5.2') | 5403 | 1886 | 1794 | 3259 | 1987 | 1588 | V6 | 3,6 | ATMO | 305 | 269 | AUTO, 6 | 4X4 | 12,4 | 9,4 |
| COLORADO | LT 4X4 CAB. MULTIPLACE (6.2') | 5715 | 1886 | 1791 | 3569 | 2019 | 3175 | V6 | 3,6 | ATMO | 305 | 269 | AUTO, 6 | 4X4 | 13,8 | 9,8 |
| COLORADO | Z71 4X2 CAB. ALLONGÉE (6.2') | 5403 | 1886 | 1788 | 3259 | 1778 | 1588 | 4L | 2,5 | ATMO | 200 | 191 | AUTO, 6 | PR | 11,8 | 8,7 |
| COLORADO | Z71 4X4 CAB. ALLONGÉE (6.2') | 5403 | 1886 | 1785 | 3259 | 1878 | 1588 | 4L | 2,5 | ATMO | 200 | 191 | AUTO, 6 | 4X4 | 12,9 | 9,1 |
| CORVETTE | STINGRAY CABRIOLET | 4492 | 1877 | 1243 | 2710 | 1525 | | V8 | 6,2 | ATMO | 455 | 460 | MAN, 7 | PR | 12,2 | 6,9 |
| CORVETTE | STINGRAY COUPÉ | 4492 | 1877 | 1239 | 2710 | 1495 | | V8 | 6,2 | ATMO | 455 | 460 | MAN, 7 | PR | 12,2 | 6,9 |
| CORVETTE | STINGRAY Z51 CABRIOLET | 4492 | 1877 | 1243 | 2710 | 1525 | | V8 | 6,2 | ATMO | 455 | 460 | MAN, 7 | PR | 12,2 | 6,9 |
| CORVETTE | Z06 COUPE | 4492 | 1929 | 1235 | 2710 | 1602 | | V8 | 6,2 | SURCOMP | 650 | 650 | MAN, 7 | PR | 15,7 | 10,6 |
| CRUZE | LS | 4666 | 1795 | 1458 | 2700 | 1250 | | 4L | 1,4 | TURBO | 153 | 177 | MAN, 6 | TR | 9,5 | 6,4 |
| EQUINOX | LS TA | 4770 | 1842 | 1684 | 2857 | 1713 | 680 | 4L | 2,4 | ATMO | 182 | 172 | AUTO, 6 | TR | 10,5 | 7,3 |

| MODÈLE | VARIANTE | LONGUEUR (MM) | LARGEUR (MM) | HAUTEUR (MM) | EMPATTEMENT (MM) | POIDS (KG) | CAPACITÉ REMORQUAGE (KG) | MOTEUR | CYLINDRÉE (LITRE) | ALIMENTATION | PUISSANCE (CH) | COUPLE (LB-PI) | TRANSMISSION BASE | ROUAGE BASE | CONSOMMATION VILLE (L/100 KM) | CONSOMMATION ROUTE (L/100 KM) |
|---|---|---|---|---|---|---|---|---|---|---|---|---|---|---|---|---|
| **CHEVROLET** | | | | | | | | | | | | | | | | |
| EQUINOX | LS TI | 4770 | 1842 | 1684 | 2857 | 1781 | 680 | 4L | 2,4 | ATMO | 182 | 172 | AUTO, 6 | INT | 11,5 | 8,2 |
| EQUINOX | LT TA (V6) | 4770 | 1842 | 1760 | 2857 | 1779 | 1588 | V6 | 3,6 | ATMO | 301 | 272 | AUTO, 6 | TR | 14,2 | 9,5 |
| EQUINOX | LT TI (V6) | 4770 | 1842 | 1760 | 2857 | 1852 | 1588 | V6 | 3,6 | ATMO | 301 | 272 | AUTO, 6 | INT | 14,8 | 9,9 |
| IMPALA | LS ECOTEC 2.5 | 5113 | 1854 | 1496 | 2837 | 1661 | 454 | 4L | 2,5 | ATMO | 196 | 186 | AUTO, 6 | TR | 10,6 | 7,5 |
| IMPALA | LT V6 | 5113 | 1854 | 1496 | 2837 | 1717 | 454 | V6 | 3,6 | ATMO | 305 | 264 | AUTO, 6 | TR | 12,5 | 8,2 |
| MALIBU | HYBRIDE | 4923 | 1854 | 1466 | 2830 | 1550 | | 4L | 1,8 | ATMO | 123 | 1 | CVT | TR | 4,9 | 5,2 |
| MALIBU | LS 2.0 | 4923 | 1854 | 1466 | 2830 | 1400 | | 4L | 2 | TURBO | 250 | 258 | AUTO, 8 | TR | 10,7 | 7,4 |
| SILVERADO | HIGH COUNTRY 4X4 CAB. MULTIPLACE (5.7') | 5843 | 2032 | 1879 | 3645 | 2424 | 4355 | V8 | 5,3 | ATMO | 355 | 383 | AUTO, 6 | 4X4 | 13,3 | 9 |
| SILVERADO | HIGH COUNTRY 4X4 CAB. MULTIPLACE (6.5') | 6085 | 2032 | 1875 | 3886 | 2460 | 4309 | V8 | 5,3 | ATMO | 355 | 383 | AUTO, 6 | 4X4 | 13,3 | 9 |
| SILVERADO | LT 4X2 CAB. ALLONGÉE (6.5') | 5843 | 2032 | 1876 | 3645 | 2204 | 2722 | V6 | 4,3 | ATMO | 285 | 305 | AUTO, 6 | PR | 11,9 | 8,4 |
| SILVERADO | LT 4X2 CAB. CLASSIQUE (6.5') | 5221 | 2032 | 1879 | 3023 | 1990 | 2903 | V6 | 4,3 | ATMO | 285 | 305 | AUTO, 6 | PR | 11,9 | 8,4 |
| SILVERADO | LT 4X2 CAB. CLASSIQUE (8.0') | 5701 | 2032 | 1867 | 3378 | 2071 | 2858 | V6 | 4,3 | ATMO | 285 | 305 | AUTO, 6 | PR | 11,9 | 8,4 |
| SILVERADO | LTZ 4X4 CAB. ALLONGÉE (6.5') | 5843 | 2032 | 1877 | 3645 | 2408 | 2994 | V8 | 5,3 | ATMO | 355 | 383 | AUTO, 6 | 4X4 | 13,3 | 9 |
| SILVERADO | LTZ 4X4 CAB. MULTIPLACE (5.7') | 5843 | 2032 | 1879 | 3645 | 2424 | 2994 | V8 | 5,3 | ATMO | 355 | 383 | AUTO, 6 | 4X4 | 13,3 | 9 |
| SILVERADO | LTZ 4X4 CAB. MULTIPLACE (6.5') | 6085 | 2032 | 1875 | 3886 | 2460 | 2948 | V8 | 5,3 | ATMO | 355 | 383 | AUTO, 6 | 4X4 | 13,3 | 9 |
| SILVERADO | WT 4X2 CAB. ALLONGÉE (6.5') | 5843 | 2032 | 1876 | 3645 | 2204 | 2722 | V6 | 4,3 | ATMO | 285 | 305 | AUTO, 6 | PR | 11,9 | 8,4 |
| SILVERADO | WT 4X4 CAB. MULTIPLACE (6.5') | 6085 | 2032 | 1875 | 3886 | 2357 | 2994 | V6 | 4,3 | ATMO | 285 | 305 | AUTO, 6 | 4X4 | 12,6 | 9 |
| SONIC | LS BERLINE | 4399 | 1735 | 1517 | 2685 | 1237 | | 4L | 1,8 | ATMO | 138 | 125 | MAN, 5 | TR | 7,7 | 5,6 |
| SONIC | LS HATCHBACK | 4039 | 1735 | 1517 | 2525 | 1220 | | 4L | 1,8 | ATMO | 138 | 125 | MAN, 5 | TR | 7,7 | 5,6 |
| SONIC | RS HATCHBACK | 4039 | 1735 | 1506 | 2525 | 1275 | | 4L | 1,4 | TURBO | 138 | 148 | MAN, 6 | TR | 7,3 | 5,1 |
| SPARK | 2LT | 3636 | 1595 | 1483 | 2385 | 1019 | | 4L | 1,4 | ATMO | 98 | 94 | MAN, 5 | TR | 7,4 | 5,8 |
| SPARK | EV | 3720 | 1627 | 1590 | 2375 | 1300 | | | 0 | | 0 | 0 | RAP. FIXE | TR | 0 | 0 |
| SUBURBAN | 1500 LS 4X2 | 5699 | 2044 | 1889 | 3302 | 2569 | 3765 | V8 | 5,3 | ATMO | 355 | 383 | AUTO, 6 | PR | 14,7 | 10,2 |
| SUBURBAN | 1500 LS 4X4 | 5699 | 2044 | 1889 | 3302 | 2674 | 3628 | V8 | 5,3 | ATMO | 355 | 383 | AUTO, 6 | 4X4 | 15,7 | 10,7 |
| TAHOE | LT 4X2 | 5181 | 2044 | 1889 | 2946 | 2426 | 3856 | V8 | 5,3 | ATMO | 355 | 383 | AUTO, 6 | PR | 14,9 | 10,1 |
| TAHOE | LT 4X4 | 5181 | 2044 | 1889 | 2946 | 2533 | 3765 | V8 | 5,3 | ATMO | 355 | 383 | AUTO, 6 | 4X4 | 15,1 | 10,4 |
| TRAVERSE | 1LT TA | 5173 | 1993 | 1792 | 3021 | 2112 | 2359 | V6 | 3,6 | ATMO | 281 | 266 | AUTO, 6 | TR | 12,7 | 8,4 |
| TRAVERSE | 1LT TI | 5173 | 1993 | 1792 | 3021 | 2202 | 2359 | V6 | 3,6 | ATMO | 281 | 266 | AUTO, 6 | INT | 13 | 8,6 |
| TRAX | LS | 4280 | 2035* | 1674 | 2555 | 1363 | | 4L | 1,4 | TURBO | 138 | 148 | MAN, 6 | TR | 7,8 | 5,7 |
| VOLT | VOLT | 4582 | 1809 | 1432 | 2694 | 1607 | | 4L | 1,5 | ATMO | 101 | 0 | CVT | TR | 6,1 | 5,3 |
| **CHRYSLER** | | | | | | | | | | | | | | | | |
| 200 | C | 4885 | 1871 | 1491 | 2742 | 1625 | | 4L | 2,4 | ATMO | 184 | 173 | AUTO, 9 | TR | 8,9 | 5,8 |
| 200 | C AWD | 4885 | 1871 | 1491 | 2742 | 1675 | | V6 | 3,6 | ATMO | 295 | 262 | AUTO, 9 | INT | 10,5 | 6,5 |
| 300 | C | 5044 | 1902 | 1485 | 3052 | 1828 | 454 | V6 | 3,6 | ATMO | 292 | 260 | AUTO, 8 | PR | 12,4 | 7,7 |
| 300 | C AWD | 5044 | 1902 | 1504 | 3052 | 1921 | 454 | V6 | 3,6 | ATMO | 292 | 260 | AUTO, 8 | INT | 12,8 | 8,6 |
| 300 | S V6 | 5044 | 1902 | 1484 | 3052 | 1828 | 454 | V6 | 3,6 | ATMO | 292 | 260 | AUTO, 8 | PR | 12,4 | 7,7 |
| 300 | S V6 AWD | 5044 | 1902 | 1485 | 3052 | 1921 | 454 | V6 | 3,6 | ATMO | 292 | 260 | AUTO, 8 | INT | 12,8 | 8,6 |
| TOWN&COUNTRY | TOURING | 5151 | 2247 | 1725 | 3078 | 2115 | 1633 | V6 | 3,6 | ATMO | 283 | 260 | AUTO, 6 | TR | 12,2 | 7,9 |
| **DODGE** | | | | | | | | | | | | | | | | |
| CHALLENGER | HEMI SCAT PACK (AUTO) | 5022 | 2179* | 1450 | 2946 | 1891 | | V8 | 6,4 | ATMO | 485 | 475 | AUTO, 8 | PR | 15,7 | 9,5 |
| CHALLENGER | SRT 392 | 5022 | 2179* | 1450 | 2946 | 1891 | | V8 | 6,4 | ATMO | 485 | 475 | AUTO, 8 | PR | 15,7 | 9,5 |
| CHALLENGER | SRT HELLCAT | 5022 | 2179* | 1450 | 2946 | 1891 | | V8 | 6,2 | SURCOMP | 707 | 650 | AUTO, 8 | PR | 18 | 10,7 |
| CHARGER | HELLCAT | 5100 | 1905 | 1480 | 3058 | 2075 | | V8 | 6,2 | SURCOMP | 707 | 650 | AUTO, 8 | PR | 18 | 10,7 |
| CHARGER | R/T | 5040 | 1905 | 1479 | 3052 | 1934 | 454 | V8 | 5,7 | ATMO | 370 | 395 | AUTO, 8 | PR | 14,8 | 9,3 |
| CHARGER | R/T ROAD & TRACK | 5040 | 1905 | 1479 | 3052 | 1934 | 454 | V8 | 5,7 | ATMO | 370 | 395 | AUTO, 8 | PR | 14,8 | 9,3 |
| CHARGER | SXT AWD | 5040 | 1905 | 1479 | 3052 | 1900 | 454 | V6 | 3,6 | ATMO | 292 | 260 | AUTO, 8 | INT | 12,8 | 8,6 |
| DART | AERO | 4671 | 1829 | 1466 | 2703 | 1445 | | 4L | 1,4 | TURBO | 160 | 184 | MAN, 6 | TR | 8,5 | 5,8 |
| DART | GT | 4671 | 1829 | 1466 | 2703 | 1445 | | 4L | 2,4 | ATMO | 184 | 171 | MAN, 6 | TR | 10,2 | 7 |
| DURANGO | CITADEL | 5110 | 2172* | 1801 | 3042 | 2312 | 2812 | V6 | 3,6 | ATMO | 295 | 260 | AUTO, 8 | INT | 13,9 | 9,4 |
| DURANGO | R/T | 5110 | 2172* | 1801 | 3042 | 2418 | 3266 | V8 | 5,7 | ATMO | 360 | 390 | AUTO, 8 | INT | 17,3 | 11,5 |
| GRAND CARAVAN | ENSEMBLE VALEUR PLUS | 5151 | 2247* | 1725 | 3078 | 2050 | 1633 | V6 | 3,6 | ATMO | 283 | 260 | AUTO, 6 | TR | 13,7 | 9,4 |
| GRAND CARAVAN | R/T | 5151 | 2247* | 1725 | 3078 | 2050 | 1633 | V6 | 3,6 | ATMO | 283 | 260 | AUTO, 6 | TR | 13,7 | 9,4 |
| JOURNEY | CROSSROAD TI | 4887 | 2127* | 1692 | 2891 | 1926 | 1134 | V6 | 3,6 | ATMO | 283 | 260 | AUTO, 6 | INT | 14,5 | 9,9 |
| JOURNEY | SXT | 4887 | 2127* | 1692 | 2891 | 1735 | 454 | 4L | 2,4 | ATMO | 173 | 166 | AUTO, 4 | TR | 12,7 | 9,1 |
| VIPER | GT | 4463 | 1941 | 1246 | 2510 | 1521 | | V10 | 8,4 | ATMO | 645 | 600 | MAN, 6 | PR | 19,4 | 11,3 |
| VIPER | GTS | 4463 | 1941 | 1246 | 2510 | 1556 | | V10 | 8,4 | ATMO | 645 | 600 | MAN, 6 | PR | 19,4 | 11,3 |
| VIPER | SRT | 4463 | 1941 | 1246 | 2510 | 1521 | | V10 | 8,4 | ATMO | 645 | 600 | MAN, 6 | PR | 19,4 | 11,3 |
| **FERRARI** | | | | | | | | | | | | | | | | |
| 488 | GTB | 4568 | 1952 | 1213 | 2650 | 1475 | | V8 | 3,9 | TURBO | 661 | 561 | AUTO, 7 | PR | N.D. | N.D. |
| CALIFORNIA | T | 4570 | 1910 | 1322 | 2670 | 1730 | | V8 | 3,9 | TURBO | 560 | 557 | AUTO, 7 | PR | N.D. | N.D. |
| F12BERLINETTA | BASE | 4618 | 1942 | 1273 | 2720 | 1630 | | V12 | 6,3 | ATMO | 725 | 509 | AUTO, 7 | PR | 22,9 | 10,4 |
| FF | BASE | 4907 | 1953 | 1379 | 2990 | 1880 | | V12 | 6,3 | ATMO | 652 | 504 | AUTO, 8 | INT | 21,4 | 14,7 |
| **FIAT** | | | | | | | | | | | | | | | | |
| 500 | ABARTH | 3667 | 1866 | 1502 | 2300 | 1142 | | 4L | 1,4 | TURBO | 160 | 170 | MAN, 5 | TR | 8,5 | 6,9 |
| 500 | ABARTH CABRIOLET | 3667 | 1866 | 1504 | 2300 | 1154 | | 4L | 1,4 | TURBO | 160 | 170 | MAN, 5 | TR | 8,5 | 6,9 |
| 500 | TURBO | 3667 | 1627 | 1519 | 2300 | 1224 | | 4L | 1,4 | TURBO | 135 | 150 | MAN, 5 | TR | 8,5 | 6,9 |
| 500C | LOUNGE (AUTO) | 3547 | 1627 | 1519 | 2300 | 1130 | | 4L | 1,4 | ATMO | 101 | 97 | AUTO, 6 | TR | 7,9 | 6,3 |
| 500C | POP | 3547 | 1627 | 1519 | 2300 | 1094 | | 4L | 1,4 | ATMO | 101 | 97 | MAN, 5 | TR | 7,9 | 6,3 |
| 500L | LOUNGE | 4249 | 2036* | 1670 | 2612 | 1453 | | 4L | 1,4 | TURBO | 160 | 184 | MAN, 6 | TR | 8 | 6 |
| 500X | LOUNGE | 4247 | 2024* | 1602 | 2570 | 1346 | | 4L | 2,4 | ATMO | 180 | 175 | AUTO, 9 | TR | 10 | 9 |
| 500X | LOUNGE TI | 4247 | 2024* | 1618 | 2570 | 1456 | | 4L | 2,4 | ATMO | 180 | 175 | AUTO, 9 | INT | 11,2 | 8 |
| 500X | TREKKING TI | 4273 | 2024* | 1618 | 2570 | 1430 | | 4L | 2,4 | ATMO | 180 | 175 | AUTO, 9 | INT | 11,2 | 8 |
| **FORD** | | | | | | | | | | | | | | | | |
| C-MAX | ENERGI | 4410 | 2086* | 1620 | 2648 | 1750 | | 4L | 2 | ATMO | 141 | 129 | CVT | TR | 5,9 | 6,5 |
| C-MAX | HYBRID SEL | 4410 | 2086* | 1624 | 2648 | 1636 | | 4L | 2 | ATMO | 141 | 129 | CVT | TR | 5,6 | 6,4 |
| EDGE | SE TA | 4779 | 2179* | 1742 | 2849 | 1778 | 682 | 4L | 2 | TURBO | 245 | 275 | AUTO, 6 | TR | 11,5 | 7,8 |
| EDGE | SE TI | 4779 | 2179* | 1742 | 2849 | 1846 | 682 | 4L | 2 | TURBO | 245 | 275 | AUTO, 6 | INT | 11,8 | 8,5 |
| EDGE | SE V6 TA | 4779 | 2179* | 1742 | 2849 | 1778 | 909 | V6 | 3,5 | ATMO | 280 | 250 | AUTO, 6 | TR | 13,2 | 9 |
| EDGE | SE V6 TI | 4779 | 2179* | 1742 | 2849 | 1854 | 909 | V6 | 3,5 | ATMO | 280 | 250 | AUTO, 6 | INT | 13,7 | 9,6 |
| EDGE | SPORT TI | 4779 | 2179* | 1742 | 2849 | 1846 | 909 | V6 | 2,7 | TURBO | 315 | 350 | AUTO, 6 | INT | 13,6 | 9,8 |
| ESCAPE | S 2.5 TA | 4524 | 2078 | 1684 | 2690 | 1598 | 680 | 4L | 2,5 | ATMO | 169 | 170 | AUTO, 6 | TR | 10,9 | 7,6 |
| ESCAPE | SE 1.6 ECOBOOST TA | 4524 | 2078 | 1684 | 2690 | 1592 | 907 | 4L | 1,6 | TURBO | 178 | 184 | AUTO, 6 | TR | 10,4 | 7,4 |
| ESCAPE | SE 1.6 ECOBOOST TI | 4524 | 2078 | 1684 | 2690 | 1657 | 907 | 4L | 1,6 | TURBO | 178 | 184 | AUTO, 6 | INT | 10,6 | 8 |
| ESCAPE | TITANIUM 2.0 ECOBOOST TI | 4524 | 2078 | 1684 | 2690 | 1696 | 907 | 4L | 2 | TURBO | 240 | 270 | AUTO, 6 | INT | 11,4 | 8,4 |
| EXPEDITION | MAX LIMITED 4X4 | 5608 | 2332* | 1974 | 3327 | 2768 | 4136 | V6 | 3,5 | TURBO | 365 | 420 | AUTO, 6 | 4X4 | 16,4 | 12 |

# Pour une agréable conduite tout en musique.

**5:30** RYTHMEZ VOS MATINS — JEAN-FRANÇOIS & SASHA

**8:30** RYTHME AU TRAVAIL — JULIE BÉLANGER

**11:30** MITSOU & SÉBASTIEN

**16:00** LE VÉRO SHOW — VÉRO & MARIE-SOLEIL

**18:00** LE 6 À 8 — DENIS FORTIN

rythme Montréal **105.7**

# Laissez-vous porter

 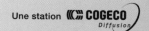

| MODÈLE | VARIANTE | LONGUEUR (MM) | LARGEUR (MM) | HAUTEUR (MM) | EMPATTEMENT (MM) | POIDS (KG) | CAPACITÉ REMORQUAGE (KG) | MOTEUR | CYLINDRÉE (LITRE) | ALIMENTATION | PUISSANCE (CH) | COUPLE (LB-PI) | TRANSMISSION BASE | ROUAGE BASE | CONSOMMATION VILLE (L/100 KM) | CONSOMMATION ROUTE (L/100 KM) |
|---|---|---|---|---|---|---|---|---|---|---|---|---|---|---|---|---|
| EXPEDITION | PLATINUM 4X4 | 5232 | 2332* | 1961 | 3023 | 2681 | 4182 | V6 | 3,5 | TURBO | 365 | 420 | AUTO. 6 | 4X4 | 16,2 | 11,8 |
| EXPLORER | BASE ECOBOOST TA | 5037 | 2292* | 1803 | 2866 | 2004 | 908 | 4L | 2,3 | TURBO | 280 | 310 | AUTO. 6 | TR | 12,6 | 8,5 |
| EXPLORER | BASE ECOBOOST TI | 5037 | 2292* | 1803 | 2866 | 2078 | 908 | 4L | 2,3 | TURBO | 280 | 310 | AUTO. 6 | INT | 13,1 | 9,1 |
| EXPLORER | BASE V6 4WD | 5037 | 2292* | 1803 | 2866 | 2106 | 2267 | V6 | 3,5 | ATMO | 290 | 255 | AUTO. 6 | INT | 14,4 | 10,4 |
| EXPLORER | BASE V6 TA | 5037 | 2292* | 1803 | 2866 | 2026 | 2267 | V6 | 3,5 | ATMO | 290 | 255 | AUTO. 6 | TR | 13,9 | 9,6 |
| F-150 | KING RANCH 4X4 CAB. SUPER CREW (5.5') | 5890 | 2459* | 1953 | 3683 | 2220 | | V8 | 5 | ATMO | 385 | 387 | AUTO. 6 | INT | 16 | 11,3 |
| F-150 | KING RANCH 4X4 CAB. SUPER CREW (6.5') | 6190 | 2459* | 1953 | 3983 | 2300 | | V8 | 5 | ATMO | 385 | 387 | AUTO. 6 | INT | 16 | 11,3 |
| F-150 | LARIAT 4X2 CAB. DOUBLE (6.5') | 5890 | 2459* | 1910 | 3683 | 2025 | 3454 | V6 | 2,7 | TURBO | 325 | 375 | AUTO. 6 | PR | 12,2 | 9,2 |
| F-150 | LARIAT 4X2 CAB. SUPER CREW (5.5') | 5890 | 2459* | 1914 | 3683 | 2065 | | V6 | 2,7 | TURBO | 325 | 375 | AUTO. 6 | PR | 12,2 | 9,2 |
| F-150 | LARIAT 4X2 CAB. SUPER CREW (6.5') | 6190 | 2459* | 1914 | 3983 | 2110 | | V6 | 2,7 | TURBO | 325 | 375 | AUTO. 6 | PR | 12,2 | 9,2 |
| F-150 | XL 4X4 CAB. DOUBLE (6.5') | 5890 | 2459* | 1910 | 3683 | 2100 | | V6 | 3,5 | ATMO | 282 | 253 | AUTO. 6 | 4X4 | 13,9 | 10,5 |
| F-150 | XL 4X4 CAB. SIMPLE (8.0') | 5889 | 2459* | 1945 | 3581 | 1950 | | V6 | 3,5 | ATMO | 282 | 253 | AUTO. 6 | 4X4 | 13,9 | 10,5 |
| F-150 | XL ECOBOOST 4X4 CAB. DOUBLE (6.5') | 5890 | 2459* | 1910 | 3683 | 2170 | | V6 | 3,5 | TURBO | 365 | 420 | AUTO. 6 | 4X4 | 14,2 | 10,4 |
| F-150 | XLT 4X2 CAB. DOUBLE (6.5') | 5890 | 2459* | 1910 | 3683 | 1970 | | V6 | 3,5 | ATMO | 282 | 253 | AUTO. 6 | PR | 13,2 | 9,6 |
| F-150 | XLT 4X4 CAB. DOUBLE (6.5') | 5890 | 2459* | 1953 | 3683 | 2100 | | V6 | 3,5 | ATMO | 282 | 253 | AUTO. 6 | 4X4 | 13,9 | 10,5 |
| F-150 | XLT 4X4 CAB. SUPER CREW (6.5') | 6190 | 2459* | 1953 | 3983 | 2275 | | V6 | 3,5 | TURBO | 365 | 420 | AUTO. 6 | 4X4 | 14,2 | 10,4 |
| FIESTA | 1.0 ECOBOOST HATCHBACK | 4056 | 1977* | 1476 | 2489 | 1151 | | 3L | 1 | TURBO | 123 | 125 | MAN. 5 | TR | 7,5 | 5,6 |
| FIESTA | S BERLINE | 4406 | 1977* | 1475 | 2489 | 1169 | | 4L | 1,6 | ATMO | 120 | 112 | MAN. 5 | TR | 8,5 | 6,5 |
| FIESTA | SE HATCHBACK | 4056 | 1977* | 1476 | 2489 | 1151 | | 4L | 1,6 | ATMO | 120 | 112 | MAN. 5 | TR | 8,5 | 6,5 |
| FIESTA | ST | 4067 | 1977* | 1454 | 2489 | 1244 | | 4L | 1,6 | TURBO | 197 | 202 | MAN. 6 | TR | 8,9 | 6,8 |
| FLEX | LIMITED TI | 5126 | 2256* | 1727 | 2995 | 2108 | 907 | V6 | 3,5 | ATMO | 287 | 254 | AUTO. 6 | INT | 13,7 | 10 |
| FLEX | LIMITED TI ECOBOOST | 5126 | 2256* | 1727 | 2995 | 2195 | 907 | V6 | 3,5 | TURBO | 365 | 350 | AUTO. 6 | INT | 14,6 | 10,4 |
| FLEX | SE TA | 5126 | 2256* | 1727 | 2995 | 2018 | 907 | V6 | 3,5 | ATMO | 287 | 254 | AUTO. 6 | TR | 13,3 | 9,5 |
| FOCUS | ÉLECTRIQUE | 4358 | 2044* | 1466 | 2648 | 1643 | | ÉLEC. | 0 | | 0 | 0 | RAP. FIXE | TR | 0 | 0 |
| FOCUS | S BERLINE | 4534 | 2044* | 1466 | 2648 | 1330 | | 4L | 2 | ATMO | 160 | 146 | MAN. 5 | TR | 9,3 | 6,7 |
| FOCUS | SE BERLINE 1.0 ECOBOOST | 4534 | 2044* | 1466 | 2648 | 1321 | | 3L | 1 | TURBO | 123 | 125 | MAN. 6 | TR | 8,1 | 5,9 |
| FOCUS | ST | 4362 | 2044* | 1472 | 2648 | 1458 | | 4L | 2 | TURBO | 252 | 270 | MAN. 6 | TR | 10,2 | 7,3 |
| FOCUS | TITANIUM BERLINE | 4534 | 2044* | 1466 | 2648 | 1347 | | 4L | 2 | ATMO | 160 | 146 | AUTO. 6 | TR | 9,1 | 6,3 |
| FUSION | S | 4869 | 2121* | 1478 | 2850 | 1511 | | 4L | 2,5 | ATMO | 175 | 175 | AUTO. 6 | TR | 10,6 | 7 |
| FUSION | S HYBRIDE | 4872 | 2121* | 1473 | 2850 | 1651 | | 4L | 2 | ATMO | 141 | 129 | CVT | TR | 5,4 | 5,8 |
| FUSION | SE ENERGI | 4872 | 2121* | 1473 | 2850 | 1783 | | 4L | 2 | ATMO | 141 | 129 | CVT | TR | 5,9 | 6,3 |
| FUSION | SE TA 1.5 ECOBOOST | 4869 | 2121* | 1478 | 2850 | 1563 | | 4L | 1,5 | TURBO | 181 | 185 | AUTO. 6 | TR | 9,9 | 6,5 |
| FUSION | SE TI | 4869 | 2121* | 1478 | 2850 | 1554 | | 4L | 2 | TURBO | 240 | 270 | AUTO. 6 | INT | 10,6 | 7 |
| MUSTANG | 2.3 TURBO CABRIOLET | 4783 | 1915 | 1395 | 2720 | 1580 | | 4L | 2,3 | TURBO | 310 | 320 | MAN. 6 | PR | 10 | 6,2 |
| MUSTANG | 2.3 TURBO COUPÉ | 4783 | 1915 | 1382 | 2720 | 1525 | | 4L | 2,3 | TURBO | 310 | 320 | MAN. 6 | PR | 10 | 6,2 |
| MUSTANG | GT 5.0 CABRIOLET | 4783 | 1915 | 1395 | 2720 | 1608 | | V8 | 5 | ATMO | 435 | 400 | MAN. 6 | PR | 12,2 | 7,6 |
| MUSTANG | V6 3.7 COUPÉ | 4783 | 1915 | 1382 | 2720 | 1500 | | V6 | 3,7 | ATMO | 300 | 270 | MAN. 6 | PR | 11,1 | 6,9 |
| TAURUS | LIMITED TI | 5154 | 2177* | 1542 | 2868 | 1882 | 454 | V6 | 3,5 | ATMO | 288 | 254 | AUTO. 6 | INT | 13 | 9,1 |
| TAURUS | SE ECOBOOST TA | 5154 | 2177* | 1542 | 2868 | 1754 | 454 | 4L | 2 | TURBO | 240 | 270 | AUTO. 6 | TR | 10,5 | 7,4 |
| TAURUS | SHO TI | 5154 | 2177* | 1542 | 2868 | 1967 | 454 | V6 | 3,5 | TURBO | 365 | 350 | AUTO. 6 | INT | 13,9 | 9,5 |
| TRANSIT CONNECT | FOURGON TITANIUM | 4818 | 2136* | 1829 | 3063 | 1786 | 907 | 4L | 1,6 | TURBO | 178 | 184 | AUTO. 6 | TR | 10,9 | 6,3 |
| TRANSIT CONNECT | FOURGONNETTE XL | 4417 | 2136* | 1844 | 2662 | 1608 | 907 | 4L | 1,6 | TURBO | 178 | 184 | AUTO. 6 | TR | 10,8 | 5,9 |
| ACADIA | DENALI | 5101 | 2003 | 1846 | 3020 | 2203 | 2268 | V6 | 3,6 | ATMO | 288 | 270 | AUTO. 6 | INT | 13,1 | 8,8 |
| ACADIA | SLE TA | 5101 | 2003 | 1846 | 3020 | 2112 | 2268 | V6 | 3,6 | ATMO | 288 | 270 | AUTO. 6 | TR | 12,7 | 8,4 |
| ACADIA | SLE TI | 5101 | 2003 | 1846 | 3020 | 2203 | 2268 | V6 | 3,6 | ATMO | 288 | 270 | AUTO. 6 | INT | 13,1 | 8,8 |
| CANYON | 4X2 CAB. ALLONGÉE (6.2') | 5403 | 1885 | 1791 | 3259 | 1778 | 1588 | 4L | 2,5 | ATMO | 200 | 191 | MAN. 6 | PR | 12,2 | 9,1 |
| CANYON | 4X4 CAB. ALLONGÉE (6.2') | 5403 | 1885 | 1791 | 3259 | 1860 | 1588 | 4L | 2,5 | ATMO | 200 | 191 | AUTO. 6 | 4X4 | 12,7 | 9,5 |
| CANYON | SL 4X2 CAB. ALLONGÉE (6.2') | 5403 | 1885 | 1791 | 3259 | 1778 | 1588 | 4L | 2,5 | ATMO | 200 | 191 | MAN. 6 | PR | 12,2 | 9,1 |
| CANYON | SLE 4X2 CAB. ALLONGÉE (6.2') | 5403 | 1885 | 1791 | 3259 | 1760 | 1588 | 4L | 2,5 | ATMO | 200 | 191 | AUTO. 6 | PR | 11,9 | 8,8 |
| CANYON | SLT 4X4 CAB. MULTIPLACE (6.2') | 5715 | 1885 | 1788 | 3569 | 2041 | 3175 | V6 | 3,6 | ATMO | 305 | 269 | AUTO. 6 | 4X4 | 13,5 | 9,8 |
| SIERRA | BASE 4X2 CAB. CLASSIQUE (6.5') | 5207 | 2032 | 1879 | 3023 | 1990 | 2903 | V6 | 4,3 | ATMO | 285 | 305 | AUTO. 6 | PR | 11,9 | 8,4 |
| SIERRA | BASE 4X4 CAB. MULTIPLACE (6.5') | 6071 | 2032 | 1875 | 3886 | 2357 | 2994 | V6 | 4,3 | ATMO | 285 | 305 | AUTO. 6 | 4X4 | 12,6 | 9 |
| SIERRA | DENALI TI CAB. MULTIPLACE (5.7') | 5829 | 2032 | 1879 | 3645 | 2420 | 4355 | V8 | 5,3 | ATMO | 355 | 383 | AUTO. 6 | INT | 13,3 | 9 |
| SIERRA | DENALI TI CAB. MULTIPLACE (6.5') | 6071 | 2032 | 1875 | 3886 | 2456 | 4309 | V8 | 5,3 | ATMO | 355 | 383 | AUTO. 6 | INT | 13,3 | 9 |
| SIERRA | SLE 4X2 CAB. CLASSIQUE (6.5') | 5207 | 2032 | 1879 | 3023 | 2080 | 2903 | V6 | 4,3 | ATMO | 285 | 305 | AUTO. 6 | PR | 11,9 | 8,4 |
| SIERRA | SLT 4X4 CAB. MULTIPLACE (6.5') | 6071 | 2032 | 1873 | 3886 | 2460 | 2948 | V8 | 5,3 | ATMO | 355 | 383 | AUTO. 6 | 4X4 | 13,3 | 9 |
| TERRAIN | DENALI TI | 4707 | 1850 | 1760 | 2857 | 1839 | 680 | 4L | 2,4 | ATMO | 182 | 172 | AUTO. 6 | INT | 10,1 | 6,9 |
| TERRAIN | DENALI TI (V6) | 4707 | 1850 | 1760 | 2857 | 1873 | 1588 | V6 | 3,6 | ATMO | 301 | 272 | AUTO. 6 | INT | 13,2 | 8,4 |
| YUKON | SLE 4X2 | 5179 | 2045 | 1890 | 2946 | 2408 | 3856 | V8 | 5,3 | ATMO | 355 | 383 | AUTO. 6 | PR | 14,9 | 10,1 |
| YUKON | SLE 4X4 | 5179 | 2045 | 1890 | 2946 | 2515 | 3765 | V8 | 5,3 | ATMO | 355 | 383 | AUTO. 6 | 4X4 | 15,1 | 10,4 |
| YUKON | XL 1500 SLE 4X2 | 5697 | 2045 | 1890 | 3302 | 2511 | 3765 | V8 | 5,3 | ATMO | 355 | 383 | AUTO. 6 | PR | 14,9 | 10,1 |
| YUKON | XL 1500 SLE 4X4 | 5697 | 2045 | 1890 | 3302 | 2620 | 3629 | V8 | 5,3 | ATMO | 355 | 383 | AUTO. 6 | 4X4 | 16,3 | 11,8 |
| ACCORD | EX COUPÉ | 4805 | 1850 | 1436 | 2725 | 1480 | | 4L | 2,4 | ATMO | 185 | 181 | MAN. 6 | TR | 8,8 | 5,8 |
| ACCORD | EX-L BERLINE | 4862 | 1849 | 1465 | 2775 | 1531 | | 4L | 2,4 | ATMO | 185 | 181 | CVT | TR | 7,8 | 5,5 |
| ACCORD | EX-L V6 BERLINE | 4862 | 1849 | 1465 | 2775 | 1615 | | V6 | 3,5 | ATMO | 278 | 252 | AUTO. 6 | TR | 9,6 | 5,7 |
| ACCORD | EX-L V6 NAVI 6MT COUPÉ | 4805 | 1850 | 1436 | 2725 | 1552 | | V6 | 3,5 | ATMO | 278 | 252 | MAN. 6 | TR | 11,5 | 7,1 |
| ACCORD | HYBRIDE | 4882 | 1849 | 1460 | 2775 | 1617 | | 4L | 2 | ATMO | 141 | 122 | CVT | TR | 3,7 | 4 |
| ACCORD | SPORT | 4862 | 1849 | 1465 | 2775 | 1496 | | 4L | 2,4 | ATMO | 189 | 182 | MAN. 6 | TR | 8,8 | 5,8 |
| CIVIC | EX BERLINE | 4556 | 1752 | 1435 | 2670 | 1283 | | 4L | 1,8 | ATMO | 143 | 129 | MAN. 5 | TR | 8,6 | 6,6 |
| CIVIC | EX COUPÉ | 4519 | 1752 | 1397 | 2620 | 1281 | | 4L | 1,8 | ATMO | 143 | 129 | MAN. 5 | TR | 8,6 | 6,6 |
| CIVIC | SI BERLINE | 4556 | 1752 | 1435 | 2620 | 1349 | | 4L | 2,4 | ATMO | 205 | 174 | MAN. 6 | TR | 10,8 | 7,6 |
| CIVIC | SI COUPÉ | 4542 | 1752 | 1397 | 2620 | 1338 | | 4L | 2,4 | ATMO | 205 | 174 | MAN. 6 | TR | 10,8 | 7,6 |
| CR-V | LX 2RM | 4557 | 1820 | 1642 | 2620 | 1531 | 680 | 4L | 2,4 | ATMO | 185 | 181 | CVT | TR | 8,6 | 6,9 |
| CR-V | LX 4RM | 4557 | 1820 | 1652 | 2620 | 1586 | 680 | 4L | 2,4 | ATMO | 185 | 181 | CVT | INT | 9,1 | 7,2 |
| CR-Z | BASE | 4076 | 1740 | 1395 | 2435 | 1205 | | 4L | 1,5 | ATMO | 113 | 140 | MAN. 6 | TR | 6,4 | 5,1 |
| CR-Z | BASE CVT | 4076 | 1740 | 1395 | 2435 | 1229 | | 4L | 1,5 | ATMO | 113 | 127 | CVT | TR | 5,4 | 5 |
| FIT | EX | 4064 | 1702 | 1524 | 2530 | 1170 | | 4L | 1,5 | ATMO | 130 | 114 | MAN. 6 | TR | 8,1 | 6,4 |
| FIT | EX (CVT) | 4064 | 1702 | 1524 | 2530 | 1196 | | 4L | 1,5 | ATMO | 130 | 114 | CVT | TR | 7,3 | 6,1 |
| HR-V | EX | 4294 | 1772 | 1605 | 2610 | 1325 | | 4L | 1,8 | ATMO | 141 | 127 | MAN. 6 | TR | 9,3 | 7 |
| HR-V | EX CVT | 4294 | 1772 | 1605 | 2610 | 1332 | | 4L | 1,8 | ATMO | 141 | 127 | CVT | TR | 8,3 | 6,7 |

# LA NOUVELLE SECTION
# HOMMES

## PASSEZ AU SALON !

canoe.ca

| MODÈLE | VARIANTE | LONGUEUR (MM) | LARGEUR (MM) | HAUTEUR (MM) | EMPATTEMENT (MM) | POIDS (KG) | CAPACITÉ REMORQUAGE (KG) | MOTEUR | CYLINDRÉE (LITRE) | ALIMENTATION | PUISSANCE (CH) | COUPLE (LB-PI) | TRANSMISSION BASE | ROUAGE BASE | CONSOMMATION VILLE (L/100 KM) | CONSOMMATION ROUTE (L/100 KM) |
|---|---|---|---|---|---|---|---|---|---|---|---|---|---|---|---|---|
| **HONDA** | | | | | | | | | | | | | | | | |
| HR-V | EX TI | 4294 | 1772 | 1605 | 2610 | 1407 | | 4L | 1,8 | ATMO | 141 | 127 | CVT | INT | 8,8 | 7,2 |
| ODYSSEY | EX | 5153 | 2011 | 1737 | 3000 | 2030 | 1588 | V6 | 3,5 | ATMO | 248 | 250 | AUTO, 6 | TR | 12,3 | 8,5 |
| PILOT | LX 2RM | 4941 | 2296* | 1773 | 2820 | 1858 | 1590 | V6 | 3,5 | ATMO | 280 | 262 | AUTO, 6 | TR | 12,4 | 8,8 |
| PILOT | LX 4RM | 4941 | 2296* | 1773 | 2820 | 1927 | 1590 | V6 | 3,5 | ATMO | 280 | 262 | AUTO, 6 | INT | 13 | 9,3 |
| **HYUNDAI** | | | | | | | | | | | | | | | | |
| ACCENT | GL BERLINE | 4370 | 1700 | 1450 | 2570 | 1155 | | 4L | 1,6 | ATMO | 138 | 123 | AUTO, 6 | TR | 8,9 | 6,3 |
| ACCENT | GL HATCHBACK | 4115 | 1700 | 1450 | 2570 | 1129 | | 4L | 1,6 | ATMO | 138 | 123 | MAN, 6 | TR | 8,7 | 6,3 |
| ELANTRA | GL BERLINE | 4550 | 1775 | 1430 | 2700 | 1315 | | 4L | 1,8 | ATMO | 145 | 131 | MAN, 6 | TR | 8,8 | 6,4 |
| ELANTRA | GT GL | 4300 | 1780 | 1470 | 2650 | 1295 | | 4L | 2 | ATMO | 173 | 154 | MAN, 6 | TR | 9,8 | 7,1 |
| EQUUS | SIGNATURE | 5160 | 1890 | 1490 | 3045 | 2089 | | V8 | 5 | ATMO | 429 | 376 | AUTO, 8 | PR | 13,7 | 8,6 |
| EQUUS | ULTIMATE | 5160 | 1890 | 1490 | 3045 | 2106 | | V8 | 5 | ATMO | 429 | 376 | AUTO, 8 | PR | 13,7 | 8,6 |
| GENESIS | 3.8 LUXE | 4990 | 1890 | 1480 | 3010 | 2069 | | V6 | 3,8 | ATMO | 311 | 293 | AUTO, 8 | INT | 14,4 | 9,4 |
| GENESIS | 5.0 ULTIMATE | 4990 | 1890 | 1480 | 3010 | 2143 | | V8 | 5 | ATMO | 420 | 383 | AUTO, 8 | INT | 17,3 | 10,5 |
| GENESIS COUPE | 3.8 GT (AUTO.) | 4630 | 1865 | 1385 | 2820 | 1580 | | V6 | 3,8 | ATMO | 348 | 295 | AUTO, 8 | PR | 14,6 | 9,6 |
| GENESIS COUPE | 3.8 GT (MAN.) | 4630 | 1865 | 1385 | 2820 | 1557 | | V6 | 3,8 | ATMO | 348 | 295 | MAN, 6 | PR | 14,4 | 9,9 |
| SANTA FE | SPORT 2.0T LTD TI | 4690 | 1880 | 1680 | 2700 | 1752 | 1590 | 4L | 2 | TURBO | 265 | 269 | AUTO, 6 | INT | 12,9 | 9,7 |
| SANTA FE | SPORT 2.4 PREMIUM TA | 4690 | 1880 | 1690 | 2700 | 1640 | 907 | 4L | 2,4 | ATMO | 190 | 181 | AUTO, 6 | TR | 11,7 | 8,7 |
| SANTA FE | SPORT 2.4 PREMIUM TI | 4690 | 1880 | 1690 | 2700 | 1711 | 907 | 4L | 2,4 | ATMO | 190 | 181 | AUTO, 6 | INT | 12,5 | 9,3 |
| SANTA FE | XL LIMITED TI | 4905 | 1885 | 1700 | 2800 | 1968 | 2268 | V6 | 3,3 | ATMO | 290 | 252 | AUTO, 6 | INT | 13,9 | 10,8 |
| SANTA FE | XL TA | 4905 | 1885 | 1700 | 2800 | 1790 | 2268 | V6 | 3,3 | ATMO | 290 | 252 | AUTO, 6 | TR | 12,9 | 9,4 |
| SONATA | GL | 4855 | 1865 | 1475 | 2805 | 1475 | | 4L | 2,4 | ATMO | 185 | 178 | AUTO, 6 | TR | 9,8 | 6,7 |
| SONATA | HYBRIDE | 4855 | 1865 | 1421 | 2805 | 1590 | | 4L | 2 | ATMO | 154 | 140 | AUTO, 6 | TR | 5,7 | 5,3 |
| SONATA | HYBRIDE BRANCHABLE | 4855 | 1865 | 1421 | 2805 | 1721 | | 4L | 2 | ATMO | 154 | 140 | AUTO, 6 | TR | 6,2 | 5,5 |
| SONATA | SPORT 2.0T | 4855 | 1865 | 1475 | 2805 | 1590 | | 4L | 2 | TURBO | 245 | 260 | AUTO, 6 | TR | 10,4 | 7,4 |
| TUCSON | GL TA | 4475 | 1850 | 1646 | 2670 | 1511 | 454 | 4L | 2 | ATMO | 164 | 151 | AUTO, 6 | TR | 10,2 | 7,6 |
| TUCSON | GL TI | 4475 | 1850 | 1646 | 2670 | 1586 | 454 | 4L | 2 | ATMO | 164 | 151 | AUTO, 6 | INT | 10,7 | 9 |
| VELOSTER | BASE | 4220 | 1790 | 1399 | 2650 | 1172 | | 4L | 1,6 | ATMO | 138 | 123 | MAN, 6 | TR | 7,5 | 5,3 |
| VELOSTER | TURBO | 4250 | 1805 | 1399 | 2650 | 1344 | | 4L | 1,6 | TURBO | 201 | 195 | AUTO, 7 | TR | 8,7 | 7,1 |
| **INFINITI** | | | | | | | | | | | | | | | | |
| Q50 | BERLINE | 4783 | 1824 | 1443 | 2850 | 1624 | | V6 | 3,7 | ATMO | 328 | 269 | AUTO, 7 | PR | 11,8 | 7,8 |
| Q50 | BERLINE TI | 4783 | 1824 | 1443 | 2850 | 1721 | | V6 | 3,7 | ATMO | 328 | 269 | AUTO, 7 | INT | 12,4 | 8,7 |
| Q50 | BERLINE TI HYBRIDE | 4801 | 1824 | 1453 | 2850 | 1857 | | V6 | 3,5 | ATMO | 302 | 258 | AUTO, 7 | INT | 8,4 | 6,7 |
| Q60 | CABRIOLET 6MT SPORT | 4674 | 1852 | 1400 | 2850 | 1882 | | V6 | 3,7 | ATMO | 325 | 267 | MAN, 6 | PR | 14,3 | 9,8 |
| Q60 | CABRIOLET IPL | 4707 | 1852 | 1400 | 2850 | 1904 | | V6 | 3,7 | ATMO | 343 | 0 | AUTO, 7 | PR | 13,1 | 9 |
| Q60 | CABRIOLET SPORT | 4674 | 1852 | 1400 | 2850 | 1882 | | V6 | 3,7 | ATMO | 325 | 267 | AUTO, 7 | PR | 13,6 | 9,3 |
| Q60 | COUPÉ 6MT SPORT | 4666 | 1824 | 1394 | 2850 | 1683 | | V6 | 3,7 | ATMO | 330 | 270 | MAN, 6 | PR | 13,6 | 9,3 |
| Q60 | COUPÉ TI SPORT | 4666 | 1824 | 1407 | 2850 | 1767 | | V6 | 3,7 | ATMO | 330 | 270 | AUTO, 7 | INT | 13,3 | 9,4 |
| Q70 | 3.7 TI | 4945 | 1845 | 1515 | 2900 | 1752 | | V6 | 3,7 | ATMO | 330 | 270 | AUTO, 7 | INT | 13,2 | 9,6 |
| Q70 | HYBRIDE | 4945 | 1845 | 1500 | 2900 | 1904 | | V6 | 3,5 | ATMO | 302 | 258 | AUTO, 7 | PR | 8 | 6,9 |
| Q70 | L 5.6 TI | 5131 | 1845 | 1515 | 3051 | 1978 | | V8 | 5,6 | ATMO | 416 | 414 | AUTO, 7 | INT | 15 | 10,2 |
| QX50 | TI | 4744 | 1803 | 1614 | 2880 | 1850 | | V6 | 3,7 | ATMO | 325 | 267 | AUTO, 7 | INT | 13,7 | 9,7 |
| QX60 | 3.5 TA | 4989 | 1960 | 1742 | 2900 | 2013 | 2268 | V6 | 3,5 | ATMO | 265 | 248 | CVT | TR | 11,8 | 8,5 |
| QX60 | 3.5 TI | 4989 | 1960 | 1742 | 2900 | 2077 | 2268 | V6 | 3,5 | ATMO | 265 | 248 | CVT | INT | 12,2 | 8,9 |
| QX60 | HYBRIDE | 4989 | 1960 | 1742 | 2900 | 2124 | 1588 | 4L | 2,5 | SURCOMP | 230 | 243 | CVT | INT | 8,9 | 8,4 |
| QX70 | 3,7 | 4859 | 1928 | 1680 | 2885 | 1943 | 1588 | V6 | 3,7 | ATMO | 325 | 267 | AUTO, 7 | INT | 13,4 | 9,3 |
| QX80 | 5.6 (7 PASS.) | 5305 | 2030 | 1925 | 3075 | 2560 | 3864 | V8 | 5,6 | ATMO | 400 | 413 | AUTO, 7 | INT | 16,9 | 11,9 |
| **JAGUAR** | | | | | | | | | | | | | | | | |
| F-TYPE | COUPÉ | 4470 | 1923 | 1311 | 2622 | 1577 | | V6 | 3 | SURCOMP | 340 | 332 | AUTO, 8 | PR | 11,8 | 8,4 |
| F-TYPE | DÉCAPOTABLE | 4470 | 1923 | 1308 | 2622 | 1597 | | V6 | 3 | SURCOMP | 340 | 332 | AUTO, 8 | PR | 11,8 | 8,4 |
| F-TYPE | R COUPÉ | 4470 | 1923 | 1314 | 2622 | 1730 | | V8 | 5 | SURCOMP | 550 | 502 | AUTO, 8 | INT | 16,2 | 8,5 |
| F-TYPE | R DÉCAPOTABLE | 4470 | 1923 | 1311 | 2622 | 1745 | | V8 | 5 | SURCOMP | 550 | 502 | AUTO, 8 | INT | 16,2 | 8,5 |
| F-TYPE | S COUPÉ | 4470 | 1923 | 1311 | 2622 | 1594 | | V6 | 3 | SURCOMP | 380 | 339 | AUTO, 8 | PR | 12,2 | 8,7 |
| F-TYPE | S COUPÉ TI | 4470 | 1923 | 1311 | 2622 | 1674 | | V6 | 3 | SURCOMP | 380 | 339 | AUTO, 8 | INT | 12,4 | 6,9 |
| XF | PREMIUM | 4954 | 2091* | 1457 | 2960 | 1760 | | V6 | 3 | SURCOMP | 340 | 332 | AUTO, 8 | INT | 11,7 | 6,3 |
| XF | S | 4954 | 2091* | 1457 | 2960 | 1760 | | V6 | 3 | SURCOMP | 380 | 332 | AUTO, 8 | INT | 12 | 6,7 |
| XJ | R (LWB) | 5252 | 2105 | 1486 | 3157 | 1965 | | V8 | 5 | SURCOMP | 550 | 502 | AUTO, 8 | PR | 14,2 | 8,6 |
| XJ | R (SWB) | 5127 | 2105 | 1456 | 3032 | 1946 | | V8 | 5 | SURCOMP | 550 | 502 | AUTO, 8 | PR | 14,2 | 8,6 |
| XJ | XJ 3.0 TI | 5127 | 2105 | 1456 | 3032 | 1839 | | V6 | 3 | SURCOMP | 340 | 332 | AUTO, 8 | INT | 11,7 | 7,6 |
| XJ | XJ SUPERCHARGED | 5127 | 2105 | 1456 | 3032 | 1946 | | V8 | 5 | SURCOMP | 470 | 424 | AUTO, 8 | PR | 16,9 | 7,9 |
| **JEEP** | | | | | | | | | | | | | | | | |
| CHEROKEE | LIMITED TA | 4623 | 1859 | 1669 | 2700 | 1650 | 907 | 4L | 2,4 | ATMO | 184 | 171 | AUTO, 9 | TR | 7,7 | 5,3 |
| CHEROKEE | LIMITED TI | 4623 | 1859 | 1682 | 2700 | 1834 | 907 | 4L | 2,4 | ATMO | 184 | 171 | AUTO, 9 | INT | 8,4 | 5,8 |
| CHEROKEE | TRAILHAWK TI | 4623 | 1903 | 1722 | 2700 | 1862 | 2046 | V6 | 3,2 | ATMO | 271 | 239 | AUTO, 9 | 4RM | 10,8 | 7,5 |
| COMPASS | LIMITED 2RM | 4448 | 1811 | 1651 | 2634 | 1433 | 454 | 4L | 2,4 | ATMO | 172 | 165 | AUTO, 6 | TR | 9,8 | 7 |
| COMPASS | SPORT 4RM (CVT) | 4448 | 1811 | 1651 | 2634 | 1520 | 454 | 4L | 2,4 | ATMO | 172 | 165 | CVT | INT | 9,9 | 7,6 |
| GRAND CHEROKEE | LAREDO | 4821 | 2154* | 1761 | 2916 | 2121 | 2812 | V6 | 3,6 | ATMO | 290 | 260 | AUTO, 8 | INT | 12,4 | 8,3 |
| GRAND CHEROKEE | SRT | 4859 | 2156* | 1756 | 2916 | 2336 | 3266 | V8 | 6,4 | ATMO | 470 | 465 | AUTO, 8 | INT | 16,6 | 10,7 |
| GRAND CHEROKEE | SUMMIT | 4821 | 2154* | 1761 | 2916 | 2247 | 2812 | V6 | 3,6 | ATMO | 290 | 260 | AUTO, 8 | INT | 12,4 | 8,3 |
| GRAND CHEROKEE | SUMMIT V8 | 4821 | 2154* | 1761 | 2916 | 2367 | 3265 | V8 | 5,7 | ATMO | 360 | 390 | AUTO, 8 | INT | 15,6 | 9,9 |
| PATRIOT | LIMITED 2RM | 4414 | 1757 | 1664 | 2634 | 1481 | 454 | 4L | 2,4 | ATMO | 172 | 165 | MAN, 5 | TR | 9 | 7 |
| PATRIOT | LIMITED 4RM | 4414 | 1757 | 1697 | 2634 | 1530 | 454 | 4L | 2,4 | ATMO | 172 | 165 | MAN, 5 | INT | 9,2 | 7,2 |
| RENEGADE | NORTH 4X2 | 4232 | 2023* | 1689 | 2570 | 1381 | | 4L | 1,4 | TURBO | 160 | 184 | MAN, 6 | INT | 9,8 | 7,6 |
| RENEGADE | NORTH 4X4 | 4232 | 2023* | 1719 | 2570 | 1444 | | 4L | 1,4 | TURBO | 160 | 184 | MAN, 6 | INT | 10 | 7,8 |
| RENEGADE | TRAILHAWK 4X4 | 4232 | 2023* | 1739 | 2570 | 1621 | 907 | 4L | 2,4 | ATMO | 180 | 175 | AUTO, 9 | 4X4 | 10 | 7,8 |
| WRANGLER | RUBICON | 4161 | 1872 | 1839 | 2423 | 1874 | 907 | V6 | 3,6 | ATMO | 285 | 260 | MAN, 6 | 4X4 | 14,2 | 11 |
| WRANGLER | RUBICON UNLIMITED | 4684 | 1877 | 1798 | 2946 | 2051 | 1588 | V6 | 3,6 | ATMO | 285 | 260 | MAN, 6 | 4X4 | 15 | 11,4 |
| **KIA** | | | | | | | | | | | | | | | | |
| CADENZA | BASE | 4970 | 1850 | 1475 | 2845 | 1660 | | V6 | 3,3 | ATMO | 293 | 255 | AUTO, 6 | TR | 11,2 | 7,4 |
| FORTE | 5 EX | 4350 | 1780 | 1450 | 2700 | 1321 | | 4L | 2 | ATMO | 173 | 154 | AUTO, 6 | TR | 9,5 | 7,2 |
| FORTE | BERLINE EX | 4560 | 1780 | 1430 | 2700 | 1295 | | 4L | 2 | ATMO | 173 | 154 | MAN, 6 | TR | 9,8 | 6,9 |
| FORTE | BERLINE SX | 4560 | 1780 | 1430 | 2700 | 1318 | | 4L | 2 | ATMO | 173 | 154 | AUTO, 6 | TR | 9,7 | 6,7 |
| FORTE | KOUP EX | 4530 | 1780 | 1410 | 2700 | 1279 | | 4L | 2 | ATMO | 173 | 154 | MAN, 6 | TR | 9 | 6,1 |
| FORTE | KOUP SX | 4530 | 1780 | 1410 | 2700 | 1327 | | 4L | 1,6 | TURBO | 201 | 195 | MAN, 6 | TR | 9,4 | 6,8 |
| K900 | V6 | 5095 | 1890 | 1486 | 3046 | 1944 | | V6 | 3,8 | ATMO | 311 | 293 | AUTO, 8 | PR | 13,1 | 8,7 |
| K900 | V8 | 5095 | 1890 | 1486 | 3046 | 2071 | | V8 | 5 | ATMO | 420 | 376 | AUTO, 8 | PR | 15,7 | 10,2 |

# LE GUIDE DE L'AUTO

Avec Daniel Melançon

## LUNDI 20 H

**HD 609**

**CHAÎNE 9 | MATV.CA**

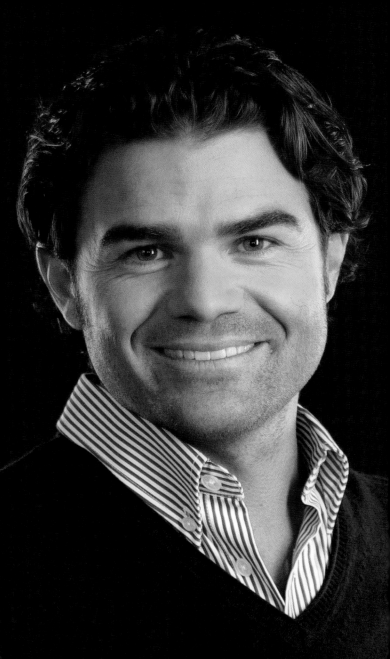

MA|tv

L'ESPACE CITOYEN PROPULSÉ PAR VIDÉOTRON

#GuideAuto

**illico**
DE VIDÉOTRON

APPLICATIONS ILLICO
CANAL 900
ILLICO.TV

| MODÈLE | VARIANTE | LONGUEUR (MM) | LARGEUR (MM) | HAUTEUR (MM) | EMPATTEMENT (MM) | POIDS (KG) | CAPACITÉ REMORQUAGE (KG) | MOTEUR | CYLINDRÉE (LITRE) | ALIMENTATION | PUISSANCE (CH) | COUPLE (LB-PI) | TRANSMISSION BASE | ROUAGE BASE | CONSOMMATION VILLE (L/100 KM) | CONSOMMATION ROUTE (L/100 KM) |
|---|---|---|---|---|---|---|---|---|---|---|---|---|---|---|---|---|
| **KIA** | | | | | | | | | | | | | | | | |
| OPTIMA | EX | 4855 | 1860 | 1465 | 2805 | 1450 | | 4L | 2,4 | ATMO | 185 | 178 | AUTO, 6 | TR | 10,2 | 6,9 |
| OPTIMA | HYBRIDE EX | 4845 | 1830 | 1450 | 2795 | 1643 | | 4L | 2,4 | ATMO | 159 | 154 | AUTO, 6 | TR | 6,7 | 6,1 |
| OPTIMA | LX TURBO | 4855 | 1860 | 1465 | 2805 | 1460 | | 4L | 1,6 | TURBO | 178 | 195 | AUTO, 7 | TR | N.D. | N.D. |
| RIO | 5 EX | 4050 | 1720 | 1455 | 2570 | 1187 | | 4L | 1,6 | ATMO | 137 | 123 | AUTO, 6 | TR | 8,7 | 6,3 |
| RIO | 5 LX | 4050 | 1720 | 1455 | 2570 | 1124 | | 4L | 1,6 | ATMO | 137 | 123 | MAN, 6 | TR | 8,8 | 6,4 |
| RIO | BERLINE EX | 4370 | 1720 | 1455 | 2570 | 1185 | | 4L | 1,6 | ATMO | 137 | 123 | AUTO, 6 | TR | 8,7 | 6,3 |
| RIO | BERLINE LX | 4370 | 1720 | 1455 | 2570 | 1131 | | 4L | 1,6 | ATMO | 137 | 123 | MAN, 6 | TR | 8,8 | 6,4 |
| RONDO | EX 5 PLACES | 4525 | 1805 | 1610 | 2750 | 1503 | | 4L | 2 | ATMO | 164 | 156 | AUTO, 6 | TR | 10,1 | 7,6 |
| RONDO | EX LUXE 7 PLACES | 4525 | 1805 | 1610 | 2750 | 1581 | | 4L | 2 | ATMO | 164 | 156 | AUTO, 6 | TR | 10,1 | 7,6 |
| SEDONA | L | 5115 | 1985 | 1740 | 3060 | 2002 | 1590 | V6 | 3,3 | ATMO | 276 | 248 | AUTO, 6 | TR | 13,2 | 9,7 |
| SORENTO | EX TI V6 (7 PLACES) | 4760 | 1890 | 1690 | 2780 | 1970 | 2268 | V6 | 3,3 | ATMO | 290 | 252 | AUTO, 6 | INT | 13,4 | 9,4 |
| SORENTO | EX TURBO TI | 4760 | 1890 | 1690 | 2780 | 1864 | 1591 | 4L | 2 | TURBO | 240 | 260 | AUTO, 6 | INT | 12,3 | 9,3 |
| SORENTO | SX V6 TI (7 PLACES) | 4760 | 1890 | 1690 | 2780 | 1864 | 2268 | V6 | 3,3 | ATMO | 290 | 252 | AUTO, 6 | INT | 13,4 | 9,4 |
| SOUL | EV | 4140 | 1800 | 1600 | 2570 | 1476 | | 0 | 0 | | 0 | 0 | RAP. FIXE | TR | 0 | 0 |
| SOUL | EX | 4140 | 1800 | 1600 | 2570 | 1287 | | 4L | 2 | ATMO | 164 | 151 | AUTO, 6 | TR | 7,7 | 10,1 |
| SOUL | SX LUXE | 4140 | 1800 | 1600 | 2570 | 1406 | | 4L | 2 | ATMO | 164 | 151 | AUTO, 6 | TR | 7,7 | 10,1 |
| SPORTAGE | EX | 4440 | 1855 | 1635 | 2640 | 1554 | 907 | 4L | 2,4 | ATMO | 182 | 177 | AUTO, 6 | TR | 11,4 | 8,3 |
| SPORTAGE | EX TI | 4440 | 1855 | 1635 | 2640 | 1620 | 907 | 4L | 2,4 | ATMO | 182 | 177 | AUTO, 6 | INT | 12 | 9,3 |
| SPORTAGE | SX TI | 4450 | 1855 | 1635 | 2640 | 1662 | 907 | 4L | 2 | TURBO | 260 | 269 | AUTO, 6 | INT | 12,6 | 9,7 |
| **LAMBO** | | | | | | | | | | | | | | | | |
| AVENTADOR | LP 700-4 COUPÉ | 4780 | 2030 | 1136 | 2700 | 1575 | | V12 | 6,5 | ATMO | 700 | 509 | AUTO, 7 | INT | 24,7 | 10,7 |
| AVENTADOR | LP 700-4 ROADSTER | 4780 | 2030 | 1136 | 2700 | 1625 | | V12 | 6,5 | ATMO | 700 | 509 | AUTO, 7 | INT | 24,7 | 10,7 |
| AVENTADOR | LP 750-4 SV | 4835 | 2030 | 1136 | 2700 | 1525 | | V12 | 6,5 | ATMO | 750 | 507 | AUTO, 7 | INT | 24,7 | 10,7 |
| HURACÁN | LP 610-4 | 4459 | 2236* | 1165 | 2620 | 1422 | | V10 | 5,2 | ATMO | 602 | 413 | AUTO, 7 | INT | 17,8 | 9,4 |
| **LAND ROVER** | | | | | | | | | | | | | | | | |
| DISCOVERY SPORT | HSE | 4599 | 2173* | 1724 | 2741 | 1744 | 2000 | 4L | 2 | TURBO | 240 | 250 | AUTO, 9 | INT | 10,6 | 6,5 |
| LR4 | BASE V6 | 4829 | 2176* | 1882 | 2885 | 2567 | | V6 | 3 | SURCOMP | 340 | 332 | AUTO, 8 | INT | 14,5 | 9,9 |
| RANGE ROVER | HSE TD6 | 4999 | 2220* | 1835 | 2922 | 2215 | 3500 | V6 | 3 | TURBO | 254 | 440 | AUTO, 8 | INT | 12,6 | 8,6 |
| RANGE ROVER | SUPERCHARGED V6 | 4999 | 2220* | 1845 | 2922 | 2230 | 3500 | V6 | 3 | SURCOMP | 380 | 332 | AUTO, 8 | INT | 12,6 | 8,6 |
| RANGE ROVER | SUPERCHARGED V8 | 4999 | 2220* | 1840 | 2922 | 2330 | 3500 | V8 | 5 | SURCOMP | 550 | 502 | AUTO, 8 | INT | 15,4 | 10 |
| RANGE ROVER EVOQUE | AUTOBIOGRAPHY | 4355 | 2125* | 1635 | 2660 | 1675 | | 4L | 2 | TURBO | 240 | 250 | AUTO, 9 | INT | 9,9 | 6,6 |
| RANGE ROVER EVOQUE | AUTOBIOGRAPHY COUPÉ | 4355 | 2125* | 1605 | 2660 | 1645 | | 4L | 2 | TURBO | 240 | 250 | AUTO, 9 | INT | 9,9 | 6,6 |
| RANGE ROVER SPORT | HSE V6 | 4856 | 2220* | 1780 | 2923 | 2144 | 3500 | V6 | 3 | SURCOMP | 380 | 332 | AUTO, 8 | INT | 13,8 | 10,2 |
| RANGE ROVER SPORT | SVR | 4856 | 2220* | 1780 | 2923 | 2335 | 3000 | V8 | 5 | SURCOMP | 550 | 502 | AUTO, 8 | INT | 17,3 | 12,2 |
| RANGE ROVER SPORT | TD6 | 4856 | 2220* | 1780 | 2923 | 2136 | 3500 | V6 | 3 | TURBO | 254 | 440 | AUTO, 8 | INT | 10,7 | 8,4 |
| RANGE ROVER SPORT | V8 SURALIMENTÉ | 4856 | 2220* | 1780 | 2923 | 2310 | 3500 | V8 | 5 | SURCOMP | 510 | 461 | AUTO, 8 | INT | 16,6 | 12,3 |
| **LEXUS** | | | | | | | | | | | | | | | | |
| CT | 200H | 4320 | 1765 | 1440 | 2600 | 1420 | | 4L | 1,8 | ATMO | 98 | 105 | CVT | TR | 5,5 | 5,9 |
| ES | 300H | 4895 | 1821 | 1450 | 2819 | 1664 | | 4L | 2,5 | ATMO | 154 | 152 | CVT | TR | 5,8 | 6,1 |
| ES | 350 | 4895 | 1821 | 1450 | 2819 | 1613 | | V6 | 3,5 | ATMO | 268 | 248 | AUTO, 6 | TR | 11,3 | 7,5 |
| GS | 350 TI | 4845 | 1840 | 1470 | 2850 | 1765 | | V6 | 3,5 | ATMO | 306 | 277 | AUTO, 6 | INT | 12,6 | 9,1 |
| GS | 450H | 4845 | 1840 | 1455 | 2850 | 1905 | | V6 | 3,5 | ATMO | 288 | 260 | CVT | PR | 8 | 6,9 |
| GS | F | 4915 | 1845 | 1440 | 2850 | 1830 | | V8 | 5 | ATMO | 467 | 389 | AUTO, 8 | PR | 16 | 10,5 |
| GX | 460 PREMIUM | 4805 | 1885 | 1875 | 2790 | 2349 | 2948 | V8 | 4,6 | ATMO | 301 | 329 | AUTO, 6 | INT | 15,7 | 11,7 |
| IS | 250 | 4665 | 1810 | 1430 | 2800 | 1570 | | V6 | 2,5 | ATMO | 204 | 184 | AUTO, 6 | PR | 9,8 | 6,5 |
| IS | 250 TI | 4665 | 1810 | 1430 | 2800 | 1655 | | V6 | 2,5 | ATMO | 204 | 184 | AUTO, 6 | INT | 10,4 | 7,3 |
| IS | 350 TI | 4665 | 1810 | 1430 | 2800 | 1695 | | V6 | 3,5 | ATMO | 306 | 277 | AUTO, 6 | INT | 11 | 7,7 |
| LS | 460 L TI | 5210 | 1875 | 1465 | 3090 | 1980 | | V8 | 4,6 | ATMO | 386 | 367 | AUTO, 8 | INT | 13,5 | 8,7 |
| LS | 460 TI | 5090 | 1875 | 1480 | 2970 | 1940 | | V8 | 4,6 | ATMO | 386 | 367 | AUTO, 8 | INT | 13,5 | 8,7 |
| LS | 600H L | 5210 | 1875 | 1480 | 3090 | 2370 | | V8 | 5 | ATMO | 389 | 385 | CVT | INT | 10,6 | 9,1 |
| LX | 570 | 5005 | 1970 | 1920 | 2850 | 2680 | 3175 | V8 | 5,7 | ATMO | 383 | 403 | AUTO, 6 | INT | 19 | 13,6 |
| NX | 200T AWD | 4630 | 2131* | 1645 | 2660 | 1840 | 909 | 4L | 2 | TURBO | 235 | 258 | AUTO, 6 | INT | 11,2 | 8,4 |
| NX | 300H AWD | 4630 | 2131* | 1645 | 2660 | 1900 | 682 | 4L | 2,5 | ATMO | 154 | 152 | CVT | INT | 7,1 | 7,8 |
| RC | 300H | 4694 | 1840 | 1395 | 2730 | 0 | | 4L | 2,5 | ATMO | 176 | 163 | CVT | PR | N.D. | N.D. |
| RC | 350 | 4695 | 1840 | 1395 | 2730 | 1700 | | V6 | 3,5 | ATMO | 307 | 277 | AUTO, 8 | INT | 12,3 | 8,5 |
| RC | 350 AWD | 4695 | 1840 | 1400 | 2730 | 1769 | | V6 | 3,5 | ATMO | 307 | 277 | AUTO, 6 | INT | 12,6 | 9,1 |
| RC | 350 F SPORT | 4695 | 1840 | 1395 | 2730 | 1700 | | V6 | 3,5 | ATMO | 307 | 277 | AUTO, 8 | PR | 12,3 | 8,5 |
| RC | F | 4705 | 1845 | 1390 | 2730 | 1795 | | V8 | 5 | ATMO | 467 | 389 | AUTO, 8 | PR | 15,2 | 9,5 |
| RX | 350 | 4770 | 1885 | 1684 | 2740 | 2050 | 1590 | V6 | 3,5 | ATMO | 270 | 248 | AUTO, 6 | INT | 11,8 | 8,3 |
| RX | 450H | 4770 | 1885 | 1684 | 2740 | 2115 | 1590 | V6 | 3,5 | ATMO | 245 | 234 | CVT | INT | 6,7 | 7,2 |
| **LINCOLN** | | | | | | | | | | | | | | | | |
| MKC | 2.0 ECOBOOST TI | 4552 | 2136* | 1656 | 2690 | 1798 | 909 | 4L | 2 | TURBO | 240 | 270 | AUTO, 6 | INT | 12,4 | 9 |
| MKC | 2.3 ECOBOOST TI | 4552 | 2136* | 1656 | 2690 | 1813 | 454 | 4L | 2,3 | TURBO | 285 | 305 | AUTO, 6 | INT | 12,9 | 9,2 |
| MKS | TI | 5222 | 2172* | 1565 | 2868 | 1940 | 454 | V6 | 3,7 | ATMO | 304 | 279 | AUTO, 6 | INT | 11,6 | 7,5 |
| MKS | TI ECOBOOST | 5222 | 2172* | 1565 | 2868 | 1940 | 454 | V6 | 3,5 | TURBO | 365 | 350 | AUTO, 6 | INT | 12,2 | 7,8 |
| MKT | TI ECOBOOST | 5273 | 2177* | 1712 | 2995 | 2246 | 2041 | V6 | 3,5 | TURBO | 365 | 350 | AUTO, 6 | INT | 13,1 | 8,8 |
| MKX | 2.7 V6 TI | 4827 | 2188* | 1681 | 2849 | 1990 | 1588 | V6 | 2,7 | TURBO | 335 | 380 | AUTO, 6 | INT | 14,1 | 10,7 |
| MKX | 3.7 V6 TI | 4827 | 2188* | 1681 | 2849 | 1990 | 1588 | V6 | 3,7 | ATMO | 303 | 278 | AUTO, 6 | INT | 14,4 | 10,3 |
| MKZ | HYBRIDE | 4930 | 2116* | 1475 | 2850 | 1740 | | 4L | 2 | ATMO | 141 | 129 | CVT | TR | 5,7 | 6 |
| MKZ | TA ECOBOOST | 4930 | 2116* | 1478 | 2850 | 1690 | 454 | 4L | 2 | TURBO | 240 | 270 | AUTO, 6 | TR | 10,5 | 7 |
| MKZ | TI V6 | 4930 | 2116* | 1478 | 2850 | 1819 | | V6 | 3,7 | ATMO | 300 | 277 | AUTO, 6 | INT | 13,8 | 9,7 |
| NAVIGATOR | 4X4 | 5269 | 2231* | 1984 | 3022 | 2759 | 3946 | V6 | 3,5 | TURBO | 380 | 460 | AUTO, 6 | 4X4 | 16,2 | 11,8 |
| NAVIGATOR | 4X4 L | 5646 | 2231* | 1981 | 3327 | 2862 | 3810 | V6 | 3,5 | TURBO | 380 | 460 | AUTO, 6 | 4X4 | 16,1 | 12,3 |
| **LOTUS** | | | | | | | | | | | | | | | | |
| EVORA | 400 | 4394 | 1978* | 1229 | 2575 | 1415 | | V6 | 3,5 | SURCOMP | 400 | 302 | MAN, 6 | PR | N.D. | N.D. |
| **MASERATI** | | | | | | | | | | | | | | | | |
| GHIBLI | BASE | 4971 | 2101* | 1461 | 2997 | 1811 | | V6 | 3 | TURBO | 345 | 369 | AUTO, 8 | PR | 13,9 | 7 |
| GHIBLI | S Q4 | 4971 | 2101* | 1461 | 2997 | 1871 | | V6 | 3 | TURBO | 404 | 406 | AUTO, 8 | INT | 15,8 | 7,6 |
| GRAN TURISMO | CONVERTIBLE | 4933 | 2056* | 1343 | 2942 | 1980 | | V8 | 4,7 | ATMO | 444 | 376 | AUTO, 6 | PR | 18,5 | 12,2 |
| GRAN TURISMO | CONVERTIBLE SPORT | 4933 | 2056* | 1343 | 2942 | 1980 | | V8 | 4,7 | ATMO | 454 | 384 | AUTO, 6 | PR | 18,5 | 12,2 |

# LA RECONNAISSANCE D'UNE QUALITÉ INÉGALÉE.

**SOUL**

« Au premier rang des véhicules utilitaires compacts pour la qualité initiale aux É.-U. »

**SORENTO**

« Au premier rang des VUS intermédiaires pour la qualité initiale aux É.-U. »

Le pouvoir de surprendre

Les résultats de la plus récente étude de J.D. Power sur la qualité initiale sont maintenant disponibles et nous ne pourrions être plus fiers de partager de très bonnes nouvelles. Les Kia Soul et Sorento se sont hissés au sommet et ont emporté deux prix très convoités suite aux plus récentes études sur la qualité initiale. Chez Kia, nous nous engageons à concevoir et construire des véhicules de grande qualité et de tout faire pour maintenir un niveau d'excellence qui a continuellement le pouvoir de surprendre. Pour en savoir plus sur notre gamme primée, **visitez kia.ca.**

| MODÈLE | VARIANTE | LONGUEUR (MM) | LARGEUR (MM) | HAUTEUR (MM) | EMPATTEMENT (MM) | POIDS (KG) | CAPACITÉ REMORQUAGE (KG) | MOTEUR | CYLINDRÉE (LITRE) | ALIMENTATION | PUISSANCE (CH) | COUPLE (LB-PI) | TRANSMISSION BASE | ROUAGE BASE | CONSOMMATION VILLE (L/100 KM) | CONSOMMATION ROUTE (L/100 KM) |
|---|---|---|---|---|---|---|---|---|---|---|---|---|---|---|---|---|
| **MASERATI** | | | | | | | | | | | | | | | | |
| GRAN TURISMO | MC | 4933 | 2056* | 1343 | 2942 | 1973 | | V8 | 4,7 | ATMO | 454 | 384 | AUTO, 6 | PR | 17 | 11,9 |
| GRAN TURISMO | SPORT | 4933 | 2056* | 1343 | 2942 | 1973 | | V8 | 4,7 | ATMO | 454 | 384 | AUTO, 6 | PR | 17 | 11,9 |
| QUATTROPORTE | GTS (V8) | 5262 | 2100* | 1481 | 3171 | 2039 | | V8 | 3,8 | TURBO | 523 | 524 | AUTO, 8 | PR | 17,4 | 8,5 |
| QUATTROPORTE | S Q4 (V6) TI | 5262 | 2100* | 1481 | 3171 | 2091 | | V6 | 3 | TURBO | 404 | 406 | AUTO, 8 | INT | 15,4 | 7,8 |
| **MAZDA** | | | | | | | | | | | | | | | | |
| CX-3 | GS TA | 4274 | 2049* | 1547 | 2570 | 1275 | | 4L | 2 | ATMO | 146 | 146 | AUTO, 6 | TR | 8,2 | 6,7 |
| CX-3 | GS TI | 4274 | 2049* | 1547 | 2570 | 1339 | | 4L | 2 | ATMO | 146 | 146 | AUTO, 6 | INT | 8,8 | 7,3 |
| CX-5 | GT TI | 4555 | 1840 | 1710 | 2700 | 1629 | | 4L | 2,5 | ATMO | 184 | 185 | AUTO, 6 | TR | 9,8 | 7,9 |
| CX-5 | GX TA | 4555 | 1840 | 1710 | 2700 | 1458 | | 4L | 2 | ATMO | 155 | 150 | MAN, 6 | TR | 9,3 | 7,6 |
| CX-5 | GX TI | 4555 | 1840 | 1710 | 2700 | 1556 | | 4L | 2 | ATMO | 155 | 150 | AUTO, 6 | INT | 9 | 6,8 |
| CX-9 | GS TA | 5108 | 1936 | 1728 | 2875 | 1927 | 1588 | V6 | 3,7 | ATMO | 273 | 270 | AUTO, 6 | TR | 12,7 | 8,4 |
| CX-9 | GS TI | 5108 | 1936 | 1728 | 2875 | 2062 | 1588 | V6 | 3,7 | ATMO | 273 | 270 | AUTO, 6 | INT | 14,3 | 10,6 |
| MAZDA3 | BERLINE GS | 4580 | 2053* | 1455 | 2700 | 1275 | | 4L | 2 | ATMO | 155 | 150 | MAN, 6 | TR | 6,5 | 4,3 |
| MAZDA3 | BERLINE GT | 4580 | 2053* | 1455 | 2700 | 1366 | | 4L | 2,5 | ATMO | 184 | 185 | AUTO, 6 | TR | 7,2 | 5,1 |
| MAZDA3 | BERLINE GX | 4580 | 2053* | 1455 | 2700 | 1275 | | 4L | 2 | ATMO | 155 | 150 | MAN, 6 | TR | 6,5 | 4,3 |
| MAZDA3 | SPORT GS | 4460 | 2053* | 1455 | 2700 | 1280 | | 4L | 2 | ATMO | 155 | 150 | MAN, 6 | TR | 6,5 | 4,3 |
| MAZDA3 | SPORT GT | 4460 | 2053* | 1455 | 2700 | 1365 | | 4L | 2,5 | ATMO | 184 | 185 | AUTO, 6 | TR | 7,3 | 4,8 |
| MAZDA5 | GS | 4585 | 1750 | 1615 | 2750 | 1551 | | 4L | 2,5 | ATMO | 157 | 163 | MAN, 6 | TR | 9,7 | 6,8 |
| MAZDA6 | GS | 4895 | 1840 | 1450 | 2830 | 1444 | | 4L | 2,5 | ATMO | 184 | 185 | MAN, 6 | TR | 9,4 | 6,4 |
| MAZDA6 | GS (AUTO) | 4895 | 1840 | 1450 | 2830 | 1474 | | 4L | 2,5 | ATMO | 184 | 185 | AUTO, 6 | TR | 8,8 | 6,1 |
| MX-5 | GS | 3914 | 1918* | 1240 | 2309 | 1058 | | 4L | 2 | ATMO | 155 | 148 | MAN, 6 | PR | 8,8 | 6,9 |
| MX-5 | GT | 3914 | 1918* | 1240 | 2309 | 1078 | | 4L | 2 | ATMO | 155 | 148 | MAN, 6 | PR | 8,8 | 6,9 |
| **MC LAREN** | | | | | | | | | | | | | | | | |
| 650S | COUPÉ | 4512 | 2093 | 1199 | 2670 | 1428 | | V8 | 3,8 | TURBO | 641 | 500 | AUTO, 7 | PR | 17,5 | 8,5 |
| 650S | SPIDER | 4512 | 2093 | 1203 | 2670 | 1468 | | V8 | 3,8 | TURBO | 641 | 500 | AUTO, 7 | PR | 17,5 | 8,5 |
| **MERCEDES-BENZ** | | | | | | | | | | | | | | | | |
| AMG GT | COUPÉ S | 4546 | 1939 | 1288 | 2630 | 1570 | | V8 | 4 | TURBO | 503 | 479 | AUTO, 7 | PR | N.D. | N.D. |
| CLASSE B | B250 | 4393 | 2010* | 1562 | 2699 | 1465 | | 4L | 2 | TURBO | 208 | 258 | AUTO, 7 | TR | 9,2 | 6,6 |
| CLASSE B | B250 4MATIC | 4393 | 2010* | 1562 | 2699 | 1505 | | 4L | 2 | TURBO | 208 | 258 | AUTO, 7 | INT | 10 | 7,5 |
| CLASSE C | AMG 450 4MATIC BERLINE | 4702 | 2020* | 1440 | 2840 | 1615 | | V6 | 3 | TURBO | 362 | 384 | AUTO, 7 | INT | 10,2 | 6,2 |
| CLASSE C | AMG C63 BERLINE | 4756 | 1839 | 1426 | 2840 | 1640 | | V8 | 4 | TURBO | 469 | 479 | AUTO, 7 | PR | 10,8 | 6,7 |
| CLASSE C | AMG C63S BERLINE | 4756 | 1839 | 1426 | 2840 | 1655 | | V8 | 4 | TURBO | 503 | 516 | AUTO, 7 | PR | 11 | 6,9 |
| CLASSE C | C300 4MATIC BERLINE | 4686 | 2020* | 1442 | 2840 | 1625 | | 4L | 2 | TURBO | 241 | 273 | AUTO, 7 | INT | 10,1 | 7,8 |
| CLASSE CLA | CLA250 4MATIC BERLINE | 4630 | 1778 | 1438 | 2699 | 1544 | | 4L | 2 | TURBO | 208 | 258 | AUTO, 7 | INT | 8,5 | 5,1 |
| CLASSE CLA | CLA250 BERLINE | 4630 | 1778 | 1438 | 2699 | 1544 | | 4L | 2 | TURBO | 208 | 258 | AUTO, 7 | TR | 8,4 | 5 |
| CLASSE CLA | CLA45 AMG 4MATIC | 4691 | 1777 | 1416 | 2699 | 1585 | | 4L | 2 | TURBO | 355 | 332 | AUTO, 7 | INT | 9,2 | 5,8 |
| CLASSE CLS | CLS 400 4MATIC | 4937 | 2075* | 1418 | 2874 | 1835 | | V6 | 3 | TURBO | 329 | 354 | AUTO, 7 | INT | 12,1 | 8,5 |
| CLASSE CLS | CLS 550 4MATIC | 4956 | 2075* | 1419 | 2874 | 1940 | | V8 | 4,6 | TURBO | 402 | 443 | AUTO, 7 | INT | 14,5 | 10,1 |
| CLASSE CLS | CLS 63 AMG S-MODEL 4MATIC | 4995 | 2075* | 1416 | 2874 | 1870 | | V8 | 5,5 | TURBO | 577 | 590 | AUTO, 7 | INT | 15,1 | 10,8 |
| CLASSE E | E250 BLUETEC 4MATIC BERLINE | 4879 | 2071* | 1477 | 2874 | 1845 | | 4L | 2,1 | TURBO | 195 | 369 | AUTO, 7 | INT | 8,6 | 5,9 |
| CLASSE E | E300 4MATIC BERLINE | 4879 | 2071* | 1458 | 2874 | 1985 | | V6 | 3,5 | ATMO | 248 | 251 | AUTO, 7 | INT | 12,9 | 9,6 |
| CLASSE E | E400 4MATIC BERLINE | 4879 | 2071* | 1477 | 2874 | 1845 | | V6 | 3 | TURBO | 329 | 354 | AUTO, 7 | INT | 12 | 8,5 |
| CLASSE E | E400 4MATIC FAMILIALE | 4905 | 2071* | 1509 | 2874 | 1935 | | V6 | 3 | TURBO | 329 | 354 | AUTO, 7 | INT | 12,4 | 8,8 |
| CLASSE E | E400 CABRIOLET | 4703 | 2016* | 1398 | 2760 | 1845 | | V6 | 3 | TURBO | 329 | 354 | AUTO, 7 | PR | 10,6 | 7,1 |
| CLASSE E | E400 COUPÉ 4MATIC | 4703 | 2016* | 1397 | 2760 | 1735 | | V6 | 3 | TURBO | 329 | 354 | AUTO, 7 | INT | 11,8 | 8,3 |
| CLASSE E | E550 4MATIC BERLINE | 4879 | 2071* | 1458 | 2874 | 1985 | | V8 | 4,6 | TURBO | 402 | 443 | AUTO, 7 | INT | 12,9 | 9,6 |
| CLASSE E | E550 CABRIOLET | 4703 | 2016* | 1398 | 2760 | 1945 | | V8 | 4,6 | TURBO | 402 | 443 | AUTO, 7 | PR | 12,2 | 7,8 |
| CLASSE E | E550 COUPÉ | 4703 | 2016* | 1397 | 2760 | 1815 | | V8 | 4,6 | TURBO | 402 | 443 | AUTO, 7 | PR | 11,9 | 7,5 |
| CLASSE E | E63S AMG 4MATIC BERLINE | 4900 | 2071* | 1466 | 2874 | 1940 | | V8 | 5,5 | TURBO | 577 | 590 | AUTO, 7 | INT | 15,3 | 10,8 |
| CLASSE E | E63S AMG 4MATIC FAMILIALE | 4912 | 2071* | 1522 | 2874 | 2045 | | V8 | 5,5 | TURBO | 577 | 590 | AUTO, 7 | INT | 15,2 | 11 |
| CLASSE G | 500 4MATIC | 4662 | 2055 | 1951 | 2850 | 2530 | 2850 | V8 | 4 | TURBO | 416 | 450 | AUTO, 7 | INT | 19,9 | 16,1 |
| CLASSE G | 63 AMG | 4763 | 2055 | 1938 | 2850 | 2550 | 3200 | V8 | 5,5 | TURBO | 563 | 560 | AUTO, 7 | INT | 20 | 16,6 |
| CLASSE GL | GL 63 AMG | 5146 | 2141* | 1850 | 3075 | 2580 | 3175 | V8 | 5,5 | TURBO | 550 | 560 | AUTO, 7 | INT | 18,2 | 14 |
| CLASSE GL | GL350 BLUETEC 4MATIC | 5120 | 2141* | 1850 | 3075 | 2455 | 3402 | V6 | 3 | TURBO | 240 | 455 | AUTO, 7 | INT | 13,6 | 10 |
| CLASSE GL | GL450 4MATIC | 5120 | 2141* | 1850 | 3075 | 2436 | 3402 | V6 | 3 | TURBO | 362 | 369 | AUTO, 7 | INT | 16,5 | 11,1 |
| CLASSE GL | GL550 4MATIC | 5120 | 2141* | 1850 | 3075 | 2445 | 3402 | V8 | 4,7 | TURBO | 429 | 516 | AUTO, 7 | INT | 17,5 | 13,2 |
| CLASSE GLA | 250 4MATIC | 4417 | 2022* | 1494 | 2699 | 1505 | | 4L | 2 | TURBO | 208 | 258 | AUTO, 7 | INT | 8,3 | 5,6 |
| CLASSE GLA | 45 AMG 4MATIC | 4445 | 2022* | 1479 | 2699 | 1585 | | 4L | 2 | TURBO | 355 | 332 | AUTO, 7 | INT | 9,2 | 6,4 |
| CLASSE GLC | 300 | 4656 | 2096* | 1639 | 2873 | 1700 | 1380 | 4L | 2 | TURBO | 241 | 273 | AUTO, 9 | PR | 8,1 | 5,6 |
| CLASSE GLC | 300 4MATIC | 4656 | 2096* | 1639 | 2873 | 1765 | 1380 | 4L | 2 | TURBO | 241 | 273 | AUTO, 9 | INT | 8,5 | 6,3 |
| CLASSE GLE | 350D 4MATIC | 4819 | 2141* | 1796 | 2915 | 2175 | 3500 | V6 | 3 | TURBO | 249 | 457 | AUTO, 9 | INT | N.D. | N.D. |
| CLASSE GLE | 350D 4MATIC COUPÉ | 4900 | 2129* | 1731 | 2915 | 2250 | | V6 | 3 | TURBO | 249 | 457 | AUTO, 9 | INT | N.D. | N.D. |
| CLASSE GLE | 400 4MATIC | 4819 | 2141* | 1796 | 2915 | 2130 | 3500 | V6 | 3 | TURBO | 329 | 354 | AUTO, 7 | INT | 13,3 | 10,4 |
| CLASSE GLE | 550 4MATIC | 4819 | 2141* | 1758 | 2915 | 2235 | 3500 | V8 | 4,7 | TURBO | 429 | 516 | AUTO, 7 | INT | 16,3 | 11,8 |
| CLASSE GLE | AMG 450 4MATIC COUPÉ | 4891 | 2129* | 1719 | 2915 | 2220 | | V6 | 3 | TURBO | 362 | 384 | AUTO, 9 | INT | N.D. | N.D. |
| CLASSE GLE | AMG 63 S 4MATIC | 4852 | 2141* | 1760 | 2915 | 2345 | 3050 | V8 | 5,5 | TURBO | 577 | 560 | AUTO, 7 | INT | N.D. | N.D. |
| CLASSE S | S400 4MATIC | 5116 | 2130* | 1496 | 3035 | 1900 | | V6 | 3 | TURBO | 329 | 354 | AUTO, 7 | INT | N.D. | N.D. |
| CLASSE S | S550 4MATIC | 5116 | 2130* | 1496 | 3035 | 2050 | | V8 | 4,6 | TURBO | 449 | 516 | AUTO, 7 | INT | 12,1 | 6,4 |
| CLASSE S | S550 4MATIC COUPÉ | 5027 | 2108* | 1411 | 2945 | 2090 | | V8 | 4,7 | TURBO | 449 | 516 | AUTO, 7 | INT | 12,5 | 7,1 |
| CLASSE S | S600 BERLINE | 5246 | 2130* | 1497 | 3165 | 2185 | | V12 | 6 | TURBO | 523 | 612 | AUTO, 7 | PR | 16,2 | 8,7 |
| CLASSE S | S63 AMG 4MATIC BERLINE | 5287 | 2130* | 1499 | 3165 | 2070 | | V8 | 5,5 | TURBO | 577 | 664 | AUTO, 7 | INT | 14,1 | 8,1 |
| CLASSE S | S63 AMG 4MATIC COUPÉ | 5044 | 2108* | 1422 | 2945 | 2070 | | V8 | 5,5 | TURBO | 577 | 664 | AUTO, 7 | INT | 14,2 | 8 |
| CLASSE S | S65 AMG | 5287 | 2130* | 1499 | 3165 | 2250 | | V12 | 6 | TURBO | 621 | 737 | AUTO, 7 | PR | 17,1 | 8,6 |
| CLASSE SL | SL550 | 4612 | 2099* | 1315 | 2585 | 1785 | | V8 | 4,7 | TURBO | 429 | 516 | AUTO, 7 | PR | 13,8 | 9,5 |
| CLASSE SL | SL63 AMG | 4633 | 2099* | 1300 | 2585 | 1845 | | V8 | 5,5 | TURBO | 577 | 664 | AUTO, 7 | PR | 14,7 | 9,4 |
| CLASSE SL | SL65 AMG | 4633 | 2099* | 1300 | 2585 | 1950 | | V12 | 6 | TURBO | 621 | 737 | AUTO, 7 | PR | 16,7 | 11,2 |
| CLASSE SLK | SLK300 | 4134 | 2006 | 1303 | 2430 | 1505 | | 4L | 2 | TURBO | 241 | 273 | AUTO, 9 | PR | 7,7 | 4,9 |
| CLASSE SLK | SLK350 | 4134 | 2006 | 1303 | 2430 | 1540 | | V6 | 3,5 | ATMO | 302 | 273 | AUTO, 7 | PR | 10,4 | 7,2 |
| CLASSE SLK | SLK55 AMG | 4146 | 2006 | 1300 | 2430 | 1610 | | V8 | 5,5 | ATMO | 415 | 398 | AUTO, 7 | PR | 11,1 | 8,1 |
| GL | 350 BLUETEC 4MATIC | 5120 | 2141* | 1850 | 3075 | 2455 | 3402 | | | | | | AUTO, 7 | INT | 11,9 | 8,6 |
| MAYBACH | S 600 | 5453 | 2130* | 1496 | 3365 | 2335 | | V12 | 6 | TURBO | 523 | 612 | AUTO, 7 | PR | 16,9 | 8,7 |
| **MINI** | | | | | | | | | | | | | | | | |
| CABRIOLET | COOPER | 3723 | 1913 | 1414 | 2467 | 1260 | | 4L | 1,6 | ATMO | 121 | 114 | MAN, 6 | TR | 7,4 | 5,7 |
| CABRIOLET | JOHN COOPER WORKS | 3729 | 1913 | 1414 | 2467 | 1275 | | 4L | 1,6 | TURBO | 208 | 192 | MAN, 6 | TR | 8,2 | 6 |
| CLUBMAN | COOPER | 4275 | 2022* | 1440 | 2670 | 1411 | | 3L | 1,5 | TURBO | 134 | 162 | MAN, 6 | TR | N.D. | N.D. |

| | MODÈLE | VARIANTE | LONGUEUR (MM) | LARGEUR (MM) | HAUTEUR (MM) | EMPATTEMENT (MM) | POIDS (KG) | CAPACITÉ REMORQUAGE (KG) | MOTEUR | CYLINDRÉE (LITRE) | ALIMENTATION | PUISSANCE (CH) | COUPLE (LB-PI) | TRANSMISSION BASE | ROUAGE BASE | CONSOMMATION VILLE (L/100 KM) | CONSOMMATION ROUTE (L/100 KM) |
|---|---|---|---|---|---|---|---|---|---|---|---|---|---|---|---|---|---|
| **MINI** | CLUBMAN | COOPER S | 4275 | 2022* | 1440 | 2670 | 1471 | | 4L | 2 | TURBO | 189 | 207 | MAN, 6 | TR | N.D. | N.D. |
| | COUNTRYMAN | COOPER S ALL4 | 4109 | 1789 | 1561 | 2595 | 1465 | 500 | 4L | 1,6 | TURBO | 190 | 177 | MAN, 6 | INT | 8 | 5,5 |
| | COUNTRYMAN | JOHN COOPER WORKS ALL4 | 4110 | 1996* | 1561 | 2595 | 1480 | | 4L | 1,6 | TURBO | 218 | 207 | MAN, 6 | INT | 9,1 | 6 |
| | HAYON | 5-PORTES COOPER | 3998 | 1727 | 1425 | 2567 | 1247 | | 3L | 1,5 | TURBO | 134 | 162 | MAN, 6 | TR | 8,2 | 5,9 |
| | HAYON | 5-PORTES COOPER S | 4013 | 1727 | 1425 | 2567 | 1313 | | 4L | 2 | TURBO | 189 | 207 | MAN, 6 | TR | 10 | 7 |
| | HAYON | COOPER | 3837 | 1727 | 1414 | 2495 | 1182 | | 3L | 1,5 | TURBO | 134 | 162 | MAN, 6 | TR | 8,1 | 5,9 |
| | HAYON | JOHN COOPER WORKS | 3874 | 1727 | 1414 | 2495 | 1290 | | 4L | 2 | TURBO | 228 | 236 | MAN, 6 | TR | 10,4 | 7,7 |
| | PACEMAN | COOPER S ALL4 | 4114 | 1786 | 1518 | 2595 | 1455 | | 4L | 1,6 | TURBO | 190 | 177 | MAN, 6 | INT | 8 | 5,5 |
| | PACEMAN | JOHN COOPER WORKS ALL4 | 4124 | 1786 | 1518 | 2596 | 1475 | | 4L | 1,6 | TURBO | 218 | 207 | MAN, 6 | INT | 9,1 | 6 |
| **MITSUBISHI** | I-MIEV | ES | 3675 | 1585 | 1615 | 2550 | 1172 | | ÉLEC. | 0 | | 0 | 0 | RAP. FIXE | PR | 0 | 0 |
| | LANCER | DE | 4570 | 1760 | 1480 | 2635 | 1310 | | 4L | 2 | ATMO | 148 | 145 | MAN, 5 | TR | 8,3 | 5,7 |
| | LANCER | GT AWC | 4570 | 1760 | 1480 | 2635 | 1425 | | 4L | 2,4 | ATMO | 168 | 167 | CVT | INT | 9,2 | 6,9 |
| | LANCER | LIMITED | 4570 | 1760 | 1480 | 2635 | 1300 | | 4L | 2 | ATMO | 148 | 145 | MAN, 5 | TR | 8,3 | 5,7 |
| | LANCER | SPORTBACK GT | 4585 | 1760 | 1505 | 2635 | 1340 | 454 | 4L | 2 | ATMO | 148 | 145 | MAN, 5 | TR | 8,4 | 5,8 |
| | MIRAGE | ES | 3780 | 1665 | 1500 | 2450 | 895 | | 3L | 1,2 | ATMO | 74 | 74 | MAN, 5 | TR | 5,9 | 4,6 |
| | MIRAGE | SE (AUTO) | 3780 | 1665 | 1500 | 2450 | 930 | | 3L | 1,2 | ATMO | 74 | 74 | CVT | TR | 5,3 | 4,4 |
| | OUTLANDER | ES 2RM | 4695 | 1810 | 1680 | 2670 | 1475 | 682 | 4L | 2,4 | ATMO | 166 | 162 | CVT | TR | 9,2 | 7,5 |
| | OUTLANDER | ES 4RM | 4695 | 1810 | 1680 | 2670 | 1535 | 682 | 4L | 2,4 | ATMO | 166 | 162 | CVT | INT | 9,7 | 8,1 |
| | OUTLANDER | GT-S 4RM | 4695 | 1810 | 1680 | 2670 | 1630 | 1591 | V6 | 3 | ATMO | 224 | 215 | AUTO, 6 | INT | 11,9 | 8,5 |
| | OUTLANDER | PHEV | 4655 | 2120* | 1680 | 2670 | 1810 | 750 | 4L | 2 | ATMO | 119 | 140 | RAP. FIXE | INT | N.D. | N.D. |
| | RVR | ES TA | 4295 | 1770 | 1630 | 2670 | 1370 | | 4L | 2 | ATMO | 148 | 145 | MAN, 5 | TR | 9,9 | 7,6 |
| | RVR | GT TI | 4295 | 1770 | 1630 | 2670 | 1485 | | 4L | 2 | ATMO | 148 | 145 | CVT | INT | 9,6 | 7,7 |
| | RVR | GT TI 2.4 | 4295 | 1770 | 1630 | 2670 | 1490 | | 4L | 2,4 | ATMO | 168 | 167 | CVT | INT | 10,4 | 8,9 |
| **NISSAN** | ALTIMA | 2.5 BERLINE | 4864 | 1829 | 1471 | 2776 | 1413 | | 4L | 2,5 | ATMO | 182 | 180 | CVT | TR | 8,7 | 6,2 |
| | ALTIMA | 2.5 S BERLINE | 4864 | 1829 | 1471 | 2776 | 1416 | | 4L | 2,5 | ATMO | 182 | 180 | CVT | TR | 8,7 | 6,2 |
| | ALTIMA | 3.5 SL BERLINE | 4864 | 1829 | 1476 | 2776 | 1525 | | V6 | 3,5 | ATMO | 270 | 258 | CVT | TR | 10,7 | 7,8 |
| | ARMADA | PLATINE | 5276 | 2014 | 1981 | 3130 | 2652 | 4082 | V8 | 5,6 | ATMO | 317 | 385 | AUTO, 5 | 4X4 | 17,3 | 11,4 |
| | FRONTIER | PRO-4X 4X4 CAB. DOUBLE | 5220 | 1850 | 1780 | 3200 | 2034 | 2767 | V6 | 4 | ATMO | 261 | 281 | MAN, 6 | 4X4 | 14,9 | 10,4 |
| | FRONTIER | SV 4X4 KING CAB | 5220 | 1850 | 1770 | 3200 | 1953 | 2858 | V6 | 4 | ATMO | 261 | 281 | MAN, 6 | 4X4 | 13,8 | 10,4 |
| | GT-R | PREMIUM | 4670 | 1902 | 1372 | 2780 | 1746 | | V6 | 3,8 | TURBO | 545 | 463 | AUTO, 6 | INT | 14,3 | 10,5 |
| | JUKE | NISMO RS TA | 4160 | 1770 | 1570 | 2530 | 1345 | | 4L | 1,6 | TURBO | 215 | 210 | MAN, 6 | TR | 8,9 | 7,5 |
| | JUKE | NISMO RS TI | 4160 | 1770 | 1570 | 2530 | 1451 | | 4L | 1,6 | TURBO | 211 | 184 | CVT | INT | 9,4 | 8,1 |
| | JUKE | SV TI | 4125 | 1765 | 1570 | 2530 | 1443 | | 4L | 1,6 | TURBO | 188 | 177 | CVT | INT | 8,8 | 7,5 |
| | LEAF | S | 4445 | 1770 | 1550 | 2700 | 1481 | | | 0 | | 0 | 0 | RAP. FIXE | TR | 0 | 0 |
| | MAXIMA | PLATINUM | 4897 | 1860 | 1436 | 2775 | 1630 | | V6 | 3,5 | ATMO | 300 | 261 | CVT | TR | 10,9 | 7,8 |
| | MAXIMA | SV | 4897 | 1860 | 1436 | 2775 | 1583 | | V6 | 3,5 | ATMO | 300 | 261 | CVT | TR | 10,9 | 7,8 |
| | MICRA | S | 3827 | 1665 | 1527 | 2450 | 1044 | | 4L | 1,6 | ATMO | 109 | 107 | MAN, 5 | TR | 8,6 | 6,6 |
| | MURANO | PLATINUM TI | 4888 | 1916 | 1689 | 2825 | 1822 | 680 | V6 | 3,5 | ATMO | 260 | 240 | CVT | INT | 11,2 | 8,3 |
| | MURANO | S TA | 4888 | 1916 | 1689 | 2825 | 1721 | 680 | V6 | 3,5 | ATMO | 260 | 240 | CVT | TR | 11 | 8,2 |
| | NV200 | S | 4733 | 2010* | 1872 | 2925 | 1456 | | 4L | 2 | ATMO | 131 | 139 | CVT | TR | 8,7 | 7,1 |
| | PATHFINDER | S 2RM | 5009 | 1961 | 1768 | 2900 | 1902 | 2268 | V6 | 3,5 | ATMO | 260 | 240 | CVT | TR | 10,5 | 7,7 |
| | PATHFINDER | S 4RM | 5009 | 1961 | 1768 | 2900 | 1966 | 2268 | V6 | 3,5 | ATMO | 260 | 240 | CVT | 4X4 | 10,8 | 7,9 |
| | ROGUE | S TA | 4630 | 1840 | 1684 | 2706 | 1550 | 454 | 4L | 2,5 | ATMO | 170 | 175 | CVT | TR | 9,2 | 7,2 |
| | ROGUE | S TI | 4630 | 1840 | 1684 | 2706 | 1610 | 454 | 4L | 2,5 | ATMO | 170 | 175 | CVT | INT | 9,5 | 7,4 |
| | SENTRA | 1.8 S (CVT) | 4625 | 1760 | 1495 | 2700 | 1288 | | 4L | 1,8 | ATMO | 130 | 128 | CVT | TR | 6,6 | 5 |
| | SENTRA | 1.8 S (MAN) | 4625 | 1760 | 1495 | 2700 | 1273 | | 4L | 1,8 | ATMO | 130 | 128 | MAN, 6 | TR | 7,5 | 5,5 |
| | TITAN | XD 4X4 KING CAB | 6169 | 2018 | 1999 | 3850 | 2800 | 4500 | V8 | 5 | TURBO | 310 | 550 | AUTO, 6 | 4X4 | 14,2 | 9,7 |
| | VERSA | NOTE SL HAYON | 4141 | 1695 | 1537 | 2600 | 1126 | | 4L | 1,6 | ATMO | 109 | 107 | MAN, 5 | TR | 7,4 | 5,4 |
| | VERSA | NOTE SR HAYON (CVT) | 4141 | 1695 | 1537 | 2600 | 1116 | | 4L | 1,6 | ATMO | 109 | 107 | CVT | TR | 7,6 | 6,7 |
| | XTERRA | PRO-4X | 4539 | 1849 | 1902 | 2700 | 2004 | 2268 | V6 | 4 | ATMO | 261 | 281 | MAN, 6 | 4X4 | 13,7 | 10,5 |
| | Z | 370Z COUPE | 4246 | 1845 | 1315 | 2550 | 1493 | | V6 | 3,7 | ATMO | 332 | 270 | MAN, 6 | PR | 11,8 | 7,9 |
| | Z | 370Z ROADSTER | 4246 | 1845 | 1326 | 2550 | 1573 | | V6 | 3,7 | ATMO | 332 | 270 | MAN, 6 | PR | 11,9 | 8,1 |
| **PAGANI** | HUAYRA | BASE | 4605 | 2356* | 1169 | 2795 | 1350 | | V12 | 6 | TURBO | 730 | 738 | AUTO, 7 | PR | 23,5 | 16,8 |
| **PORSCHE** | 911 | CARRERA | 4491 | 1808 | 1303 | 2450 | 1380 | | H6 | 3,4 | ATMO | 350 | 288 | MAN, 7 | PR | 11 | 7,2 |
| | 911 | CARRERA 4 | 4491 | 1852 | 1304 | 2450 | 1430 | | H6 | 3,4 | ATMO | 350 | 288 | MAN, 7 | INT | 10,9 | 7,2 |
| | 911 | CARRERA 4 CABRIOLET | 4491 | 1852 | 1300 | 2450 | 1500 | | H6 | 3,4 | ATMO | 350 | 288 | MAN, 7 | INT | 11,2 | 7,5 |
| | 911 | CARRERA 4S | 4491 | 1852 | 1296 | 2450 | 1465 | | H6 | 3,8 | ATMO | 400 | 325 | MAN, 7 | INT | 10,8 | 7,5 |
| | 911 | CARRERA 4S CABRIOLET | 4491 | 1852 | 1294 | 2450 | 1515 | | H6 | 3,8 | ATMO | 400 | 325 | MAN, 7 | INT | 11,4 | 7,7 |
| | 911 | CARRERA CABRIOLET | 4491 | 1808 | 1299 | 2450 | 1450 | | H6 | 3,4 | ATMO | 350 | 288 | MAN, 7 | PR | 10,9 | 7,3 |
| | 911 | CARRERA S | 4491 | 1808 | 1295 | 2450 | 1395 | | H6 | 3,8 | ATMO | 400 | 325 | MAN, 7 | PR | 11,1 | 7,2 |
| | 911 | CARRERA S CABRIOLET | 4491 | 1808 | 1292 | 2450 | 1465 | | H6 | 3,8 | ATMO | 400 | 325 | MAN, 7 | PR | 11,2 | 7,4 |
| | 911 | GT3 | 4545 | 1978* | 1269 | 2457 | 1430 | | H6 | 3,8 | ATMO | 475 | 325 | AUTO, 7 | PR | 18,9 | 8,9 |
| | 911 | TARGA 4 | 4491 | 1978* | 1298 | 2450 | 1540 | | H6 | 3,4 | ATMO | 350 | 288 | MAN, 7 | INT | 11,4 | 7,6 |
| | 911 | TARGA 4S | 4491 | 1978* | 1291 | 2450 | 1555 | | H6 | 3,8 | ATMO | 400 | 325 | MAN, 7 | INT | 11,6 | 7,8 |
| | 911 | TURBO | 4506 | 1978* | 1296 | 2450 | 1595 | | H6 | 3,8 | TURBO | 520 | 487 | AUTO, 7 | INT | 12,2 | 8,1 |
| | 911 | TURBO CABRIOLET | 4506 | 1978* | 1292 | 2450 | 1665 | | H6 | 3,8 | TURBO | 520 | 487 | AUTO, 7 | INT | 12,2 | 8,1 |
| | 911 | TURBO S | 4506 | 1978* | 1296 | 2450 | 1605 | | H6 | 3,8 | TURBO | 560 | 516 | AUTO, 7 | INT | 12,2 | 8,1 |
| | 911 | TURBO S CABRIOLET | 4506 | 1978* | 1292 | 2450 | 1675 | | H6 | 3,8 | TURBO | 560 | 516 | AUTO, 7 | INT | 12,2 | 8,1 |
| | BOXSTER | BASE | 4374 | 1978* | 1282 | 2475 | 1330 | | H6 | 2,7 | ATMO | 265 | 206 | MAN, 6 | PR | 11,5 | 7,9 |
| | BOXSTER | GTS | 4404 | 1978* | 1273 | 2475 | 1345 | | H6 | 3,4 | ATMO | 330 | 273 | MAN, 6 | PR | 12,1 | 8,9 |
| | BOXSTER | S | 4374 | 1978* | 1281 | 2475 | 1340 | | H6 | 3,4 | ATMO | 315 | 266 | MAN, 6 | PR | 11,9 | 8,6 |
| | BOXSTER | SPYDER | 4414 | 1978* | 1262 | 2475 | 1315 | | H6 | 3,8 | ATMO | 375 | 310 | MAN, 6 | PR | 14,2 | 7,5 |
| | CAYENNE | BASE | 4855 | 2165* | 1705 | 2895 | 2040 | 3500 | V6 | 3,6 | ATMO | 300 | 295 | AUTO, 8 | INT | 12,3 | 7,5 |
| | CAYENNE | DIESEL | 4855 | 2165* | 1705 | 2895 | 2110 | 3500 | V6 | 3 | TURBO | 240 | 406 | AUTO, 8 | INT | 7,8 | 6,2 |
| | CAYENNE | GTS | 4855 | 2165* | 1688 | 2895 | 2110 | 3500 | V6 | 3,6 | TURBO | 440 | 443 | AUTO, 8 | INT | 13,2 | 8,3 |
| | CAYENNE | S | 4855 | 2165* | 1705 | 2895 | 2085 | 3500 | V6 | 3,6 | TURBO | 420 | 406 | AUTO, 8 | INT | 13 | 8 |
| | CAYENNE | S E-HYBRID | 4855 | 2165* | 1705 | 2895 | 2350 | 3500 | V6 | 3 | SURCOMP | 333 | 325 | AUTO, 8 | INT | 4 | 3,8 |
| | CAYENNE | TURBO | 4855 | 2165* | 1702 | 2895 | 2185 | 3500 | V8 | 4,8 | TURBO | 520 | 553 | AUTO, 8 | INT | 15,9 | 8,9 |
| | CAYENNE | TURBO S | 4855 | 2165* | 1702 | 2895 | 2235 | 3500 | V8 | 4,8 | TURBO | 570 | 590 | AUTO, 8 | INT | 15,9 | 8,9 |
| | CAYMAN | BASE | 4380 | 1978* | 1294 | 2475 | 1310 | | H6 | 2,7 | ATMO | 275 | 213 | MAN, 6 | PR | 11,5 | 7,9 |
| | CAYMAN | GT4 | 4438 | 1978* | 1266 | 2484 | 1340 | | H6 | 3,8 | ATMO | 385 | 309 | MAN, 6 | PR | 14,8 | 7,7 |

| MODÈLE | VARIANTE | LONGUEUR (MM) | LARGEUR (MM) | HAUTEUR (MM) | EMPATTEMENT (MM) | POIDS (KG) | CAPACITÉ REMORQUAGE (KG) | MOTEUR | CYLINDRÉE (LITRE) | ALIMENTATION | PUISSANCE (CH) | COUPLE (LB-PI) | TRANSMISSION BASE | ROUAGE BASE | CONSOMMATION VILLE (L/100 KM) | CONSOMMATION ROUTE (L/100 KM) |
|---|---|---|---|---|---|---|---|---|---|---|---|---|---|---|---|---|
| **PORSCHE** | | | | | | | | | | | | | | | | |
| CAYMAN | GTS | 4404 | 1978* | 1284 | 2475 | 1345 | | H6 | 3,4 | ATMO | 340 | 280 | MAN, 6 | PR | 12,1 | 8,9 |
| CAYMAN | S | 4380 | 1978* | 1295 | 2475 | 1320 | | H6 | 3,4 | ATMO | 325 | 273 | MAN, 6 | PR | 11,9 | 8,6 |
| MACAN | S | 4681 | 2098* | 1624 | 2807 | 1869 | 750 | V6 | 3 | TURBO | 340 | 339 | AUTO, 7 | INT | 11,6 | 7,6 |
| MACAN | TURBO | 4699 | 2098* | 1624 | 2807 | 1929 | 750 | V6 | 3,6 | TURBO | 400 | 406 | AUTO, 7 | INT | 11,8 | 7,8 |
| PANAMERA | 2 | 5015 | 2114* | 1418 | 2920 | 1770 | | V6 | 3,6 | ATMO | 310 | 295 | AUTO, 7 | PR | 11,4 | 7,1 |
| PANAMERA | 4 | 5015 | 2114* | 1418 | 2920 | 1820 | | V6 | 3,6 | ATMO | 310 | 295 | AUTO, 7 | INT | 11,6 | 7,4 |
| PANAMERA | 4S | 5015 | 2114* | 1418 | 2920 | 1870 | | V8 | 3 | TURBO | 420 | 384 | AUTO, 7 | INT | 11,9 | 7,4 |
| PANAMERA | GTS | 5015 | 2114* | 1408 | 2920 | 1925 | | V8 | 4,8 | ATMO | 440 | 384 | AUTO, 7 | INT | 13,5 | 8,2 |
| PANAMERA | S | 5015 | 2114* | 1418 | 2920 | 1810 | | V6 | 3 | TURBO | 420 | 384 | AUTO, 7 | PR | 11,9 | 7,4 |
| PANAMERA | S E-HYBRID | 5015 | 2114* | 1418 | 2920 | 2095 | | V6 | 3 | SURCOMP | 333 | 325 | AUTO, 8 | PR | 10,4 | 8 |
| PANAMERA | TURBO | 5015 | 2114* | 1418 | 2920 | 1970 | | V8 | 4,8 | TURBO | 520 | 516 | AUTO, 7 | INT | 13,6 | 8,2 |
| PANAMERA | TURBO S | 5015 | 2114* | 1418 | 2920 | 2070 | | V8 | 4,8 | TURBO | 570 | 553 | AUTO, 7 | INT | 13,6 | 8,2 |
| **RAM** | | | | | | | | | | | | | | | | |
| 1500 | BIG HORN 4X2 CAB. ALLONGÉE (6.3') | 5817 | 2017 | 1960 | 3569 | 2372 | 3724 | V8 | 5,7 | ATMO | 395 | 410 | AUTO, 8 | PR | 15,7 | 10,9 |
| 1500 | BIG HORN 4X4 CAB. DOUBLE (6.3') | 6030 | 2017 | 1965 | 3794 | 2484 | 3629 | V8 | 5,7 | ATMO | 395 | 410 | AUTO, 8 | 4X4 | 16,2 | 11,5 |
| 1500 | LARAMIE 4X2 CAB. ALLONGÉE (6.3') | 5817 | 2017 | 1960 | 3569 | 2322 | 3724 | V8 | 5,7 | ATMO | 395 | 410 | AUTO, 8 | PR | 15,7 | 10,9 |
| 1500 | LARAMIE 4X4 CAB. DOUBLE (6.3') | 6030 | 2017 | 1965 | 3794 | 2458 | 3538 | V8 | 5,7 | ATMO | 395 | 410 | AUTO, 8 | 4X4 | 16,2 | 11,5 |
| 1500 | LARAMIE LIMITED 4X2 CAB. DOUBLE (5.6') | 5817 | 2017 | 1954 | 3569 | 2407 | 3706 | V8 | 5,7 | ATMO | 395 | 410 | AUTO, 8 | PR | 15,7 | 10,9 |
| 1500 | LARAMIE LONGHORN DIESEL 4X4 CAB. DOUBLE (5.6') | 5817 | 2017 | 1968 | 3569 | 2634 | 3482 | V6 | 3 | TURBO | 240 | 420 | AUTO, 8 | 4X4 | 12,4 | 9,4 |
| 1500 | OUTDOORSMAN 4X2 CAB. ALLONGÉE (6.3') | 5817 | 2017 | 1960 | 3569 | 2283 | 2096 | V6 | 3,6 | ATMO | 305 | 269 | AUTO, 8 | PR | 13,9 | 9,5 |
| 1500 | OUTDOORSMAN DIESEL 4X4 CAB. ALLONGÉE (6.3') | 5817 | 2017 | 1975 | 3569 | 2583 | 3496 | V6 | 3 | TURBO | 240 | 420 | AUTO, 8 | 4X4 | 12,4 | 9,4 |
| 1500 | SLT 4X2 CAB. ALLONGÉE (6.3') | 5817 | 2017 | 1960 | 3569 | 2225 | 2096 | V6 | 3,6 | ATMO | 305 | 269 | AUTO, 8 | PR | 13,9 | 9,5 |
| 1500 | SLT 4X4 CAB. SIMPLE (8') | 5867 | 2017 | 1906 | 3569 | 2217 | 2091 | V6 | 3,6 | ATMO | 305 | 269 | AUTO, 8 | 4X4 | 14,6 | 10,1 |
| 1500 | SLT DIESEL 4X2 CAB. SIMPLE (8') | 5867 | 2017 | 1889 | 3569 | 2324 | 3738 | V6 | 3 | TURBO | 240 | 420 | AUTO, 8 | PR | 11,8 | 8,7 |
| 1500 | SLT DIESEL 4X4 CAB. SIMPLE (8') | 5867 | 2017 | 1906 | 3569 | 2424 | 3642 | V6 | 3 | TURBO | 240 | 420 | AUTO, 8 | 4X4 | 12,4 | 9,4 |
| 1500 | SPORT 4X2 CAB. ALLONGÉE (6.3') | 5817 | 2017 | 1960 | 3569 | 2322 | 3724 | V8 | 5,7 | ATMO | 395 | 410 | AUTO, 8 | PR | 15,7 | 10,9 |
| 1500 | SPORT 4X4 CAB. DOUBLE (6.3') | 6030 | 2017 | 1965 | 3794 | 2458 | 3538 | V8 | 5,7 | ATMO | 395 | 410 | AUTO, 8 | 4X4 | 16,2 | 11,5 |
| 1500 | ST 4X2 CAB. ALLONGÉE (6.3') | 5817 | 2017 | 1960 | 3569 | 2305 | 3080 | V8 | 5,7 | ATMO | 395 | 410 | AUTO, 6 | PR | 17,1 | 12 |
| 1500 | ST 4X4 CAB. SIMPLE (8') | 5867 | 2017 | 1906 | 3569 | 2314 | 4028 | V8 | 5,7 | ATMO | 395 | 410 | AUTO, 6 | 4X4 | 17,7 | 12,7 |
| 1500 | ST DIESEL 4X2 CAB. SIMPLE (8') | 5867 | 2017 | 1889 | 3569 | 2413 | 4182 | V6 | 3 | TURBO | 240 | 420 | AUTO, 8 | PR | 11,8 | 8,4 |
| 1500 | ST DIESEL 4X4 CAB. SIMPLE (8') | 5867 | 2017 | 1906 | 3569 | 2514 | 3650 | V6 | 3 | TURBO | 240 | 420 | AUTO, 8 | 4X4 | 12,2 | 8,7 |
| PROMASTER CITY | CARGO VAN SLT | 4740 | 1831 | 1880 | 3109 | 1596 | 907 | 4L | 2,4 | ATMO | 178 | 174 | AUTO, 9 | TR | 11,2 | 8,1 |
| PROMASTER CITY | WAGON SLT | 4740 | 1831 | 1880 | 3109 | 1680 | 907 | 4L | 2,4 | ATMO | 178 | 174 | AUTO, 9 | TR | 11,2 | 8,1 |
| **ROLLS-ROYCE** | | | | | | | | | | | | | | | | |
| GHOST SERIES II | ALLONGÉE | 5569 | 1948 | 1550 | 3465 | 2570 | | V12 | 6,6 | TURBO | 563 | 575 | AUTO, 8 | PR | 17,3 | 10,5 |
| GHOST SERIES II | COURTE | 5399 | 1948 | 1550 | 3295 | 2490 | | V12 | 6,6 | TURBO | 563 | 575 | AUTO, 8 | PR | 17,3 | 10,5 |
| PHANTOM | ALLONGÉE | 6092 | 1990 | 1640 | 3820 | 2694 | | V12 | 6,7 | ATMO | 453 | 531 | AUTO, 8 | PR | 16,8 | 10,3 |
| PHANTOM | BASE | 5842 | 1990 | 1638 | 3570 | 2649 | | V12 | 6,7 | ATMO | 453 | 531 | AUTO, 8 | PR | 16,8 | 10,3 |
| PHANTOM | COUPÉ | 5612 | 1987 | 1598 | 3320 | 2629 | | V12 | 6,7 | ATMO | 453 | 531 | AUTO, 8 | PR | 16,8 | 10,3 |
| PHANTOM | DROPHEAD COUPÉ | 5612 | 1987 | 1566 | 3320 | 2719 | | V12 | 6,7 | ATMO | 453 | 531 | AUTO, 8 | PR | 16,8 | 10,4 |
| WRAITH | BASE | 5281 | 1947 | 1507 | 3112 | 2440 | | V12 | 6,6 | TURBO | 624 | 590 | AUTO, 8 | PR | 16,9 | 10 |
| **SCION** | | | | | | | | | | | | | | | | |
| FR-S | BASE | 4235 | 1775 | 1320 | 2570 | 1251 | | H4 | 2 | ATMO | 200 | 151 | MAN, 6 | PR | 10,9 | 7,9 |
| FR-S | BASE (AUTO) | 4235 | 1775 | 1320 | 2570 | 1273 | | H4 | 2 | ATMO | 200 | 151 | AUTO, 6 | PR | 9,6 | 7 |
| IM | BASE | 4330 | 1760 | 1475 | 2600 | 1346 | | 4L | 1,8 | ATMO | 140 | 126 | MAN, 6 | TR | 8,7 | 6,5 |
| TC | BASE | 4485 | 1795 | 1415 | 2700 | 1377 | | 4L | 2,5 | ATMO | 179 | 172 | MAN, 6 | TR | 10,2 | 7,7 |
| TC | BASE (AUTO.) | 4485 | 1795 | 1415 | 2700 | 1402 | | 4L | 2,5 | ATMO | 179 | 172 | AUTO, 6 | TR | 10,2 | 7,6 |
| **SMART** | | | | | | | | | | | | | | | | |
| FORTWO | PASSION | 2695 | 1663 | 1555 | 1873 | 900 | | 3L | 0,9 | ATMO | 89 | 100 | MAN, 5 | PR | 4,9 | 3,7 |
| **SUBARU** | | | | | | | | | | | | | | | | |
| BRZ | SPORT-TECH | 4235 | 1775 | 1425 | 2570 | 1260 | | H4 | 2 | ATMO | 200 | 151 | MAN, 6 | PR | 10,9 | 7,9 |
| FORESTER | 2.0XT LIMITED | 4595 | 2046* | 1735 | 2640 | 1649 | | H4 | 2 | TURBO | 250 | 258 | CVT | INT | 10,2 | 8,5 |
| FORESTER | 2.5I | 4595 | 2031* | 1735 | 2640 | 1498 | | H4 | 2,5 | ATMO | 170 | 174 | MAN, 6 | INT | 10,6 | 8,4 |
| IMPREZA | 2.0 5 PORTES | 4420 | 1740 | 1465 | 2645 | 1365 | | H4 | 2 | ATMO | 148 | 145 | MAN, 5 | INT | 9,5 | 7 |
| IMPREZA | 2.0 BERLINE | 4585 | 1740 | 1465 | 2645 | 1370 | | H4 | 2 | ATMO | 148 | 145 | MAN, 5 | INT | 9,5 | 7 |
| IMPREZA | 2.0 LIMITED 5 PORTES (CVT) | 4420 | 1740 | 1465 | 2645 | 1410 | | H4 | 2 | ATMO | 148 | 145 | CVT | INT | 8,5 | 6,4 |
| IMPREZA | 2.0 LIMITED BERLINE (CVT) | 4585 | 1740 | 1465 | 2645 | 1410 | | H4 | 2 | ATMO | 148 | 145 | CVT | INT | 8,5 | 6,4 |
| LEGACY | 2.5I | 4796 | 2066* | 1500 | 2750 | 1543 | | H4 | 2,5 | ATMO | 175 | 174 | MAN, 6 | INT | 10,5 | 7,3 |
| LEGACY | 3.6R LIMITED | 4796 | 2080* | 1500 | 2750 | 1677 | | H6 | 3,6 | ATMO | 256 | 247 | CVT | INT | 11,9 | 8,2 |
| OUTBACK | 2.5I | 4817 | 2066* | 1680 | 2745 | 1614 | 1224 | H4 | 2,5 | ATMO | 175 | 174 | MAN, 6 | INT | 9,3 | 7,1 |
| OUTBACK | 3.6R TOURISME | 4817 | 2080* | 1680 | 2745 | 1744 | 1360 | H6 | 3,6 | ATMO | 256 | 247 | CVT | INT | 12 | 8,6 |
| WRX | BERLINE | 4595 | 2053* | 1475 | 2650 | 1483 | | H4 | 2 | TURBO | 268 | 258 | MAN, 6 | INT | 11 | 8,3 |
| WRX | BERLINE SPORT | 4595 | 2053* | 1475 | 2650 | 1491 | | H4 | 2 | TURBO | 268 | 258 | MAN, 6 | INT | 11 | 8,3 |
| WRX | STI BERLINE | 4595 | 2053* | 1475 | 2650 | 1527 | | H4 | 2,5 | TURBO | 305 | 290 | MAN, 6 | INT | 13,8 | 10,2 |
| XV CROSSTREK | HYBRIDE | 4450 | 2000 | 1615 | 2635 | 1575 | | H4 | 2 | ATMO | 148 | 145 | CVT | INT | 6,9 | 6 |
| XV CROSSTREK | TOURING | 4450 | 1986 | 1615 | 2635 | 1400 | 680 | H4 | 2 | ATMO | 148 | 145 | MAN, 5 | INT | 8,9 | 6,7 |
| **TESLA** | | | | | | | | | | | | | | | | |
| MODEL S | 60 | 4970 | 2187* | 1445 | 2960 | 2108 | | ÉLEC. | 0 | | 0 | 0 | RAP. FIXE | PR | 0 | 0 |
| MODEL S | 85 | 4970 | 2187* | 1445 | 2960 | 2142 | | ÉLEC. | 0 | | 0 | 0 | RAP. FIXE | PR | 0 | 0 |
| MODEL S | P85D | 4970 | 2187* | 1445 | 2960 | 2239 | | | 0 | | 0 | 0 | RAP. FIXE | INT | 0 | 0 |
| **TOYOTA** | | | | | | | | | | | | | | | | |
| 4RUNNER | LIMITED 5 PLACES | 4820 | 1925 | 1780 | 2790 | 2111 | 2268 | V6 | 4 | ATMO | 270 | 278 | AUTO, 5 | INT | 14,2 | 11,1 |
| AVALON | LIMITED | 4960 | 1835 | 1460 | 2820 | 1608 | | V6 | 3,5 | ATMO | 268 | 248 | AUTO, 6 | TR | 11,2 | 7,6 |
| AVALON | XLE | 4960 | 1835 | 1460 | 2820 | 1573 | | V6 | 3,5 | ATMO | 268 | 248 | AUTO, 6 | TR | 11,2 | 7,6 |
| CAMRY | HYBRIDE LE | 4850 | 1820 | 1470 | 2775 | 1550 | | 4L | 2,5 | ATMO | 156 | 156 | CVT | TR | 4,5 | 4,9 |
| CAMRY | XLE | 4850 | 1820 | 1470 | 2775 | 1459 | | 4L | 2,5 | ATMO | 178 | 170 | AUTO, 6 | TR | 8,2 | 5,5 |
| CAMRY | XLE V6 | 4850 | 1820 | 1470 | 2775 | 1528 | | V6 | 3,5 | ATMO | 268 | 248 | AUTO, 6 | TR | 9,7 | 6,5 |
| COROLLA | LE | 4639 | 1776 | 1455 | 2700 | 1290 | | 4L | 1,8 | ATMO | 132 | 128 | CVT | TR | 6,8 | 4,9 |
| COROLLA | LE ECO | 4639 | 1776 | 1455 | 2700 | 1290 | | 4L | 1,8 | ATMO | 140 | 126 | CVT | TR | 6,4 | 4,6 |
| HIGHLANDER | 2RM LE | 4855 | 1925 | 1730 | 2790 | 1925 | 2268 | V6 | 3,5 | ATMO | 270 | 248 | AUTO, 6 | TR | 11,1 | 7,9 |
| HIGHLANDER | 4RM LE | 4855 | 1925 | 1730 | 2790 | 1995 | 2268 | V6 | 3,5 | ATMO | 270 | 248 | AUTO, 6 | INT | 11,5 | 8,2 |
| HIGHLANDER | HYBRIDE XLE | 4855 | 1925 | 1780 | 2790 | 2190 | 1587 | V6 | 3,5 | ATMO | 231 | 215 | CVT | INT | 6,8 | 7,2 |
| PRIUS | BASE | 4480 | 1745 | 1490 | 2700 | 1380 | | 4L | 1,8 | ATMO | 98 | 105 | CVT | TR | 4,7 | 4,6 |

| MODÈLE | VARIANTE | LONGUEUR (MM) | LARGEUR (MM) | HAUTEUR (MM) | EMPATTEMENT (MM) | POIDS (KG) | CAPACITÉ REMORQUAGE (KG) | MOTEUR | CYLINDRÉE (LITRE) | ALIMENTATION | PUISSANCE (CH) | COUPLE (LB-PI) | TRANSMISSION BASE | ROUAGE BASE | CONSOMMATION VILLE (L/100 KM) | CONSOMMATION ROUTE (L/100 KM) |
|---|---|---|---|---|---|---|---|---|---|---|---|---|---|---|---|---|
| **TOYOTA** | | | | | | | | | | | | | | | | |
| PRIUS C | BASE | 3995 | 1695 | 1445 | 2550 | 1132 | | 4L | 1,5 | ATMO | 73 | 82 | CVT | TR | 3,6 | 4 |
| PRIUS V | BASE | 4630 | 1775 | 1575 | 2780 | 1505 | | 4L | 1,8 | ATMO | 98 | 105 | CVT | TR | 5,4 | 5,8 |
| RAV4 | 2RM LE | 4570 | 1845 | 1660 | 2660 | 1545 | 680 | 4L | 2,5 | ATMO | 176 | 172 | AUTO, 6 | TR | 10 | 7,9 |
| RAV4 | 4RM HYBRIDE | 4570 | 1845 | 1660 | 2660 | 1800 | | 4L | 2,5 | ATMO | 156 | 156 | CVT | INT | 7,8 | 7 |
| RAV4 | 4RM XLE | 4570 | 1845 | 1705 | 2660 | 1615 | 680 | 4L | 2,5 | ATMO | 176 | 172 | AUTO, 6 | INT | 10,5 | 8,2 |
| SEQUOIA | LIMITED V8 5.7L | 5210 | 2030 | 1955 | 3100 | 2714 | 3220 | V8 | 5,7 | ATMO | 381 | 401 | AUTO, 6 | 4X4 | 18,8 | 14 |
| SIENNA | LE 8 PLACES | 5085 | 1985 | 1795 | 3030 | 1965 | 1588 | V6 | 3,5 | ATMO | 266 | 245 | AUTO, 6 | TR | 13 | 9,5 |
| SIENNA | LE AWD 7 PLACES | 5085 | 1985 | 1810 | 3030 | 2045 | 1588 | V6 | 3,5 | ATMO | 266 | 245 | AUTO, 6 | INT | 14,4 | 10,2 |
| TACOMA | 4X2 CAB. ACCÈS | 5285 | 1835 | 1670 | 3235 | 1635 | 1587 | 4L | 2,7 | ATMO | 159 | 180 | MAN, 5 | PR | 11,3 | 9,5 |
| TACOMA | 4X4 CAB. ACCÈS | 5285 | 1895 | 1785 | 3235 | 1814 | 1587 | 4L | 2,7 | ATMO | 159 | 180 | MAN, 5 | 4X4 | 12,9 | 11,5 |
| TACOMA | 4X4 V6 CAB. ACCÈS | 5285 | 1895 | 1785 | 3235 | 1848 | 1587 | V6 | 3,5 | ATMO | 270 | 248 | MAN, 6 | 4X4 | 15,3 | 12,3 |
| TUNDRA | 4X2 4.6L CAB. DOUBLE | 5810 | 2030 | 1930 | 3700 | 2306 | 3715 | V8 | 4,6 | ATMO | 310 | 327 | AUTO, 6 | PR | 14,2 | 10 |
| TUNDRA | 4X2 5.7L CAB. RÉGULIÈRE | 5810 | 2030 | 1925 | 3700 | 2227 | 4715 | V8 | 5,7 | ATMO | 381 | 401 | AUTO, 6 | PR | 15,8 | 11 |
| TUNDRA | 4X4 5.7 CAB. RÉGULIÈRE (LONG) | 5810 | 2030 | 1935 | 3700 | 2350 | 4580 | V8 | 5,7 | ATMO | 381 | 401 | AUTO, 6 | 4X4 | 16,6 | 12,2 |
| VENZA | BASE | 4800 | 1905 | 1610 | 2775 | 1705 | 1134 | 4L | 2,7 | ATMO | 182 | 182 | AUTO, 6 | TR | 11,6 | 9 |
| VENZA | V6 | 4800 | 1905 | 1610 | 2775 | 1755 | 1587 | V6 | 3,5 | ATMO | 268 | 246 | AUTO, 6 | TR | 12,5 | 9 |
| VENZA | V6 AWD | 4800 | 1905 | 1610 | 2775 | 1835 | 1587 | V6 | 3,5 | ATMO | 268 | 246 | AUTO, 6 | INT | 12,8 | 9,3 |
| YARIS | BERLINE | 4361 | 1694 | 1486 | 2570 | 1084 | | 4L | 1,5 | ATMO | 106 | 103 | MAN, 6 | TR | 7,6 | 5,7 |
| YARIS | CE 3 PORTES HATCHBACK | 3950 | 1695 | 1510 | 2510 | 1030 | | 4L | 1,5 | ATMO | 106 | 103 | MAN, 5 | TR | 7,7 | 6,3 |
| YARIS | LE 5 PORTES HATCHBACK | 3950 | 1695 | 1510 | 2510 | 1030 | | 4L | 1,5 | ATMO | 106 | 103 | MAN, 5 | TR | 7,7 | 6,3 |
| **VOLKSWAGEN** | | | | | | | | | | | | | | | | |
| BEETLE | 1.8 COMFORTLINE | 4278 | 1808 | 1486 | 2537 | 1337 | 386 | 4L | 1,8 | TURBO | 170 | 184 | MAN, 5 | TR | 9,9 | 7,2 |
| BEETLE | 1.8 COMFORTLINE DÉCAPOTABLE | 4278 | 1808 | 1473 | 2540 | 1463 | | 4L | 1,8 | TURBO | 170 | 184 | AUTO, 6 | TR | 9,8 | 7,1 |
| BEETLE | 2.0 TDI COMFORTLINE | 4278 | 1808 | 1486 | 2537 | 1394 | 368 | 4L | 2 | TURBO | 150 | 236 | MAN, 6 | TR | 7,7 | 5,8 |
| BEETLE | CLASSIC | 4278 | 1808 | 1486 | 2537 | 1337 | | 4L | 1,8 | TURBO | 170 | 184 | MAN, 5 | TR | 9,9 | 7,2 |
| CC | 2.0 TSI HIGHLINE DSG | 4799 | 1855 | 1417 | 2711 | 1528 | | 4L | 2 | TURBO | 200 | 207 | AUTO, 6 | TR | 10,7 | 7,7 |
| GOLF | COMFORTLINE 5-PORTES | 4268 | 1799 | 1443 | 2637 | 1318 | | 4L | 1,8 | TURBO | 170 | 185 | MAN, 5 | TR | 9,3 | 6,4 |
| GOLF | FAMILIALE SPORT | 4562 | 1799 | 1481 | 2635 | 1434 | | 4L | 1,8 | TURBO | 170 | 185 | MAN, 5 | TR | 9,5 | 6,6 |
| GOLF | GTI 3-PORTES | 4268 | 1790 | 1442 | 2631 | 1378 | | 4L | 2 | TURBO | 210 | 258 | MAN, 6 | TR | 9,4 | 6,9 |
| GOLF | GTI AUTOBAHN 5-PORTES | 4268 | 1799 | 1442 | 2631 | 1378 | | 4L | 2 | TURBO | 210 | 258 | MAN, 6 | TR | 9,4 | 6,9 |
| GOLF | R 5-PORTES | 4276 | 1799 | 1436 | 2630 | 1518 | | 4L | 2 | TURBO | 292 | 280 | AUTO, 6 | INT | 10,2 | 7,8 |
| GOLF | TDI COMFORTLINE 5-PORTES | 4268 | 1799 | 1442 | 2637 | 1372 | | 4L | 2 | TURBO | 150 | 236 | MAN, 6 | TR | 7,7 | 5,2 |
| JETTA | 1.8 COMFORTLINE | 4628 | 1778 | 1453 | 2651 | 1364 | | 4L | 1,8 | TURBO | 170 | 184 | MAN, 5 | TR | 9,3 | 6,3 |
| JETTA | 2.0 TDI COMFORTLINE | 4656 | 1778 | 1453 | 2651 | 1470 | | 4L | 2 | TURBO | 150 | 236 | MAN, 6 | TR | 7,7 | 5,2 |
| JETTA | GLI 2.0 AUTOBAHN DSG | 4628 | 1778 | 1453 | 2651 | 1432 | | 4L | 2 | TURBO | 210 | 207 | AUTO, 6 | TR | 10 | 7,3 |
| JETTA | HYBRIDE TRENDLINE | 4643 | 1778 | 1453 | 2651 | 1505 | | 4L | 1,4 | TURBO | 150 | 184 | AUTO, 7 | TR | 5,6 | 4,9 |
| PASSAT | 1.8 TSI COMFORTLINE | 4868 | 1835 | 1487 | 2803 | 1458 | | 4L | 1,8 | TURBO | 170 | 184 | MAN, 5 | TR | 9,8 | 5,7 |
| PASSAT | 3.6 COMFORTLINE | 4868 | 1835 | 1487 | 2803 | 1563 | | V6 | 3,6 | ATMO | 280 | 258 | AUTO, 6 | TR | 11,9 | 8,5 |
| PASSAT | TDI COMFORTLINE | 4868 | 1835 | 1487 | 2803 | 1542 | | 4L | 2 | TURBO | 150 | 236 | MAN, 6 | TR | 7,9 | 5,4 |
| TIGUAN | 4MOTION COMFORTLINE | 4427 | 1809 | 1686 | 2604 | 1629 | 998 | 4L | 2 | TURBO | 200 | 207 | AUTO, 6 | INT | 9,8 | 7,4 |
| TIGUAN | TRENDLINE | 4427 | 1809 | 1683 | 2604 | 1539 | 998 | 4L | 2 | TURBO | 200 | 207 | MAN, 6 | TR | 12 | 7,7 |
| TOUAREG | TDI COMFORTLINE | 4795 | 1940 | 1732 | 2893 | 2256 | 3500 | V6 | 3 | TURBO | 240 | 406 | AUTO, 8 | INT | 12 | 8,1 |
| TOUAREG | V6 HIGHLINE | 4795 | 1940 | 1732 | 2893 | 2137 | 3500 | V6 | 3,6 | ATMO | 280 | 266 | AUTO, 8 | INT | 14,3 | 10,3 |
| **VOLVO** | | | | | | | | | | | | | | | | |
| S60 | POLESTAR | 4635 | 2097* | 1484 | 2776 | 1720 | | 6L | 3 | TURBO | 350 | 354 | AUTO, 6 | INT | 13,1 | 9 |
| S60 | T5 AWD | 4635 | 2097* | 1484 | 2776 | 1604 | 1591 | 5L | 2,5 | TURBO | 250 | 266 | AUTO, 6 | INT | 10,2 | 8 |
| S60 | T5 DRIVE-E FWD | 4635 | 2097* | 1484 | 2776 | 1561 | 1591 | 4L | 2 | TURBO | 240 | 266 | AUTO, 8 | TR | 8,4 | 6,6 |
| S60 | T6 AWD | 4635 | 2097* | 1484 | 2776 | 1720 | 1500 | 6L | 3 | TURBO | 300 | 325 | AUTO, 6 | INT | 11,7 | 8 |
| S80 | T5 DRIVE-E FWD | 4851 | 2106* | 1493 | 2835 | 1687 | 1590 | 4L | 2 | TURBO | 240 | 258 | AUTO, 8 | TR | 9,4 | 6,4 |
| S80 | T6 AWD | 4851 | 2106* | 1493 | 2835 | 1842 | 1590 | 6L | 3 | TURBO | 300 | 325 | AUTO, 6 | INT | 11,7 | 8 |
| V60 | POLESTAR | 4635 | 2097* | 1484 | 2776 | 1723 | 1500 | 6L | 3 | TURBO | 350 | 354 | AUTO, 6 | INT | 13,1 | 9 |
| V60 | T5 AWD | 4635 | 2097* | 1484 | 2776 | 1646 | 1500 | 5L | 2,5 | TURBO | 250 | 266 | AUTO, 6 | INT | 11,8 | 8,1 |
| V60 | T5 DRIVE-E FWD | 4635 | 2097* | 1484 | 2776 | 1603 | 1500 | 4L | 2 | TURBO | 240 | 258 | AUTO, 8 | INT | 8,4 | 6,6 |
| V60 | T6 AWD | 4635 | 2097* | 1484 | 2776 | 1723 | 1500 | 6L | 3 | TURBO | 300 | 325 | AUTO, 6 | INT | N.D. | N.D. |
| XC60 | T5 DRIVE-E TA | 4644 | 2120* | 1713 | 2774 | 1833 | 1588 | 4L | 2 | TURBO | 240 | 266 | AUTO, 8 | TR | 8,8 | 7,6 |
| XC60 | T6 DRIVE-E TA | 4644 | 2120* | 1713 | 2774 | 1834 | 1588 | 4L | 2 | T + S | 302 | 295 | AUTO, 8 | TR | 9,4 | 7,8 |
| XC70 | T5 TA | 4838 | 2119* | 1604 | 2815 | 1789 | 750 | 4L | 2 | TURBO | 240 | 258 | AUTO, 8 | TR | 9,8 | 7,6 |
| XC70 | T6 AWD | 4838 | 2119* | 1604 | 2815 | 1887 | 750 | 6L | 3 | TURBO | 300 | 325 | AUTO, 6 | INT | 13,8 | 9,9 |
| XC90 | T6 AWD R-DESIGN | 4950 | 2140* | 1775 | 2984 | 2760 | 2250 | 4L | 2 | T + S | 320 | 295 | AUTO, 8 | INT | 11,8 | 9,5 |
| XC90 | T8 PHEV AWD R-DESIGN | 4950 | 2140* | 1775 | 2984 | 2350 | 2250 | 4L | 2 | T + S | 320 | 295 | AUTO, 8 | INT | N.D. | N.D. |

\* Largeur incluant rétroviseurs

Achevé d'imprimer au Canada sur les presses de
l'imprimerie Transcontinental inc., en juillet 2015